MARIVAUX ROMANCIER

PUBLICATIONS DE LA SORBONNE
UNIVERSITÉ DE PARIS IV - PARIS - SORBONNE

N.S. Recherches 16

HENRI COULET

MARIVAUX ROMANCIER

Essai sur l'esprit et le cœur
dans les romans de Marivaux

1975
LIBRAIRIE ARMAND COLIN
103, Boulevard Saint-Michel - Paris 5e

Lecteur,
je ne veux point vous tromper

(Le Spectateur français)

AVANT-PROPOS

MES REMERCIEMENTS vont d'abord à M. le professeur Jean Fabre, qui m'a proposé le sujet de cette thèse, a dirigé mes recherches, et dont les conseils et la patiente confiance m'ont aidé à la mener à bien. A son enthousiasme et à sa générosité je dois d'avoir pu, tant bien que mal, surmonter non seulement les difficultés de documentation auxquelles un provincial se heurte et les retards imposés par mes obligations professionnelles, mais, plus dangereuse encore, la tentation d'abandon née des circonstances récentes. Plusieurs des idées que je développe dans ce livre m'ont été suggérées par ses propos éclairants et ses formules pénétrantes.

M. le professeur René Pintard avait accepté de diriger une thèse complémentaire qui, faute d'éditeur, n'a pas encore vu le jour ; il n'a cessé de s'intéresser à la thèse principale ; je le remercie de la bienveillance avec laquelle il en a suivi et encouragé l'élaboration ; sa rigueur d'esprit et l'exactitude de son érudition ont été pour moi des modèles aussi exaltants qu'impossibles à égaler

Dès qu'il a connu le sujet auquel je travaillais, Frédéric Deloffre a libéralement mis à ma disposition ses livres, ses notes, ses microfilms et ses publications. A la reconnaissance que lui doivent tous ceux qui de nos jours peuvent lire et étudier Marivaux, je joins la vive expression de ma reconnaissance personnelle.

C'est M. le doyen Bernard Guyon qui m'a introduit aux études dix-huitiémistes en m'appelant à ce qui était alors la faculté des lettres et sciences humaines d'Aix et en me conviant à collaborer avec lui à l'édition de *La Nouvelle Héloïse* publiée depuis dans la collection de la Pléiade. Il est à l'origine de cet ouvrage, à l'achèvement duquel il m'a bien souvent et vigoureusement exhorté.

Je remercie également Georges May, condisciple dans mes anciennes études et guide dans celles d'aujourd'hui ; Michel Gilot, qui connaît Marivaux d'esprit et de cœur aussi bien que personne ; Hélène Grell, qui m'a traduit des articles du tchèque ; Eglal Henein, qui a lu si intelligemment un si grand nombre de romans baroques et m'a fait si obligeamment profiter de ses lectures ; André Bourde et les membres du Centre aixois d'études et de recherches sur le dix-huitième siècle ; mes collègues Jean Stéfanini, Jean Deprun, Jean Molino, avec qui je ne me suis jamais entretenu sans quelque avantage pour mon instruction ; tous ceux qui m'ont manifesté sympathie et intérêt, et tout particulièrement Claude Pichois, qui m'a soutenu de son amitié fidèle et vigilante, Jean Paldacci, qui a bien voulu relire mon manuscrit et m'a aidé à le corriger, et, compagne de tous les instants de ce travail, ma femme, qui aurait pu m'opposer les propos de Marianne contre les livres et qui, après avoir patiemment supporté tous les ennuis et sacrifices que la préparation de celui-ci impliquait, a relu le texte dactylographié et a établi les index.

Je prie mon maître Jean Guéhenno de trouver ici, lui ausi, l'expression de ma profonde gratitude ; j'ai reçu de lui, et de ces autres maîtres, trop tôt disparus, Jean Lescoffier, Jean Duval, Jean Boudout, des leçons qui allaient bien plus loin que l'histoire littéraire et dont ce livre, je l'espère, malgré son pédantisme pesant et sa raideur scolastique, contient encore l'écho.

INTRODUCTION

A U XVIIIᵉ SIÈCLE, MARIVAUX fut célèbre aussi bien comme
romancier et comme journaliste que comme auteur des
Fausses Confidences ou du *Jeu de l'amour et du hasard* ; au XIXᵉ siècle,
si l'on peut citer quelques jugements de Stendhal, Jules Janin, Théo-
phile Gautier, Alphonse Daudet favorables à *La Vie de Marianne*,
seules les comédies, ou plutôt quelques-unes des comédies, furent
connues du public ; le *marivaudage* qui consistait, surtout, pour les
contemporains de Marivaux, dans les longues et minutieuses analyses
de Marianne et dans les bavardages du Spectateur français, ne fut
plus que la forme délicate du dialogue galant entre une Sylvia et un
Dorante, souvent même confondue avec les figures grotesques qui
chargent le style d'un Arlequin. L'intérêt n'est revenu à Marivaux
romancier que depuis quelques dizaines d'années, exactement, si
l'on en croit M. Arland et F. Deloffre, depuis qu'en 1913 A. Gide,
répondant à une question sur les dix romans français qu'il préférait,
avait nommé « la *Marianne* de Marivaux »[1] pour compléter sa liste
par une « nouveauté » qu'il rougissait de ne pas encore connaître.
Les historiens de la littérature pourraient voir en Marivaux romancier
un précurseur de Flaubert et de Gide lui-même, pour le regard
critique qu'il a porté sur le genre romanesque et l'ambition qu'il
a eue d'intégrer sa critique à sa création, un frère aîné de Proust
parce que l'analyse d'une âme par elle-même est la matière de ses
romans, et que cette âme met toute son attention actuelle à retrouver
son passé ; il ne serait pas impossible, si l'on ne craint pas les ana-
chronismes et la liberté abusive dans l'interprétation, de voir une
ressemblance entre Marivaux et tels de nos romanciers les plus
récents, techniciens du monologue continu, théoriciens d'un roman
sans action ni dénouement, pour qui les lois de la vie intérieure
sont essentiellement des lois du langage : mais ni Flaubert, ni Gide,
ni Proust ne se sont réclamés de Marivaux ; aucun romancier vivant

---

1. F. Deloffre, *Marivaudage*², p. 499.

ne semble avoir médité son exemple ni s'être inspiré de ses leçons. L'actualité de Marivaux romancier n'est-elle qu'une illusion ? Est-il légitime d'alléguer, pour éclairer les créations romanesques de notre siècle, un écrivain que les créateurs ignorent ? Les comédies sont restées actuelles, les metteurs en scène essaient de tirer parti de pièces comme *L'Ile de la raison*, reconnue injouable par Marivaux lui-même, et certaines audaces ont presque fait scandale... Grâce aux recherches des érudits et à la large diffusion des éditions procurées par F. Deloffre, les romans sont de mieux en mieux connus, mais ils n'ont aucun rôle dans la littérature d'aujourd'hui.

Ils ont pourtant exercé sur le genre romanesque au XVIIIe siècle une très forte influence, qu'il serait trop long de décrire dans le détail ; on a emprunté à Marivaux ses personnages (l'orpheline ou la jeune fille sans naissance, la mère adoptive, la religieuse confidente, la femme du peuple au langage coloré, le paysan parvenu...), ses thèmes (la noblesse de cœur opposée à la noblesse de sang, le désarroi de l'adolescent abandonné, la découverte des milieux mondains, les préjugés sociaux faisant obstacle au mariage d'amour...), sa technique (narration à la première personne, ironie du narrateur envers lui-même, réflexions qui interrompent son récit et dont il s'excuse...), son analyse de la vie intérieure, son réalisme, certains traits de son style : ses contemporains ont bien deviné qu'il apportait une formule nouvelle de littérature romanesque, mais leur imitation est fondée sur un malentendu ; ils ont fait entrer ce qu'ils empruntaient à Marivaux dans le cadre du roman d'aventures ou du roman de mœurs, c'est-à-dire qu'ils ont dénaturé, pour l'employer à des anecdotes piquantes et des récits d'événements, une technique commandée par une métamorphose de la matière romanesque elle-même. Seul Marivaux pouvait faire du Marivaux. La décadence actuelle du roman d'aventures et du roman de mœurs, disons, pour simplifier, du roman narratif, laisse apparaître une originalité que ni le XVIIIe siècle, ni le XIXe n'avaient pu mesurer et dont Marivaux lui-même, gêné par l'état et les tendances du genre romanesque à son époque, n'a pas pu tirer toutes les conséquences. Il a dû s'en tenir à des essais, il a hésité entre une vocation de romancier et une vocation de moraliste, et a laissé inachevés ses deux principaux romans.

En effet, si on le compare à Lesage, à Prévost, à Crébillon même, à plus forte raison à Mouhy, à Mme de Tencin, à Mme Riccoboni, Marivaux n'est pas exactement un romancier ; ce qu'il tentait de faire entraînait le genre romanesque dans une direction qu'il allait suivre pendant deux siècles, celle du réalisme sérieux, de la sentimentalité, de la peinture des mœurs, de la critique sociale, mais ce n'étaient pas là les buts essentiels pour lui. Il n'a pas la puissante imagination de Prévost, l'esprit d'observation concrète de Lesage ; il lui arrive de recourir aux coïncidences extraordinaires, aux aventures, au pittoresque social, au libertinage, à tout ce que le public s'attendait à trouver dans un roman, mais il subordonne tout à l'analyse psychologique, au romanesque de la vie morale : en cela, il annonce Rousseau et *La Nouvelle Héloïse*, mais Rousseau prendra au sérieux la tâche du romancier et accordera tous ses soins à l'intrigue, à l'action, à l'effet de chaque détail dans la composition de l'ensemble ; tout cela, Marivaux le dédaigne. Curieux destin que le sien ! Il marque de son influence l'évolution du genre romanesque à son époque, mais y est si peu compris dans ce qu'il a de plus original qu'on lui reproche de « courir après l'esprit » et de « marivauder » ; et les innovations qu'il avait pressenties ont été à notre époque développées et finalement dépassées sans que nos romanciers aient songé à reconnaître en lui un de leurs ancêtres.

Marivaux a formé son goût romanesque en province, à la lecture des romans baroques d'avant 1670, et a appris à critiquer ce goût dans Sorel, l'un des écrivains auxquels, selon nous, il doit le plus, et dans Scarron. Quand il débute dans la littérature, il ne songe pas à continuer les formes récentes du roman inspirées de *La Princesse de Clèves*, les œuvres de Mme de Villedieu, de Catherine Bernard, les nouvelles ou histoires « tragiques » qui racontaient en peu de pages un conflit passionnel entre quelques personnages, les nouvelles « galantes » de Donneau de Visé, Préchac, Lenoble, qui alliaient la fantaisie des aventures au réalisme de la psychologie. Il essaie de sauver ce qui le charme dans le grand romanesque baroque, en filtrant et en épurant ce romanesque par la parodie, pour échapper au ridicule de l'outrance et de l'illusion sur soi. A Paris, en quelques années, il voit, lit, apprend et comprend tout : il va au théâtre de la Foire, au théâtre des Italiens dès qu'il est fondé, et y découvre que les bizarreries de l'imagination peuvent favoriser les vues les plus pénétrantes sur le cœur humain, que l'âme se peint dans les paroles et que le le dialogue est action et dévoilement ; Fontenelle, La Motte, Mme de Lambert, les salons qu'il fréquente lui parlent une langue où il reconnaît sa langue natale, comme plus tard Marianne dans le salon de Mme Dorsin ; il ne savait rien de la coquetterie, et il y aperçoit une lucidité ironique, très ambiguë, une des attitudes fondamentales que l'individu peut adopter en face de lui-même ; le modernisme, le féminisme des nouveaux Précieux l'aident à donner un sens à sa recherche d'une sensibilité sans imposture ; il avait pratiqué les moralistes classiques, Descartes, Pascal, La Rochefoucauld, Malebranche, il retient leur rigueur à définir et à classer « les passions de l'âme », mais il l'applique en suivant leur exemple, et en allant plus loin qu'eux, à ce qui déroute le plus l'effort de conceptualisation, au je ne sais quoi, aux mouvements violents ou confus de l'âme, et il essaie d'accorder avec la psychologie catégorisante qu'il avait reçue de ses premiers maîtres la psychologie dynamique naissante à son époque. Il est très malaisé de suivre Marivaux dans ses premiers contacts avec la société parisienne, de savoir avec précision quel rôle il a tenu dans le salon de Mme de Lambert, qui fut certainement l'un des lieux où naquit le marivaudage, dans celui de Mme de Tencin. Il reste beaucoup à découvrir sur ces années d'apprentissage, mais il est hors de doute qu'elles ont été déterminantes et que c'est à Paris, entre 1708 et 1719, que Marivaux est devenu Marivaux.

Comment définir le marivaudage dans le roman ? Du marivaudage en général, F. Deloffre déclare qu'il est « l'alliance d'une forme de sensibilité et d'une forme d'esprit ». F. Deloffre précise les conditions et les conséquences de sa définition, mais nous pouvons pour l'instant nous en tenir à cette formule. Marivaux a d'abord rêvé de créer des personnages dont la sensibilité, sans rien devoir aux artifices de la rhétorique ni aux duperies de l'imagination, fût capable d'émouvoir le lecteur par sa sincérité et son authenticité : ils pouvaient à la rigueur perdre la connaissance lucide d'eux-mêmes dans les transports de la passion, mais jamais dans le délire de la vanité ; quant à l'auteur, il poussait assez loin la recherche du degré extrême de romanesque que l'esprit critique pouvait accepter et du degré extrême d'esprit critique qui pouvait s'introduire dans le romanesque sans le détruire. Mais Marivaux a bientôt compris que l'existence romanesque d'un personnage consistait justement dans son bonheur à se dire à soi-même et à autrui ; en rappelant l'émotion passée, le personnage narrateur veut surtout créer une émotion présente dont sa conscience ne laisse rien échapper : la vigilance de l'esprit est finalement au service du cœur, l'esprit est passionné comme le cœur est clairvoyant, sensibilité et intelligence fusionnent dans l'allégresse de connaître.

Marivaux se sépare ici de ses contemporains : chez eux, l'esprit est pour le cœur une cause de désenchantement et de mort ; la sensibilité se dessèche quand l'intelligence l'analyse, un scepticisme ironique explique par la vanité et l'égoïsme les élans du cœur et les grands sentiments. Cette méfiance empêche le Gil Blas de Lesage d'être un peu mieux qu'un bon garçon et d'accéder à la vraie générosité ; elle retient les personnages de Crébillon au bord de l'émotion, dans la nostalgie d'une candeur perdue ; Prévost même n'ose pas croire que le cœur ait le droit d'être heureux sur cette terre ; la sensibilité, valeur suprême, est aussi bien le malheur suprême pour Mme de Tencin, Mme de Graffigny, Mme Riccoboni : elle s'oppose à l'intelligence qui, si elle n'est pas l'instrument du libertinage, n'a plus qu'à prendre acte du déplorable destin auquel les âmes sensibles sont vouées ; Rousseau suit Marivaux quand il met au service de son cœur toutes les ressources de son esprit, mais la forme extrême de la sensibilité est chez lui une extase où cet esprit s'anéantit et, comme philosophe, il accuse l'intelligence discursive, suscitée par l'amour-propre, de briser l'unité de l'être, l'accord de l'homme avec lui-même et celui des hommes entre eux. A partir de Rousseau et de Diderot, la distinction de l'esprit et du cœur n'est plus au centre de la réflexion morale et de l'analyse psychologique : le sentiment est posé comme premier, bien que l'on ne s'accorde pas sur la nature de ce sentiment, et de lui découle toute la vie intérieure. Marivaux a vu les débuts de cette philosophie nouvelle, mais il a continué de distinguer et d'associer les deux facultés antagonistes, l'esprit et le cœur, et il pensait sur ce sujet en 1750 encore ce qu'il pensait déjà en 1720.

Présence d'un être à lui-même dans sa confidence à un autre : c'est là l'essentiel des romans de Marivaux. Pour créer ses personnages de narrateurs, trouver le ton sur lequel les faire parler, les faits sur lesquels fonder leurs sentiments et leurs souvenirs, il a dû résoudre toute une série de problèmes qu'il a découverts progressivement ; il s'est constitué d'abord une thématique, puis une stylistique ; il a ensuite détaché de lui le personnage d'un narrateur-commentateur, distinct des personnages-acteurs, et a imaginé en face d'eux le personnage du lecteur ; à ce stade, il a dû s'interroger sur les relations entre auteur, narrateur, acteurs et lecteur, et sur les places relatives et les proportions du commentaire et du récit ; ayant parfois transformé l'acteur en narrateur, il a dû répartir les réflexions entre ce second narrateur et le premier ; quand le commentaire et le récit furent confiés à un seul et même personnage, il fallut démêler et rendre perceptibles les complexes rapports entre le personnage actuel et le personnage remémoré, entre le présent du narrateur et ce qui avait été le présent de l'acteur : car ce qui est raconté comme désormais accompli a été autrefois en train de s'accomplir, et l'aspect inchoatif des sentiments qu'il a connus est encore plus précieux peut-être pour l'histoire du personnage que leur aspect accompli. Nous avons analysé ce réseau subtil du discours, ces divers étages de la temporalité, sans oublier que Marivaux a toujours veillé à l'unité de l'ensemble et à la communication entre les divers registres de son jeu. Maître de sa technique, il conçut trois grands types de personnages acteurs-narrateurs, Marianne, Jacob, Tervire, dont nous avons décrit les caractères fondamentaux.

La très grande obscurité dans laquelle est encore pour nous la vie de Marivaux nous interdisait de lier l'étude littéraire à l'étude biographique. Nous n'avons hasardé qu'une fois une interprétation psychanalytique ou psycho-critique, conscients de notre profonde ignorance en ce domaine et craignant de fabriquer un inconscient et des mythes personnels à un homme dont le caractère nous échappe presque complètement. En revanche, il nous a semblé que Marivaux appartenait à un groupe social bien précis, constitué par la bourgeoisie de finances et d'offices et par l'aristocratie, et qu'il avait assimilé les valeurs éthiques et esthétiques propres à ce groupe pour les critiquer et les dépasser.

Nous avons surtout considéré en Marivaux romancier le moraliste et le psychologue, en essayant de définir les principes sur lesquels reposait sa conception de l'homme et de la vie, les sources où il avait puisé ses idées philosophiques ; presque toujours, il nous est apparu comme un Moderne, au sens que ce mot pouvait avoir dans les premières années du XVIIIᵉ siècle, disciple, mais non aveuglément, de La Motte et de Fontenelle, et imprégné des leçons de Malebranche qu'on avait dû lui enseigner dès le collège. Précurseur des lumières par l'importance qu'il attache à l'expérience et au sentiment, il est, pensons-nous, encore peu touché par la philosophie sensualiste. Il la devine, il la rejoint, mais plutôt sous la conduite de l'empiriste Fontenelle que de Locke. Désireux avant tout de comprendre, de définir et de classer, il a rendu compte de la vie intérieure par le jeu des facultés et des fonctions universelles. Il a pourtant ressenti vivement la précarité d'un *moi* soumis aux effets de la sensation et de l'imagination, il a montré qu'il se formait en intégrant ses découvertes successives et a donné la priorité à l'existentiel sur l'essentiel. Mais il n'a pas osé affronter l'image d'un *moi* informe et indicible, insaisissable, réponse perpétuellement changeante à un univers en mouvement perpétuel. Il prépare les voies à Diderot sans complètement abandonner celles de Descartes.

L'invention des intrigues, l'art du récit, l'art du dialogue, la représentation du réel, bien d'autres points qu'il faut examiner quand on entreprend l'étude complète d'un romancier ont été laissés de côté ou n'ont été abordés que dans leur rapport avec la psychologie et la morale ; même quand nous nous sommes arrêté plus longuement sur la technique romanesque, notre intention était de voir comment s'y traduisaient une idée de l'homme et une attitude devant la vie. Il serait futile de nier que le monde imaginaire ait aucun rapport avec le monde où l'auteur avait à vivre, et que ses personnages fictifs lui aient été inspirés par son expérience des hommes réels, si complexe que soit la production des uns à partir des autres. Nous avons parlé de Pharsamon, de Brideron, de Jacob, de Marianne, de Tervire, de Mme Dutour ou des demoiselles Habert comme d'êtres humains dont nous pouvions supputer les pensées, les intentions et même les mobiles inconscients, à partir du texte et en sortant du texte, comme on reconstitue tout un caractère à partir de quelques gestes et de quelques mots dans l'existence courante. Il nous a semblé qu'ils avaient existé pour Marivaux même en dehors de ce qu'il avait écrit d'eux, qu'il nous avait laissé le droit de les faire exister de même, et que c'était la garantie de leur vérité : « Les personnages des grands réalistes mènent une vie indépendante de leur créateur dès qu'ils ont germé dans l'imagination de l'auteur : ils se développent dans une direction, subissent un sort qui leur est prescrit par la dialectique interne de leur existence sociale et psychologique. Celui qui est en mesure de diriger l'évolution de ses propres personnages ne peut pas être un véritable réaliste, un écrivain important ». A condition de faire loyalement l'effort de comprendre le temps où ils ont été conçus, le lecteur peut aussi les voir non pas évoluer hors de leur histoire, mais acquérir une densité qui confère à cette histoire encore plus de sens. Nous avons même,

comme Marivaux, parlé de leur âme. Sans aucun présupposé métaphysique ou religieux, nous avons pensé que le mot pouvait commo-
dément désigner l'intuition synthétique qu'un individu a de lui-
même, qu'il a d'autrui par analogie, le sentiment actuel par lequel
il intègre en un tout sa faculté de sentir, de vouloir, de se souvenir,
de comprendre [2].

2. Le texte cité est de G. Lukacs, *Balzac et le réalisme français*, traduit de l'allemand
par Paul Laveau, Paris, 1967, p. 15. Ces vues contredisent l'un des poncifs les plus chers
au formalisme de notre époque qui professe qu'« un personnage de roman n'est pas une
personnalité tirée de l'histoire ou de la réalité quotidienne. Il n'est fait que des phrases
qui le décrivent et que l'auteur a placées dans sa bouche. Il n'a ni passé, ni avenir, et
parfois même aucune continuité » (René Wellek et Austin Warren, *La Théorie littéraire*,
traduit de l'anglais par J.-P. Audigier et J. Gattegno, Paris, 1971, p. 35).

Chapitre I

DATES

Nous ne possédons aucun brouillon, aucun manuscrit des romans de Marivaux ; à part trois ou quatre lettres, sa correspondance a totalement disparu : il serait donc tentant d'étudier ses œuvres en elles-mêmes, indépendamment des circonstances où elles ont pu être conçues et des étapes de leur genèse. Mais précisément, comme nous le verrons, Marivaux, si attentif qu'il fût aux problèmes de construction, est le type de l'écrivain imprévoyant, qui s'abandonne à son humeur. Ses deux principaux romans sont restés inachevés, comme plusieurs épisodes de ses périodiques. Il n'avait nul souci de mener à bien ses desseins, si même en prenant la plume il avait en tête un dessein bien arrêté. Devant une œuvre à l'élaboration de laquelle le hasard et les occasions ont eu tant de part, la critique historique conserve tous ses droits : avant d'en examiner les structures, nous devons donc essayer d'en reconstituer l'histoire, avec les données dont nous disposons, dates des demandes d'approbation, des autorisations, des privilèges, des éditions, quand ces dates sont connues, indications fournies par la presse périodique, nouvelles littéraires, annonces de libraires, catalogues de livres nouveaux ou à l'impression. Les renseignements réunis par Mme M.-J. Durry, par F. Deloffre, M. Matucci, G. Bonaccorso, M. Gilot sont cependant très nombreux et les conclusions qu'ils en ont tirées encouragent à une synthèse, où les points encore obscurs ou douteux pourront du moins être cernés [1].

Marivaux — ou son éditeur ? — fit approuver à Limoges, le 22 mars 1712, sa première œuvre *Le Père prudent et équitable ;* sa dernière œuvre semble bien avoir été une comédie parue en novembre 1757 dans *Le Conservateur* et sans doute écrite peu de mois aupa-

---

1. Nous avons dû, dans ce chapitre, dresser de fastidieuses listes chronologiques et discuter de façon tatillonne des faits minuscules et mal établis. Le lecteur impatient pourra sauter ces préliminaires et passer directement au chapitre II.

ravant : *Les Acteurs de bonne foi*[2]. La production de Marivaux n'est pas répartie régulièrement entre ces quarante-cinq années ; on peut y discerner à première vue quatre périodes, d'inégale durée, alternativement très fécondes et assez pauvres.

*
* *

De mars 1712 à novembre 1715, Marivaux écrit ou fait paraître une comédie, quatre romans, un conte allégorique, une parodie en vers : au total, ces œuvres représentent plus de 2 200 pages de l'édition des *Œuvres Complettes*, à peu près 1 500 pages des *Classiques Garnier*. D'août 1717 à juin 1721, il écrit une tragédie en cinq actes, deux comédies, divers textes destinés au *Mercure de France*, et la première feuille du *Spectateur français*, soit environ 450 pages des *Œuvres Complettes*, un peu plus de 200 pages des *Classiques Garnier*. De janvier 1722 à décembre 1742, vingt-six comédies, deux romans inachevés, quarante-deux feuilles de journaux, ce fait plus de 4 800 pages des *Œuvres Complettes* et environ 2 200 pages des *Classiques Garnier*. Enfin de janvier 1743 à sa mort en 1763, Marivaux écrit sept comédies, un discours académique, des essais philosophiques et moraux, en un peu plus de 400 pages des *Œuvres Complettes* et 200 pages des *Classiques Garnier*[3].

La fin de la première période est marquée par le silence de Marivaux en 1716 et par son mariage en juillet 1717. Quantitativement, seules les années 1732-1736 comportent, pour une durée équivalente, une production qui approche, sans l'égaler, celle des années 1712-1715. En ne retenant pour chaque œuvre que la date de la demande d'approbation (ou, à défaut, la date de l'approbation), c'est-à-dire la date la plus ancienne à laquelle on soit sûr que l'œuvre était achevée, on trouve successivement :

> 22 mars 1712 : Approbation du *Père prudent et équitable*[4] ;
> 14 avril 1712 : Demande d'approbation pour les trois premiers livres des *Effets surprenants de la sympathie*[5] ;

2. F. Deloffre (*T.C.*, II, p. 763) y voit le souvenir d'une pièce de Panard et Favart, *La Répétition interrompue ou le Petit-Maître malgré lui*, reprise à la Foire Saint-Germain le 14 mars 1757. Mais comme Marivaux fit recevoir *L'Amante frivole* au Théâtre-Français le 5 mai, on peut penser que *Les Acteurs de bonne foi* ont été écrits ensuite.

3. A ces pages il faut ajouter celles des œuvres perdues, *Réflexions* (voir *J.O.D.*, p. 465) et comédies en un acte (voir *T.C.*, I, p. XIII-XV) ; leur nombre ne devait pas être très important. Dans la collection des *Classiques Garnier*, une page des *J.O.D.* contient plus de texte qu'une page du *T.C.*, qui en contient elle-même plus qu'une page de *V.M.* ou de *P.P.* ; d'autre part, dans les *Œuvres Complettes*, la disposition typographique fait qu'une page du *Théâtre* contient beaucoup moins de texte qu'une page des *Journaux* ou des *Romans*. Une évaluation exacte du nombre des pages de chaque œuvre est donc impossible sans de minutieux calculs de pondération. Mais même en admettant que nos estimations des erreurs pouvant aller jusqu'au cinquième ou au quart, les ordres de grandeurs relatives subsistent.

4. Date indiquée dans l'édition originale, voir *T.C.*, I, p. 7.

5. B.N. ms. f. fr. 21942 (registre des privilèges et permissions), n° 500 :

Les avantures de*** ou les effets surprenans de la sympathie pr [= pour] un in 12	comp[osé] et pres[enté] par *** ce 14 avril 1712 pr [= pour] un p[rivi]lège] g[énéral] distri[bué] à m. de fontenelle ledit jour	ap[probation] s[imple] du 10 juillet 1712	privilege general a pierre huet libr[aire] a Paris pr [= pour] trois ans le 28 juillet 1712

8 décembre 1712 : Première demande d'approbation pour *Pharsamon*[6] ;
11 mai 1713 : Première demande d'approbation pour *La Voiture embourbée*[7] ;
24 août 1713 : Demande d'approbation pour *Le Bilboquet*[8] ;
31 août 1713 : Demande d'approbation pour *Pharsamon* avec *La Voiture embourbée*[9] ;
21 décembre 1713 : Approbation de la suite des *Effets surprenants*[10] ;

Ces indications sont confirmées par le registre ms. f. fr. 21974, où le privilège est répertorié par erreur sous le n° 501, par le registre ms. f. fr. 21950 où il est enregistré tout au long le 9 août sous le n° 546, et par le tome I de l'édition originale, chez Pierre Prault, 1713, B.N. Y² 7509, où sont reproduits l'approbation et le privilège (ce dernier daté du 7 août pour la signature et du 26 août pour l'enregistrement).

6. B.N. ms. f. fr. 21942, n° 764 :

Pharsamon, ou les nouvelles Folies Romanesques pr un in 12	comp. <et pres.> par *** et pres. par pierre prault libr. a Paris ce 8 déc. 1712 pr un p. g. dist. a M. de fontenelle	ap. s. du 27 janvier 1713	Privilege general a pierre prault libraire a Paris pr trois ans le 9 févr. 1713

La date du privilège n'est pas clairement lisible : le 9 (?) semble avoir été refait sur un 6, le mot abrégé *févr.* sur un autre mot. Le registre ms. f. fr. 21974 signale ce privilège (par une mention ajoutée entre deux lignes, p. 73), mais le date du 16 février et lui donne une durée de quatre ans. Le registre ms. f. fr. 21950 n'en a aucune trace.

7. B.N. ms. f. fr. 21942, n° 923 :

La voiture embourbée pr un in 12	pres. par pierre huet libraire a Paris ce 11 mai 1713 pr un p. g. dist. a m. de fontenelle ledit jour		

Les colonnes 3 et 4 sont restées vides ; sur le registre ms. f. fr. 21974 ce n° 923 et le titre de l'œuvre sont transcrits, sans mention de permission ou de privilège ni indication de date. Voir *infra*, note 20.

8. B.N. ms. f. fr. 21942, n° 1010 :

Le Bilboquet ou le Triomphe de Balivernier pour une broch[ure]	comp. et pres. par *** pr un p[rivi]lège] l[ocal] pr Paris prés. a ledit jour	Repr[ouvé] n'est pas digne d'un privilege du 19 oct. 1713	Néant le 19 oct. 1713

L'édition originale, à Paris, chez Pierre Prault, 1714, B.N. Rés. PY² 1509, reproduit une approbation du censeur Passart, datée du 26 octobre, une permission d'imprimer signée par d'Argenson et datée du 29 octobre, une attestation d'enregistrement sur le livre de la Communauté des libraires, signée par le syndic Robustel et datée du 5 décembre. Il n'y a pas trace de ces actes dans les registres de la Librairie conservés à la B.N.

9. B.N. ms. f. fr. 21942, n° 1043 :

<La voiture embourbée> Pharsamon ou les nouvelles folies romanesques, avec la voiture embourbée	pres. n° 764 et 923 pr. un p. g. dist. a m. de fontenelle	apr[obation] de pharsamon n° 764 ap. de la voiture du 31 août 1713	Privilege général a pierre prault libr. a Paris pr trois ans Le 19 oct. 1713

Pharsamon ou les Nouvelles Folies est inscrit à son ordre alphabétique, avec mention du n° 1043 et du P.G., dans le registre 21974 ; le texte complet du privilège est enregistré sous le n° 754, p. 669, dans le registre ms. f. fr. 21950, il est daté du 2 octobre : « [...] *Pierre Prault libraire a Paris* nous ayant fait remontrer qu'il désiroit faire imprimer et donner au public un petit ouvrage, intitulé, *Pharsamon ou Les folies romanesques, avec la voiture embourbée* [...] ».

10. Cette approbation n'est mentionnée dans aucun des registres conservés à la B.N. Elle est reproduite à la fin du tome V des *Effets surprenants*, dans l'édition originale de 1714 (B.N. Y² 7512) : « j'ai lû par ordre de Monseigneur le Chancelier la suite des Avantures de [...] ou les Effets surprenans de la sympathie, et n'y ai rien trouvé qui en doive empêcher l'impression. Fait à Paris ce vingt et un Decembre mil sept cent treize. Fontenelle ».

24 juin 1714 : Approbation du *Télémaque travesti*, si l'on en croit Ryckhoff [11] ;
20 novembre 1715 : Demande d'approbation pour *L'Iliade d'Homère travestie en vers burlesques* [12].

Marivaux avait dû finir ses études au collège dans l'été 1707 [13] ; sa première inscription à la Faculté de Droit de Paris est du 30 novembre 1710 [14] : en trois ans de loisir, il avait eu le temps de prendre conscience de sa vocation, de la mettre à l'épreuve, et de faire à Paris des séjours plus ou moins longs, auprès de son oncle Bullet, dont l'influence sur lui fut très grande, comme l'a montré M. Gilot [15] ; il ne faut donc pas exagérer l'importance des années riomoises dans la formation du jeune Pierre Carlet : déjà âgé de dix ans quand sa famille s'installe à Riom, il avait jusqu'alors vécu à Paris avec sa mère ; telle scène d'enfance campagnarde, dans *Pharsamon*, qu'on croirait inspirée de souvenirs personnels, est probablement livresque [16] ; le caractère provincial des premiers romans s'explique autant par le genre dont ils relèvent que par des raisons biographiques ; Marivaux ne s'est pas déclaré « parisien » avant avril 1712 [17], mais les lectures, les conversations, les spectacles de Paris, dès 1708, l'ont sans doute plus efficacement poussé à devenir écrivain que le calme et les petits ridicules d'une ville provinciale. F. Deloffre a

11. Approbation signée Burette, figurant à la fin de l'édition originale de Ryckhoff, Amsterdam, 1736 (tome IV, p. 356), et reproduite par F. Deloffre, *T.T.*, p. 365. L'authenticité de cette approbation est douteuse, voir *infra*, p. 27-32.

12. B.N. ms. f. fr. 21942, n° 565 :

L'Iliade d'Homere travestie en vers burlesques ⟨par M. Delamotte [ ] ⟩	comp. et pres. par *** ce 20 9bre 1715 pr un p. g. dist. a m. de fontenelle.

Les troisième et quatrième colonnes sont vides ; dans la première, après le nom de La Motte, biffé, quelques lettres, biffées également, et illisibles. L'approbation de Fontenelle est reproduite à la fin du second tome de l'édition originale, à Paris, chez Pierre Prault, MDCCXVI, B.N. Yb 1156-1157 : « J'ay lû par ordre de Monseigneur le Chancelier, *L'Homere travesty*, et n'y ai rien trouvé qui en doive empêcher l'impression. Fait à Paris, ce 10. Juin 1716. Signé, Fontenelle ». Les approbations délivrées à Marivaux par Fontenelle sont fort laconiques. Le privilège général accordé à Prault figure sous le n° 199 dans le registre ms. f. fr. 21950, signé le 18 août 1716, enregistré le 29 août ; il est reproduit à la fin du second tome de l'édition originale. Le registre ms. f. fr. 21974 ne signale pas la demande d'approbation du 20 novembre. Pour l'interprétation de ces faits et de ces dates, voir *infra*, p. 27-31.

13. Il n'existe aucune trace du passage de Marivaux au collège des Oratoriens de Riom ; la date proposée ici se déduit des raisonnements de G. Bonaccorso, *Gli Anni difficili di Marivaux*, Messina, 1964, p. 46, qui n'exclut pas, quant à lui, la date de 1708. Il nous paraît peu probable que Marivaux soit resté jusqu'à vingt ans accomplis élève d'un collège de petite ville, et il ne nous étonnerait pas — mais c'est une pure hypothèse — qu'il ait séjourné à Paris, saisonnièrement, dès l'automne de 1707, en tout cas dès le printemps de 1708. Michel Gilot croit pourtant qu'en raison de difficultés financières, Nicolas Carlet n'a pas pu envoyer son fils à Paris avant l'automne 1710 (« Maître Nicolas Carlet et son fils, Marivaux », *R.H.L.F.*, mai-août 1968, p. 488, n. 4).

14. Voir Marie-Jeanne Durry, *A propos de Marivaux*, Paris, S.E.D.E.S., 1960, p. 19, et G. Bonaccorso, *op. cit.*, p. 48.

15. Dans l'article déjà cité sur « Maître Nicolas Carlet et son fils, Marivaux » et dans un article sur « Marivaux à la croisée des chemins », *Studi francesi*, 1972, p. 47-48.

16. *Pharsamon*, septième partie, *O.C.*, XI, p. 382 sq. *O.J.*, p. 594 sq. Voir *infra*, p. 472, n. 170, et p. 168.

17. En se réinscrivant, le 30 avril 1712, à la faculté de droit de Paris : voir M.-J. Durry, *op. cit.*, p. 21, et G. Bonaccorso, *op. cit.*, p. 63.

définitivement établi que *Le Père prudent et équitable* ne pouvait pas avoir été écrit avant 1708 : il est permis de supposer que la discussion sur la difficulté des pièces comiques, à la suite de laquelle Marivaux écrivit *Le Père prudent*, avait eu lieu à Paris, soit en 1708, avant que Rogier du Buisson eût été nommé à Limoges [18], soit plus tard, lors d'un voyage où Marivaux et lui se seraient rencontrés, si un délai de plus de trois ans entre la rédaction et la publication de la comédie paraît excessif. Quand Marivaux voulut se faire éditer pour la première fois, inconnu qu'il était, il songea tout naturellement à demander la protection d'un personnage qui avait vu naître l'œuvre et qui pouvait, par sa fonction, délivrer des permissions d'imprimer. Pure hypothèse, il faut le dire nettement : mais un voyage de Marivaux à Limoges n'est-il pas aussi hypothétique ? Quoi qu'il en soit, le nombre et l'étendue des œuvres qu'il publiera coup sur coup en 1712 et 1713 nous obligent à placer très tôt ses débuts littéraires. Peut-être Marivaux décida-t-il de faire paraître *Le Père prudent* quand il eut une autre œuvre prête, et fut-il en retour encouragé à publier celle-ci quand un libraire parisien eut accepté d'éditer *Le Père prudent*, et ses amis fait bon accueil à la pièce. Les livres IV et V des *Effets surprenants*, bien qu'ils n'aient été approuvés que le 21 décembre 1713, ne peuvent pas avoir été achevés un an après *Pharsamon*, pour lequel la première demande d'approbation est du 8 décembre 1712 : le style archaïque, la structure pesante, les maladresses et les naïvetés y sont aussi visibles que dans les trois premiers livres et contrastent avec l'adresse d'écriture et de composition et la psychologie déjà subtile du second roman. Ce contraste nous semble assez fort pour rendre vaine une objection possible : les derniers livres des *Effets* seraient postérieurs à *Pharsamon*, pourrait-on nous dire, mais *Pharsamon* serait plus réussi, et d'une technique plus moderne, parce que Marivaux était plus à l'aise dans une œuvre de ton parodique et de tendance réaliste que dans une œuvre de haut romanesque ; toutes les servitudes et toutes les conventions dont il était délivré quand il écrivait *Pharsamon* auraient de nouveau pesé sur lui quand il aurait repris et mené à leur terme *Les Effets surprenants de la sympathie*. Nous répondrons qu'il serait étrange que Marivaux fût revenu à ces conventions et à ces servitudes après les avoir critiquées et dépassées ; des *Effets surprenants* à *Pharsamon*, de *Pharsamon* à *La Voiture embourbée*, de *La Voiture embourbée* au *Télémaque travesti* la technique romanesque et la réflexion sur le roman progressent selon une ligne qui ne comporte pas de recul [19].

Entre l'approbation des premiers livres des *Effets* et la première approbation de *Pharsamon* il s'écoule huit mois qui n'auront pas suffi à Marivaux pour écrire la fin des *Effets* et tout *Pharsamon*, soit environ 720 pages des *Œuvres Complettes*, ni même pour écrire les

18. Sur le *terminus a quo* du *Père prudent*, voir F. Deloffre, *Marivaudage*[2], p. 80-81, et *T.C.*, I, p. 3-4. Rogier du Buisson avait été lieutenant de police à Riom ; la famille Carlet avait pu conserver des relations avec lui (renseignement dû à M. Gilot).

19. Voir *infra*, chap. III, p. 111, 116, 117, 119-120 ; chap. VIII, p. 343.

530 pages de *Pharsamon* alors qu'il lui fallait se préparer à ce baccalauréat pour lequel il « supplia » le 30 juin 1712 et auquel il
échoua. L'hypothèse qui nous paraît la plus plausible est que *Les
Effets surprenants* étaient entièrement achevés au moment où Marivaux demanda une approbation pour les premiers livres : le manuscrit primitif reçut sans doute quelques modifications, mais les
cinq livres étaient composés, et il n'est même pas sûr que Marivaux
ait dû retoucher une nouvelle fois son texte avant de demander
l'approbation pour la fin de l'ouvrage. La rédaction, peut-être commencée dès 1709, avait dû occuper les années 1710 et 1711.

Sur la rédaction de *Pharsamon* on peut proposer deux hypothèses :
ou bien le roman était achevé quand Prault demanda pour la première fois une approbation le 8 décembre 1712, ou bien Marivaux n'en
avait rédigé qu'une partie, et c'est pour le reste qu'une approbation
aurait été demandée le 31 août 1713. Dans le premier cas, Marivaux et
Prault auraient fait pour *Pharsamon* ce que nous croyons qu'ils ont
fait pour *Les Effets* : disposant dès le départ de l'œuvre complète, ils
auraient échelonné les demandes d'approbation et prévu de publier
le roman en deux livraisons. La rédaction de *Pharsamon* aurait ainsi
occupé l'année 1712, Marivaux ayant pu se mettre au travail aussitôt
après l'achèvement des *Effets surprenants*, que nous plaçons à la
fin de 1711 ou au début de 1712. Selon l'autre hypothèse, une partie
de *Pharsamon* aurait été rédigée à loisir, mais la suite, écrite entre
décembre 1712 et la fin d'août 1713, entrerait en concurrence avec
La Voiture embourbée et *Le Bilboquet* : cela ferait, pour neuf mois,
un ensemble d'environ 430 pages. Marivaux pouvait les écrire ;
nous penchons pourtant vers la première hypothèse, d'abord parce
que, comme l'a noté G. Bonaccorso, pour *Pharsamon* « le registre
n'indique pas l'attribution d'une seconde approbation et d'un second
privilège, mais renvoie à ceux qui avaient été donnés précédemment »[20], donc le texte présenté en août 1713 devait être le même
qu'en décembre 1712 ; ensuite parce que les derniers livres de *Pharsamon* ne représentent pas un progrès par rapport à *La Voiture
embourbée*, et semblent même inférieurs aux premiers livres.

Dans ces œuvres de début, Marivaux se perfectionne si vite, avance
si vite dans l'intelligence de ce qu'il cherche, que *Les Effets* terminés
paraissent anachroniques quand ils sont enfin publiés. Mais de trop
nombreuses obscurités subsistent : pourquoi Prault a-t-il redemandé

20. « E nel registro non risulta concessa una seconda approvazione ed un secondo privilegio, ma si rimanda a quelli dati in precedenza », G. Bonaccorso, *op. cit.*, p. 69. En
réalité (voir note 9 *supra*), le registre renvoie aux *présentations* de *Pharsamon* et de *La
Voiture embourbée*, et à l'*approbation* de *Pharsamon*, précédemment enregistrées ; mais
l'*approbation* de *La Voiture embourbée*, sollicitée le 11 mai 1713 et accordée le 31 août,
semble bien ici enregistrée pour la première fois. Quant au privilège obtenu pour *Pharsamon*
le 9 février 1713, il n'a pas été utilisé. C'est un nouveau privilège qui est accordé ici ; on le
retrouve dans le registre alphabétique 21974, et son texte intégral figure dans le registre 21950,
où ne figure évidemment pas le précédent. Pourquoi Prault n'a-t-il pas exploité le privilège
de février ? pourquoi la date et la durée de ce privilège sont-elles différentes dans le registre
21942 et dans le registre 21974 ? pourquoi a-t-on tardé à enregistrer l'approbation de *La
Voiture embourbée* ? L'interprétation de ces faits est difficile, mais on peut penser qu'ils
traduisent les hésitations de Prault et de Marivaux sur l'usage à faire de *Pharsamon*.

une approbation qu'il avait déjà obtenue ? Pourquoi *Pharsamon*
n'a-t-il pas été publié ? Pourquoi Marivaux lui a-t-il finalement préféré
une œuvre retardataire que lui-même ne semble pas avoir été pressé
de faire lire ? Car, visiblement, la publication des *Effets surprenants*
a été ralentie : ayant obtenu en juillet 1712 l'approbation pour les
trois premiers livres, Marivaux ne fit d'abord éditer que les livres I
et II ; ils ne parurent pas avant février ou mars 1713 [21]. Marivaux,
attendant la réaction du public, laissa passer encore plusieurs mois
avant de faire paraître les livres III, IV et V [22]. On est conduit à
se demander si les derniers livres des *Effets surprenants* n'allaient
pas être sacrifiés à *Pharsamon*, et si, au dernier moment, Marivaux
ne s'est pas ravisé, rejetant *Pharsamon* dans l'ombre et faisant prendre
sa place par les derniers livres des *Effets surprenants.* Nous verrons
qu'il a fait la même chose avec *Le Télémaque travesti*, l'une de ses
meilleures œuvres de début : il en prépara la publication, fit approuver
le manuscrit, puis abandonna son projet et fit paraître *L'Homère
travesti*, dont le mérite peut sembler plus mince, et qui avait été
achevé avant. Non seulement ces deux œuvres furent écartées pareil-
lement au bénéfice d'une œuvre antérieure et moins bonne, mais

21. *Le Journal des Sçavans* rend compte de l'ouvrage le 3 avril 1713, et précise après
avoir indiqué le titre de l'ouvrage et le nom et l'adresse de l'éditeur : 1713. 2 vol. in-12
(*Journal des Sçavans*, année 1713, n° XIV, du lundy 3. avril 1713, p. 221).
22. L'édition originale comporte cinq tomes (B.N. Y² 7508-7512) : le premier et le second
sont datés de 1713 ; dans le premier tome, à la fin de l'*Avis* au lecteur, sont reproduits
l'approbation du 20 juillet 1712 et le privilège daté du 7 août 1712. Ces deux tomes sont
semblables en tous points (filigrane du papier, ornement de la lettrine L, disposition de la
première page du texte, nombre de lignes par page, etc.) ; seule diffère la page de
titre, non dans sa typographie ni sa disposition, mais par le nom et l'adresse de l'éditeur
et par le fleuron. La page de titre du tome II, qui porte le nom et l'adresse de Pierre Huet,
est un placard, c'est probablement Pierre Prault qui a édité tous les tomes. Le tome IV
(en deux parties, à numérations séparées, mais sous une même page de titre) et le tome V
sont datés de 1714 et portent le nom de Pierre Prault ; le titre est en lettres noires, et non
plus en lettres rouges ; ils diffèrent seulement par les bandeaux, par une lettrine, et par le
titre de la première page, en caractères plus grands dans la première partie du tome IV.
Le privilège du 7 août 1712 est reproduit à la fin du tome IV ; la seconde approbation de
Fontenelle datée du 21 décembre 1713, figure à la fin du tome V. Les indices de bibliographie
matérielle ne permettent pas de dater le tome III ; sa page de titre a disparu, la page du
faux-titre est une page du tome IV corrigée à la main, le titre de la première page de texte
est composé dans les mêmes caractères que le titre correspondant du tome IV, première
partie, mais les astérisques sont d'un modèle différent et la disposition de la page (5 lignes
de texte) est celle des tomes I et II, non des tomes IV et V (4 lignes de texte). Mais
les dernières lignes du tome II prouvent que le tome III doit être réuni aux deux derniers,
et non aux deux premiers, contrairement à ce qu'a cru F. Deloffre (*Marivaudage²*, p. 507
et p. 509) et comme l'a bien vu M.-J. Durry (*op. cit.*, p. 34, n. 2). Si d'autres preuves étaient
nécessaires, on les trouverait dans l'*Avis du libraire*, en tête de l'édition originale de *La
Voiture embourbée* (voir *infra*, p. 25), dans le compte rendu publié par le *Journal des
Sçavans* (voir *supra*, note 21). La bibliothèque municipale de Nîmes possède, sous la
cote 8585, un exemplaire des *Effets surprenants* auquel manque le tome I. Les quatre autres
tomes portent le nom et l'adresse de Huet et sont datés de 1714, mais toutes les caractéristiques typographiques, disposition des lignes, accidents subis par certaines lettres, catalogue
final, prouvent indubitablement qu'il s'agit de la même édition que l'exemplaire Y² 7508-
7512 de la Bibliothèque nationale. Les pages de titre (aux caractères noirs) imprimées pour
Huet sont probablement des placards, on peut s'en assurer matériellement pour le tome V.
Les deux premiers tomes de l'édition originale furent fournis au Cabinet du Roi le
lundi 16 janvier 1713 sous le nom de Huet, et les tomes 3, 4 et 5 sans doute dans les
dernières semaines de 1714, sous le nom de Prault (B.N. ms. f. fr. 22021, le second dépôt est
inscrit p. 59, le dernier reçu daté se trouvant dans cette même page, un peu plus haut,
et étant du 18 novembre 1714 ; le reçu suivant se trouve p. 62 : « J'ay receu les livres
marqués depuis le 18 de 9bre dernier. A Paris le 3 de juillet 1715 »).

les destins des deux manuscrits ont été solidaires : quand Marivaux
apprit, à la fin de 1735, que Ryckhoff imprimait à Amsterdam *Le
Télémaque travesti* et révélait le nom de l'auteur, il désavoua l'ouvrage, d'abord dans une lettre à Prault, puis dans un *Avis de l'éditeur*,
placé en tête de la quatrième partie de *La Vie de Marianne*[23], et dans
chacun de ces textes il eut la précaution de désavouer aussi par
avance *Pharsamon* (désigné la première fois par allusion, explicitement nommé la seconde fois) ; il savait bien que le chemin suivi
jusqu'en Hollande par l'un des deux manuscrits avait été suivi aussi
par l'autre, et lui-même dans ses désaveux montrait les deux œuvres
associées dès leur première mise en circulation. Parmi les raisons
qu'il avait d'empêcher la publication de ces romans en 1714 et 1715
et de les renier en 1735, il n'est pas impossible qu'ait figuré quelque
obscur démêlé avec un libraire français ou hollandais : sans être aussi
aventureux dans ses affaires littéraires qu'un Prévost ou un Balzac,
Marivaux avait peut-être commis une imprudence et mis son éditeur
parisien dans l'impossibilité d'exploiter des droits déjà concédés
à un autre, à ce Fournier, par exemple, qu'il nomme dans un de ses
désaveux et sur lequel Desfontaines semble renseigné[24].

Le privilège demandé par Prault et obtenu le 19 octobre (selon
le registre) ou le 22 (selon le texte figurant à la fin de *La Voiture
embourbée*) lui conférait le droit de « faire imprimer et donner au
Public un petit ouvrage intitulé : *Pharsamon, ou Les Nouvelles Folies
romanesques*, avec *La Voiture embourbée* ». *Pharsamon* n'est pas
exactement « un petit ouvrage », il occupe 532 pages de l'édition des
Œuvres Complettes, 714 pages dans l'édition originale de 1737 ; si
l'adjectif désignait la dimension matérielle de l'ouvrage, il s'appli-
querait mieux au *Bilboquet* ou à *La Voiture embourbée* ; on le trouve
quelquefois dans les formules de privilège contemporaines, il désigne
effectivement de « petits ouvrages », courtes comédies ou fantaisies
dialoguées, badinages de peu de poids auprès des livres de théologie
et de morale, mais plus estimés que les brochures comme *Le Bilboquet* qui ne sera pas jugé digne d'un privilège[25]. Dans le cas de
Pharsamon, on aimerait que l'adjectif *petit* vînt de Marivaux lui-
même ; ce serait un des plus anciens exemples chez lui d'un emploi
hypocoristique qui deviendra un trait distinctif de sa façon d'écrire ;
Marivaux aurait son « petit ouvrage » tout comme Marianne aura son
« petit amour-propre » et son « petit minois »[26]. Quoi qu'il en soit,

23. La lettre à P. Prault et l'*Avis de l'éditeur* sont reproduits par F. Deloffre dans
l'*Introduction* de *T.T.*, p. 7 et p. 9.
24. *Observations sur les écrits modernes*, t. IV, lettre du 31 mars 1736, citée en note par
F. Deloffre, *T.T.*, p. 9.
25. En 1716, dans le registre B.N. f. fr. 21951, p. 1, permission simple « pour l'impression d'un petit manuscrit qui a pour titre *Histoire du Royaume de Coqueterie* » ; p. 41,
permission simple « pour l'impression d'un petit manuscrit intitulé *Les Sangsues ou dialogue
entre nismus* [*sic*, pour *momus*] *et mercure* » ; p. 48, permission simple pour « un petit
ouvrage intitulé, *Merlindragon et la Coupe enchantée comédies et penelope tragedie* » (il
s'agit dans ce dernier cas de réimpressions).
26. *La Voiture embourbée* est désignée comme « cette petite histoire » dans l'*Avis
du libraire* : l'épithète a déjà une valeur légèrement hypocoristique ou ironique qui nuance sa
signification première.

il est inutile de se demander si Prault songeait à publier une version abrégée ou encore incomplète du livre.

La préposition *avec* pose-t-elle un problème ? Elle ne peut signifier, comme le croit G. Bonaccorso [27], que Prault voulût publier les deux romans en un seul volume. A supposer même qu'un roman aussi long que *Pharsamon* ait eu besoin d'être accompagné d'une autre œuvre, il est impossible que Marivaux ou son éditeur ait projeté de réunir deux ouvrages écrits sur le même thème. Car si différents qu'ils soient d'intention et de technique, ils racontent tous deux l'histoire d'un jeune homme dont les romans de chevalerie ont égaré l'esprit, d'un « Singe de Dom Guichot », comme le disait dans une réédition le titre de *La Voiture embourbée*, d'un « Dom Quichotte moderne », comme le dit le titre de *Pharsamon* dans l'édition des *Œuvres Complettes* ; et l'*Avis du libraire*, en tête de *La Voiture embourbée*, annonce précisément *Pharsamon* comme « une autre [histoire] plus considérable dans le même goût et du même Auteur ». Suivant de près *La Voiture embourbée*, *Pharsamon* bénéficiait de l'intérêt qu'elle avait fait naître ; jumelés, les deux romans auraient simplement paru se répéter. Le projet prêté à l'éditeur serait moins invraisemblable si l'on supposait que les deux ouvrages n'avaient encore aucune analogie à la fin de l'année 1713 : nous verrons plus loin que cette hypothèse est à écarter. Jamais Prault n'a songé à un volume unique. La préposition *avec* signifie que l'éditeur voulait englober dans le même privilège deux œuvres séparées : selon une pratique très courante certains privilèges concernaient trois ou quatre œuvres, et même d'auteurs différents. La formule était ambiguë, mais il y en a d'autres exemples ; le plus intéressant pour nous est celui du privilège accordé à Prault le 27 août 1718 pour plusieurs ouvrages, parmi lesquels figurent *Les Nouvelles Folies romanesques* en même temps que *Les Effets de la sympathie* et *La Voiture embourbée* : « Notre bien aimé Pierre Prault, Libraire à Paris, Nous ayant fait remontrer qu'il souhaiteroit faire imprimer et donner au Public plusieurs Histoires Galantes sous le titre de *la Vie de Pedrille, del Campo, avec le Véritable Amour éprouvé par les Sylphes, les Avantures choisies, les Belles Grecques, le Duc de Vandales, Histoire de Demetrius, Czar de Moscovie, les Effets de la Sympathie, les Nouvelles Folies Romanesques, et la Voiture embourbée* [...] » [28]. Le

27. G. Bonaccorso, *op. cit.*, p. 122, n. 83 (*sic*, pour 85).

28. Ce privilège est inscrit dans le registre B.N. ms. f. fr. 21951, et reproduit à la fin de *Mélisthenes ou l'Illustre Persan*, nouvelle, par M. de P *** (par Mme Meheust). Avec ses erreurs de ponctuation et de graphie, il montre bien quelle imprécision et parfois quels non-sens accompagnaient la rigueur des formules légales. L'édition est de 1732, mais le privilège, accordé en 1718 pour 14 ans, était encore valable. Si, comme il est probable, *Mélisthenes* n'a jamais été édité avant 1732, le parallélisme de son destin avec celui de *Pharsamon* est curieux et mériterait qu'on en cherche les causes. A la fin de ce roman, le catalogue de Prault signale « Pharsamon [...] 2 vol. in 12 *sous presse* ». *La Vie de Pedrille Del Campo*, de Thibault, avait été éditée en 1718 ; les *Avantures choisies* sont un recueil de contes en quatre volumes, édité pour la première fois en 1714, réédité plusieurs fois par la suite, notamment en 1732 ; *Les Belles Grecques*, de Catherine Bédacier-Durand, parues pour la première fois en 1712, avaient eu de nombreuses rééditions ; *Henry, duc des Vandales, histoire véritable* est aussi de Catherine Bédacier-Durand, première édition en 1714 ;

singulier *le titre* et la préposition *avec* pourraient faire croire encore à un seul recueil groupant ces divers ouvrages, ce qui n'a même pas besoin d'être réfuté.

Pharsamon ne fut pas plus édité en 1718 qu'en 1713, mais Prault ne renonça toujours pas à le publier. En 1732, juste avant qu'expirât le privilège que nous venons de citer et qui avait été accordé pour quatorze ans, il annonça dans ses catalogues que le roman était sous presse [29] ; peut-être même l'impression fut-elle achevée réellement, puisque l'un de ces catalogues présente le livre comme à la vente et que le *Mercure* de juin en informe les lecteurs. Lenglet du Fresnoy était donc excusable de citer *Pharsamon* avec la date de 1732 à la fin de sa liste des « Romans d'amour françois » [30]. Le livre fut retiré au dernier moment, semble-t-il, comme peut-être déjà en 1713, et la composition faite par Prault ne servit que cinq ans après. L'édition originale de *Pharsamon* parut en effet au début de 1737. Prault avait obtenu en décembre 1736 une nouvelle approbation et un nouveau privilège : il s'était laissé prendre de court par Ryckhoff pour l'édition du *Télémaque travesti*, il le devança pour celle des *Nouvelles Folies romanesques*. Remarquons-le bien, car un érudit aussi perspicace et aussi bien informé que G. Bonaccorso s'y est lui-même trompé, Marivaux n'a pas renié *Pharsamon*, quand il fut publié sous son nom par un de ses éditeurs habituels ; il n'y a pas trace de désaveu dans la presse ou ailleurs en 1737. Il nous semble inutile de chercher dans l'œuvre des faiblesses d'apprenti-romancier dont un écrivain consacré et qui songeait à l'Académie française [31] aurait dû avoir honte ; c'est bien une œuvre de début, mais elle avait assez de mérite pour que deux éditeurs s'en disputassent la publication et en fissent l'éloge dans leurs annonces. Ce que Marivaux a renié, c'est l'édition Ryckhoff, et il semble bien qu'il ait réussi à l'empêcher de sortir : l'édition hollandaise de 1737 parut non pas chez Ryckhoff à Amsterdam, mais à La Haye « Aux dépens de la Compagnie », et l'éditeur reconnaissait la priorité de Prault en reproduisant sans commentaire l'*Avertissement de l'imprimeur de Paris*. Il est curieux de constater qu'exactement à la même époque, dans les derniers mois de 1736, Prault fils connaît les mêmes difficultés pour faire paraître

---

Le Czar Demetrius, histoire moscovite par J.-B. Née de la Rochelle, parut en 1715 et eut quelques rééditions ; je n'ai pu identifier *Le Véritable Amour éprouvé par les Sylphes*.

29. Au catalogue signalé dans la précédente note, ajouter ceux du *Triomphe de l'amour* et des *Serments indiscrets*, mentionnés par F. Deloffre, *Marivaudage*², p. 531 et p. 533.

30. *Bibliothèque des romans*, Amsterdam, 1734, p. 61. Dans l'*Histoire justifiée contre les romans*, Amsterdam, 1735, il prend le contrepied de ce qu'il avait écrit : « Il marque le *Pharsamon* et l'Histoire de *Florès et de Blanchefleur* comme deux Romans existans, l'un en 1732 et l'autre en 1733. Quoique ils n'ayent paru, et soient encore sous la plume de leurs Auteurs » (p. 316).

31. Marivaux semble avoir songé à être candidat en 1732 et en 1736, voir Larroumet, *Marivaux*², p. 114-115. La tentative de 1732 explique peut-être que Lenglet du Fresnoy, en 1734, dans sa *Bibliothèque des romans*, p. 60, ait attribué *Les Effets surprenants de la sympathie* à « M. Carlet de Marivaux, à present de l'Academie Françoise ». Il se donne le démenti dans *L'Histoire justifiée* [...], p. 317 : « Il attribue les *Effets de la Sympathie* à M. de Marivaux, de l'Academie Françoise. Deux fautes en une ligne. M. de Marivaux n'est pas de l'Académie, et ce livre est de l'abbé Bordelon ».

Le Legs : l'éditeur parisien Le Breton et l'éditeur hollandais Gibert sont en concurrence avec lui et F. Deloffre se demande s'ils n'avaient pas lié une entente [32].

Résumons-nous : écrit en 1712, destiné à paraître en 1714, puis en 1718, *Pharsamon* resta manuscrit jusqu'en 1732, fut peut-être imprimé, mais non publié, à cette date, parut enfin en 1737 chez Prault ; Marivaux, en reniant l'ouvrage, voulut empêcher une édition de Ryckhoff à Amsterdam, pendant que Prault se hâtait de faire sortir la sienne. Annoncé plusieurs fois comme œuvre de Marivaux dans les catalogues de Prault, publié sous son nom en édition originale, *Pharsamon* n'a pas été mis sous le boisseau parce que Marivaux ne voulait plus le reconnaître, mais parce que quelque difficulté juridique pesait sur la publication ; en annonçant une édition-pirate, Ryckhoff fit tomber l'interdit. Ce ne sont là que des hypothèses inspirées des faits actuellement connus, et que de nouvelles trouvailles ruineront peut-être.

Des obscurités enveloppent aussi la publication de *La Voiture embourbée* : le manuscrit fut présenté à l'approbation le 11 mai 1713 par le libraire Huet et remis pour examen à Fontenelle ; une nouvelle demande fut faite le 31 août par Prault, en même temps que pour *Pharsamon*, et l'approbation fut signée de Fontenelle le jour même. Faut-il en conclure qu'on accordait sans hésiter à Prault ce qu'on avait fait vainement attendre à Huet ? Ce n'est pas sûr : des délais de deux ou trois mois entre la demande et la réponse, même pour des livres très courts, étaient fréquents. Le remplacement de Huet par Prault ne signifie peut-être pas non plus grand-chose : Huet, qui avait édité *Le Père prudent et équitable*, s'était ensuite fait attribuer le privilège des *Effets surprenants*, mais les avait laissé éditer par Prault qui les inscrivit dès lors à son propre catalogue [33]. Les rapports entre les deux libraires restent à démêler, mais il semble bien qu'ils se soient partagé l'édition originale de *La Voiture embourbée*, datée de 1714, qui reproduisait l'approbation de Fontenelle et le privilège du 22 octobre 1713 [34]. G. Bonaccorso a cru que cette édition n'était que la seconde, et qu'une première édition, ne comportant pas encore *Le Roman impromptu*, aurait paru en 1713. Il se fonde sur deux textes, celui de l'*Avis du libraire*, en tête de cette édition de 1714, et celui du catalogue accompagnant le dernier tome des *Effets surprenants*, dans l'édition originale de ce roman.

L'*Avis du libraire* déclare : « *L'Auteur de ce livre est le même qui a donné au commencement de cette année,* les Avantures de ***, ou les Effets surprenans de la Sympathie, *en deux Volumes, dont le public paroist content, puisqu'il en demande la suite avec empressement ; j'espere luy donner cette satisfaction au plus tard dans le*

32. *T.C.*, II, p. 295-296.

33. A la fin de *L'Homère travesti* (1716), du *Spectateur françois* (1728), de *Mélisthènes* (1732), etc.

34. S.P. Jones, *A List of French prose fiction from 1700 to 1750*, New York, 1939, p. 24, présente une édition Huet, 1714, comme l'édition originale : en fait, c'est l'édition Prault dont la page de titre a été remplacée par un carton.

mois de janvier prochain ; et c'est pour le dédommager de cette petite attente que je luy présente ce volume [...] ». Ce texte, évidemment écrit avant la fin de l'année 1714 puisqu'il annonce la suite des *Effets surprenants* pour janvier, ne peut avoir été primitivement destiné, selon G. Bonaccorso, qu'à une édition parue en 1713. Il est beaucoup plus simple de supposer que la date de 1714, qui figure sur la page de titre, est anticipée ; il était d'usage qu'un ouvrage sorti des presses dans les dernières semaines d'une année fût daté de l'année suivante. Pour le libraire, quand il rédigeait son *Avis*, le mois de janvier 1714 n'était encore qu'à venir. Il serait d'ailleurs étonnant qu'il n'ait pas changé un mot de cet *Avis* s'il était devenu anachronique en tête d'une seconde édition [35]. L'autre argument de G. Bonaccorso est que le catalogue placé à la fin du cinquième tome des *Effets surprenants* signale, parmi les livres nouveaux en vente chez le même libraire, « La Voiture embourbée, ou le Singe de Dom Guixotte. Histoire comique. Nouvelle édition, augmentée d'un conte extraordinaire. 12 » [36]. Mais F. Deloffre a eu connaissance d'une édition parue en 1715 chez Huet et qui se présentait par son titre comme une « nouvelle édition, augmentée d'un conte extraordinaire » ; c'est d'elle qu'il s'agirait dans le catalogue des *Effets surprenants* [37]. Par rapport à l'édition Prault de 1714, cette édition n'était nullement « augmentée ». Son titre s'explique moins par une fraude destinée à appâter le lecteur que par une ambiguïté ou une maladresse d'expression, à laquelle Huet trouvait son profit, et qui est un nouvel exemple de la rédaction lâche et changeante des titres. Le catalogue qui est à la fin de *L'Homère travesti*, dans l'édition originale de 1716, intitule le même ouvrage : « Le Singe de Dom Guichot, ou les Avantures réjouissantes arrivées à l'occasion d'une voiture embourbée, avec le Roman impromptu, et l'Histoire extraordinaire d'un Magicien ». Il fallait faire entendre au lecteur que, pour le prix d'un seul livre, il achetait trois histoires différentes. Le catalogue de 1728 dira : « La voiture embourbée, roman impromptu », celui de 1732 : « La voiture embourbée, ou le roman impromptu », désignations plus simples mais plus fausses, puisque pour Marivaux *Le Roman im-*

---

35. L'édition illustrée d'Amsterdam, 1715 (B.N. Rés. PY² 2105) ne comporte pas l'*Avis du libraire*. Le privilège collectif obtenu par Prault en août 1718 ne semble pas avoir été utilisé pour *La Voiture embourbée*.

36. Le chiffre 12 désigne le format : in-12.

37. F. Deloffre, compte rendu de l'ouvrage de G. Bonaccorso, *R.H.L.F.*, 67ᵉ année, n° 1, janvier-mars 1967, p. 147-148. Qu'un livre publié par Huet soit annoncé par Prault n'a rien d'étonnant, voir *supra* la note 34 et le texte auquel elle se rapporte. Mais comment se fait-il qu'un catalogue mentionnant un livre de 1715 se trouve à la fin d'un livre de 1714 ? Selon F. Deloffre, ce catalogue, imprimé seulement en 1715, aurait été réuni par les relieurs à des exemplaires des *Effets surprenants* datant de l'année précédente. Cette explication doit être écartée, le catalogue occupe la dernière feuille du cahier de signature T et représente ce qui serait les pages 231 et 232 du volume (les cahiers sont alternativement de 8 et de 4 folios) ; il ne peut pas avoir été imprimé indépendamment des dernières pages du texte. On peut supposer ou bien que le volume V des *Effets* a été imprimé assez tard dans l'année 1714, après le volume IV ; ou bien que la « nouvelle édition » de *La Voiture embourbée* avait été prévue pour 1714 et a dû être retardée (en raison du trop faible succès de la première ?) ou enfin que cette « nouvelle édition » n'était que l'édition Prault de 1714, dont l'éditeur essayait de hâter l'écoulement en laissant croire que l'œuvre avait été revue et augmentée. La première hypothèse est la plus plausible.

promptu était bien le titre d'un roman dans le roman, d'une fiction parodique qui allait « avec » le récit comique du voyage et qui, si l'on veut, l'« augmentait », et non le sous-titre de l'œuvre. Mais ce roman inséré, qui comporte lui-même, signalée par un titre particulier, une *Histoire du magicien*, est solidaire du récit de voyage, il lui est organiquement lié ; on peut discuter des mérites relatifs de ces deux parties dont est composée l'œuvre, mais non douter que leur solidarité ne soit inscrite dans le dessein initial de l'auteur.

Le Bilboquet fut écrit aussitôt après *La Voiture embourbée*, entre mai et août 1713 ; la demande d'approbation, faite par Marivaux lui-même, est du 24 août ; l'approbation fut d'abord refusée le 19 octobre, puis accordée le 26, et le permis d'imprimer délivré le 29 [38]. Aux yeux du premier censeur, cet opuscule n'était « pas digne d'un privilège ». L'approbation d'une œuvre ne dépend théoriquement pas de sa dignité, et le privilège peut être accordé aussi bien pour des facéties que pour un poème épique : mais un préjugé qui pèsera sur le genre romanesque jusqu'au-delà de 1750 liait la qualité morale et la place dans la hiérarchie des genres ; une œuvre frivole, même si elle n'était pas dangereuse pour les mœurs, n'avait aucune valeur reconnue et ne jouissait pas des mêmes droits que la haute littérature. Le motif que le censeur donne de son refus est d'autant plus remarquable que *L'Homère travesti* obtiendra approbation et privilège. Marivaux avait sans doute visé trop haut, il lui fallut se contenter du permis d'imprimer. Autant qu'on le sache, *Le Bilboquet* n'eut pas grande diffusion et ne fut pas réédité. Intermédiaire entre le récit romanesque et l'anecdote journalistique, il appartient à un genre qui permet l'allégorie, la satire, les réflexions et le réalisme, et dont relèveront aussi les périodiques de Marivaux : la première feuille du *Spectateur français*, les deux premières feuilles de *L'Indigent philosophe* seront éditées elles aussi « avec permission », et non « avec privilège ».

Quand parut *L'Homère travesti ou l'Iliade en vers burlesques*, dans l'automne de 1717 (le privilège, accordé le 18 août, fut enregistré le 29), Marivaux n'avait rien publié depuis plus de deux ans et demi ; entre sa dernière demande d'approbation pour une œuvre nouvelle [39] et la demande d'approbation pour *L'Homère travesti*, déposée le 20 novembre 1715 [40], il s'était écoulé deux ans et trois mois ; mais l'approbation du censeur Burette pour *Le Télémaque travesti*, repro-

38. B.N. ms. f. fr. 21942 (24 août 1713), cf. *supra*, n. 8. L'approbation donnée par Passart le 26 octobre et la permission d'imprimer du 29 ne sont mentionnées que dans l'édition elle-même. Le titre signalé par M.-J. Durry (*A Propos de Marivaux*, p. 99) : *Le Triomphe du Bilboquet, ou la Défaite de l'esprit, de l'amour et de la raison* est celui qu'indique le catalogue placé à la fin de l'édition originale de *L'Homère travesti*. C'est un titre publicitaire, qui ne se retrouve pas dans le seul exemplaire connu de l'ouvrage, intitulé simplement *Le Bilboquet* (B.N. Rés. PY² 1509).

39. *Le Bilboquet*, présenté le 24 août 1713. La suite des *Effets surprenants*, approuvée le 21 décembre 1713, n'était pas à notre avis une œuvre nouvelle.

40. Elle figure sous le n° 565 dans le registre B.N. ms. f. fr. 21942, voir *supra*, n. 12. Le greffier avait sans doute voulu marquer que l'auteur du texte parodié était La Motte (qui s'était peut-être chargé de présenter l'œuvre du poète anonyme ?). Après le nom biffé de La Motte, quelques lettres griffonnées sont indéchiffrables.

duite par Ryckhoff à la fin de son édition de 1736, est datée du
24 juin 1714 ; en septembre-octobre 1714, le *Journal littéraire* de La
Haye annonce qu'on imprime à Paris une « Iliade d'Homère en vers
burlesques », et le 5 janvier 1715 *Les Nouvelles littéraires* de La Haye
qu'un « Télémaque en vers burlesques » est sous presse, du même
auteur qui « a composé une Iliade d'Homère dans le même style » [41] :
si ces nouvelles reçues en Hollande étaient exactes, et si l'approbation
du censeur était non seulement authentique, mais encore correctement
datée, il faudrait admettre que les deux œuvres parodiques aient été
écrites en moins d'un an, entre le 24 août 1713 et le 24 juin 1714,
ce qui n'est pas vraisemblable ; *Le Télémaque travesti* et *L'Homère
travesti* représentent près de mille pages des *Œuvres Complettes*, dont
la moitié en vers : à aucune période de sa vie Marivaux n'aurait eu
la plume aussi facile ; en revanche, de l'été 1714 à l'automne 1716
il n'aurait pas écrit une ligne et aurait retardé à plusieurs reprises,
par mécontentement de ce qu'il avait fait et impuissance à faire
autre chose, la publication de *L'Homère travesti*. G. Bonaccorso, qui
n'a pas trouvé trace de l'approbation du *Télémaque travesti* dans le
« Registre des Ouvrages présentés [...] » conservé à la Bibliothèque
nationale [42], ne met pourtant pas en doute l'exactitude des nouvelles
publiées par les journaux de La Haye, et suppose qu'en juin 1714
commence pour Marivaux une crise qui durera jusqu'en 1719 ; mais
comme le seul indice de cette crise, du moins pour les deux premières
années, est précisément le silence de Marivaux, le raisonnement est
vicieux. Nous ne pensons pas que Marivaux soit si tôt resté sans
écrire ; malheureusement, dans l'état actuel de nos connaissances,
nous devons nous en tenir à des suppositions, une fois de plus.

Des nouvelles publiées par les journaux hollandais, il faut retenir
la succession qu'elles indiquent : la parodie d'Homère précède celle
de Fénelon. Le contraire serait étonnant, car *Le Télémaque travesti*
est une œuvre plus riche, plus nouvelle par le style et par le ton,
que *L'Homère travesti* ; le procédé burlesque y est différent : dans
L'Homère travesti, Marivaux, suivant l'exemple de Scarron, garde les
personnages et les circonstances de l'œuvre parodiée et demande l'effet
burlesque à la familiarité du langage, à la vulgarité et au modernisme
de certains détails concrets ; dans *Le Télémaque travesti*, la transposition est complète et radicale, circonstances et personnages appartiennent à l'univers contemporain de Marivaux lui-même, l'œuvre
de Fénelon, qui a pourtant fourni d'un bout à l'autre le substrat
du texte, est beaucoup moins l'objet d'un travestissement risible
qu'une partie intégrante de la réalité dépeinte par l'auteur : les

41. *Journal littéraire*, à La Haye chez T. Johnson, seconde édition revue et corrigée ;
MDCCXV. Tome V, sept.-oct. 1714, p. 227 : « De Paris : un auteur, dont le nom m'est
inconnu, a traduit l'*Iliade d'Homère* en Vers Burlesques, et on l'imprime actuellement »
— *Nouvelles littéraires* [...] à La Haye, chez Henri du Sauzet ; MDCCXV, tome I, p. 6 :
« Du samedi 5 janvier 1715 [...] De Paris. On imprime un *Telemaque* en vers burlesques.
Le même auteur a composé une *Illiade d'Homère* dans le même stile. Ces sortes d'Ouvrages
demandent beaucoup de finesse et d'enjoûment, sans quoi ils sont détestables ». Voir aussi
F. Deloffre, *T.T.*, p. 365, et *Marivaudage²*, p. 509.
42. G. Bonaccorso, *op. cit.*, Messina, 1964, p. 149.

personnages de *L'Homère travesti* sont des caricatures de ceux de *L'Iliade*, les personnages du *Télémaque travesti* sont des Français vivant à la fin du règne de Louis XIV et dont certains ont perdu l'esprit à lire le roman de Fénelon. Il semble même que les idées sur le comique, formulées dans la *Préface* de *L'Homère travesti*, ne soient qu'imparfaitement mises en pratique dans le poème et ne trouvent leur plein effet que dans *Le Télémaque travesti*.

Il n'est pas impossible non plus que, dès l'automne de 1714, Marivaux fût prêt à remettre les vers de *L'Homère travesti* à l'imprimeur ; il avait pu lire en manuscrit, dans le courant de 1713, *L'Iliade en vers françois* de La Motte, parue seulement au début de 1714 [43]. La *Préface* où Marivaux attaque Mme Dacier a sans doute été rédigée au début de 1715, puisque l'approbation des *Causes de la corruption du goût* est datée du 25 novembre 1714 et qu'à l'opposé de l'œuvre de La Motte, son ami et son protecteur, l'œuvre de Mme Dacier, championne des Anciens, n'a certainement pas pu lui être communiquée avant l'impression [44]. Comme l'a noté encore G. Bonaccorso [45], l'année 1715 fut la plus « chaude » de cette nouvelle querelle : la *Préface* de Marivaux aurait été l'un des premiers actes de la polémique soulevée par le livre *Des Causes de la corruption du goût*, mais tout en étant solidaire du poème burlesque, elle n'en était pas le complément nécessaire et la partie qui concerne Mme Dacier a peut-être été rédigée plusieurs mois après lui. Notre hypothèse est que, tandis que La Motte prétendait réformer Homère et lui donner une beauté régulière, Marivaux s'amusa à montrer Homère tel qu'on aurait dû le voir, si l'on n'avait pas été aveuglé par l'admiration : sous les belles statues restaurées par La Motte, et vivantes, il faisait apparaître les « vilains magots » [46] ; quand Mme Dacier publia sa critique

43. G. Bonaccorso, *op. cit.*, p. 173, n. 69. *Journal littéraire* de La Haye, éd. citée, tome II B, nov.-déc. 1713, p. [462], de Paris : « On espere de voir incessamment l'*Iliade d'Homere* que M. de la Mothe a mis en vers François : ce Poëme sera précédé d'un long Discours, qu'on dit être fort beau, quoique d'habiles gens n'y soient pas trop ménagez ». *Ibid.*, t. III A, janvier-février 1714, p. 220, de Paris : « Il n'y a pas long tens que paroit l'*Iliade d'Homere* de M. *de la Motte* ».

44. Les *Nouvelles littéraires* de La Haye annoncent du 2 mars 1715, de Paris (t. I, p. 75) : « Le Livre de Madame *Dacier* qui a pour titre, *Les Causes de la corruption du goût*, se débite depuis peu ». L'approbation, reproduite dans l'édition originale, est du 25 novembre 1714. Noémi Hepp, à laquelle il faut se reporter pour tout ce qui concerne la querelle homérique, signale ce que Marivaux a emprunté du *Discours sur Homère* de La Motte (*Homère en France*, Paris, 1968, p. 716, n. 355).

45. G. Bonaccorso, *op. cit.*, p. 175.

46. Les *Nouvelles littéraires* de La Haye, t. II, IIᵉ partie, p. 356, à la date du 7 décembre 1715, publient un *Conte* en vers, reçu de Toulouse et dédié « à M. Houdart de la Motte, Auteur de la Nouvelle Iliade » :

    [...] « Messieurs les Grecs trouvoient dans les Statuës,
    Portraits finis, vrais Chefs-d'œuvres de l'Art.
    C'étoient pourtant, au moins pour la plûpart,
    Vilains magots. L'un étoit Cu-de-jatte ;
    L'autre manquoit du tiers d'une omoplate ;
    L'autre d'un œil ; qui de front ; qui de nez.
    Il en étoit de manchots, d'errenez,
    De pourfendus. Leur troupe mutilée
    Sembloit encor sortir de la mêlee.
    Helas combien étoit changé Nestor ?
    Combien Enée ? à voir le pauvre Hector,

suivie et dogmatique, Marivaux, très probablement encouragé par La Motte, passa de la plaisanterie à l'argumentation et rédigea sa *Préface*. Mais poème et préface ne parurent qu'à la fin de l'année 1716 : La Motte et Mme Dacier étaient réconciliés depuis le 3 avril [47]. L'approbation, demandée le 20 novembre 1715, avait été accordée au bout de sept mois, le 10 juin 1716, et l'on accuserait la censure seule du long retard qui rendait la publication anachronique, si le censeur n'avait été Fontenelle lui-même. Avait-il reçu des consignes d'apaisement, avait-il craint d'envenimer un conflit dans lequel son parti ne disposait pas d'un appui officiel suffisant [48] ? La date de l'approbation ne figure pas dans le registre manuscrit, elle est seulement reproduite dans l'édition originale.

> Et Jupiter, et Mars, et les Atrides,
> Vous auriez dit l'Hôtel des Invalides ».

En plus fade, c'est là le ton de Marivaux. Mais La Motte, si l'on en croit le poète de Toulouse, a restauré ces figures :

> « Retirez-vous, Savantas, Scholiastes,
> Laissez moi voir leurs merveilleux contrastes,
> Leur vraye Image. Avoient-ils meilleur air,
> Ces Champions, lorsqu'habillez de fer,
> Las de languir dans une oisive Tente
> Ils combattoient sur les Rives du Xanthe ?
> Tel fut Ajax, Ulisse, Merion,
> Tel Menelas. Tels des murs d'Ilion,
> Sous sa lorgnette, Helene encor peut-être,
> Avec Priam pourroit les reconnoître.
> Houdart leur rend la vie avec leurs traits.

[...] Le Révérend Pere *Pierre Cleric*, professeur d'Eloquence dans le Collège des Jésuites à Toulouse, est l'auteur du conte qu'on vient de lire ». A. Pizzorusso avait déjà remarqué ce texte, *Teorie letterarie in Francia*, Pise, 1968, p. 256-257. Marivaux avait pour travestir une œuvre antique les exemples de Richer, de Picou, de Scarron, des frères Perrault, etc. ; mais s'est-il aussi inspiré des *Conjectures académiques* de l'abbé d'Aubignac ? Le manuscrit en avait été approuvé le 14 juillet 1715, soit quatre mois seulement avant que Marivaux eût fait approuver *L'Homère travesti*, mais il avait pu avoir connaissance du texte plus tôt, comme en avaient eu connaissance Charles Perrault et La Monnoye (voir l'édition des *Conjectures académiques* par V. Magnien, Paris, 1925, p. XVII et XXII). On ne sait par qui l'œuvre (écrite avant 1670, *ibid.*, p. XIII ; D'Aubignac était mort en 1676) fut présentée à la censure, mais le censeur, L. de Sacy, et l'éditeur, François Fournier, ont été en rapports avec Marivaux. D'Aubignac voit déjà dans les héros de l'*Iliade* des personnages grossiers, brutaux, lâches, avares, fanfarons, goinfres, il dénonce la bassesse de certains détails et tient l'œuvre pour une compilation « ridicule » à laquelle ont collaboré des esprits « libertins et burlesques » (éd. citée, p. 101, 131, 132) ; il adopte lui-même le style approprié, et dit de Mars qui, blessé par Diomède, va se plaindre à Jupiter : « il montre son bobo à son bon Papa » (*ibid.*, p. 113). V. Magnien se demande pourquoi les *Conjectures académiques*, parues en pleine querelle des Anciens et des Modernes, ne sont jamais citées dans la polémique (*ibid.*, p. XXVI-XXVII). Du côté des Modernes, le silence s'explique peut-être par le fait qu'ils ne mettaient pas en doute l'existence d'Homère, auteur unique de l'*Iliade* et de l'*Odyssée*.

47. F. Deloffre, *Marivaudage*[2], p. 510. Le 11 juillet 1716 les *Nouvelles littéraires* de La Haye (t. IV, p. 22) publieront l'information reçue de Paris : « La guerre homerique est terminée par un accord entre madame Dacier et Monsieur de La Motte [...] Ç'a été au milieu d'un grand repas qu'on est parvenu à leur faire promettre qu'ils cesseroient toute hostilité ».

48. Les deux ouvrages de R. Estivals (*Le Dépôt légal en France sous l'Ancien Régime*, Paris, 1961, et *La Statistique bibliographique de la France au dix-huitième siècle*, Paris, 1965) sont de précieux instruments de travail qui nous ont permis de nous retrouver dans les registres manuscrits de la librairie. Mais on n'a pas encore étudié de façon précise l'orientation de la censure, ses motivations, le rôle des sympathies et des antipathies personnelles, celui des oppositions idéologiques, celui des directives officielles. L'abbé Bignon, directeur de la Librairie, n'était pas du parti des Anciens, mais les censeurs approuvent « avec éloge » des œuvres hostiles aux Modernes, comme l'*Apologie d'Homère* de J. Boivin, l'*Homère en arbitrage*, la *Dernière Apologie d'Homère* du P. Hardouin, l'*Examen pacifique de la querelle entre Madame Dacier et Monsieur de La Motte*, et *La Véritable Connoissance d'Homère* de Fourmont. Voir G. Bonaccorso, *op. cit.*, p. 175-177 et n. 80.

Si, comme nous le pensons, *Le Télémaque travesti* a été écrit en
1715, la date de l'approbation telle que la donne Ryckhoff est inaccep-
table : cela ne signifie pas que l'ouvrage n'ait jamais été présenté
à l'approbation, ni approuvé ; Ryckhoff a pu se tromper sur la date [49].
L'annonce que font en janvier 1715 *Les Nouvelles littéraires* d'un
« Télémaque en vers burlesques » est à rapprocher de la déclaration
du libraire, en tête de l'édition originale : « on peut attester aussi
que M. de Marivaux s'est offert plusieurs fois de mettre son Télémaque
Travesti en Vers burlesques moïennant une juste retribution » [50] ;
les deux textes nous paraissent se rapporter à deux moments différents : en janvier 1715, Marivaux songeait sans doute à une parodie
versifiée, comme *L'Homère travesti*, peut-être l'avait-il déjà commencée ou en avait-il assez parlé pour que l'écho déformé de son projet
fût parvenu au correspondant des *Nouvelles littéraires ;* il aura très
vite préféré la prose, et, la rédaction achevée, se sera heurté à la
méfiance des libraires devant une œuvre inclassable, dont le succès
put leur paraître douteux [51]. Il n'est pas besoin de chercher plus loin
la raison pour laquelle *Le Télémaque travesti* n'a pas été publié en
1716. En offrant de le versifier, Marivaux pensait le faire rentrer
dans une catégorie mieux reconnue, et en rendre l'édition plus
facile ; on comprend très bien qu'il se soit dérobé à ce pensum,
et l'on ne regrette pas qu'il ait renoncé à verser sa prose vive et colorée
dans le moule monotone de l'octosyllabe ; mais s'il avait déjà vendu
son manuscrit en prose à Fournier et s'il s'était lié à ce libraire par
un engagement qu'il ne pouvait pas tenir, il n'avait pas le droit

49. G. Bonaccorso (*op. cit.*, p. 149, n. 2) fait remarquer qu'à la date de l'approbation
indiquée par Ryckhoff les censeurs n'avaient pas dû se réunir, leurs séances étant hebdomadaires et une séance ayant eu lieu le 21, une autre le 28 juin 1714. De plus, Burette
ne figure pas parmi les censeurs qui ont exercé leur fonction entre 1711 et 1715. Peut-être
faut-il corriger la date et lire : 24 juin 1716. Les registres des demandes d'approbation pour
les années 1716-1723 n'ont pas été retrouvés, mais la date à laquelle fut approuvé *L'Homère
travesti*, 10 juin 1716, permet d'affirmer qu'une réunion des censeurs a pu se tenir le 24.
C'est le nom de Burette qui fait difficulté : médecin, Burette était chargé d'examiner surtout
les ouvrages de médecine et de biologie, comme le prouve, en particulier pour les années
1723-1724, le registre ms. f. fr. 21995, mais il était partisan des Anciens, et féru de belles-
lettres ; il publia (à Paris, chez Pierre Witte, sans date) un *Eloge de Madame Dacier*, dans
lequel il citait malicieusement une Ode de La Motte à la traductrice de Sapho et d'Anacréon,
et il énumérait une douzaine de comptes rendus ou d'extraits qu'il avait lui-même fait
paraître dans le *Journal des Sçavans*, ayant tous trait soit aux écrivains anciens, soit à la
Querelle des Anciens et des Modernes. Le registre ms. f. fr. 21997 se termine par une liste
des censeurs en fonction entre le 6 novembre 1738 et le 26 novembre 1750, rangés par spécia-
lité, avec indication de leur adresse. En tête de la section « Histoire naturelle, Medecine et
Chymie », les mots *Burette, rue Sainte-Anne* ont été inscrits, puis biffés. Burette était mort
en 1747. Si *Le Télémaque travesti* avait été écrit après 1716, Marivaux aurait sans doute
utilisé les additions apportées au *Télémaque* par le marquis de Fénélon dans l'édition
de 1717. Marivaux utilise l'édition Foppens de 1700, qui intègre les additions figurant dans
i'édition Barbin de 1699.

50. *T.T.*, p. 42.

51. *L'Homère travesti*, au contraire, appartenant à un genre familier au public, devait
avoir du succès, et Prault demanda tout de suite un privilège de huit ans, anormalement
long pour cette sorte d'ouvrages (voir M. Gilot, « Un étrange divertissement : l'*Iliade Travestie* », dans *La Régence*, Actes du colloque d'Aix-en-Provence de 1968, Paris, 1970, p. 187).
Didot reçut le 25 janvier 1735 une « permission » pour le *Télémaque travesti* (« Registre des
livres d'Impression étrangère presentez pour la permission de debiter », B.N. f. fr. n° 21190,
p. 26, n° 1009 ; ces livres « d'impression étrangère » étaient en réalité imprimés en France) ; il
ne publia que les trois premiers livres, voir F. Deloffre, *O.J.*, p. 1243 sq.

de reprendre son œuvre, qui connut le même sort que *Pharsamon*.
Nous n'imaginerons donc pas plus dans *Le Télémaque travesti* que
dans *Pharsamon* des tares que Marivaux aurait voulu cacher en
empêchant la publication de l'œuvre. En 1736 un désaveu est plus
justifié . *Pharsamon* était une œuvre inoffensive, mais les audaces
politiques et religieuses du *Télémaque travesti* pouvaient paraître
dangereuses à une époque, comme l'a montré G. May, où tout roman
était devenu suspect [52].

Quoi qu'il en soit, quand il eut achevé *Le Télémaque travesti* —
à la fin de 1715, au début de 1716 ? — Marivaux n'écrivit plus rien
jusqu'à l'été de 1717.

52. G. May, *Le Dilemme du roman au dix-huitième siècle*, Paris — New Haven, 1963
(chap. 3 : La proscription des romans).

PAR CE SILENCE commence la seconde période de sa carrière littéraire ;
elle se termine au début de 1722, sur un autre silence : de novembre
1720 à janvier 1722, Marivaux n'aura donné au public que la première
feuille du *Spectateur français*. Les dates auxquelles apparaissent pour
la première fois les œuvres produites pendant cette période sont
les suivantes :

août 1717 : *Les Mœurs de Paris par le Théophraste moderne ;*
septembre 1717 : *Suite du nouveau Théophraste ;*
octobre 1717 : *Suite des Lettres sur les habitants de Paris ;*
mars 1718 : *Suite des Caracteres des dames de qualité ;*
mai 1718 : *Suite des Caracteres de M. de Marivaux ;*
juin 1718 : *Suite des Caracteres de M. de Marivaux ;*
août 1718 : *Lettre à une dame sur la perte d'un perroquet ;*
mars 1719 : *Pensées sur différents sujets ;*
5 août 1719 : *Annibal* est reçu à la Comédie-Française ;
novembre 1719 : *Lettre de M. de Marivaux contenant une aventure ;*
décembre 1719 : *Suite de la lettre de M. de Marivaux ;*
février 1720 : *Suite de l'aventure dialoguée de M. de Marivaux ;*
3 mars 1720 : Représentation de *L'Amour et la Vérité* au Nouveau
     Théâtre italien ;
mars 1720 : *Suite de l'Entretien de deux dames amies ;*
avril 1720 : *Continuation de l'Histoire des deux dames ;*
17 octobre 1720 : Représentation d'*Arlequin poli par l'amour* au Nouveau
     Théâtre italien ;
29 mai 1721 : Approbation du *Spectateur français*, première feuille.

G. Bonaccorso découpe autrement que nous ces premières années
de Marivaux et place en automne 1719 la fin de la période difficile
commencée selon lui en juin 1714 ; nous avons dit plus haut pourquoi
nous n'étions pas d'accord avec lui sur la date initiale. Quant à la
date finale, il la justifie ainsi : marié au début d'août 1717, Marivaux
s'est posé des problèmes d'existence matérielle qu'il avait ignorés
jusqu'alors ; bien que son mariage fût avantageux, il n'avait sans
doute pas épousé Colombe Bologne pour son argent, et c'est elle
au contraire, pense G. Bonaccorso, qui a dû attirer son attention
sur l'insécurité d'une carrière littéraire ; cette appréhension de
l'avenir, renforcée par le ralentissement de la production littéraire
elle-même, explique pourquoi Marivaux, qui avait perdu son père
le 14 avril 1719, songea à lui succéder dans la direction de la Monnaie
de Riom et adressa au Garde des Sceaux un placet « par lequel il
demande d'acquérir cette charge préférablement à tout autre ». Le
placet n'a pas été retrouvé, mais il a été enregistré et G. Bonaccorso
a découvert le texte de l'enregistrement aux Archives Nationales. Découverte capitale, dont son auteur a pleinement raison de souligner
l'importance [53] : vers juillet 1719, Marivaux aurait donc remis tout en

53. G. Bonaccorso, *op. cit.*, p. 205-206.

question, accepté d'aller vivre en province où son activité d'écrivain eût été paralysée. Loin des représentations de la troupe italienne, loin des salons de Mme de Lambert et de Mme de Tencin, il n'y aurait pas eu de Marivaux. La demande n'eut pas de suite et la publication dans *Le Nouveau Mercure*, à partir de novembre 1719, des *Lettres contenant une aventure* marque le retour définitif de Marivaux au métier d'écrivain.

Sans méconnaître la gravité de la décision prise par Marivaux quand il demanda à succéder à son père, il nous semble plus juste d'y voir seulement l'un des épisodes d'une période de doutes et de tâtonnements qui se prolonge jusqu'au début de 1722. On ne sait même pas si Marivaux a été débouté de sa demande ou s'il y a renoncé de lui-même, s'il voulait s'installer à Riom ou revendre au bout de peu de temps la charge pour en racheter une autre plus rémunératrice et moins astreignante. Pour conférer à ce geste la valeur d'une péripétie, G. Bonaccorso est conduit à réduire l'importance et la nouveauté des œuvres qui l'ont précédé, *Lettres sur les habitants de Paris, Pensées sur différents sujets*, à passer sous silence la tragédie d'*Annibal* et, corrélativement, à atténuer les conséquences des échecs et des malheurs qui ont frappé Marivaux ensuite. Or les *Lettres sur les habitants de Paris* sont le premier essai de Marivaux journaliste, elles inaugurent un genre qui sera aussi propre au « marivaudage » que le théâtre ou le roman ; les *Pensées sur différents sujets* posent le problème du langage, déjà soulevé dans la préface de *L'Homère travesti* et si essentiel au marivaudage que Marivaux ne cessera d'y réfléchir jusque dans ses derniers écrits ; et la tragédie d'*Annibal*, qui a dû l'occuper assez longtemps, si elle n'est pas un chef-d'œuvre, témoigne du moins d'un esprit soucieux de multiplier ses moyens d'expression. Inversement, les difficultés rencontrées par Marivaux en 1720 sont si grandes qu'elles l'ont obligé à interrompre son activité littéraire et à chercher à s'ouvrir une carrière plus lucrative, celle d'avocat : sur trois pièces qu'il fit jouer, l'une, *Arlequin poli par l'amour*, eut un vif succès, les deux autres, *L'Amour et la Vérité* et *Annibal* n'en eurent aucun. Elles avaient été écrites avant la faillite de Law, qui ruina Marivaux. Cette ruine ne fut pas catastrophique pour lui, pense G. Bonaccorso, qui rappelle sur quel ton tranquille Marivaux en parle dans la *Lettre sur la paresse* : mais, outre le fait que cette lettre est de vingt ans postérieure à l'événement, « la vertueuse insensibilité pour la fortune » n'implique nullement, bien au contraire, l'insignifiance du dommage [54] ! On constate qu'après la faillite de Law Marivaux laissa inachevées les *Lettres contenant une aventure*, se réinscrivit à la faculté de droit et y reçut le grade

---

54. G. Bonaccorso, *op. cit.*, p. 215. La Lettre sur la paresse a été publiée dans *L'Esprit de Marivaux*, à Paris, chez la veuve Pierres, 1769, p. 29-32 ; elle est reproduite dans *J.O.D.*, p. 443-444. C'est de cette lettre qu'est tirée l'expression entre guillemets. Sur la ruine de Marivaux, nous renvoyons à l'article déjà cité de M. Gilot : « Marivaux à la croisée des chemins, 1719-1723 », dans les *Studi francesi*. M. Gilot prouve que la ruine de Marivaux et de sa femme a été réelle, et il essaie de la chiffrer.

de bachelier (31 mai 1721), puis de licencié (4 septembre)[55]. *Le Spectateur français*, qui devait paraître tous les huit jours, n'eut qu'un numéro en 1721.

Ce premier numéro fait très bien comprendre comment Marivaux entendait concilier sa vocation d'écrivain et la nécessité d'entretenir son ménage : *Le Spectateur français* devait être « un ouvrage [...] de très longue haleine »[56], rédigé au gré de sa fantaisie et des occasions par quelqu'un qui avertissait son lecteur dès la première phrase : « ce n'est point un auteur que vous allez lire ici »[57]. L'allure capricieuse de la réflexion nous paraît tellement caractéristique de son esprit que nous la croirions volontiers née avec lui : il n'en est rien, il n'en a découvert les vertus que dans des circonstances pressantes où il lui était interdit de poursuivre un sujet et de composer une œuvre, et où pourtant il refusait de cesser d'écrire. Le projet du *Spectateur français* lui permettait de faire de tout matière à littérature, sans avoir la vanité d'un littérateur ni sa régularité. Dès 1722 il aura trouvé son rythme de production, assez nonchalant.

De l'été 1717 à la fin de 1721 Marivaux a donc bien connu des années difficiles et traversé une crise, mais c'était une crise de formation. Marivaux a fait peau neuve : c'est pendant cette période qu'il est devenu moraliste et analyste du cœur humain, et qu'il a découvert le marivaudage. Sauf *Annibal*, qui est une erreur, chacune des œuvres écrites alors est un point de départ et ouvre une des directions de l'œuvre future : les *Lettres sur les habitants de Paris* fondent la critique sociale et le réalisme satirique, les *Lettres contenant une aventure* la peinture de l'âme féminine et de l'amour, *Arlequin poli par l'amour* le théâtre poétique et psychologique dont les acteurs italiens sont les interprètes prédestinés, les *Pensées sur différents sujets* la réflexion de Marivaux sur son art et la première feuille du *Spectateur français* inaugure le moyen d'expression le plus personnel, le mieux adapté à sa liberté d'invention et d'allure. Le mariage de Marivaux, la naissance de sa fille, la mort de son père, ses difficultés financières, la reprise de ses études juridiques, l'apprentissage du métier d'avocat sont les causes occasionnelles du relatif ralentissement de sa production : la cause véritable en est une prise de conscience de soi qui l'a obligé à s'interroger sur ce qu'il devait écrire et sur la façon dont il devait l'écrire.

---

55. Voir F. Deloffre et M. Gilot, édition des *J.O.D.*, p. 108, n. 2.
56. *Le Spectateur français*, première feuille, « Le libraire au lecteur » (*J.O.D.*, p. 738).
57. *Ibid.*, p. 114.

LES VINGT ANS qui suivent sont la grande période productive de Marivaux ; elle s'arrête brusquement avec son élection à l'Académie française. Plusieurs œuvres furent menées de front, de longs délais s'interposent parfois entre demandes d'approbation et publications, de sorte qu'il est à peu près impossible d'établir avec sûreté les dates où chaque œuvre a été commencée, rédigée, achevée, et très difficile même de distinguer des époques. Le tableau chronologique qui suit indique, selon l'état actuel de nos connaissances, la date à laquelle chaque œuvre ou partie d'œuvre est signalée pour la première fois :

> 12 janvier 1722 : Approbation de la deuxième feuille du *Spectateur français* ;
> 27 janvier 1722 : Approbation de la troisième feuille du *Spectateur français* ;
> 28 février 1722 : Approbation de la quatrième feuille du *Spectateur français* ;
> 10 avril 1722 : Approbation de la cinquième feuille du *Spectateur français* ;
> 27 avril 1722 : Approbation de la sixième feuille du *Spectateur français* ;
> 3 mai 1722 : Première représentation de *La Surprise de l'amour* ;
> 21 août 1722 : Approbation de la septième feuille du *Spectateur français* ;
> 8 septembre 1722 : Approbation de la huitième feuille du *Spectateur français* ;
> 27 septembre 1722 : Approbation de la neuvième feuille du *Spectateur français* ;
> 16 octobre 1722 : Approbation de la dixième feuille du *Spectateur français* ;
> 10 novembre 1722 : Approbation de la onzième feuille du *Spectateur français* ;
> 6 décembre 1722 : Approbation de la douzième feuille du *Spectateur français* ;
> 30 décembre 1722 : Approbation de la treizième feuille du *Spectateur français* ;
> 2 janvier 1723 : Approbation de la quatorzième feuille du *Spectateur français* ;
> 14 mars 1723 : Approbation de la quinzième feuille du *Spectateur français* ;
> 27 mars 1723 : Approbation de la seizième feuille du *Spectateur français* ;
> 6 avril 1723 : Première représentation de *La Double Inconstance* ;
> 12 mai 1723 : Approbation de la dix-septième feuille du *Spectateur français* ;
> 8 juin 1723 : Approbation de la dix-huitième feuille du *Spectateur français* ;
> 16 juillet 1723 : Approbation de la dix-neuvième feuille du *Spectateur français* ;
> 18 août 1723 : Approbation de la vingtième feuille du *Spectateur français* ;
> 5 octobre 1723 : Approbation de la vingt et unième feuille du *Spectateur français* ;
> 8 novembre 1723 : Approbation de la vingt-deuxième feuille du *Spectateur français* ;

8 janvier 1724 : Approbation de la vingt-troisième feuille du *Spectateur français ;*

5 février 1724 : Première représentation du *Prince travesti ;*

8 juillet 1724 : Première représentation de *La Fausse Suivante ;*

22 juillet 1724 : Approbation de la vingt-quatrième feuille du *Spectateur français ;*

31 août 1724 : Approbation de la vingt-cinquième feuille du *Spectateur français ;*

2 décembre 1724 : Première représentation du *Dénouement imprévu ;*

5 mars 1725 : Première représentation de *L'Ile des esclaves ;*

19 août 1725 : Première représentation de *L'Héritier de village ;*

30 janvier 1727 : *La Seconde Surprise de l'amour* est reçue par les Comédiens-Français ;

16 février 1727 : la Veuve Coutelier sollicite un privilège général pour *La Vie de Marianne* [58].

19 mars 1727 : Approbation de la première feuille de *L'Indigent philosophe ;*

11 avril 1727 : Approbation de la seconde feuille de *L'Indigent philosophe ;*

22 avril 1727 : Approbation de la troisième feuille de *L'Indigent philosophe ;*

8 mai 1727 : Approbation de la quatrième feuille de *L'Indigent philosophe ;*

25 mai 1727 : Approbation de la cinquième feuille de *L'Indigent philosophe ;*

13 juin 1727 : Approbation de la sixième feuille de *L'Indigent philosophe ;*

5 juillet 1727 : Approbation de la septième feuille de *L'Indigent philosophe ;*

3 août 1727 : *L'Ile de la raison* est reçue par les Comédiens-Français ;

22 avril 1728 : Première représentation du *Triomphe de Plutus ;*

25 avril 1728 : Demande d'approbation pour la première partie de *La Vie de Marianne* [59] *;*

18 juin 1728 : Première représentation de *La Nouvelle Colonie ou la Ligue des femmes ;*

23 janvier 1730 : Première représentation du *Jeu de l'amour et du hasard ;*

9 mars 1731 : *Les Serments indiscrets* sont reçus par les Comédiens-Français ;

juin (?) : Publication de la première partie de *La Vie de Marianne* [60] *;*

---

58. B.N. ms. f. fr. 21995, registre des demandes d'approbation et de privilège formulées entre le 27 juin 1723 et le 1er février 1728 ; du 16 février 1727 :

1223. La Vie de Marianne où les avantures de Me la Comtesse de ***	Pres. par la Veuve Coutelier p[our] p[rivilège] g[énéral] distribué a. m. blanchard

Les colonnes 3 et 4 sont vides. Le premier à avoir signalé cette demande est M. Gilot. Elle figure aussi dans le registre 21974, qui est en somme la table des matières de 21995.

59. B.N. ms. f. fr. 21996, demandes formulées entre le 16 février 1728 et le 6 novembre 1738 ; du 25 avril 1728 :

82. La vie de Marie-Anne, où Les avantures de Mde La Comtesse de ***	P[résenté] par... dist[ribué] à M. Saurin	Approuvé le 9 mai 1728	P[ermission] s[imple] à P. Prault pour 3 ans du 9. mai 1728

Cette permission simple est inscrite dans le Registre B.N. f. fr. 21954, p. 117, à la date du 25 mai 1728. Mais le 15 juillet Prault se fit attribuer un privilège général de six ans pour plusieurs œuvres de Marivaux, dont *La Vie de Marianne* (B.N. f. fr. 21955, p. 204, à la date du 9 août 1731 et B.N. f. fr. 21996, fº 92 rº).

60. Desfontaines rendit compte de cette première partie dans *Le Nouvelliste du Parnasse*, 1731, tome II, 25e lettre ; voir ce compte rendu dans *V.M.²*, p. LXV-LXVI.

4 octobre 1731 : *La Réunion des amours* est reçue par les Comédiens-
   Français ;
12 mars 1732 : Première représentation du *Triomphe de l'amour* ;
25 juillet 1732 : Première représentation de *L'Ecole des mères* ;
4 février 1733 : Approbation du *Petit Maître corrigé* ;
6 juin 1733 : Première représentation de *L'Heureux Stratagème* ;
17 septembre 1733 : Approbation du *Cabinet du philosophe* [61] ;
15 janvier 1734 : Approbation de la deuxième partie de *La Vie de
   Marianne* [62] ;
16 mars 1734 : Demande d'approbation pour la première partie du
   Paysan parvenu [63] ;
20 mai 1734 : Approbation de la deuxième partie du *Paysan parvenu* [64] ;
5 juillet 1734 : Approbation de la troisième partie du *Paysan parvenu* [65] ;
16 août 1734 : Première représentation de *La Méprise* ;
30 septembre 1734 : Approbation de la quatrième partie du *Paysan
   parvenu* [66] ;
1er avril 1735 : Approbation de la cinquième partie du *Paysan parvenu* [67] ;
9 mai 1735 : Première représentation de *La Mère confidente* ;
17 novembre 1735 : Approbation de la troisième partie de *La Vie de
   Marianne* [68] ;
décembre 1735 : *L'Auberge provinciale* [69] ;

61. Telle est la date indiquée dans l'édition originale, voir F. Deloffre et M. Gilot, édition
des *J.O.D.*, p. 751. Mais la demande est inscrite dans le registre 21996 à la date du
13 octobre, et, si l'on admet que les réunions des censeurs étaient hebdomadaires, il n'a pas
dû y avoir séance le 17 septembre.

62. Selon ce qu'indique l'édition originale, voir F. Deloffre, édition *V.M.*², p. XCIII. Cette
approbation n'est pas dans le registre 21996. Le registre B.N. ms. f. fr. 22007 indique, p. 8, que
le manuscrit de cette deuxième partie a été remis par Prault à la Chambre syndicale des
libraires le 12 février 1734, et l'exemplaire justificatif le 26 mars.

63. Registre 21996, à la date du 16 mars 1734 :

2035. Le Paysan par- venu ou Les memoires de M... par...	P[résenté] par Prault dist. à M. du Val	

Les colonnes 3 et 4 sont vides. Selon le registre 22007, le manuscrit a été remis le
11 mai à la Chambre syndicale, et l'exemplaire justificatif le 4 juin.

64. Selon l'indication donnée dans l'édition originale, voir F. Deloffre, *P.P.*, p. XLVIII. Le
registre 21996 n'a pas trace de cette approbation ; le registre 22007 fait savoir, p. 11, ligne 1,
que l'exemplaire justificatif a été remis le 15 septembre. La date à laquelle avait été remis
le manuscrit n'est pas mentionnée, à moins qu'elle ne soit la même — 11 juin — que pour
les ouvrages inscrits à la p. 10 et dont l'exemplaire justificatif avait aussi été déposé le
15 septembre.

65. Telle est la date qui figure dans l'édition originale, voir F. Deloffre, édition du
P.P., p. XLVIII. Elle ne correspond pas à une séance de l'assemblée des censeurs. La demande
n'est inscrite dans le registre 21996 qu'à la date du 20 juillet :

2175. Le Paysan par- venu par le Sr de Mari- vault	P. par Laurent fr. Prault dist. à M. du Val	approuvé	P.S. à Prault pour 3 ans du 20 juil- let 1734.

Cette troisième partie est inscrite dans le registre 22007 à la même page que la
deuxième partie, mais à la ligne 23, et selon la même disposition : pas de date de remise du
manuscrit, date du 15 septembre pour le dépôt de l'exemplaire justificatif. Le privilège de
Prault fils figure dans le registre des privilèges B.N. ms. f. fr. 21955, p. 736, daté du 5 août,
ainsi que la reconnaissance par Prault fils des droits de son père sur les deux premières
parties. Le registre 21975, qui est la table des matières de 21996, mentionne fidèlement les
actes concernant la première et la troisième partie.

66. Date donnée dans l'édition originale, voir F. Deloffre, édition du *P.P.*, p. XLIX. La
seule trace dans les registres de la Librairie se trouve au registre 22007, p. 14 : l'exemplaire
justificatif a été déposé le 4 février.

67. Même remarque qu'à la note 66. Selon le registre 22007, p. 16, l'exemplaire justificatif
de l'édition a été déposé le 10 juin.

68. Date donnée dans l'édition originale, voir F. Deloffre, édition *V.M.*², p. XCIV. Selon le
registre 22007, p. 20, l'exemplaire justificatif a été déposé le 20 janvier 1736.

69. L'existence de cette pièce n'est pas prouvée, voir F. Deloffre, *T.C.*, I, p. XIII-XIV.

9 mars 1736 : Approbation du *Legs ;*

19 mars 1736 : Approbation de la quatrième partie de *La Vie de Marianne ;*

4 septembre 1736 : Approbation de la cinquième partie de *La Vie de Marianne ;*

27 octobre 1736 : Approbation de la sixième partie de *La Vie de Marianne ;*

27 janvier 1737 : Approbation de la septième partie de *La Vie de Marianne* [70] *;*

16 mars 1737 : Première représentation des *Fausses Confidences ;*

21 mai 1737 : J. Néaulme annonce qu'il a sous presse la huitième partie de *La Vie de Marianne* [71] *;*

décembre 1737 : Publication de la huitième partie de *La Vie de Marianne* chez Gosse et Néaulme, à La Haye [72] *;*

7 juillet 1738 : Première représentation de *La Joie imprévue ;*

13 janvier 1739 : Première représentation des *Sincères ;*

29 novembre 1740 : Première représentation de *L'Epreuve ;*

1741 : *La Commère* [73] *;*

27 mars 1742 : J. Néaulme met en vente les neuvième, dixième et onzième parties de *La Vie de Marianne* [74] *;*

1742 : Edition des onze parties de *La Vie de Marianne* chez Prault ;

10 décembre 1742 : Marivaux est élu à l'Académie française.

Les délais entre deux œuvres sont très inégaux, et comme ils ne sont pas proportionnels à l'importance des œuvres, il faut en conclure que pendant les plus longs délais Marivaux travaillait, en même temps qu'à une œuvre courte, à une œuvre longue parue plus tard. Mais il faut aussi faire la part de la paresse, des voyages, des caprices, d'accidents demeurés inconnus. Les remarques appelées par la chronologie sont les suivantes :

— trois mois et dix-huit jours s'écoulent entre *La Surprise de l'amour* et la septième feuille du *Spectateur français*, plus de quatre mois sans doute si l'on tient compte du temps passé entre la réception de la pièce par les Comédiens-Italiens et la première représentation [75]. Les feuilles du *Spectateur français* se succèdent ensuite jusqu'à la fin

70. Les dates de l'approbation des 4e, 5e, 6e et 7e parties ne sont connues que par les éditions originales, voir F. Deloffre, *V.M.*², p. xciv et p. xcv. Le registre 22007 mentionne le dépôt de l'exemplaire justificatif de la 4e partie le 9 juin (p. 24), et de la 5e partie le 14 septembre (p. 27) ; la 6e et la 7e partie ont été déposées presque ensemble, puisqu'elles sont inscrites p. 30 à quelques lignes d'intervalle, mais à partir de la p. 28, où commence l'année 1737, le rédacteur du registre s'est contenté de noter les titres précédés d'un numéro d'ordre, et n'a plus indiqué aucune date.

71. Dans la *Gazette d'Amsterdam*, n° XLI de l'année 1737 ; voir *infra*, p. 44.

72. Le 14 janvier, dans le n° IV de la *Gazette d'Amsterdam*, année 1738, Jean Néaulme annonçait qu'il avait reçu des exemplaires de l'édition originale ; sa propre édition ne sera mise en vente qu'en avril.

73. F. Deloffre, se fondant sur l'étude du style, attribue formellement cette pièce à Marivaux, *T.C.*, t. II, p. 549-555. Elle n'a pas été jouée et l'on ignore la date exacte à laquelle elle a été achevée. Quel que soit son auteur, il n'a pas eu plus de succès auprès des censeurs qu'auprès des comédiens : c'est sans doute cette comédie à laquelle une approbation a été refusée, selon le registre des demandes d'approbation B.N. ms. f. fr. 21997, p. 51, « Du 7 Xbre (= décembre) 1741 » :

    « 888. Le paisan parvenu   Dist. à M. Maunoir   refusée
    Comédie en prose »
Même mention dans le registre 21976 qui est le répertoire alphabétique du précédent, f° 196 v°.

74. Annonce du mardi 20 mars 1742, dans le n° XXIII de la *Gazette d'Amsterdam*.

75. Les intervalles assez courts qui séparent les 2e, 3e, 4e, 5e et 6e feuilles du *Spectateur français* donnent à penser que *La Surprise de l'amour* a été commencée dès la fin de 1721.

de 1722 assez régulièrement, l'intervalle qui les sépare n'étant jamais inférieur à dix-huit jours ni supérieur à vingt-six : ce n'est donc pas à la rédaction d'une autre œuvre qu'il faut attribuer l'intervalle anormalement long de l'été 1722, mais à quelque événement : maladie de Mme de Marivaux (elle mourra en 1723), ou stage d'avocat [76] ? Il est remarquable que pendant les dix derniers mois de 1722 Marivaux se soit occupé seulement du *Spectateur français* ;

— deux mois et onze jours s'écoulent entre la quatorzième et la quinzième feuille (la septième et la huitième vont ensemble, les neuvième, dixième et onzième également, et le sujet de la neuvième est annoncé à la fin de la huitième), se sera trouvé à court et aura suspendu la rédaction du *Spectateur français* pour écrire *La Double Inconstance* ; revenu au *Spectateur français*, Marivaux crut pouvoir promettre au public « que tous les quinze jours, sans faute, on distribuer[ait] une nouvelle feuille » [77] ; la promesse ne fut tenue que pour la seizième et la dix-neuvième feuille ;

— un intervalle de deux mois sépare la vingt-troisième feuille de la vingt-deuxième ; il peut s'expliquer, comme le précédent, par la préparation d'une autre œuvre, *Le Prince travesti*. La dix-huitième et la dix-neuvième feuille, conçues en même temps que la dix-septième avec laquelle elles forment un ensemble, furent assez rapidement publiées, mais les délais s'allongent ensuite et dépassent toujours un mois. C'est en cette année 1723 que meurt la femme de Marivaux, on ne sait à quelle date exactement ni dans quelles circonstances. Colombe-Prospère, sa fille, avait quatre ans : comment la fit-il élever, par qui, quelles conséquences le veuvage eut-il pour sa vie matérielle ?

— il faut plusieurs mois à Marivaux pour écrire une comédie ; la vingt-quatrième et la vingt-cinquième feuille du *Spectateur français*, qui continuent le récit des « Aventures de l'Inconnu » commencé dans la vingt et unième et la vingt-deuxième, ont été retardées par la rédaction de *La Fausse Suivante*, comédie en trois actes qui demanda à Marivaux cinq mois de travail ;

— *Le Dénouement imprévu* et *L'Ile des esclaves*, comédies en un acte, ont été rédigées chacune en trois mois ; il en a fallu plus de cinq pour *L'Héritier de village*, en un acte également : Marivaux, qui avait abandonné *Le Spectateur français*, aura sans doute entrepris en même temps que *L'Héritier de village* une œuvre de plus longue haleine, et cette œuvre, si notre hypothèse est fondée, serait *La Vie de Marianne* ;

— en effet, *La* seconde *Surprise de l'amour* est reçue par les Comédiens-Français un an et cinq mois après les premières représentations de *L'Héritier de village* au Nouveau Théâtre italien, et

---

76. F. Deloffre et M. Gilot (*J.O.D.*, p. IX) signalent que Marivaux est désigné comme avocat dans un acte du 18 mai 1722 par lequel il renonce à la succession de son père. Mais c'est seulement le 16 décembre 1723 qu'il se fait admettre comme avocat au Parlement, dit M. Gilot dans son article déjà cité (voir *supra*, n. 54), « si l'on admet du moins que c'est bien son nom, même déformé, qui figure à cette date dans le registre-matricule ».

77 *J.O.D.*, p. 605, n. 297.

quinze jours plus tard la Veuve Coutelier sollicite un privilège pour
La Vie de Marianne ; le manuscrit qu'elle dut alors présenter a été
rédigé pendant le temps qui ne fut pas employé pour *L'Héritier de
village* et *La* seconde *Surprise de l'amour* ; nous inclinons à penser
qu'il avait été commencé dès le printemps de 1725, mais tant que
cette époque de la vie de Marivaux ne sera pas mieux connue, on ne
pourra rien assurer sur ce point, ni savoir quelle importance et quel
contenu avait le manuscrit prêt en février 1727 [78] ;

— aucun espacement anormal n'apparaît dans la chronologie avant
les trois actes de *L'Ile de la raison* ; ils ont été écrits parallèlement
aux sept feuilles de *L'Indigent philosophe* ; si ce périodique n'a pas
été commencé avant la demande d'un privilège pour *La Vie de Marianne*, on peut penser que Marivaux avait plus de facilité dans le
comique que dans le sentimental ; du 21 août 1722 au 2 janvier 1723,
il lui avait fallu quatre mois et treize jours pour écrire sept feuilles
du *Spectateur français*, sans travailler à autre chose, autant qu'on
puisse le savoir ; du 16 février au 5 juillet 1727, il lui faut quatre
mois et dix-neuf jours pour rédiger les sept feuilles de *L'Indigent
philosophe* et les trois actes de *L'Ile de la raison* ; une remarque
de même sens sera à faire à propos des romans ;

— dans les neuf mois qui suivent *L'Ile de la raison*, Marivaux
fait représenter *Le Triomphe de Plutus*, comédie en un acte : ce long
espace de temps lui servit certainement aussi à récrire la première
partie de *La Vie de Marianne*, dont le manuscrit fut approuvé le
28 avril 1728 ;

— encore plus long est le temps que demandèrent à Marivaux les
comédies suivantes : près d'un an et deux mois pour les trois actes
de *La Nouvelle Colonie*, sept mois pour les trois actes du *Jeu de
l'amour et du hasard*, près d'un an et deux mois pour les cinq actes
des *Serments indiscrets*, près de sept mois pour l'acte unique de
La Réunion des amours [79]. Il faut supposer de nouveau qu'il poursuit
simultanément un autre travail : la première partie de *La Vie de
Marianne* paraît seulement en juin 1731, trois ans et deux mois
après l'approbation ; Marivaux n'a pas pu apporter de modifications
profondes à un manuscrit déjà visé par la censure ; s'il en a retardé
si longtemps la publication, ce n'est pas pour le refaire encore une
fois, c'est pour avancer la rédaction d'une seconde partie destinée
à paraître quelques semaines après la première ; cette seconde partie
fut, en effet, rédigée et la composition typographique en fut même
commencée, comme le prouve le passage réédité par F. Deloffre [80].

78. Dans l'article cité aux n. 54 et 76, M. Gilot fait apparaître un ralentissement de la
production de Marivaux depuis 1724 jusqu'aux derniers mois de 1726. Il formule, de façon
très dubitative, l'hypothèse que ce ralentissement serait dû aux obligations du métier
d'avocat, et demande : « A-t-il effectivement prononcé des plaidoieries ? » Nous croyons
plutôt que Marivaux préparait déjà et commençait la rédaction de *Marianne*.

79. *La Réunion des amours* entrait dans le cadre des manifestations qui célébraient le
deuxième anniversaire du dauphin Louis, né le 4 septembre 1729. Il est peu probable que
Marivaux ait songé sept mois à l'avance à cette célébration.

80. Voir F. Deloffre, *V.M.*², p. XIX, n. 2 et p. 58, n. 1. Ce texte (que nous étudierons plus
loin, voir *infra*, chap. VI, p. 212-214) a été imprimé « par erreur » à la fin de la première

Elaborée lentement et difficilement, elle ne satisfit pas l'auteur qui décida de la récrire ;

— la seconde version ne semble pas avoir été d'une rédaction plus facile, puisque le manuscrit n'en fut approuvé que le 15 janvier 1734 ; les œuvres produites dans l'intervalle sont séparées par des délais à peu près égaux à ceux qui séparent les œuvres comparables dans les années précédentes : cinq mois avant les trois actes du *Triomphe de l'amour*, quatre mois avant l'acte de *L'Ecole des mères* [81], six mois et dix jours avant les trois actes du *Petit Maître corrigé*,

partie, dit F. Deloffre. Comment cette erreur a-t-elle pu se produire ? Nous ne nous flattons pas de l'expliquer, mais une description précise de l'objet peut seule aider à y voir plus clair. Les premières lignes « pré-originales » de la seconde partie se trouvent à la page 96 de l'exemplaire de la première partie, B.N. Y² 51161, à Paris, Chez Pierre Prault [...] MDCCXXXI. Les cahiers de ce volume sont de 8 folios (A, Aij, Aiij, Aiiij + 4 non signés, etc.) et de 4 folios (B, Bij + 2 non signés, etc.). Avec la page 93 commence normalement la signature H (les quatre premières pages du cahier A n'étant pas numérotées) : le cahier H est composé des pages 93, 94, 95, 96. Le texte de la première partie s'achève p. 95, mais la dernière phrase, « et cela nous reposera toutes deux », *n'est pas suivie d'un point final*. La deuxième partie commence tout de suite p. 96, sous un titre en gros caractères, sans bandeau, sans lettrine encadrée, avec le texte pré-original. Ces faits sont étranges : pourquoi la deuxième partie n'est-elle précédée ni d'une page de titre, ni d'une page de faux-titre, et ne commence-t-elle pas par un bandeau et par la répétition du titre en beaux caractères, comme les autres parties ? Marivaux a-t-il songé à publier *La Vie de Marianne* en volumes composés de plusieurs parties, et non par parties séparées, et a-t-il renoncé à ce projet parce que l'inspiration lui a manqué, ou qu'il a changé le plan de son roman en cours de rédaction ? L'absence de point final à la page 95 permet de croire que l'imprimeur a interrompu son travail avant d'avoir corrigé les épreuves, et le signe « & » en attente au bas de la page 96 prouve qu'il possédait, au moins en partie, la suite du manuscrit et se disposait à imprimer un cahier I. Après cette page 96 viennent quatre pages supplémentaires ainsi composées :

— Une nouvelle page 95 qui contient exactement le texte de la page 95 primitive, c'est-à-dire la fin de la première partie, mais cette fois s'arrêtant sur un point et suivie des mots : *Fin de la première Partie*. La ponctuation est légèrement modifiée, l'orthographe moins archaïque (c'est celle qu'on retrouve dans les autres tomes de l'édition originale), et *la typographie est différente* (25 lignes dans la page au lieu de 26, 28-30 signes par ligne au lieu de 30-32). On peut conclure avec certitude que le premier volume de l'édition originale, y compris le cahier H avec le début pré-original de la seconde partie, a été composé par un autre ouvrier et avec un autre matériel que les quatre pages supplémentaires reliées avec lui. Cette page s'achève par un bandeau sous lequel on lit l'approbation de Saurin, en date du 28 avril 1728 ;

— Trois pages non numérotées contenant le privilège délivré à Pierre Prault le 13 mai et enregistré le 25 mai 1728. Au bas de la dernière page : « A Paris. De l'imprimerie de Pierre Prault. 1731 ».

Tout autorise donc à penser que le texte actuel de la première partie a été imprimé dès 1728, que l'impression de la seconde partie a été commencée aussitôt, que Marivaux a fait arrêter l'édition, et qu'en 1731, pensant pouvoir achever assez vite sa seconde version de la seconde partie, il a fait paraître la première partie pour laquelle Prault fit composer un placard de quatre pages. L'exemplaire B.N. Y² 51172, qui appartient au même tirage, est exactement le même que l'exemplaire B.N. Y² 51161, mais le folio contenant les pages 95 et 96 primitives a été arraché, on voit encore le bord de la feuille resté dans la reliure ; on le voit également dans l'exemplaire de la bibliothèque municipale de Nîmes (cote 8686) où la nouvelle page 95 a été collée à la page 94. Les différences de texte entre la page 95 primitive (1728) et la page 95 substituée (1731) sont les suivantes :

1728	1731
comme vous le disiés	comme vous le disiez
plus rejoüie	plus réjoüie
comme la mienne, je plaisois	comme la mienne ; je plaisois
par là la seconde partie	par là, la seconde partie
vous ennuyeriés vous	vous ennuyeriez-vous

81. Ce délai anormal s'explique peut-être par les difficultés qu'a eues Marivaux à faire jouer *Les Serments indiscrets* par les Comédiens-Français. Reçue le 9 mars 1731, la pièce ne fut enfin représentée que le 8 juin 1732, et Marivaux avait sans doute dû y apporter des modifications. Voir F. Deloffre, *T.C.*, I, p. 949.

quatre mois avant les trois actes de *L'Heureux Stratagème*, et cette régularité signifie que Marivaux n'a jamais interrompu la rédaction de ses œuvres théâtrales pour se consacrer exclusivement à cette seconde partie de *Marianne* ; il est même probable qu'il fit passer avant elle *Le Cabinet du philosophe* ;

— en effet, entre la première représentation de *L'Heureux Stratagème* et l'approbation du *Cabinet du philosophe*, il s'écoule trois mois et onze jours ; travaillant de façon assez lente depuis 1726, Marivaux va entrer au contraire à partir de 1734 dans une période — courte, il est vrai — de travail relativement rapide ; mais rédiger vivement un récit qui a sa continuité et dont l'auteur a prévu le plan ou l'orientation générale, comme *Le Paysan parvenu*, n'est pas la même chose qu'amasser des sentences, des réflexions, des anecdotes inégales et décousues qui excluent une élaboration ininterrompue et rapide : *Le Cabinet du philosophe* comporte des textes suivis (« Le Chemin de la fortune », « Le Monde vrai ») qui ont pu être écrits d'un seul jet, il comporte aussi des fragments que Marivaux devait noter sur ses tablettes depuis plusieurs mois, peut-être plusieurs années ; ainsi s'expliquerait qu'il ait pu réunir ce qui, dans l'édition de F. Deloffre et M. Gilot, remplit une centaine de pages en moins de temps qu'il ne lui en fallait pour en écrire une cinquantaine précédemment ;

— la seconde partie de *La Vie de Marianne* se fait attendre deux ans et demi après la première ; deux mois après paraît le commencement du *Paysan parvenu* : rien ne fait mieux comprendre avec quelle peine Marivaux rédige son roman sentimental, et avec quelle promptitude de verve il rédige son roman comique [82]. Les quatre premières parties du *Paysan parvenu* se succèdent à vive allure, Marivaux trouvant même le temps d'écrire en passant une comédie en un acte, *La Méprise*. Un intervalle de six mois s'interpose ensuite avant la cinquième partie, mais Marivaux a dû dans cet intervalle travailler aussi à *La Mère confidente* et l'on sait qu'il lui faut plusieurs mois pour écrire une pièce en trois actes [83]. Il semble bien, au cours de ces années-là, vouloir mener de front sa production théâtrale et son œuvre romanesque ; rien n'indique que des difficultés inhérentes à la rédaction ou au sujet même aient été ressenties par Marivaux avant l'achèvement de la cinquième partie du *Paysan parvenu* ;

— l'approbation pour la troisième partie de *La Vie de Marianne* est demandée six mois après la première représentation de *La Mère confidente* : Marivaux a-t-il hésité, essayé de continuer *Le Paysan par-*

---

82. Il importe peu ici que le retard ait été pris dans la rédaction de la deuxième ou dans celle de la troisième partie de *Marianne*.

83. M. Gilot, dans son article sur Marivaux à la croisée des chemins (voir *supra*, note 54), cite une lettre de l'abbé Le Blanc au président Bouhier, en date du 3 janvier 1735, selon laquelle Marivaux serait l'un des « plus ardents compétiteurs » qui « aboient » après la place de secrétaire du duc d'Orléans, place que Moncrif venait de perdre à la suite d'une indiscrétion. Si étrange que soit l'image d'un Marivaux se battant comme un chien pour une place, nous connaissons trop mal sa vie pour crier à l'invraisemblance. Des difficultés pécuniaires et des démarches qu'il aurait tentées pour les résoudre expliquent peut-être en partie le ralentissement de sa production dans les premiers mois de 1735.

venu sans y réussir [84] ? Il semble pourtant n'avoir pas perdu de temps : en mars 1736 il fera approuver à quelques jours de distance une pièce en trois actes, *Le Legs*, et la quatrième partie de *La Vie de Marianne*, à laquelle il avait commencé de travailler dès l'achèvement de la troisième partie ; la lettre à Pierre Prault, dans laquelle il désavoue *Le Télémaque travesti* et que l'on date avec vraisemblance de novembre 1735, annonce : « la quatrième partie de Marianne paroîtra incessamment. Dans trois semaines vous l'aurez sans faute » [85] ; même si l'on admet quelque exagération de la part d'un écrivain désireux de calmer l'impatience de son libraire, il est clair que Marivaux voulait faire avancer la rédaction assez vite. Du début de mai 1735 au début de mars 1736, soit en dix mois, il écrivit donc deux parties de *Marianne*, une comédie en trois actes, *Le Legs*, et peut-être une comédie en un acte, *L'Auberge provinciale*, dont on n'a rien retrouvé [86] ; ces comédies avaient sans doute été commencées dès l'automne de 1735 ;

— entre l'approbation de la quatrième partie de *Marianne* et celle de la cinquième partie, Marivaux laisse passer presque six mois : il se peut que son attention se soit détournée pendant quelque temps de son roman [87], mais il est plus probable qu'il en aura conçu simultanément, et même rédigé presque de front, les cinquième, sixième et septième parties ; en même temps il écrivit *Les Fausses Confidences*, car il est impossible qu'il ait commencé et achevé les trois actes de cette comédie dans les sept semaines qui les séparent de la date où la septième partie de *Marianne* fut approuvée. L'ordre dans lequel ses travaux sont mis au jour ne reproduit certainement pas l'ordre de leurs compositions respectives : l'inégalité et la disproportion des intervalles sont la preuve qu'il y a eu des chevauchements. Quoi qu'il en soit, Marivaux mit un an (de mars 1736 à mars 1737) à écrire trois parties de *Marianne* et une pièce en trois actes : son rythme de travail ne s'était pas ralenti ;

— dans la *Gazette d'Amsterdam* du 21 mai 1737, Jean Néaulme déclare avoir sous presse la huitième partie de *Marianne* [88] ; le 28 décembre, les *Observations sur les écrits modernes*, dans la lettre CLXI, rendent compte de l'édition de cette partie, parue chez Gosse et Néaulme [89] peu de temps auparavant. L'annonce de Jean Néaulme

---

84. Selon F. Deloffre, (*Marivaudage*², p. 538, note 47) la publication en juillet 1735 de la première partie de *La Païsanne parvenue* (par Mouhy) a pu détourner Marivaux de continuer son *Paysan parvenu*. Les deux œuvres sont très différentes, et c'est plutôt de sa *Marianne* que Marivaux aurait pu se dégoûter, en en lisant une imitation aussi déformante. De toute façon l'inachèvement des œuvres entreprises est si coutumier à Marivaux qu'il faut chercher à l'expliquer par autre chose que par des circonstances particulières. Voir *infra*, chap. VIII, *passim*.

85. Voir *supra*, note 23.

86. Voir F. Deloffre, édition de *T.C.*, I, p. XIV, et II, p. 795.

87. On ignore jusqu'où Marivaux avait poussé sa campagne académique en 1736, année où sa candidature fut pour la seconde fois écartée (voir G. Larroumet, *Marivaux*², p. 115). Quant au projet de réfuter les *Lettres philosophiques* (voir G. Larroumet, *Marivaux*², p. 79-81, et F. Deloffre, *Marivaudage*², p. 540), il ne semble pas avoir eu beaucoup de consistance.

88. Voir *supra*, note 71.

89. Voir G. May, *Le Dilemme du roman au dix-huitième siècle*, p. 97.

était-elle prématurée cette fois encore ? Peut-être, mais le manuscrit de Marivaux devait bien être prêt au printemps de 1737 ; conformément à une habitude dont on a plusieurs preuves antérieures, il en avait fait passer copie en Hollande ; l'édition française, qui aurait dû précéder l'édition hollandaise, rencontra des difficultés et finalement ne fut pas réalisée : entre mars et octobre 1737, le chancelier Daguesseau avait ordonné la proscription générale des romans [90] ; *La Vie de Marianne* ne pouvait plus continuer à paraître qu'à l'étranger et sans approbation. Si l'on admet que la huitième partie était finie en mai, il avait fallu à Marivaux moins de quatre mois pour l'écrire, délai très vraisemblable puisque cette partie fait logiquement corps avec la précédente et que Marivaux avait dû consacrer plus de temps pendant les deux premiers mois aux *Fausses Confidences ;* il est peu probable qu'il faille repousser l'achèvement à octobre ou novembre, ce serait faire tomber la production de Marivaux à un rythme très bas, celui-là même qui va désormais être le sien, mais auquel il n'avait pas de raison de se réduire avant la proscription des romans et l'orientation nouvelle prise par le récit de *Marianne ;*

— jusqu'au mois de mars 1742, Marivaux ne donna plus au public que trois ou quatre pièces en un acte [91] à de longs mois d'intervalle, et fit approuver et éditer celles qui n'avaient pas encore paru. Les neuvième, dixième et onzième parties de *Marianne* furent mises en vente par Jean Néaulme en mars 1742. Marivaux avait-il retrouvé assez d'ardeur et de facilité pour les écrire en un an et quatre mois, après *L'Epreuve ?* Travaillait-il par saccades ou progressait-il lentement et péniblement ? En l'absence d'indices extérieurs qui permettraient de suivre la genèse des derniers écrits de cette période, on admettra que les accélérations et les ralentissements de la production se compensent sur une durée de plus de quatre ans, et qu'un rythme théorique moyen puisse être pris en considération : mais ce rythme moyen, pour les années 1738-1742, est trois fois plus lent que celui des années 1736-1737. Parvenu enfin à ce nouveau récit qu'il avait si longtemps retardé, découragé par les mesures qui frappaient le roman en France, Marivaux a sans doute suspendu pendant quelque temps la rédaction de *Marianne* et même tout travail d'écrivain ; mais il est vraisemblable qu'il est revenu à son roman assez tôt pour qu'on n'ait pas à lui prêter une cadence dont il était désormais incapable, assez tard pour avoir en l'écrivant le sentiment d'une certaine vitesse et d'une certaine continuité, qui deviennent promptitude sous la plume de la narratrice fictive [92]. Dans la seconde moitié de 1738, en 1739, au début de 1740 ? La vraisemblance est pour 1739.

90. Les indices réunis par G. May dans l'ouvrage cité à la note précédente sont assez convaincants, mais F. Furet invite à corriger ses conclusions, « La *Librairie* du royaume de France au XVIIIe siècle », dans *Livre et société dans la France du dix-huitième siècle*, Paris — La Haye, 1965, p. 32, n. 49.

91. Exactement trois ; le manuscrit de *La Commère*, que F. Deloffre attribue à Marivaux (voir *supra*, note 73), fut retrouvé dans les archives de la Comédie française en 1966 seulement.

92. Voir le début des neuvième, dixième et onzième parties, et *infra*, chap. VIII, p. 414-419.

UNE FOIS entré à l'Académie, Marivaux écrivit encore quelques comédies en un acte et des réflexions ou des essais sur des questions de morale et de littérature, mais il ne revint plus à ses romans. Son intelligence critique de l'art et sa connaissance du cœur humain n'étaient pas diminuées, son pouvoir créateur avait faibli : était-il dépité par l'incompréhension du public (« personne n'a autant d'humeur [...] qu'un auteur menacé de survivre à sa réputation », fera dire Diderot à Rameau le neveu, quelque vingt ans plus tard, à propos de Marivaux précisément [93], découragé par des imitateurs sans génie [94], satisfait d'une consécration qui lui donnait le droit à la paresse, déconcerté par l'évolution du goût et des idées, usé par l'âge, bien qu'il n'eût que cinquante-quatre ans lors de son élection ? Toutes ces raisons ont pu jouer, mais l'abandon des romans a été délibéré et a eu lieu très tôt. On ne peut rien conclure du fait que les rééditions des cinq parties du *Paysan parvenu* aient été réunies en un volume, avec paginations séparées, dès 1737 par des libraires de La Haye, de Francfort et d'Amsterdam ; mais si Prault père a fait suivre en 1748 une édition en deux tomes d'une table analytique, c'est qu'il savait que l'ouvrage ne serait pas continué. Marivaux l'avait clairement marqué dès 1741, en tirant ou en laissant tirer de son roman une comédie en un acte, *La Commère*, qui en altérait assez fortement certaines données [95]. Quant à *La Vie de Marianne*, en en réimprimant ensemble les onze parties en 1742, Prault lui mettait en somme un point final [96]. Lorsqu'il devient académicien, Marivaux tient donc sa carrière de romancier pour close : ne lui prêtons pas les affres d'un génie rongé par l'impuissance et se répétant avec angoisse : *Pendent opera interrupta !* Il s'accommodait fort bien de ce double inachèvement, il ne pensait pas que ses romans y perdissent leur sens et leur beauté, et nous verrons que sur ce point tout son siècle avait la même indifférence.

*
* *

Marivaux eut une carrière de dramaturge assez régulière ; elle ne présente d'interruption prolongée qu'entre 1746 et 1755, *La Colonie*, publiée en 1750, étant la réfection d'une pièce antérieure ; dans ses dernières années productives, 1754-1757, Marivaux dramaturge fit même l'effort de se renouveler [97]. Commencée seulement en 1717 (si

---

93. *Le Neveu de Rameau*, éd. critique par J. Fabre, Genève, 1963 (nouveau tirage), p. 6.
94. Sur les imitateurs de Marivaux, voir *infra*, Conclusion, p. 499-501.
95. Voir *supra*, note 73.
96. Cette édition, signalée par Larroumet, *Marivaux*[1], p. 608, n'a pas été retrouvée.
97. Voir F. Deloffre, éd. du *T.C.*, t. II, p. 705.

l'on met à part *Le Bilboquet*) son activité de moraliste fut plus souvent arrêtée, pendant deux ans et deux mois entre les *Pensées sur différents sujets* et la première feuille du *Spectateur français*, pendant deux ans et demi entre *Le Spectateur français* et *L'Indigent philosophe*, pendant six ans et demi entre *L'Indigent philosophe* et *Le Cabinet du philosophe*, enfin pendant plus de dix ans entre *Le Cabinet du philosophe* et la série de réflexions et d'essais qui s'échelonnent de 1744 à 1755 ; mais des comédies comme *L'Ile des esclaves*, *L'Ile de la raison*, *Le Triomphe de Plutus*, *La Réunion des amours*, sont en partie des allégories morales, à comparer aux textes dialogués que Marivaux a insérés dans ses périodiques, plutôt que des comédies d'intrigue et de sentiment. Sans que son œuvre dramatique en tant que telle fût par là amputée ou dénaturée, on peut dire que le moraliste a cherché à s'exprimer dans des pièces de théâtre, compensant ainsi les interruptions subies par la série des œuvres morales. Celle-ci était encore continuée quelques années avant la mort de Marivaux, quand au contraire la série des œuvres romanesques avait pris fin depuis longtemps. La carrière de Marivaux romancier est en effet d'une bizarre irrégularité : au début, sa production est abondante et rapide, elle s'interrompt ensuite pendant une douzaine d'années ; elle reprend lentement avec la rédaction des deux premières parties de *Marianne*, qui exigea près de sept ans, s'accélère avec la rédaction de cinq parties du *Paysan parvenu*, garde encore un bon rythme avec les neuf parties suivantes de *Marianne*, puis s'arrête net et définitivement. Il y avait certes des épisodes romanesques dans les périodiques, mais personnages et situations de ces épisodes sont essentiellement prétexte à moraliser : on peut se demander si pour Marivaux l'œuvre morale est un exercice préparant à l'œuvre romanesque, ou si l'œuvre romanesque, une fois dépassée la période fertile de l'apprentissage, n'a pas été un prolongement de l'œuvre morale. Aussi des opuscules comme *Le Bilboquet* et les *Lettres contenant une aventure* sont-ils difficiles à classer. Au théâtre, les nécessités de la représentation et la loi même du genre obligent l'écrivain à subordonner sa réflexion morale à l'intrigue et à l'action. Dans le roman, sa réflexion peut se donner tout l'espace qu'elle veut, et dévorer la substance romanesque. Une des questions que nous aurons à résoudre est donc celle-ci : dans quelle mesure en Marivaux le moraliste a-t-il nui au romancier, dans quelle mesure a-t-il forcé son esprit créateur à inventer une nouvelle poétique du genre romanesque ?

Chapitre II

ATTACHES

L E XVIIIᵉ SIÈCLE voit l'ascension politique et sociale de la bourgeoisie, et, parallèlement, le progrès du genre romanesque en importance et en dignité, dans la mesure où ce genre est l'expression littéraire de la sensibilité et de l'idéal bourgeois. Ces propositions sont trop simplistes pour rendre compte de toutes les œuvres romanesques, mais elles sont d'une vérité générale qu'on ne saurait mettre en doute, à moins de mettre en doute les notions mêmes de *siècle*, de *bourgeoisie* et de *genre romanesque*. « Toute pensée a sa clarté suffisante, quand tout le monde l'entend de même »[1]. La difficulté, pour l'analyse qui veut pénétrer dans la complexité et les contradictions du réel, est de respecter ce *consensus*, qui est réel lui aussi et qui repose sur une réalité.

Le roman est bourgeois parce qu'il peint les mœurs : non pas seulement les mœurs bourgeoises, que R. Chasles est le premier à n'avoir pas ridiculisées, mais aussi les mœurs aristocratiques, et même, dans une moindre mesure, les mœurs populaires. La structure de la société peut expliquer le destin de Mme de Clèves et le caractère de Célimène : cette explication suggérée est moins importante que l'explication par le cœur humain en général, qui est l'objet principal de Mme de Lafayette et de Molière. La société est pour eux le lieu naturel où s'actualise la condition humaine et où se manifestent les passions. Appartenir à la société — la seule, la bonne — est aussi nécessaire à l'honnête homme de l'âge classique que de respirer pour vivre ou que d'hériter du péché originel : Rousseau au contraire, en cela bourgeois du XVIIIᵉ siècle, regardera comme étrangers à lui-même également la société aristocratique et le péché originel. Mais déjà pour La Bruyère les faux dévots, les libertins, les coquettes ou les partisans ne sont plus seulement des aspects de l'humanité morale, ils sont des types sociaux. Dès qu'un public a voulu connaître

1. Marivaux, « Sur la clarté du discours » (*J.O.D.*, p. 54). Voir *infra*, chap. IV, p. 137.

la société comme un mécanisme à utiliser, ou un pays à coloniser, le roman bourgeois a été possible. Bâtards, orphelins, enfants abandonnés, filles sans naissance, garçons déshérités en sont si souvent les héros parce qu'ils symbolisent avec force la situation du bourgeois devant la société constituée : il doit comme eux s'y tailler une place de haute lutte. A la formation de leur image ont sans doute contribué les souvenirs de la tradition romanesque baroque, avec ses princes déguisés et ses illustres inconnus, et le besoin de merveilleux qui est au départ de tout récit, mais elle n'aurait pas été si répandue et elle n'aurait pas eu tant de succès si les lecteurs bourgeois n'avaient pu la charger de leurs ambitions et de leurs rêves. Au bout de leurs aventures, ces personnages accèdent à l'opulence, aux beaux mariages et aux honneurs, l'arriviste cynique devient un financier sentimental, le parvenu ne se distingue plus de l'orphelin qui a retrouvé sa riche famille. Veut-on connaître le vrai dénouement du *Paysan parvenu* et de *La Vie de Marianne* ? Le fermier général Jacob épouse la noble demoiselle Marianne, qui laisse son titre hérité pour un titre acheté.

*
* *

Mais Marivaux n'a pas voulu ce dénouement : le bourgeois qui a fait fortune s'installe dans l'ordre dont il a su mettre à profit les imperfections, et magnifie la société qu'il a commencé par tourner en ridicule ; telle est la contradiction du parvenu : il est successivement juge et bénéficiaire, et, dans les romans dont il est le héros, on ne sait trop ce qu'il faut prendre le plus au sérieux, le ton satirique sur lequel est décrite la société à conquérir ou la béate satisfaction que procure la réussite. Nous trouvons cette équivoque chez Mouhy, chez Gaillard de la Bataille, chez Digard de Kerguette, chez H.-F. de la Solle, chez presque tous ceux qui, s'inspirant de Marivaux, ont fait passer de la misère et de la servitude à la fortune quelque roturier ou quelque noble orphelin[2]. Les moyens supposent une lucidité que la fin semble anéantir. Marivaux, en renonçant à raconter la fin, n'a pas levé l'équivoque : il l'a transformée en ambiguïté ; de personnages incohérents, il a fait des personnages énigmatiques, qui ne sont pas dupes de leur bonne conscience, mais qui n'affichent pas le cynisme.

Le romancier bourgeois ressemble à ses personnages : il doit être assez extérieur à la société pour la peindre avec esprit critique, assez solidaire de ses structures pour être lui-même intéressé à la peindre et se rendre intéressant à ses lecteurs. Le rapport entre ces deux conditions est variable, et il y a plusieurs façons d'être bourgeois : en homme sensible, en sceptique, en optimiste, en pessimiste, en conformiste, en révolté, chacune de ces attitudes pouvant être volontaire ou involontaire, consciente ou inconsciente. Même le refus de la bourgeoisie est, chez l'écrivain bourgeois, une réaction bour-

---

2. Voir *infra*. Conclusion, p. 500.

geoise, et sans nier la puissante dénonciation que constituent leurs
œuvres, on pourrait relever ce trait commun chez des écrivains aussi
différents que Flaubert, Baudelaire et Leconte de Lisle. La bourgeoisie
n'est pas au pouvoir au XVIIIe siècle, elle essaie de l'enlever à l'aristocratie, mais la position de l'écrivain bourgeois n'en est pas pour
cela plus simple, au contraire : tant que la bourgeoisie n'a pas imposé
ses valeurs morales et sociales, il ne peut radicalement critiquer
les privilèges et les mœurs d'une noblesse à laquelle le bourgeois
songe surtout à s'assimiler, et les qualités ou les ambitions bourgeoises
restent sujettes au ridicule, que le bourgeois prétende imiter l'aristocratie ou qu'il persiste dans son comportement de bourgeois. L'écrivain, en apparence, se trouve ainsi libre dans son jugement sur l'une
et sur l'autre classe : et de fait, alors que Sedaine, Mercier, Baculard
d'Arnaud, Beaumarchais (dans ses drames), parce qu'ils sont les
porte-parole d'une bourgeoisie de plus en plus émancipée et reven-
dicative, parlent de la société avec plus de passion et moins de
pénétration que les écrivains d'avant 1760, les Dancourt, Dufresny,
Lesage, Crébillon, Marivaux, chacun gardant son quant-à-soi, sont,
chacun à sa manière, ironiques. Mais Montesquieu l'aristocrate est
ironique, et, quoi qu'en ait dit Paul Valéry, il n'était pas incrédule
à l'égard des conventions sociales, il voulait les fonder en nature
et en raison [3]. Voltaire aussi est ironique, et personne au XVIIIe siècle
n'a défendu avec autant d'adresse et d'intelligence, dans la théorie
et dans la pratique, ses intérêts de grand bourgeois. L'ironie destruc-
trice puise sa force dans ce qu'elle instaure. Si l'ironie de Marivaux
et des romanciers et dramaturges que nous avons nommés comme
ses contemporains est moins nerveuse, plus enveloppée, c'est peut-
être qu'ils hésitaient devant ce qu'ils devaient instaurer. D'eux tous,
Marivaux est celui qui fait la plus grande part à la réflexion politique [4] : que représente donc ce petit bourgeois, pauvre et dépensier,
chrétien, sans illusion, précieux, réaliste, précurseur des Philosophes
et dédaigné par eux ? Aucun être humain, aucun fait d'existence
individuelle ne signifie en dernier ressort autre chose que lui-même,
aucune œuvre littéraire ne peut être ramenée à un seul sens ou à
une somme finie de sens. Mais quand un homme publie ses idées sur
la société, nous devons nous demander à qui il s'adresse, quelle
sorte d'action — fût-elle négative — il entend mener, quels alliés
et quels ennemis il se donne, quels intérêts — fût-il désintéressé —
il défend ; et quand cet homme a aussi écrit des romans, comment
s'y traduit sa prise de position politique. En nous posant ces questions
nous ne perdons pas de vue l'étude du romancier, nous lui donnons
son assise : qu'on le veuille ou non, l'usage du roman — et des divers
genres littéraires — est une suite de l'usage que font les hommes
de la société politique.

---

3. La *Préface* de Paul Valéry aux *Lettres persanes* a été recueillie dans *Variété II*.

4. Nous donnons ici à l'adjectif *politique* un sens très large : il désigne tout ce qui
concerne le gouvernement de la société, les rapports entre les classes, le comportement de
l'individu en face des pouvoirs.

Nous connaissons très mal la vie personnelle de Marivaux, et peut-être aurions-nous une autre impression sur lui si nous avions ses lettres et celles de ses correspondants. Mais du peu que nous savons à l'heure actuelle il résulte que Marivaux appartient ou se rattache à la « haute société consommatrice du produit social, et qui n'est, économiquement, *que* consommatrice », telle que l'a définie Herbert Lüthy [5], à cette classe de propriétaires terriens, de rentiers et de possesseurs d'offices où les bourgeois riches sont associés à la noblesse par les mariages d'argent et par l'acquisition de charges anoblissantes. Le père de Marivaux avait été écrivain du roi dans la Marine, puis trésorier des vivres dans l'armée d'Allemagne : ces offices d'intendance permettaient à des fonctionnaires peu scrupuleux de s'enrichir en falsifiant leurs états et leurs comptes [6]. Nicolas Carlet, dont l'honnêteté est hors de doute, put du moins réunir assez d'argent pour acheter en 1698 la charge de contrôleur-contre-garde à la Monnaie de Riom ; il ne poussa pas plus loin que la charge de directeur de la même Monnaie [7]. En juin 1719, Marivaux demanda à lui succéder dans cette charge ; sa vocation littéraire s'était déjà bien affirmée, il est peu probable qu'il ait été résigné à l'éteindre dans une petite ville de province : sans doute songeait-il à se faire un point de départ de ce qui avait été le point d'arrivée de son père, mais la charge n'était pas d'un assez bon rapport pour qu'il pût espérer y gagner rapidement de quoi en acquérir une autre plus brillante, et il n'avait pas de goût pour ce genre de trafic. Il refusa, ou il fut écarté. Quoi qu'il en soit, il était de cette catégorie sociale dont les plus hauts représentants, après avoir rempli des offices de trésorerie ou de justice, finissaient fermiers généraux ou grands commis, propriétaires d'un hôtel particulier à Paris et d'un château à la campagne, et Marivaux semble bien avoir lui aussi essayé d'entrer dans la carrière : il n'a de toute sa vie rédigé que quatre dédicaces, mais des quatre, trois sont très instructives à cet égard. Dans la première, celle du *Père prudent et équitable* à Rogier du Buisson, conseiller

---

5. Herbert Lüthy, *La Banque protestante en France de la révocation de l'édit de Nantes à la Révolution*, Paris, 1961, tome II, p. 23.

6. Robert Chasles, qui fut écrivain du roi, raconte dans ses *Mémoires* qu'après la bataille de la Hogue où il était ayant eu 146 morts, le commissaire général d'Herbault l'invita à n'en porter que cinquante sur son état : « J'entendis fort bien ce que cela voulait dire. Ce sont autant de rations gagnées, que le commissaire et le munitionnaire partagent ensemble » (*Mémoires de Robert Challes, écrivain du Roi*, publiés par A. Augustin-Thierry, Paris, 1931, p. 186). Un écrivain complice devait aussi y trouver son compte.

7. Sur le père de Marivaux, lire, outre l'ouvrage de G. Bonaccorso signalé au précédent chapitre, l'article de G. Couton : « Le Sieur Nicolas Carlet, père de Marivaux », *R.H.L.F.*, 1953, nº 1, et celui de M. Gilot, qui apporte beaucoup de documents nouveaux : « Maître Nicolas Carlet et son fils, Marivaux », *R.H.L.F.*, 1968, nºˢ 3-4. Nicolas Carlet n'avait sans doute acheté ni son office d'écrivain du roi (il l'obtint en 1680, et selon Chasles, *Mémoires*, éd. cit., p. 196, Pontchartrain, contrôleur général des Finances à partir de 1689, secrétaire d'Etat à la Marine à partir de 1692, « fut le premier qui vendit généralement tous les emplois de la Marine »), ni son office de trésorier ; il paya 8 821 livres sa charge de contrôleur-contre-garde, (G. Bonaccorso, *op. cit.*, p. 16-17 ; M. Gilot, art. cit.) ; le prix de sa charge de directeur est évalué à 9 000 livres par G. Couton et par M. Gilot (articles cités), mais G. Bonaccorso (*op. cit.*, p. 23, n. 32) pense qu'il faut augmenter ce chiffre. La charge fut plus lucrative pour les successeurs de Nicolas Carlet. Celui-ci fut-il un maladroit ? Le fils espéra-t-il faire mieux que le père ?

du Roi, lieutenant général et de police à Limoges, il n'use pas de détours : « je borne ma hardiesse à vous demander l'honneur de votre protection » [8]. La seconde, celle de *L'Homère travesti* au duc de Noailles, est plus étudiée (Marivaux y recourt à la fiction qu'il emploiera de nouveau l'année suivante pour le *Portrait de Climène* : des divinités se disputent le droit de faire le portrait de la personne célébrée) [9], et elle vise plus haut : le duc de Noailles venait d'être nommé par le Régent président du conseil des finances, et de lui dépendait ce que Marivaux appelle

« Le mobile par qui se meuvent les Etats » [10].

On saura peut-être un jour si Marivaux avait des raisons particulières de dédier à Noailles une œuvre burlesque qui servait le parti des Modernes, mais le sens d'une dédicace à un ministre des finances n'est pas obscur. La troisième est celle de *La Double Inconstance* à la marquise de Prie (à qui Voltaire dédiera peu de temps après *L'Indiscret*) : maîtresse du duc de Bourbon qui venait d'être fait premier ministre, toute puissante sur son amant, la marquise de Prie régnait sur la France ; Marivaux ne pouvait mieux s'adresser ; il n'avait pas perdu de temps, et l'on ne peut guère imaginer d'autre motif à cette dédicace que l'espoir d'une charge ou d'une pension. Fille du parvenu Berthelot de Pléneuf, la marquise de Prie représente par excellence la « haute société consommatrice » qui réunit la noblesse et la finance et à laquelle Marivaux pouvait naturellement et désirait probablement s'agréger. La dernière dédicace, celle de *La* seconde *Surprise de l'amour* à la duchesse du Maine, n'exprime sans doute que la reconnaissance de l'écrivain envers une grande princesse qui avait applaudi sa comédie [11].

Par sa mère, Marivaux avait déjà des alliés dans la catégorie sociale où son père n'avait pas réussi à s'avancer : Michel Gilot a établi que Marie Bullet était apparentée aux architectes Pierre Bullet, le père, et Jean-Baptiste Bullet de Chamblain, le fils [12]. Marivaux était le neveu du premier, le cousin du second ; Jean-Baptiste Bullet travailla presque constamment sous la direction de son père, jusqu'à la mort de celui-ci en 1716 [13]. Pendant les années d'enfance qu'il passa

8. *T.C.*, I, p. 11.

9. *J.O.D.*, p. 21-22.

10. Dans l'édition originale (tome I, p. 6 de l'épître non paginée), Marivaux a jugé utile d'expliquer cette belle périphrase par une note : « Les Finances ». Cette épître n'a pas été reproduite dans les *O.C.*

11. *T.C.*, I, p. 253 et p. 672-673. Le ton délicat et déférent de la dédicace à la duchesse du Maine contraste avec la lourdeur alambiquée (et peut-être malicieuse : « en vous disant cela, je vous proteste que je n'ai nul dessein de louer votre esprit ; c'est seulement vous avouer que je pense aux intérêts du mien ») des compliments à la marquise.

12. Voir *supra*, chap. I, n. 15.

13. Sur Pierre Bullet, voir Louis Hautecœur, *Histoire de l'architecture classique en France*, tome II ; sur J.-B. Bullet de Chamblain, ce même ouvrage, tome III, et les articles de Runar Strandberg, « J.-B. Bullet de Chamblain, architecte du roi (1665-1726) », dans le *Bulletin de la Société de l'histoire de l'art français*, année 1962 (Paris, 1963), p. 193-255 ; « Le Château de Champs », dans la *Gazette des beaux-arts*, Paris - New York, février 1963, p. 81-100. R. Strandberg a mis en lumière les différences entre le style du père et celui du fils.

à Paris et les séjours qu'il y fit certainement avant de s'y établir lui-même, Marivaux put donc écouter les propos du père et du fils, et surtout fréquenter les milieux qu'ils fréquentaient ; or, une fois de plus, ces milieux sont ceux de la haute bourgeoisie d'offices et de finances. Architecte du roi, Pierre Bullet avait eu comme clients, entre autres, le banquier Jabach, le receveur des finances Crozat, l'intendant des finances Poultier, le président Talon, le président de Mesmes ; il avait construit plusieurs des hôtels de la place Vendôme, dont un pour lui, acheté des terrains et spéculé sur eux ; J.-B. Bullet de Chamblain, architecte du roi également, travailla pour le contrôleur des finances Dodin, pour les frères Pâris, pour le traitant Bourvalais et acheta des terrains lui aussi, notamment à Chamillart, contrôleur général des finances, en 1704 [14], en même temps qu'il demandait à « entrer dans les traittez » et que la femme de Chamillart appuyait cette demande de sa recommandation [15] : et effectivement le nom de Bullet de Chamblain est cité comme un nom de financier par Moufle d'Angerville dans sa *Vie privée de Louis XV* [16]. Auprès de ces deux hommes, Nicolas Carlet n'était qu'un petit fonctionnaire modeste et besogneux, et c'est avec eux, au milieu de leur richesse et de leur luxe, et non avec son père, que Marivaux a commencé à connaître la société. C'est pourquoi nous attacherons plus d'importance aux années de sa jeunesse passées à Paris qu'à celles qu'il a passées à Riom. Celles-ci ne furent sans doute pas longues : Nicolas Carlet ne fut en fonction qu'à partir de janvier 1699, et Marivaux séjourna régulièrement à Paris à partir de l'automne 1710 au plus tard, à partir de 1709 même selon nous. De cette décennie, il faut déduire les périodes pendant lesquelles la Monnaie de Riom fut fermée, environ quatre ans au total [17]. L'influence qu'ont exercée sur Marivaux le foyer paternel et la province n'est pas niable

14. Renseignement fourni par R. Strandberg, « J.-B. Bullet de Chamblain, architecte du roi [...] », p. 215.

15. Selon un document commenté par G. Bonaccorso, *op. cit.*, p. 24. C'est Pierre Bullet qui demanda la charge de directeur de la Monnaie de Riom pour Nicolas Carlet et se fit sa caution auprès de Chamillart (M. Gilot, « Maître Nicolas Carlet et son fils, Marivaux », p. 484, n. 2 et n. 3).

16. Moufle d'Angerville, *Vie privée de Louis XV*, à Londres, chez John Peter Lyton, MDCCLXXXI, t. I ; Bullette de Chamblain (*sic*) est nommé dans le 6e rôle, du 12 déc. 1716, sous le n° 375 (p. 218) ; on lui avait imposé une taxe de 10 000 livres, ce qui est très peu si l'on compare avec la taxe infligée à ses homonymes (ou parents ?) la veuve Chamblin (3e rôle, du 21.XI.1716, p. 206 : 180 000 livres) et François Chamblin (6e rôle, p. 393 : 310 000 livres), et sans commune mesure avec la taxe de 1 800 000 livres infligée à l'ancien receveur général Jean-René Hénault, le père du futur président au Parlement Jean-François Hénault, qui parlera de Marivaux dans ses *Mémoires* (5e rôle, p. 175). Edouard Fournier est le premier à avoir remarqué le nom de Chamblain et à l'avoir signalé, dans la notice de son édition ; G. Larroumet reproduisit le texte de Fournier. Ni l'un, ni l'autre n'ont su l'identité du traitant et de l'architecte, ni la parenté de Marivaux avec les Bullet (voir G. Larroumet, *Marivaux*², p. 13, n. 3).

17. C'est ce qu'on peut déduire des indications fournies par G. Bonaccorso, *op. cit.*, p. 15-23. Les rôles de la capitation pour l'année 1701 ne mentionnent pas Nicolas Carlet, ce qui, selon G. Bonaccorso, signifierait qu'il n'était pas à Riom entre le moment où son office de contrôleur - contre-garde fut supprimé (23 janvier 1700) et celui où il prit comme suppléant la fonction de directeur (janvier 1702). On peut supposer qu'il s'absenta également de Riom pendant les périodes où la Monnaie fut fermée, mais les registres de la capitation pour ces années n'ont pas été retrouvés.

(celle des Oratoriens est plus douteuse) [18] : mais sa patrie intellectuelle et sentimentale était Paris.

Le mariage offrit à Marivaux de nouvelles chances en redoublant ses liens avec cette même fraction de la bourgeoisie. Nous ne suivrons pas les supputations sagaces et subtiles qu'a faites Mme M.-J. Durry sur des indices trop faibles, ni celles de G. Bonaccorso, plus aventurées, pour savoir si Colombe Bologne était jolie, si Marivaux l'avait épousée par amour et par intérêt, ce qu'il faut penser de son âge et des cinq années qu'elle avait de plus que son mari, dans quelle mesure ce que l'écrivain a dit des femmes et du mariage dans ses œuvres reflète son expérience personnelle [19]. Nous retiendrons seulement la signification sociale de cette union. Colombe Bologne apportait une dot de 40 000 livres, dont 30 000 en argent ou en valeurs. A en croire le *Tarif ou Evaluation des parties sortables pour faire facilement les mariages*, que Furetière a inséré dans son *Roman bourgeois* [20], elle pouvait épouser « un auditeur des Comptes, Trésorier de France, ou payeur des Rentes » ; elle pouvait en tout cas aider son époux à le devenir. Compte tenu de l'intention burlesque qui a présidé à l'établissement de ce *Tarif*, et des variations de la livre entre 1666 et 1717, elle était un excellent parti pour un homme âgé déjà de trente et un ans, débutant dans la littérature, presque inconnu, sans charge, sans terre, sans titre, et dont les espérances se bornaient aux quelque neuf mille livres que valait l'office de son père encore vivant. Les alliances dans lesquelles entrait Marivaux étaient encore plus *considérables*, pour user d'un terme qui lui était familier : le grand-père maternel de Colombe, Gratien Martin, était notaire royal et apostolique [21] ; son père, Jean Gervais Bologne, ancien avocat au parlement, conseiller du roi en la prévôté de Sens [22] ; le parrain de sa sœur Antoinette, Julien Meusnier, receveur du domaine de la ville et élection de Sens ; un oncle maternel, Blaise Martin, trésorier de l'extraordinaire des guerres à Sélestat — tous de cette bourgeoisie qui, administrant les « affaires du roi », s'anoblissait par les charges et s'enrichissait par les traités. Les Bologne de Sens étaient-ils appa-

18. Nous verrons que Marivaux est imprégné de la pensée de Malebranche ; mais il ignore le mysticisme de Bérulle, le goût de la méthode et de l'érudition du P. Bernard Lamy ; l'abbé Faydit avait enseigné à Riom, mais il n'a pas dû avoir Marivaux comme élève, et *Le Télémaque travesti* ne doit rien à *La Télémacomanie*.

19. M.-J. Durry, *A Propos de Marivaux*, p. 43-49 ; G. Bonaccorso, *op. cit.*, p. 188-192.

20. Furetière, *Le Roman bourgeois*, Paris, 1868, t. I, p. 31-32. G. Couton (*La Clef de Mélite. Réalités dans le Cid*, Paris, 1955, p. 34-35) et R. Picard (*La Carrière de Jean Racine*, Paris, 1956, p. 281-282) ont eu recours à ce *Tarif* pour apprécier le rapport des fortunes dans le mariage de Mélite et de Thomas Du Point (avant 1637) et dans celui de Racine et de Catherine de Romanet (1677). La dot apportée par Colombe Bologne paraît même cossue, si on la compare aux sommes mentionnées dans les contrats de mariage parisiens de 1749, étudiés par A. Daumard et F. Furet, « Structures et relations sociales à Paris au XVIIIe siècle », *Cahiers des Annales*, n° 18, Paris, 1961 ; voir R. Mandrou, *La France aux dix-septième et dix-huitième siècles*, Paris, 1967, p. 253-255.

21. Ce renseignement et les suivants sont fournis par Mme M.-J. Durry, *op. cit.*, p. 42, et n. 1, p. 48, p. 56.

22. Citant le contrat de mariage de Marivaux, Mme M.-J. Durry (*op. cit.*, p. 42) le désigne comme « noble, honnête Me [= maître] Jean Gervais Bologne ». L'appellation n'est pas très claire. Il se peut que Jean Gervais Bologne ait été anobli par sa charge.

rentés aux Boulogne, ou Boullogne, ou Boullongne de Paris ? L'orthographe des noms propres n'est pas fixée au XVIIIe siècle, et le nom
de famille de Colombe s'écrivait aussi Bollogne ou Boulogne. Le
destin des Boulogne est, sur une plus grande échelle, le même que
celui des Bullet : Jean Nicolas de Boulogne, petit-fils, fils et neveu
de peintres du roi dont le nom est marqué dans l'histoire de la
peinture française, épousa la fille du financier Beaufort, fermier
général, mais préféra faire carrière dans l'administration royale des
finances, plutôt que de prendre la succession de son beau-père[23]. Il
fut premier commis des finances, conseiller au parlement, intendant
des finances, contrôleur général de 1757 à 1759. En 1737 il avait fait
succéder à Beaufort, dans la ferme, son cousin, le Breton Tavernier
de Boulogne, alors receveur des tabacs à Angers ; mort dès 1738,
Tavernier de Boulogne laissa deux fils, qui furent munitionnaires
des armées des Flandres et amassèrent en quelques années plusieurs
millions ; l'aîné, Boulogne de Magnanville, fut plus tard trésorier
de l'extraordinaire des guerres, et le cadet, Boulogne de Préminville,
receveur général des finances, parent par alliance des Lenormant de
Martainville, qui étaient eux-mêmes parents de Mme de Pompadour.
Le hasard seul a dû faire que ces Boulogne eussent le même nom que
la belle-famille de Marivaux, mais ils montrent les chemins dans
lesquels celui-ci pouvait s'engager ; même sans être ambitieux, sans
essayer de s'enrichir malhonnêtement, il aurait été receveur des
tabacs, comme Tavernier de Boulogne ou comme ce Lasnier de
Lavalette dont il reçut une pension en 1747 ; ou contrôleur d'une
grande maison seigneuriale, comme ce Claude Bruno auquel il devait
de l'argent depuis un quart de siècle quand il mourut ; ou trésorier
de l'extraordinaire des guerres, comme Blaise Martin et Boulogne
de Magnanville ; ou même conseiller du roi, receveur des amendes
de la cour des aides, comme son ami Crébillon le tragique qui fut
témoin à son mariage... Presque tous les personnages qu'on rencontre dans la vie encore si mystérieuse de Marivaux nous ramènent
au même groupe social, et certains des gestes qu'il accomplit à ses
débuts prouvent qu'il a fait au moins la tentative de s'élever avec
les gens de son groupe.

   On le voit se tourner successivement, selon les changements de
ministère, vers le duc de Noailles (en 1716, avec la dédicace de
L'Homère travesti), vers le duc de Bourbon (en 1724, avec la dédicace
de *La Double Inconstance* à la marquise de Prie), vers le cardinal
Fleury (dont il fait allusivement l'éloge en 1736 dans la sixième partie
de *La Vie de Marianne*). La confusion des clans, l'interférence des
conflits d'idées, de personnes et d'intérêts, l'instabilité des alliances
et la versatilité des dirigeants faisaient qu'il était très difficile de
prendre un parti. Que Marivaux ait été en relations, à des moments
différents ou en même temps, avec les ennemis de la bulle *Unigenitus*
et avec ses défenseurs, avec les ennemis des Jésuites et avec leurs

---

23. Sur les Boulogne, voir H. Thirion, *La Vie privée des financiers au dix-huitième siècle*,
Paris, 1895, p. 181-188 et *passim*.

amis, avec les partisans et avec les adversaires du maréchal de Noailles ou du cardinal Dubois, ces variations et ces contradictions sont celles de tous ses contemporains, les chefs de partis donnant eux-mêmes l'exemple. Il appartiendra à un historien mieux informé des faits et des textes de dessiner l'évolution politique de Marivaux [24]. Mais ce qui paraît net, c'est cette solidarité avec un même groupe social, la bourgeoisie d'argent, qui par le jeu des enrichissements, des ambitions, des cousinages, des mariages et des héritages s'élevait des charges de commis, de trésoriers ou de munitionnaires aux plus hauts emplois de la ferme et des finances [25].

Ce groupe ne représente pas toute la bourgeoisie, il n'est même pas celui qui la représente le mieux [26] : entrent aussi dans la bourgeoisie, à la campagne, les propriétaires à la fois exploitants et rentiers du sol, que Marivaux appelle les « bourgeois de campagne » [27], les gros fermiers, les receveurs des domaines seigneuriaux ou ecclésiaux ; en ville, ceux qu'on désigne par excellence comme les « bourgeois », personnes honorables vivant de leurs rentes, titulaires de petits offices, propriétaires d'immeubles dont ils louent les appartements ; et surtout les marchands, les négociants auxquels l'élargissement du marché intérieur et l'intensification du négoce international ouvrent vers 1730 une période de prospérité, les industriels qui commencent à organiser leurs entreprises dans les textiles, les mines, la métallurgie, et les banquiers ; ces dernières catégories ont l'avenir pour elles, au contraire des financiers, malgré leurs énormes richesses et leur ralliement aux « lumières » [28].

24. Il faudrait notamment préciser ses rapports avec le salon de Mme de Lambert d'abord, avec celui de Mme de Tencin ensuite. En 1730, Mme de Tencin avait dû promettre au cardinal Fleury de « se renfermer dans les bornes de son sexe » (P.-M. Masson : *Madame de Tencin*, 2e éd., Paris, 1910, p. 85). Mais lorsque Marivaux écrit la sixième partie de *La Vie de Marianne*, elle a recommencé ses intrigues qui aideront son frère, réconcilié depuis 1735 avec Fleury, à parvenir au cardinalat ; voir sur les Tencin l'ouvrage très richement documenté de Jean Sareil, *Les Tencin, histoire d'une famille au dix-huitième siècle*, Genève, 1969, et sur le point que nous venons d'évoquer les chapitres XVII et XVIII.

25. Certains historiens contemporains excluent de la bourgeoisie la catégorie des financiers parce que leur mode d'enrichissement ne ressemble en rien à l'exploitation capitaliste telle que la définit K. Marx, et parce qu'ils s'accommodent des rapports sociaux caractéristiques de l'Ancien Régime et, quand ils réussissent, se fondent dans la noblesse. Sur la difficulté qu'il y a à définir la bourgeoisie antérieure à l'ère du capitalisme, voir Régine Robin, *La Société française en 1789 : Semur-en-Auxois*, Paris, 1970, p. 17-54, ainsi que les pages 601-609 (par Pierre Léon) de l'*Histoire économique et sociale de la France*, dirigée par Fernand Braudel et Ernest Labrousse, tome II, Paris, 1970.

26. Sur la structure de la société, voir les deux ouvrages cités à la note précédente, et les études désormais classiques de Ph. Sagnac, *La Formation de la société française moderne*, 2 vol., Paris, 1945, et d'Henri Sée, *Histoire économique de la France*, 2 vol., Paris, 1939-1941.

27. *T.T.*, p. 51.

28. « Plus que toute autre institution d'Ancien Régime, la finance d'office était un monstre lourd et inadaptable d'un autre âge » déclare H. Lüthy, cité par Jean Bouvier et H. Germain-Martin (*Finances et financiers de l'Ancien Régime*, Paris, 1964, p. 119), qui insistent après H. Lüthy sur la différence entre banquiers et financiers. Duclos a très clairement marqué la différence entre la bourgeoisie de finance, jouisseuse et mondaine, et la bourgeoisie mercantile (à laquelle il faut joindre la banque), dans les *Considérations sur les mœurs de ce siècle*, chap. 10, « Sur les gens de fortune » (*Œuvres complètes* de Duclos, Paris, 1821, tome I, p. 103-110). Moins profond ironiste que Marivaux, moins savant en ambiguïté, Duclos essaie de porter un jugement pondéré sur cette classe des financiers, dont les contradictions l'embarrassent.

La sévérité de Voltaire, de Diderot, des « philosophes » en général pour Marivaux vient de là : ils ont vu en lui le porte-parole des consommateurs inactifs, des intrigants et des agioteurs comme les Tencin, eux, les actifs bâtisseurs des temps modernes, techniciens et savants qui n'avaient plus de temps à perdre dans les subtilités de la « métaphysique » sentimentale. Le changement de goût littéraire, de sensibilité (ce changement dont Marivaux était pourtant le précurseur), le rôle nouveau assumé par l'homme de lettres, la mentalité nouvelle de la bourgeoisie et d'une partie de la noblesse qui se tourne vers l'industrie et revient à l'exploitation directe de ses terres, tout cela, qui résultait des modifications économiques et sociales, rendit Marivaux désuet même avant sa mort [29].

29. A en croire Michelet, la bastonnade infligée par le chevalier de Rohan à Voltaire en 1726 serait un épisode de la lutte entre le parti de M. le Duc et le parti de Fleury (*Histoire de France*, livre X, chap. 2, s. d., Jules Rouff et Cie éd., t. IV, p. 442) : Voltaire recevait une pension de la marquise de Prie, que Marivaux flattait au même moment. Tous les accidents des existences individuelles ne peuvent pas revêtir une signification politique, mais en face de l'esprit d'entreprise, de l'activité commerciale, manufacturière et bancaire que manifestera Voltaire plus tard, l'esprit d'économie et presque d'immobilisme de Fleury, appuyé sur la haute finance, nous paraît plus proche de l'idéal politique de Marivaux.

MAIS MARIVAUX n'a pas servi, autant qu'on le sache, les intrigues des Tencin ; il n'est pas entré dans les traités comme son cousin l'architecte, il s'est ruiné dans l'agio par faiblesse et non par cupidité : les traits les plus profonds de son caractère l'éloignaient de la haute société consommatrice et des parvenus égoïstes et insolents ; n'étant ni de la noblesse, ni du peuple, ni de la bourgeoisie marchande, et n'utilisant pas ses alliances naturelles, il ne lui restait qu'une attitude possible : le détachement. A l'intérieur du groupe que nous avons décrit, il est le témoin sceptique, tenté quelquefois, réprobateur plus souvent. Après quelques hésitations entre l'ambition et la paresse, après avoir cherché sans grande conviction dans quelle clientèle il s'inscrirait, c'est chez le cardinal Fleury qu'il a trouvé ce qui répondait le mieux à son idéal politique : un conservatisme ferme et adroit, la résignation au mal dont il s'agit de tirer le meilleur parti, la haine du scandale et de l'immoralité, une foi religieuse tolérante au monde mais alarmée par l'athéisme et l'hérésie, une très grande probité, une très grande modestie, qui était chez lui, selon Duclos, « un moyen d'ambition » [30] — n'en pourrait-on pas dire autant de Jacob ou de Marianne ? — des qualités humaines rendant tolérables les inégalités sociales et les nécessaires injustices du gouvernement. Les termes dans lesquels Marivaux fait en 1743 l'éloge du cardinal qui venait de mourir sont ceux qu'il employait déjà en 1736 pour le « ministre » qui joue un rôle dans La Vie de Marianne. Par une bizarrerie du sort, l'homme d'état disparaissait précisément quand l'homme de lettres, reçu à l'Académie française, n'allait plus écrire que quelques courtes comédies et des réflexions philosophiques [31].

30. Ch. Pinot-Duclos, *Mémoires secrets sur le règne de Louis XIV, la Régence et le règne de Louis XV*, dans les *Œuvres complètes*, Paris, 1821, tome III, p. 304.

31. *Vie de Marianne* (V.M.², p. 314-316) :
« Celui-ci [...] gouvernait *à la manière des Sages*, dont la conduite est douce, simple, *sans faste*, et désintéressée pour eux-mêmes ; *qui songent à être utiles et jamais à être vantés* ; qui font de grandes actions dans la seule pensée que les autres en ont besoin, et non pas à cause qu'il est glorieux de les avoir faites. Ils n'avertissent point qu'ils seront habiles, ils se contentent de l'être, et ne remarquent pas même qu'ils l'ont été. De l'air dont ils agissent, *leurs opérations les plus dignes d'estime* se confondent avec leurs actions les plus ordinaires ; *rien ne les en distingue en apparence*, on n'a point eu de nouvelles du travail qu'elles ont coûté, c'est *un génie sans ostentation* qui les a conduites ; il a tout fait pour elles, et rien pour lui [...]
« Et ce caractère, une fois connu dans un ministre, est *bien neuf et bien respectable* ; il donne peu d'occupation aux curieux, mais beaucoup de confiance et de tranquillité aux sujets [...] »
Discours de réception à l'Académie française (J.O.D., p. 451-452) : « Il était le confident et l'ami de son maître ; il était l'ami de tous ses sujets. Ministre *d'un génie bien neuf et bien respectable* ; ministre *sans faste et sans ostentation*, dont *les opérations* les plus profondes et *les plus dignes d'estime n'avaient rien en apparence qui les distinguât* de ses actions les plus ordinaires ; qui ne les enveloppa jamais de cet air de mystère qui fait valoir le ministre ; qui par là n'y oublia que lui, et qui, *à la manière des sages, songea bien plus à être utile qu'à être vanté* ».

Ce spectateur détaché n'est pas indépendant : Marivaux a pu être payé par les comédiens pendant la période où ses pièces ont eu du succès, et par les libraires avec qui il passait des contrats. Ses gains lui ont permis de vivre honorablement et de se constituer des rentes qui fournissaient à ses dépenses, comportement caractéristique des bourgeois ; faut-il voir un indice de son allégeance à la bourgeoisie financière dans le fait qu'une de ces rentes était « un intérêt que ledit Sieur de Marivaux avait dans les fermes de Lorraine » [32] ? Mais les rentrées étaient irrégulières, et, du moins pour le train de vie que menait Marivaux, insuffisantes : il dut emprunter, utiliser ses gains à rembourser partiellement ses dettes, à verser les arrérages des rentes qu'il avait constituées à d'autres en leur empruntant de l'argent [33]. Il laissa des créanciers après sa mort, Mlle de Saint-Jean, à qui il n'avait rien payé depuis 1757 pour sa nourriture et son logement, Claude Bruno, à qui depuis 1738 il devait trois cents livres. Il dut aussi, ce qui était peut-être une plus grande servitude, accepter

Les expressions communes aux deux textes ont été mises en italiques. On retrouve les mêmes idées dans l'*Oraison funebre de S.E. Mgr le cardinal de Fleury*, prononcée par le R.P. de Neuville, de la Compagnie de Jésus (à Paris, chez J.-B. Coignant et les frères Guerin, 1743) : Neuville, comme Marivaux, prend pour thème les qualités de l'*homme sage* qu'il retrouve dans Fleury : « *Beatus homo qui invenit sapientiam* [...] Dans ce portrait [...] ne reconnaissez-vous pas le Sage que nous regrettons ? » (p. 3-5) ; il insiste, lui aussi, sur la douceur et la modestie du ministre (« Que lui importe que ses talents soient ignorés ? Il souhaite que le bonheur de l'Etat les rende inutiles », p. 51. « [Il préfère] la satisfaction vertueuse de mériter les louanges au plaisir flatteur de les obtenir », p. 85) et sur sa tranquillité et sa simplicité au milieu des plus grandes affaires (« En vain vous chercherez sur le visage du Cardinal de Fleury le secret de l'Etat », p. 44).

32. L'inventaire après décès des biens de Marivaux a été commenté par Mme M.-J. Durry (*op. cit.*, p. 79-81, 83, 90-94) et par Michel Gilot (« Quelques traits du visage de Marivaux », *R.H.L.F.*, 1970, n° 3, p. 391-399). Sur l'achat de rentes comme trait caractéristique de la bourgeoisie urbaine, voir « Bourgeois, rentiers, propriétaires. Eléments pour la définition d'une catégorie sociale à la fin du XVIIIe siècle », par M. Vovelle et D. Roche, *Actes du 80e congrès national des Sociétés savantes*, Dijon, 1959. Au-dessus de 20 000 livres, les rentes représentaient 70 % de la fortune d'un bourgeois parisien, à la fin du XVIIIe siècle, — rentes sur les aides et gabelles, sur le clergé, sur les états provinciaux, plus rarement sur les particuliers. Le mobilier, comme déjà dans le cas de Marivaux, ne dépassait pas la valeur d'un millier de livres.

33. L'usure étant interdite par l'Eglise (« J'avois déjà l'argent de ta pension dans mon Armoire ; il faudra maintenant que je le mette sur la place, car je ne veux point prêter à usure », déclare Nestor qui vient de perdre son fils Nicodème, *T.T.*, p. 336 ; « mettre sur la place », c'est placer auprès d'organismes publics), le prêt de particulier à particulier était moins fréquent que l'achat de rentes, et prenait la même forme : l'emprunteur constituait une rente au prêteur et lui en payait les arrérages, qui étaient en fait des intérêts. La rente constituée solidairement par Marivaux et Helvétius « au profit de Jean Michaut, bourgeois de Paris » (M.-J. Durry, *op. cit.*, p. 69, et M. Gilot, article cité, p. 395) était-elle un acte de bienfaisance ? Nous y verrions plutôt un emprunt de Marivaux auquel Helvétius apporte sa garantie. L'annuité — 1 250 livres — paraît énorme à côté de celle que versait à Blaise Martin, en 1730, un certain M. de Champigny, « rente de 150 livres au principal de 1 000 livres » (Mme M.-J. Durry, *op. cit.*, p. 57, mais le taux de cette dernière rente semble lui-même particulièrement faible). La dette que Marivaux se reconnaît envers Mlle de Saint-Jean, le 7 juillet 1753, est, elle aussi, énorme : 20 900 livres ; il ne peut en libérer alors qu'une fraction de 900 livres en cédant ses meubles à ladite demoiselle (Mme M.-J. Durry, *op. cit.*, p. 84 et n. 1), mais le 10 octobre 1757 il lui en rembourse la totalité et se constitue une nouvelle rente (M.-J. Durry, *ibid.*, et M. Gilot, art. cit., p. 395 ; le débiteur était Maître Frécot de Lanty, conseiller au Grand Conseil, Larroumet, *Marivaux*[1], p. 149, n. 1). F. Deloffre (*Marivaudage*[2], p. 565) et à sa suite M. Gilot (art. cit., *loc. cit.*, n. 2) pensent que cet argent neuf avait été fourni « en partie » (F. Deloffre) ou « essentiellement » (M. Gilot) par la vente au libraire Duchesne du privilège des *Œuvres de théâtre et des Œuvres diverses*. « La « générosité » de Nicolas-Bonaventure Duchesne étonne », déclare M. Gilot. Elle est même invraisemblable, et il faut certainement chercher ailleurs.

des dons et des pensions. Larroumet, s'appuyant sur les anecdotes racontées par Lesbros de la Versane, attribue la pauvreté de Marivaux non seulement à sa négligence et à ses dépenses superflues, mais surtout à sa charité, « une passion aussi coûteuse que noble qui absorbait ses modestes ressources » [34] ; que Marivaux ait été bon, toute son œuvre le dit ; qu'il ait pratiqué la charité, c'est probable, et conforme, nous le verrons, à sa philosophie sociale ; le jugement de Collé, que Larroumet essaie d'atténuer, nous semble pourtant à retenir, parce qu'il confirme, malgré quelques insinuations déplaisantes, ce que nous pensons de la condition économique que s'était faite Marivaux : « c'étoit un homme de beaucoup d'esprit et de mœurs très-pures ; il étoit foncièrement un très-galant homme, mais sa grande facilité et une excessive négligence dans ses affaires l'avoient conduit à recevoir des bienfaits de gens dont il n'eût dû jamais en accepter. On n'a découvert qu'à sa mort que Mme de Pompadour lui faisoit une pension de mille écus ; si j'en dois croire même une vieille demoiselle Saint-Jean, avec laquelle il demeuroit depuis plus de trente ans, elle l'avoit soutenu pendant plusieurs années, et il avoit vécu à ses dépens ; et indépendamment de ce que je ne crois pas que cette bonne fille mente, la dépense que Marivaux faisoit et aimoit à faire me persuade aisément qu'elle n'avance rien à cet égard qui ne soit vrai. Marivaux étoit curieux en linge et en habits ; il étoit friand et aimoit les bons morceaux. Voilà pourtant les bassesses auxquelles est mené tout doucement, et par une pente insensible, un homme né vertueux, mais qui ne sait pas régler sa dépense, et qui est un dissipateur à raison de sa médiocre fortune. Quoi qu'il en soit, je n'ai point connu à tous égards de plus honnête homme, ou du moins qui aimât plus la probité et l'honneur. Il ne s'est peut-être pas aperçu lui-même que son dérangement l'a fait souvent déroger à ses principes » [35]. Collé pense que l'argent de Mme de Pompadour était déshonorant, et une anecdote de Voisenon, rappelée par Larroumet, donne à croire qu'il l'était aussi aux yeux de Marivaux lui-même [36]. Tout cela n'est que racontars, mais d'où que lui vînt l'argent, de Mme de Pompadour, du roi, d'Helvétius, du receveur général des tabacs Lasnier de Lavalette, il s'en allait trop vite et ces dons renforçaient les liens qui enchaînaient Marivaux, sans qu'il en tirât plus de profit [37]. Il ignorait la morale bourgeoise du travail :

34. Larroumet, *Marivaux*[1], p. 144.

35. *Journal et Mémoires de Charles Collé* [publié] par Honoré Bonhomme, Paris, 1868, t. II, p. 288-290 (février 1763).

36. Voisenon, *Œuvres*, t. IV, p. 89, cité par Larroumet, *Marivaux*[1], p. 143.

37. Quels étaient les « services essentiels » que Marivaux avait pu rendre à Lasnier de Lavalette, et en reconnaissance desquels il reçut une rente annuelle de 2 000 livres (M.-J. Durry, *op. cit.*, p. 69-70 et n. 1) ? Si on le savait, on aurait un élément fondamental pour juger de la position économique et sociale de Marivaux ; les hypothèses infamantes sont à écarter, mais celles d'un don gratuit, inspiré par l'admiration, ou d'un acte de gratitude pour un trait sublime de générosité ou de dévouement sont tout aussi improbables. Notons cependant qu'Helvétius, dont d'Alembert rappelle la bienfaisance envers Marivaux, déclarait : « Il me paye avec usure le peu de bien que je lui fais » (D'Alembert, *Eloge de Marivaux*, cité par F. Deloffre, *T.C.*, II, p. 1000 et n. 30). Selon Saint-Lambert (« Essai sur la vie et les œuvres d'Helvétius », en tête des *Œuvres*, Londres, 1781, tome I,

dans une lettre de 1740 publiée par Lesbros de la Versane [38], il se flatte d'être paresseux. La paresse n'est pas chez lui un vice de petit-maître, puisqu'il rappelle la leçon de l'Ecriture en reprochant aux libertins riches d'être des fainéants [39] ; chez lui, la paresse est une vertu, et même une vertu béatifique : il l'assimile d'abord à l'indolence, puis à l'insensibilité pour la fortune, et finalement il la qualifie de « sainte », cette fois malgré la loi de Dieu et la tradition des moralistes chrétiens [40]. C'est qu'il s'évade de la société et se place dans l'état d'innocence antérieur au péché originel, comme le fera un autre paresseux, son semblable à bien des égards, Jean-Jacques Rousseau. Pour la même raison il aime les gueux, pour lesquels Rousseau aura lui aussi un faible. Selon l'éthique mercantile, ils n'ont pas droit à l'existence ; l'aristocrate, même quand il n'est pas Dom Juan, leur fait payer ses aumônes par l'humiliation ; aux yeux de Marivaux, ils ont le même mérite que le paresseux, ils sont dans l'état d'innocence [41]. On connaît l'anecdote, racontée encore par Lesbros de la Versane, de la charité généreusement faite par Marivaux à un mendiant jeune et vigoureux qui avouait sa paresse. La présence d'une femme de fermier général confère à la scène le caractère profondément symbolique, clairvoyant et conservateur qui est dans le dénouement de *L'Ile des esclaves* [42].

En cédant aux conseils de l'abbé Mainguy qui l'arrachait à sa paresse [43], Marivaux ne s'imposait pas un bien gros travail : il achetait des actions de Law après avoir vendu, ou laissé vendre, des biens

p. XI) il servit également par philanthropie une rente au jeune Saurin. Helvétius, qui doit peut-être quelques-unes de ses idées à Marivaux (voir *infra*, p. 138, 176), mais qui les fait entrer dans un système de pensée tout à fait différent, appartient au fond à la même catégorie de la classe bourgeoise.

38. *Esprit de Marivaux*, à Paris, chez la veuve Pierres, 1769 ; reproduite dans *J.O.D.*, p. 443-444.

39. « L'homme est né pour le travail », leur dit l'Inconnu du *Spectateur français* (*J.O.D.*, p. 264).

40. La Rochefoucauld, *Maximes*, 266 (édition de J. Truchet, Paris, 1967, p. 68).

41. « Graces au Ciel, me voilà bien en sûreté contre ma faiblesse », proclame *L'Indigent philosophe* (*J.O.D.*, p. 274).

42. *Esprit de Marivaux*, p. 37-38. Mme Lallemand de Bez était la femme d'un des plus puissants fermiers généraux, homme dur et orgueilleux, qui obtint un emploi de fermier général pour son propre frère, Lallemand de Nantouillet, grâce à un don de 200 000 livres au cardinal Fleury (Thirion, *La Vie privée des financiers au dix-huitième siècle*, p. 75-79). Dans l'anecdote telle que la raconte d'Alembert (*Eloge de Marivaux*, cité dans *T.C.*, II, p. 1000) Mme Lallemand de Bez ne figure pas.

43. L'abbé Mainguy (ou Menguy), nommé par Marivaux dans la *Lettre sur la paresse* était janséniste, conseiller-clerc au Parlement de Paris. Il fréquentait le salon de Mme de Lambert (*Mémoires* du président Hénault, Paris, 1855, p. 103). Ce texte nous apprend que les familiers de la marquise avaient soutenu la tentative de Law, moins par envie de s'enrichir (ce qu'on ne conçoit pas chez le janséniste Mainguy) que pour appuyer la politique du Régent. Mais que veut dire Marivaux quand il parle des « bribes » de son « aveu » dont il n'est « pas resté une miette de nature » ? Est-ce simplement une image échappée à la plume de l'ancien écolier en droit ? Ou possédait-il des biens immobiliers (venant de sa femme ?), qu'il dut « dénaturer » pour acquérir des actions ? En tout cas, il fut réellement ruiné, voir *supra*, chap. I, note 54. Dans sa lettre Marivaux évoque, trop brièvement ses débuts à Paris, le temps où il était, chez Mme de Lambert, « le petit garçon de la Société », que l'abbé Mainguy traitait de « blanc-bec ». Marivaux ne confond-il pas les époques ? Au moment de la faillite de Law, il avait trente ans... On est tenté de penser qu'il avait été reçu chez Mme de Lambert beaucoup plus tôt, plusieurs années avant d'avoir commencé ses études de droit.

d'une autre nature. Il se représente la participation aux activités économiques en rentier qui se hasarde à changer ses placements et à courir des risques plus grands à la remorque des gens de finance. Cette idée n'a rien de commun avec celle que pouvait en avoir un marchand drapier ou un armateur.

La pensée sociale de Marivaux doit donc plusieurs de ses traits à ses rapports essentiels avec la bourgeoisie financière ; elle en doit d'autres, les plus vifs, à sa situation particulière dans cette bourgeoisie ; elle s'oppose à la pensée de la bourgeoisie marchande et industrielle.

Cette dernière n'était pas encore assez développée en France pour que Marivaux pût vraiment la connaître et la peindre, mais les tendances et la mentalité qui la caractérisent, et qui se rencontrent déjà avant les *Lettres philosophiques* de Voltaire, lui sont tout aussi inconnues. Le négociant comprend l'importance du travail, qui est la source légitime du profit [44] ; il est honnête, parce que l'honnêteté est la base du commerce et que sans elle on n'obtient aucun crédit ; il goûte dans la vertu des joies d'autant plus saines qu'il assure son propre intérêt en étant vertueux ; il n'a aucune honte à chercher toujours son profit, puisque son enrichissement, bien loin de nuire à autrui, contribue au bonheur de ceux avec qui il commerce, de ceux qu'il fait travailler, de la société tout entière ; cet enrichissement étant la récompense de ses efforts et de son mérite, il considère la pauvreté comme un mal, et l'oisiveté comme un vice ; enfin il aime sa famille, condamne le libertinage, vit dans l'aisance et le confort, mais blâme le luxe, et n'a pas beaucoup de curiosité pour les lettres et les arts, son métier ne lui en laisse pas le loisir [45]. Un grand nombre de ces traits étaient déjà chez Colbert, qui ne connaissait pas le repos, rêvait de réduire tous les sujets du royaume au commerce, à la manufacture et à l'agriculture, et faisait la chasse aux mendiants et aux vagabonds [46]. Mais supplantée au cours du XVIIᵉ siècle par la bourgeoisie des parlementaires et des acquéreurs d'offices, la bourgeoisie marchande ne reprendra son essor qu'à partir de 1730. Marivaux avait du moins sous les yeux un ensemble important de textes où s'exprimait un esprit bourgeois très proche de celui-là : le *Spectator* de Steele et Addison, qu'il a délibérément imité. Or, s'il lui a emprunté des anecdotes, des allégories, des thèmes, une technique de présentation, il a beaucoup moins retenu ses leçons de morale sociale, ou il les a transposées selon l'esprit d'une autre catégorie de la bourgeoisie. Le journal anglais fait souvent l'éloge du commerce, source d'enrichissement accessible à tout le

---

44. Il s'agit du travail qu'exige le commerce, comptabilité, voyages, surveillance des subordonnés, relations avec les fournisseurs, etc. Le travail manuel n'est pas encore réhabilité.

45. Voir les pages consacrées par Jean Ehrard à la « morale des marchands », *L'Idée de nature en France dans la première moitié du dix-huitième siècle*, Paris, 1963, tome I, p. 382-389.

46. Régine Pernoud, *Histoire de la bourgeoisie en France*, Paris, 1960-1962, tome II, p. 157-161.

monde et qui ne requiert pas de connaissances spéciales ; les marchands sont les membres les plus utiles de la société, ils mettent
au service du luxe et du confort de leurs concitoyens les productions
de l'univers entier (Voltaire se souviendra de cette évocation dans
Le Mondain et dans les *Lettres philosophiques*) ; ils donnent du
travail aux ouvriers, fondent des hôpitaux, font vivre plus de gens
que le plus riche des seigneurs dont les générosités sont ostenta-
toires et sans effet ; ils sont économes, frugaux, soucieux de leur
bonne réputation. Les richesses tendent sans doute à corrompre
les bonnes mœurs, mais la pauvreté incite à la fraude et fait passer
avant la probité la satisfaction des besoins : aussi les négociants
devraient-ils refuser l'aumône ; la charité, vertu éminemment chrétienne, doit être pratiquée par humilité, elle exerce le riche à ne pas
s'attacher aux biens de ce monde, mais elle encourage le pauvre
à vivre dans la paresse et la débauche ; il faut la réserver à quelques
cas légitimes, aux vieux travailleurs impotents, ou par solidarité,
aux débiteurs insolvables, aux banqueroutiers victimes du mauvais
sort : car le plus honnête des négociants peut être ruiné par une
tempête qui détruirait tous ses vaisseaux. Le symbole de l'activité
mercantile, soutenue par la foi publique, favorisée par la liberté,
la tolérance politique et religieuse, c'est la Bourse (dont Voltaire
encore fera le tableau le plus suggestif) : quand cette activité assure
également le bonheur terrestre et le salut éternel (si elle est exercée
selon les voies de la religion et de la vertu), on peut, avec le Docteur
Tillotson, traiter « les fainéans, qui n'ont aucune prudence, ni pour
cette vie, ni pour l'autre, de *véritables fous* » [47].

47. *Le Spectateur ou le Socrate moderne*, à Paris, chez Robustel, 1754, tome I, XVIe et
LVIe Discours ; tome II, XLVIe Discours ; tome III, XVIIe, XXVIe et XXXVIe Discours ;
tome V, XLIe Discours ; tome VII, XLe et XLIVe Discours ; tome I, IIIe Discours ;
tome VII, XXVIIe Discours (p. 173). Cette traduction reproduit exactement la traduction
parue à partir de 1714 à Amsterdam chez David Mortier. Marivaux a-t-il lu le texte anglais
original ? G. Bonno rappelle que, de leur propre aveu, Fontenelle et La Motte ignoraient
l'anglais, et il ajoute : « C'est avec l'aide d'une traduction française que Marivaux s'inspire
du *Spectator* dans un *Spectator moderne* », (sic) ; mais il n'en fournit pas de preuve (*La
Culture et la civilisation britanniques devant l'opinion française de la paix d'Utrecht aux
Lettres philosophiques*, Philadelphie, 1948, p. 6). C'est aussi l'opinion de Ch. Dedeyan,
« Marivaux à l'école d'Addison et de Steele », *Annales de l'université de Paris*, 1955, no 1,
p. 8. F. Deloffre déclare que « Marivaux n'a certainement pas lu » les originaux anglais
(*Marivaudage²*, p. 79, n. 32), mais l'édition des *J.O.D.* qu'il a procurée avec la collaboration de
M. Gilot donne plusieurs fois à penser le contraire. En revanche, la thèse qu'a soutenue
Mme Lucette Desvignes multiplie de façon impressionnante les rapprochements entre les
écrivains anglais et Marivaux (*Marivaux et l'Angleterre*, Paris, 1970). On a cru que Marivaux
possédait un Shakespeare dans sa bibliothèque : cette croyance est sans fondement, elle
résulte d'un lapsus d'Ernest Dupuy qui voulait parler de Beaumarchais (probablement), ou
(peut-être) de Mirabeau ; le lapsus ne fait aucun doute : E. Dupuy montre que certains traits
des *Fêtes galantes* de Verlaine viennent de Shakespeare, et non des écrivains français
du début du XVIIIe siècle, qui n'auraient jamais eu l'idée d'évoquer Cléopâtre ou les
triumvirs à propos de leurs folles amours : « Marivaux, lui-même, pour lire un peu de
Shakespeare, est obligé de se procurer des versions manuscrites. La traduction de Letourneur
ne s'était pas encore répandue ». Comme cette traduction n'a commencé à paraître qu'en
1776, E. Dupuy ne peut avoir en vue qu'un auteur de la fin du siècle ; nous penchons
pour Beaumarchais, parce que le lapsus est psychologiquement et phonétiquement très
explicable (E. Dupuy : *Poètes et critiques*, Paris, 1913, p. 237-238). Rappelons aussi, sans
lui prêter trop de valeur, le Discours préliminaire à la traduction de Pope où Du Resnel
excuse les libertés qu'il a prises avec le texte par les différences de goût entre les Anglais
et les Français, et par les préjugés des Français contre tout ce qui est étranger : « Depuis

Marivaux n'a repris aucun de ces thèmes, et lorsqu'il traite les mêmes sujets que le *Spectateur* anglais, il les modifie de façon à en changer le sens. F. Deloffre et M. Gilot ont signalé plusieurs de ces modifications, aussi n'en commenterons-nous que deux. Dans sa douzième feuille, le *Spectateur français* publie la lettre d'un mari qui se plaint de l'avarice de sa femme. Marivaux a « contaminé » deux passages du *Spectateur* anglais, l'un dans lequel un mari déplore les dépenses excessives de sa femme, l'autre dans lequel une riche veuve, qui a été plusieurs fois mariée, rappelle la ladrerie sordide d'un de ses maris[48] ; mais il ne s'est pas contenté d'intervertir les personnages et les caractères (c'est la femme, chez lui, qui est avare, et non le mari) ; il a de plus évoqué une société et des mœurs tout à fait différentes : la dame anglaise que l'avarice d'un de ses maris faisait presque mourir de faim n'était pas elle-même dépensière, elle ne l'a été qu'une fois, lorsqu'elle a acheté le collier de diamants dont la vue l'a débarrassée à jamais de son époux ; l'un des cinq maris précédents était joueur et libertin : en face de celui-là, elle regrettait de n'être plus maîtresse de ses biens ; l'avare n'était donc que le pendant du dissipateur, et le journaliste anglais s'est amusé simplement à une série de croquis bizarres. L'autre texte est beaucoup plus important pour la comparaison avec Marivaux : une épouse dépensière est un fléau pour l'économie d'une riche maison ; la femme dont se plaint le correspondant du *Spectateur* anglais aurait dû consacrer ses talents aux honnêtes amusements familiaux et aux « sciences domestiques », confitures, conserves, pâtisserie, ouvrages d'aiguille. C'est l'idéal que développe Richardson dans *Paméla mariée*[49]. Le mari que fait parler Marivaux a un idéal opposé : il veut

la dernière paix [traité d'Utrecht, 1713, et alliance franco-anglaise, 1716] nous commençons, il est vrai, à nous familiariser avec les Anglois. La plûpart de ceux qui se piquent de bel esprit, ou de science, se croyent à présent obligés d'apprendre leur langue. Leurs illustres Ecrivains ne nous sont plus inconnus ; et si quelques-uns de nos Auteurs pouvoient être soupçonnés de les entendre, on seroit tenté de croire que ce seroit d'eux qu'ils auroient appris à faire un usage commun des mots les plus extraordinaires, à rafiner sur les sentimens du cœur, à mettre dans tous ses mouvemens des différences imperceptibles, et à former de tout cela un jargon presque aussi Métaphysique, et aussi inintelligible que celui de l'Ecole » (*Les Principes de la morale et du goût, en deux poëmes traduits de l'anglois de M. Pope*, par M. Du Resnel [...], à Paris, chez Briasson, 1737, p. xxii-xxiii). Si, comme il est probable, c'est Marivaux qui est visé, nous devons conclure qu'il ne pouvait être soupçonné d'entendre l'anglais. Dans le *Prologue* de *L'Ile de la raison*, Marivaux a pris ses distances par rapport à la littérature anglaise (« nous autres Français, nous ne pensons pas », fait-il dire ironiquement au Chevalier, *T.C.*, I, p. 593-594), et dans *L'Indigent philosophe*, V (*J.O.D.*, p. 304), il blâme les Français de dédaigner leurs propres ouvrages et de leur préférer des « fariboles venues de loin » : « Ces gens-là pensent plus que nous, dit [le Français], en parlant des étrangers » ; les étrangers dont il s'agit sont évidemment les Anglais, le mot « penser » suffit à les désigner depuis deux ou trois générations (« Les Anglois pensent profondément », disait déjà La Fontaine, *Le Renard anglais*). Ce mépris des Français pour leurs compatriotes et cette affectation d'admirer l'étranger seront dénoncés avec véhémence par l'abbé Leblanc dans une lettre à Buffon (Lettre III des *Lettres de Monsieur l'abbé Le Blanc*, Historiographe des bâtiments du Roi ; la première édition est de 1745, nous citons la cinquième édition, en 3 volumes, parue à Lyon en 1758 ; le texte se trouve p. 22 du vol. I ; le Discours préliminaire de ces *Lettres* est violemment hostile aux Anglais).

48. *J.O.D.*, p. 172-176 et notes II, 226-236. *Le Spectateur ou le Socrate moderne*, éd. cit., tome IV, XVIIᵉ discours ; tome VI, XLVIIᵉ discours.

49. Compte tenu des importantes différences qu'il y a entre le sentimentalisme rationaliste et ironiste du *Spectator* et le sentimentalisme moral de Richardson. Sur ces ques-

jouir de son bien, il fait des parties de campagne à l'insu de sa femme dans sa « petite maison », il va au spectacle avec des dames, il joue... Il appartient sans aucun doute à la société riche et oisive, il voudrait trouver dans sa femme non pas, comme l'Anglais, une ménagère et une intendante, mais un élément de son prestige social.

Le n° 375 du *Spectator* raconte une histoire que l'on considère généralement comme une des sources de *Pamela* : un *squire* offre aux parents d'une jeune fille pauvre de leur donner l'argent qui leur manque, si leur fille vient vivre avec lui comme sa maîtresse ; la dignité de la mère, qui préfère la pauvreté au déshonneur, la douleur et les larmes de la fille bouleversent le jeune seigneur et le décident au mariage [50]. Dans l'« Histoire de l'Inconnu », qui occupe les dernières feuilles du *Spectateur français*, Marivaux reproduit la situation initiale de ce récit, mais il a une fois de plus changé la caractérisation sociale, et remplacé le dénouement optimiste par un dénouement affligeant. Le père anglais était un commerçant qu'avait ruiné une suite de malheurs comme en essuie souvent le négoce, tempête qui détruit les navires ou corsaires qui les saisissent ; le père français a rempli avec honneur des emplois qui l'ont enrichi, c'est-à-dire que, comme le père de Marivaux, il a acheté des charges de plus en plus lucratives de justice ou de finance, mais la maladie l'a contraint à la retraite et une banqueroute l'a ruiné aux deux tiers : il faut comprendre qu'ayant vendu sa dernière charge, il avait transformé l'argent en rentes qui ont été diminuées ou converties, ou bien en actions qui ont été réduites à presque rien lors de la faillite de Law. Ces deux hommes n'appartiennent donc pas à la même catégorie économique et sociale. La situation de la famille anglaise est plus mauvaise, puisque le père est emprisonné pour dettes et que ses biens sont saisis. Le narrateur mentionne la désolation de ces malheureux, mais il insiste plus sur leur courage et sur leur confiance : « Tout ira bien, s'il plaît à Dieu », et tout finit bien pour eux en effet. Les Français au contraire ne savent pas supporter leur misère, surtout la mère que les privations et l'humiliation plongent dans l'hébétude du désespoir. Puis ils comprennent que Dieu leur envoie une épreuve et leur donne une leçon, ils acceptent l'une et l'autre et ne sentent plus leur malheur : « nous devons nous croire heureux, nous devons l'être ». Le remède à la ruine n'est donc pas d'ordre économique, mais d'ordre moral. C'est seulement quand le père et la mère sont morts que les enfants sont contraints à une solution pratique. Ici intervient, comme dans le *Spectateur* anglais, le bienfaiteur malintentionné qui offre son argent contre la vertu

---

tions, voir Christian Pons, *Richardson et la littérature bourgeoise en Angleterre*, Gap, 1969, p. 410 et *passim*.

50. *Le Spectateur ou le Socrate moderne*, éd. cit., tome IV, XXXVIII° discours. Selon Christian Pons, c'est l'unique nouvelle vraiment « sentimentale » du recueil (*op. cit.*, p. 235). Elle a été reprise sur le mode larmoyant par Mme de Gomez : « Bonne renommée vaut mieux que ceinture dorée », *Les Cent Nouvelles nouvelles*, nouvelle édition, à Paris, chez Fournier [...], Guillaume fils [...], Guillaume neveu [...], s. d., tome VII, p. 201-227.

de la jeune fille ; ce n'est plus un gentilhomme campagnard, c'est un jeune financier. Il est repoussé avec un mépris qui le rend presque aussi désolé, décontenancé et honteux que le *squire* du *Spectator*, mais il ne propose pas le mariage. A-t-on jamais vu avant 1750 un riche bourgeois, et surtout un financier, capable d'un tel retournement sentimental ? « Il n'a rien à répliquer, tout ce qu'il pourrait faire, ce serait d'être effronté », ce que la honte lui interdit, si vicieux qu'il soit. Les deux enfants vendent donc le petit domaine paternel, la sœur entre au couvent, et le frère, condamné à parvenir, prend la route de Paris où l'avait précédé Pierre Carlet de Marivaux et où le suivront Marianne et Jacob [51].

Nous devrons revenir sur le contenu de ces quelques pages dans les chapitres suivants [52]. Il nous suffit ici de dire que tous les changements apportés par Marivaux aux données anglaises sont dictés par son sentiment très sûr de ce qui distingue une société de nobles, de financiers, d'administrateurs dans leur dépendance et de rentiers, d'une société de marchands — une société qui consomme les richesses, d'une société qui les produit.

Marivaux aurait fort bien pu trouver en France une mentalité et des idées correspondant à celles de la bourgeoisie mercantile anglaise. En 1735, l'abbé Prévost publiera dans le tome VI du *Pour et Contre* une anecdote qui ressemble beaucoup à celles du *Spectator* et du *Spectateur français* que nous avons analysées [53]. Il la propose comme un « Exemple de philosophie françoise », la philosophie anglaise consistant dans des circonstances semblables à recourir à la solution facile du suicide. La famille ruinée dont parle Prévost est une famille de « distinction », noble sans doute, victime d'une « trahison de la fortune » sur laquelle il ne donne aucune précision : il s'agit certainement d'un découvert qui a empêché le père de satisfaire ses créanciers au moment convenu ; ce genre de faillite était courant au début du XVIIIe siècle parmi les gens d'affaires. Le désespoir et la honte du chef de famille sont tels qu'il songe à se tuer. C'est sa femme qui lui rend courage (la tendresse conjugale, avec des effets différents, étant aussi vive dans les trois récits), mais la solution qu'elle propose est caractéristique de la classe riche en France : elle travaillerait, elle mendierait même, elle mettrait au travail leurs cinq enfants, pour faire « vivre honnêtement » le père dont le déshonneur serait sans doute aggravé s'il venait à travailler lui-même. Heureusement, il n'a plus ce préjugé, et il est bien décidé à travailler avec sa famille — résolution qui surprend assez Prévost pour qu'il se demande si elle ne vient pas de la grâce divine. Ils se retirent en province, changent d'habits, s'installent dans une cabane et les hommes cultivent la terre, les femmes font

---

51. *J.O.D.*, p. 236-240, 257-260. Cette quatrième feuille du *Spectateur français* a inspiré à Duclos un épisode d'un goût assez frelaté dans *Les Confessions du comte de* *** (éd. par L. Versini, Paris, 1969, p. 117-126).

52. Voir *infra*, p. 181-183.

53. *Le Pour et Contre*, tome VI, p. 198-201.

des ouvrages de tissu. L'apologue est un peu trop édifiant pour être convaincant, on sent bien que l'auteur juge cette conduite vraiment exceptionnelle, mais enfin l'héroïsme ne reste pas pur sentiment, la transformation du riche consommateur en petit producteur est apparue comme le remède à la ruine. Prévost n'est ici qu'un témoin inconscient d'un nouvel état d'esprit. Il annonce *Les Epoux malheureux* de Baculard d'Arnaud (où le mari se résigne aussi à travailler) et les *Contes moraux* de Marmontel. Bien avant lui, avant même les *Lettres sur les habitants de Paris*, un ami de Mme de Lambert, un familier que Marivaux avait pu rencontrer dans son salon, Louis de Sacy, avait formulé dans son *Traité de la gloire* quelques-unes des grandes maximes de la bourgeoisie commerçante [54]. Selon Louis de Sacy, la vertu et l'utilité ne sont pas incompatibles ; aucune des vertus morales n'est purement gratuite, c'est l'intérêt qui pousse l'homme à être vertueux, et cet intérêt est satisfait par « le plaisir secret qui accompagne toujours une bonne action » ; le commerce, qui est l'objet d'un véritable dithyrambe, est présenté comme « un des plus importans et des plus précieux avantages que nous ayons reçus de la nature » ; il exige de l'esprit, des mœurs, du courage, des talents ; loin d'être méprisable, il doit être honoré, « l'amour de l'honneur ou de la gloire peut seul animer, étendre et perfectionner le commerce » ; l'émulation pour la gloire excite les citoyens au travail et fait la prospérité de la nation [55]... Ce sont là des idées qui se retrouveront dans les *Lettres philosophiques* de Voltaire, près de quinze ans plus tard. On trouve même chez Sacy, comme chez Voltaire, un développement sur le mérite des savants et des gens de lettres et sur l'honneur qui leur est dû. L'Angleterre n'est pas nommée, mais n'est-ce pas l'exemple anglais que Sacy avait dans l'esprit quand il parle d'« un Etat où chacun s'empresse de se distinguer, et où l'on ne se distingue que par les vertus ou par des talens honnêtes et utiles à la société », où « on ne voit plus personne oisif », où les sciences et les techniques sont florissantes ? R. Mauzi a montré ce que Sacy retient encore de la mentalité ancienne : il ne confond pas la gloire et le bonheur, la gloire pour lui n'est donnée qu'à ceux qui affrontent des travaux pénibles, renoncent — il s'agit ici des savants — « en quelque sorte au commerce des vivans », et s'arrachent « à l'enchantement des objets les plus agréables » ; il attache encore à la gloire un éclat héroïque qui sera vite démodé [56]. Ce *Traité de la gloire* est néanmoins, à nos yeux, un grand texte annonciateur.

---

54. Louis de Sacy, *Traité de la gloire*, Paris, P. Huet, 1715. Nous citons l'édition de La Haye, chez Henri du Sauzet, 1745.

55. Ed. cit., p. 28, 114, 100-110, 129.

56. Robert Mauzi, *L'Idée du bonheur au dix-huitième siècle*, Paris, 1960, p. 485 et 620. Louis de Sacy, *op. cit.*, éd. cit., p. 223. Il faut pourtant remarquer que, tout en associant l'idée de gloire et celle de sacrifice, Sacy pense que le sacrifice même présente un attrait pour celui qui l'accomplit ; ce qu'il dit de l'ascèse du savant et de l'homme de lettres préfigure clairement ce qu'en dira Diderot dans sa *Réfutation suivie de l'ouvrage d'Helvétius intitulé L'Homme* (voir Diderot, *Œuvres philosophiques*, publiées par P. Vernière, Paris, 1956, p. 572-575).

Rien de ce qu'il annonce ne se trouve dans Marivaux. Marivaux
l'avait lu : il s'en inspirera, beaucoup plus tard, pour écrire *L'Education d'un prince* [57] ; c'est d'après lui peut-être — et d'après Mme de
Lambert — qu'il parlera des « témoignages flatteurs qu'on se rend
à soi-même après une action vertueuse » [58]. Mais sur un point précis
où les *Lettres sur les habitants de Paris* rencontrent, et probablement
reprennent, le texte du *Traité de la gloire*, dans la définition des
honnêtes gens, qui ne sont ni des vicieux endurcis, ni des héros
de vertu, la pensée de Marivaux s'oppose, de toute sa subtilité et
de toute son ambiguïté, à la pensée prudente, mais généreuse, du
précurseur des « lumières ». Sacy classe les hommes en trois catégories, pour voir ce que l'Etat peut attendre de chacun. Les vicieux
« absolument incurables, sont perdus pour l'Etat » ; les hommes
entièrement voués à la vertu « rempliront en tous lieux et en tout
tems toute la mesure de leur devoir » ; mais ceux « qui aiment
sincérement la vertu » sans avoir le courage de suivre son chemin
pénible et périlleux sont capables, si on les aide, d'aller jusqu'à
l'héroïsme : « Il n'y a qu'un moyen de se les concilier, et d'allumer
en eux cette noble ardeur ; c'est de leur proposer la gloire pour
récompense. A son aspect les dangers disparoissent, la crainte
s'évanouit, et la mort perd tout ce qu'elle a d'affreux » [59]. Marivaux [60]
ne songe pas, lui, aux intérêts de l'Etat : deux mots lui suffisent pour
dire qu'à Paris les méchants peuvent manifester toute leur capacité
de mal faire et que les justes, dans le secret, « y composent un
parti ignoré de la foule des hommes ». C'est le troisième groupe,
celui des honnêtes gens, qui retient son attention. Leur probité morale
« n'a pour principe, ou qu'un heureux caractère qui les porte à vivre
avec honneur, ou qu'un goût de sagesse philosophique qui les main-

57. Le thème en est assez banal, mais on peut comparer ce petit dialogue de Marivaux,
J.O.D., p. 515-528, aux pages 202-215 du *Traité* de Louis de Sacy, éd. cit.
58. *Le Spectateur français*, cinquième feuille (*J.O.D.*, p. 132) ; *Traité de la gloire*, éd. cit.,
p. 24 (« La joye que le témoignage de votre conscience ne manque jamais de vous donner
après une bonne action »), p. 26 (« le plaisir que [quelqu'un] reçoit du témoignage de sa
conscience après une bonne action ») ; Mme de Lambert, *Avis d'une mère à son fils*
(*Œuvres*, Amsterdam, 1757, p. 49 : « le fondement du bonheur est dans la paix de l'âme,
et dans le témoignage secret de la conscience »). Le sens métaphysique de ces formules
(Marivaux voit même dans ces « témoignages flatteurs » un avant-goût des bonheurs que
l'âme goûtera dans la vie éternelle) apparaît quand on les compare avec le passage du
Spectateur anglais qui est la source immédiate de Marivaux ; un veuf pleure à grands cris
et à chaudes larmes la mort de sa femme et déclare : « Je souhaiterois, mon cher Monsieur,
qu'il vous fût possible de sentir ces agréables agitations, et de convaincre les débauchés de ce
Monde qu'ils sont incapables de goûter le bonheur, dont les personnes sensibles jouissent
au milieu même de leurs disgraces » (*Le Spectateur ou le Socrate moderne*, éd. cit.,
tome VI, XIIe Discours, p. 88). Pour le journaliste anglais, comme plus tard pour Diderot,
le bonheur que donne la vertu est d'abord d'ordre sensible ; pour les moralistes mondains
qui entourent Mme de Lambert, il est d'ordre moral. Mais Mme de Lambert traite un
thème rebattu en termes eux-mêmes rebattus ; voir par exemple Mlle de Scudéry : « De la
Vertu. La vertu est soi-même sa récompense, et n'a besoin de personne pour achever sa
félicité : elle la trouve en soi toute entière ; et elle prefere la douceur paisible du témoignage
secret de son cœur à l'applaudissement tumultueux des peuples et des armées » (*Esprit
de Mademoiselle de Scuderi*, Amsterdam, 1766, p. 337).
59. *Traité de la gloire*, éd. cit., p. 119-122. Quelques décennies plus tard, c'est la
bienfaisance et l'amour de l'humanité qui auront ces effets exaltants.
60. *Lettres sur les habitants de Paris*, *J.O.D.*, p. 9.

tient dans un esprit de justice et d'union avec les hommes ». En apparence ces deux sources de la probité s'opposent non comme le cœur et l'esprit, ni comme l'instinct et la volonté, ni comme le naturel et l'institutionnel, mais comme une règle sociale — l'honneur — et une règle intellectuelle — la sagesse ; à l'origine l'honneur étant le fait de l'aristocratie, on peut admettre que ce groupe des « honnêtes gens » réunit d'une part la noblesse, de l'autre la bourgeoisie polie. Au confluent de deux morales, la morale aristocratique du devoir et la morale bourgeoise du bonheur, Marivaux essaie de marquer leur double apport, mais il fausse la première en faisant du respect de l'honneur un trait de caractère, et il idéalise la seconde en appelant « sagesse philosophique » un penchant auquel on cède, le désir de rester en paix avec ses semblables. Nobles éclairés ou bourgeois riches, les honnêtes gens suivent leur bonne nature (« heureux caractère », « goût de sagesse ») et fondent sur elle une conduite volontaire et raisonnée (« vivre avec honneur », « esprit de justice et d'union »). Cette première définition, assez enveloppante, n'a rien de péjoratif ; la suite du texte est moins favorable : « Ce sont de ces gens qui, bornés à satisfaire leurs petits plaisirs, tâchent, autant qu'ils peuvent, de ne troubler ceux de personne, de ces gens, en un mot, qui adoptent le frein des lois, moins, si vous voulez, par respect pour elles, que par ménagement pour le préjugé public ». Marivaux approuve-t-il un idéal aussi médiocre d'égoïsme et de conformisme sans conviction ? Prenons garde à la malice de l'incise « si vous voulez » et à la hardiesse des derniers mots : l'obéissance aux lois n'est qu'un préjugé aux yeux de l'honnête homme. Allié à un scepticisme aussi radical, le conformisme peut être un masque ou une précaution ; on songe à Fontenelle, dont l'amitié eut tant d'importance pour Marivaux, à son audace dans la spéculation et à sa prudence dans la pratique ; on songe aussi, toutes différences gardées, car Diderot entendra agir sur son époque, à la conclusion du *Supplément au voyage de Bougainville*... Mais Marivaux poursuit, et l'ambiguïté redouble : « Cette secte [...] ne laisse pas que d'être un peu pyrrhonienne ; car elle n'a de vertus que par convention ; mais vivre bien avec les hommes, et penser autrement qu'eux, est une chose qui paraît si belle, et si distinguée, que dans bien des endroits à Paris vous ne passez pour homme d'esprit, qu'autant qu'on vous croit confirmé dans cette impiété philosophique ». A la malice succède la satire : Marivaux dénonce le snobisme de l'immoralité ; ce n'est plus Diderot qu'il annonce, mais Rousseau, quand il fait allusion à ces mondains chez qui la politesse des manières va avec la sécheresse du cœur, qui ne croient en rien, et qui, ayant vidé la vertu de toute sa substance authentique, la méprisent en s'y conformant. Sans avoir l'air de changer son propos, en laissant pour ainsi dire dériver sa pensée, Marivaux donne finalement des honnêtes gens une image contraire à celle qu'il proposait en commençant. Entre la « sagesse philosophique » et l'« impiété philosophique », il y a la différence qui est entre la philosophie des esprits tolérants et sociables et la philosophie des esprits forts. Chez Marivaux, le philosophe est tantôt le spectateur lucide et sensible qu'il a fait parler dans ses périodiques, tantôt le fou de *L'Ile de la raison,* qu'il faut enfermer parce qu'il est incurable, ou l'Hermocrate du *Triomphe de l'amour.* Qui Marivaux vise-t-il en 1717 ? Le modèle de ces libertins pyrrhoniens, impies en morale et sans doute en religion, n'est-il pas Fontenelle ? En dépit des relations personnelles entre les deux hommes et de leur alliance littéraire, nous serions bien tenté de le penser. En tout cas, nous retrouvons leur portrait, élogieux cette fois, dans le *Pigmalion* de Boureau-Deslandes, épicurien qui a beaucoup retenu des leçons de Fontenelle [61].

---

61. « Les mœurs de Pigmalion étoient telles que les doit avoir un honnête homme, dont l'esprit est pur et délivré des préjugez vulgaires : qui sçait penser avec hardiesse et qui met à profit ses réflexions. Exact observateur des bienséances dont la Religion est la principale, il se procuroit tout le commode et même tout l'agréable que sa fortune et sa situation lui pouvoient permettre : il se refusoit seulement aux dépenses superflues, à tout ce que demande le faste, à tout ce qui sent le spectacle. Il vivoit pour lui seul, et vivoit d'autant plus délicieusement qu'il connoissoit tout le prix de la vie ». Boureau-Deslandes, *Pigmalion ou la Statue animée,* à Londres, chez Samuel Harding, 1742, p. 9-11. Sur la pensée morale de Boureau-Deslandes, voir R. Mauzi, *op. cit.,* p. 227-230. Dans un article où il a réuni un grand nombre de citations expressives, Oscar A. Haac a essayé de définir la conception de l'honnêteté selon Marivaux et de montrer comment Marivaux exploite l'équivoque qui est dans les mots, l'*honnête homme* selon les bienséances mondaines n'étant pas l'*honnête homme* selon la morale (« Marivaux and the " Honnête homme " », *The Romanic Review,* vol. 50, n° 4, déc. 1959, p. 255-267).

L'INTÉRÊT de notre texte est que la philosophie louable et la philosophie condamnable y sont montrées coexistant dans le même groupe ; ce sont deux visages d'un même type ; l'honnête homme chez qui la liberté de penser et la recherche du bonheur sont les moyens de la bonne entente avec les autres se métamorphose en un hypocrite immoraliste appartenant à un clan. Est-ce le même homme, sont-ce deux hommes différents ? Marivaux reste volontairement ambigu, sous prétexte qu'il aura l'occasion de revenir sur le sujet : il n'y reviendra pas, et il savait qu'il n'y reviendrait pas. C'est la première fois qu'il recourt à ce qui sera l'un de ses plus profonds moyens d'expression, le suspens, la conclusion éludée. Par cette ambiguïté il préserve son quant-à-soi, il a son idée de derrière la tête. Si les honnêtes gens constituent une élite, par leur esprit libre et leur goût délicat, et si parmi eux les gens à la mode croient en constituer une autre, Marivaux se distingue secrètement des uns et des autres, sans se séparer d'eux par son comportement social. Comme un Philinte, aussi averti qu'Alceste de la vanité des mondains, mais ne voulant pas leur rompre en visière, ou comme un Pascal qui, par un renversement du pour au contre, reconnaît sans être du peuple les opinions du peuple saines, il est libertin au sens ordinaire, comme ceux de son monde, en face des préjugés [62], et libertin selon sa façon à lui de penser en face des libertins. Ramené à lui-même par cette espèce de clandestinité, Marivaux creuse et développe tous ses caractères particuliers sans jamais parler en son nom propre, trouvant dans le jeu par lequel il fait parler tel ou tel personnage à sa place le moyen de maintenir à la fois sa solidarité avec son milieu et son unicité personnelle. *Larvatus prodit.*

Pour analyser avec pénétration une société, il n'est pas nécessaire d'en faire partie. Mais les jugements moraux, les préférences sentimentales doivent toujours quelque chose à l'appartenance sociale de celui qui les exprime. A ses débuts, Marivaux, fils d'un modeste titulaire d'office, voit dans le bourgeois le modèle de ce que l'on doit être dans la cité : « Un bourgeois qui s'en tient à sa condition, qui en sait les bornes et l'étendue, qui sauve son caractère de la petitesse de celui du peuple, qui s'abstient de tout amour de ressemblance avec l'homme de qualité, dont la conduite, en un mot, tient le juste milieu ; cet homme serait son sage » [63]. Ce sage n'a que

62. Il se qualifie lui-même d'« esprit libertin » en tête des *Lettres sur les habitants de Paris, J.O.D.*, p. 8. Il précise aussitôt le sens de l'expression : c'est un esprit « qui ne se refuse rien de ce qui peut l'amuser en chemin faisant » — façon d'insinuer, en l'écartant, l'autre sens possible : « esprit affranchi des préjugés ».

63. *J.O.D.*, p. 15. Le texte de Dufresny (*Amusements sérieux et comiques*, dans les *Œuvres*, Briasson, 1731, t. V, p. 10) que les éditeurs des *J.O.D.* citent en note à ce passage (p. 558, n. 31) a un sens assez différent : le « peuple » dont parle Dufresny (« cet état

des qualités négatives : s'abstenir, se borner. S'il veut être positivement quelque chose, il donne soit dans la vanité de celui qui singe la noblesse, soit dans la petitesse et la grossièreté qu'il partage naturellement avec le peuple. En fait, la bourgeoisie idéale est absente des *Lettres sur les habitants de Paris*. Mise à part la bourgeoisie provinciale, implicitement utilisée dans ces *Lettres* comme terme de comparaison, Marivaux n'y connaît que le commerce et la « pratique », c'est-à-dire les marchands et boutiquiers d'une part, les gens de justice de l'autre. Il les montre défiants, avides, « honnêtes » seulement par intérêt, faisant passer cet intérêt avant les principes de la morale chrétienne. Il parle d'eux avec une ironie moqueuse, parce qu'il ne se sent pas des leurs [64]. Il doit cependant à la bourgeoisie, et, si l'on peut dire, à ce qu'il y a de plus populaire dans la bourgeoisie, certains de ses sentiments les plus solides et les plus durables : la haine du grand seigneur orgueilleux, du parvenu égoïste qui étale sa richesse, de tous ceux qui méprisent autrui et font leur bonheur par le malheur d'autrui, de la dissimulation, de l'imposture, de l'immoralité ; le goût de la tendresse, des amours familiales, des mères confidentes de leur fille, des pères qui sont des pères et non des tyrans, des enfants attachés à leurs parents par la reconnaissance ; d'une façon générale, il aime la loyauté, la sincérité, il a pitié des malheureux, l'injustice le blesse au vif, il sait qu'un ordre politique qui a pour but d'assurer les jouissances d'une caste aux dépens de toute la nation n'est qu'un désordre cruel. Ce sont là des traits connus de Marivaux, ils montrent en lui le contemporain de Nivelle de la Chaussée et de Destouches, le prédécesseur de Sedaine et de Diderot. Cette sensibilité sociale est certainement l'une de ses plus belles qualités. Mais elle ne fait nullement de lui un représentant de la bourgeoisie sentimentale : elle a essentiellement pour effet de le séparer de la bourgeoisie financière et des gens de fortune alliés à la noblesse, et de « moraliser » toutes les autres qualités, dangereuses, qu'il a développées dans le milieu mondain — son milieu —, exactement au sens où il pensait que la tendresse est la morale de l'amour [65]. Car s'il a commencé par placer son idéal dans le bourgeois loyal et modeste, il a très rapidement adopté les goûts et les idées de la société raffinée : ce monde qui parle à Marianne sa langue natale, il est probable que Jacob s'y sera très vite adapté ; seule la rapidité de son ascension l'a étourdi, et ce que

médiocre que je mets entre le peuple et les grands seigneurs ») n'est pas le peuple au sens courant du terme, situé au-dessous de la bourgeoisie dans l'échelle sociale, mais le peuple de la cour, officiers et employés subalternes, qui appartenaient à la petite noblesse ; et surtout, la « médiocrité d'état où l'on trouve le vrai mérite », selon Dufresny, est celle d'officiers loyaux serviteurs du roi ; pour Marivaux, c'est celle du bourgeois rentier.

64. S'appuyant sur la même phrase des *Lettres sur les habitants de Paris*, G. Larroumet assure que « la vraie bourgeoisie [...] est la classe que préfère Marivaux » : il ne s'est pas aperçu que tous les personnages de romans qu'il allègue pour le prouver appartiennent à la noblesse (*Marivaux*[1], p. 372-376).

65. Voir ce que Marianne dit de Valville, *V.M.*[2], p. 74 : « Il n'était pas amoureux, il était tendre, façon d'être épris qui, au commencement d'une passion, rend le cœur honnête, qui lui donne des mœurs [etc] » ; et cf. *P.P.*, p. 230, ce que dit Jacob sur la tendresse qui orne les passions et les enjolive de l'honnête.

nous avons de son histoire suffit à nous rassurer sur son étonnante faculté d'assimilation. A nos yeux, le monde que retrouvera Marianne, le monde qui adoptera Jacob, c'est le même monde, c'est celui de Marivaux. Et comme Marivaux, Jacob et Marianne savent rester uniques à l'intérieur de ce monde, parce qu'ils viennent d'ailleurs, par accident ou par essence. Marivaux, lui, ne vient pas d'ailleurs, mais sa nonchalance et sa lucidité l'ont préservé du moule. Il n'est que de lire Marivaux pour découvrir le ridicule et l'odieux de cette belle société, mais on perd son temps à se demander s'il condamne la coquetterie ou l'admire ; pourquoi il exalte la sincérité quand tous ses personnages se déguisent ou se dissimulent à eux-mêmes et à autrui ; comment il peut concilier son vigoureux mépris pour les ambitieux de richesse [66] et son dessein de consacrer un roman à un aimable parvenu ; s'il est optimiste ou pessimiste ; s'il est, comme le croit Larroumet, un précurseur des sans-culottes et « presque un socialiste » [67] ou, comme le dit E. Mayer, « homme de salon, homme du monde, [...] le représentant d'une société disparue à jamais » [68]. Quand on lit d'affilée les citations rassemblées par P. Gazagne dans son chapitre sur « Marivaux et ses idées morales, religieuses et sociales », on a l'impression d'une pensée complètement incohérente [69]. Marivaux affirme l'égalité des hommes, voit dans la noblesse un préjugé, méprise les richesses, prend le parti des malheureux, mais il croit que l'inégalité est conforme au dessein de la Providence, et il ne conçoit même pas l'émancipation de la bourgeoisie ; ses idées sont d'une hardiesse presque sans exemple de son temps, mais elles sont utopiques, sentimentales, quand elles ne reviennent pas tout simplement à celles des prédicateurs chrétiens ; dans *L'Ile des esclaves*, il montre la société renversée, les maîtres au service des domestiques, mais au dénouement tous s'embrassent et les domestiques reprennent leur livrée. Faut-il dire que ce qui compte, c'est ce qu'il a osé, le trait qui porte, ou que son audace même est un moyen de renforcer le conformisme en y faisant souscrire le cœur ?

On peut être sans faiblesse et protéger une pensée hardie par un comportement prudent et même conservateur. Ni Pascal ni Diderot, ni le Philinte de Molière parmi les personnages fictifs, n'étaient des lâches. Ce qui manque à Marivaux, semble-t-il, c'est l'extrême rigueur stoïcienne que s'impose Philinte sans qu'aucune dureté apparaisse jamais dans ses rapports avec autrui ; c'est le risque accepté de Diderot, la prison encourue, le qui-vive perpétuel ; c'est la raison de Pascal se précipitant dans l'abîme. Dire qu'il était un honnête homme qui ne trempait pas dans les injustices de son temps, qu'il opposait la bonté de son cœur à la méchanceté du monde, qu'il savait être généreux et pitoyable, profondément vertueux en même

---

66. *Le Cabinet du philosophe*, dont ce sont les derniers propos, *J.O.D.*, p. 437.

67. *Marivaux*[1], p. 504-505 ; mais Larroumet reconnaît que Marivaux « n'était pas même un révolutionnaire ».

68. E. Meyer, *Marivaux*, Paris, 1929, p. 46.

69. P. Gazagne, *Marivaux par lui-même*, Paris, 1954, p. 125-156.

temps qu'indulgent aux faiblesses des autres... c'est fabriquer une image pieuse sans aucun fondement, et l'on nous a montré un Marivaux ruiné par ses bienfaisances, une Mlle de Saint-Jean sœur de charité [70]. Mais surtout c'est ne rien expliquer, c'est ramener toutes les contradictions à des compromis et une vue extrêmement lucide et originale des hommes à l'effet d'un heureux tempérament individuel.

Marivaux appartient à la société riche des nobles et des financiers ; dans cette société, il représente la bourgeoisie d'offices, qui vit assez fastueusement du bénéfice de ses charges et de l'argent placé ; il n'a pas réussi à faire carrière dans cette société, il lui est resté marginal mais ne l'a pas quittée ; son échec matériel est dû, dans la mesure où l'on peut faire des hypothèses, à la médiocrité des moyens dont il disposait au départ, au probable statut de protégé ou de client qu'avait eu son père par rapport à la famille de sa mère et qu'il avait lui-même par rapport à la famille de sa femme, enfin à sa ruine lors de la faillite du Système ; il garda assez longtemps le désir de parvenir, mais ce désir s'affaiblit en velléité à partir du jour où il trouva plus de plaisir à rester en marge comme spectateur qu'à faire agir à son profit les ressorts du mécanisme social. C'est ici qu'intervient le tempérament individuel, sous le seul aspect que nous ne puissions mettre en doute, la vocation littéraire. Il pensa la faire servir à son avancement, et en effet il lui dut l'honneur — l'Académie française — et quelques gains, mais ce dessein était contradictoire, puisque ce qu'il avait à dire de personnel était conditionné par son attitude de spectateur intégré au spectacle ; l'indéniable ralentissement de sa production à partir de 1743 doit s'expliquer par là, et si l'arrêt n'est pas total, c'est que la réussite n'était pas totale ; l'important est le changement qui se fit dans l'idée qu'il avait de lui-même comme écrivain : il ne fut plus du tout romancier, assez peu homme de théâtre [71], il se voulut avant tout moraliste, et même encore plus philosophe que peintre des mœurs.

Le dessein même de composer une œuvre était contradictoire : le nombre des écrits interrompus est chez lui trop grand pour être accidentel. Sauf dans ses tout premiers romans et dans ses pièces de théâtre, il y a toujours un point où Marivaux ne s'intéresse plus à ce qu'il écrit et l'abandonne sans prendre la décision ferme d'y revenir ou de n'y plus revenir. Dans une œuvre interrompue, mais dont le dessein était arrêté, on discerne des structures, on peut deviner vers où l'auteur se dirigeait ; dans une œuvre apparemment interrompue, mais en réalité achevée, coupée court, tout est dit, il suffit de bien lire : ni l'un ni l'autre cas n'est chez Marivaux [72]. L'œuvre inachevée reste énigmatique ; on sait que Jacob sera très riche, puisqu'il le dit, et l'on peut supposer qu'il le deviendra par

---

70. Par réaction, nos contemporains évoquent un Marivaux cruel, cynique, sensuel, presque sadique, qui est encore plus inconsistant.

71. Voir *supra*, p. 46-47.

72. Pour le premier cas, les exemples seraient *Lucien Leuwen* ou *Bouvard et Pécuchet* ; pour le second, *Les Aventures d'Arthur Gordon Pym* ou *Le Voyage sentimental*.

la finance ; mais comment, au prix de quelles expériences ? On sait que Marianne retrouvera une famille noble, mais laquelle, de quelle noblesse ? Sera-ce pour son bonheur ou pour son malheur ? Ces personnages sont aussi obscurs pour nous, malgré leurs confidences, que des étrangers avec lesquels on a bavardé un moment dans le train et qu'on ne reverra plus : les parties manquantes de leur existence sont pour nous définitivement et irrémédiablement inconnues [73]. Le moment où leur existence nous échappe est précisément celui que Marivaux lui-même n'a jamais franchi dans la sienne ; celui où ils vont avoir à s'adapter après avoir été adoptés, où ils vont devenir acteurs, partenaires à égalité avec les autres, alors qu'ils étaient jusque-là en position d'infériorité et d'extériorité. A ce moment-là, ils vont perdre leur liberté de jugement, ils auront à défendre des intérêts reconnus par la société elle-même : Marianne a obtenu l'accord de la famille et du ministre, le legs de Climal fait qu'elle n'est plus entièrement à la charité de Mme de Miran ; il lui reste soit à reconquérir Valville, c'est-à-dire à se livrer à ce qu'on appelle du marivaudage et qui est plutôt matière de théâtre, soit à faire son chemin dans le monde, trouver un meilleur mari, et jouer un autre personnage que celui dans lequel elle était irremplaçable. Jacob marié, s'étant procuré des appuis et, si l'on ose dire, des relais, pour son avenir matériel et sentimental, disparaît de notre vue le jour même où une rencontre décisive consacrait publiquement son introduction dans la société. Si Marivaux s'était passionné pour cette société, il aurait raconté jusqu'au bout, fort platement peut-être, l'ascension de Jacob et la récupération de Marianne ; s'il l'avait détestée, il aurait de même achevé son récit, avec cynisme. Mais il est détaché, sans ambition ni revendication : à suivre ses personnages il aurait dû prendre parti, basculer tout entier vers l'indignation ou vers la complaisance. Nous ne nous consolerions pas si Jacob n'était plus qu'un personnage de Sedaine et Marianne qu'une héroïne de Marmontel. Ils sont profonds parce qu'ils ne sont pas simples et qu'ils sont saisis dans leur époque d'intérêt et de distanciation, de lucidité et de passion, l'époque de sa vie où Marivaux lui-même s'est fixé. Sans être dans la situation de Marivaux, puisqu'ils vont parvenir (le mot, moyennant quelques nuances, n'est pas déplacé même au sujet de Marianne) tandis qu'il n'est pas parvenu, ils sont dans une situation analogue, il peut leur prêter son regard sur la société.

Cependant ils ne sont pas ses porte-parole : le seul spectateur, c'est lui, et le propre d'un spectateur est de voir, non pas d'être vu. Cela est si vrai que, même lorsque Marivaux veut communiquer au public ses idées de moraliste, il se dissimule derrière un personnage fictif, qui se donne à voir comme spectateur ; en ce sens, les *Journaux* de Marivaux sont à l'opposé des *Essais* de Montaigne. Chez Montaigne, nous ne cessons de voir l'homme en qui naissent les idées, chez Marivaux, nous ne le voyons jamais. Les commentateurs ont souvent

---

73. Voir *infra*, chap. VIII, p. 407-410.

donné dans le piège, et ont tout bonnement transcrit dans sa biographie telle anecdote des *Journaux*[74]. Nous pouvons considérer que Marivaux n'a jamais parlé de lui dans son œuvre, qu'elle ne contient pas une seule ligne de confession.

74. L'anecdote de la jeune fille surprise à essayer ses mines devant son miroir est adaptée du *Spectateur* anglais, discours xxx du tome IV de l'édition d'Amsterdam, 1720, chez les frères Wetstein ; mais le thème était banal, voir appendice I, *infra*. Il est légitime de partir du peu qu'on sait sur la vie de Marivaux pour aller aux textes et chercher ce qu'il a pu mettre dans ses inventions de son expérience personnelle ; il est vain de partir des textes pour retrouver l'homme et la vie.

EN SOMME, il a gardé par rapport à tous ses personnages imaginaires le même quant-à-soi qu'il gardait par rapport à la société réelle, tout en définissant ces personnages mêmes par leur quant-à-soi [75]. Il s'est donné ainsi comme écrivain un merveilleux pouvoir, tout de silence, de distance, en apparence voisin, en réalité très différent de l'ironie propre à d'autres écrivains du XVIIIᵉ siècle, et à Voltaire entre tous, qui s'adressent à un groupe de lecteurs de connivence avec eux, leurs alliés dans un combat idéologique et politique. Il est encore plus différent des romanciers et des dramaturges bourgeois qui viendront après lui, les Digard de Kerguette, Baculard d'Arnaud, Louis-Sébastien Mercier, Marmontel, Sedaine, Restif de la Bretonne, optimistes et sentimentaux, confiants dans le lien social ; on ne peut voir en Marivaux leur précurseur que si l'on ne donne pas toute son importance à l'ambiguïté fondamentale, constitutive, de sa pensée politique. Il n'est évidemment pas plus proche des cyniques comme Fougeret de Monbron, l'abbé Dulaurens, le marquis d'Argens (dans sa *Thérèse philosophe*), le marquis de Sade qui refusent le lien social, en dénoncent et en exploitent l'hypocrisie ; quels que soient leurs motifs, en réalité très divers, leur refus est une prise de position passionnée à l'égard de la société, sans ambiguïté d'aucune espèce ; ils n'ont pas non plus la bonté, la profusion du cœur qui accompagnent la lucidité chez Marivaux, et peut-être la paralysent. Les écrivains auxquels il faut le comparer, pour que la comparaison soit utile et fasse saisir son caractère particulier, sont d'une part certains de ses imitateurs ; d'autre part les grands romanciers à peu près ses contemporains, Lesage, Prévost, Crébillon ; enfin, dût son œuvre délicate pâtir de ce rapprochement, l'un des plus importants génies du siècle et le plus solitaire, Jean-Jacques Rousseau.

Nous ne dirons que quelques mots des premiers [76]. Bons témoins de leur temps, comme Mouhy, ou naïvement immoralistes, comme Gaillard de La Bataille, ils sont trop admirateurs de la réussite sociale pour être clairvoyants et détachés ; prêtant à leurs héros les succès dont ils sont eux-mêmes frustrés, ils passent du roman de mœurs au rêve bleu pimenté de libertinage.

Lesage est sans illusions sur le mécanisme social. Il représente, avec un penchant marqué pour le peuple, la petite bourgeoisie d'offices, les robins, les bons serviteurs du roi, adroits et intelligents, qui réprouvent l'enrichissement de la bourgeoisie financière et ridiculisent ses prétentions nobiliaires [77]. Lesage n'est pas Gil Blas,

75. Voir *infra*, chap. VI, p. 205, 232-233.
76. Voir *infra*, Conclusion, p. 500.
77. Nous partageons, en la modifiant un peu, l'opinion de M. Molho (Introduction aux *Romans picaresques espagnols*, Paris, 1968) qui voit dans Lesage le représentant de la

mais il est beaucoup plus près de Gil Blas que Marivaux n'est près de
Jacob ou de Marianne. Il prête ses pensées et sa conception de la vie
à son héros, et l'on en a vite vu le fond : sceptique, faisant de l'égoïsme
le seul mobile des actions humaines, il ne s'indigne pas, parce que
personne ne peut échapper à la règle universelle et se croire meilleur
que les autres. Son scepticisme est une forme d'acquiescement, il
joue le jeu et il n'y croit pas. Les hommes et la société sont devant
ses yeux comme des objets comiques dont les ressorts sont sans
secret, mais tous les habiles, tous les malins les voient de même,
la lucidité non plus n'est pas un bien rare secret. Lesage a des moments
de très grand satirique, et est admirable dans l'invention du trait
cocasse et précis qui réduit un individu à sa définition sociale ; il lui
manque ce que Marivaux a appris de la société qui lui est propre,
le sens de la complexité psychologique, de la jouissance de soi dans
le mouvement incessant de la parole intérieure, et une certaine expérience de la perversité. Son détachement est moins subtil que celui
de Marivaux, il suppose moins de « pensées de derrière » ; il est
capable d'insolence et d'agressivité, dans le *Théâtre de la foire*, où les
éléments populaires s'affirment mieux que dans les romans ; les
indigents de Marivaux — le philosophe ou le comédien — sont d'heureux anarchistes, non des révoltés : le capitaine Rolando, dans *Gil
Blas*, oppose à l'enrôlement social un refus qui pourrait devenir
explosif [78], mais une attitude aussi radicale est exceptionnelle chez
Lesage : l'art de parvenir implique une certaine ironie envers le
but que l'on vise, l'honnêteté naturelle et le goût de la modération
empêchent de pousser l'habileté jusqu'au crime. A condition de n'en
être pas dupe et de ne pas s'être abaissé jusqu'à des procédés honteux
pour les obtenir, on peut jouir des avantages que donne une belle
situation dans le monde. *L'Histoire de Gil Blas* montre qu'il y a une
vertueuse et une vicieuse façon de réussir et d'user de la réussite.
Ce que nous dénoncions comme une erreur à propos de Marivaux
ou de son héros Jacob s'applique assez bien au contraire à Gil Blas
et à Lesage : l'existence est un compromis entre le mal et le bien,
un bon naturel et un peu d'esprit critique permettent. de n'être
ni parmi les victimes, ni parmi les scandaleux bénéficiaires des
injustices, mais de concilier son propre intérêt et celui d'autrui.
Si le roman bourgeois dépeint la société comme un pays à conquérir
et indique les moyens de la conquête, Lesage est à bien meilleur
titre que Marivaux un auteur de romans bourgeois [79].

bourgeoisie marchande et de la bourgeoisie de robe, protestant contre les roturiers
millionnaires qui s'allient à la noblesse. Avec sa classe sociale, Lesage serait retardataire,
l'avenir étant à la bourgeoisie financière et capitaliste. Par rapport aux financiers qui
vivent dans le luxe et qui encouragent ainsi la production, le commerce et les arts, Lesage
peut en effet paraître retardataire ; mais à plus longue échéance, l'avenir est à une
nouvelle bourgeoisie marchande, et non aux financiers qui seront décapités sous la
Révolution.

78. *Histoire de Gil Blas de Santillane*, livre III, chap. II. Voir le commentaire que donne
de ce passage M.-A. Ruff, *L'Esprit du mal et l'esthétique baudelairienne*, Paris, 1955, p. 18.

79. R. Laufer (*Lesage ou le Métier de romancier*, Paris, 1971) a noté chez Lesage un
progrès du conformisme social et de l'« embourgeoisement ».

Prévost, qui connaît la société et les contraintes qu'elle fait peser sur l'individu et sur ses sentiments les plus intimes, ne se propose pas de la juger ni de la peindre. Le roman est pour lui l'instrument d'une recherche morale et métaphysique dans laquelle il est engagé tout entier [80] ; si ses héros sont contradictoires ou énigmatiques, il est lui-même déchiré par leurs contradictions et angoissé par leurs énigmes. Son attitude de romancier, dont l'explication sociologique serait ici difficile à rechercher, est opposée à celle de Marivaux, bien qu'ils aient des attaches sociales communes.

La distinction entre Crébillon et Marivaux est beaucoup moins nette : ils décrivent tous deux le même monde, ils aiment démêler les équivoques de la conscience, démasquer la vanité et la sensualité dissimulées sous des arguments spécieux, ils ont volontiers recours à l'allégorie, et Crébillon a laissé encore plus de romans inachevés que Marivaux : tous ces traits communs supposent une certaine ressemblance dans le comportement en face de la société et dans l'emploi du genre romanesque. Le domaine de Crébillon est plus limité, il ne s'est intéressé ni au peuple, ni à la bourgeoisie petite et moyenne, ni à la province, il lui manque donc la ressource qu'avait Marivaux, d'opposer aux laideurs de son monde des sentiments et des valeurs empruntées à d'autres milieux. Aussi est-il plus pessimiste : ses ambiguïtés conduisent à douter de la vertu même, au lieu que celles de Marivaux invitent à ne pas trop rapidement condamner [81]. Son idéal est sans doute le même que celui de Marivaux, la belle âme sensible, sincère et généreuse, mais quand Marivaux montre les dangers courus par cette belle âme et les équivoques insondables dans lesquelles elle doit s'engager, Crébillon montre son absence de la société vicieuse, ou son anéantissement si elle y paraît. En contre-partie, il donne une bien plus grande place que Marivaux aux intrigues libertines, aux mensonges, aux perfidies, à tout l'appareil de l'aliénation et de la corruption. Marivaux a pris le pessimisme de Crébillon pour de l'immoralisme, Crébillon a pris l'ambiguïté de Marivaux pour du « quiétisme » [82]. Il serait utile de définir la situation économique de Crébillon, comme nous avons essayé de le faire pour celle de Marivaux, de voir si leur opposition littéraire traduisait une différence dans ce domaine, et de comprendre pourquoi l'un a su regarder à l'extérieur de sa catégorie sociale tandis que l'autre s'y est cantonné [83].

---

80. Voir sur ce sujet la thèse de Jean Sgard, *Prévost romancier*, Paris, 1968. En 1740, l'usage que Prévost fait du roman se modifie, mais cette évolution n'a pu avoir aucun effet sur Marivaux, qui cesse d'être romancier à partir de 1742.

81. Crébillon prête sur la nécessité de la dissimulation pour échapper au déshonneur les mêmes propos à des femmes corrompues comme Fatmé et Zulica (*Le Sopha*, II et XVIII, *Collection complète des Œuvres* [...], Londres, MDCCLXXIX, tome III, p. 34 et 309) et à une femme vertueuse comme la duchesse de Suffolk (*Les Heureux Orphelins, ibid.*, t. V, p. 167-168).

82. Voir *infra*, chap. VII, p. 259.

83. Nous laissons de côté Duclos, adroit peintre de mœurs, mais dont l'ambiguïté, plutôt latitudinaire, ne nous semble ni pénétrer dans les secrets du comportement social, ni servir de principe à l'invention des personnages.

Si mal connu que soit l'être social de ces romanciers, il se situe dans la bourgeoisie, mais en marge ; ils sont tous spectateurs ironiques ou anxieux, même Prévost après 1743, quand la désillusion lui a fait prendre plus de distance par rapport à ses personnages. Aucun n'est le thuriféraire d'une classe sociale, aucun n'est le fauteur d'une révolte. Leur ambiguïté nous paraît caractéristique de l'écrivain bourgeois à l'époque où la pensée bourgeoise n'est pas encore structurée ni émancipée : elle peut être soit la complaisance moqueuse de Lesage, soit l'inquiétude de Prévost, soit la défiance nihiliste de Crébillon ; c'est chez Marivaux qu'elle est le plus essentiellement ambiguë, parce qu'il est à la fois le plus engagé à la suite d'un groupe social et le plus détaché : il laisse ses personnages agir et se dire, sans nous indiquer comment il les juge ni nous expliquer lui-même qui ils sont. Tous ces romanciers ont eu à résoudre le problème de leurs rapports avec leur œuvre et celui de leurs rapports avec leur public ; Marivaux a trouvé des solutions qui ont été souvent imitées, et il est frappant que ce romancier, qui a écrit en somme peu d'œuvres et a laissé en chantier les deux plus importantes, ait eu un tel rôle d'initiateur. La fertilité de son invention technique est encore la conséquence de sa situation dans la société, qui le forçait à se communiquer et à se refuser en même temps.

La comparaison entre Marivaux et Rousseau est légitime, non seulement parce que Marivaux a aidé Rousseau dans ses débuts littéraires, mais surtout parce que les idées du premier sur la société annoncent souvent celles du second, par leur contenu et par le ton sur lequel elles sont exprimées. Leur sensibilité à l'injustice est la même, ils ont tous deux un sentiment de fraternité envers les malheureux, détestent l'orgueil et le mauvais usage de la richesse, veulent établir sur la sincérité d'authentiques rapports humains et font du cœur, de la voix divine de la conscience, la règle de toute la morale. La pensée politique de Rousseau est beaucoup plus élaborée, et sa rupture avec la société dont Marivaux fait partie est hautement déclarée : d'où la structure ferme de *La Nouvelle Héloïse*, achevée dans les moindres détails, qui contraste avec l'inachèvement et la discontinuité des récits de Marivaux ; d'où aussi l'intense lyrisme avec lequel sont exaltées les valeurs sentimentales et morales que Rousseau oppose à la corruption de ses contemporains. Mais sur deux points la situation de Rousseau recommence celle de Marivaux : son analyse de la vie intérieure, l'art avec lequel il en restitue la richesse et la ferveur ne pouvaient être compris que de lecteurs raffinés ; son vrai public, ce ne sont pas les âmes simples de la province, les gens de cœur sans intrigues et sans ambitions, ce sont les habitués des salons, les membres de la haute société parisienne : Rousseau a dû une grande partie de son succès à ceux-là mêmes qu'il dénonçait et condamnait [84]. La différence est que l'équivoque est involontaire et subie chez Rousseau, tandis qu'elle est volontaire chez Marivaux,

---

84. Il le remarque lui-même, au début du livre XI des *Confessions* (*Œuvres complètes*, tome I, Paris, 1969, p. 545-546).

qui emprunte à la société raffinée l'idéal de sa délicatesse. L'autre rencontre réside dans l'ambiguïté de l'œuvre : pas plus que Marivaux, Rousseau n'est un chantre du bonheur bourgeois ; on peut tirer de *La Nouvelle Héloïse* une leçon extrêmement pessimiste, si l'on y lit l'échec de belles âmes qui ont voulu concilier leur nature et leur devoir, leur passion et leur raison. Rousseau n'a pas voulu conclure, son roman est une interrogation et un acte d'espérance. Le dénouement malheureux, la fuite dans la mort, lui servent comme l'inachèvement sert à Marivaux. Chez Rousseau, ce qui est ambigu, c'est le sens de la condition humaine, la légitimité du bonheur ou sa possibilité : ses personnages sont sans ambiguïté, précisément pour préserver cette ambiguïté plus profonde. Chez Marivaux, c'est dans les personnages qu'est l'ambiguïté, dans leur conduite au sein de cette société hors de laquelle ils n'auraient pas d'être.

Chapitre III
BELLES AMES

M ARIVAUX AIMAIT LE ROMANESQUE et n'aimait pas le roman. Le monde du roman est irréel, le comportement de ses personnages est contraire à la nature, les événements y sont invraisemblables ; mais le romanesque est la qualité des belles âmes, qui sont à la hauteur des plus étranges accidents et à qui le destin ménage toujours des circonstances exceptionnelles propres à mettre en lumière leur grandeur. De ses premières œuvres jusqu'aux dernières parties de *La Vie de Marianne*, Marivaux étudie ce qu'est une belle âme, à quelles conditions elle peut ne pas être ridicule, comment elle doit se manifester ; il essaie d'associer à des émotions originellement conventionnelles de plus en plus d'intelligence et à la fiction de plus en plus de vérité.

Il a appris le romanesque chez les baroques, et non chez les classiques : ce n'est pas là la preuve d'une éducation provinciale, car le milieu parisien que le jeune Marivaux a connu — même avant son établissement définitif à Paris — est un milieu « précieux », où Fontenelle donne la main à Perrault et où Mme de Lambert continue Mme de Rambouillet ; l'abbé de Choisy, qui dédie à Mme de Lambert son *Histoire de la comtesse des Barres*, publiera une adaptation de *L'Astrée* ; les thèmes choisis par Bullet de Chamblain pour orner les murs du château de Champs étaient baroques par excellence [1]. Que ce soit sous l'influence de ce milieu, qu'il aura subie très jeune, ou par l'effet du retard de la province sur Paris, Marivaux commence sa carrière de romancier au point où Mlle de Scudéry, Desmarets et Segrais ont laissé le roman, et non au point où l'ont conduit Mme de Lafayette, Saint-Réal ou Guilleragues. Par goût personnel, il devait

---

1. « Il serait intéressant de pouvoir identifier sur ces dessins [où Bullet de Chamblain a figuré les murs intérieurs, les panneaux et les portes du château de Champs] ce que représentent les dessus-de-porte. Nous y voyons la fable de Daphné d'après les *Métamorphoses* d'Ovide » (Runar Strandberg, « Le Château de Champs », *Gazette des Beaux-Arts*, février 1963, p. 96).

préférer l'héroïsme généreux à la défiance tragique, et l'abondance subtile à la sobre densité.

*
* *

Les Effets surprenants de la sympathie[2] semblent d'une époque depuis longtemps révolue, par leur intrigue, leur composition, leurs caractères et leur style. Marivaux a lui-même donné une idée de l'œuvre en résumant le récit fait par Isis-Caliste, qui en est la partie la plus importante : « Des situations assez surprenantes, des malheurs qui passent l'imagination. Partout vous y voyez des amants que l'amour plonge dans un abîme de supplices ; les jalousies éclatent, le sang coule de toutes parts ; ce n'est que désespoir : tout y est fureur, ou plaintes et gémissements, presque point de calme ; la vie de ces infortunés n'est qu'un tissu d'horreurs : le sort et l'amour en font successivement leurs victimes »[3].

Les premières pages du roman exaltent la toute-puissance de l'amour : « L'amour [...] tire les hommes de leur caractere, il leur donne des vertus que la nature leur avoit refusées, il les jette dans des crimes qu'ils regardoient avec horreur, il les transforme, pour ainsi dire. Le sexe même le plus sage se porte par l'amour à des extrémités que la foiblesse du tempérament semble lui devoir interdire. L'amour enfin rend capable de tout ; sagesse, devoir, reconnoissance, tout est sacrifié, quand il s'est rendu maître de nos cœurs [...] l'amour est le plus aveugle et le plus fort des mouvements du cœur de l'homme »[4]. Une telle frénésie s'accorde mal avec les qualités de la belle âme, généreuse, soucieuse de sa gloire, qui voit dans l'amour une faiblesse à laquelle elle se défend de céder ; rien ne se prête moins à l'analyse fine et profonde pour laquelle Marivaux est doué, que cette passion aveugle et irrésistible. Malgré leurs oripeaux désuets et leurs attitudes conventionnelles, on peut pourtant essayer de reconnaître déjà ici les personnages qu'il portera plus tard au théâtre ou qu'il peindra dans les deux grands romans de sa maturité.

Ces belles âmes se distinguent des âmes viles non parce qu'elles ignorent la passion, ou parce qu'elles la refusent, mais par la façon dont elles l'assument. « Les cœurs véritablement généreux ont leurs sentiments à part ; s'ils ressemblent aux autres dans un premier instant, dont ils ne sont pas les maîtres, bientôt leur caractere de vertu qui domine les ramene à cette grandeur de sentiments dont un premier mouvement les avait tirés »[5]. Marianne est déjà définie par un tel texte : la grandeur est une nature, non une violence contre nature ; mais c'est une nature à reconquérir, à laquelle

2. Le titre exact est : *Les Avantures de *** ou les Effets surprenans de la sympathie.* Les aventures de qui ? De Clorante, puisque c'est lui le héros qui figure à l'introduction et au dénouement. Mais il joue un rôle beaucoup moins important que les personnages de récits insérés, Parménie et Frédelingue, par exemple.

3. *O.C.*, VI, 177. *O.J.*, 270.

4. *O.C.*, V, 278. *O.J.*, 11.

5. *O.C.*, V, 459. *O.J.*, 104.

il faut se « ramener », en se reprenant soi-même, en étouffant les basses tendances auxquelles se livrent les méchants. Périandre, tenant le « langage ordinaire des âmes communes », veut se faire payer par l'amour de Caliste les services qu'il lui a rendus, et « son cœur [a] trop de bassesse » pour reculer devant les plus odieux moyens de pression [6] ; Turcamène, l'ancien corsaire, a aussi peu de scrupules : « C'est là le caractere de ces âmes impies qui se livrent à leurs passions ; l'honneur et la vertu sont pour eux des obstacles importuns : la brutalité leur fait franchir leurs loix » [7]. Le cruel Tormez est « incapable d'un sentiment généreux » [8]. Les âmes d'élite, au contraire, conscientes de leur grandeur, en acceptent les devoirs et les risques. La défiance et la ruse seraient indignes d'elles, elles aiment mieux être trompées que tromper, que fausser leur véritable nature. Le père de Clorante est jeté en prison, bien qu'innocent ; un de ses ennemis lui offre de le faire évader ; son domestique redoute une perfidie : « Si cet homme étoit né généreux, il ne vous eût pas persécuté ». A quoi le maître répond : « On pourroit, il est vrai, le soupçonner de mauvaise-foi : mais quand j'aurois moi-même de pareils soupçons, je les cacherois, et ne les écouterois pas. Je loue ta crainte, elle est louable, elle t'est permise : mais elle deviendroit lâcheté chez moi » [9]. Héritières à leur façon des Alcidiane et des Mandane, Clarice, Caliste, Parménie s'engagent à régler leurs sentiments « par la sagesse et l'honneur » [10] ou défendent leur « gloire » contre un amoureux « méprisable » ; leur fierté leur dicte une noble colère, elles préfèrent la mort au déshonneur [11] ; elles n'ont là aucun effort à faire contre leur cœur, puisque l'amour qu'elles repoussent leur est odieux. Mais quand elles aiment, elles veulent aussi concilier la gloire et la sensibilité ; plus accessibles à l'amour que leurs intransigeantes ancêtres, elles n'oublient cependant pas décence et dignité pour se livrer aux fureurs de la passion : « la tendresse qu'inspire un vrai mérite, n'est point un défaut, quand elle peut conduire à un engagement permis » [12]. Cette certitude leur inspire le courage de lutter pour leur bonheur, d'avouer leur amour, de se confier à celui qu'elles aiment « avec une hardiesse que des âmes

6. *O.C.*, V, 344. *O.J.*, 45-46.

7. *O.C.*, V, 448. *O.J.*, 100.

8. *O.C.*, V, 588. *O.J.*, 174. « Ta passion est le seul Dieu qui t'inspire », déclare encore Parménie au frère de la Princesse, *O.C.*, VI, 164. *O.J.*, 264.

9. *O.C.*, V, 295. *O.J.*, 20. Cf. *Britannicus*, I, 4 : « [...] Mais cette défiance / Est toujours d'un grand cœur la dernière science ».
Deux points sont à noter : 1° Ce Socrate moderne, au contraire du Socrate antique, accepte de s'évader. La vertu ne saurait le conduire à accepter la destruction de son individu ; vertu sensible et vivante, elle tend à jouir d'elle-même et non à sacrifier l'être à un idéal. 2° La défiance, indigne du maître, est permise au domestique ; elle est « louable », parce qu'il ne faut pas s'attendre à mieux chez un roturier ; « Que le cœur d'un homme sans naissance est rarement généreux ! » (*O.C.*, VI, 175. *O.J.*, 269). Ce serait donc trop simplifier que de voir dans *La Vie de Marianne* la révolte de la noblesse du cœur contre la noblesse du sang.

10. *O.C.*, V, 548. *O.J.*, 153.

11. *O.C.*, V, 391 581 ; VI, 174, etc. *O.J.*, 67, 170, 268.

12. *O.C.*, V, 548. *O.J.*, 153.

communes désapprouveront peut-être, mais que ne condamneront point ceux à qui une noblesse de cœur et une raison supérieure inspirent d'autres maximes » [13]. Les mêmes maximes expliqueront la conduite de Marianne, à ceci près que Marianne ne se livrera pas aveuglément à autrui. Les méchants sont bien incapables de comprendre que l'amour puisse être « réglé sur la générosité » [14] : Parménie veut expliquer à Tormez qu'en l'arrachant à la Princesse qui la séquestrait, il l'a délivrée par égoïsme, s'il veut la séquestrer à son tour, et que pour mériter son estime, et plus encore, il doit se montrer généreux ; mais il lui répond : « Je ne sais point tant approfondir les motifs du secours que je vous ai donné » [15].

Enfin, si le bonheur échappe aux belles âmes, elles le retrouvent dans la satisfaction d'avoir suivi la vertu, de n'avoir pas failli à ce qu'elles se devaient à elles-mêmes : à son entrée dans la vie, Clorante reçoit de son père prêt à mourir la même leçon que Marianne recevra de la sœur du curé : « Vous justifierez mes regrets par une vertu constante ; vous éprouverez, mon fils, qu'elle suffit pour rendre heureux. La récompense qu'on en tire est indépendante des hommes » [16]. L'émotion que procure ainsi la vertu, en permettant à une belle âme de jouir d'elle-même, dépasse toutes les autres jouissances ; Guerlane le découvre en renonçant à sa jalousie et en faisant le bonheur de sa rivale : « Qu'il est bien vrai que cette vertu a des charmes puissants dans un cœur qui l'écoute ! » Elle le dit avec une ferveur qui annonce l'éloge de la vertu chanté par Marivaux dans Le Spectateur français [17].

La volupté sensible que le cœur goûte dans la vertu prouve qu'il suit son penchant naturel : une vertu qui n'est pas sentie, qui ne comble pas le cœur autant que l'esprit, n'est pas authentique. Telle est la vertu mondaine, hypocrisie inconsciente, car les mondains ne sont capables d'éprouver ni honte ni contentement d'eux-mêmes. Parménie, élevée en province, dans « des sentiments généreux et naturels », est saisie d'effroi en pensant qu'elle va devoir affronter à la cour tous ces êtres inauthentiques, qui ignorent la douce communion des cœurs sincères et sont « honnêtes » par habitude et par éducation [18] : le thème annonce Rousseau ; les mondains, selon Marivaux, sont nécessairement, inconsciemment, innocemment hypocrites, tandis que l'âme belle rêve d'un rapport avec autrui qui ne soit pas différent de son rapport avec elle-même ; les Bergeries de L'Astrée, loin d'être un retour à la nature, étaient délibérément arti-

13. Caliste à Clorante, O.C., V, 350. O.J., 48. Comparer ce que dit Parménie à Frédelingue. O.C., V, 499. O.J., 126.

14. O.C., VI, 194. O.J. 279.

15. O.C., V, 580. O.J., 169.

16. O.C., V, 299. O.J., 22. Comparer V.M.² p. 19. Mais pour Marianne, la récompense qu'on tire de la vertu n'est pas tout à fait indépendante des hommes... Voir encore O.C., V, 459. O.J., 105. (Clarice, qui n'a pas les moyens de récompenser Cliton, lui annonce la protection des Dieux et ajoute : « Vous jouirez, avec la récompense qu'ils vous réservent, de la douce satisfaction d'avoir été vertueux »).

17. O.C., VI, 115. O.J., 237, et J.O.D. (Spectateur français, quatrième feuille), p. 132.

18. O.C., V, 516-517 et 544-545. O.J., 135 et 151.

ficielles et élevaient les relations humaines au plan du cérémonial pour que l'esprit en fût entièrement le maître. Marivaux, en reprenant ce vieux lieu commun romanesque, y met un contenu nouveau, conforme à la sensibilité moderne : la paysanne Fétime et sa fille adoptive Dorine « étoient généreuses, parce que leur penchant les portoit à l'être », au contraire de ceux « dont la générosité n'est presque toujours qu'un effet de la politesse ou de l'éducation qu'on leur a inspirée » [19] ; ce rapport authentique, où la générosité se confond avec le penchant et la vertu avec la nature, les belles âmes, sans avoir à inventer Clarens ni à réformer la société, le nouent au pays des romans avec les âmes pareilles à elles, que leur intuition reconnaît presque infailliblement. Marianne le dira, « les âmes se répondent » [20] ; elles sont transparentes les unes aux autres, « deux cœurs unis ne perdent rien de leurs communs transports » [21], c'est à ces transports mêmes qu'ils comprennent leur union et leur mérite. Mais si Marivaux est l'écrivain qui étudiera avec le plus de profondeur le désir des belles âmes de concilier la sensibilité et la gloire, dans cette première œuvre la conciliation est un peu trop précipitée. La jeune fille ne laisse même pas à son amoureux le soin de lui démontrer qu'elle est possible, elle en est persuadée avant d'aimer, et quand elle aime, elle invoque cet argument pour justifier aux yeux de son amoureux la confiance qu'elle lui témoigne d'emblée [22]. Caliste est persuadée qu'on ne peut pas être perfide quand on aime : « je me confie à un amant qui m'adore : la perfidie se trouve-t-elle avec tant d'amour ? Seroit-il capable d'un outrage ? Non, non ; ce n'est qu'à force de soumissions que ses pareils sçavent gagner un cœur » [23]. En fait, pour que ce cœur fût totalement et définitivement gagné à Clorante, il a suffi d'un seul regard, et Caliste, pressée il est vrai par les circonstances, est décidée à oublier la bienséance et les « devoirs sacrés pour le sexe ». Elle n'a rien à craindre : les soumissions dont elle a dispensé Clorante au nom de celles que prodiguent « ses pareils » ne lui manqueront pas. En dépit de la lettre par laquelle elle lui faisait entendre assez clairement qu'elle l'aimait aussi, il déclare, avec l'assurance de l'humilité, qu'elle ne sera « point sensible » à son aveu, qu'il aimera sans espoir : « Je gémirai, qu'importe ? mes soupirs seront un hommage éternel que vous méritez » ; il sait que chaque mot de sa réponse est un crime, mais « [il] s'en [va] effacer ce crime, à force d'ardeur à [la] servir » ; si Caliste, quand il l'aura délivrée, lui signifie d'un regard qu'elle ne veut plus de lui, « je fuirai sur le champ », dit-il, « ou j'expirerai » [24]. A une

---

19. *O.C.*, V, 435. *O.J.*, 93.

20. *V.M.²*, p. 147.

21. *O.C.*, V, 363. *O.J.*, 55.

22. C'est le cas de Parménie (*O.C.*, V, 548. *O.J.*, 153) et de Caliste (*O.C.*, V, 350. *O.J.*, 48) dans des passages cités plus haut (n. 10 et 13).

23. *O.C.*, V, 334. *O.J.*, 40.

24. *O.C.*, V, 354, 355, 358. *O.J.*, 51, 52, 53. Mêmes protestations de « respect infini » chez Frédelingue, à sa première rencontre avec Parménie, *O.C.*, V, 484. *O.J.*, 118. Mais à la seconde rencontre le personnage est enfin vivant et contradictoire, cf., *infra*, p. 97. Le

telle élévation, la générosité devient fabuleuse, ou tout bonnement formaliste ; on ne croit pas qu'il puisse y avoir un conflit bien poignant, une vie intérieure un peu profonde chez cet homme qui, avant de s'enfuir secrètement avec Caliste, se justifie ainsi de ne pas remercier Périandre (le ravisseur et oppresseur de Caliste) de son hospitalité : « J'y suis cependant sensible, mais la tyrannie dont il use avec son aimable captive le peint à mes yeux comme indigne d'une démarche qui pourroit nuire à notre entreprise » [25]. Il n'existe pas chez ces personnages de conscience qui les dédouble ou les divise pour les ramener à leur vraie nature ; leurs phrases arrondies et leurs exclamations rhétoriques expriment non pas la tension d'une âme qui ne veut ni déchoir ni renoncer, mais leur accord lyrique avec eux-mêmes [26].

Marivaux dit et répète que le *moi* est aveuglé, aliéné par la passion ; en dépit de ce langage, la passion n'est pas une force extérieure [27] : c'est par elles-mêmes que les âmes sont possédées ; « sympathie », « faiblesse » ou « fureur », chaque fois, c'est le *moi* le

« respect » s'était manifesté chez lui, un peu plus tôt, dans une circonstance plus étrange, qui en fait comprendre tout le formalisme. On lui avait apporté un billet d'une femme inconnue, lui demandant de se trouver, à neuf heures du soir, en un lieu indiqué. Il est en deuil, il n'a pas le cœur à l'aventure, il ne sait ce qu'on lui veut, mais il décide après hésitation d'obéir au message : « Quand ce n'eût été qu'un rendez-vous de maitresse, le respect qu'un homme de naissance doit avoir pour le beau sexe l'obligeoit à s'y trouver » (*O.C.*, V, 479. *O.J.*, 116).

25. *O.C.*, V, 356-357. *O.J.*, 52.

26. La modestie est un autre trait de la belle âme. Merville, sur un navire attaqué par des corsaires, s'est battu avec un courage qui nous ramène aux vieux romans, et, tous ses camarades morts, s'est trouvé « seul contre tous percé de plusieurs coups » ; c'est lui qui le raconte, mais il ajoute : « Le Capitaine du vaisseau ennemi, touché de quelque valeur que j'avois témoignée [...] » (*O.C.*, VI, 32 ; cf. 35. *O.J.*, 192 ; cf. 194). Parménie, parlant d'elle-même : « Quelques charmes que la nature m'a donnés me faisoient passer pour une belle personne » (*O.C.*, V, 518 ; cf. 546. *O.J.*, 135 ; cf. 152) ; et Caliste : « Le Ciel m'avoit donné quelque beauté » (*O.C.*, V, 172. *O.J.*, 268). Cette modestie est de tradition dans le roman héroïque et galant. Dans *Les Avantureuses Fortunes d'Ipsilis et Alixée*, par des Escuteaux, Ipsilis a repoussé l'assaut des Hulmigériens contre la capitale du roi des Vandales ; passé ensuite sur le terrain de l'ennemi, il a livré un terrible combat, où il a fait preuve d'une bravoure éclatante ; il reçoit alors un cartel du duc d'Ariman, qui propose de finir la guerre par un combat singulier. Ipsilis se tourne vers le roi des Vandales et lui déclare avec une modestie ridicule : « Je n'ose [prier] vostre maiesté de m'accorder ce que vostre ennemi desire, ne vous ayant tesmoigné par aucun acte valeureux que je sois digne d'un tel honneur » (Paris, 1607, p. 34).

27. Voir *O.C.*, V, 322. *O.J.*, 34 : « A quoi n'engage pas l'amour, quand il s'est rendu maître d'un cœur ? Ne direz-vous pas ici, Madame, que ceux qui s'y livrent sont bien dignes de pitié ? A quelles extrémités ne porte-t-il pas une âme ? Sacrifier sa réputation, s'abandonner en aveugle aux plus funestes hasards, renverser l'ordre de la nature par de monstrueuses métamorphoses, par une intrépidité surprenante ; voilà les fureurs qu'il inspire ». Ces « monstrueuses métamorphoses », c'est le déguisement masculin revêtu par Clarice, autre banalité romanesque ! Je ne crois pas que Marivaux se moque, mais il n'a pas de mots assez forts pour décrire un sentiment bien étranger à l'idée réelle qu'il se fait de l'âme, et que la convention littéraire lui masque. Exemples de ces « fureurs » : Clarice amoureuse n'est « plus en état de suivre en tout les séveres loix » de l'honneur (*O.C.*, V, 319. *O.J.*, 32) ; Clorante est entraîné par « une sympathie » qu'il ne peut vaincre, « [sa] passion n'est pas un caprice, [il] n'en [est] pas le maître » (*O.C.*, V, 315. *O.J.*, 30) ; la Princesse fait de « vains efforts [...] » pour combattre son [penchant] », il lui est « impossible de le vaincre » (*O.C.*, V, 491. *O.J.*, 122). Tormez devient « furieux » à l'idée de renoncer à son amour, « c'est un effort dont [son] cœur n'est plus capable » (*O.C.*, V, 580. *O.J.*, 169) ; l'amoureux qui enlève Ostiane sait bien qu'il commet un « crime affreux » — « Que l'amour fait d'étranges changements dans la conduite des hommes ! » — mais il se croit pardonnable, « [son] cœur est la victime d'un amour prodigieux » (*O.C.*, VI, 127 et 128. *O.J.*, 243 et 244), etc.

plus *moi* que la passion fait surgir, elle est chez chacun la manifestation de sa personnalité fondamentale. Ce que les belles âmes
affectent de déplorer comme une aliénation est leur état le plus
authentique. Leur qualité fait que l'excès est sans risque pour elles.
Plus elles aiment, plus elles sont vertueuses. Leur passion est leur
vertu. Dans la même page où nous lisons que « la sagesse [...] régloit »
les amours de Misrie et de Merville, ce dernier nous dit qu'il avait
« cédé à un penchant invincible » [28]. Clorante, qui prétend « cour[ir] »
à sa perte » en aimant Caliste, se flatte de prouver par cet amour
sa générosité [29]. Fait de nature, la passion est la source des plus
belles actions ou des crimes les plus affreux, selon la valeur morale
de celui dont elle s'empare. Lorsque Turcamène, après avoir par
respect gardé le silence, ne peut plus supporter le départ de Clarice,
c'est qu'il a « pris [...] la passion la plus violente », mais il ajoute :
« mon cœur ne peut plus se faire de violence », et la bizarrerie, sans
doute maladroite, de l'expression est révélatrice : la « violence » que
subit Turcamène vient du plus profond de son cœur. Aussi est-ce
chez les méchants que cette peinture de la passion est la plus
justifiée : ils sentent la passion comme un trouble mauvais en eux
que rien ne pourra calmer, ils sont incapables de paix, ils s'aban-
donnent avec rage à ce qu'ils sont ; ils ont l'orgueil maudit de celui
qui choisit le mal en se choisissant lui-même. Quand le noble père
de Clorante dit : « un homme comme moi », il risque de faire sourire
tant sa bonne conscience est tranquille ; quand Périandre dit : « un
cœur comme le mien » et invite Caliste, au nom de « la bonne foi »
et de « l'honneur », à tenir la promesse qu'elle lui a faite, on devine
l'équivoque de ces mots et les replis de cette âme [30]. La mauvaise
conscience entraîne chez les méchants un déchirement et une angoisse
qui mettent en question l'ordre du monde et leur propre existence :
« l'excès de leur passion trompée les fait passer à un excès de
haine et de rage contre l'objet qui leur est enlevé ; ils haïssent avec
lui les Dieux, ils se détestent eux-mêmes » [31].

Les belles âmes suivent leurs impulsions, au contraire des méchants
qui savent dissimuler, dompter leur rage, remettre leur vengeance
à plus tard pour mieux l'assurer : « les hommes généreux, incapables
d'une action lâche, ne sont pas les maîtres, en pareille occasion, de
leurs premiers mouvements » [32]. Clorante essaie de tromper Turcamène, et ne s'aperçoit pas que Turcamène n'est pas dupe : « la dis-

---

28. *O.C.*, VI, 49. *O.J.*, 201.

29. « Je finis en vous priant de faire attention qu'il faut être né capable d'une action
généreuse, quand on est capable de tant de respect et de tant d'amour », écrit Clorante à
Caliste, *O.C.*, V, 355. *O.J.*, 51. « Je cours à ma perte, j'y veux courir, et je ne puis m'empêcher
de le vouloir », *O.C.*, V, 315-316. *O.J.*, 31.

30. *O.C.*, V, 290 et 346. *O.J.*, 18 et 47. Sur le ridicule de l'expression « un homme comme
moi », voir Voltaire, *Lettres philosophiques*, X (éd. G. Lanson, revue par A.-M. Rousseau,
Paris, 1964, t. I, p. 122) et *Zadig*, XVII, « Les Combats » (éd. G. Ascoli, revue par J. Fabre, t. I,
p. 87) ; abbé Coyer, « Lettre à un Grand », *Bagatelles morales*, nouvelle édition, Londres et
Francfort, 1757, p. 74, etc.

31. *O.C.*, V, 449. *O.J.*, 100.

32. *O.C.*, V, 367. *O.J.*, 57 ; voir aussi *O.C.*, V, 384. *O.J.*, 65.

simulation [lui] étoit moins naturelle qu'au Corsaire » [33]. Frédelingue, épris de Parménie, reçoit de la Princesse une brûlante et impérieuse déclaration d'amour : « il jugea que le meilleur parti qu'il avoit étoit de feindre. Peut-être, hélas ! eût-il mieux fait de lui avouer la disposition de son cœur » [34]. Non pas qu'il y ait chez Marivaux l'idée, si tragiquement exposée par Prévost, que la prudence humaine soit fatalement vouée à l'erreur, au malheur, et peut-être nécessairement coupable ; Marivaux veut seulement nous montrer qu'une belle âme n'a rien à gagner à dissimuler et à se contraindre : elle peut se fier à ses impulsions, « le cœur n'est jamais trompé » [35]. La spontanéité, il est vrai, est souvent malheureuse, elle aussi, soit parce que la confiance est mal placée, soit parce qu'« un sort cruel, sans doute, arrête l'effet des bonnes actions » par lesquelles on veut réaliser les bonnes intentions. C'est ce que conclut la Princesse lorsqu'un horrible quiproquo a entraîné le suicide de Mériante que, par pitié, elle avait fait conduire auprès de Parménie [36] ; Clorante a eu bien tort de raconter « sans balancer un moment » ses aventures à Turcamène qu'il croyait généreux [37] ; Parménie a eu bien tort d'avouer à Merville, confiante — à juste titre — en sa « noblesse d'âme », qu'elle était une femme : elle a éveillé chez le fils de Merville un amour qui ne peut être que malheureux [38]. Mais ce serait un contresens que de voir dans ces funestes rencontres, comme dans tous les malheurs qui affligent les amoureux dans ce roman, des leçons sévères, des invitations à bannir tout élan de sensibilité ; Marivaux n'a soumis le « cœur » à aucune question métaphysique. En nous peignant les malheurs des bons, il songe seulement à nous émouvoir, et non à nous faire interroger la Providence. Tout finit par s'arranger, les Dieux ne font souffrir que pour mieux combler ensuite et tant d'aventures surprenantes n'apprennent rien à ceux qui les ont vécues. Les héros ne les traversent que pour mieux goûter à la fin le repos ; si prodigieuses qu'elles soient, les seuls qu'elles étonnent durablement sont l'auteur et le lecteur. Les personnages, eux, ont gagné le droit de les oublier ; toute leur expérience aboutit à leur épargner de plus jamais réfléchir sur ce qu'ils ont éprouvé [39] : « après des enchaînements inconcevables d'infortune, les

---

33. *O.C.*, V, 403. *O.J.*, 76

34. *O.C.*, V, 492-493. *O.J.*, 123.

35. C'est Guirlane qui l'affirme, ayant reconnu celui qu'elle aimait, Merville, malgré l'état lamentable où l'esclavage l'avait réduit, *O.C.*, VI, 112. *O.J.*, 235. Nous croyons pouvoir donner à ce mot une portée plus générale. « L'amour ne se trompe jamais », fera dire Prévost à Cleveland, *Le Philosophe anglois ou Histoire de Monsieur Cleveland*, Londres, 1777, t. III, p. 350. « Le principe [de l'amour] est toujours sans erreur et sans défaut », disait l'« Avis au lecteur » des *Effets surprenants*. Idée malebranchiste (*O.J.*, p. 5).

36. *O.C.*, VI, 23. *O.J.*, 188.

37. *O.C.*, V, 388. *O.J.*, 68.

38. *O.C.*, VI, 150 et 155. *O.J.*, 256 et 259.

39. *O.C.*, VI, 177. *O.J.*, 271 ; cf. *O.C.*, VI, 247-248. *O.J.*, 306 : la Dame à qui est dédiée l'œuvre met en doute la réalité d'un bonheur que les amants ont dû mériter « par tout ce que l'âme peut ressentir de mouvements affreux ». L'auteur répond : « Vous seriez sans doute bien surprise [...] de ne leur trouver à présent que des expressions de joie les plus emportées, pendant qu'à peine pourroient-ils rappeler leur infortune ». C'est le dénouement.

malheurs au moment heureux sont comme des ombres légères qui disparoissent ». Aucun d'eux ne se demande si tant d'événements n'ont pas un sens, ne cachent pas un mystère qui le concerne ; aucun d'eux ne prend conscience d'un destin, sauf de ce destin romanesque qui a créé pour lui un autre être et le lui a fait rencontrer [40]. La philosophie de Marivaux s'en tient à un optimisme facile, qui fait confiance aux Dieux pour la punition des méchants et la récompense des bons, et accueille le malheur non comme une épreuve à méditer, mais comme le prix payé d'avance du bonheur à venir [41]. Les détours de cette Providence bénéfique sont étranges : « souvent les Dieux nous dérobent ce que nous avons de plus cher, pour nous le rendre après dans le temps qu'on s'y attend le moins » [42] ; mais si le sort semble s'acharner sur les êtres sensibles [43], c'est finalement pour « à tout moment faire de nouveaux miracles en faveur [des] fortunés amants » [44]. Il y a chez Marivaux un optimisme à la Fénelon, il se représente Dieu comme le père et le protecteur des humains [45] ; cette foi en la bonté du Créateur et de la création est la base métaphysique de son amour des hommes et de la valeur qu'il attache au sentiment ; mais les Dieux dans *Les Effets surprenants* ne sont que les bons génies d'un conte féerique.

Ce premier roman nous fait voir à l'état natif, avant qu'il l'ait soumis à un examen rigoureux et en ait modifié les données, ce que Marivaux aime dans le romanesque : l'extraordinaire de l'aventure et de la passion, l'inattendu, le hasard auquel l'âme s'abandonne avec appréhension et espoir, un certain héroïsme dans le sentiment et dans la conduite, le bonheur enfin gagné après les épreuves, les mouvements éloquents et pathétiques de l'expression. Nous ne sommes plus sensibles à ces exagérations et à ces merveilles, mais il est une vérité de l'âme romanesque qui s'aperçoit souvent dans *Les Effets surprenants,* par exemple dans cette réflexion confiante de Merville, sous les yeux de qui Misrie vient d'être enlevée, embarquée et emmenée au large ; il cherche à son tour un navire, en trouve un

---

40. Clorante est amené chez Périandre, le tyran et le geôlier de Caliste ; méditation de Caliste : « Quoi, disoit-elle, est-il possible qu'il soit ici ? Cette aventure est-elle un effet du hasard ? ou croirai-je que le destin nous a faits l'un pour l'autre ? » *O.C.*, V, 329. *O.J.*, 40. Marivaux renoncera vite à cette mystique, à laquelle Prévost et surtout Rousseau prêteront une attention extrême.

41. Les Dieux récompensent les bons et punissent les méchants, *O.C.*, VI, 13, 108, 128, 129, 192 et 234 ; V, 459. *O.J.*, 177, 233, 243, 278, 300, 106.

42. *O.C.*, V, 524 ; cf. 526. *O.J.*, 139 ; cf. 140 : « rien n'est impossible aux Dieux » ; VI, 137. *O.J.*, 248 : « Les Dieux peuvent tout, et les choses qui paroissent les plus impossibles à nos réflexions bornées, ne sont, pour ainsi dire, qu'un jeu pour eux ».

43. *O.C.*, V, 406 ; VI, 25, 98, 100, 110, 147, 223. *O.J.*, 79, 188, 228, 229, 234, 254, 294 : en apparence c'est le thème des infortunes de la vertu et des malheurs de l'amour ; mais ce n'est qu'une apparence ; les Dieux, soucieux de pathétique, jouaient aux mortels un tour pareil à celui que Guirlane joue à Misrie, pour qu'elle goûte mieux son bonheur.

44. *O.C.*, VI, 239-240. *O.J.*, 303.

45. C'est le Dieu qu'enseigne Merville aux Sauvages qui avant sa venue adoraient la Mort, *O.C.*, VI, 209. *O.J.*, 286-287. La phrase qui fait penser à l'optimisme de Fénelon est celle-ci : « Le Ciel a répandu ses dons dans tous les endroits de la terre », et fait pousser du blé dans l'île des Sauvages, VI, 206. *O.J.*, 285. Cf. Fénelon, *Traité de l'existence de Dieu*, 1re partie, chap. 2 : « Il n'y a point de terroir si ingrat qui n'ait quelque propriété ».

en partance pour le Pérou, demande une place : « Puisque celle qui emporte mon cœur est à présent sur la mer, un hasard peut me la rendre : cet élément en fait naître de prodigieux » [46]. Plus profondément, Marivaux aime le romanesque parce qu'il l'identifie au sentimental. Là est l'origine de sa vocation de romancier. L'âme qui vit est l'âme sentimentale, on n'existe pas si l'on n'est pas ému. D'instinct Marivaux se tourne vers le roman le plus capable d'émouvoir, celui où des amants sont séparés et se retrouvent, où l'on s'évanouit d'amour, où des situations extraordinaires transportent les personnages de ravissement, les précipitent dans le désespoir ou font jaillir leurs larmes... On pleure beaucoup dans *Les Effets surprenants* [47] : on pleure sous l'effet du remords, ou dans la douleur d'être victime d'un méchant, ou à la pensée de quitter celle qu'on aime, ou pour un amour non partagé ; même un violent comme Tormez pleure quand il essuie les durs refus de Parménie [48] ; mais les larmes que préfère Marivaux ne sont pas celles qu'arrache la passion, ce sont les larmes que font verser l'attendrissement, la joie de réparer par un bel acte le mal que l'on a fait, la bonne amitié qui succède à la jalousie [49], et surtout l'amour paternel et l'amour filial : Frédelingue pleure à la pensée de la fille qu'il a perdue, la mère adoptive de Parménie à la pensée de la fille qu'elle va perdre, tous trois pleurent ensemble au moment de la séparation, Parménie à la fois de joie parce qu'elle a retrouvé un père et de tristesse parce qu'elle doit quitter une mère [50].

Une des notes caractéristiques qu'on entendra dans *La Vie de Marianne* se fait déjà entendre ici, Marivaux a trouvé la matière et le ton qui lui seront propres, mais ni l'image qui est donnée de la passion, ni le principe qui préside à l'action et au dénouement [51], ne pouvait permettre à Marivaux de décrire dans ce roman l'aventure intérieure d'une âme ou la réflexion d'un individu sur son destin. Tout y semble contraire à la méditation et au regard en arrière. Ce futur grand peintre de la naissance de l'amour ne nous

46. *O.C.*, VI, 70. *O.J.*, 213. La suite est d'une mélancolie passionnée : « et quand je ne la retrouverois pas, j'aurai du moins la consolation de passer, à la chercher, une vie qui prolonge l'amour que j'ai pour elle ». Voir aussi Clorante, V, 311. *O.J.*, 28 : « Elle est partie, suivons-la ; le hasard peut me la montrer encore » ; deux fois déjà, en effet, le hasard lui avait fait rencontrer Caliste.

47. Quarante-trois fois, si notre compte est juste.

48. Successivement *O.C.*, VI, 26 ; VI, 138 ; V, 505 ; V, 394 et 562 ; V, 539. *O.J.*, 189, 248, 129, 71 et 160, 146, parmi de nombreux autres exemples possibles. Noter que Parménie pleure quand elle croit son père mort (V, 568. *O.J.*, 163), mais s'évanouit, tombe malade, s'évanouit de nouveau quand la nouvelle lui est confirmée (V, 574 et 575. *O.J.*, 166). Noter aussi que, si Misrie pleure après les menaces du marchand turc, Clarice et Caliste, plus fières, ne pleurent pas dans des situations semblables : les poncifs de la grandeur d'âme ou de l'émotion outrancière étouffent encore l'expression de la sensibilité vraie.

49. *O.C.*, VI, 114 et 118. *O.J.*, 236 et 238.

50. *O.C.*, V, 525 (cf. VI, 238), 529, 531, 535, 537, 544. *O.J.*, 139 (cf. 302-303), 142, 143, 146, 147, 151. La fréquence des larmes dans ce passage prouve à elle seule que Marivaux s'écarte du roman héroïque et ébauche déjà les personnages de Marianne, de la sœur du curé, de Mme de Miran.

51. Voir les textes cités *supra*, n. 42.

montre que des coups de foudre [52] ; celui qui prêtera à Marianne et à Jacob une fine intuition de l'âme d'autrui doue ici ses personnages de pressentiments ténébreux [53] ; celui qui essaiera « d'écrire un roman où la psychologie fût *romanesque* » [54], ou qui du moins se servira des événements extérieurs et du hasard pour mieux faire apparaître l'âme de ses héros, justifie ici les faits les plus invraisemblables, quand il se donne la peine de les justifier, par l'aveuglement et l'extravagance de la passion [55]. De la « sympathie », il a raconté les « effets

52. Clorante a aperçu de loin Caliste et en est aussitôt devenu amoureux ; mais Caliste sans en rien manifester avait aussi aperçu Clorante et était devenue amoureuse de lui, sans savoir qui il était et persuadée de ne le revoir jamais : « la sympathie dans ces moments avoit également uni leurs deux cœurs », *O.C.*, V, 329. *O.J.*, 38. Déguisée en homme Misrie enflamme le cœur de la femme d'un marchand turc, le cœur du marchand turc lui-même qui connaît son sexe (« L'instant où je vous vis me donna de l'amour », VI, 136. *O.J.*, 248), le cœur du jeune Turc qui achète les esclaves (« Ce jeune homme conçut pour moi une passion infâme », VI, 141. *O.J.*, 250). La situation se retrouvera en partie dans *Le Triomphe de l'amour* où Léonide s'arrange pour inspirer de l'amour à la fois au philosophe Hermocrate et, déguisée en homme, à la sœur du philosophe, Léontine. Sur le parti que Marivaux tire du romanesque dans ses comédies, voir P. Reboul : « Aspects dramatiques et romanesques du génie de Marivaux », dans *L'Information littéraire*, 1re année, nº 5, nov.-déc. 1949, p. 175-179, et F. Deloffre : « Sources romanesques et création dramatique chez Marivaux », *Annales Universitatis Saraviensis*, III, 1-2, 1954, p. 59-66. Mais l'étude inverse serait à faire aussi.

53. Exemples : *O.C.*, V, 523. *O.J.*, 138. (Parménie ressent tout de suite « une secrète tendresse » pour un inconnu, dont elle découvrira plus loin qu'il est son père ; « Ce penchant que j'avois senti étoit la voix de la nature », V, 53. *O.J.*, 143) ; 533. *O.J.*, 145 (Clarice et Caliste sont déçues de constater que le blessé apporté chez Fétime, et dont elles ont examiné le visage avec attention, est bien un inconnu pour elles : « il leur sembloit que cet homme blessé devoit avoir quelque part à leurs malheurs ». Adresse subtile de Marivaux ! Chez Caliste, c'est la voix du sang qui a parlé, puisque l'inconnu est son père Frédelingue ; en VI, 180. *O.J.*, 272, cette voix secrète, qu'elle avait fait taire à regret, se fait de nouveau entendre, et l'inconnu y répond : « Isis [Caliste], qui d'abord n'avoit rien vu qui l'intéressât dans la physionomie de l'inconnu, sentit, après l'avoir examiné, des mouvements de compassion pour lui, si vifs, qu'elle lui parla [etc.]. Ces discours inspirèrent à l'inconnu tant de reconnoissance, qu'il dit [etc.] » ; chez Clorante, c'est le pressentiment des âmes romanesques, qui reconnaissent d'instinct les êtres destinés à tenir un rôle dans leur roman) ; 327 ; 349. *O.J.*, 37 ; 48 (« je ne sçais quel pressentiment » assure à Clorante désespéré qu'il n'a rien à craindre de fâcheux de la lettre apportée par Clorinde) ; 351. *O.J.*, 49 (Caliste sent que Clorante est digne de la confiance qu'elle lui a faite : « je ne sçais pourquoi même je ne puis m'imaginer le contraire ») — Exemples de pressentiments annonçant le malheur : V, 295 ; 362. *O.J.*, 20 ; 54 (Clorante, au moment de faire évader Caliste, a un battement de cœur « que causoit [...] peut-être un certain pressentiment qui précède toujours un malheur près de nous surprendre »), 488. *O.J.*, 121 (Turcamène « se repentit [...] d'être venu au rendez-vous, par un pressentiment de ce qu'on alloit lui apprendre » — mais il est trop tard !), 544. *O.J.*, 151 (« Je ne sçais quel pressentiment des malheurs qui me sont arrivés »).

54. Mot de Raymond Radiguet, appliqué par Cl. Roy (*Lire Marivaux*, Cahiers du Rhône, 1947, p. 88) à *La Vie de Marianne*.

55. L'explication la moins soutenable est celle qu'il donne du départ de Fétime, Caliste et Clarice à la recherche de Clorante. Les bois sont infestés d'ennemis, d'une part, et la bienséance, d'autre part, devrait retenir ces femmes : « mais le cœur est un guide aveugle qui franchit tout ce qui s'oppose à ses passions ; les difficultés l'irritent ; et le sort même, qu'il semble défier, est souvent comme lassé de lui nuire » (*O.C.*, VI, 232. *O.J.*, 298). Autrement dit, la justification de leur acte est qu'il y a un Dieu pour les passionnés. L'explication la plus bouffonne est celle que donne l'Anglais, lorsqu'il s'aperçoit, après avoir gagné le large, de l'erreur qu'il a commise en enlevant Misrie au lieu d'Ostiane ; la ressemblance l'a abusé : « Cet homme s'arrêta devant moi, et m'examina avec une attention qui m'auroit épargné bien des malheurs, s'il se l'étoit donnée plutôt. Il s'approcha plus près de moi, et levant alors les mains au Ciel : Grands Dieux, s'écria-t-il, qu'ai-je fait ? Je me suis mépris ; un trop grand amour m'a séduit » (VI, 121. *O.J.*, 240). Caliste et Clorante s'évadent de chez Périandre, la nuit, au milieu de mille dangers ; ils se rejoignent dans le jardin, ils n'ont plus qu'une porte à franchir, mais ils s'attardent dans une longue scène d'amour, qui n'est pas sans poésie ni finesse psychologique : « Qu'on est imprudent quand on aime ! [...]. Ce même amour, si ingénieux à trouver des moyens si sûrs [...] va détruire et renverser dans un moment les espérances d'un bonheur qu'il ne tenoit qu'à eux de s'assurer », et Périandre les surprend

surprenants » sans bien faire voir le trouble qu'elle apporte à une conscience en ordre, les efforts de la volonté pour la maîtriser ou de la raison pour la diriger [56]...

Clorante fournit un bon exemple de la façon dont le problème moral est faussé par cette psychologie de la passion : il se reproche d'avoir délaissé Clarice et s'accuse d'ingratitude ; Oreste livré à son destin [57], il se sait gré de ses hésitations à trahir sa bienfaitrice, et voudrait être généreux à la fois malgré son amour pour Caliste et grâce à cet amour. Il se voue à la passion-gloire avec une conscience d'autant meilleure qu'il a accompagné de quelques regrets son abandon à la passion-fatalité. L'auteur voit là le signe d'une âme non commune : « les âmes communes se livrent à leur penchant en aveugle, elles oublient tout pour se satisfaire ; un honnête homme malgré son penchant, est capable de sensibilité pour les autres, et

(V, 364. *O.J.*, 55 ; le thème était sans doute conventionnel ; dans les *Lettres persanes*, LXVII, Apheridon reçoit dans ses bras Astarté qui vient de s'enfuir de chez son mari par une fenêtre : « je ne connus plus le danger, et je restai longtemps sans bouger de là » ; mais le récit reprend aussitôt et l'évasion s'achève heureusement ; dans les *Nouvelles Avantures de Don Quichotte* d'Avellaneda, traduites par Lesage, Paris, 1704, t. I, livre III, chap. 21, Don Gregorio a fait évader du couvent Dona Louise ; elle le rejoint dans la nuit : « J'étois si transporté de joye d'avoir Dona Louise en ma puissance, que je ne pus m'empêcher de la tenir très-long-tems embrassée, sans songer qu'il n'y avoit pas de moment à perdre. Elle m'en fit souvenir, et aussi-tost [etc.] ») ; voir encore V, 462. *O.J.*, 107 (pourquoi Clorante a reconnu Caliste, tandis que Caliste n'a pas reconnu Clorante — autre thème conventionnel : cf. dans le *Roman comique*, éd. E. Magne, Paris, s. d., p. 242, un épisode du *Juge de sa propre cause*, où Scarron prend la peine d'expliquer, par des détails qui ne figuraient pas dans Maria de Zayas, pourquoi Don Carlos ne reconnaît pas Sophie) ; V, 494. *O.J.*, 123 (pourquoi la Princesse prend pour des expressions de la passion la plus vive les paroles embarrassées de Frédelingue : c'est qu'elle est « emportée » par sa propre passion). L'aveuglement passionnel, qui se charge d'un sens métaphysique chez Prévost, n'a ici qu'un effet pathétique, la nature et la valeur de la passion ne sont pas examinées.

56. Son désir d'étonner est tel qu'il qualifie de « prodigieux » un comportement naturel et complexe au moment même où il l'analyse finement (voir *infra*, p. 99 sq.) : c'est « par un effet prodigieux de son amour » que Clarice recherche la présence de sa rivale heureuse, Caliste (*O.C.*, V, 471. *O.J.*, 112 ; cf. V, 534. *O.J.*, 146 : « dans ces dispositions que lui donnoit une passion rare et prodigieuse », Clarice invite Caliste à continuer pendant la nuit le récit commencé). La « sympathie » est un emprunt à la psychologie de l'époque baroque, voir par exemple Mlle de Scudéry : « C'est ce qui fait voir qu'il ne faut point chercher la cause [de l'amour] dans la beauté ; qu'on ne la sçauroit trouver que dans la force de la sympathie ; et que c'est plutôt par une vertu occulte que l'on aime, que par les charmes que l'on connoît » (*Esprit de Mademoiselle de Scuderi*, Amsterdam, 1766, p. 25) ; voir aussi Corneille, *Rodogune*, I, 5 :

> « Il est des nœuds secrets, il est des sympathies
> Dont par le doux rapport les âmes assorties
> S'attachent l'une à l'autre [...] »,

et d'autres citations dans O. Nadal, *Le Sentiment de l'amour dans l'œuvre de Pierre Corneille*, Paris, 1948, p. 88, et surtout la citation de D'Urfé donnée p. 89, n. 5 On ne peut pas maintenir pour Marivaux les distinctions établies par O. Nadal (*ibid.*, p. 87-91) entre amour-connaissance, amour-prédestination, amour volontaire et raisonnable, amour-estime ; tout cela se trouve confusément ramassé dans la « sympathie » comme l'entend Marivaux ; lorsqu'il imagine une contradiction entre la passion et la vertu, ou bien elle est illusoire (c'est le cas de Clorante, de Caliste) ou bien il introduit déjà dans le débat usé un érotisme subtil qui se moque des solutions de l'héroïsme glorieux comme de l'héroïsme « noir ». La notion de « sympathie » sera acceptée par les Philosophes : voir Diderot, *Essais sur la peinture*, IV (*Œuvres esthétiques*, éd. P. Vernière, Paris, 1959, p. 700), et Rousseau, *La Nouvelle Héloïse*, III, 18, note (*Œuvres complètes*, t. II, Paris, 1961, p. 340) ; est-il besoin de rappeler le célèbre passage des *Confessions* : « Que ceux qui nient la sympathie des âmes expliquent, s'ils peuvent, comment de la prémiére entrevue, du prémier mot, du prémier regard, Mad^e de Warens m'inspira, non seulement le plus vif attachement, mais une confiance parfaite, et qui ne s'est jamais démentie » ? (Livre II, *Œuvres complètes*, tome I, Paris, 1959, p. 52).

57. Le souvenir d'Oreste est sensible en *O.C.*, V, 315-316. *O.J.*, 31.

cette sensibilité le retarde : il force sa passion de céder quelques moments, et cet effort en amour est le dernier degré du courage et de la vertu de l'homme, si l'orgueil ne s'en mêle pas » [58]. C'est pourquoi Clorante, qui paraît un « perfide » aux yeux de la destinataire du roman, est « un héros » aux yeux de l'auteur, puisque sa grande âme « sauve à force de vertu, pour ainsi dire, une partie d'elle-même d'un esclavage absolu où tombent ordinairement tous les autres » [59]. Marivaux ne se moque pas : il essaie de comprendre. Il ne connaît les hommes qu'à travers les romans, mais il cherche à saisir l'âme véritable à partir de l'âme romanesque : comment peut-on à la fois vouloir son bonheur et se sacrifier, être honnête homme et passionné, avoir du cœur et de la conscience ? Son enquête aboutit à lui faire voir dans ce risible « retard » de l'honnête homme la manifestation la plus élevée de la moralité : vertu un peu courte, mais il pense serrer de plus près le réel en la préférant à un « orgueil » plus héroïque peut-être, sûrement contraire en tous cas à la nature, et dans lequel une âme vivante ne peut se roidir qu'en se faisant illusion sur elle-même [60].

Les Effets surprenants de la sympathie ne sont donc pas une parodie, mais déjà une critique du romanesque. Cette critique, l'auteur l'exerce en intervenant lui-même dans le récit, ou en dialoguant avec la destinataire. Mi-charmé, mi-sceptique, Marivaux confie à celle-ci le soin de formuler ses inquiétudes devant les illusions de l'héroïsme et de la bonne conscience, et défend contre elle sa conception incohérente de la belle âme ; mais quand il est forcé de lui avouer que tant de tribulations sont en somme inutiles et sans effet profond sur la conscience de ses personnages, il ruine lui-même le sérieux de ses fictions et nous invite à en sourire. Lui qui, dès cette époque, a su démêler l'innocente fourberie qu'est la vertu des gens du monde, laisse parfois entendre qu'il y a une innocente imposture chez les héros de roman : un trait fugace, une réflexion en passant, les propos d'un personnage non romanesque annoncent la finesse avec laquelle plus tard Marianne notera les ruses de l'amour-propre. La passion qui s'empare brusquement d'une âme à la rencontre d'une autre âme ne saurait être qu'éternelle. Aucun amoureux dans ce roman ne pense que sa passion doive finir avant sa vie. Et pourtant, « le temps met fin au malheur le plus grand » — c'est une femme de chambre qui parle ; l'héroïne répond : « le mien durera toujours » [61]. La passion étouffe tout autre sentiment,

---

58. *O.C.*, V, 426-427. *O.J.*, 89. Dans la bouche de Jacob, ce raisonnement serait ironique. Clarice s'incline : « L'amour dans les belles âmes n'éteint pas tout sentiment de générosité : mais ce sentiment est un effet de la vertu, qui leur peint ce qu'ils doivent à un autre, sans les mettre au pouvoir de le payer du retour qu'il mérite », V, 465. *O.J.*, 108. La toute-puissance de la passion fournit à l'ingratitude, à l'infidélité, à la violence même une excuse à laquelle tout le monde a recours, pour soi et pour les autres : « nous ne sommes pas toujours maîtres de ne faire que notre devoir », dit un sage Turc dont la nièce s'est abandonnée à une passion folle, VI, 94. *O.J.*, 226. Chez les méchants, l'excuse devient une menace ou un chantage.

59. *O.C.*, V, 428-429. *O.J.*, 90.

60. Le personnage de Marianne sera la réponse à toutes ces questions.

61. *O.C.*, V, 318. *O.J.*, 32. Clarice proclame ainsi une double et désolante éternité : celle de l'amour de Clorante pour Caliste, sans retour possible à Clarice (« on ne revient point à

honneur, amitié, reconnaissance... Et pourtant, « il me semble qu'une grande reconnoissance peut faire naître l'amour » — c'est une paysanne qui parle ; l'héroïne répond : « Vous ne connoissez pas l'amour »[62]. La suite du roman donne raison à l'héroïne, mais la voix du réalisme s'est un instant élevée. La voici encore, c'est l'auteur lui-même qui parle cette fois : la Princesse est responsable du suicide de Mériante, qu'elle aimait ; pendant près d'un mois elle passe des jours et des nuits dans les larmes ; et puis « le temps, qui détruit tout, dissipa sa douleur »[63]. Réflexion banale, sans doute. Mais cette petite incise balance à elle seule bien des hyperboles. Après avoir tant pleuré Mériante, la Princesse se mettra à aimer Frédelingue. Ame ignoble, dira-t-on ; nullement : Marivaux n'a pas voulu la rendre odieuse ; il a réuni en elle les « fureurs » de la passion, la générosité dans les remords, et l'instabilité de tout ce qui est humain[64]. Au moment où Clarice déplore « la fatalité » de ses malheurs, qui « se répand même sur les autres », elle reconnaît le rôle de l'imagination sinon dans la naissance, au moins dans le développement de l'amour, quand elle dit du fils de Merville : « l'amour a surpris son cœur ; il m'aime, mais avec une passion qui ne paroît sans emportement, que parce qu'il ne connoît point le mal qui l'agite »[65]. La réflexion est très importante, elle signifie que la prise de conscience d'un sentiment modifie ce sentiment, ou que la connaissance de soi peut créer l'irrémédiable. Mais, dans *Les Effets surprenants*, Marivaux n'a pas le temps de sonder cet abîme, que la critique du romanesque lui a fait apercevoir. En revanche, il a adroitement montré comment la grandeur d'âme est surprise par un amour qui n'est ni héroïque, ni furieux, mais tout simplement humain et tendre. Clorante veut se séparer de Clarice qui désire l'accompagner dans sa recherche de Caliste ; elle le gênerait, et d'ailleurs elle souffrirait trop : « la raison condamnoit l'envie qu'elle avoit » — l'auteur peut-il ici parler de « raison » sans sourire[66] ? Il ajoute que Clorante se décide à abandonner Clarice « peut-être par

---

l'amour »), celle de l'amour de Clarice pour Clorante, et de son désespoir de n'être plus aimée. Cette réponse est faite, nous dit l'auteur, « d'une indifférence outrée » : indifférence de Clorante aux perspectives de bonheur ou d'apaisement que lui propose Philine ; mais indifférence indignée ! Pointe précieuse, qui glisse sous le romanesque une nuance d'ironie. Philine a ce mot pénétrant, où le caractère du futur Valville est déjà prévu et jugé : « il vous a vu mourante, espérez tout ». Mais Clarice ne veut rien espérer, Clorante est trop héros de roman pour avoir l'inconstance de Valville.

62. *O.C.*, V, 464. *O.J.*, 108.

63. *O.C.*, VI, 26. *O.J.*, 189. Il est bon de noter que Marivaux aurait pu apprendre de Mlle de Scudéry toutes ces vérités sur le rôle du temps, les effets de l'illusion, la loi de l'inconstance, etc. Mais elles n'entraient pas dans l'idée qu'il se faisait alors du romanesque.

64. Frédelingue, qui enseigne aux Sauvages à devenir d'honnêtes gens, leur apprend les devoirs du mariage, dans lequel ils se sont juré « une fidélité éternelle » ; parmi ces devoirs, pour les épouses, celui de plaire à leurs maris « par d'aimables caresses que l'habitude de se voir ne ralentisse jamais ». Mais ce sont des sauvages et, de plus, des gens mariés.

65. *O.C.*, VI, 157. *O.J.*, 259. Plus significatif serait le cas de Tormez, chez qui « l'amour avoit été plus vanité que tendresse », et dont le caprice se transforme en passion invincible ; mais Tormez est « un cœur d'un mauvais caractere » (V, 558 et 561. *O.J.*, 158 et 159). Voir aussi cette réflexion de Merville : « Je ne sçai si, comme on dit ordinairement, il est vrai que l'amour se prenne en le voyant dans les autres » (VI, 82. *O.J.*, 219).

66. *O.C.*, V, 417. *O.J.*, 84.

intérêt, peut-être par ménagement », type d'analyse en alternative déjà cher à notre auteur, mais qui n'en dit pas plus que l'ironie contenue dans un seul mot. Un peu plus tôt, ce même Clorante aidait Caliste à s'évader du château où Périandre la séquestrait ; mais un trouble trop vif les faisait s'attarder dans un brûlant tête-à-tête malgré l'urgence de fuir : « Dans les premiers moments Clorante ne juroit à Caliste que les serments d'un respect éternel. Ce terme plut à Caliste, il déguisoit l'amour de Clorante ; son cœur lui persuada qu'il lui étoit permis d'y répondre, elle l'assura de toute son estime, et l'en assura si tendrement, que les noms les plus doux qu'amour inspire échapperent enfin à Clorante » [67]. « Respect », « estime », c'est là ce que dit l'âme glorieuse pendant que, sans s'en rendre compte, elle cède au vertige du bonheur ; la réalité du sentiment déjoue l'accord que l'esprit et le cœur croyaient avoir passé entre eux. Marianne et les jeunes femmes du théâtre de Marivaux seront souvent les victimes d'une pareille surprise.

La lucidité dans l'abandon au sentiment est plus grande chez Frédelingue et Parménie. Frédelingue aussi, lors de sa première rencontre avec Parménie, associait son amour à un respect infini [68] : mais à la seconde rencontre, cet amour a pris des forces, et Frédelingue n'est plus généreux qu'en dépit de lui-même ; il le dit à Parménie avec une vivacité à la fois émouvante et comique [69] : « malgré la triste marque de générosité que je vous donne, je n'en suis en effet pas plus généreux ; je vous fuis crainte de vous offenser, je ne crains de le faire que parce que je vous aime : mais, en vous fuyant, j'emporte mon amour. Je veux le garder, je veux mourir de douleur ; et si je suis généreux, je ne le parois que parce que vous me l'ordonnez. Mon cœur n'a point de part à cette générosité, et n'en aura jamais ; oui, je l'avoue, et si ce n'est qu'à ce prix que vous m'accordez votre estime, je ne la mérite point ». Parménie, qui d'abord écoutait Frédelingue avec une attention « qu'elle sembloit vouloir cacher à Frédelingue, et se cacher à elle-même », est attendrie et troublée : « elle demeuroit immobile, ses alarmes et son amour s'expliquoient par son silence ; elle n'osoit avouer qu'elle aimoit, elle ne s'apercevoit pas qu'elle le témoignoit ». Frédelingue se met aux genoux de Parménie : « elle repoussoit d'une main Frédelingue, et oublioit l'autre qu'elle abandonnoit à sa tendresse » [70]. Elle est vaincue enfin, et elle avoue son amour, non pas avec l'assurance des âmes glorieuses, mais avec hésitation, en formulant un espoir, presque une prière : « j'espere que votre respect ne se démentira jamais, et que vous justifierez dans les suites le penchant que je me suis senti pour vous en vous voyant ». Précieuse incertitude ! nous quittons le domaine des sentiments romanesques, et nous apercevons

---

67. *O.C.*, V, 364. *O.J.*, 55-56. La suite est malheureusement trop artificielle.

68. Cf. *supra*, n. 24.

69. C'est exactement celle des héroïnes des comédies, Silvia, Araminte : elles affirment qu'elles n'aiment pas, qu'elles ne veulent pas aimer, qu'il est ridicule de l'imaginer, et au fond de leur cœur leur sentiment dément leurs paroles et se trahit dans leur ton dépité.

70. *O.C.*, V, 503-507. *O.J.*, 129. Cf. *V.M.²*, p. 73-75.

les vrais débats du cœur et de la raison, et les vraies blessures des âmes [71].

Dès son premier roman, Marivaux s'exerce à l'analyse : elle lui sert à dissiper par l'ironie l'imposture des grands sentiments, à faire apparaître sous eux la réalité des penchants très humains au bonheur ou au plaisir, à sauver, en faisant éclairer ces penchants par la conscience, l'intégrité de l'être intérieur, sa liberté, sa maîtrise de lui-même, sans appauvrir sa sensibilité. L'image outrancière de la passion, qui interdit les nuances dans cette analyse, est le symbole grossier d'une vérité : le sentiment est un assaut contre la paix intérieure, une rupture d'équilibre ; l'âme essaie de ruser avec lui, ou, s'il est trop soudain et trop violent, elle est prise d'effroi. Les « généreux » ignorent ces déchirements ou remplacent l'inquiétude par la rhétorique ; mais quelques traits d'ironie de l'auteur montrent que lui, du moins, n'est pas dupe ; et parfois les personnages eux-mêmes sont dotés pour un instant d'une intériorité.

Le plus émouvant est sans conteste Clarice [72], dont Marivaux a trouvé le modèle dans la Carmelle d'*Amadis*. Elle commence par les fureurs de la passion, elle finit par la générosité et le sacrifice ; menée toujours par le même sentiment, elle le justifie toujours à ses propres yeux en l'accommodant aux situations successives où elle se trouve, mais en se faisant de moins en moins d'illusions à mesure que ses espoirs diminuent, jusqu'au moment où, une lucidité totale lui étant interdite, c'est l'auteur qui prend le relais de l'analyse et aide l'héroïne à accomplir le renoncement final.

Quand elle voit Clorante la quitter pour rechercher Caliste, elle se conduit en héroïne de l'amour-passion, préfère le déshonneur au désespoir, s'habille en homme et part à la suite de celui qu'elle aime [73]. Séquestrée par « l'infâme » Turcamène, elle souhaite la mort, puis se reprend : « Malgré le désespoir qui m'accable, oui, je veux trouver quelque charme dans la vie ; je vivrai pour aimer Clorante ; ma constance désarmera le destin » [74]. Elle retrouve en

71. En revanche, le débat est vite réglé — au moins dans le récit — pour Phronie : elle ne veut pas d'un mariage secret, sa « délicatesse » répugne à une « passion déréglée » : « mais peut-on toujours résister à ce qu'on aime ? » demande l'auteur ; aussi Phronie épouse-t-elle secrètement Adislas (*O.C.*, V, 511. *O.J.*, 132). Cette boutade moliéresque (« Le moyen de chasser ce qui fait du plaisir ? » demande Agnès dans *L'Ecole des femmes*) est, si l'on va au fond des choses, assez naturelle chez le précieux Marivaux : transcription bourgeoise de la passion furieuse et irrésistible !

72. R.K. Jamieson (*Marivaux, A Study in sensibility*, N.Y., 1941, p. 71) a montré que Clarice était un cœur tendre plus que passionné.

73. *O.C.*, V, 319. *O.J.*, 32-33.

74. *O.C.*, V, 386. *O.J.*, 67. Il y a un mouvement analogue chez Merville : « Je dois à mon amour le soin de le prolonger autant que je pourrai, puisqu'il ne me reste que la seule douceur d'aimer encore, elle doit suffire pour m'engager à ménager ma vie » (VI, 68. *O.J.*, 212 ; voir aussi *supra*, n. 46). Que l'on compare avec les sursauts de Des Grieux : « Mais il s'agit bien ici de mon sang ! Il s'agit de la vie et de l'entretien de Manon [...] estimer une chose plus que ma vie n'est pas une raison pour l'estimer autant que Manon » (*Manon Lescaut*, éd. F. Deloffre et R. Picard, Paris, 1965, p. 112), et surtout : « Rien ne pouvait me paraître plus doux que la mort, dans ce moment de désespoir et de consternation [...]. Cependant [...] ma mort n'eût été utile qu'à moi. Manon avait besoin de ma vie pour la délivrer, pour la secourir, pour la venger. Je jurai de m'y employer sans ménagement » (*ibid.*, p. 166). Chez Prévost la passion est une force, chez Marivaux elle est un sentiment où l'âme se délecte à elle-même.

effet Clorante, mais non le cœur de Clorante ; les sentiments héroïques font place aux sentiments tendres, elle souhaite mourir pour
Clorante et recevoir en mourant l'aveu de son amour ; elle demande
à le suivre, pour l'aider à rechercher Caliste, se faire la confidente
de ses peines, avec une fidélité qui excitera sa reconnaissance [75] :
souhaits dont elle avoue elle-même la vanité. Le premier n'est que
la projection vers l'avenir du « secret plaisir » qu'elle éprouve à avoir
retrouvé Clorante ; le second ne tend qu'à une illusion : « je me
croirai heureuse et toujours près de le devenir ». Elle a mieux
pris conscience de sa faiblesse, son amour n'espère plus être payé de
retour, elle ne songe plus à « désarmer le destin » ni à « vivre
pour aimer », mais à vivre parce qu'elle aime. Elle donne ainsi un
nouveau sens à ce qu'elle avait présenté comme un sursaut d'énergie :
« je ne pouvois encore me résoudre à mourir, parce que je ne
pouvois me résoudre à cesser de vous aimer ». Une fois encore
Clorante lui échappe ; par la suite elle rencontre Caliste qui ne
la connaît pas ; ses sentiments sont d'abord confus, haine, jalousie,
« joie bizarre » ; elle se croit engagée à de « grands desseins » —
grande vengeance ou grand sacrifice ? Par une très belle reprise
d'elle-même, elle domine sa haine et sa jalousie, « il ne lui resta
que le chagrin de n'être point aimée » et « un noble et triste
souhait » de l'être autant que Caliste [76]. Elle décide alors de rester
auprès de sa rivale, mais le motif de cette décision lui est obscur ;
elle s'alarme, elle s'interroge au cours d'une méditation agitée, elle
envisage tout ce qu'elle aura à souffrir quand Clorante rejoindra
Caliste ; avec une lucidité désabusée, elle adopte enfin pour son
amour un compromis encore plus humiliant et désespéré que le
précédent : « Ah ! quelle que soit la situation où je retrouve [Clorante],
le malheur le plus grand seroit de l'avoir perdu pour toujours » [77].
Mais une âme généreuse et sensible ne peut s'accommoder de tant
de faiblesse ni de tant de souffrance. Les objections de la paysanne
Fétime amènent Clarice à se justifier à ses propres yeux et à donner
de sa décision une interprétation plus glorieuse : elle souffrira,
certes, mais elle pourra parler de Clorante, elle trouvera de la
douceur à consoler Caliste, elle méritera la pitié et l'admiration de
son amant (« il verra que j'ai surmonté jusqu'à la jalousie la plus
juste, que je me suis oubliée moi-même pour lui conserver ce qu'il
aime »), elle lui inspirera des remords qui seront pour elle une

---

75. *O.C.*, V, 396. *O.J.*, 72 : « Peut-être, Clorante, que le retour de votre cœur est attaché
à ma constance ; si jamais il revenoit à moi, fussé-je alors au dernier instant de ma vie, je
serois trop charmée, puisque j'expirerois sûre de votre tendresse. Oui, Clorante, pour
arriver à cet instant, la constance la plus triste et la plus malheureuse aura des charmes pour
moi » : V, 397. *O.J.*, *ibid.* Dans *Amadis de Gaule*, Carmelle, amoureuse d'Esplandian qui aime
lui-même Léonorine, demande à Esplandian la permission de le suivre et de le servir, par
amour pur et désintéressé (*Le Cinquième Livre d'Amadis de Gaule*, mis en francoys par le
seigneur des Essars Nicolas de Herberay [...], à Paris, par Jean Longis et Robert Le Mangnier [...], 1560, notamment les chap. 10, 13, 21, 22, 35, 36).

76. *O.C.*, V, 455-456. *O.J.*, 104.

77. *O.C.*, V, 458. *O.J.*, 105.

consolation[78]. Or ce n'est là que le rêve d'une belle âme : la réalité va dissiper ses illusions. En présence de Caliste, Clarice perd contenance, sa douleur s'aigrit sur-le-champ, son cœur se révolte, ce cœur qui viendra souvent, chez les personnages de Marivaux, démentir l'idée glorieuse qu'ils voudront se donner d'eux-mêmes. Alors l'auteur démêle ce que Clarice ne peut pas démêler, ce que Marianne comprendra en racontant elle-même sa vie : « Ces idées de douceur qu'elle s'étoit imaginé de trouver en consolant sa rivale, n'avoient plus pour elle ce charme imposteur qu'un amour excessif leur avoit prêté. Il est des moments, quand on aime, où le cœur, oubliant son propre intérêt, aime à tout sacrifier à l'objet aimé : mais quand un mal présent nous accable, ce cœur n'a d'attention qu'à ce qui le touche ; et ce seroit peut-être un défaut de tendresse que d'être capable de délicatesse en certaines occasions »[79]. Style et pensée, voilà le Marivaux définitif, pénétrant, subtil, piquant. Ce qu'il dénude ici, c'est la racine d'égoïsme qui est en tout mouvement sincère du cœur ; trop de raffinement dans la générosité, une « délicatesse » excessive sont révélateurs d'un cœur sec. Il est des sacrifices impossibles à un cœur vraiment fait pour aimer, et dont seuls l'orgueil et l'insincérité sont capables : tout l'héroïsme romanesque, tout un aspect de la « préciosité », sont ainsi ramenés à une pure mystification d'autrui ou de soi-même par cette remarque réaliste. Désemparée, Clarice dévoile le vrai, lâche et touchant motif de sa prétendue générosité : elle n'a pas la force de renoncer à revoir Clorante, et elle s'écrie, presque dans les mêmes termes que précédemment : « Ah ! la crainte de le perdre pour toujours prévaut sur tous les maux que j'endure »[80].

C'est alors que la vraie générosité est possible : Marivaux a voulu la faire naître du naturel, et non de l'imposture. Clarice s'accoutume à Caliste ; « mille secrets motifs » la lui font même rechercher, le plaisir de se représenter Clorante à travers Caliste, celui de voir souffrir sa rivale, des satisfactions d'égoïsme, de jalousie, d'amour[81] ; « le quatrième jour » elle découvre Caliste en larmes, « ensevelie dans une profonde tristesse » : « Clarice, en la voyant, s'arrêta ; elle fut d'abord saisie, et ce saisissement fit place après à un sentiment de pitié ». Une amante jalouse capable de pitié ? « Noblesse d'âme hyperbolique », « héroïsme d'invention » va s'écrier la belle Dame à qui est dédié le livre, et qui une fois de plus remplit son rôle de mettre en doute les beaux sentiments ; cette fois elle se trompe ; la pitié de Clarice, lui répond l'auteur, n'est pas « chimérique », elle est « aussi

---

78. *O.C.*, V, 466. *O.J.*, 109. Marianne aussi, délaissée par Valville, sera généreuse, pour mieux « anéantir » l'infidèle (*V.M.*², p. 406).

79. *O.C.*, V, 470-471. *O.J.*, 111.

80. *O.C.*, V, 471. *O.J.*, 112 ; cf. *supra*, p. 100 et n. 77.

81. « Tantôt par un effet prodigieux de son amour elle aimoit à voir l'inconnue, pour se représenter Clorante en elle ; tantôt c'étoit pour l'entendre gémir. Elle oublioit combien Clorante étoit ingrat, pour avoir le plaisir de juger par les soupirs de sa rivale combien il étoit aimable. Souvent elle alloit la chercher par une curiosité dont elle ne connoissoit point le motif » (*O.C.*, V, 471-472. *O.J.*, 112).

naturelle que noble » [82]. Le scepticisme de Marivaux, éveillé par le romanesque et incarné dans la Dame, a atteint son but : écarter la beauté artificielle des âmes de roman ; il ne doit pas le dépasser, il n'a plus prise sur les âmes dont la beauté est conforme à la vérité de la nature. Le sacrifice de Clarice est maintenant prêt, elle saura mourir, non pas, comme son imagination passionnée le souhaitait, en faisant renaître l'amour de Clorante, mais en victime résignée qui rencontre enfin le destin auquel elle allait en ayant l'air de rechercher absurdement et désespérément un homme épris d'une autre femme : « je n'ai plus besoin que de compassion ; mais je bénis le Ciel d'une mort qui finit mes malheurs, et que je reçois en voyant finir les vôtres » [83]. Plus tard Marivaux ne voudra pas d'un pareil dénouement pour Marianne : il sent encore un peu trop le roman, on voit l'auteur en régler la mise en scène, comme il se chargeait d'expliquer les sentiments que Clorante éprouvait sans les comprendre ; cette pitié qui sera la vocation de la Religieuse amie de Marianne, Clarice n'a le temps ni d'en prendre conscience ni de la transformer en une vertu.

D'une façon générale l'intériorisation et l'élucidation des sentiments qui vont constituer l'action même des comédies et des deux grands romans de Marivaux sont secondaires et occasionnelles dans cette œuvre de début, nous avons dit pourquoi. Clarice est déjà un personnage qui essaie d'être lucide, se forge des illusions, les dissipe, offre ce mélange touchant d'assurance et de désarroi, de clairvoyance et d'aveuglement, de générosité et d'égoïsme qu'on reverra chez tant d'héroïnes de Marivaux ; Parménie nous fait déjà voir ce que l'auteur mettra d'émotion et de pénétration dans ces recueillements où un être, avant un événement ou une décision grave, se retourne vers son passé et prend la mesure de lui-même. Mais le sentiment qui paraîtra plus tard fondamental à Marivaux, l'amour-propre, et sa manifestation féminine universelle, la coquetterie, ne sont pas même nommés. La circonstance où il les peindra le plus volontiers, la naissance de l'amour, n'est jamais décrite. Il aperçoit les équivoques de ce que nous appelons « émotion », mais remet à plus tard de les approfondir. Son idéal est dans l'union de la « noblesse » et du naturel [84] : il se méfie du monde, qu'il ne connaît pas bien encore, et vante la simplicité rustique ; le goût de Marianne et de Jacob pour la retraite sera beaucoup plus nuancé, ils auront appris dans les salons la valeur des « affections sociales » [85]. Nous avons vu combien sont factices ou faux les conflits moraux qu'il évoque. De rares passages sur la nécessité de régler les passions par la raison avant qu'elles soient trop fortes ne prouvent pas que Marivaux

82. *O.C.* V, 473. *O.J.*, 112-113.

83. *O.C.*, VI, 236. *O.J.*, 301.

84. Voir *supra*, p. 100. La pitié de Clarice est « aussi naturelle que noble ». Le mot « noble », qui revient de nombreuses fois dans les premières pages du roman, est également employé à plusieurs reprises dans l'*Avis au lecteur*.

85. Cette expression est de Shaftesbury (qui dit aussi : « affections sociales et naturelles »). Voir *infra*, chap. IX, p. 491.

ait médité Sénèque ; il ignore la tradition qui, de Montaigne et
Pascal — pour ne parler que des modernes — à Locke et Shaftesbury,
a étudié les rapports de la morale et de la nature [86]. L'économie
des passions, sous cette forme pessimiste, sera du reste toujours
étrangère à la pensée de Marivaux, qui n'accepte que sous bénéfice
d'inventaire l'idée, léguée par le XVIIᵉ siècle, de la passion comme
un désordre, un penchant invincible ou une fureur, et c'est précisément cet inventaire qu'il entreprend dans ses premiers romans.

Beaucoup de traits des *Effets surprenants* rappellent l'époque
baroque, le refus des règles, hautement manifesté dans l'*Avis au
lecteur* [87], la violence des gestes, la grandiloquence, le goût du déguisement et du trompe-l'œil, la présentation théâtrale, la volonté
d'étonner ; mais on n'y retrouve pas l'héroïsme baroque, le déploiement de la volonté tendue vers un noble but, la haute idée que les
personnages ont de leur gloire, à laquelle souscrit une raison sublime ;
« tendresse » et « noblesse » ont déjà ici un sens plus atténué, plus
réfléchi ; Marivaux s'intéresse plutôt aux âmes troublées par la sensibilité et essayant de se reprendre, aux illusions lucides et aux
lucidités illusoires, à l'émotion communicative [88].

Le naturel, en effet, dont Marivaux toute sa vie ne cessera d'affirmer
qu'il est son seul souci, est dès cette première œuvre l'objet qu'il
a en vue ; quand il déclare préférer les égarements de la nature,
pourvu qu'ils soient vrais, aux réformes proposées par la raison,
et les plaisirs du cœur pris selon la nature aux plaisirs de l'esprit
qui tente de la corriger, on aurait tort de croire qu'il parle seulement
en héritier du goût baroque. L'esprit, chez lui, si abstrait et généralisateur qu'il nous paraisse par la suite, ne sera jamais séparé de la
vie, et la connaissance sera jouissance. Il transpose à la fiction romanesque ce qu'Aristote avait dit de la peinture des passions au
théâtre ; grâce à elle, les passions violentes et pénibles sont ressenties
par nous avec plaisir, « l'âme émue se fait un plaisir de sa sensibi-

86. *O.C.*, V, 562. *O.J.*, 160 (la Princesse, à Parménie : « Si vous m'aviez ingénuement avoué
que vous aimiez [Mériante], quand je vous le proposai pour époux, ma raison eût pu
triompher de ma foiblesse ; mais je ne suis désabusée que quand mon cœur ne peut plus
se détacher » ; c'est peut-être simplement un souvenir de *Bérénice*, IV, 5, 1062 *sq.*) ; VI, 33.
O.J., 193 (Merville : « il vaut mieux me retirer avant que ma passion devienne insurmontable.
La raison peut la régler encore ») ; VI, 155. *O.J.*, 258 (Parménie aimée de Merville veut s'en
aller « pour ne pas donner le temps à cet amour de se fortifier »).

87. Cet *Avis au lecteur* figure dans l'édition originale, chez Prault, 1713, en tête du
tome I. On peut le lire aux p. 3-9 des *Œuvres de jeunesse*. L'essentiel en avait été
publié, avec un commentaire, par F. Deloffre dans le nᵒ de *L'Esprit créateur* (vol. I, nᵒ 4,
Minneapolis, Winter 1961), consacré à « Pierre de Marivaux », p. 178-183, et le texte intégral
par M. Matucci en appendice à son ouvrage sur l'*Opera narrativa di Marivaux*, Naples, 1962,
p. 255-266. Le refus des règles, en faveur de la libre inspiration, est baroque, mais les
promoteurs des règles, ceux qu'on appelait naguère les « préclassiques », ont été les
écrivains baroques eux-mêmes, dont le formalisme fut rejeté par les grands classiques. *Les
Effets surprenants de la sympathie* respectent les unités de lieu et de temps et la subordination
des intrigues, voir *infra*, chap. VIII, p. 370.

88. Comme plus tard Marianne, Clarice gagne d'emblée la sympathie des âmes tendres,
O.C., V, 460, 462, 468. *O.J.*, 106, 107, 110 ; tous les personnages communient dans la même
émotion lorsque Frédelingue se fait reconnaître de sa fille, VI, 228. *O.J.*, 297, ou lorsque
Clorante retrouve son père, VI, 239. *O.J.*, 302.

lité » [89] : tout le dédoublement de la conscience, tout l'approfondissement du « cœur » par l'« esprit » sont impliqués dans cette phrase.

Aussi, en exaltant les outrances de la passion, Marivaux dément l'effort qu'il tente pour saisir la délicatesse de la vie intérieure et les débats de l'esprit et du cœur ; il n'est pas fait pour l'outrance ; la façon même dont il s'exprime laisse entendre que, pour lui, la nature est dans l'union équilibrée des « sentiments » et des « idées ». A travers les extravagances de son premier roman, dont il s'amuse certainement lui-même, il est visible que Marivaux a voulu extraire du romanesque tout le naturel qu'il pouvait contenir. Le déroulement de l'action y met les héros en contradiction avec leurs sentiments conventionnels, les amène à des sentiments plus authentiques et à une plus grande lucidité ; leur propre vérité leur apparaît, ou ils la devinent, et du moins le lecteur peut suivre chez les meilleurs d'entre eux un cheminement vers la transparence. Par le même cheminement, l'auteur s'écarte de la fiction romanesque, des violentes passions et des aventures surprenantes dans lesquelles il s'est aperçu qu'une âme à la fois belle et lucide ne pouvait exister.

---

89. Les exemples qu'il cite — malheurs d'Iphigénie, fureur d'Oreste — prouvent que c'est bien aux théoriciens du théâtre qu'il emprunte ses idées : nouveau témoignage sur la racine théâtrale de son art romanesque à ses débuts. Mais il est important de noter que le plaisir auquel il songe est un plaisir de sensibilité, non un plaisir esthétique. Il interprète Aristote dans le sens où l'interprètera l'abbé Du Bos dès l'année suivante, et c'est le seul point où l'on puisse déceler dans *Les Effets surprenants* une influence des fréquentations parisiennes de Marivaux, si du moins il y a influence, car Marivaux n'avait ici qu'à suivre son propre tempérament.

DANS *Pharsamon*, la critique de l'âme romanesque est poussée plus loin, et il s'y ajoute une critique de la création romanesque. Marivaux joue sur les interférences du normal et de l'extravagant, à la fois dans le caractère du personnage principal et dans la structure générale de l'œuvre. Pharsamon est un héros de fidélité et de courage constamment en porte-à-faux : « Sa folie étoit un composé de valeur outrée et d'amour ridicule »[90], mais Marivaux a voulu qu'elle se manifestât dans des circonstances plausibles. Nous ne sommes plus dans le monde mal défini, vaguement historique, des *Effets surprenants*, ni chez des princes et des seigneurs : nous sommes dans une province française, à l'époque de Marivaux, chez des gentilshommes campagnards. Pharsamon a l'esprit dérangé, mais il n'est pas visionnaire, il ne pousse pas l'extravagance jusqu'à s'imaginer que les héros qu'il veut imiter « pourfendoient de véritables géants et qu'ils combattoient contre des enchanteurs »[91]. C'est ce qui le distingue de Don Quichotte, dont il est le singe[92]. L'écart entre la réalité et ce qu'il croit vivre est suffisant pour rendre son illusion ridicule (Mademoiselle Babet n'est pas une princesse, et une bagarre avec des marmitons n'est pas un combat d'honneur), assez réduit pour que cette illusion soit vraisemblable et pour que nous puissions saisir le travail par lequel la réalité est déformée. Pharsamon sait bien qu'une broche n'est pas une épée ; « l'esprit et la réflexion » le déterminent pourtant à user de cette arme indigne, « il jugea que les héros de roman en auroient agi comme lui »[93] ; Don Quichotte, lui, prenait réellement un plat à barbe pour l'armet de Mambrin. Sur la trame des folies dont les héros sont Pharsamon et Cidalise se détachent deux récits dont le contenu relève du monde des humains normaux, l'histoire de Clorine et l'histoire de Tarmiane, qui sont en réalité des romans romanesques. Pharsamon découvre une maison solitaire ; sa manie

90. *O.C.*, XI, 18. *O.J.*, 401.

91. *Ibid.*

92. *Le Singe de Don Guixotte*, tel est le sous-titre de *La Voiture embourbée* dans le catalogue des livres nouveaux joint au tome V des *Effets surprenants*, Prault, 1714. M. Bardon a montré ce que Marivaux doit à Cervantes dans le chapitre IV de la quatrième partie de son ouvrage sur « *Don Quichotte* » en France au dix-septième et au dix-huitième siècle, Paris, 1931. Le parallèle entre Pharsamon et Don Quichotte se trouve aux pages 461-463.

93. *O.C.*, XI, 230. *O.J.*, 514 ; en XI, 243. *O.J.*, 521, Pharsamon pense que les historiens qui ont raconté la vie des « plus illustres Amants » ont laissé de côté certains détails comiques. Dans *La Voiture embourbée*, XII, 192. *O.J.*, 342, Amandor juge bien que le poulain qui accompagne la jument est de trop, et qu'on n'en a jamais vu dans les romans : « mais il passa par-dessus cette réflexion dans la pensée qu'apparemment l'Historien n'avoit point été s'amuser à remarquer une si petite bagatelle ». Ce poulain venait pourtant d'un roman, peut-être, mais c'était du *Roman comique* (Ire partie, chap. I). Quant aux réflexions mêmes d'Amandor et de Pharsamon, elles sont inspirées d'un propos de l'hôtelier, dans *Don Quichotte*, I, 3.

lui fait imaginer que c'est le refuge d'un amant malheureux, que cet amant sera sensible au récit de ses peines : or Pharsamon a raison dans sa folie, cette maison est le refuge de Clorine, amante désespérée, qui s'est déguisée en homme... Ce chevalier, quittant dans le carrosse de Félonde un château où sa conduite l'a fait reconnaître évidemment comme fou, trouve aussitôt l'occasion de sauver une jeune fille déguisée en bergère, que poursuivait, déguisé en berger, « le plus cruel de [ses] ennemis »[94] ; Pharsamon ne poussait pourtant pas l'extravagance, Marivaux nous l'a précisé, jusqu'à vouloir se faire paladin errant et courir le monde en vengeur de l'innocence : mais la réalité l'y contraint en cette circonstance où sa folie n'a aucune part, et l'histoire extraordinaire qu'il entend ensuite de la belle Célie lui prouve que la réalité est encore plus romanesque que l'imaginaire, et le plonge dans un abîme de rêverie[95]. Dans le monde des extravagants, Cidalise se croira séquestrée par une femme dont elle imagine qu'elle n'est pas la fille, et Pharsamon, qui lui prophétise une révélation extraordinaire de sa véritable naissance, voudra la faire évader : mais Clorine, elle, est séquestrée par une femme qui n'est pas sa mère, et son amoureux Oriante, lui assurant qu'elle est d'illustre naissance, essaie de la faire évader, et cela se passe dans le « monde vrai »[96]. C'est un des charmes de ce roman que le romanesque parodique et le romanesque sérieux s'y entremêlent de cette façon équivoque. Pharsamon n'est pas comme Don Quichotte un fou chez les gens raisonnables, mais un fou parmi d'autres fous. Autour du fou principal sont rangés plusieurs fous secondaires, des demi-fous, des gens un peu timbrés ; Cidalise, Cliton, Fatime, Clorine, Célie, Félonde remplissent l'intervalle entre l'extravagance pure et le bon sens[97].

Parlant de Clorine, l'auteur déclare : « en vérité, on ne peut appeler ces actions, les actions d'une personne un peu sage. Je les crois à demi-folles »[98]. Une scène nocturne chez la mère de Cidalise a tellement effrayé Cliton qu'il est pénétré d'un « véritable respect » pour Pharsamon et qu'il conclut « que tout ce qu'on rapportoit des anciens Chevaliers étoit vrai, par comparaison à ce qu'il venoit de voir »[99].

---

94. *O.C.*, XI, 422-423. *O.J.*, 615.

95. *O.C.*, XI, 528. *O.J.*, 670.

96. *O.C.*, XI, 274-277 et 168-185. *O.J.*, 537-539 et 481-490. Dans les deux cas, la mère adoptive ou reniée survient à l'improviste le soir même de l'enlèvement, 187 et 306. *O.J.*, 492 et 553.

97. Dans le *Don Quichotte*, le romanesque interrompt à plusieurs reprises le récit bouffon, mais il n'est pas « extravagant » ; de même dans le *Roman comique*. Dans *Le Berger extravagant* (livres VII et VIII) l'histoire de Fontenay, celle de Philéris, celle de Méliante, sont d'un romanesque parfois prenant et interfèrent plus adroitement avec le burlesque : mais l'équivoque se dissipe quand ces histoires, à la fin, démentent leur sérieux et n'apparaissent que comme des mystifications. Il est significatif que Pharsamon, qui vit dans un monde où la frontière entre l'extravagant et le normal est si flottante, n'ait jamais cette profonde sagesse qui fait de Don Quichotte un vrai philosophe au milieu de sa folie. Il y a dans le cerveau de Don Quichotte une section où la folie règne en maîtresse, mais une seule. Dans celui de Pharsamon, tout est faussé par une confusion initiale entre le rêve et la réalité, et par l'hypertrophie de la vanité.

98. *O.C.*, XI, 205. *O.J.*, 501. Dame Marguerite, XI, 311. *O.J.*, 556, est aussi une « foible cervelle [...] entierement dérangée ».

99. *O.C.*, XI, 330. *O.J.*, 566.

Conclusion délirante, mais la vraie conclusion, il l'a donnée au retour de sa première équipée avec son maître. On l'avait lié de cordes comme un aliéné ; au matin, quand on vient le délivrer en lui disant qu'il a retrouvé son bon sens, il se demande s'il a été vraiment fou la veille, et s'il a vraiment cessé de l'être maintenant : « S'il est vrai que j'étois fou hier, assurément, monsieur, je le suis encore : car il me semble, à moi, que je n'étois hier pas plus fou que je le suis aujourd'hui ». Aussi préfère-t-il qu'on le laisse lié une journée encore : « vous me ferez garder pour sçavoir si ma folie revient ; car, pour moi, je n'y connoîtrois rien » [100]. Le mot est aussi profond que comique. Il est remarquable que Clorine ait *joué* sur un théâtre son premier amour, et ait pris ainsi l'habitude de ces termes de « Seigneur » et de « Princesse » dont est semé son dialogue avec Pharsamon [101] ; d'emblée elle a appelé Pharsamon « Seigneur » (comme, d'emblée, Cidalise la folle l'avait appelé « Chevalier ») [102] ; l'amour qu'elle a conçu pour lui est-il la conséquence de sa manie romanesque (bien qu'elle ne soit pas extravagante comme Pharsamon, elle pourrait voir partout aventure et prétexte à grands sentiments), ou bien a-t-elle immédiatement, inconsciemment, revêtu du voile romanesque un penchant réel et spontané ? Est-ce le faux qu'elle vit ou la vie qu'elle fausse ? Nous sommes ici bien au-delà des jeux entre le théâtre et la réalité [103], plus loin même que la pudeur et la feinte d'une Silvia : au point où une âme blessée, qu'une émotion attire et effraye, se laisse glisser vers le délire. On devine parfois dans Marivaux l'ébauche d'un Pirandello, le Pirandello d'*Henri IV*.

L'extravagance n'est donc pas seulement pour lui un thème de plaisanterie. Elle fait ressortir ce qu'il y a de dangereux, d'illusoire et de ridicule possible dans tout sentiment. Mais le scepticisme de Marivaux, si profond qu'il soit, n'est pas total : il croit qu'il y a une vérité du cœur, il la cherche à travers les erreurs et les mensonges. Le caractère de Pharsamon est consistant et conçu avec finesse. Marivaux essaie de comprendre et de décrire ce qu'est une âme de fou, et comment, entre la rêverie et le délire, il n'y a qu'une nuance : « Ces idées, dont l'histoire de Célie avoit rempli l'extravagant cerveau de Pharsamon, n'étoient point, dans son esprit, aussi crues que je les lui donne ici ; c'étoient de ces réflexions vives qui agissoient impercep-

---

100. *O.C.*, XI, 85-86. *O.J.*, 437. La plaisanterie est d'autant meilleure qu'en fait les manifestations qui avaient provoqué cette sanction n'étaient pas des manifestations de folie, mais de colère. Marivaux s'inspire sans doute de Cervantes, *Don Quichotte*, II, 34 : « Mais ce qui étonnait le plus la Duchesse, c'était que la simplicité de Sancho fût telle qu'il arrivât à croire comme une vérité infaillible que Dulcinée du Toboso était enchantée, tandis qu'il avait été lui-même l'enchanteur et le machinateur de toute l'affaire » (trad. Viardot, éd. M. Bardon, Paris, s. d. p. 252).

101. *O.C.*, XI, 86. *O.J.*, 437.

102. *O.C.*, XI, 12. *O.J.*, 397.

103. Jeux que Marivaux reprendra dans *Les Acteurs de bonne foi*, jeux baroques, comme le montre J. Rousset, *La Littérature de l'âge baroque en France*, Paris, 1954, p. 66-74. Mme de Villedieu en avait donné un exemple dans *Les Désordres de l'amour*, avec le ballet dansé sur le thème d'Apollon et Daphné, dont le roi de Navarre, emporté par son amour pour Mme de Sauve, bouleverse l'argument.

tiblement sur lui ; de ces charmes intérieurs qu'il appercevoit d'une vue prompte et légere, et qu'il souhaitoit secrettement ne devoir un jour qu'au cours de ses propres aventures » [104]. La lucidité retrouvée, il lui reste une sorte de mélancolie, le regret du monde irréel ; il garde, revenu à lui, « cette sensibilité qu'il lui étoit seulement permis de sentir, mais non pas de suivre et d'écouter » [105]. C'est un cœur noble, délicat, qui aspire à l'héroïsme : « l'on peut dire de lui, que, si sa tête a perdu, d'un côté, le peu d'esprit qu'elle contenoit, son cœur, en revanche, a fait en générosité, en grandeur, en probité, un gain pour le moins proportionné à la perte de bon-sens qu'il a faite » [106]. Vertus imaginaires, cela va sans dire, mais précisément le difficile est ici de distinguer l'imaginaire du réel. L'imitation ne diminue pas la sincérité ; Pharsamon peut devoir sa grandeur d'âme à son désir de rivaliser avec ses héros préférés ; l'héroïsme est un effort, non l'abandon à une pente naturelle ; il arrive que l'imitation que Colin — Cliton fait de son maître, au lieu de souligner l'extravagance de ce dernier, fasse par contraste paraître Pharsamon sensible et estimable. Lorsque Cliton tremble de peur, Pharsamon fait voir « une contenance qui marquoit combien son cœur étoit au-dessus des obstacles qu'on lui opposoit » ; qu'importe que ces obstacles soient beaucoup moins sérieux qu'ils ne le croient l'un et l'autre ? Tout au début du roman, le duel n'était pas pour rire, et Pharsamon y a gagné une bonne blessure. Il est encore plus généreux en amour ; on est tenté de l'admirer quand il déclare : « un cœur comme le mien ne connoît point la perfidie » ; il refuse d'être infidèle à Cidalise, même séparée de lui, même perdue, même coupable : « ma constance pour elle en seroit plus noble et plus digne d'envie ».

Dans ses œuvres ultérieures, Marivaux ne distinguera jamais orgueil et vanité. Quant à l'amour galant d'autrefois, il le préfère, malgré ses illusions et son ridicule, à l'amour effronté des modernes, comme le diront encore *L'Amour et la Vérité*, *Le Triomphe de Plutus*, *La Réunion des amours* : « Imitez Pharsamon, jeunes étourdis ; ses caresses modérées et respectueuses prouvent bien plus de tendresse que cette fougue inconsidérée de passion que son excès ralentit souvent, et fait mourir ». Dans cette exclamation burlesque, l'auteur énonce une des idées qui lui tiennent le plus à cœur ; s'il se moque de l'« Ordre des Amants romanesques » auquel appartiennent Cidalise et Pharsamon, il ajoute : « L'Amour parmi nous est un libertin, que le seul plaisir détermine, qui n'a que les sens pour guide, et que la vertu, travestie du moins en tendresse, ne soutient plus ». Mais peut-on revenir à l'amour du bon vieux temps ? « Nous sommes venus quatre cents ans trop tard », s'écrie Cliton, et l'auteur, moins pénétrant et plus sévère que dans *Les Effets surprenants*, est plus occupé à

---

104. *O.C.*, XI, 522. *O.J.*, 668.

105. *O.C.*, XI, 102. *O.J.*, 445, cf. 71. *O.J.*, 430 : « il soupira plus de la perte de son extravagance que de chagrin d'y être tombé ».

106. *O.C.*, XI, 218. *O.J.*, 508. On remarquera la gaucherie du style.

dénoncer l'extravagance qu'à sonder les équivoques des sentiments imaginaires [107].

Malgré ces équivoques, en effet, l'extravagance de Pharsamon est beaucoup plus condamnable que la folie de Don Quichotte, parce qu'elle est le résultat monstrueux de sa vanité. Si Don Quichotte le fou commettait une erreur émouvante, Pharsamon se livre à un vice grotesque : la simulation. Au lieu d'aller sincèrement à la découverte de leur être ou de le sublimer, les Pharsamon et les Cidalise s'extasient devant une image d'eux-mêmes qui les fausse ; plus d'une fois, leur mimique ne recouvre rien, ils n'éprouvent, à la place des sentiments qu'ils simulent, que la satisfaction de leur immense vanité [108]. Ils sont bien les singes, et non les émules, des grands héros romanesques. La « profession » à laquelle Don Quichotte vouait réellement sa vie [109] est devenue un « métier », une technique des apparences et des attitudes. Il s'agit de « faire noblement son personnage », de réussir « une imitation de haut style », de « faire usage de ses lectures », de « ne rien oublier pour entrer dans la manière de ces fameux chevaliers », d'être un « scrupuleux copiste », etc. [110]. Ces personnages mettent tout leur effort à se donner un « air ». Voici comment s'exécute une scène sur le thème de l'amant qui découvre chez sa maîtresse la lettre d'un rival : Pharsamon à la vue de ce papier est tenu à « un petit rôle de tendresse allarmée » ; « érudit en ces sortes de matières », et conscient de ses « devoirs », il entre en jeu par un tremblement et une question inquiète, et « l'air dont il prenoit la chose » charme Cidalise ; à l'air d'inquiétude succèdent, tandis que Cidalise tient fort correctement sa partie, « un air de précipitation », puis « un air de désespoir » (difficile, celui-là : la pâleur y serait de circonstance, mais si l'on commande à son attitude et à sa « physionomie », on ne commande pas à la couleur de son visage), puis « un air à faire pitié » ; exclamations, soupirs, paroles sont aussi bien réglés [111]. Mais tout est faux, l'amour, la jalousie, la réconciliation ; seul est vrai le contentement d'avoir brillamment joué son rôle. Une autre scène a pour thème la rencontre inattendue des amants après une séparation. Elle comporte quatre évanouissements, l'écuyer et la femme de chambre étant parmi les acteurs, mais une maladresse dans l'exécution entraîne un accident, Pharsamon et Cliton sont

107. *O.C.*, successivement XI, 319 ; 29 sq. ; 228 ; 538 ; 286 ; 322 ; 116. *O.J.*, 561, 406-407, 513, 676, 544, 562, 454. Ce dernier texte énonce une idée qui sera de plus en plus importante aux yeux de Marivaux ; il ne la formule ici qu'en passant, il n'est pas encore un « moderne », ou du moins il n'est pas encore le membre conscient d'un parti.

108. « La secrète admiration [que Pharsamon] avoit pour lui-même [...] », *O.C.*, XI, 231. *O.J.*, 515. « Pharsamon [...] ne s'étoit jamais trouvé dans une réplétion de satisfaction de lui-même plus complette », XI, 331. *O.J.*, 567. Raconter des aventures est pour Pharsamon plus important encore que de les vivre, cf. XI, 47, 218, 272. *O.J.*, 416, 508, 536.

109. Voir les propos de Don Quichotte, éd. cit., I, chap. 18, 29, 37, 47, 52 ; II, chap. 16, 32, 52.

110. Le mot *métier* est prononcé par Cliton, *O.C.*, XI, 63, 96, 124, etc. *O.J.*, 425, 442, 458. Il est présent à la pensée de Pharsamon, *ibid.*, 63 et 242. *O.J.*, 425 et 521. Les autres expressions, appliquées à Pharsamon et à Cidalise, sont *ibid.*, 19, 25, 27, 125, 220. *O.J.*, 401, 405 (deux fois), 458, 509.

111. *O.C.*, XI, 299-301 sq. *O.J.*, 551 sq.

réellement blessés ; Cidalise se garde bien de porter secours à son amant, cela n'est pas dans son rôle, qui est d'être évanouie : « La satisfaction de remplir romanesquement l'aventure, lui paroît préférable au plaisir de porter secours au chevalier, qui, de son côté, ressent vivement le coup qu'il s'est donné, et qui résiste à sa douleur par scrupule pour la foiblesse mutuelle » [112]. L'une, comme une amante spartiate, se raidit contre un sentiment naturel, l'autre, comme un sage stoïcien, refuse de céder à la douleur, tous deux par peur de manquer leur effet, et non par grandeur d'âme. Le romanesque n'est plus chez eux un penchant du cœur, mais le pire dérèglement de l'esprit, le sacrifice de la nature à l'opinion ; ils veulent être exceptionnels, ils ne sont que les plus sots des conformistes. Ils croient même que les héros, leurs modèles admirés, n'étaient eux aussi héroïques que par convenance. Dans une autre scène de cette assez monotone comédie, l'amant propose un enlèvement à sa maîtresse ; voici la réponse de Cidalise et le commentaire de Marivaux : « Ah ! Seigneur, avec quelle horreur j'envisage l'action que vous me proposez, répartit Cidalise d'un air flottant, qui marquoit une résistance molle mais cependant méthodique ! car, dans les grandes âmes, chaque mouvement du cœur doit être ménagé avec tant d'art, que la foiblesse et la fierté puissent briller dans tout leur jour, de sorte cependant que la foiblesse l'emporte toujours sur la fierté, sans qu'on s'apperçoive presque du sacrifice qu'on fait de cette derniere » [113]. Le style n'est pas très net, mais le sens n'est pas douteux [114] : Une « grande âme » ne se refuse pas à un enlèvement, elle s'y prête en laissant croire qu'elle s'y refuse ; l'héroïsme n'est pas de pratiquer la vertu, mais d'en sauver les apparences ; ou plus exactement, puisque l'amour lui aussi est une vertu dans les grandes âmes, et que l'étouffer serait une barbarie, de représenter à la fois la passion et la pudeur selon le dosage exact que réclame la bienséance, sans éprouver ni l'une ni l'autre. On pardonnerait une coquetterie d'amoureuse, la ruse d'un cœur avide de bonheur, mais il n'y a rien de chaleureux ni de vivant sous tant d'art ; la grandeur d'âme pour Cidalise n'est pas une ruse, pas même une hypocrisie : elle est une comédie. Et Marivaux ajoute ces mots particulièrement forts : « Qui mieux que Cidalise entendoit ce ménagement, puisqu'il étoit l'âme de son amour » ? L'amour de Cidalise n'est donc que mise en scène ; ce qu'elle aime, c'est la comédie de l'amour. Elle n'aime au fond que parce qu'elle est folle, Marivaux le laisse entendre : « Car, des cœurs prévenus et attaqués d'une folie semblable, quelles que soient leurs marques de tendresse, je crois qu'elle s'augmente à proportion du merveilleux

---

112. *O.C.*, XI, 263. *O.J.*, 531. « Par scrupule pour la foiblesse mutuelle » signifie : « par respect de l'évanouissement dont ils se donnent mutuellement la comédie ». Il y a au VIᵉ livre de l'*Histoire comique de Francion* un comte qui simule un évanouissement pour prouver son amour à la fille d'un docteur (éd. E. Roy, Paris, 1926, t. II, p. 212-213).

113. *O.C.*, XI, 279. *O.J.*, 540.

114. Cette construction n'est pas incorrecte dans l'ancienne syntaxe ; elle redouble l'expressivité de « on », pronom de la pudeur affectée : « Si l'on insistait, on baissait la tête et l'on se taisait » (Diderot, *Jacques le fataliste*, dans le recueil des *Œuvres romanesques*, éd. H. Bénac, Paris, s. d., p. 534).

des aventures, et qu'elle dépend et tire sa source plus de ce merveilleux, que de la véritable raison qui nous fait aimer » [115].

Toutes ces simagrées demandent de la méthode dans l'extravagance même, le contrôle de soi, une grande présence d'esprit, mais
d'un esprit complètement déréglé. Ces personnages ne savent plus
distinguer le vrai du faux ; ils n'ont ni dessein, ni conscience de
mentir, ils ne sont pas « fanfarons », Marivaux va même jusqu'à
parler chez eux de « vanité sans artifice » [116], car l'artifice est le recours
délibéré au faux reconnu comme tel. L'ingéniosité que dépensent
Pharsamon et Cidalise est au contraire une ingéniosité aveugle, leur
esprit est dupe de leur cœur, et leur cœur, privé des lumières de
l'esprit, n'ayant que des passions sans objet réel, est « extasié de
plaisir », saisi d'« une émotion de vanité » et gonflé du seul amour
de lui-même [117].

Aussi la critique de l'extravagance par les extravagants est-elle
esquivée : Marivaux en ramenant le romanesque à l'extravagance,
et celle-ci à la vanité, l'a voulu ainsi. Une belle âme qui passe du
conventionnel à la lucidité s'épure et s'affine, *Les Effets surprenants*
contenaient mieux que la promesse d'un tel résultat. Un extravagant
vaniteux, même sympathique, n'excite que le rire et le mépris. Marivaux reconnaîtra bien que, sous sa forme atténuée et non patho-
logique, le romanesque de son héros « n'étoit plus que l'effet d'un
caractere trop susceptible et trop tendre », mais au dénouement il
ne veut plus voir dans le penchant de Félonde pour Pharsamon qu'un
« goût dépravé », et il s'écrie : « Qui diroit que la vûe d'un extravagant comme Pharsamon ne dût pas, à une femme de bon goût,
être un véritable remede d'amour » [118]. Au lieu de faire se dégager,
peu à peu ou soudain, de l'illusion mystificatrice les qualités foncières
du caractère, il condamne sans rémission le personnage à ne pas
se connaître, et le condamne de ne pas se connaître. Loin de se corriger
par le progrès de leur expérience, Pharsamon et Cidalise ne seront
guéris que par des fumigations [119] ; ce dénouement bâclé est sans
doute beaucoup moins une maladresse qu'une vengeance [120]. Cruelle
revanche de la réalité, et du réalisme, sur l'amour chevaleresque ! Elle
prouve combien est profonde la défiance de Marivaux devant les effets
de l'imagination et les impostures du cœur : les fantoches de *Phar-*

---

115. *O.C.*, XI, p. 259. *O.J.*, 529. « Je crois qu'elle s'augmente » : elle, c'est la tendresse,
évidemment.

116. *O.C.*, XI, 219. *O.J.*, 508.

117. *O.C.*, XI, 117 et 319. *O.J.*, 454 et 560.

118. *O.C.*, XI, 539 et 531. *O.J.*, 672 et 677.

119. Le mot « fumigations » appartient au vocabulaire technique de la magie, et le procédé est moins ridicule qu'il ne semble, voir : abbé Montfaucon de Villars, *Le Comte de
Gabalis*, éd. R. Laufer, Paris, 1963, p. 83 et note.

120. Ce jeune homme, sensible et généreux malgré sa folie, va épouser une « coquette
surannée » au timbre un peu fêlé : il n'était pas besoin qu'il guérisse ! Il ne se souviendra
même plus d'avoir jamais vu Cidalise. Cliton et Fatime se séparent sans un mot d'adieu.
Le maître et le valet, pourtant, provisoirement revenus à la raison, priaient Dieu pour la
guérison des deux folles : « Je sens bien que je ne l'oublierai jamais ! » disait Pharsamon de
sa maîtresse (*O.C.*, XI, 109. *O.J.*, 449). La guérison de Don Quichotte (sur son lit de mort)
et celle du Berger extravagant avaient une signification plus sérieuse.

samon offensent le naturel dont Marivaux se proclamera inlassablement le défenseur. Les Araminte, les Marianne, les Dorante, les
Jacob, eux aussi, se proposeront d'être satisfaits d'eux-mêmes, de
contenter leur amour-propre, ils se regarderont avec complaisance,
sauront « ménager » leurs gestes, leurs regards, leurs paroles, et
jusqu'à leurs sentiments, mais ils seront, eux, intelligents et lucides.
Il y a danger à s'abandonner à l'espèce de poésie que présentent les
équivoques sentimentales. Marivaux n'a pas encore analysé de près,
en s'aidant de Malebranche, la nature et le rôle de « l'air » [121] ; il est
à la recherche de l'authenticité, sur laquelle il veut édifier le « vrai »
roman du cœur : il ne peut pas se permettre d'être longtemps indulgent
à des mythomanes.

Du moins l'ont-ils aidé à réfléchir sur l'imagination du romancier :
l'ironie qu'il manifeste à leur égard, il l'applique aussi à sa propre
création littéraire ; les intrusions d'auteur, telles qu'elles sont prati-
quées dans *Pharsamon*, traduisent un grand progrès de Marivaux dans
la connaissance du genre romanesque et dans la conscience des
conditions qu'un roman doit remplir [122]. Grâce à ces fous, il s'est
également ouvert un nouveau domaine : le réalisme, par le détour
de la parodie. L'univers de Cliton suit en contrepoint l'univers de
Pharsamon, la réalité bouffonne entre dans le roman pour ridiculiser
les illusions boursouflées des fantoches [123]. Mais Marivaux ne renonce
pas au romanesque : il aime trop les aventures de la vie et de
l'âme. Comme des parenthèses dans la bouffonnerie, les épisodes
sérieux répondent à son besoin d'émotion. Au cœur même du romanesque, l'ironie s'efface, l'auteur se garde d'intervenir, nous ne
sommes même pas invités à sourire, sauf des jeux de trompe-l'œil
que Marivaux a machinés.

Il revient à des sujets déjà traités dans *Les Effets surprenants*,
malheurs d'une jeune orpheline, aventures chez les corsaires turcs,
séjour d'un civilisé parmi les sauvages, mais il n'a pas confondu
avec les banalités les thèmes qui lui tenaient plus particulièrement
à cœur. Les personnages de l'*Histoire du solitaire* pourraient être les
contemporains et les voisins de l'auteur ; l'exotisme conventionnel
est tout entier relégué dans l'*Histoire de Tarmiane*, d'un caractère
plus archaïque. Marivaux a-t-il placé vers la fin de son ouvrage un
récit antérieurement composé et relevant d'un genre auquel il ne
reviendra plus ? Ou bien s'était-il essoufflé et a-t-il laissé aller sa
plume à la suite de Mlle de Scudéry et de quelques autres [124] ? De nombreux souvenirs de Racine témoignent d'une inspiration en difficulté :
la captive Tarmiane, aimée du Turc Hasbud et mère d'une petite
fille, Célie, sa seule consolation, est un doublet d'Andromaque pressée
par Pyrrhus et ne vivant que pour Astyanax ; sans qu'on puisse
faire apparaître dans la suite du récit de ressemblance textuelle, les

---

121. Voir *infra*, chap. VII, p. 311-312.
122. Voir *infra*, chap. VIII, p. 346-349.
123. Voir *infra*, chap. IX, p. 469-471.
124. Les épisodes barbaresques des *Effets surprenants* relevaient de cette tradition.

personnages de Célie, du jeune Hasbud (le fils du précédent) et du
furieux et passionné Cléonce évoquent sans cesse Racine par leur
langage et par leur psychologie. Aussi bien Marivaux n'a-t-il pas achevé
cette histoire et a-t-il, en quelques pages, bâclé pour l'intrigue principale le dénouement que nous avons commenté plus haut.

Ces deux *Histoires* traitent la même matière romanesque, avec les
mêmes procédés d'expression, mais l'une, l'*Histoire de Tarmiane*,
appartient au passé du genre romanesque, l'autre, l'*Histoire du solitaire*, annonce les futurs romans d'analyse, bien que l'analyse ne soit
pas complètement absente du récit fait par Célie. Un trait commun
à ces deux *Histoires* est aussi leur caractère sombre : Marivaux a été
passagèrement tenté par le genre de la « nouvelle tragique » ; sans
adopter l'idée d'une fatalité malheureuse attachée au sentiment, telle
que l'illustreront Prévost et Mme de Tencin, il s'en souviendra quand
il écrira l'histoire de Tervire ; plus nettement encore, il prépare les
larmes que versera sur elle-même et que fera verser Marianne. Parménie avait pourtant plus de profondeur et de finesse que Clorine et
Célie, dans un pathétique voisin. Marivaux a renoncé pour le moment
à explorer la vérité du romanesque ; les Clorante et les Caliste sont
devenus des Pharsamon et des Cidalise ; dans les épisodes-tiroirs,
Marivaux s'abandonne à une émotion moins contrôlée, aux facilités
du tragique et des coïncidences surprenantes, quitte à se moquer
de lui-même quand il retourne à la parodie.

Le personnage qui intéresse le plus Marivaux, celui qui a le plus
de pouvoir romanesque, est celui de l'orpheline jeune, belle, sensible, qui connaît les premiers émois du cœur et éprouve les premières
meurtrissures de l'existence. Déjà représenté dans *Les Effets surprenants* par Dorine et par Parménie, ce personnage figure dans l'*Histoire
de Tarmiane* et dans l'*Histoire du solitaire*. Célie, (dans l'*Histoire de
Tarmiane*) a reçu de sa mère mourante des leçons de vertu et de
piété qui annoncent encore plus *Paméla* que *La Vie de Marianne* ;
il y a encore beaucoup de convention et de banalité dans la façon
dont elle décrit l'éveil de son amour pour le jeune Hasbud et les
résistances de sa pudeur : « Quand il jettoit les yeux sur moi, je ne
pouvois m'empêcher quelquefois de sentir une émotion de plaisir,
dont je ne connoissois point la vraie cause : il m'étoit même échappé
des regards sur lui qui n'avoient rien d'ennemi » [125]. Mais Marivaux
donnera à ce thème une telle illustration qu'il ne faut pas laisser
passer sans les signaler les premières ébauches qu'il en trace. Au
trouble sentimental se joint pour Célie une inquiétude morale, comme
plus tard chez Marianne, et comme Marianne, comme déjà auparavant
Parménie, elle se recueille pour essayer de sauver sa raison et sa
liberté, et plus encore pour déplorer son sort : « Dieu ! que je suis
malheureuse ! n'étoit-ce pas assez des malheurs où je suis née, sans
avoir encore celui d'avoir de la foiblesse pour un homme que tout

125. *O.C.*, XI, 468. *O.J.*, 640. La litote vient de Corneille, *Suréna*, I, 1 : « Notre adieu ne fut
point un adieu d'ennemis ».

m'ordonne de haïr ? [126] » Moins profond, moins pathétique que dans
Les Effets surprenants ou dans *La Vie de Marianne*, c'est pourtant
le même regard que jette sur soi une âme désemparée, et dont le
rappel est un des moments caractéristiques du roman selon Marivaux.

L'*Histoire du solitaire* va nous montrer une nouvelle fois comment
le roman psychologique tel que Marivaux l'entend est naturellement
issu du roman sentimental qui florissait au xviie siècle, et qu'il parodie
dans le même ouvrage. Dans cet épisode le romanesque non seulement
n'est plus tourné en ridicule, mais encore est rapproché de la vérité.
C'est un « drame bourgeois » avant la lettre que Clorine raconte, le
réalisme y est mal assuré, mais sérieux. Les événements se déroulent
dans une province française, sans doute assez proche de Paris où
l'un des personnages fait ses études de droit. Iphile, la mère adoptive
de Clorine, aime tendrement sa pupille, mais non pas au point de
déshériter pour la doter on ne sait quels collatéraux envers qui elle
se considère comme la simple dépositaire du patrimoine ; elle l'éloi-
gnera et la tiendra prisonnière pour l'empêcher d'épouser un jeune
homme noble et riche, dont la générosité juvénile contraste avec
l'esprit positif des deux mères, la sienne et celle de Clorine, solidaires
dans leur hostilité à un mariage qui renverserait l'ordre social. Un
héritier de bonne famille n'épouse pas une orpheline de naissance
inconnue ; il n'épouse pas non plus une fille pauvre, même noble :
le grand-père de Clorine, qui n'a jamais consenti au mariage de son
fils, a enlevé Clorine à sa naissance et est mort sans révéler à qui
il l'avait confiée. Clorine même, si bon cœur qu'elle ait, n'éprouve
plus que de l'horreur pour Iphile, et goûte autant de joie à ne plus
être en son pouvoir qu'à retrouver son père. Iphile, c'est en quelque
sorte Mme de Miran alliée à sa famille contre Marianne et Valville :
on comprend avec quelle sympathie l'auteur devra peindre Mme de
Miran pour en faire un personnage vivant et vrai, quand sa bonté
indéfectible défiera la vraisemblance ; mais Clorine n'est pas Marianne,
et entre l'invention d'Iphile et l'invention de Mme de Miran, Marivaux
aura fait la connaissance de Mme de Lambert. Tenté, comme nous
l'avons dit, par le genre de la « nouvelle tragique », il a pu donner
au réalisme, dans cette *Histoire du solitaire* où pourtant il n'a qu'une
place réduite, une dureté qui, absente de l'histoire de Marianne, se
retrouvera dans celle de Tervire. Le rôle joué par les intérêts matériels, la violence des sentiments et même des actes rappelleraient
Chasles, s'il n'était pas probable que *Pharsamon* fût contemporain
des *Illustres Françoises* [127], et surtout si la qualité de l'émotion n'était
pas tout à fait différente. Marivaux, croyons-nous, se fraye sa route
tout seul.

Vérité et émotion, tel est l'idéal qu'il veut atteindre dans le roman :
il obtient des effets pathétiques en recourant à des situations et à des

---

126. *O.C.*, XI, 469. *O.J.*, 640.

127. Rappelons les dates : *Les Illustres Françoises* paraissent en mai ou juin 1713, ou du
moins sont annoncées alors (voir l'éd. procurée par F. Deloffre, Paris, 1959, t. II, p. 555). Le
privilège de *Pharsamon* associé à *La Voiture embourbée* est du 22 octobre 1713.

faits hors de l'ordre commun, plusieurs évanouissements, un meurtre, au point de départ une disparition d'enfant. Il souligne complaisamment « les effets surprenants du hasard » [128] aussi romanesques que les « effets surprenants de la sympathie » ; il fait dire à Clorine qu'elle était née « pour servir d'exemple de ce que peut une malheureuse destinée » [129]. Ces artifices extérieurs lui sont encore nécessaires pour exprimer un sentiment sincère et profond, sa pitié pour les souffrances humaines ; la situation qui l'émeut le plus n'est pas une situation d'horreur ou de violence, mais d'abandon, de solitude désespérée où l'âme se trouve si totalement démunie d'appui qu'elle sombre dans le néant. Dans le roman romanesque, à ce moment-là, on gémit, on crie, on s'évanouit : Clorine remplit donc la campagne de ses cris [130], s'évanouit, pousse des gémissements que rien ne peut arrêter [131]. Mais dans chacun de ces passages deux phrases ont beaucoup plus de signification, bien qu'elles semblent n'énoncer que deux détails pathétiques entre beaucoup d'autres. « Toute ma fierté m'abandonna, quand je pensai sérieusement que je ne reverrois peut-être plus Oriante », dit d'abord Clorine ; la défaillance intérieure, la pitié sur soi-même, la perte de la confiance en soi et de l'idée de soi sur laquelle on s'appuyait pour vivre, aimer et se faire aimer, tout cela est suggéré par ces quelques mots plus déchirants que tous les cris. « La douleur me rendit comme stupide et sans mouvement ; pendant plusieurs heures, j'eus l'esprit aliéné », dit-elle ensuite : l'aliénation est en effet au bout de certaines douleurs dans lesquelles le moi s'abolit, et ces états de « stupidité » sont si terribles que Clorine ici, Marianne plus tard, préféreront la retraite à une vie qui risquerait de les y précipiter de nouveau.

Clorine est une âme encore simple, mais son histoire, où n'ont de part ni l'héroïsme ni l'horreur, se rapproche plus que celle de Parménie de la vraisemblance. Si les tragiques hasards qui parachèvent son malheur sont bien extraordinaires, les problèmes qui la déchirent sont ceux que peut se poser une jeune fille loyale et sensible dans une situation difficile : elle a peur de faire souffrir la femme affectueuse qui l'a adoptée, elle a scrupule à laisser se mésallier le jeune gentilhomme qui l'aime, elle se heurte à l'animosité de gens à préjugés devant lesquels elle ne veut ni humilier sa fierté naturelle, ni paraître intrigante et intéressée. Marivaux inaugure avec elle ce qu'il fera pour Marianne et pour les jeunes filles de ses comédies, il place une âme tendre dans une situation cornélienne et montre son désarroi et son désespoir, pour lui faire puiser dans sa tendresse l'énergie qui la tirera d'affaire. Si Clorine était de noble naissance, il n'y aurait plus de drame, ou bien l'auteur pour le faire surgir devrait avoir recours soit à de méchants ravisseurs, soit aux conflits artificiels des

128. *O.C.*, XI, 192. *O.J.*, 494. Le hasard est encore invoqué aux pages 140, 142, 149, 150, 152, 181 et 201. *O.J.*, 466, 467, 471 (deux fois), 472, 489 et 499.

129. *O.C.*, XI, 200. *O.J.*, 499.

130. *O.C.*, XI, 179. *O.J.*, 488.

131. *O.C.*, XI, 191. *O.J.*, 494.

âmes romanesques dont il avait montré la vanité. Mais Clorine est une orpheline, de naissance inconnue, et vivant de la charité d'autrui. C'est dans la honte qu'elle prend conscience de ce qu'elle est socialement, et cette prise de conscience lui est imposée quand son amour cesse d'être une fiction de théâtre et veut devenir une réalité vécue ; elle songe alors à ce que dira Oriante : « Quelles seront ses réflexions, dis-je en moi-même, quand au lieu d'une demoiselle riche, et d'un nom connu, il ne trouvera plus en moi qu'une malheureuse qui ne doit ce qu'elle paroît qu'à la pitié qu'on a eue pour elle, et qui, sans cette pitié, gémiroit peut-être à présent dans la pauvreté la plus affreuse ? Une fille sans parents, sans nom, sans biens, inconnue à toute la terre ! Jugez, Seigneur, quelle devoit être alors l'horreur de ma situation » [132]. A cette honte qui lui est imposée de l'extérieur, elle réagit en proclamant sa fierté, fondée sur le sentiment irréfutable de sa dignité intérieure. Elle l'oppose à la colère d'Iphile : « Tout ce que vous pouvez imaginer d'expressions pour me convaincre de beaucoup de bassesse, n'empêche pas que peut-être je ne sois d'une naissance à qui l'on doive quelque respect. Les termes dont vous vous servez pour me couvrir de confusion, font un effet bien différent ; ils me donnent une fierté qui m'est garante de la noblesse des parents à qui je dois le jour » [133]. Cette noblesse est évidente aussi aux yeux d'Oriante, comme celle de Marianne le sera aux yeux de Valville, et dans les deux cas le mérite personnel de l'orpheline, bien loin d'élever la roture au niveau de la naissance, ou même au-dessus d'elle, comme chez La Bruyère, est la preuve que la naissance est haute, comme si le mérite était impossible à des gens obscurs : « Je ne sçais point qui vous êtes, et ne me soucie point de le sçavoir : mon cœur, que vous intéressez seule, vous préfere à tout ce que le sort peut faire naître de plus illustre ; l'obscurité même de votre naissance est une raison de plus, à mes yeux, qui vous rend encore plus respectable : oui, je dois vous respecter mille fois plus encore ; j'en ai pour garant la tendresse infinie que vous m'avez inspirée. Cette physionomie noble, cette maniere charmante que vous devez, sans doute, au sang dont vous sortez, et non pas à l'éducation [...] » [134]. L'amour fait fi des convenances sociales, mais procure en même temps la certitude intime qu'elles ne sont pas enfreintes.

Quand Oriante parle ainsi, il répond à l'aveu que lui a fait Clorine de sa véritable condition : nous reverrons chez Marianne une semblable sincérité, tantôt plus douloureuse, plus involontaire, arrachée par l'émotion, tantôt au contraire plus agressive ; mais déjà Clorine connaît cette forme paradoxale de l'affirmation de soi qu'est la dépréciation ou la modestie, et elle pourrait se faire une arme de sa franchise, une force de sa faiblesse et un avantage de son renon-

---

132. *O.C.*, XI, 163. *O.J.*, 478. Le pathétique est d'autant plus fort que Clorine, qui vivait jusqu'alors dans l'illusion, vient d'avoir la révélation de sa condition misérable. Marivaux renoncera à cet artifice pour *La Vie de Marianne*.

133. *O.C.*, XI, 177. *O.J.*, 487.

134. *O.C.*, XI, 168. *O.J.*, 481.

cement. On ne peut l'accuser de rouerie ; elle est sincère quand elle s'étonne de l'effet produit par son aveu : « Est-il possible, dis-je, que tout ce que je viens de vous apprendre ne serve qu'à redoubler votre tendresse ? Dieu ! Un cœur si noble et si constant devoit-il être le partage d'une infortunée qui ne sçait ce qu'elle est ? [135] » et elle croit vraiment qu'on est impuissante quand on n'est « qu'une malheureuse qui n'a que ses pleurs et ses soupirs pour toute défense » [136]. Nous serons moins affirmatifs quand ce sera Marianne qui tiendra de pareils propos : il y aura chez elle un degré de lucidité de plus que chez Clorine. Mais en insistant sur son indignité, Clorine, sans le savoir, revendique le droit à l'estime ; le vrai moment où elle est désemparée est celui où elle perd jusqu'à ce respect secret de soi et où elle déclare : « toute ma fierté m'abandonna ». Nous avons dit l'importance d'un tel moment aux yeux de Marivaux [137]. Au demeurant, Clorine est plus malheureuse en effet que ne le sera Marianne : les nombreuses larmes qu'elle verse ou fait verser n'ont presque jamais la douceur que toute émotion procure aux âmes sensibles [138], et bien loin d'apprendre par la souffrance à se goûter et à se connaître, elle finit par ne plus pouvoir se supporter, et elle part en voyage, « sans autre dessein que de [se] fuir [elle]-même » [139]. Cette défaite que Marianne évitera, que Tervire surmontera en répondant au malheur par la vocation du sacrifice, perd cependant beaucoup de sa signification par son rattachement à l'intrigue principale, où reprennent le burlesque et la parodie.

L'impression que laisse un tel roman est donc confuse : il est composite et incomplet, il juxtapose le rire et l'émotion, l'irréalisme et le réalisme, on y voit Marivaux faire tantôt une critique aiguë et presque nihiliste du sentiment, et tantôt se livrer au romanesque le plus sensible. Maladresse ou dessein délibéré ? La maladresse n'est pas niable, mais l'intention non plus, et la première est la conséquence nécessaire de la seconde : voulant satisfaire à la fois son intelligence et son cœur, il pousse aussi loin que possible l'esprit critique, aussi bien envers son imagination d'auteur qu'envers l'émotion de ses personnages, et ne peut pas le fondre à l'invention romanesque positive, sous peine de la détruire : celle-ci se trouve donc à l'abri, incontrôlée, et retombe trop souvent dans le pathétique extérieur, les coups de hasard, l'hyperbole ; mais en même temps, et de façon assez incohérente malgré un essai de clivage entre l'*Histoire de Tarmiane* et l'*Histoire du solitaire*, délivré par l'imitation burlesque de ce que le romanesque ordinaire comporte de faux ou de suspect, Marivaux tente un romanesque pur : la situation et les personnages étant choisis de façon à ne pas trop choquer la vrai-

---

135. *O.C.*, XI, 169. *O.J.*, 481.
136. *O.C.*, XI, 176. *O.J.*, 486.
137. Voir *supra*, p. 114.
138. Clorine ne pleure qu'une fois de bonheur : « je versai des larmes ; mais la joie de voir un cœur si pénétré, y eut plus de part que les chagrins », *O.C.*, XI, 169. *O.J.*, 481.
139. *O.C.*, XI, 201. *O.J.*, 499.

semblance, il fait s'élever la voix déchirante d'une belle âme qui
souffre, aime, se sacrifie, dans un discours pressant dont l'accent
et le rythme comptent plus que le contenu ; presque indépendamment de l'histoire se fait entendre, l'espace d'un instant, un motif
lyrique, un chant d'émoi, celui d'une jeune fille qui vient de découvrir
le bonheur et qui doit y renoncer, appel à la pitié sous la fierté du
renoncement, aveu ardent d'amour sous les protestations de la
pudeur [140] : on songe à Silvia, plutôt qu'à Marianne, car à ces moments-
là le retour sur soi, l'élucidation rétrospective sont négligés et les
paroles rapportées au style direct. A l'autre pôle cependant, Marivaux
mène l'entreprise critique jusqu'au point où il ose paraître lui-même,
parler en son propre nom et faire du commentaire non plus un procédé, mais une confidence. Romanesque du sentiment pur, réflexions
personnelles du moraliste, ce sont là les deux extrémités opposées où
aboutit l'effort de Marivaux, et il ne peut s'y tenir longtemps : son
progrès comme romancier lui rend le roman de plus en plus difficile.

La Voiture embourbée ne constitue pas une nouvelle contribution
à l'étude de la belle âme, mais elle prouve que Marivaux a mené
aussi loin qu'elle pouvait aller sa réflexion sur la création romanesque :
il avait laissé volontairement floue, dans *Pharsamon*, la frontière entre
le romanesque et le burlesque, pour amorcer, à la faveur de cette
confusion, sa critique du sentiment ; dans *La Voiture embourbée*
la confusion a lieu entre le réel et le fictif, et des interférences, des
jeux de miroir que nous analyserons, font de cette œuvre quelque
chose comme *Les Faux-Monnayeurs* de Marivaux. Le réalisme y est
moins développé que dans *Pharsamon*, l'imitation comique des maîtres
par les domestiques y est plus appuyée et plus artificielle : si l'œuvre
est, comme il est probable, postérieure à *Pharsamon*, Marivaux aura
repris des thèmes et des situations dont il connaissait le contenu, et
fait porter sur la technique narrative et sur les relations entre les
différents plans du récit son effort d'invention. En ce sens, *La Voiture
embourbée* est peut-être la réussite la plus parfaite de Marivaux dans
le roman. A l'« exercice de style » il a un peu sacrifié l'approfondissement des caractères. L'émotion romanesque est totalement absente,
sauf dans un registre nouveau, celui du fantastique, qu'il affecte
de ne pas prendre au sérieux [141].

Que reste-t-il de la belle âme ? *La Voiture embourbée* ne lui fait
aucune concession. Tout un secteur du roman est désormais épuisé
pour Marivaux, il n'y reviendra plus. Il n'a pas réussi à accorder ses
deux facultés maîtresses, l'esprit et le cœur ; la synthèse était à sa
portée dans *Les Effets surprenants*, où le romanesque et l'ironie
arrivaient à se combiner, mais il y manquait cette base de réalité
sans laquelle la finesse et l'émotion restent un peu en l'air ou dans

140. *O.C.*, XI, 153, 170. *O.J.*, 473, 482.
141. Voir *infra*, chap. IX, p. 464-467.

le vide. Au théâtre, Marivaux placera parfois des personnages dans
un pays imaginaire, la comédie italienne l'autorisera à s'évader
par la fantaisie ou à se tenir en marge du réel ; le moraliste recourra
volontiers à l'allégorie mythologique ou féerique : mais le romancier
s'est forgé d'autres exigences ; il veut n'émouvoir que si ce qu'il
raconte est croyable et, au moment même où il invente, il a beaucoup de peine à surmonter sa propre incrédulité. Cette immensité
du possible qui s'ouvre, inépuisable, devant l'écrivain, sans qu'aucun
choix s'impose avec une nécessité évidente, correspond comme sa
traduction dans le domaine de la création littéraire, à la plasticité
immense de l'âme, qui imagine ce qu'elle ressent, et ressent ce qu'elle
imagine...

L'analyse de G. Poulet [142] a fait apparaître dans les personnages
de Marivaux une existence bornée à l'instant, naissant toujours nouvelle à chaque instant, dans la stupeur angoissée ou ravie : le temps
pour eux ne serait pas une durée continue, mais une instantanéité
perpétuellement recommencée. L'idée ne nous semble pas recevable
sans discussion, mais si l'on remplace instantanéité par instabilité,
l'on obtient une image assez juste de l'âme humaine telle que la voit
Marivaux dès ses débuts : vacillante, toujours prête à recevoir un
sentiment et à le perdre, dévorée par son imagination, elle a vite fait
de renverser la seule barrière que le roman traditionnel pouvait opposer à son vertige, des passions positives, des tendances et des
pressentiments irréfutables, tout ce qui dans le cœur serait une
donnée, une nature [143]. C'est là ce que la critique de Marivaux a
d'abord aperçu. Mais il condamne la « vanité » avec une sévérité
d'autant plus grande qu'il se refuse à ramener à elle tout l'homme :
au contraire, cette infinie faculté d'illusion et de néantisation est aussi
une faculté de construction et de conquête de soi. Suivant la tradition
qui faisait du malheur la matière romanesque privilégiée, et en profitant pour satisfaire son goût de l'émotion, Marivaux appelle notre
sympathie sur certains personnages qui sont émouvants par leurs
malheurs et non par leur énergie ; le roman sérieux n'est encore à
ses yeux que celui des victimes, Clarice, Clorine, Célie, Parménie
même : bientôt il saura montrer comment les victimes se défendent,
et comment un être jeune se façonne et devient lui-même. Pour le
moment il connaît mal l'existence des autres, il l'imagine plus qu'il
ne l'étudie ; aussi sa réflexion sur l'homme est-elle en même temps,
et peut-être d'abord, une réflexion sur l'imagination romanesque. Si la

---

142. G. Poulet : *Etudes sur le temps humain*, II, *La Distance intérieure*, Paris, 1952, chapitre I, « Marivaux », p. 1-34. Voir d'autres commentaires sur ce texte et sur le temps chez
Marivaux, *infra*, chapitre IV, p. 141-142 et chapitre IX, p. 456-463.

143. On trouve encore la passion présentée comme irrésistible et naturelle dans l'Histoire
de Clorine (*O.C.*, XI, 171 et 175. *O.J.*, 486 et 488, personnage d'Oriante) et dans celle de
Célie (XI, 452. *O.J.*, 630, personnage d'Hasbud, 498, 499. *O.J.*, 655, personnage de Cléonce).
La parodie en est faite dès le début de l'Histoire de Pharsamon (XI, 25. *O.J.*, 404). Il y a
aussi des pressentiments chez Clorine, XI, 159, 187. *O.J.*, 476, 492 (« mon cœur m'a toujours
averti[e] de ce qui doit m'arriver de fâcheux ». Le participe n'est accordé ni dans l'édition
des *O.C.*, ni dans l'édition de La Haye, 1737, t. I, p. 161, ni dans l'édition originale reproduite par F. Deloffre).

critique de la littérature l'a conduit à la critique de l'âme humaine, il n'analysera vraiment celle-ci que lorsqu'il aura découvert autrui dans le monde et dans la vie. C'est pourquoi nous supposons que les trois romans dont nous venons de parler, *Les Effets surprenants*, *Pharsamon* et *La Voiture embourbée*, sont antérieurs à l'entrée de Marivaux dans les salons parisiens. Deux des plus importants objets de son analyse, la coquetterie et la naissance de l'amour, sont le premier à peine mentionné, le second très conventionnellement abordé dans ces œuvres [144].

Avant d'être un instrument d'exploration et de reconstitution de l'âme vivante, le roman est pour Marivaux un instrument de recherche théorique : comme tous ses contemporains, il est sensible, mais il n'ira jamais aussi loin qu'un Prévost ou qu'un Rousseau dans l'exaltation du sentiment, et ses premiers romans montrent que la sensibilité déconcerte et inquiète son intelligence. Il veut comprendre et contrôler ce qu'il ressent, il craint d'être dupe d'illusions, d'impulsions irraisonnées, et surtout de sentiments imaginaires. Il fait le procès de l'héroïsme, parce qu'il ne peut pas distinguer l'héroïsme vrai de l'héroïsme faux ; il dénonce la vanité comme le trait constitutif des belles âmes ; il ridiculise ceux qui s'attachent au passé et s'attardent dans un rêve anachronique ; mais il critique aussi bien les égoïstes, les sensuels, les violents, les dissipés, ceux qui vivent sans réfléchir, ne connaissent que leur désir présent, et lui font regretter la générosité d'autrefois. En quête d'un romanesque vrai, qui plût à l'imagination et au cœur tout en satisfaisant l'esprit, Marivaux s'en est approché à plusieurs reprises, mais n'en a pas trouvé la formule. Parménie et Clarice vivent des aventures invraisemblables, Clorine joue un rôle ridicule. Le réalisme ne sert encore au romancier qu'à démentir les beaux sentiments au lieu de lui fournir le cadre où ils pourront apparaître ; il n'a pas pu non plus concilier le romanesque et le burlesque, malgré la curieuse tentative qu'il a faite dans *Pharsamon* ; mais son burlesque est original, parce qu'au lieu d'être la caricature du romanesque, il est la satire de ceux qui falsifient les beaux sentiments. En peignant le berger Lysis, Sorel lui avait prêté toute la naïveté et toute la sottise possibles pour accumuler sur lui les aventures bouffonnes et les mystifications : il n'était resté qu'à la surface de l'âme romanesque. L'analyser n'était pas le but de Scarron. Furetière traitait celle de Javotte et celle de Pancrace, dans *Le Roman bourgeois*, avec une cruauté que Marivaux n'osera pas égaler, mais dont il se souviendra ; cette cruauté même, qui rend les personnages si présents et si vrais, interdisait pourtant de les montrer au lecteur de l'intérieur, dans leurs motivations intimes. Même Cervantes avait fait autre chose que ce que Marivaux voulait faire : si son roman symbolisait le drame de l'humanisme, qui

---

144. Sur les dates de ces romans, voir *supra*, p. 16-27. Si, comme nous le croyons, Marivaux a pu connaître dès 1709 la société parisienne, il ne devient vraiment auteur parisien, demandant à Paris la matière de son invention, qu'à partir de 1717 et des *Lettres sur les habitants de Paris*.

essayait de sauver le meilleur de ses rêves naufragés et de garder
la bonté dans la sagesse et la raison nécessaires, la folie du héros était
un égarement maladif, un accident dont il était plus victime que
coupable [145]. Les fous de Marivaux sont fous de vanité, ils construisent
eux-mêmes leur folie, on voit leur volonté et leur intelligence à
l'œuvre gonflant un *moi* monstrueusement vide, on peut étudier sur
eux dans un exemple privilégié les mensonges qu'une âme se fait
à elle-même et les impostures de la bonne foi. Marivaux n'est pas
cynique, il ne cherche pas à ridiculiser le sentiment lui-même, la
générosité, mais le sentiment qui n'a pas ses racines dans des circonstances réelles, la générosité qui n'a d'autre fin que l'apparence.
Le roman romanesque l'aurait conduit à une impasse, s'il n'en avait
pas approfondi les insuffisances, et tiré un triple bénéfice de ses
essais : d'abord, de ne pas borner la critique du sentiment à une
plaisanterie bouffonne, mais d'arriver à la source même de l'illusion,
et de ne plus concevoir une sensibilité authentique sans une lucidité
critique infaillible ; ensuite de chercher dans le monde réel, la vie
quotidienne, éventuellement en dehors de la classe noble pour laquelle
le roman romanesque avait été inventé, les caractères et les circonstances par lesquels il exprimerait sa propre sensibilité ; enfin de mieux
comprendre les démarches de l'imagination romanesque et les problèmes qu'aurait à résoudre un romancier désireux à la fois d'être
croyable et émouvant.

145. Voir *supra*, n. 97.

LES PREMIÈRES ŒUVRES où l'on puisse avec certitude reconnaître l'influence des milieux parisiens sont d'une dureté qui prouve chez Marivaux une façon nouvelle de considérer la réalité. Il apprenait par une expérience concrète à mieux voir les rapports sociaux et l'assujettissement des faibles aux puissants ; à la lumière de ce que Paris lui faisait comprendre, il réinterprétait ce qu'il savait de la province (*Le Télémaque travesti* en donne une image plus élaborée que *Pharsamon*) et transposait même symboliquement les tensions et les conflits de la société civile dans un monde dont il n'avait aucune connaissance directe, celui des militaires en temps de guerre, peint dans *L'Homère travesti*. Sérieux ou parodique, le romanesque était l'élément le plus important des œuvres antérieures ; le réalisme satirique passe au premier plan dans les œuvres de 1714-1716, mais la critique des illusions romanesques s'y prolonge avec une sévérité accrue. L'égoïsme et la vanité, indissociablement unis, constituent le seul mobile de toutes les actions humaines. Chacune des trois œuvres écrites en ces quelques mois en fournit la démonstration radicale. *Le Bilboquet*, si l'on néglige la fiction allégorique assez pesante qui lui sert de cadre, présente toute une ville, tout un pays en proie au délire de la futilité : les sentiments les plus forts sont oubliés, les personnages les plus sérieux se précipitent dans le ridicule, dignité, devoir, fidélité sont sacrifiés à une passion frivole qui remplit toute la « capacité » du cœur [146]. Encore, tout en condamnant « le goût polisson du temps », Marivaux regrette-t-il l'amour d'autrefois, allié à l'esprit et à la raison, et laisse-t-il entendre que quelques honnêtes gens peuvent rester à l'écart de la contagion, déplorant la folie presque universelle et formant un petit groupe de sages [147]. Mais dans *L'Homère travesti* plus rien ni personne n'est épargné : la religion n'est pour le prêtre qu'une source de profits et pour le fidèle qu'un marchandage avec Dieu ; le courage est une poltronnerie dissimulée ; l'amour conjugal un faux-semblant ; la justice et la pitié s'achètent, l'héroïsme est une immonde boucherie où seule notre sottise nous fait voir de la grandeur ; les Dieux exercent sur les humains la même stupide et mesquine tyrannie que les grands sur les petits de ce monde ; et, dans sa vaniteuse bêtise, l'homme aime qu'on lui déguise la vérité :

« On réüssit par de grands mots » [148].

146. *Le Bilboquet*, chez Pierre Prault, 1714 (B.N. Rés. PY² 1509), p. 29. (Marivaux, p. 15, parle de la « capacité de l'esprit ».)

147. « Le cercle des honnêtes gens », que dégoûte du bilboquet l'engouement de « la canaille » (éd. originale, p. 33) ; « les gens d'esprit », « les amans délicats » (comme Ariman et Lysidor), « les raisonnables », que l'on méprise dans la folie générale (p. 53-54).

148. *L'Homère travesti*, livre VII (*O.C.*, t. X, p. 387).

Quand bien même ces deux divertissements ne seraient pas importants, l'un comme premier crayon tracé par Marivaux de la société parisienne, l'autre comme arme satirique et (par sa préface) comme œuvre de réflexion théorique dans la Querelle des Anciens et des Modernes, ils montrent à quel point Marivaux fut tenté par le pessimisme sceptique. La férocité d'un Voltaire n'était ni dans son tempérament ni dans son talent, encore moins le ricanement d'un Fougeret de Monbron ; il n'était pas non plus cruel, comme le laisserait croire une lecture superficielle du *Triomphe de l'amour* ou de *L'Epreuve :* mais sa bonté et sa délicatesse ne prennent tout leur sens que mises en rapport avec sa connaissance parfaitement désabusée de la bassesse humaine. Certains mots de *La Vie de Marianne* et du *Paysan parvenu*, glissés sans éclat au milieu des jeux souriants ou émus de l'analyse, nous le rappelleront.

L'intention de Marivaux en travestissant Fénelon est équivoque : il a aussi travesti La Motte, pour lequel il éprouvait de l'admiration [149] ; il pouvait admirer celui qu'on admirait unanimement dans le cercle de Mme de Lambert [150] : on ne distingue pas toujours si ses personnages, quand ils ont du bon sens, paraphrasent Fénelon ou expriment les idées de Marivaux lui-même ; le hasard facilite trop souvent les coïncidences entre les aventures de Brideron et celles de Télémaque : le parallélisme est beaucoup plus comique quand il résulte de l'imagination ou de la volonté maniaque du héros et de son Mentor. Mais il reste que, comme dans ses œuvres précédentes, Marivaux fait la satire des âmes qui se mentent à elles-mêmes, qui se parent de faux sentiments et d'un faux héroïsme ; il s'est donné mission de dénoncer la vanité, avec une insistance et une suite dans les idées qui tiennent de l'obsession ; elle est à ses yeux « le Ridicule le plus grossier et le plus méprisable », il assure que « dans le fonds le mépris est justement dû à des Heros dont les vertus ne sont à vrai dire que des vices sacrifiés à l'orgueil de n'avoir que des passions estimables » [151]. Sa verve, la sympathie qu'il manifeste parfois pour ce « jeune gars frais et dodu » de Brideron [152] n'empêchent pas une sévérité plus grande encore que celle que nous avons notée à l'égard de Pharsamon.

149. C'est même cette admiration qui donnait plus de relief au travestissement : « J'ay trouvé dans ses vers des endroits si excellens, des pensées si nobles qu'elles ont fait briller à mon gré le moindre contraste que je leur ay opposé ». (Préface de *L'Homère travesti, O.C.,* t. X, p. 124. *O.J.* 963.)

150. « Nous sommes ici dans une société très-unie, sur la sorte d'admiration que nous avons pour vous », lettre de Mme de Lambert à Fénelon (1710), *Œuvres de Mme la marquise de Lambert,* Amsterdam, 1747, p. 401. La Motte avait dédié une ode à l'auteur de *Télémaque,* et Sacy, désigné comme censeur, donnera à l'édition de Ramsay, en 1717, une approbation chaleureuse : « Trop heureuse la Nation pour qui cet ouvrage pourra former quelque jour un Telemaque et un Mentor » (cité par les *Nouvelles littéraires* de La Haye, tome VI, p. 79, nouvelle de Paris, 31 juillet 1717).

151. *T.T.*, p. 46-47.

152. *Ibid.*, p. 162.

Quelque respect qu'il ait eu pour la personne et la pensée de Fénelon, il trouvait en son œuvre un modèle éclatant d'artifice : artifice, l'imitation littéraire en vertu de laquelle Fénelon emprunte à Homère ses personnages, sa mythologie, ses épisodes, ses images ; artifice, le travestissement à l'antique (car le Télémaque de Fénelon est déjà un Télémaque travesti...) d'idées toutes modernes sur la politique, la morale, la religion et l'éducation ; artifice enfin, et qui commande les deux autres, la psychologie elle-même, la belle âme de Télémaque, intelligent, sensible, courageux, vertueux, obéissant, et ne connaissant de la tentation que ce qu'il en faut connaître pour prouver sa sagesse. La convention est si visible que la parodie faite par Marivaux semble parfois non pas une caricature, mais un retour à la réalité, et le texte de Fénelon, une transcription en style noble du texte de Marivaux, comme celle que Madeleine de Scudéry avait faite, pour décrire une victoire de Cyrus, du récit de la bataille de Rocroi par La Moussaie.

Une fois de plus, la satire atteint aussi bien les sentiments vrais que les sentiments faux, ou plutôt, avec l'intention apparente de bien distinguer les uns des autres, met en question la légitimité de leur distinction. « Il y a une grande différence entre la *vanité* et l'amour de la gloire, lorsque cette passion n'a pour objet que des choses louables et utiles à l'humanité », objecte Desfontaines [153] : c'est cette différence que Marivaux refuse ; il confond vanité et orgueil, imitation sotte et noble émulation, dans sa défiance de tout ce qui est illusoire et imaginaire. Le courage de Brideron n'est qu'une frayeur contenue par la vanité et l'aveuglement : « Son imagination échauffée le soutient et le garantit du malheur de tourner casaque ; il frape à droit et à gauche les yeux fermés, de peur de voir les coups qu'on lui porte à lui-même » [154]. Sa bonté n'est que conformisme : « C'est ici, disoit-il en lui-même, qu'il faut qu'on s'écrie sur moi comme sur Télémaque : voyez que ce jeune gars est bon ; cette idée l'animoit donc à mériter cet Epithete » [155]. Il y a chez Fénelon, à côté de la poésie des images et des descriptions, une poésie des âmes, à la fois grandes et modestes, capables de raffinement et aspirant à la simplicité ; à cette poésie Marivaux oppose la grossièreté et la violence ; il a voulu être sans pitié ni sensibilité, aussi dur que Rabelais lorsqu'il peignait Frère Jean massacrant les ennemis dans le clos de Seuillé, ou Panurge repoussant loin du navire les moutonniers qui se noyaient [156]. L'exécution d'Araste par Brideron, même si elle est méritée, a quelque chose

---

153. Cité par F. Deloffre, *T.T.*, p. 46, n. 1.

154. *T.T.*, p. 302. Voir *L'Homère travesti*, livre VI : « Tout homme est poltron dans le cœur, / Mais le brave étouffe sa peur » (*O.C.*, t. X, p. 346).

155. *T.T.*, p. 304.

156. Rabelais, *Gargantua*, chap. 27 (éd. J. Boulanger, Paris, 1942, p. 107) et *Quart Livre*, chap. 8 (*ibid.*, p. 582). Marivaux, par la vulgarité des détails et des images, par les rimes et les assonances qui donnent à sa prose le mouvement sautillant des vers burlesques, veut aussi ridiculiser les descriptions élégantes de Fénelon ; comparer, par exemple, le commencement de la bataille contre les Dauniens (*Les Aventures de Télémaque*, XV, éd. A. Cahen, Paris, 1920, t. II, p. 400) et le commencement de la bataille contre les Fanatiques (*T.T.*, XIV, p. 333).

de brutal d'où toute émotion est exclue, comme elle est exclue de toutes les descriptions de combats ; alors que Fénelon, fidèle au principe homérique rappelé dans la *Lettre à l'Académie*, voulait émouvoir ses lecteurs, le bon Marivaux est d'un réalisme atroce et bouffon à la Breughel [157]. La simplicité louée par Fénelon devient chez lui vulgarité : dans sa Bétique, « il y a des Cocus comme ailleurs : les Cabaretiers vendent à fausse mesure ; les Boulangers à faux poids ; les Marchands sont fripons ; les Juges aiment le Cotillon et l'Argent, et tout le monde y vit » [158]. L'homme est donc mauvais, partout et toujours : « Tout ce qu'on nous rapporte de grand en parlant des hommes doit nous être bien plus suspect que ce qu'on en rapporte de grotesque et d'extravagant ». Desfontaines, citant ce passage, reprochait à l'auteur sa misanthropie et semblait vouloir l'accuser de jansénisme [159]. Il n'y a du moins aucune réhabilitation des passions dans *Le Télémaque travesti* ; Marivaux surenchérit même sur la condamnation de l'amour prononcée par son modèle [160]. Sa morale est une morale pessimiste, défiante, fondée sur la « raison » entendue comme la résistance à toutes les exaltations. Quand les deux aventuriers ont été dépouillés par des voleurs, Phocion-Mentor, suivant « le goût de son rolle », se met à moraliser son élève : « soutenons-nous, la patience est une grande vertu ; les Voleurs vous la laissent ; c'est un troc qu'ils ont fait de nos habits et de notre argent » ; mais Brideron n'a pas la fermeté de Télémaque, et l'auteur prend ici la parole pour l'approuver : « peu s'en fallut que dans la chaleur de son chagrin, il n'envoyât notre stoïcien prêcher aux Petites-Maisons, tant il lui sembloit déraisonnable de trouver la patience un retour suffisant à l'argent et aux habits qu'ils venoient de perdre, mais la raison qui quelquefois lui dessilloit les yeux, ne luisoit dans son esprit que par des intervalles d'un instant, et l'accès de folie le reprenoit bien vite » [161]. Ainsi le stoïcisme est folie, et la « raison » de Marivaux est le contraire de l'idéalisme. Il se moque aussi de tout ce qui élève l'âme humaine au-dessus d'elle-même, de ces intuitions et inspirations qui ne sont pas seulement inventions romanesques, mais supposent la croyance à quelque chose de plus que l'homme dans l'homme. Chez Fénelon, Mentor-Minerve sauve la vie

---

157. *T.T.*, p. 338 ; *Aventures de Télémaque*, éd. cit., t. II, p. 422. Chez Fénelon, Adraste a essayé de tuer traîtreusement Télémaque qui lui faisait grâce ; chez Marivaux, Adraste se contente de fuir dès que Brideron l'a aidé à se relever, et Brideron n'a même pas l'excuse de la colère et de la vengeance. Sur le principe homérique, voir *Lettre à l'Académie*, chap. V (éd. E. Caldarini, Genève, 1970, p. 81 : « le poète ne vous attendrit avec tant de grâce et de douceur, que pour vous mener au moment fatal », etc.).

158. *T.T.*, p. 190.

159. *Ibid.*, p. 49. Desfontaines (*Observations sur les écrits modernes*, IV, 260) est cité en note par F. Deloffre. « Les hommes sont tous des vauriens » dit Phocion, *ibid.*, p. 198, et le mot n'a rien qui lui corresponde dans le passage de Fénelon que Marivaux travestit (*Aventures de Télémaque*, éd. cit., t. I, p. 365-366).

160. La transposition burlesque ôte à l'amour le charme dangereux, mais attirant, qu'il avait sous le pinceau de Fénelon, voir *T.T.*, p. 123, 166, etc. Le passage suivant est de l'invention du seul Marivaux et n'a pas de contre-partie dans Fénelon : « Foin de la bagatelle, boire tant qu'on voudra, ce n'est que du vin dans le ventre, il sort de lui-même quand il y en a trop ; mais l'amour ! Vertubleu, on se couche et on se lève avec cela ; et je n'aime pas les passions, mon Oncle m'a dit qu'elles ne valoient rien » (*T.T.*, p. 96).

161. *Ibid.*, p. 58.

de Télémaque dans son combat contre Hippias et lui demande ensuite : « Vous avez fait de grandes choses ; mais, avouez la vérité, ce n'est guère vous par qui elles ont été faites : n'est-il pas vrai qu'elles vous sont venues comme quelque chose d'étranger qui était mis en vous ? » Chez Marivaux, une telle intervention divine serait impossible et hors de propos, mais Phocion s'imagine agir à distance sur Brideron, et Brideron s'imagine avoir ressenti cette action : « je sentois comme si on m'avoit soufflé par derrière du courage et de la force » [162].

Cet exemple montre bien que pour Marivaux la sottise est une démission volontaire de la lucidité : l'homme se dupe lui-même, sinon la sévérité de Marivaux pour ces fous ne se comprendrait pas. La naïveté et la modestie ne sont que des attitudes : Télémaque décrivant Antiope évoque « l'oubli et l'ignorance même qui paraît en elle de sa beauté » ; chez la fille d'Omenée, Brideron signale au contraire de la ruse : « ce qu'il y a d'agréable en elle, c'est qu'elle est gentille la petite Chienne, et qu'elle fait semblant de ne le pas savoir » [163]. Dans la femme la plus innocente, il y a une coquette qui s'aveugle elle-même et se complaît à sa niaiserie. La modestie est tout aussi suspecte : dès qu'on connaît sa valeur, on ne peut plus sincèrement se flatter d'être modeste ; « il faut être glorieux sans le paroître » dit Brideron, mettant en pleine lumière la contradiction [164]. *Le Télémaque travesti*, roman narratif et comique, laissait encore moins de place à l'analyse que *Pharsamon*, mais il suffit à Marivaux d'un mot pour faire entrevoir le mécanisme de la mystification : Brideron, nous dit-il, s'abusait « de concert avec lui-même » [165]. L'homme est si essentiellement fait pour se connaître qu'une conscience ne peut être détruite que par elle-même, mais c'est là la définition de la sottise, et il ne faudrait voir aucune intelligence dans ce « concert » ; tout simplement, Marivaux veut dire qu'on est coupable d'être un sot. C'est d'esprit que manquent Brideron et Phocion, et non de cœur ; c'est leur esprit qui est faux et qui corrompt leur cœur, au point de dénaturer tous leurs sentiments. Marivaux reprendra plus longuement le procès de l'esprit dans ses essais de moraliste : dès à présent, le cœur dont il se défie et dont il ridiculise les égarements et les exaltations, c'est le cœur dupe de l'imagination, le cœur dupe de la sottise. Il ne peut y avoir de cœur bon sans un esprit sain et équilibré. Ainsi Brideron annonce-t-il beaucoup plus les Arlequins des Comédies que le Jacob du roman : Jacob sera capable d'éprouver une émotion réelle qu'il aura fait naître en lui à froid et délibérément, mais il lira en lui-même et saura tirer parti du pouvoir contagieux de cette sensibilité factice [166]. Pareille intelligence est si étrangère à Brideron qu'il est la plupart du temps impossible de distinguer s'il est ému d'une émotion naturelle ou par fidèle

---

162. *Aventures de Télémaque*, éd. cit., tome II, p. 248-249 et p. 460. *T.T.*, p. 294 et p. 346.

163. *Aventures de Télémaque*, éd. cit., tome II, p. 481. *T.T.*, p. 350.

164. *Ibid.*, p. 134, cf. p. 341. Le thème sera développé dans la sixième feuille de l'*Indigent philosophe*, voir *infra*, chap. IV, p. 148-149.

165. *Ibid.*, p. 302.

166. *P.P.*, p. 92e; voir *infra*, chap. VI, p. 201, et chap. VII, p. 304.

imitation ; l'auteur lui-même ne le sait pas et laisse le lecteur devant l'équivoque, sans même la faire remarquer, ce qui serait ébaucher une élucidation dont le personnage n'est sans doute pas digne. Au moment de quitter Omenée, Brideron est-il ému ou non ? Phocion le félicite d'être amolli par la tendresse et l'amitié, mais Brideron a besoin de rouvrir son *Télémaque* pour voir s'il a « barguigné » assez longtemps, et en parlant à Omenée il se contraint à baisser la voix, « qu'il avoit bien de la peine à tempérer, car il l'avoit naturellement forte » [167]. L'équivoque est encore plus inextricable quand Brideron rencontre le mystérieux inconnu qu'il pressent être son père : il peste contre le livre de *Télémaque* qui l'empêche d'aller l'embrasser (« voilà qui est bien ridicule, la larme m'en vient à l'œil, regardez plutôt »), mais un instant après, pendant que Phocion lui parle, « Brideron faisoit tout ce qu'il pouvoit pour pleurer » [168]. Il est vain d'essayer une analyse que Marivaux a voulu interdire ; un des mots clés de sa psychologie, le mot « air », qui éclairera toute la connivence de Marianne et de Jacob avec eux-mêmes et les compromis de la lucidité et de l'émotion, ce mot reste épais et sans sonorité quand il est employé à propos de Brideron [169].

*
* *

L'étude des illusions dont sont à la fois auteurs et victimes ces fantoches n'est donc pas aussi poussée dans *Le Télémaque travesti* que dans *Les Effets surprenants* ou *Pharsamon* ; la nouveauté est que Marivaux renonce à tout ce qu'il y avait encore de sérieusement romanesque dans les romans de ses débuts, et que le côté à la fois positif et moderne de son esprit s'accuse bien plus fortement ; en traduisant de façon ridicule et mesquine les nobles pensées et les grandes actions de Mentor et de Télémaque, Marivaux fait d'une pierre deux coups. Il fait la satire des niais qui vivent séparés d'eux-mêmes par la vanité, et il s'en prend, moins visiblement, à Fénelon : le prêtre Théophane devient un cuisinier mâcheur de tabac qui parle tout seul sans achever ses phrases ; les peintures qui doivent chez Fénelon commémorer les grandes actions et les grands hommes montreront, chez Marivaux, le combat du chat et de la souris, et une cuisinière entourée de tous les ingrédients de son ragoût — d'un de ces ragoûts que le sage Mentor employait tant d'éloquence à condamner dans Salente [170]. Par ces caricatures, Marivaux nous pose une question : comment un écrivain, à l'aube du XVIIIᵉ siècle, a-t-il pu perdre son temps et son talent à décrire des sacrifices, des rites, des croyances, des actions impossibles désormais et sans rapport avec la réalité

---

167. *T.T.*, p. 352-353.

168. *Ibid.*, p. 362. « Il pleuroit en perfection, / Et même sans affliction », disait Scarron d'Aeneas (*Le Virgile travesti*, livre I, *Œuvres*, Amsterdam, 1737, t. IV, p. 119).

169. Par exemple, *ibid.*, p. 309, aux funérailles d'Hippias, Brideron parle « d'un air pitoyable ».

170. *Aventures de Télémaque*, éd. cit., t. I, p. 370-371, et t. II, p. 107 et 99 ; *T.T.*, p. 201 et p. 248.

moderne ? « Autrefois on se chaussoit avec du drap, et maintenant on a des souliers de cuir » : voilà la leçon du *Télémaque travesti* [171]. Ecrire un roman archéologique, c'est s'installer dans la chimère et se condamner à ignorer la vérité de la vie et du cœur humains : « Ce Siècle est plus dur que celui du Télémaque », dit encore Marivaux [172] ; vingt ans plus tard, dans *Le Mondain*, Voltaire dira le contraire, mais dans une intention semblable. Le moderne, en Marivaux, ce n'est pas tant le partisan du progrès — qui existe aussi en lui, comme chez Perrault et Fontenelle — que le partisan de la vérité, et d'une vérité souvent brutale, sur laquelle il fonde une philosophie courageuse et tonique, opposée aux illusions romanesques de Fénelon et à son idéal d'*aurea mediocritas*.

---

171. *T.T.*, p. 308. « Nous sommes venus de quatre cents ans trop tard », s'écriait déjà Cliton dans *Pharsamon*, *O.C.*, XI, p. 116. *O.J.*, 454. Marivaux a pu s'inspirer de Dancourt, *La Fête de village*, I, 2 (représentée le 13 juillet 1700) : « M. Naquart : — Autrefois, Monsieur Blandineau, on se gouvernoit comme autrefois. Vivons à présent comme dans le tems présent, et puisque c'est le bien qui fait vivre, pourquoi ne pas vivre selon son bien ? Ne voudriez-vous point supprimer les mouchoirs, parce qu'autrefois on se mouchoit sur la manche ? » (*Théâtre* de Dancourt, Paris, 1760, t. VII, p. 233.)

172. *T.T.*, p. 107.

Chapitre IV

L'ESPRIT ET LE CŒUR

D E 1715 A 1731 LE ROMANCIER NE PUBLIE RIEN, mais le moraliste réunit une masse d'anecdotes et de réflexions, de portraits, d'ébauches, d'analyses comme nul autre créateur au XVIIIe siècle ne nous en a laissé ; cette activité d'essayiste ne sera ralentie par l'activité créatrice proprement dite qu'après 1734, et durera aussi longtemps qu'elle, puisque Marivaux l'exercera presque jusqu'à la fin de sa vie.

« Je vais vous donner le portrait des hommes faux avec qui vous vivez, je vais vous lever le masque qu'ils portent. Vous savez ce qu'ils paraissent, et non pas ce qu'ils sont. Vous ne connaissez point leur âme, vous allez la voir au visage » : voilà le rôle du moraliste [1] ; tous les hommes mentent d'une façon ou d'une autre, il dénonce leur hypocrisie ; il a pu se tromper sur eux, il n'est plus leur dupe maintenant, la perte de ses illusions a marqué le commencement de sa sagesse. Depuis, sa raison lui est « une excellente lunette pour connaître la valeur des choses » [2], il voit et fait voir le « monde vrai » et traduit en clair les pensées secrètes ; la vie sociale ne lui paraît plus qu'une comédie, « farce en haut, farce en bas ; et plût à Dieu que ce fût toujours farce, et que ce ne fût que cela » [3]. « La plupart de nos vacations sont farcesques » disait Montaigne [4] : Marivaux se range dans la lignée des moralistes défiants qui ont dévoilé les côtés les moins beaux de la nature humaine, Montaigne, Pascal, La Rochefoucauld, La Bruyère. Moins systématiquement que La Rochefoucauld, mais en s'inspirant certainement de lui, Marivaux montre l'action infatigable de l'amour-propre et ses multiples déguisements : « avec toute sa souplesse », l'amour-propre travaille (sans toujours y réussir) à nous dissimuler le mérite d'autrui [5] ; par « un des plus fins et des plus superbes pro-

---

1. *Le Cabinet du philosophe*, VI, *J.O.D.*, p. 389.
2. *L'Indigent philosophe*, V, *J.O.D.*, p. 307. Le « Monde vrai » est un récit qui se développe de la sixième à la onzième feuille du *Cabinet du philosophe*.
3. *L'Indigent philosophe*, cinquième feuille, *J.O.D.*, p. 304.
4. *Essais*, III, 10 (éd. P. Villey, rééd. par V.-L. Saulnier, Lausanne, 1965, p. 1011).
5. *Le Spectateur français*, VIII, *J.O.D.*, p. 151.

cédés », il nous fait distribuer des louanges à autrui pour que nous
semblions nous-mêmes au-dessus de ces éloges que nous dispensons [6] ;
les femmes de qualité lui doivent des grâces maniérées qui sont « le
chef-d'œuvre de l'orgueil » [7]. Marivaux s'écrie : « notre amour-propre
est inconcevable », mais son analyse est en ingéniosité subtile à la
hauteur de son objet [8], bien que les détours en soient parfois assez
monotones à suivre : vanité des beaux esprits, vanité des bourgeois,
vanité des grands seigneurs, vanité des petits nobles — « tout le monde
est bourgeois-gentilhomme, jusqu'aux gentilshommes mêmes » [9] —,
aveuglement des femmes jalouses d'une rivale [10], fausse modestie des
orgueilleux qui veulent usurper l'estime due aux modestes [11], orgueil de
ceux qui méprisent l'orgueil [12], le thème est inépuisable. Marivaux
le traite selon le cas avec bonhomie ou sévérité, mais avec la pénétration la plus fine lorsqu'il s'agit de la vanité propre au sexe féminin.
N'étant ni théologien, ni faiseur de système, il ne reconstitue pas à
partir de la vanité toute la vie morale des humains, comme ferait un
Fénelon ou un Rousseau, mais il sait que la vanité, ou l'orgueil,
puisqu'il emploie aussi bien un terme que l'autre, inspire jusqu'au
crime : « les hommes sont plus vains que méchants ; mais je dis mal :
ils sont tous méchants, parce qu'ils sont tous vains » [13]. Le reste du
tableau est peint avec les couleurs qui avaient déjà servi à ces moralistes dont Marivaux cite lui-même les noms dans la Sixième feuille
du *Cabinet du philosophe* [14] : l'homme est une créature vicieuse et
portée au mal (« la qualité de fripon tranche moins que la vertu avec
le caractère général des hommes ») [15], corrompue (« la corruption est
[...] sympathique avec le cœur humain ») [16] ; son esprit est impuissant
(« Quelle misère que l'esprit de l'homme ! » « Notre esprit ne vaut pas
trop la peine de toute la façon que nous faisons souvent après lui ;
nous avons trop d'orgueil pour la capacité qu'il a ») [17] ; il ferait mieux
de se fier à son cœur en matière de morale et de goût (« l'esprit ne
sait ce que c'est, quand il en juge tout seul, et que le cœur n'est pas
de la partie ») [18], si le cœur n'entraînait lui-même l'esprit dans l'erreur
et la faute, par exemple en lui faisant juger inutiles les devoirs incom-
modes à remplir (« Voilà la méprise funeste que le cœur corrompu fait

6. *Lettres sur les habitants de Paris, ibid.*, p. 39.

7. *Ibid.*, p. 27.

8. *Le Spectateur français*, VII, *ibid.*, p. 144.

9. *L'Indigent philosophe*, VII, *ibid.*, p. 323. Voir aussi toute la suite des *Lettres sur les habitants de Paris.*

10. *Le Spectateur français*, VIII, *ibid.*, p. 151-153 ; *Le Cabinet du philosophe*, X, *ibid.*, p. 423-426.

11. *Lettres sur les habitants de Paris, ibid.*, p. 24-25 ; *L'Indigent philosophe*, VI, *ibid.*, p. 312-314.

12. *L'Indigent philosophe*, V, *ibid.*, p. 308-309.

13. *Ibid.*, VII, *ibid.*, p. 323.

14. *J.O.D.*, p. 387-388.

15. *Le Spectateur français*, XXIV, *ibid.*, p. 257.

16. *Lettres sur les habitants de Paris, ibid.*, p. 31.

17. *Le Spectateur français*, VII, *ibid.*, p. 143 ; *L'Indigent philosophe*, VI, *ibid.*, p. 310.

18. *L'Indigent philosophe*, VI, *ibid.*, p. 310 ; cf. *Le Spectateur français*, XVI, *ibid.*, p. 205.

faire à l'esprit ») [19], et s'il n'était de son côté inconstant, futile, inter-
mittent dans ses sentiments, ardemment désireux de ce qu'on lui refuse
et aussitôt dégoûté de ce qu'il a conquis [20] : sur ce point des rapports
entre le cœur et l'esprit, Marivaux se souvient de ce qu'il a lu dans
Pascal, et n'a pas cherché à élucider la différence, dissimulée par le
langage pascalien, entre le cœur qui est, au contraire de la raison,
sensible à Dieu, et le cœur qui est « creux et plein d'ordure » [21]. Héritier indirect de l'anti-intellectualisme janséniste, il multiplie les
attaques contre l'esprit avec l'ardeur d'un écrivain accusé de vouloir
être trop spirituel, et met dans le cœur plus d'émotion et de sentiment qu'il n'en comportait au XVIIe siècle ; il sait la portée métaphysique et théologique du débat, il s'y réfère, mais il le restreint en fait
à une signification psychologique et morale dont il excelle à exploiter
les équivoques, et en dehors de laquelle ce qu'il dit de la condition
humaine n'est que du Pascal affadi ou de l'apologétique traditionnelle banalisée. Croyant convaincu et confiant, il n'est ni assez pessimiste ni assez hardi pour fonder sa foi sur l'angoisse et le paradoxe.
N'attendons pas qu'il nous découvre avec Pascal que « la grandeur de
l'homme est grande en ce qu'il se connaît misérable », et que « la plus
grande bassesse de l'homme », qui est la recherche de la gloire, est
précisément « la plus grande marque de son excellence » [22]. La présence de la grandeur dans la misère le rassure : « A bien examiner
l'esprit de l'homme, à voir les efforts impuissants de sa curiosité,
n'est-ce pas un être enchaîné, qui voudrait rompre ses fers, et dont
l'impuissance est plus un effet d'accident que de nature ? [23] » Du « sentiment de son excellence », dont l'orgueil n'est après tout qu'un « abus »,
l'homme peut tirer des pressentiments ineffables de sa « haute
destinée », que l'esprit ne saurait sans doute développer, mais par
lesquels nous sommes véritablement « divins » [24]. Dieu a glissé dans
notre âme « la connaissance de ce Dieu même », l'a frappée « d'une
impression d'amour pour la vertu » et lui a donné « des idées de
justice » que même le méchant ne parvient pas à effacer en lui [25]. Marivaux ne songe pas à opposer tragiquement la grandeur et la misère
pour contredire tous les jugements de l'homme sur lui-même et
l'amener à comprendre « qu'il n'est qu'un monstre incompréhensible » [26] : il n'est pas réellement sensible au mystère de la condition

19. *Le Spectateur français*, XIX, *ibid.*, p. 223.
20. « De toutes les façons de faire cesser l'amour, la plus sûre, c'est de le satisfaire »,
Le Cabinet du philosophe, I, *ibid.*, p. 338 ; cf. *Le Spectateur français*, XI (Histoire de
Mirski et d'Eléonore, et surtout les paroles de Viniescho, *ibid.*, p. 171).
21. Pascal, *Pensées*, 278 et 143, selon la numérotation de L. Brunschvicg ; mais Marivaux
n'a pas pu connaître littéralement la formule : « Que le cœur de l'homme est creux et plein
d'ordure », qui figure en marge dans le manuscrit des *Pensées* et devant laquelle les
éditeurs de Port-Royal avaient reculé.
22. *Id.*, *ibid.*, Br. 397 et 404.
23. *Le Cabinet du philosophe*, III, *J.O.D.*, p. 353 ; cf. Pascal, *Pensées*, Br. 347, 365, etc.
Marivaux s'écarte notablement de la pensée de Pascal.
24. *L'Indigent philosophe*, V, *J.O.D.*, p. 305-306 ; cf. Pascal, *Pensées*, Br. 400.
25. *Le Cabinet du philosophe*, IV, *J.O.D.*, p. 364. Cet argument apologétique est bien
étranger à Pascal.
26. Pascal, Br. 420.

humaine, il s'incline simplement devant ce qu'il ne comprend pas, et il rabat la vanité des humains en leur rappelant que leur propre essence leur est inconnaissable. « Y-a-t-il rien de plus singulier que nous ? » demande-t-il, en nous avertissant que nous sommes « une énigme à nous-mêmes » et qu'il y a en nous du « prodige » : ce prodige, c'est la contradiction entre un corps exigu et infirme et un esprit capable de se transporter dans le temps et l'espace, et de concevoir les idées de Dieu, de l'infini, de l'immortalité... argument rebattu dont Marivaux ne tire aucune conséquence nouvelle [27]. Quand il s'écrie : « Quel monstrueux mélange de démence et de raison, de dépravation et de justice ! » il fait écho au cri de Pascal : « Quelle chimère est-ce donc que l'homme ? Quelle nouveauté, quel monstre, quel chaos, quel sujet de contradiction, quel prodige ! » mais l'objet de son étonnement est le comportement des hommes en société, et non leur condition métaphysique [28], dont l'obscurité ne semble pas plus le révolter ou l'inquiéter que le déterminisme auquel sont soumis les phénomènes physiques : « Ne nous révoltons point contre cette admirable économie de lumière et d'obscurité que la sagesse de Dieu observe en nous à cet égard-là : en un mot, ne cherchons point à nous comprendre » [29]. Il est capital de noter que cet analyste de l'âme humaine, qui met toute son attention à démêler les plus fines nuances entrant dans la composition d'un sentiment, pense que l'homme ne peut pas et ne doit pas être connu. C'est ainsi qu'il interprète Malebranche [30]. Sa psychologie n'a aucune ambition métaphysique, il se contente de décrire, de disséquer le contenu de la conscience qui accompagne l'existence de tous les jours : il ne veut pas regarder au-delà, l'introspection ne le conduit jamais à l'angoisse ou à l'extase ; par la chronologie et par les notions qu'il agite, il est bien à une place intermédiaire entre Pascal et Rousseau, mais sa façon de traiter la vie intérieure n'a rien de commun avec la leur, ni avec celle de son contemporain, l'abbé Prévost. On pourra regretter son manque de profondeur : mais on pourra aussi bien le féliciter de n'avoir jamais laissé obscurcir la lucidité de son regard par des appréhensions, des nostalgies, des espérances et des

27. *Le Cabinet du philosophe*, III, *J.O.D.*, p. 354-55. Chez Descartes et Bossuet, l'argument sert à démontrer l'existence de Dieu.

28. *Le Cabinet du philosophe*, IV, *ibid.*, p. 362 et Pascal, Br. 434, p. 531 de l'éd. scolaire Hachette, où L. Brunschvicg cite en note un texte de Bossuet (*Sermon pour la profession de Mlle de la Vallière*) auquel le texte de Marivaux fait également penser. Les éditeurs de Port-Royal avaient supprimé les mots « quel monstre » et « quel prodige » mais ils reproduisaient exactement la formule citée *supra*, n. 26 (*Pensées de M. Pascal*, seconde édition, à Paris, chez Guillaume Desprez, 1670, p. 168-169 ; reproduite en *fac-similé* par les soins de G. Couton et J. Jehasse, Centre Interuniversitaire d'éditions et de rééditions, Saint-Etienne, 1971). Cf. *Le Spectateur français*, XIV, *J.O.D.*, p. 192 : « Qu'est-ce que l'homme ? Quel assortiment de vices comiques avec les plus aimables vertus ! [...] Je dirai seulement que nous sommes des animaux bien singuliers. »

29. *Le Spectateur français*, XXI, *ibid.*, p. 233. Cf. dans *L'Indigent philosophe*, VII, *ibid.*, p. 318, l'anecdote du paysan demandant à des gens qui discutaient sur l'âme : « Vous avez tant parlé de vos âmes, est-ce que vous en avez vu quelqu'une ? »

30. Le rapprochement avec Malebranche est fait par l'abbé Trublet, *Mémoires pour servir à l'histoire de la vie et des ouvrages de Fontenelle* [...] Seconde édition corrigée et augmentée, à Amsterdam, chez Marc Michel Rey, 1759, p. 211 ; l'anecdote racontée par Trublet est partiellement reproduite par Larroumet, *Marivaux*[1], p. 83. Sur Malebranche, voir *infra*, p. 147 et n. 90, et le chapitre VII.

émotions incontrôlées. En psychologie, il est une espèce de positiviste. Quand il veut juger l'homme du point de vue de la religion et de la morale transcendantale, il est plat et sans originalité. La Réflexion interpelle l'homme et veut le ramener au juste sentiment de ce qu'il est, comme la Sagesse de Dieu dans certain texte de Pascal [31] : « Créature faible et ridicule, vous êtes vain et vous croyez être louable [...] ». Marivaux ne lui laisse prononcer que quelques phrases : « J'abrège ici le sermon de la gouvernante, tout le monde peut l'achever » [32]. Encore attache-t-il à ces considérations plus d'importance qu'elles n'en méritent sous sa plume, et est-il porté à les multiplier avec l'âge.

31. Pascal, *Pensées*, Br. 430, p. 522 de l'éd. scolaire.
32. *Le Spectateur français*, XXIII, *J.O.D.*, p. 245.

FONDANT sa clairvoyance d'une part sur une idée de l'homme, de sa vanité, de son esprit et de son cœur, de sa grandeur et de sa misère, qu'il a reçue d'une tradition, d'autre part sur la conviction que le fond de l'homme est un mystère si épais qu'il ne faut se poser à son sujet aucune question, Marivaux n'explore pas les abîmes. Il n'y a pas chez lui de ces illuminations, de ces révélations saisissantes, de ces coups de sonde, voire de ces impudeurs dénonciatrices que nous aimons chez un Montaigne, un Pascal, un La Rochefoucauld, un Rousseau. La force de Marivaux est ailleurs : elle est de refuser l'ombre, de donner de l'être intérieur une image parfaitement claire qui ne recouvre aucun secret et que ne trouble aucun frisson. Il a défini lui-même son génie, en opposant le bel esprit au philosophe : c'est d'apporter une confirmation à ce que nous devinons et apercevons de nous-mêmes, de transformer nos intuitions en évidences, de nous ravir par une impression de vérité à la fois totale et minutieuse, de vérité déjà connue et que nous avons plaisir à reconnaître, à mieux connaître ; l'homme est un monstre, il le dit parce qu'il l'a appris des moralistes chrétiens, mais chez lui les hommes ne sont jamais des monstres ; il ne s'intéresse pas aux caractères exceptionnels, et il est encore bien plus éloigné de voir en eux, comme Prévost ou Rousseau, la vérité privilégiée, la vérité essentielle de l'homme. Même dans le domaine du cœur, il n'y a de science que du général. En observant les divers individus, c'est le même homme que Marivaux étudie, « l'homme représenté dans plusieurs mille » dont il discerne le « caractère générique » [33] : la psychologie classique à laquelle il se réfère lui garantit l'universalité de ses remarques ; tous les hommes sont semblables, la connaissance de soi recouvre la connaissance d'autrui : « je me suis connu autant qu'il est possible de se connaître : ainsi, c'est du moins un homme que j'ai développé, et quand j'ai comparé cet homme aux autres, ou les autres à lui, j'ai cru voir que nous nous ressemblions presque tous », déclare l'Inconnu dans la vingt et unième feuille du *Spectateur français* [34]. Les différences qui séparent les hommes ne sont perçues et comprises que comme des ressemblances incomplètes : « Toutes les âmes, depuis la plus faible jusqu'à la plus forte, depuis la plus vile jusqu'à la plus noble, toutes les âmes ont une ressemblance générale : il y a de tout dans chacune d'elles, nous avons tous des commencements de ce qui nous manque, par où nous sommes plus ou moins en état de sentir et d'entendre les différences qui nous distinguent » [35]. Les philosophes affectent l'obscurité, comme si l'objet

33. *Le Spectateur français*, V, *ibid.*, p. 132-133.
34. *Ibid.*, p. 232 ; cf. *ibid.*, XXIII, *ibid.*, p. 246 : « C'est des hommes en général que je ris ; c'est de moi-même, que je vois dans les autres ».
35. *Réflexions sur l'esprit humain*, *J.O.D.*, p. 472. Voir *infra*, chap. VII, p. 266, n. 56.

dont ils traitent était hors de la portée des autres esprits : Marivaux
prétend ne parler que de ce que tout le monde peut voir et comprendre
aussi bien que lui. Sa science « n'est une énigme pour personne, pas
même dans ses profondeurs qu'on ne nous apprend point, qu'on ne fait
que nous rappeler comme sublimes, quand on nous les présente, et
jamais comme inconnues » [36] ; n'importe quel homme qui vit parmi les
hommes est mis de ce fait même dans l'« impossibilité comme insurmontable de ne pas s'instruire plus ou moins de cette science qui
n'est que la connaissance des hommes » [37]. S'attacher aux cas particuliers, aux sentiments rares, c'est peut-être déconcerter le lecteur et
lui faire croire qu'on est doué d'une pénétration géniale, mais en
réalité « la simple connaissance des caprices de la nature est bien
moins vaste que le sentiment continu de sa méthode générale, et n'est,
en fait de talent, que ce que la partie est au prix du tout ». Le véritable
sublime, c'est celui de Racine, « le sublime de sentiment [...] qui traite,
ou plutôt qui peint le cœur en général » ; tandis que le sublime de
Corneille, « sublime de pensée », est celui « qui peint les différences
du cœur » [38]. L'héroïsme et l'étrangeté psychologique ont donc ceci de
commun qu'ils sont plutôt des inventions de l'esprit que des vérités
vivantes. La « préciosité » de Marivaux refusera les sujets baroques
volontiers traités par ce qu'on appelle inexactement, mais commodé-
ment, la littérature précieuse du XVIIᵉ siècle. Personne ne peut se
vanter d'avoir découvert un canton inconnu de l'âme ou analysé un
frisson nouveau ; ce qui est inconnaissable reste et restera inconnu :
« nous sommes-nous à nous-mêmes moins énigmes qu'il y a quatre
mille ans ? », et ce qui est connaissable n'est le privilège de personne :
« qu'a pu penser sur l'homme un philosophe, qu'un bel esprit excellent
ne nous puisse dire, et plus ingénieusement, et par des préceptes plus
accommodés à nos façons non réfléchies de connaître et de sentir ? [39] »
Jamais écrivain ne s'est moins vanté d'être révolutionnaire ; à ceux
qui l'accusent de subtilité inutile, de verbalisme, Marivaux oppose le
caractère universel des objets qu'il dépeint comme une preuve de leur
authenticité. Les mouvements de l'âme qu'il note s'inscrivent dans le
cadre général établi depuis des siècles, par Aristote, saint Thomas,
Descartes, et dont Marivaux utilise la nomenclature et les catégories.
Il ne veut pas faire un tableau en forme, il ne nous renvoie à aucun
système, il est même probable qu'il n'avait en tête aucun ouvrage
théorique, sauf ceux de Descartes et de Malebranche, mais il se représente l'âme comme composée de parties et douée de fonctions, ayant
des facultés et des inclinations, des passions simples ou mixtes dont
il décompose les nombreuses combinaisons ; il groupe les hommes
par catégories : c'est ce qui explique sa tendance à l'abstraction, la

36. *Ibid.*, p. 475.
37. *Ibid.*, p. 477.
38. *Pensées sur différents sujets* : « Sur la pensée sublime », *J.O.D.*, p. 59. Dans les
Lettres sur les habitants de Paris (*ibid.*, p. 26) s'apprêtant à peindre les femmes de qualité,
l'auteur se demande : « les définirai-je en général ? Le projet est hardi ». Mais il est évident
que, pour lui, c'est seulement par une définition générale qu'on peut les connaître.
39. *Lettres sur les habitants de Paris, ibid.*, p. 34.

psychomachie qui fige le mouvement de la vie intérieure, l'abondance des maximes générales, des sentences, des propositions concernant tous les humains ou toute une catégorie d'humains, les conclusions indulgentes et désabusées : « Voilà l'homme », dont le ton rappelle si bien celui de Gil Blas [40] ; et l'on pourrait croire quelquefois, à entendre Marivaux, que son expérience et sa sagesse ne vont pas plus loin que celles de Lesage, qu'il suffit d'avoir un peu vécu et un peu réfléchi pour en savoir autant que lui sur les hommes : « il n'est pas si difficile de démêler ce qu'ils sont à travers ce qu'ils paraissent », dit-il dans l'histoire du *Monde vrai* [41]. Mais quand c'est trop facile, ce n'est plus intéressant ; l'histoire du *Monde vrai*, que Marivaux commençait en promettant des révélations, perd son attrait aux yeux de l'auteur lui-même : « cette idée une fois donnée, tout le monde peut l'étendre, et s'en imaginer toutes les suites » [42] ; en faisant parler à ses personnages directement un langage « vrai » sans qu'ils le sachent, Marivaux leur enlevait toute espèce de conscience de soi, et condamnait à l'insignifiance le narrateur, bénéficiaire de cette sincérité sans ombre qui le dispensait de toute intuition et de tout esprit et qu'il ne comprenait même pas. L'erreur commise dans cette œuvre et quelques années plus tôt l'échec de *L'Ile de la raison* montrent quel est le danger auquel s'expose Marivaux psychologue : le didactisme.

Le Monde vrai s'appelle pourtant aussi le Nouveau Monde [43] : quand on reproche à Marivaux ses néologismes et son style obscur et affecté, il répond que ce style lui est imposé par la nature de ce qu'il décrit. Ce que ses ennemis prennent pour de l'ingéniosité dans l'expression n'est que la traduction fidèle de ce qu'aperçoit l'acuité de son regard. Il aurait pu prendre d'avance à son compte le mot de Flaubert, que le style est une manière absolue de voir les choses, ou celui de Proust, que le style est une question non de technique, mais de vision [44]. L'évolution de ses idées sur l'expression littéraire montre

40. « Et voilà ce que c'est que l'homme », *Le Spectateur français*, XI, *ibid.*, p. 171 ; « Car voilà l'homme », *ibid.*, VII, p. 147 ; « Et voilà ce que c'est que notre sagesse », *ibid.*, XXIII, p. 245 ; « Et voilà comme nous sommes faites », *ibid.*, XVIII, p. 215 ; « Voilà l'homme », *L'Indigent philosophe*, VII, *ibid.*, p. 320. Cf. *Gil Blas*, éd. A. Dupouy, Paris, 1935, t. II, p. 358 : « Voilà l'homme ». Mais Marivaux avait employé l'expression avant Lesage, et dans le sens où Lesage l'entendra. Le narrateur de *La Voiture embourbée*, se trouvant dans une compagnie où sont deux dames, s'arrange pour leur jeter à toutes deux séparément des regards obligeants dont chacune se croit seule l'objet : « Voilà l'homme », conclut-il (*O.C.*, t. XII, p. 146. *O.J.*, p. 319). On notera que c'est déjà la conduite que tiendra Jacob lors du repas chez Mme d'Alain (*P.P.*, p. 87). Le continuateur du *Paysan parvenu* répétera à son tour la formule, *P.P.*, p. 376 et 386.

41. *Le Cabinet du philosophe*, VII, *J.O.D.*, p. 396.

42. *Ibid.*, XI, p. 437. La fiction est si peu naturelle que Marivaux est forcé à plusieurs reprises d'« avertir » son lecteur que les personnages n'ont pas réellement la naïveté de parler en termes aussi clairs que ceux qu'il rapporte ; ne pouvant s'en tenir à son postulat, il lui arrive de les faire parler aussi en langage masqué, et le passage d'un langage à l'autre manque lui aussi de naturel, voir *ibid.*, p. 399, 403, 431, etc. L'idée d'un voyage de découverte au Monde vrai et d'un Mentor qui invite son disciple à achever seul l'exploration vient sans doute de Malebranche, *Entretiens sur la métaphysique*, I et V ; voir notre article « Marivaux et Malebranche », *Cahiers de l'Association internationale des études françaises*, mai 1973, n° 25, p. 160.

43. *Ibid.*, p. 389.

44. Flaubert, Lettre à Louise Colet, 16 janvier 1852. Proust, *A la Recherche du temps perdu*, « Le temps retrouvé », chap. 3, éd. ill., Gallimard, 1947, t. III, p. 593 (le rappro-

qu'il hésite entre sa vocation de pousser la finesse le plus loin possible, au risque de n'être plus suivi par ses lecteurs, et son désir d'être compris de tous en n'énonçant que des vérités conformes à l'expérience universelle. Il admet qu'il ne faut pas tout dire, il conseille la prudence : « Il y a un certain degré d'esprit et de lumière au-delà duquel vous n'êtes plus senti [...]. Peignez la nature à un certain point ; mais abstenez-vous de la saisir dans ce qu'elle a de trop caché, sinon vous paraîtrez aller plus loin qu'elle, ou la manquer » [45]. Il ne faut pas torturer le langage pour arriver à une explication totale de la réalité, un accord implicite est suffisant et il est obtenu par l'usage du vocabulaire ordinaire. Dès 1719 les *Pensées sur la Clarté du discours* définissaient quelques moyens d'exprimer le sens le plus riche dans le style le plus simple : recours à la litote, qui fait confiance à l'imagination du lecteur pour compléter ce que les mots n'auront pu dire ; acceptation des notions couramment reçues (« Toute pensée a sa clarté suffisante quand tout le monde l'entend de même ») ; emploi des images qui offrent à l'esprit une transposition de la réalité [46]. Mais, prêt à faire des concessions aux honnêtes gens, Marivaux est exaspéré par les critiques d'un Desfontaines, et s'il reconnaît qu'on ne peut tout dire, il dénie à autrui le droit de lui fixer les limites du dicible. Il a confiance dans le langage ; à toute idée correspond un mot qui l'exprime exactement, il n'y a pas de pensée qui échappe au langage, ni de langage qui n'ait une signification [47]. Si la forme chez lui est singulière, c'est que la vérité qu'il veut exprimer est plus subtile que celle que perçoivent les autres hommes : « L'homme qui pense beaucoup approfondit les sujets qu'il traite : il les pénètre, il y remarque des choses d'une extrême finesse, que tout le monde sentira quand il les aura dites ; mais qui, en tout temps, n'ont été remarquées que de très peu de gens ; et il ne pourra assurément les exprimer que par un assemblage d'idées et de mots très rarement vus ensemble » [48]. Des pensées complètement nouvelles entraîneraient la création de mots nouveaux. Mais voici le paradoxe : ce partisan des Modernes, ce témoin des

chement entre la pensée de Marivaux sur le style et celle de Flaubert a déjà été fait par Arthur Tilley : « Marivaudage », *The Modern Language Review*, 25, 1930, p. 77). Mais Marivaux exclut tout subjectivisme.

45. *Le Cabinet du philosophe*, II, *J.O.D.*, p. 345-346.

46. *Ibid.*, p. 54. Voir *infra*, chap. VII, p. 318, 329, 389-393, les réserves à faire quand on parle d'un « style figuré » chez Marivaux.

47. *Le Cabinet du philosophe*, VI, *J.O.D.*, p. 381. Sur la théorie du langage chez Marivaux, voir *infra* notre chapitre VII, p. 315-324.

48. *Ibid.*, p. 386. Marivaux s'oppose ici non seulement à Boileau (*Préface* de 1701, citée par F. Deloffre et M. Gilot, *J.O.D.*, p. 656, n. 159) et à l'abbé Buffier qui pense sur ce point exactement comme Boileau, « qu'il n'y a point de pensée nouvelle dans l'usage des belles lettres », la nouveauté n'étant que dans l'expression (*Examen des préjugés vulgaires*, 1704, VIIIᵉ proposition), mais aussi à Fontenelle qui avait écrit dans son *Discours sur la nature de l'églogue* (*Œuvres*, Paris, 1752-1766, IV, p. 156) : « les hommes qui ont le plus d'esprit et ceux qui n'en ont que médiocrement ne diffèrent pas tant par les choses qu'ils sentent que par la manière dont ils les expriment ». Pour justifier les finesses du style de Fontenelle, ses contemporains ont parfois employé des arguments analogues à ceux que Marivaux employait pour lui-même, mais de nos jours on semble tenté par une interprétation plus formaliste ; voir A. Pizzorusso. *Il Ventaglio e il compasso*, Naples, 1964, chap. 1, « L'*Esprit* di Fontenelle ». Le réalisme linguistique est permanent chez Marivaux, depuis les *Pensées sur différents sujets* jusqu'aux *Réflexions sur l'esprit humain*.

changements psychologiques et moraux qui rendaient alors caduque la description traditionnelle de l'âme et entraînaient les progrès de la philosophie sensualiste, veut classer ces nouveautés selon les critères déjà existants ; comme Perrault et Fontenelle, ces autres Modernes, il ne croit pas vraiment que les générations futures puissent découvrir de l'inconnu : « je suppose, comme il est peut-être vrai, que nous avons aujourd'hui tout autant d'idées que l'homme sera jamais capable d'en avoir » ; si l'avenir faisait preuve d'« encore plus de finesse d'esprit qu'on n'en a jamais eu en France et ailleurs », ce qu'il aurait à exprimer avec des mots nouveaux, ce serait seulement « un degré de plus de fureur, de passion, d'amour ou de méchanceté qu'on apercevrait dans l'homme »[49]. L'originalité de Marivaux est donc celle d'un naturaliste qui se fondant sur une classification universelle ajoute des subdivisions, relève des variétés ou des hybrides, mais, bien loin de remettre en cause la vérité et la valeur du plan selon lequel on a rangé avant lui la nature, s'en sert comme du meilleur instrument pour pousser plus avant l'analyse et connaître de mieux en mieux le détail de la réalité. En revanche, pour rendre compte de ce détail dans sa complexité authentique, dans toute sa particularité, il ne reculera devant aucune audace de langage, alliant les mots de la façon la plus inattendue, les combinaisons de mots n'étant que des combinaisons d'idées (entendons : de notions), et les combinaisons d'idées étant l'exacte traduction des combinaisons délicates constitutives du réel.

L'individu est ainsi à la fois le simple recoupement de données universelles, dépourvu par lui-même de valeur et n'intéressant que par sa signification générale, et un être unique dont la précieuse existence ne peut être confondue avec celle d'aucun autre. La *Suite des Réflexions sur l'esprit humain* explique longuement cette idée, que Marivaux a peut être puisée dans le cercle d'où Helvétius a tiré aussi quelques-unes des siennes : un être d'une certaine espèce est doué de tous les attributs de son espèce, les individus se différencient à l'intérieur de ce que Marivaux appelle pesamment une « généralité diverse d'attributs communs ». Autrement dit, « tout homme ressemble à un autre, tout en ne ressemblant pourtant qu'à lui ». Nous sommes ici au cœur de l'anthropologie de Marivaux : tout homme, selon lui, a toutes les aptitudes physiques de son espèce, dans la mesure qui lui est propre, toutes les affections de l'âme, tous les mouvements d'amour-propre : « Point d'homme [...] dont la formation commune et complète, de quelque étrange façon qu'elle soit, n'entraîne fortement ou faiblement en lui une possibilité, une disposition universelle d'être remué de tous les penchants qu'on voit dans les autres hommes, et que j'appelle attributs [...]. Toutes les âmes se valent, il n'y en a ni de différentes espèces, ni d'originellement plus sottes, plus médiocres, ou plus corrompues les unes que les autres par leur nature, ou par leur création, et nous n'avons besoin que de nos attributs, que de cette matière, ou de cette origine, ou de cette source commune de nos qualités même pour tout expliquer »[50]. La diversité résulte des cir-

---

49. *Ibid.*, p. 383, voir *infra*, chap. VII, p. 299, n. 161.
50. *J.O.D.*, p. 484-485. *O.J.*, 443. Cette diversité dans la ressemblance est symbolisée par

constances de la « formation » qui, individuelle, détermine un dosage variable de « nos trois sortes d'attributs », ceux du corps, ceux de l'âme et ceux de l'esprit. La formation individuelle peut du reste être corrigée par l'éducation, ou par un effort de volonté, si l'individu prend conscience de l'intérêt qu'il a à se transformer [51].

Ce texte est tardif, et il ne faudrait pas croire que Marivaux en eût déjà clairement le contenu dans l'esprit quand il commençait sa carrière de moraliste, mais il est révélateur, il introduit l'unité dans la confusion des essais, des remarques, des récits dont les intentions et les principes directeurs sont parfois difficiles à débrouiller. Il justifie ce qu'a de classique la vocation de la psychologie de Marivaux à l'universel, et ce qu'ont de moderne sa curiosité et son sens des différences. Car Marivaux n'arguë pas de l'identité profonde des humains pour les contraindre tous au conformisme, au contraire il invite chacun à être lui-même, à abandonner son esprit « à son geste naturel », à se libérer de toute imitation, à être de son temps au lieu de s'enfermer dans le culte du passé : « l'homme de ce temps-là est étranger pour l'homme d'aujourd'hui » ; le devoir d'être naturel, qu'il fixe à tout écrivain, est d'abord le devoir de tout homme : c'est « se ressembler fidèlement à soi-même, et ne point se départir ni du tour, ni du caractère d'idées pour qui la nature nous a donné vocation », c'est « rester dans la singularité d'esprit qui nous est échue » ; la nature ne nous a-t-elle pas prouvé le prix de la diversité en multipliant celle des femmes aimables ? Elle « nous l'a trop bien recommandée, et de ce côté-là nous nous prêtons docilement aux aimables variétés que cette nature nous présente » [52]. L'esprit de finesse chez Marivaux n'est pas l'art de rassembler des idées qui n'ont rien de commun et qui étonnent par leur rencontre — comme certains traits de la définition de l'esprit par Voltaire le donneraient à penser —, mais l'art de saisir des particularités propres à chaque objet, le dosage original en lui des traits communs à tous : « Plus on a d'esprit, plus on voit de choses » dit-il, se souvenant du mot de Pascal : « A mesure qu'on a plus d'esprit, on trouve qu'il y a plus d'hommes originaux » [53] ; c'est cet esprit qu'il oppose à l'esprit des géomètres et des philosophes dans sa Lettre sur les Beaux esprits [54] : esprit de fidélité, de docilité au

le visage. Tous les visages sont différents, et tous ont un nez, une bouche et des yeux (Le Spectateur français, J.O.D., p. 149 ; Le Miroir, ibid., p. 548). L'image vient sans doute de Fontenelle (Réflexions sur la poétique, paragr. 28, Œuvres, Paris, 18:8, III, p. 10), où elle illustre la variété et la simplicité de la nature. Marivaux s'en inspirait déjà dans Pharsamon, sans y rattacher d'interprétation philosophique : « Son visage [celui de Fatime, que décrit Cliton] est plus blanc que de la farine. Or, imaginez-vous que ce visage a des yeux, un nez, une bouche ; mais bon ! ce n'est pas le tout, car c'est bientôt dit, des yeux, un nez, une bouche, il faut sçavoir comme ils sont : Mathurin, notre Pere Nourricier, a de tout cela dans le visage comme un autre ; mais quoi qu'il en ait autant que ma maîtresse, il ressemble à un vrai mâtin, et cependant ma maîtresse ne ressemble pas à une mâtine » (O.C., t. XI, p. 98). Marivaux a lu Fontenelle de très bonne heure. L'image se retrouvera dans Duclos, Considérations sur les mœurs de ce siècle, chap. 13, début.

51. Ce sont de telles idées qui rappellent Helvétius : sur l'égalité des âmes, De l'Homme, section II, chap. 2 (Œuvres complettes de M. Helvétius, Londres, 1781, t. III, p. 95-104) ; sur le rôle de l'éducation, De l'Homme, section I, chap. 1-10 et section IV, chap. 3-4 (ibid., p. 11-36 et 273-277).

52. Le Spectateur français, VII, J.O.D., p. 148, et VIII, ibid., p. 149-150.

53. Ibid., VII, p. 144 et Pascal, Pensées, Br. 7.

54. Lettres sur les habitants de Paris, J.O.D., p. 34-35.

réel, attention que ne gêne aucun système préconçu et que ne fausse aucune affectation, aucune recherche de l'ornement ou de l'effet. B. Groethuysen a bien montré comment cet esprit de finesse s'apparentait à l'esprit scientifique ainsi qu'à la théorie sensualiste de la connaissance [55] ; le fait d'abord, la nature d'abord, d'abord ce qui est senti, d'abord ce qui nous est donné directement par notre existence actuelle dans le monde. Marivaux l'a dit et redit, son esprit à lui ne consiste pas à faire de l'esprit, à « courir après l'esprit », il consiste à avoir de bons yeux, à bien observer et à bien peindre. Notre sensibilité nous assure de l'existence du monde qui agit sur nous, et de notre propre existence qui subit et réagit. On ne peut pas douter de la joie ni de la souffrance, de l'être qui les éprouve ni de l'objet qui les cause : si l'on veut les définir arbitrairement selon des vues de l'esprit, établir des règles a priori pour les juger, des recettes pour les produire, on s'égare, on parle dans le vide, on s'abandonne à la « fureur » d'être spirituel, et la discussion n'aboutit qu'à « une masse d'idées subtiles et bizarres, qui se croisent, qui ne signifient rien, et que l'emportement et l'orgueil de primer ont férocement entassées les unes sur les autres » [56].

Ses contemporains reprochaient à Marivaux de « courir après l'esprit » et de « n'être point naturel » [57] : notre époque baroquiste accuse, ou félicite, sa littérature d'être « du rien qui se réfléchit à l'intérieur de rien, des reflets dans un miroir » [58]. Rien n'est plus contraire à son intention et à son œuvre effective. Le texte du *Spectateur français* sur lequel on s'appuie pour hasarder cette définition [59] décrit très exactement ce que Marivaux se targue de ne jamais faire, céder à « une envie vague de penser sur une ou plusieurs matières, [...] réfléchir à propos de rien », ce que fait « un Auteur », quand lui, Marivaux, n'est absolument pas un auteur, mais « un homme qui pense ». Chez « l'Auteur » le désir de penser et d'écrire précède l'objet de la réflexion ; chez Marivaux l'objet est premier, il commande la réflexion et l'expression ; son existence est positive, il n'est pas une apparence, un reflet fugitif à la surface d'une intériorité néantisante ; l'idée de Marivaux est peut-être très banale, mais il faut bien le croire quand il affirme qu'il n'est pas un « précieux », qu'il se contente de décrire ce qu'il voit ; la forme doit être soumise au fond, ne doit pas briller pour elle-même ; le fond est donné par l'expérience, il n'est pas du rien qu'une réflexion oisive sécrète comme son propre objet, il est un phénomène de la nature, il est la vie.

55. B. Groethuysen, *Philosophie de la Révolution française*, Paris, 1956, p. 111-112 : « la chose particulière, accessible aux sens, le *hic* et le *nunc*, priment sur les notions qu'on s'en forme ». Mais il est difficile de suivre B. Groethuysen quand il parle, p. 112, de « raison créatrice », et encore plus quand il allègue « le jeu souverain de l'esprit », p. 102. Le caractère multiforme de l'âme humaine, diverse comme tout ce qui est dans la nature, est une chose ; l'attention docile, fidèle et lucide dans l'observation en est une autre, et c'est elle l'esprit de finesse, qui n'est nullement un jeu gratuit.

56. *Le Spectateur français*, XXIII, *J.O.D.*, p. 247.

57. *Ibid.*, VII, p. 146.

58. G. Poulet, *Etudes sur le temps humain, La Distance intérieure*, Paris, 1952, p. 1.

59. *Le Spectateur français*, I, *J.O.D.*, p. 114. L'opposition entre l'auteur et l'homme qui pense vient de Pascal, voir *infra*, chap. V, p. 168, n. 44.

OR NOTRE VIE INTÉRIEURE est très exactement faite de la tension qui existe entre la réalité multiple, foisonnante, contradictoire de nos émotions et de nos penchants, de leurs manifestations et de leur mélange selon le moment et les circonstances, et notre esprit qui les élucide, en les classant, comparant, rapprochant, distinguant, redressant, dirigeant... D'un côté l'allure de l'univers et de notre être dans l'univers nous jette sans cesse dans des situations incompréhensibles, nous sommes à tout moment frappés de surprise, en danger d'être anéantis par l'égarement et le vertige : G. Poulet a réuni toute une série de citations qui mettent en pleine lumière cet aspect du *moi* chez les personnages de Marivaux aussi bien dans ses pièces de théâtre que dans ses récits [60] ; mais précisément Marivaux a écrit les unes et les autres pour montrer que le propre de l'homme est d'échapper à cette « successivité pure », à cette « altérité perpétuelle », non pas en immobilisant son inconstance, mais en lui donnant une unité, une continuité et une direction par la raison et par la volonté [61]. Comment peut-on prétendre que l'être des personnages conçus par Marivaux n'a ni durée ni mémoire ? Laissons de côté le fait que plusieurs écrivent leurs souvenirs et recueillent leur expérience : ce fait est à interpréter, nous y reviendrons ; mais tous luttent contre la dissolution de leur être, ou plutôt pour l'affirmation et le développement de cet être, les uns par l'intelligence et la sincérité, les autres par la ruse ou la violence ; chez tous l'amour-propre veille et donne sa forme à la matière incohérente et fuyante que la nature lui fournit. L'étourdissement n'est qu'un moment ou une limite de leur *moi* dont la vivante variété est plus souvent propre à les réjouir comme une richesse qu'à les effrayer comme une évanescence fatale [62].

« Je pense, pour moi, qu'il n'y a que le sentiment qui nous puisse donner des nouvelles un peu sûres de nous », dit Marianne [63] : cela

60. G. Poulet, *op. cit.*, p. 1-34.
61. Les expressions guillemetées sont de G. Poulet, *op. cit.*, p. 28-29 ; G. Poulet cite au même endroit cette réplique de la comtesse, dans *L'Heureux Stratagème*, I, 4 : « Ce cœur, qui manque à sa parole, quand il en donne mille, il fait sa charge ; quand il en trahit mille, il la fait encore ; il va comme ses mouvements le mènent, et ne saurait aller autrement [...]. Bien loin que l'infidélité soit un crime, c'est que je soutiens qu'il ne faut pas un moment hésiter d'en faire une, quand on est tentée, à moins que de vouloir tromper les gens. » Mais la pièce est destinée à montrer que le bonheur de la comtesse et la vérité de son caractère sont dans la fidélité à son amour pour Dorante, et qu'elle se ment à elle-même en se forgeant, pour répondre aux reproches de Lisette, un devoir d'infidélité. On remarquera, du reste, les derniers mots de la réplique, non cités par G. Poulet : « [...] à moins que de vouloir tromper les gens, ce qu'il faut éviter, à quelque prix que ce soit ». La Comtesse a beau se définir comme inconstante, il y a une limite, une règle morale qu'elle ne saurait enfreindre sans croire porter atteinte à son être même, à son honneur.
62. Sur tous ces point, voir *infra*, chap. VII.
63. *V.M.*², p. 22.

signifie, sans plus, que l'esprit ne peut jamais suppléer à l'expérience vécue, et il faut compléter ce mot par cet autre : « on ne se met au fait de rien, à moins qu'on ne raisonne » [64]. Sans cesse alimentée par l'irrationnel, l'insaisissable, qui est la matière de la vie, l'âme l'amène sans cesse à la lumière, le rend reconnaissable, l'intègre à une personne qui se connaît et que l'on connaît. La psychologie de Marivaux étudie par excellence ce mouvement de l'inconnu au connu : Marianne n'est pas une femme qui sent, elle est « une femme qui pense », tout comme *Le Spectateur français* ou *L'Indigent philosophe* sont d'abord et presque uniquement des hommes qui pensent [65]. L'être humain ne peut s'identifier ni à sa pensée, ni à ses passions, il est dans l'entre-deux, dans le rapport dynamique de l'une aux autres. Quand Marianne déclare : « Notre vie, pour ainsi dire, nous est moins chère que nous, que nos passions », elle élit le côté sensible du moi, et lui sacrifie le côté spéculatif, d'autant plus facilement que la spéculation ici ne porterait que sur les déterminations tout à fait extérieures, ressources, logement, etc. [66]. Mais Marivaux est tout prêt à comprendre deux époux qui ne s'aiment plus malgré la promesse qu'ils se sont faite : « A l'égard du cœur, on ne peut se le promettre pour toujours, il n'est pas à nous » [67] ; seulement, ils peuvent et ils doivent remédier à la nécessité de leur changement. Le cœur propose, l'esprit dispose, et par l'esprit on entendra tout ce qui collabore

---

64. *Le Cabinet du philosophe*, VI, *J.O.D.*, p. 381.

65. *V.M.²*, p. 55.

66. *V.M.²*, p. 129. On pense évidemment au mot de Vauvenargues : « Nos passions ne sont pas distinctes de nous-mêmes ; il y en a qui sont tout le fondement et la substance de notre âme » (*Introduction à la connaissance de l'esprit humain*, 42, éd. Gilbert, Paris, 1857, t. I, p. 48), et l'on est tenté de voir en Marivaux le précurseur de Diderot (*Pensées philosophiques*, I-V) et des philosophes qui réhabiliteront les passions. Mais il ne fait que transcrire Malebranche : « Cet amour du bien-être est plus fort [en nous] que l'amour de l'être ; et l'amour-propre nous fait désirer quelquefois le non-être, parce que nous n'avons pas le bien-être » (*De la Recherche de la vérité*, IV, 5, § 2, éd. G. Lewis, Paris, 1946, t. II, p. 25). Le *Traité de l'amour de Dieu* est encore plus net et montre que Marivaux ne faussait pas beaucoup la pensée de Malebranche en remplaçant « bien-être » (Malebranche dit aussi : « plaisirs ») par « passions » : « Il faut remarquer que nous n'aimons point tant notre être que notre bien-être. Il n'y a point d'homme qui n'aimât mieux l'anéantissement de son être, que d'être éternellement malheureux, quelque légère que fût sa douleur. [...] D'où vient, par exemple, qu'un avare se pend, qu'un amant se donne la mort, lorsqu'ils sont pour toujours privés de ce qu'ils aiment ? C'est qu'ils regardent la mort comme l'anéantissement de leur être, et qu'ils préfèrent le non-être à l'être privé de bien-être » (éd. Roustan, Paris, 1923, p. 88-89). Quand Marianne quelques lignes plus loin parle du suicide (seule occurrence du thème dans toute l'œuvre de Marivaux, comme le fait remarquer en note F. Deloffre, voir *infra*, p. 240), elle n'anticipe pas sur les réflexions de Montesquieu, de Voltaire ou de Rousseau, elle se rappelle ce que Marivaux a lu chez le plus illustre penseur de l'époque où il faisait ses études, à qui il emprunte aussi l'idée que l'homme a la vocation du bonheur ; il ne fait nullement l'apologie des passions, et nous croyons plutôt qu'il souscrivait au mot de Mme de Lambert, exactement opposé à celui de Marianne : « Ce qui s'appelle nous, c'est notre raison » (*Traité de la vieillesse*, dans les *Œuvres*, Amsterdam, 1747, p. 155).

67. *Le Spectateur français*, XVI, *J.O.D.*, p. 201. G. Poulet cite (*op. cit.*, p. 22 et 29) un mot de Mlle Argante dans *Le Dénouement imprévu*, scène 4 : « On ne met rien dans son cœur ; on y prend ce qu'on y trouve. » L'exemple va dans le sens de notre argumentation : l'amour de Mlle Argante pour Dorante n'était pas un sentiment profond ; il avait pris quelque apparence grâce à la conjoncture et à une erreur de jugement, erreur non totale pourtant, puisque la jeune fille se rend très bien compte de ce qu'elle éprouve. La rencontre d'Eraste lui inspirera un autre sentiment, interchangeable avec le premier à l'origine, semble-t-il, mais, en fait, beaucoup plus en accord avec sa personnalité ; la raison et la volonté, le choix, en feront le vrai, le seul amour de Mlle Argante.

à former une personnalité, conscience, intelligence, volonté, idéal...
Que faut-il pour faire un homme ? « Des passions et du sens commun ;
voilà leur lot, cela est en eux comme le sang est dans leurs veines,
voilà ce qu'ils reçoivent de la nature »[68]. Le sens commun est cet
esprit positif, autrement dit bon sens ou raison, qui sait tirer le
meilleur parti du hasard et qui procure à l'homme le sentiment de
son existence et de son identité. Il est l'intérêt bien compris, l'amour-
propre éclairé. Mais l'amour-propre aveugle, s'il en est, ou plus
exactement l'amour-propre égaré ou trompeur, travaille lui aussi sur
les données brutes de l'affectivité, les élabore, et le *moi* commence
à exister : ce qui sépare le sincère de l'hypocrite, le vertueux du
méchant, le généreux de l'égoïste, le *moi* authentique du *moi* imposteur, c'est une erreur de jugement. Nous avons déjà vu, à propos
de Brideron, que l'esprit était faux en lui avant le cœur[69]. Si la « formation » qui est échue à l'individu, son éducation, les circonstances
qu'il traverse lui pervertissent le jugement, le choix de sa volonté
suivra, l'esprit corrompra le cœur. Les données naturelles ne sont
ni bonnes ni mauvaises : « en fait de mouvements, la nature a le pour
et le contre »[70] ; « elle a de quoi tromper celui qui la veut voir mal,
comme elle a de quoi éclairer celui qui la veut voir bien »[71] ; et si
les proportions respectives de ses éléments varient selon chaque
individu, l'individu n'est constitué qu'en puissance tant qu'un choix,
louable ou condamnable, tant qu'une activité unifiante ne s'applique
pas à eux : « en eux-mêmes, et tout vicieux qu'ils deviennent, [nos
attributs] n'ont rien que de bon et d'utile, rien que de nécessaire,
et [...] chacun d'eux peut être très bien placé dans ce tourbillon de
dépendances et de circonstances où notre condition d'homme nous
jette ici-bas »[72]. Par le mot « attributs », Marivaux entend quelque
chose de plus vaste que le cœur, mais le cœur en fait partie ; c'est
à la fois nous, parce que c'est notre substance, et ce n'est pas nous
parce que nous le recevons de la nature et que c'est le fonds commun
de toute l'humanité. Les méchants de naissance, par emportement
irrésistible de tempérament, sont rares chez Marivaux : on est méchant
parce qu'on se trompe, « les méchants sont les plus ignorants de tous
les hommes »[73], non seulement ils ne voient pas les inconvénients
qu'ils auront à essuyer de leur méchanceté, mais encore ils ont une
trop basse idée d'eux-mêmes : « le vertueux a plus de dignité dans

---

68. *L'Indigent philosophe*, VII, *J.O.D.*, p. 317.

69. Cf. *supra*, chap. III, p. 125.

70. *Le Spectateur français*, XX, *J.O.D.*, p. 227.

71. *L'Indigent philosophe*, V, *ibid.*, p. 306. Pascal disait la même chose de Dieu, *Pensées*, Br. 571, 576, 578, etc. Encore une idée que Duclos adoptera, *Considérations sur les mœurs de ce siècle*, chap. I, § 5.

72. *Suite des Réflexions sur l'esprit humain*, *J.O.D.*, p. 484. Cf. aussi la suite du texte cité *supra*, p. 134 : « J'ai cru voir que nous nous ressemblions presque tous ; que nous avions tous à peu près le même volume de méchanceté, de faiblesse, et de ridicule ; qu'à la vérité nous n'étions pas tous aussi fréquemment les uns que les autres faibles, ridicules, et méchants ; mais qu'il y avait pour chacun de nous des positions où nous serions tout ce que je dis là, si nous ne nous empêchions pas de l'être » (*J.O.D.*, p. 232).

73. *L'Indigent philosophe*, V, *ibid.*, p. 305. « Omnis peccans est ignorans » : Marivaux l'avait-il appris de Descartes ou de saint Thomas ?

l'âme », et s'il reste vertueux, s'il trouve absurdes les raisonnements du méchant, s'il résiste aux tentations de méchanceté qui sont aussi bien chez lui que chez tous les hommes, c'est qu'il a plus de bon sens [74]. De la même façon, Marivaux peut dire que la galanterie « est un désordre dans l'esprit dont le cœur a bientôt sa part », ou qu'un grand seigneur a eu l'esprit « empoisonné d'ambition » sans que son cœur, naturellement bon et généreux, ait « fait naufrage » [75]. L'esprit, dans ces deux derniers cas, est à rapprocher de l'esprit « spirituel », de l'esprit de vanité si souvent dénoncé par Marivaux, et qui est lui aussi fondé sur un jugement erroné. On remarquera quel rôle important joue la société dans ces erreurs commises par l'esprit : car c'est l'opinion qui inspire les préjugés, qui propose et impose des valeurs fausses ou nocives, c'est pour se plier à elle ou la flatter que l'homme devient vaniteux et la femme coquette ; Marivaux, s'il se souvient des condamnations portées contre le monde par les prédicateurs chrétiens, est aussi un précurseur de Rousseau par l'énergie avec laquelle il s'en prend au paraître. Mais c'est encore la société qui éclaire notre raison et nous aide à affiner notre être ; elle exige que nous possédions « la science du cœur humain », et elle seule peut nous la donner : « C'est la société, c'est toute l'humanité même qui en tient la seule école qui soit convenable, école toujours ouverte, où tout homme étudie les autres, et en est étudié à son tour » [76], à tel point que lorsque l'Indigent philosophe cherche à définir ce que c'est qu'un homme, il conclut à le définir comme sociable, comme une créature qui existe pour autrui : « Un homme, c'est cette créature avec qui vous voudriez toujours avoir affaire, que vous voudriez trouver partout, quoique vous ne vouliez jamais lui ressembler » [77].

Le travail de l'esprit sur le cœur (pour adopter des termes d'une exactitude approximative) peut donc être soit de corruption, soit de redressement, selon que l'esprit est ou non éclairé. Marivaux n'est ni un abstracteur de quintessence, ni un apôtre de la spontanéité non élaborée et de l'impressionnisme, il est un sage et un réaliste, qui nous invite à nous arranger le mieux possible de ce que la nature nous a donné, en nous aidant de la raison, de l'imagination et de la volonté. Le propre de l'homme, c'est l'intériorisation, et le chef-d'œuvre de l'homme, c'est l'intériorisation lucide, sincère. C'est celle-ci qui préside au véritable amour, dont la maturation est longuement décrite dans la Deuxième feuille du *Cabinet du philosophe* : la conscience ne se met au courant que lentement de ce qu'éprouve la sensibilité, comme si le *moi* ne voulait pas intégrer à son être un sentiment qui pourrait le fausser ; il faut que le désir soit accueilli, que ses progrès soient enregistrés, qu'il obtienne la préférence sur d'autres envies, et lorsque

74. *Ibid.*, et p. 306.

75. *Le Spectateur français*, XVIII, *ibid.*, p. 217 ; XXII, *ibid.*, p. 244.

76. *Réflexions sur l'esprit humain, ibid.*, p. 476 ; c'est la vie en société qui nous oblige à corriger notre méchanceté naturelle, *Le Spectateur français*, XXI, *ibid.*, p. 234-235.

77. *L'Indigent philosophe*, V, *ibid.*, p. 309 ; la VIᵉ feuille s'achève par une violente attaque contre l'hypocrite, « ennemi de la société », *ibid.*, p. 316.

l'amour s'est rendu maître de l'âme, on pourrait aussi bien dire, à
lire l'analyse de Marivaux, que l'âme en même temps s'est rendue
maîtresse de l'amour, car de tels amoureux « jamais vous ne les
voyez hors d'eux-mêmes », « ce sont des cœurs bons ménagers, pour
ainsi dire ». L'exemple est particulièrement intéressant en ce qu'il
montre à la fois comment l'esprit doit garder le contrôle du cœur
en le « ménageant », et comment il doit être rigoureusement discret,
obéissant à toutes les indications du cœur, ne les devançant jamais,
attendant d'être sûr de l'existence d'un penchant pour le faire entrer
dans l'essence de l'être [78]. Malheureusement, un amour trop réglé n'est
plus naturel, il est le fait des « âmes trop sérieuses », en qui l'esprit
a glacé le mouvement qui est la vie du cœur ; le vrai ménagement,
« l'industrie des Amants », est d'être inconstants dans la constance.
Mais Marivaux regrette l'amour du bon vieux temps, pour lequel
on lui sentait un faible même quand il en peignait la ridicule
caricature, et qui unissait la passion à l'honneur [79]. Quand il y a conflit
entre le penchant et la vertu, quand la conciliation est impossible, la
vertu doit avoir le dessus et le *moi* s'identifier à elle, quelque douleur
qu'il en éprouve et quelque résistance qu'oppose le sentiment. Il y a
de la grandeur dans ce qu'écrit une femme mariée à celui avec qui
le devoir lui ordonne de rompre, malgré la violence du sentiment
qu'elle éprouve pour lui : « N'espérez rien d'un sentiment involontaire :
ce n'est plus moi qui aime ; je ne suis plus coupable ; peut-être je ne
l'ai jamais été ; c'est vous qui l'étiez, c'est la faiblesse que vous
m'aviez donnée, c'est mon cœur qui ne dépendait plus de moi.
Aujourd'hui tout cela m'est étranger ; aujourd'hui je romps avec
ce cœur lâche, avec cette faiblesse [...] » [80]. On croirait entendre
Pauline, bien que des souvenirs de Racine, de Madame de La Fayette
et de Boursault et le tendre pathétique propre à Marivaux ajoutent
leur frémissement à cette énergie cornélienne. L'intégrité du moi
n'exige heureusement pas toujours de si rigoureux sacrifices : ils
pourraient la briser et la nature veut plus d'adresse ; « les passions
sont farouches ; il faut les ménager d'abord, leur présenter, pour
ainsi dire, un visage ami, et gagner ainsi leur confiance, pour les
mieux combattre » [81]. Est-il encore besoin de prouver que l'homme
selon Marivaux est l'homme de l'effort, de la volonté, du choix,
s'imposant au papillonnement et à la diversité ondoyante ? « Nos
faiblesses, combattues sous une figure, nous échappent sous une
autre. Il n'est pas question de les détruire : il s'agit de quelque chose
de plus pénible et de plus glorieux, c'est de les poursuivre sans
cesse » [82]. L'homme ne vit que par le sacrifice, même le libertin, car
lui aussi fait un choix : « Il n'est question que de sacrifice dans la
vie » [83].

78. *Le Cabinet du philosophe*, II, p. 343.
79. *Le Spectateur français*, XVII, *ibid.*, p. 206-207. Voir aussi *supra*, chap. III, p. 107.
80. *Le Spectateur français*, II, *J.O.D.*, p. 121.
81. *Ibid.*, XI, p. 168.
82. *Ibid.*, VII, p. 143.
83. *Le Cabinet du philosophe*, I, *ibid.*, p. 341.

*
* *

Ces sacrifices sont-ils inévitables ? Douloureux ou habilement
ménagés, ils reviennent toujours à priver le *moi* d'une donnée de la
nature, donc à diminuer sa richesse [84] ; l'esprit qui les inspire est trop
souvent égaré, et les « raisonnements », les sophismes, se substituent
à la « raison », au bon sens dans la conscience du pervers, et même
chez l'homme de bonne volonté, car l'esprit est dupe du cœur.
Serait-elle parfaitement sage et lucide, la moralisation du *moi* risque
de le séparer de ses racines vivantes, comme on l'a vu à propos des
amoureux trop sérieux et constants ; il n'est même pas sûr qu'elle
soit utile, elle est déjouée par les révélations que le hasard apporte,
entre autres par les surprises de l'amour, et elle n'est en général
obtenue que quand il est trop tard et que les passions s'en sont allées :
« On ne songe guère à ce qu'elles sont quand on les a », et « on ne
les connaît bien, que lorsqu'on ne les a plus » [85]. Tout cela ne signifierait en somme qu'une chose, c'est que la connaissance de soi est
difficile et demande attention et probité. Mais elle rencontre deux
obstacles plus dangereux : le premier est dans la nature de son objet,
le second dans l'acte même qui institue la conscience.

A la limite, en dernière analyse, le contenu de la sensibilité, le
mouvement qui anime le fond du cœur, est inconnaissable : il ne s'agit
pas de l'énigme qu'est notre condition métaphysique, bien que les
deux inconnaissables soient liés, mais de nos émotions, de nos impulsions, de nos instincts, de nos tendances. La lucidité ne peut pas
aller jusqu'au bout, il reste toujours une distance, un léger décalage
entre ce que l'esprit peut assimiler et la totalité du vivant. Il y a des
modifications de l'âme qui n'ont point de nom [86], des états où la
conscience s'abîme, où tout ce que l'esprit peut savoir est son propre
anéantissement ; il est étourdi, stupide, égaré, il se perd dans ses
émotions, dans son ravissement, son accablement [87], et ce sont là
les moments les plus intenses de la vie affective. Aussi mystérieux

---

84. Le sacrifice le plus respectable est celui du vice à la vertu, sacrifice qui fait plus de
la moitié de la religion, le reste de la religion étant constitué par les mystères : « c'est là où
cette Religion crie à son tour : Sacrifiez-moi, non votre raison, mais les raisonnements
d'un esprit si borné qu'il ne se connaît pas lui-même » (*ibid.*, p. 342). Une fois de plus, on
soulignera l'opposition entre l'esprit de vanité et la raison solidement appuyée sur le réel.
Marivaux, qui parle de « sacrifices » dans *Le Cabinet du philosophe*, préfère ailleurs les
mots « emploi désavantageux » et écarte l'idée de privation : « Ainsi nos vices, nos défauts
nos mauvaises qualités de tout genre ne marquent en nous la privation d'aucun des attributs
humains, et ne signifient que l'emploi désavantageux que notre formation peut faire de ces
attributs qui sont infailliblement en nous » (*Suite des Réflexions sur l'esprit humain, ibid.*,
p. 487). Les deux passages ne sont pas incompatibles, mais en fait ni la pensée, ni le
vocabulaire de Marivaux ne sont systématiques. Le second texte se ressent de l'influence
d'idées nouvelles, qu'on retrouve chez Helvétius. Il ne faut pas s'étonner qu'un écrivain
que nous avons rattaché à la société de consommation et de loisir parle de « sacrifices » :
nous avons vu que Marivaux avait su conserver sa liberté d'esprit au sein de cette société
(voir *supra*, chap. II), et, de plus, le pessimisme et le rigorisme (qu'il interprète avec plus
de loyauté) sont souvent articles de la morale des nantis. C'est la bourgeoisie mercantile
qui adoptera la morale « naturelle » et identifiera la réussite et la vertu.

85. *L'indigent philosophe*, VII, *J.O.D.*, p. 318. Voir *infra*, chap. VII, p. 298 et n. 160.

86. *Pensées sur différents sujets, ibid.*, p. 52.

87. Ces expressions et des expressions semblables se trouvent dans *Le Spectateur
français*, IX, *ibid.*, p. 159 ; XI, p. 168 ; XXII, p. 240 ; XXIV, p. 257 ; XXV, p. 261, etc.

sont les rapports de l'esprit et du cœur quand une passion est vive ;
des intuitions, des pressentiments s'imposent alors à l'homme en
dehors de toute raison, il agit sans aucune logique, et son action
apparaît ensuite comme conforme à son véritable intérêt : « il y a
des instants où la passion fournit à un homme des vues subites,
auxquelles il est impossible qu'il résiste, fussent-elles étourdies, et
qui doivent l'emporter sur tout ce qu'il avait auparavant résolu de
faire, et qu'il avait cru le plus sage » [88] ; en matière de religion, la
voie de la connaissance ne passe que par le cœur et c'est à lui que
les prédicateurs doivent s'adresser : « Pour du sentiment, tout le
monde en a ; aussi a-t-il la clef de tous les esprits : il n'y a que lui
qui les pénètre et qui les éclaire » ; les vérités de la religion révoltent
l'esprit, « elles sont des absurdités pour lui », mais si on les fait
aimer par le cœur, celui-ci communique sa chaleur à l'esprit dont il
élargit la capacité : « Il faut bien qu'il se passe alors entre l'esprit
et le cœur un mouvement dont il n'y a que Dieu qui sache le
mystère. Est-ce que la persuasion de l'un serait la source des lumières
de l'autre ? [89] » Marivaux n'est pas mécontent d'humilier l'esprit,
qui n'a que trop tendance à se satisfaire de ses propres inventions
et à se glorifier d'une fausse lumière qui l'empêche de voir l'épaisseur
du réel. Il lui rappelle que cette épaisseur est la condition d'une
connaissance authentique ; on ne s'appuie que sur ce qui résiste, la
clarté est une conquête sur l'obscurité. Parti de l'idée, empruntée
peut-être à Malebranche, que notre âme ne peut se connaître entièrement elle-même, Marivaux en vient à penser, comme les sensualistes,
comme Diderot et les philosophes de la nature anti-cartésiens, que
nous avons de notre âme une connaissance expérimentale, pareille à
celle que nous avons du monde extérieur [90]. Pas plus que la connaissance scientifique ne peut épuiser la matière, la conscience psychologique ne peut épuiser l'être ; mais pas plus que le savant, Marivaux
ne condamne comme stériles les concepts, les classifications, les
définitions et les distinctions qui permettent à l'intelligence d'avoir
prise sur le réel ; sa psychologie est au contraire, nous l'avons dit,
universaliste et légiférante. La vie intérieure qui fait exister l'individu
est un mouvement incessant, une lutte de la conscience toujours
s'arrachant au vertige et toujours prête à y tomber, et de la sensibilité toujours s'évadant des définitions abstraites et des prévisions
logiques, toujours révoltée contre la clarté simplificatrice et toujours
ressaisie par l'esprit.

---

88. *Le Spectateur français*, XX, *ibid.*, p. 227 ; la jeune fille de la dixième feuille, p. 163,
a des « pressentiments de malheur ».

89. *Le Cabinet du philosophe*, III, *ibid.*, p. 353.

90. Voir *supra*, p. 132 et n. 30, et *infra*, chap. VII.

MAIS MARIVAUX rêve parfois d'un état de l'âme plus apaisé, sans lutte ni division, où le *moi* ne serait pas condamné à un équilibre toujours menacé entre la chute dans le néant et la sclérose, à un *moi* auquel serait épargnée aussi cette séparation d'avec lui-même, cette fuite devant soi-même qu'est la conscience.

C'est là en effet le deuxième obstacle rencontré par la connaissance de soi. Le problème était posé dès les premiers romans, avec le personnage de Pharsamon et avec celui de Brideron, de façon oblique. Il inspire à Marivaux moraliste quelques remarques plus directes, mais c'est beaucoup moins pour lui un sujet de spéculation qu'une référence implicite, l'aporie autour de laquelle il brode les arabesques ironiques de ses analyses. Dès qu'un homme prend conscience de ce qu'il est, le *moi* pensant se détache du *moi* pensé, l'individu se dédouble en un regardant et un regardé, le sujet conscient échappe à toute définition qu'il peut donner de lui-même et se situe au-delà, il est l'acte et non le contenu de l'acte. On sait la place que tiennent ces considérations dans les écrits de Paul Valéry : Marivaux n'est pas Monsieur Teste, il s'ennuierait trop à sonder l'insondable, et surtout il ne lui semble pas que les sentiments et les mouvements de l'âme deviennent irréels parce que le *moi* se sépare d'eux en les plaçant sous son regard. Les jeux de la conscience et de l'âme sont pour lui une comédie que l'homme se donne à lui-même, dupeur et dupé, vigilant et laissant surprendre sa vigilance, se forgeant des illusions volontaires... Il oppose bien aux grâces artificielles des femmes du monde, œuvre de la vanité, « ces grâces qui font partie nécessaire de la figure, que l'on a sans y penser, qui nous suivent partout, qui sont en nous, qui sont nous-mêmes » [91] : croit-il vraiment qu'on puisse avoir des grâces sans y penser ? Sans y penser, peut-être, si penser est calculer et prévoir, mais certainement pas sans le savoir ; Antiope était née dans l'imagination arcadienne de Fénelon, elle était une créature de cet âge d'or dont la nostalgie sera si fréquente au XVIIIe siècle ; ces âmes sans repli, sans quant-à-soi, parfaitement transparentes, dont la beauté et la vertu sont l'être même, où l'esprit ne vient pas creuser comme un refuge au scepticisme sur soi-même et à la facticité, elles seraient la nature authentique, bien le contraire des coquettes qui étudient à l'avance leurs manières devant un miroir, ou affectent d'ignorer des charmes savamment mis en valeur [92]. Mais toutes les femmes sont coquettes, sans exception, « on ne peut être femme sans être coquette. Il n'y

91. *Lettres sur les habitants de Paris, J.O.D.*, p. 26.
92. *Le Spectateur français*, I, *ibid.*, p. 118, et *Lettres sur les habitants de Paris, ibid.*, p. 29.

a que dans les romans qu'on en voit d'autres » [93]. On ne peut pas non plus avoir de mérite sans le savoir, « tout homme vraiment supérieur a sentiment de sa supériorité », et le propre du vertueux est qu'il a « plus de dignité dans l'âme », qu'il « porte plus haut le sentiment de son excellence, que nous avons tous » : dans ces conditions la modestie est bien difficile, elle n'est jamais naturelle, elle a « l'air gauche » chez tout le monde, « la modestie réelle et vraie n'est peut-être qu'un masque parmi les hommes » [94].

Peut-on échapper à ce fatal retour sur soi, à cette moralisation loyale ou hypocrite qui est le fait de tout être pensant ? Il faudrait être un saint ou un simple : ils sont les seuls qui n'aient pas d'amour-propre. Le saint est humble, il aime Dieu, n'aime que Dieu et le connaît parce qu'il l'aime ; son humilité « expie l'orgueil du premier homme », mais ceux qui s'envolent ainsi sur les ailes de l'amour ne sont pas nombreux et ne peuvent pas faire bénéficier autrui de leurs connaissances. Aussi Marivaux, après avoir chanté leurs louanges et invoqué leur exemple pour rabaisser une fois de plus l'esprit de vanité, conclut-il assez froidement : « Quelles étranges choses que tout cela pour le profane ! [95] » Il n'y a pas de saint ni de mystique dans son œuvre : la vieille Dame dont les Mémoires occupent plusieurs feuilles du *Spectateur français* s'est convertie par peur de la mort, la sœur de l'Inconnu, dans la Vingt-quatrième feuille, entre au couvent parce que l'indigence l'y contraint, Tervire enfin est d'une charité purement humaine et considère comme un malheur son entrée en religion [96].

Le simple, un paysan évidemment, vit sans inquiétude, content de ce qu'il a, s'endormant chaque soir sans souci du lendemain ; « son âme se repose tout entière », dit admirablement Marivaux ; il prend l'existence comme elle lui vient, avec plaisir mais sans s'y attacher, et meurt sans regret parce qu'il ne tient presque à rien [97]. Par ce portrait, Marivaux ne fait qu'apporter sa contribution au thème traditionnel du bon « laboureur » et de sa vie paisible, opposée à l'agitation et à la corruption des cités. Les paysans évoqués dans *Pharsamon*, dans *Le Télémaque travesti*, dans *Le Bilboquet* étaient plus brutaux et plus cupides, pour ne rien dire de celui qui sera plus tard le Paysan parvenu. Un personnage pourtant semble vivre avec une conscience aiguë cette vie au jour le jour, sans ambition ni regrets, sans espérance et sans désirs, sans « prudence » : c'est le camarade ivrogne de l'Indigent philosophe, le seul véritable *pícaro* que Marivaux ait dépeint. Sa destinée rappelle plus celle des aventuriers espagnols comme Gusman d'Alfarache, qui après chaque

93. *Le Spectateur français*, XVII, *ibid.*, p. 209. Le mot est d'autant plus fort que c'est une coquette vieillie et repentie qui parle.

94. *Lettres sur les habitants de Paris*, *ibid.*, p. 35 ; *L'Indigent philosophe*, V, *ibid.*, p. 305 ; VI, p. 313 et 314.

95. *Le Cabinet du philosophe*, III, *ibid.*, p. 353.

96. La jeune fille qui renonce au mariage pour entrer aux Carmélites (*Le Spectateur français*, neuvième et dixième feuilles) est absolument muette sur sa vocation. Sur Climal et le père Saint-Vincent, voir *infra*, chap. IX, p. 483.

97. *Le Spectateur français*, XXIX, *J.O.D.*, p. 254.

période heureuse retournent à leur misère et reprennent leur route, que celle des aventuriers français comme Gil Blas ou Jacob, qui s'élèvent de palier en palier pour finalement « parvenir ». Mais le récit de l'ivrogne est trop vite interrompu pour que le rythme picaresque de son existence soit hors de doute, et les réflexions qu'elle lui inspire sont plus des traits d'humeur que de philosophie ; l'une d'entre elles laisse même deviner bien autre chose que la gaîté sans souci affichée par l'ancien comédien : « quelquefois boire console de vivre »[98]. Il n'en est pas moins vrai que Marivaux, passionné de vie immédiate, a imaginé une fois un personnage qui n'interposât aucun calcul de l'esprit entre son appétit de vivre, toujours prêt à tout accueillir, et ce que le hasard lui offre. Si tout le malheur de l'homme est dans le projet, selon la leçon de Montaigne et de Pascal, dans l'évasion hors de l'instant présent, l'ivrogne de Marivaux est un homme heureux : « j'étais comme l'enfant qui tête », dit-il quand il évoque les moments passés avec les comédiens errants, « j'aimais la vie dérangée, tantôt bonne, tantôt mauvaise, se chauffer aujourd'hui, avoir froid demain, boire tout à la fois, manger de même, travailler, ne rien faire, aller par les villes et par les champs, se fatiguer, avoir du bon temps, du plaisir et de la peine, voilà ce qu'il me fallait, et j'eus contentement avec eux »[99]. Mais on se tromperait en voyant là toute l'éthique de Marivaux : la vie menée par l'ivrogne n'est pas plus son idéal que celle du Neveu de Rameau n'est l'idéal de Diderot. Le parfait détachement permet au personnage une ironie sur son mérite et sur sa modestie plus savoureuse que celle de Brideron, plus naïve que celle du malicieux Jacob : « Je n'aime pas à me vanter, moi, je suis naturellement modeste » ; mais il invite son auditeur à ne pas oublier ses succès : « il ne faut pas que je perde rien à cause que je suis modeste »[100]. N'est-ce pas l'esprit, c'est-à-dire la séparation d'avec soi-même, la réflexion, et même une forme de cynisme, qui reprend ses droits dans un tel mot ? Le personnage du reste se remémore sa vie passée ; son histoire, son être même sont une construction de son esprit, l'œuvre d'une rétrospection, dans une mesure moindre que ceux de Jacob et de Marianne, mais d'une façon analogue. Enfin, sur la vie réduite à l'instant, composée d'une succession d'instants qui s'anéantissent l'un dans l'autre, Marivaux a dit ce qu'il pensait dans une page mélancolique du *Spectateur français* : en dehors de l'instant dont on jouit, la vie n'est qu'un « rêve perpétuel », et cet instant même devient rêve ; et s'il est vrai qu'on pourrait dire que la vie « ne dure pas, qu'elle commence toujours », ce continuel recommencement n'est pas un signe de jeunesse et une assurance de bonheur, il est au contraire la preuve que cette vie n'est qu'un néant décevant, et il nous avertit de ne songer qu'à la vie éternelle, la seule véritable[101]. Laissons de

98. *L'Indigent philosophe*, IV, *ibid.*, p. 297.
99. *Ibid.*, II, p. 286.
100. *Ibid.*, III, p. 291-292.
101. *Le Spectateur français*, XVII, *ibid.*, p. 207-208. Voir *infra*, chap. IX, p. 456.

côté l'accent chrétien de ce passage, bien qu'il soit sincère : il reste que la vie terrestre qui n'est pas néant est celle où l'on a su « bien choisir » l'espèce de bonheur qu'on se propose, et où « les réflexions » procurent la tranquillité et l'innocence.

L'union intime et harmonieuse de l'esprit et du cœur, l'intuition vivace de l'esprit aussi rapide que le cœur dans ses mouvements font vivre à l'homme une vie aussi immédiate que celle qui ignorerait totalement le recul du moi par rapport au vécu, le retour sur soi ; elles ne sont possibles qu'à un niveau élevé de moralité : la spontanéité est une conquête intérieure autant qu'un don naturel. La collaboration de la nature et de l'effort conscient apparaît chez l'Indigent philosophe lui-même, et fait de lui l'égal du Spectateur français ou de cet autre philosophe dont Marivaux publiera plus tard les papiers trouvés dans son cabinet, un personnage donc très différent, malgré les apparences, de son camarade l'ivrogne : comme l'ivrogne, il se confie à la nature, sa « bonne mère », se divertit de tout, goûte l'oisiveté aussi souvent qu'il le peut et ignore la prévoyance ; la misère l'a libéré de tout lien, il ne doit respect à personne, n'est asservi à aucune habitude ni à aucun goût, n'est retenu par aucune fausse honte ; il est toujours joyeux et « les gens qui aiment la joie n'ont point de vanité » ; mais il n'est nullement un cynique, il n'a de commun avec Diogène que la pauvreté et la préoccupation de « chercher un homme ». Les préjugés qu'il a perdus ont laissé la place, chez cet « homme sans souci », non pas à une espèce de quiétisme, mais à « la véritable raison » ; il a une « philosophie » ; sa morale « n'est pas fort réfléchie », parce qu'elle est naturelle, mais c'est une morale, elle comporte la crainte de Dieu et la pratique de la religion, c'est-à-dire un jugement sur la valeur et la destination de l'existence, ce qui est contraire à la spontanéité irréfléchie, et l'Indigent philosophe le sait bien : « tout sans souci que je suis, je crains Dieu » ; elle comporte aussi l'édification, ou l'ébauche, d'un idéal : « je brise avec la tentation, et je me dévoue à la continence par force ; de là, je tâche de m'y dévouer par vertu » ; il va vers son salut « cahin-caha », comme il dit, mais il y va, il « fourni[t] sa carrière ». Sa prise de conscience est si vive qu'elle le pousse à mettre ses réflexions par écrit et à se faire le juge des autres hommes, lui qui ne veut pas être jugé [102]. Il est donc un bon exemple d'un naturel humain au plein sens du terme obtenu par l'entente de l'esprit et du cœur : sa vie est pourtant moins pittoresque et moins pleine d'événements que celle de son camarade l'ivrogne, auquel est confiée presque toute la partie narrative de l'œuvre, et ses réflexions portent beaucoup plus souvent sur les autres hommes que sur lui-même ; il a le défaut de tous les moralistes conçus par Marivaux, il n'existe pas assez, sa personnalité manque de relief, c'est la raison pourquoi Marivaux a dû le doubler par le comédien ivrogne, son complément.

L'esprit et le cœur s'unissent plus heureusement dans des moments privilégiés d'une intensité exaltante, dont l'utilisation romanesque

---

102. Les expressions citées entre guillemets sont dans *L'Indigent philosophe, ibid.*, I, p. 278-281.

n'est pas encore menée à bien : le plus élevé est celui du contentement de soi que procure la vertu, dans lequel l'âme connaît à la fois des voluptés presque paradisiaques, la satisfaction de son orgueil, et une lucidité parfaite : « ce ne sont point des plaisirs qui la dérobent à elle-même ; elle n'en jouit pas dans les ténèbres ; une douce lumière les accompagne, qui la pénètre, et lui présente le spectacle de son excellence » [103] ; d'autres moments de ce genre sont ceux où l'amour filial fait connaître à l'enfant tout ce qu'éprouve la mère et deviner tout ce qu'elle pourrait éprouver : « ces sortes de choses paraîtront peut-être des délicatesses qui demandent de l'esprit » ; mais non, c'est seulement un « sentiment », un « instinct » qui conduit l'enfant et le fait agir sans réflexion ; l'esprit peut aider le cœur à « se développer » ce qu'il ressent, mais on peut avoir un bon cœur, être un excellent fils, sans être capable d'exprimer avec clarté ses sentiments : et pourtant Marivaux garde le nom d'« esprit » pour désigner cet instinct, « c'est toujours esprit de part et d'autre que cet instinct-là, seulement plus ou moins confus dans celui-ci que dans celui-là ; mais c'est une sorte d'esprit dont on peut manquer, quoiqu'on en ait beaucoup d'ailleurs, et qu'on peut avoir aussi sans être spirituel en d'autres matières ». Cet esprit s'apparente donc au sens commun, à la raison, dont Marivaux dit d'ailleurs qu'elle coule de source, au contraire de la raison qu'il faut chercher, « si fine, si spirituelle et si sublime », et qui n'est pas la bonne [104]. Comme on ne trouve jamais chez lui le mot « esprit » employé au sens de force vitale, qui commencera à reparaître chez les philosophes de la nature après 1750, c'est bien au sens intellectuel qu'il faut l'entendre dans ce passage, et Marivaux, comme chaque fois que sa spéculation se hasarde au-delà de la pure description psychologique, est embarrassé : « c'est là toute l'explication que j'en puis donner » [105]. Son insistance à rapporter à l'esprit une connaissance intuitive et affective n'en est que plus remarquable. Un troisième cas de collaboration instantanée entre le cœur et l'esprit est celui de la passion, quand elle n'est pas basse et bestiale, évidemment, mais qu'elle met en jeu les plus nobles facultés de l'âme : nous avons vu qu'elle déjoue la logique et la prudence et se révèle souvent plus sage que la sagesse [106] ; elle appartient à ce domaine de l'existence qui se dérobe à l'élucidation totale ; elle n'en est pas moins l'alliée de l'esprit, et non son ennemie, elle lui confère une vigueur et une rapidité qu'il n'a pas dans d'autres circonstances (« peut-être n'a-t-on jamais le sens ni plus droit ni plus vif que dans ces moments-là »), et trouve en lui réciproquement le meilleur des guides : « je croirais que la raison même dans de grands besoins la secourt de tout ce que ses lumières ont de plus sûr ». Une fois de plus Marivaux refuse d'attribuer à la seule

---

103. *Le Spectateur français*, IV, *ibid.*, p. 132. Le thème qui était déjà dans *Les Effets surprenants* (cf. *supra*, chap. III, p. 86 et n. 16) se retrouvera dans *La Vie de Marianne*.

104. *L'Indigent philosophe*, I, *ibid.*, p. 279 ; voir aussi *Le Cabinet du philosophe*, I, *ibid.*, p. 340.

105. *Le Spectateur français*, XXIV, *ibid.*, p. 255-256.

106. Voir *supra*, p. 147.

sensibilité et à une intuition obscure les plus belles réussites et les comportements les plus heureux de l'homme : c'est encore l'esprit qui les inspire, étroitement uni au cœur, et doué de l'efficacité et de la promptitude que Pascal attribuait à l'esprit de finesse [107].

*
* *

En résumé, ni le caractère de donnée irrationnelle qui s'attache à la sensibilité, ni la division que crée dans le *moi* la prise de conscience ne suffisent à frapper d'inanité la connaissance de soi ou d'irréalité l'objet de cette connaissance. Marivaux ne cherche pas à définir rigoureusement l'esprit et le cœur dans leur essence ; il lui suffit d'en décrire les rapports, les manifestations déroutantes, les duperies réciproques, l'inconstance et la plasticité. Plus le *moi* semble se dissoudre dans ses composantes, plus s'affirme aux yeux de Marivaux son activité et sa volonté d'être ; Marianne le situera dans nos passions, nous avons montré que ce n'était qu'une façon fragmentaire de voir les choses [108]. Le *moi* vit de l'antagonisme et de l'alliance de l'esprit et du cœur, mais ne réside dans aucune de ces facultés, ni même dans leur réunion : « car la pensée et le sentiment et tout ce que vous avez, enfin, appartient bien à l'homme, mais cela ne fait pas l'homme : je n'appellerais cela que les outils avec lesquels on doit le devenir » [109]. C'est par le devenir seulement que le *moi* acquiert pleinement la dignité d'homme, et la société et la morale, la religion aussi, fournissent les critères qui permettent de diriger et de juger ce devenir. Mais antérieurement à toute détermination, à la racine de ce devenir, il y a une force toujours en éveil, sans contenu positif et sans forme préalable, capable du meilleur et du pire ; c'est elle que Marivaux appelle amour-propre, vanité, orgueil. Elle existe avant le *moi* moral, elle est la « nature » tandis qu'il est « l'éducation », elle a le pas sur lui, car « on va d'abord au plus pressé ; et le plus pressé pour nous, c'est nous-mêmes, c'est-à-dire notre orgueil ; car notre orgueil et nous ce n'est qu'un » [110]. Encore cet orgueil dont parle Marianne est-il déjà moralisé, l'opinion lui a fourni un contenu et inspiré un choix, qui l'oppose au *moi* éduqué, lequel devrait au contraire le redresser en sens de l'honneur et en fierté ; comme il est impossible de saisir le *moi* à l'état brut, Marivaux a montré dans les circonstances mêmes de la vie sociale son indétermination essentielle, son aptitude à se déterminer à n'importe quoi, pourvu qu'il s'affirme par là : « On fait de l'homme tout ce qu'on veut par le

107. *Le Spectateur français*, XX, *ibid.*, p. 227. Sur l'alliance de l'esprit et de la passion, voir Helvétius, *De l'Esprit*, IIIe Discours, chap. 7 et 8 (éd. cit., t. II, p. 61-78). Plein de mépris pour le bon sens et pour les gens sensés, Helvétius est plus proche sur ce point de Vauvenargues ou de Diderot : le contraste fait mieux apparaître la tendance intellectualiste si forte chez Marivaux.

108. Voir *supra*, p. 142.

109. *L'Indigent philosophe*, V, *ibid.*, p. 309. Les « outils » sont ce que Marivaux appellera les « attributs » dans la Suite des *Réflexions sur l'esprit humain*, voir *supra*, p. 138.

110. *V.M.*², p. 86.

moyen de son orgueil ; il n'y a que la manière de s'en servir » [111], c'est
le secret de « l'homme vraiment supérieur », grand écrivain ou grand
seigneur [112]. Quant à l'affirmation de l'amour-propre en dehors de
toute forme, c'est la paresse, déjà reconnue par La Rochefoucauld :
elle est l'amour-propre comme force de résistance ; toute la philosophie, tout le courage même des libertins n'est qu'« une impossibilité
comme absolue de se gêner » [113] ; le méchant est celui qui veut fuir
« la peine qu'il y a à être bon et vertueux ». Encore Marivaux n'est-il
pas l'ennemi de la paresse : elle est plus naturelle et plus innocente
que l'ambition et la cupidité, elle est pour le moins ambiguë [114]. Continuateur des moralistes classiques et fidèle à leur leçon de pessimisme,
Marivaux condamne l'amour-propre comme la source de tout mal,
mais quand le spectateur cède la parole au peintre, et le moraliste
au romancier, une sympathie amusée et même admirative pour l'inlassable activité de cette force qui est le noyau de l'âme humaine remplace
la condamnation. La connaissance de soi et d'autrui, si poussée qu'elle
soit, est stérile si elle n'est qu'une dénonciation impitoyable : le
portrait de nous-mêmes que nous devons attendre du moraliste est
celui « où nous avons l'honneur de démêler nos faiblesses avec la
sagacité la plus fine et par conséquent la plus consolante », celui « qui
nous peint le mieux l'importance et la singularité de cet être qu'on
appelle homme, et qui est chacun de nous » [115]. Marivaux n'emprisonne
pas l'homme dans la fatalité de sa nature ou dans les conséquences
de sa chute : l'homme se réhabilite et se réforme en se connaissant [116].

---

111. *Le Spectateur français*, XXIII, *J.O.D.*, p. 252. L'amour-propre met en forme les
données du hasard, de la nature, il en fait un *moi* conscient et content de lui-même. D'où
les formules qu'on trouve dans les *Lettres sur les habitants de Paris*, ibid., I, p. 35 :
« L'amour-propre est à peu près à l'esprit ce qu'est la forme à la matière. L'un suppose
l'autre. Tout esprit a donc de l'amour-propre, comme toute portion de matière a sa forme :
de même aussi que toute portion de matière est pliable à une forme plus ou moins fine
et variée, suivant qu'elle est plus ou moins fine et délicate elle-même, de même encore
notre amour-propre est-il plus ou moins subtil, suivant que notre esprit a lui-même plus
ou moins de finesse ». L'esprit ici est la faculté intellectuelle, considérée comme une
donnée, un élément que l'amour-propre prend en charge. Ailleurs, l'esprit désigne le pouvoir
organisateur de l'amour-propre lui-même, et il est alors forme, et non plus matière.

112. *Lettres sur les habitants de Paris*, ibid., p. 37 ; L'homme supérieur « gouvernera
[l']amour-propre » des autres.

113. *Le Cabinet du philosophe*, X, ibid., p. 426 ; cf. *Le Spectateur français*, XIX, ibid.,
p. 223.

114. *L'Indigent philosophe*, V, *J.O.D.*, p. 306 ; La Rochefoucauld, Maxime 266 et Maxime
supprimée 630 (numérotation de l'éd. des G.E.F. ; 54, selon l'éd. J. Truchet, Paris, 1967). C'est
aussi la paresse qui évite aux « gens faits pour être constants » de s'engager dans des
passions qui les meurtriraient (*Le Cabinet du philosophe*, II, *J.O.D.*, p. 432) ; c'est elle, ou du
moins l'oisiveté, qui fait le bonheur de l'Indigent (*L'Indigent philosophe*, I, ibid., p. 277).
Voir *supra*, chap. II, p. 62.

115. *Réflexions sur l'esprit humain*, ibid., p. 474.

116. Voir tout le développement qui figure dans les *Réflexions sur l'esprit humain*, *J.O.D.*,
p. 488-489 (« [L'homme] est-il condamné sans retour à n'être que ce que la bizarrerie ou la
malignité de sa formation veut qu'il soit ? » [etc.]).

Chapitre V

PREMIÈRES PERSONNES

L A CONNAISSANCE DE SOI est le couronnement de la vie morale. Un véritable héros de roman, qui ne soit ni invraisemblable, ni ridicule, un être imaginaire digne d'inspirer l'admiration et d'incarner un idéal doit se connaître. Marivaux est peut-être le premier romancier à avoir fait figurer parmi les qualités qui rendent romanesque un personnage l'aptitude à se connaître et à se dire. Dans la tradition picaresque, depuis *L'Ane d'or* d'Apulée, la première personne était d'usage : Lazarillo de Tormes, Pablo de Ségovie, Gusman d'Alfarache, Simplicius Simplicissimus, Jack Wilton (le voyageur malchanceux de Thomas Nashe) racontent eux-mêmes leurs aventures. En 1715 Lesage venait de publier les quatre premiers livres de son *Gil Blas* et d'acclimater dans la littérature bourgeoise, en le modifiant très profondément, le type du *pícaro*. Marivaux n'a pas ignoré ce personnage : on en retrouve certains traits dans le Comédien ivrogne de *l'Indigent philosophe*, peut-être aussi, mais très déformés, dans l'Indigent, dans Brideron (qui n'est pas lui-même le narrateur), dans Jacob. Ce n'est pas de cette tradition qu'il s'est d'abord inspiré, il l'a pour ainsi dire rejointe en chemin. Le roman picaresque est un roman d'action, mais il permettait un jeu assez délicat de suggestions, soit dans le contraste entre les aventures et les réflexions, soit dans l'ironie du narrateur envers lui-même, surtout quand sous cette ironie s'en glissait une autre plus subtile envers autrui. Lesage se fait une idée trop empirique de l'homme pour tirer un profond parti de ces ressources, mais un écrivain averti des complexités de la conscience et sensible aux intentions implicites d'un style, comme Marivaux, pouvait recevoir des picaresques espagnols une double leçon : ils montraient d'abord comment les événements d'une existence étaient symboliques de la condition humaine à tel moment historique, et comment le *moi* qui les vivait faisait par ses réflexions apparaître leur sens, non pas dogmatiquement et abstraitement, mais individualisé selon son caractère ; ils invitaient ensuite à chercher la marque secrète de l'auteur dans les propos du narrateur : car on ne pouvait identifier Mateo Aleman à Gusmán, ni Quevedo à Pablo de Ségovie. Ainsi étaient créés un décalage entre le contenu du récit et la parole du narrateur, et un autre décalage entre cette parole du narrateur et le silence de l'auteur. Nous pourrons les chercher dans les grands romans de Marivaux. Mais l'un des rares Espagnols que Marivaux ait connus, et en traduction seulement, est Cervantes[1]. C'est par son propre génie qu'il a mis au point ses moyens d'expression.

Dans le roman sentimental, la première personne était régulièrement employée pour certains récits insérés dans le récit principal, et, depuis les *Lettres portugaises*, pour les fictions épistolaires. Les *Lettres portugaises* (que Marivaux lui-même cite dans les *Lettres contenant une aventure*) saisissaient à leur naissance et immédiatement les mouvements de la passion : on en trouve comme un écho dans certaines pages du *Spectateur français*[2] où Marivaux laisse parler des personnages pathétiques, et peut-être leur accent, l'exemple qu'elles avaient donné d'un discours brûlant où l'âme s'épanchait, l'ont-ils aidé à écrire les passages de ses romans et de ses pièces de théâtre qui sont des cris du cœur, éloquents, indignés et douloureux. Mais ni au théâtre, ni dans le roman ces cris ne sont un aboutissement ; les personnages doivent les dépasser dans les comédies, par une prise de conscience (« Ah ! je vois clair dans mon cœur ! »)[3], qui leur permet au dénouement de parler le langage tendre et souriant, perspicace, avec lequel les autres parlaient d'eux avant qu'ils se reconnussent ; dans les romans, par la rétrospection qui, sans même qu'il soit besoin que nous sachions la conclusion de l'aventure, éclaire d'intelligence et d'ironie le récit des transports les plus spontanés. Marivaux a certainement voulu faire entendre à quel point son objet était éloigné de celui des *Lettres portugaises*, en faisant nommer cette œuvre par un de ses personnages chez qui l'esprit contrôle le plus étroitement le cœur. Nous aurons à nous demander comment, sans manquer à son grand principe d'élucidation par l'intelligence, il a pu sauver chez ses héros la spontanéité de l'émotion[4].

Doit-il quelque chose aux récits insérés dans les grands romans baroques ? Il n'est pas question d'entreprendre ici une étude de l'analyse psychologique à la première personne dans le roman de l'époque baroque ; l'idée générale que nous en proposons est celle-ci : le récit à la première personne est très souvent, et même le plus souvent, fait par un personnage subalterne qui a reçu les confidences de celui dont il raconte l'histoire, ou qui a eu un rôle secondaire dans l'action ; même lorsque le récit est fait par le personnage principal de l'action, l'essentiel de la psychologie se trouve dans les dialogues, qui sont l'expression rhétorique des sentiments immédiats, et le commentaire actuel, fait par le narrateur au moment de sa narration, est très limité ; de plus, le sens de l'action racontée n'apparaît pas toujours au narrateur, parce que le dénouement de cette action

---

1. A Cervantes, il convient d'ajouter au moins Avellaneda, Montalvan et Baltasar Gracián, en traduction, et une adaptation d'*Amadis de Gaule*.
2. *Lettres contenant une aventure*, J.O.D., p. 98 ; *Le Spectateur français*, deuxième, neuvième et dixième feuilles.
3. *Le Jeu de l'amour et du hasard*, II, 12.
4. Voir *infra*, chap. VII.

sera apporté seulement par le déroulement ultérieur de l'intrigue principale ; enfin et surtout un héros de roman baroque, une âme généreuse, ne peut jamais atteindre à une parfaite connaissance de soi : le repliement sur soi est un signe de duplicité, la grande âme peut sans crainte céder aux impulsions de sa nature et lorsque ces impulsions, également nobles, se contrarient, l'état d'âme le plus intense, l'état d'âme romanesque par excellence, est l'aporie. C'est au romancier lui-même à démêler ce qui entre dans cette aporie. Quand ils parlent d'autrui ou quand ils dissertent abstraitement dans leurs conversations en forme, les personnages sont aussi bons analystes que l'auteur ; mais quand il s'agit d'eux personnellement, ils en sont réduits au lyrisme oratoire qui nous les donne à admirer plus qu'à comprendre [5]. Pour unir deux éléments jusque-là séparés, l'action et la réflexion, Marivaux n'a pas seulement modifié la formule du roman, il a changé l'âme du héros romanesque.

En 1728, quand il publie sa première œuvre de romancier, le début des *Mémoires et Aventures d'un homme de qualité qui s'est retiré du monde*, l'abbé Prévost a trouvé le ton qui lui est propre, il fait d'emblée entendre dans la première personne la mélancolie de sa sensibilité, et l'accent pénétrant du souvenir qui transforme en destin le malheur du personnage. C'est l'année où Marivaux écrit une première version inconnue du début de *Marianne* ; il a mis plus longtemps pour arriver au style romanesque qui lui est propre, ses premières œuvres nous ont paru plus intéressantes comme tentatives critiques que comme créations. Mais il a commencé plus jeune que Prévost [6] ; la tâche qu'il se proposait était plus diverse, puisqu'en quelques années seulement il s'est essayé dans la comédie, dans le roman, dans la parodie, dans la satire : et le but qu'il visait était peut-être plus difficile à atteindre puisqu'il ne cherchait pas à donner forme à ses mythes personnels et à leur conférer par la fiction une valeur émotive et une signification morale universelle, mais à façonner des personnages extérieurs à lui, auxquels le lecteur pût croire, capables d'intéresser son cœur et sa raison, et dont la vraisemblance fût en quelque sorte impliquée dans leur propre témoignage sur eux-mêmes [7]. On les voit s'ébaucher dans les premiers romans, dans les essais envoyés au *Mercure* et dans les Journaux publiés avant 1728.

---

5. Voir sur le récit à la première personne intercalé dans les romans du XVIIe siècle quelques remarques de J. Rousset dans sa communication sur « L'Emploi de la première personne chez Chasles et Marivaux », au XVIIIe congrès de l'Association internationale des études françaises, *C.A.I.E.F.*, n° 19, mars 1967, p. 102-103.

6. Prévost a trente et un ans en 1728 ; Marivaux en a vingt-quatre en 1712.

7. C'est là aussi bien la définition des personnages de théâtre, mais ils ne sont pas présentés comme les auteurs de leur propre comédie, au lieu que les personnages romanesques qui parlent à la première personne chez Marivaux sont leurs propres romanciers. Marivaux est Marivaux au théâtre dès *Arlequin poli par l'amour* (on peut négliger *Le Père prudent et équitable*, œuvre d'apprenti dont G. Bonaccorso, *Gli Anni difficili di Marivaux*, p. 81-103, fait un éloge excessif) : mais la même année qu'*Arlequin poli*, 1720, est publiée la première œuvre où apparaisse aussi le vrai Marivaux romancier, les *Lettres contenant une aventure*. La réussite presque instantanée du dramaturge s'explique évidemment par le fait que la troupe italienne lui apportait, tout prêts à l'emploi, des rôles, des caractères, des effets, des situations, une atmosphère. De plus certains indices permettent de penser que Marivaux, pendant ces premières années parisiennes sur lesquelles nous avons déjà attiré l'attention, *supra*, chap. I, p. 18, suivait assidûment les spectacles de la Foire.

AU TOME SECOND des *Effets surprenants de la sympathie,* Parménie raconte sa vie à Frédelingue ; elle rappelle les jours heureux qu'elle a passés avec sa mère adoptive, et leur douleur à toutes deux lorsque, retrouvée par son père, elle a dû le suivre à la Cour. L'intervalle qui sépare le moment où le récit est fait du moment où l'action avait eu lieu est assez court, environ un an [8] ; suffisamment long néanmoins pour que les sentiments éprouvés autrefois se soient atténués et renaissent dans la conscience. Au souvenir de celle qui l'avait élevée et qu'elle a dû quitter, Parménie s'écrie : « Dieux ! quelle tendresse ne me sentis-je point pour cette aimable dame, pour ma mère ! car ce nom a des charmes encore pour moi » [9]. La narration unit ainsi la lucidité de la rétrospection et la vivacité d'une émotion retrouvée. Le plus beau moment de ce récit est un peu postérieur à cet épisode : Parménie va être présentée à la Cour et elle appréhende l'entrée dans le monde ; Marivaux, trop fidèle à la tradition romanesque, lui prête un obscur pressentiment de ses malheurs futurs, mais ce pressentiment est bien inutile ; ce que ressent la jeune fille, c'est le trouble d'un être innocent, naturel, habitué à vivre seul ou avec des intimes, et qui va affronter les autres, les inconnus. Elle se retourne vers son passé dans un recueillement poignant, méditation de l'individu sur lui-même entre deux grandes étapes de son existence, et aggrave sa tristesse en se représentant la rupture qui va la séparer de ce qu'elle a été naguère, l'adultération qu'elle devra subir. Ici encore, au moment où elle raconte, Parménie a dépassé la crise : la réflexion rétrospective lui permet de dégager le sens d'un événement où son esprit et son cœur s'étaient mutuellement passionnés ; les malheurs qu'elle appréhendait ont eu lieu ; les chagrins dont elle ignorait la cause lui sont maintenant expliqués ; d'une conscience pathétique d'elle-même dans le passé, elle accède, en se racontant, à une conscience non pas froide, mais sans trouble [10]. Des remarques du même genre pourront être faites à propos de *La Vie de Marianne.*

Une telle page est exceptionnelle dans le roman, et même, pour en sentir tout le charme, il faut oublier qu'en fait la narratrice est Caliste, qui rapporte le récit de Parménie ; oubli facile, mais dont la facilité fait justement apparaître combien cette fiction compliquée est inutile et peu naturelle. Le plus souvent, quand un héros de ce roman raconte ses propres aventures, l'emploi de la première personne ne fait gagner à son personnage ni profondeur, ni intériorité, ni lucidité ; l'auteur lui-même pourrait prendre sa place sans dommage, le récit ne

---

8. Voir *infra,* chap. VIII, p. 369 sq., la composition des *Effets surprenants.*

9. *O.C.,* V, 535. *O.J.,* 146. Marianne pleurera en se rappelant les bontés de Mme de Miran, *V.M.²,* p. 325.

10. *O.C.,* V, 544-545. *O.J.,* 152.

changerait ni de sens ni de ton[11]. Prête à raconter ses malheurs à
Merville (à l'intérieur du récit qu'elle en fait à Frédelingue), Parménie
croit beaucoup dire en présentant sa vie comme « un tissu d'événements presque inouïs », comme si, de tout ce qu'elle a éprouvé, elle
n'avait rapporté que de l'étonnement. Le moment où elle exprimait
cet étonnement et, par conséquent, l'étonnement lui-même appartiennent à son histoire passée. En principe, il n'y aurait pas place
pour l'étonnement dans le présent actuel et définitif, dans le temps
neutre, postérieur à toutes les aventures, où un être désormais sans
histoire et sans passions est censé faire son récit ; c'est dans ce temps
que sont placés Marianne et Jacob quand ils écrivent leurs Mémoires.
Il est absent des premiers romans de Marivaux, où les récits insérés,
selon la pratique traditionnelle des romanciers baroques, sont relayés
et conduits à un dénouement par la suite de l'action. Marivaux n'a
fait encore que pressentir les ressources du récit à la première personne : aucun de ses héros ne sait ironiser sur lui-même, aucun ne
s'abandonne aux digressions si caractéristiques de tous les narrateurs
qu'il fera parler quelques années plus tard. Parménie n'en prononce
qu'une, avec un parfait naturel, il est vrai, à un instant dramatique de
la remémoration du passé ; elle lui est inspirée par l'expérience du
malheur qu'elle a acquise depuis les événements racontés, et elle
l'excuse d'une façon assez différente de celle qu'emploiera Marianne :
« Cette digression [...] vous paroîtra peut-être hors du sujet : mais,
Seigneur, le mépris que j'ai pour la plupart des gens du monde est si
grand et si juste ; j'ai trouvé en eux tant de vices et de mauvaise foi,
que vous me pardonnerez des réflexions que l'aversion que j'ai pour
eux m'a fait faire »[12]. L'écart est ici provoqué par un mouvement de
sensibilité que la narratrice n'a pas pu réprimer, et non par le goût de
comprendre et d'expliquer qui sera chez Marianne. Marivaux n'est
pas sorti du dilemme que nous indiquions plus haut : ou le récit à
la première personne n'est qu'un élément de l'action, et la réflexion un
peu développée en est exclue ; ou la réflexion se développe et devient
analyse, et elle n'est permise qu'à l'auteur.

   Pharsamon comporte trois récits à la première personne, celui de
Cliton, celui de Clorine et celui de Célie. Le récit de Cliton n'appartient
pas à la littérature d'analyse psychologique, il relève du jeu et de la
caricature : le romanesque vers lequel tend Marivaux est un romanesque sérieux, Clorine et Célie en sont plus proches. Marivaux s'est
privé du droit d'intervenir lui-même, d'expliquer, de compléter,
comme il l'avait fait pour l'histoire de Clarice dans *Les Effets
surprenants* ; de plus, Clorine ne parle que d'elle, de ce qu'elle a vu, de
ce qui lui est arrivé, tandis que dans *Les Effets surprenants* l'histoire

---

11. Une petite phrase de Merville est pourtant à mettre à part : « Que devins-je ! (j'en
frémis encore) quand je reconnus Misrie qui se débattoit entre les bras de l'inconnu »
(*Ibid.*, VI, 67. *O.J.*, 212). En dehors du récit de Parménie, c'est l'unique intervention du héros
narrateur dans sa narration, et elle redouble l'émotion d'autrefois sans l'expliquer ni l'in-
rérioriser. Un brusque morceau de présent éclate dans une trame toute au passé. Nous
avons vu que le résultat de tant d'aventures était l'oubli. Il est normal que le temps et
l'âme du narrateur soient absents de la narration.

12. *Ibid.*, V, 517. *O.J.*, 135.

racontée par Parménie nous était textuellement répétée par Caliste, en dépit de la vraisemblance, et que, dans *Pharsamon* même, avant de raconter sa propre histoire, Célie va raconter celle de sa mère, où apparaissent beaucoup de faits et de propos dont il est peu croyable qu'elle ait eu connaissance. Au contraire, Clorine nous avertit qu'elle n'essaie pas d'inventer ce qu'elle a dû ignorer [13], petite habileté de Marivaux, qui montre qu'il a mieux compris les impératifs du récit personnel. L'emploi de la première personne permet d'ouvrir des perspectives, de mettre en place et en ordre ce qui était obscur et incohérent au moment où l'héroïne le vivait, d'anticiper quand la clarté l'exige, de résumer quand le détail risque d'être languissant [14] : c'est la technique la plus élémentaire pour un romancier omniscient qui domine de haut l'action et les personnages, mais il semble bien que Marivaux, paradoxalement, n'ait appris cet art d'organiser et d'aérer la narration qu'au moment où il a laissé la parole à l'un ou à l'autre des personnages. Minutieux et embarrassé jusqu'alors [15], il doit maintenant insuffler au récit une âme, diversifier l'accent selon l'émotion qu'éprouve la narratrice ; toutes les gaucheries qui alourdissent le dialogue avec le lecteur dans les passages burlesques ont disparu : lorsque l'héroïne raconte elle-même sa vie et s'adresse à quelqu'un, il est normal qu'elle le prenne à témoin, s'interrompe, se commente, obéisse à tous les élans passionnés que le souvenir réveille en elle. Les « réflexions », qui auront une si grande part dans le récit de Marianne et sur lesquelles elle s'expliquera si souvent, sont absentes ; Marivaux se méfie de l'esprit, il ne sait pas encore en faire l'allié du cœur : « Quand on aime, les réflexions qu'on fait avec soi-même, font certainement moins d'effet que la présence de l'objet aimé ». Considérant que l'intelligence n'a rien à apprendre au cœur, Clorine se figure que les « réflexions » faites dans le passé sont ennuyeuses, sans intérêt, inutiles à rapporter [16], et elle borne sa « réflexion » dans le présent à constater leur impuissance. Le pouvoir généralisant de l'intelligence n'est utilisé qu'à quelques maximes assez banales, moins nombreuses que dans *Les Effets surprenants*, et presque toutes « maximes d'amour ». L'élucidation rétrospective intervient quelquefois, pour expliquer par exemple comment l'amour naissant a fait des progrès d'autant plus rapides qu'il était méconnu, ou pour exprimer en clair un sentiment subtil qui avait été sur le moment mieux éprouvé qu'identifié [17]. La

13. « Je ne sçais ce qui se passa pendant mon évanouïssement » (*ibid.*, XI, 191. *O.J.*, 494) ; « Je ne sçais point quelle conversation eurent ensemble Iphile et mon pere » (XI, 199. *O.J.*, 498) ; et même ceci, qui est plus curieux : « Je ne me souviens plus de tout ce que je dis là-dessus » (XI, 154. *O.J.*, 473). Célie, dans ce même roman, et les divers narrateurs des *Effets surprenants* savent laisser quelque mystère dans leur récit en avouant que certains détails leur ont échappé, mais ils racontent avec des précisions inutiles ce qu'ils n'auraient jamais dû connaître que confusément.

14. Voir *infra*, chap. VI, p. 230-232.

15. Voir *infra*, chap. VIII, p. 421, et chap. IX.

16. *O.C.*, XI, 154. *O.J.*, 474. « Je vous ennuierois de vous dire tout ce que je pensai alors », *ibid.*, XI, 163. *O.J.*, 478 (il s'agit ici moins de « réflexions » que de divagations du désespoir). Sur les réflexions, voir *infra*, chap. VII, p. 314.

17. « Le peu de connoissance que j'avois de l'amour, fit que je me livrai sans scrupule à mes premiers sentimens » (XI, 151. *O.J.*, 472) ; « Il fut des moments, tant l'amour est puissant, où je sentis quelque secret plaisir de l'étrange aventure qui m'aprenoit que

tentative n'est pas menée bien loin, et lorsque Clorine, rappelant ce qu'elle a ressenti en voyant Oriante pour la première fois, parle de « je ne sçais quel plaisir que jamais personne ne [lui] avoit fait »[18], son recours au *je ne sais quoi* trahit la paresse de son esprit à analyser l'état de son cœur. Il s'agit pourtant de la naissance de l'amour, dans l'étude de laquelle Marivaux va devenir un maître. Le récit à la première personne est donc plutôt un moyen de ressusciter, de réactualiser l'émotion, que d'éclairer les secrets mouvements qui avaient agité l'âme. Le temps actuel, celui où est fait le récit, est constamment évoqué par une exclamation, une incise, un simple mot. Le cœur profite plus que l'esprit de la rétrospection.

Le récit de Célie commence par l'histoire de Tarmiane, mais il devient beaucoup plus intéressant quand Célie passe des aventures de sa mère aux siennes propres. Le point de vue rétrospectif, qui n'apporte dans l'ensemble guère plus que la mise en place des éclaircissements les plus simples[19], a eu le pouvoir une fois de réunir en faisceau tout ce qui compose la vie intérieure et d'en faire résonner les harmonies[20]. Hasbud était mort ; Cléonce était maître du sort de Célie et venait de le lui dire, en l'assurant de sa tendresse ; elle lui avait répondu par une déclaration furieuse d'indifférence, avec le tutoiement de l'indignation, puis s'était examinée : « Je ne puis exprimer l'état où je me trouvai alors, il passe toute expression » ; ce n'est là qu'une figure de rhétorique, dont Marivaux tirera dans ses œuvres ultérieures de plus sûrs effets, et qui vise à communiquer à l'auditeur une impression générale, mais Célie n'en reste pas là, elle reconstitue la suite de ses sentiments : « Je me voyois arrachée d'entre les mains d'un homme aimable [...]. Hélas ! que je me repentis de la retenue sévère que j'avois toujours gardée avec lui, dans mes paroles ! Il me semble que j'eusse été consolée, s'il avoit sçu combien je l'aimois ; mais la tranquillité avec laquelle j'avois vécu chez lui, avoit, pour ainsi dire, dérobé à mon cœur toute la sensibilité qu'il m'avoit inspirée ; je la sentois alors toute entière, par l'impossibilité que je voyois à la lui témoigner désormais ». Le passé auquel songeait Célie au moment de l'action était tout récent, mais le peu de temps qui s'était écoulé avait suffi pour transformer le possible en impossible et, prenant conscience de cet écoulement, Célie prenait par là même conscience du sentiment qu'elle n'avait auparavant pas su reconnaître en elle. Mme de La Fayette avait appris aux romanciers de l'amour que l'obstacle faisant naître la jalousie agissait comme un révélateur, et Marivaux fera de cette surprise un des éléments dramatiques de ses

---

j'étois une inconnue, et qui donnoit occasion à Oriante de montrer combien il m'aimoit » (XI, 169. *O.J.*, 478).

18. *Ibid.*, XI, 147. *O.J.*, 470.

19. Par rapport à ce qu'elle était dans le passé, Célie est ce qu'est l'auteur d'un roman à la troisième personne par rapport à ses personnages. Elle explique comment elle répondit à Hasbud « avec une douceur où cette reconnoissance dont il me parloit, et peut-être quelque chose de plus, avoit part » (XI, 466. *O.J.*, 639). Dans tous les autres cas, le point de vue rétrospectif n'est qu'une façon d'éclairer, de mettre en perspective, quelque fois par prétérition : « Vous pouvez juger de la nuit que je passai », XI, 497. *O.J.*, 655.

20. *Ibid.*, XI, 493-494. *O.J.*, 653.

comédies ; ici, d'une façon un peu semblable, l'amour se reconnaît et s'avoue dans une situation qui l'exclut. Mais à cette rétrospection passée, élément de l'action racontée, s'ajoute par l'emploi de la première personne une rétrospection présente, au moment de la narration : l'impossibilité désolante que faisait apparaître la première se double d'une possibilité conditionnelle, à l'irréel du passé, mais consolante, que fait apparaître la seconde. Ne donnons pas à cet enrichissement par la rétrospection plus d'importance qu'il n'en a : « Il me semble » n'est peut-être qu'un synonyme de « pour ainsi dire » ; il n'en reste pas moins que, fût-ce dans les mots, la réactualisation du passé par le récit à la première personne s'est faite, et que toute sa force de pénétration dans les régions obscures de l'âme a été pressentie. Le passage s'achève sur une maxime de tournure exclamative, qui donne une portée universelle à l'événement particulier et fait entendre l'écho encore vibrant chez la narratrice de sa souffrance d'autrefois : « Quelle chûte, grand Dieu ! et qu'il est difficile que le désespoir ne s'empare pas absolument d'une âme en pareille situation ! »

Sans doute est-ce ici le premier exemple qui soit chez Marivaux d'une âme dans laquelle se correspondent divers « registres », pour employer un mot dont Jean Rousset a définitivement consacré l'emploi [21], et ces registres sont plus de deux : au départ, une « sensibilité » inconsciente ; lors de la première rétrospection, la prise de conscience de cette sensibilité, désormais interdite ; lors de la rétrospection instituée par le récit, la prise de conscience d'un regret (de n'avoir pas avoué son amour à Hasbud) demeuré inconscient au moment de la première rétrospection ; enfin, dans le propos à l'adresse de l'interlocuteur présent, une formule généralisante conforme à l'ambition de Marivaux psychologue, mais en même temps litote par laquelle Célie laisse entendre l'intensité de son désespoir, que sa pudeur lui interdit d'exprimer dans toute sa violence passée, et la mélancolie qu'il lui en demeure. Pour amener à leur perfection cette délicatesse du sentiment et cette finesse de l'intelligence de soi, Marianne aura plus de brillant, plus de bonheur dans l'expression, et s'appuiera sur des circonstances plus vraisemblables.

*
* *

Au contraire de ces personnages, Cliton est sans retour sur lui-même, toute spontanéité ; sa sagesse, fondée sur l'expérience et mêlée de beaucoup de bêtise, n'est qu'un bon sens qui s'exprime par proverbes. Si son maître est le Singe de Don Quichotte, il est lui, l'émule de Sancho Pança, et plutôt du Sancho d'Avellaneda que de celui de Cervantes. Quand il raconte son enfance rustique, ses jeux avec son maître, la chasse aux moineaux, le vol des pommes, les pugilats, la lecture des romans, les duels à l'épée de bois, les scènes où il tenait le rôle de la princesse enlevée et parlait « d'une voix plus

---

21. Jean Rousset, « Marivaux et la structure du double registre », dans Forme et signification, Paris, 1962, p. 45-64.

douce qu'une flûte ou qu'un hautbois » [22], il interrompt à tout moment son récit par des jurons, des exclamations, des parenthèses, pour boire un coup, pour avaler une bouchée ; ses interruptions le peignent aussi bien que le récit lui-même. Marivaux s'est amusé à faire parler selon son caractère un personnage qui lui est sympathique, le premier d'une série qui comprend Pierrot-Timane, Brideron, L'Indigent philosophe, son compagnon le comédien, Jacob, tous les Arlequins. Ce commentaire très fruste, dicté par l'humeur, établit l'accord entre le narrateur et la narration : il était plus aisé à réaliser avec un personnage burlesque, les personnages sentimentaux s'installant tout de suite dans la convention ; mais quand l'auteur veut lui aussi faire le burlesque et jouer au narrateur intervenant dans son propre récit, il est beaucoup moins plaisant et naturel que Cliton [23], bien que ses propos aient un sens plus riche. Marivaux changera son comportement de narrateur dans Le Télémaque travesti, et disparaîtra de L'Indigent philosophe et du Paysan parvenu.

Cliton était un simple comparse, Brideron est le héros principal du Télémaque travesti. Comme son modèle fénelonien, et selon la tradition du roman héroïque, il fait dès le Premier livre un long récit rétrospectif de toutes ses aventures avant l'épisode par lequel l'action va commencer, son arrivée chez Mélicerte. En face de Pharsamon, pour lequel la sévérité de Marivaux n'était pas sans nuances, Cliton représentait à sa façon le naturel. Dans le personnage de Brideron, la critique que Marivaux fait de l'héroïque et du romanesque va beaucoup plus loin, il lui a même refusé le tour d'imagination et de sensibilité qui empêchaient Pharsamon d'être purement un stupide fantoche. Pourtant Brideron semble plus vrai, plus vivant, le lecteur est prêt à trouver en lui du bon sens à côté de la balourdise, et quelque finesse dans la gaieté. Marivaux aurait préfiguré en lui certains de ses Arlequins qui auront du cœur et seront capables de politesse [24] et, plus lointainement, le héros du Paysan parvenu, en lui prêtant un « air niais et malin », un « geste de Paltoquet et de bon Enfant » [25]. A vrai dire, ces expressions ne nous paraissent guère flatteuses : « malin » ne corrige « niais » que pour ajouter à la sottise quelque chose de sournois, et « bon Enfant » donne à entendre la simplicité naïve qui s'allie à la grossièreté du « Paltoquet » [26] ; mais Brideron n'est ainsi

---

22. O.C., XI, 382-396. O.J., 594-601.

23. Voir, sur les intrusions d'auteur, infra, p. 436 sq.

24. Par exemple l'Arlequin d'Arlequin poli par l'amour, celui de La Double Inconstance, celui de L'Ile des esclaves, etc.

25. T.T., p. 196 ; voir la note 1 de F. Deloffre à ce passage. Un ennemi de Brideron père trouve au contraire Brideron fils sympathique en raison de son « air humble et nigaud », ibid., p. 275.

26. Dictionnaire de Richelet (nouvelle édition, Amsterdam, 1732), article Bon : « Bon est rarement un éloge en parlant d'une personne. Ces mots, c'est un bonhomme, forment d'abord dans notre esprit l'idée d'un homme de peu de mérite ». Dictionnaire de Trévoux (Paris, 1752), article Enfant : « on dit aussi qu'un jeune homme est bon enfant, lorsqu'il est sans malice, qu'il est facile et disposé à croire, et à faire tout ce qu'on veut ». Dictionnaire de Richelet, article Paltoquet : « Homme qui a l'air et les manières rustiques et paisannes ». Dictionnaire de l'Académie française, 1765, article Paltoquet : « Terme de mépris, qui se dit d'un homme grossier. » Dictionnaire critique de la langue française, de l'abbé Féraud (Marseille, 1788), article Paltoquet : « Homme grossier ; paysan. [...] C'est un terme de mépris. C'est bien à toi paltoquet, de t'arrêter à ce chimérique honneur. » Mariv. La citation faite par Féraud vient du Paysan parvenu, P.P., p. 27.

désigné que par ressemblance, c'est Brideron le père qu'Omenée évoque
en voyant le fils, la dure verve avec laquelle est écrite toute l'œuvre
exigeait qu'une camaraderie de guerre s'exprimât en ces termes inju-
rieux. La brutalité de Brideron ne fait aucun doute : nous avons vu
comment il tue ses ennemis [27] ; la pensée que Phocion est mort lui
inspire seulement ces paroles : « Eh ! Dame, ce qui est mort ne vit
plus, le pauvre homme ! dis-je sans témoigner de chagrin. Après cela,
je regardai tranquillement faire les autres ». Il n'est pas plus attristé
à l'idée que son père ait pu avoir le même sort : « notre Pays y
perdroit beaucoup et moi aussi, car on dit que de son vivant, nos
terres raportoient le double, cela est de conséquence pour moi ; s'il
m'avoit dit son secret, encore passe » [28]. Sa niaiserie éclate : quand
« la Gouverneuse » étouffe de rire aux arguments ridicules de Phocion,
« c'étoit aparemment de joie », croit-il, et, rappelant la façon dont il
gardait les secrets en les racontant à tout le monde, il s'écrie : « Dieu
sait comme ma Mere me baisoit quand elle me voyoit si sage » [29]. La
malice n'est ici que chez Marivaux. Toutes les belles qualités dont
Brideron fait preuve, sincérité, générosité, courage, souci de la justice,
modération, sont sans valeur puisqu'il les copie de Télémaque, par une
vanité d'imposture qui est le pire vice aux yeux de Marivaux. Son bon
sens naturel semble moins discutable : il fume pour se consoler et
pense en fumant que « toutes les choses d'ici bas fument, et s'en vont
comme du Tabac » [30] ; il sait juger la « chienne de vie » que s'est faite
Pymion, détesté de tous, méfiant et avare, et il en conclut ceci, qui n'est
pas dans *Télémaque :* « Ah ! que l'Homme est sot, et moi aussi, si
dorénavant tout ce que je vois ne m'apprend mieux à vivre que vingt
Maîtres d'Ecole » [31] ; la sagesse qu'il décrit aux Bourgeois de la ville où
il a remporté tous les prix du concours n'est pas très différente, dans le
fond, de celle que pratique Simon à l'Hôpital ni de celle qu'incarnera
l'Indigent philosophe [32] ; sur l'honneur des maris, il professe des idées
qui étaient déjà celles de Molière [33] ; et si pour Marivaux la connaissance de soi est le devoir et le privilège de l'homme, Brideron semble
bien le porte-parole de l'auteur lorsqu'il déclare : « le plus malheureux de tous les malheureux, c'est celui-là qui vit sans savoir comme il
vit » [34].

27. Voir *supra*, chap. III, p. 123 sq.
28. *T.T.*, p. 120 et p. 311.
29. *Ibid.*, p. 103 et 145, Marivaux fera la même plaisanterie avec Mme d'Alain, dans
Le Paysan parvenu (P.P., p. 108), et son continuateur la répètera encore (*ibid.*, p. 318). Elle
était sans doute de tradition populaire, mais Marivaux avait pu la lire dans Avellaneda,
Nouvelles Avantures de Don Quichotte, traduites par Lesage, Paris, 1704, t. II, p. 126 (« Je ne
vous en diray pas davantage, car Monseigneur Don Quichotte ne veut pas que vous sachiez
encore qu'il est amoureux de vous [...]) et p. 443 (« Monseigneur Don Quichotte m'a
défendu de le dire, et cela suffit. Il vaut mieux se taire que de mal parler. Je ne veux pas
seulement regarder l'Infante, de peur qu'on ne remarque dans mes yeux que c'est elle que mon
Maistre aime [...] »).
30. *Ibid.*, p. 93.
31. *Ibid.*, p. 105.
32. *Ibid.*, p. 142. Simon formule sa sagesse, *ibid.*, p. 269.
33. *Ibid.*, p. 361 ; voir par exemple Molière, *L'Ecole des femmes*, IV, 8, v. 1385 sq.
34. *T.T.*, p. 137. Brideron montre que celui qui vit sans savoir comment il vit s'abandonne
à ses passions, devient libertin, et « pourrit dans la misere du vice » ; se connaître, c'est
donc choisir ce que l'on veut être ; l'idée est bien de Marivaux, voir *supra*, p. 143-145.

Il est pourtant difficile d'admettre qu'il se connaisse, sinon son caractère serait incohérent et l'intention de Marivaux peu compréhensible : ce qu'il dit de sensé, il le doit à sa naïveté même, à son égoïsme immédiat, à son esprit terre à terre. Le fond de son caractère apparaît dans un des meilleurs mots qu'ait écrits Marivaux, mais dont il faut restituer le sens exact ; descendu en rêve, aux Enfers, comme Télémaque, Brideron y voit le séjour des Bienheureux ; ils dorment, fument, boivent, mangent, rient, ou, par les toits et les lucarnes, vont à des rendez-vous galants : « aparemment, disois-je, qu'il n'y a point de Commissaire en ce Pays, et qu'on y a liberté de conscience ». La liberté de conscience, récompense des justes au Paradis, Voltaire n'aurait pas trouvé mieux ! Marivaux était trop spirituel pour ne s'être pas avisé de la hardiesse qu'on pouvait prêter à ce mot, mais dans le roman, à cette place, il traduit essentiellement la naïve immoralité de Brideron, qui, vertueux par convention, se représente l'autre monde comme un lieu où il pourra jouir à son aise [35]. Le plus admirable dans Brideron est que sa vanité est sans malice, il s'emploie avec franchise et simplicité à imiter son modèle, la bêtise lui rend une espèce d'innocence qu'on n'attendrait pas chez un être si fondamentalement faux. Ses aventures se calquent sur celles de Télémaque, même les noms des personnages qu'il rencontre rappellent ceux du roman ; il n'en est pas surpris, c'est le contraire qui l'étonnerait. Chez Pharsamon, l'extravagance était un vice, chez Brideron (et chez Phocion) Marivaux a eu l'idée géniale d'en faire une nature. De même qu'il a donné à Brideron une vanité sans amour-propre et sans retour sur soi, de même il l'a doué d'une sagesse sans conscience [36] et d'un comique sans esprit.

Tout l'esprit est dans le style : ce que Marivaux avait réussi pendant quelques pages avec Cliton, il l'a réussi dans *Le Télémaque travesti* presque d'un bout à l'autre de l'ouvrage, mis à part les trois ou quatre livres qui précèdent le dernier, et où il y a de la monotonie. Les moyens de cette réussite sont les moyens du réalisme [37], au premier rang desquels est le dialogue au style direct. Marivaux a transposé en dialogues, en récits faits par un personnage, de nombreux passages qui étaient à la troisième personne chez Fénelon [38]. Le récit rétrospectif fait par Brideron au début du roman n'est donc qu'un long monologue : il n'y faut pas chercher l'approfondissement du *moi* par lui-même, les interférences du présent et du passé qui apparaissent dans les récits de Parménie, de Célie, de Clorine. La seule page où Brideron décrive un état de conscience un peu complexe est parodiée

---

35. *T.T.*, p. 322. De même, p. 321, voyant la terre aux Champs-Elysées se labourer et s'ensemencer elle-même, Brideron, riche propriétaire, s'écrie : « Ah, mon Oncle, si j'avois chez moi de pareilles terres, que de gourmans de Valets dehors et cassés aux gages ! » A ce réalisme intéressé se borne sa « raison », voir *supra*, chap. III, p. 125.

36. Dans le passage cité plus haut (voir *supra*, n. 32), les idées exprimées sont louables, et pourtant tous les auditeurs éclatent de rire et admirent Brideron comme un prodige de ridicule. C'est un fou qui vend la sagesse.

37. Voir *infra*, chap. IX, p. 469 sqq.

38. « Faisons-le parler lui-même », déclare Marivaux, *T.T.*, p. 312 ; les passages au style direct des pages 160-163, 184, 268, 269, etc. correspondent à des passages à la troisième personne chez Fénelon.

de Fénelon ; Brideron y traduit en sensations alimentaires les sensations morales que décrivait Télémaque, il est le témoin passif et ravi de ce qui se passe en lui [39].

Comme Cliton, Brideron est un personnage que Marivaux a fait vivre en s'aliénant, en se mettant à sa place : mais la création de Brideron s'accompagnait de celle de tout un univers en harmonie avec lui, par rapport auquel le créateur lui aussi devait se définir. En apparence nous sommes aux antipodes du monde sentimental de Marianne, de son sérieux et de sa vraisemblance, très loin aussi des aventures de Jacob, si plein d'intelligence et d'attention à soi. En réalité le problème que s'était posé Marivaux dans *Le Télémaque travesti* était le même : trois éléments étaient à unir en un tout solidairement, le caractère du héros, le monde par référence auquel le héros s'assurait existence et cohérence, le rôle de l'auteur. Dans le domaine du réalisme comique, Marivaux n'ira jamais plus loin que *Le Télémaque travesti*, qui est en cela un authentique chef-d'œuvre. Mais le réalisme comique ne remplit pas tout le vœu de Marivaux romancier : faire vivre un être qui se connaisse et qui intéresse le lecteur presque uniquement par cette connaissance qu'il a de soi.

---

39. *T.T.*, p. 125 ; Fénelon, *Les Aventures de Télémaque*, nouvelle édition [...] par Albert Cahen, Paris, 1920, livre IV, t. I, p. 165.

MARIVAUX n'a jamais dit comment lui-même se connaissait, quelle image il avait de lui, quel profit il faisait de sa sagesse, quel goût avait pour lui le fruit de l'expérience. Montaigne a écrit les *Essais* pour se former lui-même, Pascal s'engage passionnément dans le combat que livrent les *Pensées*, La Bruyère donne cours à ses rancunes et affiche ses choix personnels dans *Les Caractères*, La Rochefoucauld même a laissé des Mémoires et l'on sent dans certaines *Maximes* le frémissement du souvenir et de l'allusion. Dans ses Journaux et dans ses œuvres morales d'un genre analogue, Marivaux se tait pendant que parlent des êtres imaginaires. Leurs abondants bavardages lui servent à se dissimuler. Quand il intervient, confondant provisoirement sa personnalité avec celle du journaliste supposé, c'est comme éditeur, ou comme écrivain professionnel qui répond à des critiques et défend son art et son style, sans confidences sur sa vie privée ni sur l'intérieur de son âme [40]. Le jeu d'inspiration burlesque entre l'auteur et le lecteur sur les modalités de la création littéraire, ce jeu auquel il s'était livré dans *Pharsamon* [41], a changé de signification et n'est plus mené que par les personnages fictifs que sont l'Indigent philosophe ou le Spectateur français. On s'est trompé quand on a cru que Marivaux racontait tel ou tel épisode de sa vie réelle : il n'a pas plus surpris les mines d'une jeune fille devant son miroir qu'il n'a obtenu en habit de riche un amour qui lui était refusé quand il était pauvre, ou qu'il n'a appris par une lettre mal adressée la perfidie de sa maîtresse [42] ; tout cela est littérature. Il dit, ou fait dire par l'un ou l'autre de ses philosophes, qu'il a perdu ses illusions sur les humains et leurs beaux sentiments, et contracté ainsi cette défiance qui accompagne son indulgence : l'expérience de la société parisienne et la lecture de Pascal et de La Rochefoucauld l'ont instruit, bien plutôt qu'aucun déboire sentimental. La désillusion première dont plusieurs versions différentes nous sont contées n'est qu'un événement symbolique, que Marivaux place à l'origine du caractère dont il veut que son moraliste soit doté.

Pourquoi tient-il tellement à ne pas apparaître ? Par pudeur d'abord. Tout ce qu'on sait de lui nous le montre discret et susceptible, peu enclin à étaler comme Montaigne ses particularités personnelles au public. Mais surtout par rigueur, par désir de n'offrir que la vérité même : une vérité liée à sa personne n'a de sens que pour lui ;

40. Dans des lignes en italiques en tête de la septième feuille du *Spectateur français* (*J.O.D.*, p. 142), Marivaux annonce lui-même les raisons qui en ont retardé la publication pendant plusieurs mois, mais il fait aussitôt formuler ces raisons par le « contemplateur des choses humaines », l'« homme âgé » qui est l'auteur fictif du journal.

41. Voir *infra*, chap. VIII, p. 436 sqq.

42. *Voir* Appendice I.

elle n'est pas assimilable par autrui dans sa substance vivante, elle ne peut être objet de connaissance ni de leçon : on peut admirer combien cet écrivain, pour qui la vie intérieure compte seule, s'attache à être aussi objectif et universel qu'un savant. Le temps n'est pas encore venu où un individu pourra s'opposer comme la vérité de la nature humaine à l'inauthenticité générale ; la vérité que Marivaux dévoile et affirme n'est pas attachée au plus intime de sa subjectivité, comme celle de Rousseau, elle est la vérité du bon sens, commune à tous les hommes [43], elle doit s'appliquer à tous et expliquer le comportement de tous.

Marivaux affecte donc de ne publier que les écrits d'autrui, écrits étrangers à la littérature, non pas qu'il croie naïvement duper le lecteur, mais pour s'obliger lui-même à élever sa réflexion, par cette discipline, à un niveau de vérité que le jugement subjectif n'atteindrait pas. L'artifice transforme le produit de sa fantaisie en un objet naturel, le déguisement lui sert à accéder plus sûrement au vrai, puisque être vrai est son mot d'ordre dans toutes ses œuvres. Il imagine ainsi un personnage de moraliste assez individualisé pour être différent de lui sans doute possible par l'âge et la destinée et pour donner un accent personnel à ses réflexions, assez effacé pour que son *moi* ne soit guère plus que la première personne du philosophe quand il formule une proposition universelle comme « je pense, donc je suis ». La vérité est incarnée dans un humain, mais cet humain est l'homme de tous les hommes, un « homme qui pense », et non un écrivain [44], un homme qui ne considère que l'homme en autrui : « je cherche un homme », répète l'Indigent philosophe [45]. Contemplateurs désabusés des agitations humaines, sans passions et sans intérêts désormais dans l'existence, toute la joie et toute l'activité des porte-parole de Marivaux est dans leur regard ; ils pourraient, comme le Wolmar de Rousseau [46], souhaiter « devenir un œil vivant ». Par une affabulation rudimentaire, Marivaux leur invente un passé, mais on sait tout d'eux quond on a dit qu'ils sont lucides et de loisir. Ils ne sont mus que par la curiosité qui les excite à « butiner » les nouveautés [47] : « les choses vont, et je les regarde aller ; autrefois j'allais avec elles, et je n'en valais pas mieux, parlez-moi, pour bien juger de tout, de n'avoir plus d'intérêt à rien » [48]. Le Voyageur dans le Nouveau Monde a découvert le fond du cœur humain : « je ne saurais vous exprimer le repos, la liberté, l'indépendance dont je jouis. Je n'ai jamais été si content ; je ne me suis jamais diverti de si bon cœur que

---

43. Voir *supra*, chap. IV, p. 135 ; l'éloge du bon sens est dans *L'Indigent philosophe*, VI, *J.O.D.*, p. 311, et celui du sens commun, *ibid.*, VII, p. 317. Voir aussi *supra*, chap. IV, p. 153, n. 107.

44. *Le Spectateur français*, Première feuille, *J.O.D.*, p. 114 ; voir *supra*, chap. IV, p. 140. L'opposition entre l'auteur et l'homme vient évidemment de Pascal, *Pensées*, Br. 29. Marivaux y revient dans *Le Cabinet du philosophe*, I, *J.O.D.*, p. 335.

45. *J.O.D.*, p. 307.

46. *La Nouvelle Héloïse*, IV, 12 (*Œuvres complètes* de J.-J. Rousseau, tome II, Paris, 1961, p. 491).

47. *Le Spectateur français*, V, *J.O.D.*, p. 134.

48. *L'Indigent philosophe*, V, *ibid.*, p. 307.

depuis ma découverte. Je suis à la Comédie depuis le matin jusqu'au soir »[49]. Peut-être Marivaux a-t-il donné à ces observateurs quelque chose de son propre caractère, mais il les a aussi dessinés d'après le modèle que lui fournissait le *Spectator* d'Addison et Steele : si l'Anglais est plus doctrinaire que le Français, si sa morale est plus prolixe, il veut déjà demeurer un témoin à l'écart : « je vis ainsi dans le monde, plutôt comme un Spectateur du genre humain, que comme un individu de la même Espèce »[50] ; bien qu'il ait un goût prononcé pour la prédication et que les vertus qu'il exalte, candeur, bonne humeur, bienfaisance, lui proposent plus d'un but à atteindre, il assure, avant *Le Spectateur français* : « La curiosité [...] fait ma passion dominante, et j'ose dire l'unique plaisir de ma vie »[51]. La différence essentielle réside dans le fait qu'il n'y a pas un spectateur anglais, mais toute une équipe de personnages, comme le périodique anglais a plusieurs collaborateurs, et que leur société est animée et amusante. En créant l'Indigent philosophe, Marivaux a voulu le douer à leur exemple d'un peu de truculence, sans réussir à lui composer une histoire, et son camarade le comédien est bien plus vivant que lui, dans la mesure justement où quelqu'un qui agit doit avoir plus de personnalité qu'un spectateur. Ce que ce dernier gagne comme philosophe, il le perd comme individu intéressant ; il peut ennuyer, il le sait et s'en excuse : « je ne vous promets rien, je ne jure de rien ; et si je vous ennuie, je ne vous ai pas dit que cela n'arriverait pas » ; il pourrait dire comme le jeune Inconnu du *Spectateur français*, et à plus juste titre encore : « j'interromps souvent mon histoire ; mais je l'écris moins pour la donner que pour réfléchir »[52]. Son histoire est en effet inachevée et inconsistante. Quant aux réflexions, pourquoi un moraliste détaché de tout les communiquerait-il, pourquoi même les rédigerait-il ? Marivaux donne diverses réponses qui ne détruisent pas toutes l'arbitraire foncier de l'acte d'écrire et de publier dont il s'amusait à éventer les secrets dans ses premiers romans : nous n'avons connaissance de l'œuvre que par hasard, elle n'a pas été faite pour nous ; le vieillard du *Cabinet du philosophe* écrivait « en secret », il était « auteur clandestin » ; après sa mort seulement, un de ses amis a trouvé ses papiers et les a donnés au public[53] ; l'Indigent philosophe est indifférent au jugement du lecteur (« Est-ce qu'il y a des Lecteurs dans le monde ? je veux dire des gens qui méritent de l'être »), il n'écrit que pour

49. *Le Cabinet du philosophe*, VII, *ibid.*, p. 390.

50. *Le Spectateur ou le Socrate moderne* [...] traduit de l'anglois, à Amsterdam, chez David Mortier, 1714, tome I, Ier Discours, p. 5. Les textes traduits dans ce tome sont de 1711.

51. *Ibid.*, t. II, XXXVe Discours, p. 208.

52. *L'Indigent philosophe*, VI, *J.O.D.*, p. 311 ; *Le Spectateur français*, XXV, *ibid.*, p. 265. Pour éviter la monotonie, Marivaux a remplacé le rédacteur du *Spectateur français*, dans les quinzième et seizième feuilles, par un Espagnol dont tout le rôle consiste, exactement comme celui du Spectateur, à faire des réflexions sur les événements et les personnes qu'il rencontre. Ensuite, sauf dans la vingtième et la vingt-troisième feuilles où il traite des sujets de critique littéraire et répond à des attaques, le Spectateur n'intervient plus que comme présentateur des *Mémoires* de la Dame âgée et du *Journal d'un Inconnu*.

53. *J.O.D.*, p. 335.

s'amuser [54] ; le Spectateur français n'est pas sûr qu'un seul homme entre cent mille doive profiter de sa connaissance des hommes, il écrit surtout parce que cela lui fait plaisir [55]. Le rôle public du moraliste n'est pourtant pas nié, il consiste à mettre les hommes en garde contre la duplicité générale de leurs semblables [56] et, plus positivement, à leur rappeler la nécessité de respecter la loi morale ; autant la spéculation sur l'essence métaphysique de l'homme est vaine, autant il nous est nécessaire d'apprendre à devenir bons et vertueux, en prenant conscience de ce que nous attendons des autres hommes et de ce qu'ils attendent de nous [57] ; cette intention louable inspire plus d'une page à Marivaux qui est un bon cœur et un honnête homme, mais ce ne sont pas les plus originales, et elles s'accompagnent du plus grand scepticisme sur l'efficacité réelle de la leçon [58]. Quant au « plaisir de voir clair », si sensible qu'il soit [59], il explique que le philosophe médite sur les hommes et mette au net ses réflexions, il n'explique pas qu'il les publie : les déclarations ironiques et les défis au public n'empêchent pas qu'on ne puisse soupçonner le Spectateur français et l'Indigent philosophe sinon de vanité, au moins d'incohérence. C'est le moraliste du *Cabinet du philosophe*, lui-même mis à l'abri d'un tel soupçon par un Marivaux mieux avisé, qui apporte leur justification ; il ne peut pas croire qu'on écrive pour soi seul : « Quel est l'homme qui écrirait ses pensées, s'il ne vivait pas avec d'autres hommes ? Vous verrez que sans m'en être douté, ce sont aussi les autres hommes qui sont cause que j'ai écrit les miennes : je n'ai pas eu dessein de les montrer moi-même, mais je n'ai pas oublié qu'on pouvait les voir ». On en revient toujours là avec Marivaux, l'homme pour lui est un être social, la morale et la religion sont sociales, la pensée et le langage sont des phénomènes sociaux [60] : le contenu de la pensée la plus solitaire est constitué par les autres, par la société et les gens de l'extérieur, et l'introspection même, comme nous l'avons noté, se saisit d'une réalité objective, commune à tous [61] ; toute pensée est collective dans son origine, dans son expression et dans sa destination : le réalisme universaliste de la psychologie de Marivaux trouve là sa base solide. L'entreprise de ses moralistes en est aussi légitimée. Le spectateur reste rattaché à la vie « par une infinité de petits liens dont il sent l'utilité et la douceur », qui ne le gênent pas, qu'il peut rompre en cas de besoin et dans tous les cas prendre en badinage [62], et sans lesquels son attitude

---

54. *Ibid.*, p. 317.

55. XXI, *ibid.*, p. 232, et XXIII, *ibid.*, p. 245.

56. Voir *supra*, chap. IV, p. 129.

57. XXI, *J.O.D.*, p. 233.

58. « Les passions n'ont jamais lu », dit Marivaux dans ses *Réflexions sur les hommes*, *J.O.D.*, p. 511.

59. *Le Cabinet du philosophe*, VII, *ibid.*, p. 391.

60. L'homme est défini comme social par *L'Indigent philosophe*, V, p. 309 ; la morale, par l'Inconnu du *Spectateur français*, XXI, p. 233 ; la religion, par le vieillard du *Cabinet du philosophe*, III, p. 352-353.

61. Voir *supra*, chap. IV, p. 134.

62. *Le Cabinet du philosophe*, VII, *J.O.D.*, p. 391.

de spectateur elle-même n'aurait aucun sens. Il est en droit de regarder les autres hommes et de formuler ses réflexions, il y est même obligé, il ne peut faire autrement, il remplit sa fonction d'homme. Elles peuvent le conduire, en raison de la nature de leur objet, à l'ennui, au dégoût de tout, mais elles seules aussi peuvent le tirer de cette indifférence et donner un remède au mal dont elles sont cause [63].

63. *Le Spectateur français*, XXIV, *J.O.D.*, p. 252-253.

Mais enfin Marivaux n'a qu'une fois laissé voir chez son moraliste le support sensible de la pensée, un jour où il s'était plus amèrement que d'habitude interrogé sur l'utilité de ses œuvres morales et sur l'accueil qu'elles rencontraient : le reste du temps, cet « homme qui pense » est bien pâle et bien conventionnel, ses réflexions, limitées dans leur portée par l'acceptation paisible du mystère et par le désir de s'en tenir au simple bon sens[64], échappent mal à la monotonie ; les œuvres morales de Marivaux ne prennent un accent vraiment neuf que lorsqu'il fait parler non pas ses vieillards raisonneurs, son Indigent philosophe, son Espagnol qui tient un journal, ou son Voyageur dans le Nouveau Monde, mais les personnages mêmes qu'il veut étudier. Sa faculté la plus personnelle était l'imagination imitatrice, aussi bien dans ses Journaux que dans ses romans et ses comédies. Souvent il développe explicitement sous forme de discours la parole intérieure qu'il devine chez les personnages qu'il observe, plus souvent il présente au lecteur les pages qu'il a reçues de prétendus correspondants, ou qui lui sont parvenues par des voies directes ou indirectes, lettres, souvenirs ou confessions. Ainsi faisait le *Spectator* anglais[65] ; à son exemple, Marivaux publie les lettres d'un époux dont la femme est avare, d'une jeune fille contrainte par sa mère à la dévotion, d'un père laissé dans la misère par son fils, etc.[66]. Au lieu d'être décrit, le personnage sur lequel porte le regard du moraliste se décrit lui-même. Sans le savoir, celui qui parle est jugé par ses paroles, l'auteur qui les lui a choisies le rend, sans le trahir, transparent au lecteur, qui est mis dans l'intelligence de l'œuvre par une connivence plus discrète et plus excitante pour l'esprit que la connivence burlesque établie dans *Pharsamon*.

Mais une imitation extérieure, ne portant que sur le comportement et sur le langage, n'a pas grand intérêt et n'eût fait du *Spectateur français* qu'une œuvre amusante annonçant les monologues de Ch. Cros ou le *Cinématoma* de Max Jacob. Marivaux, bien qu'il en eût certainement l'étoffe, n'est pas un écrivain satirique, au contraire de La Bruyère, Lesage ou Montesquieu que nous nommions plus haut ; il ne veut pas se moquer des hommes, il veut les faire comprendre, il est poussé à les imiter, à revêtir leur être, par cette sympathie incoercible qu'il évoque dans la quatrième feuille du *Spectateur français*, et qui le force à « pénétrer toute l'affliction des malheureux », à « l'approfondir involontairement », à se faire « comme

64. Voir *supra*, chap. IV, p. 131-132, 135.

65. Marivaux se couvre explicitement de l'autorité du *Spectateur anglois* en tête de la douzième feuille, *J.O.D.*, p. 172.

66. *Le Spectateur français*, II, IX, X, XI, XII, XIV.

une nécessité de la comprendre »[67]. Pour faire le portrait des grands de ce monde, explique-t-il[68], l'auteur le plus ingénieux ne vaudra pas l'honnête homme qui vient d'essuyer une humiliation et exprime sa douleur avec une fierté généreuse. Il faut pousser le raisonnement plus loin : le philosophe spectateur, même si ses propos suivent fidèlement les occasions que la vie lui présente, n'est pas mieux placé que l'écrivain professionnel resté à sa table de travail ; tous ses commentaires ne seront rien auprès des paroles authentiques de l'honnête homme outragé ; la sympathie permet à Marivaux de devenir cet honnête homme, d'inventer ces paroles, ou des paroles plus frappantes encore. Marivaux, qui a si souvent condamné l'artifice, se sert de l'art pour atteindre le fond du réel, pour faire apparaître la vérité, plus vraie qu'elle n'est dans la nature. Il n'a pas fait parler l'honnête homme outragé, mais il a fait parler une jeune fille victime d'un séducteur, une honnête femme rompant avec son amant : le portrait intéressant n'est pas celui du séducteur ou celui de l'amant, c'est celui de la jeune fille, celui de l'honnête femme, car toute la lucidité du moraliste, trop facilement oiseuse quand il se livre à ses réflexions, quand elle reste critique et extérieure à son objet, est alors transférée au personnage qu'il fait parler, elle est douée d'un pouvoir créateur, elle anime un caractère ; ce que Marivaux sait et veut dire sur l'homme n'est plus glose et spéculation, mais vérité éprouvée de l'intérieur, vécue par une âme, produite à la lumière comme son expérience constitutive. Au cours de ses essais, Marivaux a donc découvert l'essence du roman à la première personne. Les gens du dehors, ceux qui ne se connaissent pas, n'intéressent Marivaux que comme repoussoirs : l'aventure importante est celle d'une conscience, en qui s'allient l'intelligence, la sensibilité et l'énergie, aux prises avec des êtres et des événements. Plus de moralistes falots, mais des héros et des héroïnes dont la perspicacité est passionnée, puisque leur propre vie en dépend, et dont les réflexions, quelque marginales et en dehors de l'action qu'elles soient, font partie de l'être romanesque. Sans perdre son caractère théorique et généralisateur, la psychologie est dramatisée, elle bénéficie de la même curiosité que l'histoire racontée et son personnage principal, l'œuvre publiée trouve sa justification et sa nécessité en elle-même. Les apories du genre romanesque et les artifices de l'essai sont également dépassés. Marivaux peut donner au commentaire toute la place que son goût pour l'aspect intellectuel de la littérature lui fait désirer, sans que ce commentaire semble gratuit et vain pour n'être pas rattaché à la personne vivante du commentateur, ou doive être rendu plausible par des fictions peu convaincantes ; et le don créateur du romancier se déploie dans le mimétisme par lequel non seulement il comprend autrui, mais il le ressuscite.

67. *J.O.D.*, p. 129. Il loue ailleurs La Motte de sa « profonde capacité de sentiment » (*ibid.* XX, p. 226) et Crébillon père de l'« emportement d'imagination » par lequel « il devient lui-même ce qu'est la personne dont il parle » (*Pensées sur différents sujets*, « Sur la pensée sublime », *J.O.D.*, p. 64).

68. *Le Spectateur français*, I, ibid., p. 116.

A l'origine, l'imitation pratiquée par Marivaux était caricaturale et s'exerçait aux dépens de l'imité, Cliton, Pharsamon, les personnages de *La Voiture embourbée*, Brideron : certaines des lettres publiées dans *Le Spectateur français*, celle du mari d'une femme avare, celle de la jeune fille contrainte à la dévotion, sont encore d'intention ironique. D'autres fois, le moraliste ne consent pas à s'effacer derrière celui qui parle, ou à se confondre avec lui, et renforce la signification du document par un commentaire inutilement emphatique, par de courts appels à l'attention [69], par une historiette qui s'intercale entre les lettres reproduites [70], car Marivaux redoute toujours la monotonie, chez son moraliste comme chez ses correspondants : toutes ces additions sont inutiles dès que le personnage qui se fait entendre est assez lucide et que le son de sa voix est authentique, puisque son témoignage aura toujours la supériorité de la vie et de la passion sur la prédication et le raisonnement. La connaissance des hommes, nous l'avons vu, quand elle reste spéculative, est décevante et décourageante ; le Spectateur français revient à son étude quand même, parce que seule la pensée console de la pensée, mais il y revient pour rendre aussitôt la parole à un être vivant, plus vivant que lui, au héros d'une histoire capable de la commenter lui-même : « Je résolus de poursuivre cette histoire telle qu'elle est, et de passer mon temps à augmenter ses réflexions des miennes, sans rien changer aux faits de son récit » [71] : c'est là exactement ce que nous appelions mimétisme, les réflexions du Spectateur vont prendre un nouvel intérêt à ses propres yeux en s'associant à celles de l'Inconnu, en devenant celles de l'Inconnu, désormais seul en scène. L'hésitation de Marivaux entre les deux attitudes, considérer les humains en spectateur ou s'identifier à l'un d'eux et ne plus exister comme observateur détaché, et sa préférence finale pour celle-ci, apparaissent également dans la première lettre imputée à l'Inconnu [72] : elle traite de morale et de psychologie générales, comme si l'Inconnu n'allait être qu'un des avatars de ce philosophe représenté ici ou là comme spectateur, vieillard, indigent, espagnol... Les idées qu'elle contient sont même parmi les plus importantes que Marivaux ait ainsi exprimées spéculativement ; l'Inconnu ne devient personnage romanesque, au centre d'un récit, que lorsque ses considérations théoriques sont achevées, ou plus exactement interrompues par Marivaux qui s'en est lassé : « ce qu'il en reste nous mènerait trop loin ». A partir de là les réflexions, même si elles gardent un caractère édifiant, surtout quand l'Inconnu rapporte les propos de son père, sont intégrées à la trame de l'histoire et découlent du caractère du héros.

---

69. Ainsi, en tête de la deuxième feuille du *Spectateur français*, *ibid.*, p. 119, avant la Lettre de la dame mariée rompant avec son amant ; *ibid.*, IX, p. 154, et XI, p. 166.

70. « Histoire de Mirski et d'Eléonor », *ibid.*, XI, p. 167-171.

71. XXIV, *ibid.*, p. 253.

72. XXI, *ibid.*, p. 232-235. Dans les deux cas, l'individu Marivaux s'efface : nous verrons (*infra*, chap. IX, p. 493 sq.) que la première personne fictive lui a permis de s'adresser à un public dont il se défiait.

*
* *

Le passage de l'imitation caricaturale à l'imitation par sympathie, à l'imitation d'une intériorité, dans laquelle l'esprit et le cœur, la générosité et l'ironie sont également à l'œuvre, s'était fait presque malgré Marivaux dans la *Lettre contenant une aventure*. La coquetterie est la grande découverte de Marivaux quand il entre dans la société parisienne ; la formation intellectuelle qu'il s'est donnée lui fait voir en elle un vice condamnable, la forme que prend chez les femmes cet amour-propre coupable auquel tout le genre humain est asservi ; pour le décrire, il retrouve une fois de plus les accents de La Rochefoucauld qu'il lui suffit de transposer : « Les femmes ont un sentiment de coquetterie, qui ne désempare jamais leur âme ; il est violent dans les occasions d'éclat, quelquefois tranquille dans les indifférentes, mais toujours présent, toujours sur le qui-vive : c'est en un mot le mouvement perpétuel de leur âme, c'est le feu sacré qui ne s'éteint jamais [...] » [73]. La femme veut satisfaire sa vanité, son goût de la domination ; le plaisir qu'elle recherche n'est ni celui des sens, ni celui du cœur, mais celui de l'esprit, de l'orgueil, auquel elle sacrifie le cas échéant jusqu'à sa pudeur. Dans ses « Réflexions sur les Coquettes », qui figurent à la cinquième feuille du *Cabinet du philosophe*, et qui ont été écrites à une époque où il avait reconnu l'existence de la coquetterie vertueuse, Marivaux peint deux coquettes qui se promènent aux Tuileries (la scène annonce *Les Egarements du cœur et de l'esprit* de Crébillon) avec une sévérité qui ne laisse guère de différence entre une coquette et une courtisane [74]. Dans la même feuille, pourtant, l'analyse sociologique de la coquetterie se conclut sur un acquittement : maintenues dans la servitude par les hommes qui les méprisent, les femmes pour sortir du néant n'ont qu'une arme, la ruse, « une industrie humiliante, et quelquefois des vices ». Toute la faute doit retomber sur les hommes, ces geôliers, qui ne font aucun cas des vraies vertus féminines : « Nous avez-vous laissé d'autres ressources que le misérable emploi de vous plaire ? [...] Notre coquetterie fait tout notre bien » [75]. Ces propos contredisent une pensée courante au dix-huitième siècle (on la retrouverait, plus ou moins modifiée, aussi bien chez Rousseau que chez Montesquieu) [76],

---

73. *Lettres sur les habitants de Paris*, ibid., p. 28.
74. *Ibid.*, p. 372-373.
75. *Ibid.*, p. 377-378.
76. Pour Rousseau, voir tout le début du livre V de l'*Emile*, notamment les pages 700-701 de l'édition des *Œuvres complètes*, tome IV, Paris, 1969, où Rousseau semble bien réfuter Marivaux. Pour Montesquieu, voir *L'Esprit des Lois*, XVI, 2 et 12. La femme doit plaire et elle doit se défendre ; la différence entre la coquetterie défensive et la coquetterie conquérante est moralement grande, psychologiquement incertaine... La pensée de Marivaux doit au contraire être rapprochée de celle de Mme de Lambert, *Réflexions nouvelles sur les femmes* (*Œuvres*, Amsterdam, 1747, p. 177), dont un écho se retrouve aussi dans les *Lettres persanes*, XXXVIII (voir la note 1 de la p. 82, dans l'éd. P. Vernière, Paris, 1960), et de celle de Catherine Durand, *Dialogues des galantes modernes*, « Dialogue cinquième » dont la première édition est de 1712 (publiés dans le même volume que *Les Belles Grecques*). Marivaux avait certainement lu Catherine Durand dont l'une des coquettes, Orphise, ressemble un peu à celle de la *Lettre contenant une aventure* ; son ouvrage appartenait au fonds de **Prault**, qui l'avait rangé dans la même catégories que *Pharsamon*, voir *supra*, chap. I, p. 23, n. 28.

selon laquelle l'homme ayant la force et tous les privilèges qu'elle confère, la femme doit lutter contre lui par la finesse et s'en servir comme d'un droit, s'en parer comme d'un charme que la nature même lui a donnés. Un pas de plus dans la voie où s'engage Marivaux, et Helvétius (qui puise ses idées à la même source, probablement) dénoncera la coquetterie comme contraire à la nature et montrera la fausseté des rapports entre l'homme et la femme dans le monde moderne [77] ; mais chez Marivaux, soit conformisme, soit scepticisme, la sensibilité à l'injustice et la critique de la société ne vont jamais jusqu'à la révolte ; il ne parle, du reste, dans le dernier texte que nous commentons, que des femmes mariées, dont la psychologie ne l'intéresse pas ; le mariage met fin à l'époque la plus riche de la vie intérieure ; aux problèmes sentimentaux dans lesquels le *moi* trouvait son accomplissement ou sa ruine succèdent les luttes des égoïsmes figés, et le meilleur du *moi* réside désormais dans sa mémoire ; la coquetterie de la femme mariée est une prudence et une habileté au service d'avantages acquis, une défense du *moi* social, si l'on peut dire, plus encore que du *moi* intérieur. La justification théorique de la coquetterie n'a donc pas chez Marivaux une très grande portée ; comme moraliste, il ne pouvait pas revenir sur la condamnation dont il l'avait frappée. Mais dire que l'amour-propre est notre être même, la racine de notre vie, c'est le légitimer suffisamment : Marivaux n'a pas la haine de l'homme, il est indulgent à la vanité, du moins quand elle est naïve (« J'aime tout à fait cette manière-là d'être ridicule ; car enfin, il faut l'être [...] ») [78], il ne va pas interdire aux femmes de sauvegarder leur existence : « une Femme qui n'est plus coquette, c'est une Femme qui a cessé d'être » [79]. Plus profondément qu'une inspiration de l'esprit avide d'orgueil, la coquetterie est une volonté d'être ; quelque vicieuse qu'elle soit, elle exige une énergie admirable et oblige la coquette à une ascèse, tout comme la pratique de la vertu : « les vraies coquettes n'ont l'âme ni tendre, ni amoureuse ; elles n'ont ni tempérament, ni cœur. Je crois qu'il ne leur en coûterait rien d'être sages, s'il ne fallait pas quelquefois manquer de sagesse pour garder leurs amants. Leurs bontés, toujours rares, ne sont pas des faiblesses, ce sont des prudences » [80]. Mais il y a dans cette coquetterie professionnelle trop de tension, trop d'artifice, la volonté de vivre s'y est sclérosée en ambition de dominer et de parvenir. Marivaux n'aime l'énergie que si elle prend son départ dans un élan spontané, la vertu que si elle est le couronnement de grâces naturelles, l'équilibre fragile de l'effort et du don, de l'intelligence et de la sensibilité. Or à sa naissance, quand elle coïncide avec la première prise de conscience d'une âme féminine, la coquetterie a encore toute l'innocence de ce qui est spontané, même dans la rouerie ; elle s'accompagne de toute la joie qu'un être éprouve à se

---

77. *De l'Esprit*, IIe discours, chap. 15, *Œuvres complettes*, Londres, 1781, t. I, p. 172.

78. *L'Indigent philosophe*, VI, *J.O.D.*, p. 315.

79. *Lettres sur les habitants de Paris, ibid.*, p. 28. Voir aussi *Le Spectateur français*, XIX, *ibid.*, p. 220, où c'est la coquette repentie, devenue sincèrement dévote, qui parle.

80. *Le Cabinet du philosophe*, V, *ibid.*, p. 374.

découvrir, à s'essayer, à explorer ses facultés de bonheur. Marivaux, grâce à son don de sympathie, s'identifie à ce jeune déploiement ; faisant parler une coquette qu'il veut rendre haïssable, et peut-être ridicule, il met dans sa voix un charme qui désarme toute sévérité et qui défie tout jugement. C'est ce qui lui est arrivé en 1719 dans la *Lettre contenant une aventure*.

Un libertinage sceptique et pessimiste est à l'origine de cette *Lettre* : il ne faut pas prendre au tragique une trahison en amour ni se piquer soi-même de constance ; à l'infidélité de l'un répond ordinairement l'infidélité de l'autre, qui justifie la première ; c'est pour prouver à son ami trop sensible cette frivolité générale que l'auteur de la *Lettre* lui rapporte un entretien qu'il a surpris entre deux dames. Marivaux veut railler la coquetterie en prêtant à la coquette des propos d'une immoralité scandaleuse dont elle ne voit pas la gravité ; mais le ton sur lequel elle prononce sa profession de foi interdit de penser que la coquetterie ne soit qu'une attitude de compensation par laquelle la femme surmonterait son complexe d'infériorité devant l'homme. On croirait entendre le Dom Juan de Molière, condamnable lui aussi selon l'esprit de l'auteur et pourtant d'une allègre et sympathique fierté : « Si j'ai quatre amants, j'ai pour moi-même un amour de la valeur de tout celui qu'ils ont pour moi. Oh ! Il faut que tu saches que le plaisir de s'aimer si prodigieusement produit naturellement l'envie de s'aimer encore davantage ; et quand un nouvel amant m'acquiert ce droit ; quand je me vois les délices de ses yeux, je ne puis t'exprimer ce que je deviens aux miens ; je vois que j'ai su plaire indistinctement, et je conclus en tressaillant d'orgueil et de joie, que j'aurais autant d'Amants qu'il y a d'hommes, s'il était possible d'exercer mes yeux sur eux tous » [81]. Tous les sentiments que peut éprouver le cœur d'une coquette le ramènent à lui, ils sont tous comme émoussés, dénaturés, à n'être au fond que des modalités du sentiment fondamental, l'amour de soi, qui se sert d'eux comme d'instruments variés pour tirer le plus grand plaisir possible de lui-même. Ce jeu est lumineusement expliqué par la coquette ; elle pleure de l'absence de son amant : « je verse des larmes, et n'en suis pas plus triste ; bien au contraire, ma chère, je ne pleure que parce que je m'attendris ; mais mon attendrissement me fait plaisir, et les larmes qu'il amène sont en vérité des larmes que je répands avec goût [...]. Je tremble pour mon amant sans inquiétude ; je le désire ardemment sans impatience ; je gémis même sans être affligée, et tous ces mouvements ne me sont point à charge : souvent je les réveille, de peur d'être oisive [...] » [82]. Les derniers mots cités sont les plus importants : les émotions ne sont pas ressenties comme immédiates, mais intériorisées, mises par l'esprit à la disposition de l'amour-propre « comme une provision toute faite de réflexions douces » qui permettent à la coquette de s'estimer « avec plus de sûreté de conscience ». La seule émotion violente

81. *Ibid.*, p. 97. Voir Molière, *Dom Juan*, I, 2.
82. *Ibid.*, p. 78.

qui fasse battre son cœur, c'est une « émotion d'orgueil »[83], qui ne peut naître que dans l'exaltation de la conscience de soi, où s'unissent l'esprit et le cœur comme dans les états de ferveur que nous avons décrits plus haut[84]. Par sa double nature d'amour-propre conquérant et d'attention sans défaillance à soi-même, la coquetterie est un des contenus les plus positifs de cette âme humaine que Marivaux, avant de connaître le monde, à la recherche d'un romanesque véritable, était tenté de juger vide et vaine : la vanité n'est plus absence, apparence recouvrant un néant, elle est désor-mais affirmation et plénitude. Ce que le moraliste n'admet que dans ses moments d'indulgence, le romancier qui pénètre dans l'intérieur des âmes et s'identifie à la force qui les habite en fait admirer la nécessaire et légitime activité. Marianne pourra emprunter à la coquette de la *Lettre* son ton, sa clairvoyance et ses artifices ; il y aura seulement chez elle plus d'innocence ; ses mines étudiées dans l'église, la comparaison qu'elle fera d'elle-même et de Mlle Varthon[85], tout cela est préfiguré dans cette *Lettre*, avec un accent plus appuyé parce que l'auteur a moins de sympathie pour le personnage : « Je l'attendis donc comme en embuscade [...]. Il vint effectivement et me trouva dans un négligé, dont l'économie était un chef d'œuvre [...]. Je le reçus avec un air d'indifférence, qui semblait gêner un mou-vement de surprise agréable ; tout cela porta coup »[86]. Cette coquet-terie est étrangère au véritable amour, et, pour sa punition, la coquette pourrait bien être séduite au moment où elle croit séduire : ce sont là ce que Marivaux appelle déjà les surprises de l'amour ; la coquette se prend à son jeu, est émue, passe des plaisirs de la vanité aux douceurs de la tendresse. Revanche du cœur sur l'esprit ? Voici comment s'achève la scène dont on vient de voir les prépa-ratifs : « Mais, ma chère, le plus plaisant de l'histoire, c'est qu'au milieu de tout cela il m'arriva un accident que je n'avais pas mis en ligne de compte dans mon projet, c'est que je pris ma part au plaisir d'un raccommodement que je n'avais médité que par coquetterie ; je dis ma part en amour, ce n'était plus vanité, c'était tendresse »[87]. Chez une autre, tout l'art de la coquetterie aurait peut-être pour but de provoquer ces « occasions », ces « accidents » où le cœur est « bien aise », et qu'il lui faut renouveler sans cesse, car il se lasse d'être attaché. Mais l'adjectif « plaisant » laisse entendre que cet amour inattendu est encore égoïste et que la vanité y trouve toujours son profit, fût-il d'ordre abstrait et intellectuel. Supposons que cette fois la coquette est plus sérieusement prise (nous n'en savons rien, l'histoire est inachevée), sa conduite lors d'une « sur-prise » précédente ne laisse pas de doute sur la nature des plaisirs

---

83. *Ibid.*, p. 92.

84. Voir *supra*, chap. IV, p. 151-153.

85. *V.M.*[2], p. 60, 62 et 400-401.

86. *Lettre contenant une aventure*, *J.O.D.*, p. 98. Nous avons conservé le texte de l'édition des *O.C.*, IX, 363, confirmé par celui des *Pièces détachées* (t. II du *Spectateur françois* [...], Prault, 1728, p. 465), où l'on lit *mouvement* et non *moment*.

87. *Ibid.*, p. 99.

qu'elle en tire et sur le rôle finalement souverain de l'esprit : « Cela me toucha [88] ; l'amour dans mon cœur plaida sa cause, et la gagna, mais si adroitement que j'avais déjà soulagé la douleur de ce pauvre garçon, quand je croyais en être encore à décider du parti que je devais prendre.

Voilà les surprises de l'amour ; mais t'avouerai-je toutes mes folies ? Ce soir-là, je fis et défis plusieurs fois la même chose, tombant, tour à tour, d'un acte de pur amour dans un acte de vanité ; je ne crois pas qu'il y ait rien de si divertissant » [89]. Est-ce Marivaux qui se moque du personnage, ou le personnage qui se moque de nous ? Un dernier exemple d'où l'ironie est exclue et dont l'héroïne n'est pas suspecte fait apparaître les mêmes rapports de l'esprit et du sentiment : dans la dixième feuille du *Cabinet du philosophe*, une fille pauvre souffle à une belle veuve de cinquante ans un jeune étranger qu'elle épousera sans doute (le récit, encore une fois, tourne court) : « [Elle] était assez habile pour n'avoir précisément que l'espèce de coquetterie qu'il fallait dans sa situation [...]. D'ailleurs le cavalier était de son goût, et un peu de penchant pour les gens ne nuit point à l'adresse qu'on emploie pour les attirer » [90]. On attendait sans doute : « un peu d'adresse ne nuit point au penchant... », mais Marivaux veut dire que cette coquetterie si adroite est encore en action quand elle cède à la sensibilité : le but est toujours non pas d'être heureuse, mais de conquérir. Mais à cette date les deux premières parties de *Marianne* ont paru, où Marivaux a peint de façon encore plus subtile l'union de la coquetterie et de la sincérité.

Par le recours à la première personne, nous pouvons donc dire que Marivaux donne une voix au profond désir d'être qui anime le *moi* et qui était refoulé ou ridiculisé par la littérature et la morale du siècle précédent : mais quand la génération suivante, et Rousseau lui-même, situeront ce désir dans la partie la plus obscure de l'âme, dans le mystère du cœur, Marivaux, tout en se défiant des concepts abstraits et des définitions *a priori*, l'éclairera de toute la lumière de la conscience. La volonté, la passion de dominer qui constitue le *moi* ne se satisfait pas par l'action ou par le sentiment (ce sont des attitudes romantiques), mais par le regard et l'approbation de l'esprit, considéré comme faculté de l'analyse, de la clairvoyance et de la valorisation, et non seulement comme logique et intelligence. Le jugement du moraliste, qu'il soit tranchant ou nuancé, sévère ou complaisant, reste toujours extérieur à cette affirmation du *moi* par lui-même, il la considère avec réserve dans le cas le plus favorable, et le simple fait qu'il y ait d'un côté celui qui observe, de l'autre celui qui vit ou veut vivre, d'un côté un sujet et de l'autre un objet, suffit à créer une hiérarchie selon laquelle l'œil qui voit est supérieur à la chose vue. Cette réification du *moi* est remplacée, quand le personnage est appelé à se décrire lui-même, non pas par les ténèbres

88. La douleur d'un amant évincé.
89. *Ibid.*, p. 89.
90. *Ibid.*, p. 421.

mystiques ou chaotiques du lyrisme, mais par le monologue créateur d'une conscience accédant à sa propre intelligibilité.

Le courant de conscience décrit par les romanciers de notre temps est le fait d'une âme qui se confond avec ce qu'elle ressent et s'abandonne au désordre de ses émotions sans essayer de le dominer, pour qui il n'y a par conséquent ni passé ni avenir, mais seulement l'intensité du moment présent [91]. C'est exactement le contraire pour les personnages de Marivaux : ils connaissent bien l'état vertigineux de la conscience, l'expérience qu'ils en ont faite leur a enseigné la limite où leur *moi* se dissolvait, où commençait le danger d'anéantissement ; mais c'est leur reprise d'eux-mêmes qui constitue leur véritable aventure, c'est elle qui les rend intéressants et exemplaires. Le monologue passionné, délirant (dans la mesure où Marivaux est capable d'en imaginer de tels : il sait mieux faire parler le dépit que la fureur), a sa place au théâtre, où il est un des moments, rien de plus qu'un des moments, de l'action psychologique. Dans la littérature narrative, Marivaux en fait un assez rare usage, alors qu'il est à la base du roman par lettres, depuis les *Lettres portugaises* jusqu'à *La Nouvelle Héloïse* : La Dame mariée qui écrit la lettre de rupture publiée dans la deuxième feuille du *Spectateur français* est encore toute animée de la passion à laquelle elle renonce, l'attendrissement la surprend au cours même de ce qu'elle écrit, ce qu'elle ressent dément ce qu'elle décide, sa lettre se prolonge malgré elle, preuve qu'elle n'arrive pas à s'arracher à la passion qui est pour elle le présent actuel, à se choisir et se réunir à ce qu'elle a choisi : « puis-je rien démêler dans mon cœur ? Je veux me chercher et je me perds ». Rien n'amortit ici le pathétique, nul dédoublement dans le temps ni dans le regard. Et pourtant, sans parler de la lucidité avec laquelle le désordre est saisi, de la rigueur avec laquelle il est défini (on pense à Racine et à Guilleragues), la vérité de ce *moi* torturé est fermement indiquée par l'héroïne au sein de sa torture ; elle est dans la vertu, dans le devoir, dans ce qu'a décidé la volonté : « n'espérez rien d'un sentiment involontaire ; ce n'est plus moi qui aime ; je ne suis plus coupable » [92]. Puisque Marivaux considère l'homme comme un être capable de conférer une valeur morale aux données de la sensibilité naturelle et d'en composer son individualité, les personnages dont on pourra attendre des monologues lyriques, l'abandon aux émotions et aux impulsions, seront les vaincus, en qui la volonté aura perdu son ressort et qui auront renoncé à l'amour-propre, au désir d'être. Le pluriel est ici abusif, l'hypothèse serait même purement théorique s'il n'y avait cette jeune fille abandonnée par un séducteur, et dont *Le Spectateur français* publie trois lettres. C'est le seul personnage de Marivaux dont l'humiliation ne soit rachetée par rien, qu'aucune énergie intérieure ne réhabilite et ne venge, le seul pour qui nous ne puissions éprouver autre chose

91. Sur ces formes opposées du monologue intérieur, voir Mme M.-J. Durry : *Le Monologue intérieur dans « La Princesse de Clèves »*, dans *La Littérature narrative d'imagination*, Paris, 1961, p. 93.

92. *J.O.D.*, p. 121.

que de la pitié. Comme le demande un procédé de style qui ne laisse aucun décalage entre l'impression et l'expression, elle se laisse emporter par ce qu'elle écrit, elle interpelle longuement son séducteur au beau milieu de la lettre qu'elle adresse au *Spectateur français* et s'en excuse (« Pardon, Monsieur, mon affliction me distrait de ce que je dois vous dire »), elle le qualifie de traître dans un transport d'indignation (« Cette injure m'est échappée ; elle m'accable »)[93] ; elle n'a pas d'autre perspective d'avenir que celle d'une mort prochaine : la passion du *moi* actuel est tout, il ne peut en sortir qu'en s'anéantissant en elle et elle est devenue, elle aussi, anéantissement. Mais elle a eu, dans son début, la qualité d'une richesse positive, troublante et féconde, suscitant le pouvoir organisateur et affirmatif de l'amour-propre par sa confusion même : de sorte que ce même personnage qui nous fait voir une forme extrême, exceptionnelle, du monologue actuel chez Marivaux, nous fournit également, lorsqu'il se retourne vers un passé récent, une illustration déjà parfaite du monologue rétrospectif, tel qu'il sera sous la plume de Marianne, monologue essentiellement élucidant, qui fait apparaître le mouvement du *moi* quand il se créait, s'unifiait, se goûtait à partir de ses contradictions et de ses obscurités et grâce à elles, dans le moment privilégié de la naissance de l'amour[94]. Mais dans le cas de cette jeune fille, le *moi* qui jette un regard en arrière est un *moi* humilié et vaincu ; se raconter n'est pas pour lui continuer à s'affirmer, mais se détruire ou souscrire à sa destruction ; du péril d'où il pouvait tirer sa victoire il a fait sortir un malheur irrémédiable, définitif, et il sait qu'il en est coupable : « j'y voyais une fatalité, ou plutôt je voulais l'y voir ». Sa liberté ne lui a servi qu'à s'enchaîner à un destin dont la rétrospection ne peut plus le délivrer : au contraire, chez Marianne, la sagesse, le scepticisme acquis, la réussite finale autoriseront dans le récit rétrospectif une ironie indulgente pour le passé, nouvelle satisfaction d'amour-propre.

Donc le seul monologue de passion actuelle que Marivaux ait imaginé, du moins dans ses œuvres de narrateur et de moraliste[95], fait encore une large place à la rétrospection et permet de distinguer l'action du *moi* dans le passé, lorsqu'il prenait conscience de lui-même, et le rôle du *moi* narrateur, qui définit et explique le précédent. Nous reviendrons sur cette distinction quand nous parlerons de *La Vie de Marianne*. Mais un excellent exemple de ce qu'est l'introspection chez les personnages romanesques de Marivaux se trouve encore dans *Le Spectateur français*, à la vingt-cinquième feuille : il montre

---

93. *Ibid.*, p. 155-156 et 165.

94. *Ibid.*, p. 158 : « [...] Je reconnoissais mon trouble et je n'en sortais point ; j'en avais peur, et je le rappelais [...]. Je voyais dans tout cela des présages qui menaçaient mon cœur d'un accident qui m'attachait, et que je ne pouvais m'expliquer [...]. Je m'égarais dans un chaos de mouvements, où je m'abandonnais avec douceur, et pourtant avec peine ».

95. Nous négligeons les monologues où la lucidité du récitant est imparfaite, et où l'intention caricaturale de l'auteur est sensible ; au demeurant, ils sont rares, voir *supra*, p. 174. Par « monologue de la passion actuelle », nous entendons celui où le personnage ne fait rien pour dépasser l'état où il se trouve et qu'il décrit, ce qui n'est pas le cas de la dame mariée de la deuxième feuille.

le passage de la méditation passive qui creuse la douleur et n'en tire rien que la négation du *moi*, à la méditation active, qui tourne le *moi* vers un avenir vivant et le fait s'affirmer lui-même, averti de ses ressources comme de ses faiblesses. Un jeune homme de dix-huit ans, orphelin de père et de mère, dont la sœur vient d'entrer au couvent en lui laissant le peu d'argent de leur héritage, quitte le pays natal pour chercher fortune à Paris ; il se sépare ainsi de tout ce qu'il a été, chaque objet qu'il regarde lui rappelle dans le monologue intérieur auquel il se livre alors (« comme on se parle quelquefois ») les souvenirs d'un passé avec lequel il doit si totalement rompre que c'est pour lui comme s'il allait mourir : « Je n'étais plus sur la terre qu'un malheureux inconnu ; je n'avais plus que des ennemis dans le monde : car n'y tenir à qui que ce soit, c'est avoir à combattre tous les hommes, c'est être de trop partout ». A force de s'approfondir, sa tristesse le met dans cet état d'anéantissement où sombre le passionné quand il ne peut pas exister en dehors de sa passion et que celle-ci est condamnée : « je craignais d'avancer ; je ne pouvais renoncer à des objets qui me tuaient, et je mourais de penser que bientôt je ne les verrais plus ». Dans le souvenir et dans l'avenir sa méditation ne trouve que la mort, il n'a de refuge que dans le présent, c'est-à-dire dans le désespoir, il ne songe qu'à « nourrir [sa] tristesse de tout ce qui pouvait la lui rendre plus sensible » : situation de roman pathétique, histoire d'un être qui se délite, qui va trouver sa vérité dans sa tragique destruction ? Marivaux a seulement voulu nous attendrir, il n'annonce Prévost qu'en apparence ; tout en méditant, le jeune homme va son chemin, les objets familiers disparaissent à ses yeux, la disposition de son cœur change avec le paysage ; les mots qu'emploie Marivaux pour décrire ce changement sont d'une précision et d'une force géniales, ils montrent une âme qui revient à elle-même, qui se reprend, se recompose, se concentre au lieu de se dissoudre, s'élève d'une connaissance de soi lyrique, dominée par les émotions du cœur, à une connaissance de soi volontaire, dominée par la présence d'esprit : le centre de gravité du *moi* se déplace sous le regard intérieur ; on passe du roman de la passion au roman de l'énergie : « je fus à l'instant saisi de je ne sais quel esprit de défiance et de courage qui me rappela tout entier pour moi-même et me rendit l'objet unique de toutes mes attentions ; je regardais les périls que je croyais courir moins pour les craindre, comme j'avais fait auparavant, que pour prendre garde à moi ; ma timidité me donna des forces, et je marchai armé d'une précaution soupçonneuse qui veillait à tout, et qui me tenait toujours en défense » [96].

Ce texte fait bien voir comment la conscience est dynamique et créatrice chez les héros de Marivaux ; mais son mouvement est raconté rétrospectivement, et l'on peut se demander ce que le récit y gagne : une portée universelle, sans nul doute. Ce que la conscience a vécu progressivement et dont le sens ne lui apparaissait qu'au fur

---

96. *Le Spectateur français*, XXV, *ibid.*, 263.

et à mesure de cette progression est désormais fixé, défini par des mots, intelligible au sujet lui-même et à tous les autres hommes, c'est une contribution à la connaissance du cœur humain ; et sans avoir ce caractère abstrait qu'aurait une réflexion du Spectateur, cela peut aussi fournir au narrateur l'occasion de considérations générales. Simple artifice de présentation, qui rend la morale plus intéressante et que nous avons analysé plus haut [97], mais qui n'enrichit pas le contenu psychologique du texte : la personnalité du narrateur en tant que tel n'a aucune importance, il est l'Inconnu et il ne sort pas de son *incognito ;* la confrontation du passé et du présent n'a pas chez lui le piquant qu'elle aura chez Marianne. Il s'est connu et s'est voulu avec une telle innocence que le souvenir de cet acte fondamental de l'amour-propre est transparent, n'appelle aucune réaction de son être d'aujourd'hui, sauf un certain attendrissement. Il a toujours été simple et de bonne volonté, docile aux leçons morales qu'on lui a prodiguées et qu'il nous répète, et si la vie lui a appris beaucoup de choses, elle ne lui a pas appris, semble-t-il, la malice. Ce seul trait suffit à le rendre intéressant à sa manière, il aurait peut-être été, si son autobiographie avait été achevée, un héros de vertu à la conscience tranquille : il y a chez l'ironique et le sceptique redoublé qu'est Marivaux une nostalgie de pureté. Mais une conscience innocente a-t-elle autant d'attrait qu'une conscience qui s'innocente, et est-elle une vraie conscience, tourmentée de s'aimer, tourmentée de se voir ? Ce tourment possédait la conscience de la coquette dans la *Lettre contenant une aventure ;* il a abandonné celle de la Dame âgée dont les Mémoires sont publiés dans le *Spectateur français* : Marivaux condamne la première et reproduit ses propos dans une intention de moquerie, il approuve la seconde et lui prête des leçons hautes et graves. Mais dans le premier cas la moquerie change de sens, la coquette entre dans le jeu et triomphe ; et dans le second cas, si la morale est sauve, si le progrès des désillusions de la coquette est admirablement ménagé, si le coup de théâtre qui amène sa conversion est d'une grande puissance pathétique [98], le lecteur hésite à suivre la narratrice dans ses conclusions : n'y a-t-il aucun moyen d'échapper à l'alternative entre être, mais être coupable, et être irréprochable, mais ne plus être ? Cette femme est devenue vertueuse quand elle a compris le néant de toute vie humaine ; elle nous montre, avec une sorte de joie aigre dans laquelle il faut reconnaître encore sa coquetterie retournée, ce que c'est que toute femme par l'exemple de ce qu'elle a été, elle dévoile comme des tares inévitables ses faiblesses, ses mesquineries, ses ridicules [99] ;

97. Voir *supra*, p. 174.
98. Elle va surprendre une amie chez elle, la voit par derrière assise dans un fauteuil, court à elle, se jette à son cou... et s'aperçoit qu'elle embrasse une femme morte (*Le Spectateur français*, XIX, *J.O.D.*, p. 222). Marivaux a-t-il connu la légende qui a trait à la conversion de Rancé ? Chateaubriand prétendait en retrouver le souvenir chez Mme de Tencin, mais il n'est pas convaincant (voir Chateaubriand, *Vie de Rancé*, éd. Letessier, Paris, 1955, t. I, p. 94). La scène imaginée par Marivaux évoque plutôt Hitchcock (*Psychose*) que Rancé...
99. « C'est l'histoire d'une femme que je rapporte », *ibid.*, XIX, p. 220.

aucun personnage de Marivaux, pas même Marianne, n'est plus perspicace quand il s'agit de dénoncer les compromis de la conscience ;
aucun ne met dans l'aveu, dans la première personne, une telle
humeur agressive : aux autres, la confession ajoute une grâce, on dirait
qu'elle veut détruire ce qui lui reste des siennes en se confessant ;
elle n'y parvient pas complètement, elle reste femme, quoi qu'elle
fasse. Mais elle se renie. Son histoire est une histoire qui se défait pour
aboutir à la vieillesse et à l'amer renoncement. Elle est, de tous
les personnages à qui Marivaux ait entrepris de faire narrer par
eux-mêmes tout ou partie de leur existence, le seul qui mène sa
narration jusqu'au bout : de son passé à son présent le lien est
ininterrompu, nous voyons le passé devenir du passé, le présent en
sortir, l'héroïne vieillir depuis le début de son histoire jusqu'au jour
où elle la raconte, et cette continuité, précisément, explique et illumine l'écart entre aujourd'hui et autrefois ; c'est, Marivaux le dit
bien, *l'Histoire d'une dame âgée. La Vie de Marianne* et *le Paysan
parvenu* sont au contraire des romans de la jeunesse, quel que soit
l'âge réel du narrateur ou de la narratrice [100], parce que la rétrospection n'y est pas le reniement du vécu. L'amour-propre est sévèrement
jugé dans l'Histoire de la vieille dame, c'est sa faillite qui nous est
racontée : aussi bien Marianne commence-t-elle son récit par l'enfance,
et le mariage aurait sans doute été sinon la conclusion, du moins
une des péripéties heureuses amenant le dénouement, au lieu que la
Dame âgée entame son récit par le mariage, qui est pour Marivaux
le commencement de la fin.

On pourrait dire que Marianne est une création du romancier
optimiste qui veut raconter une réussite, et la Dame âgée une
création du moraliste pessimiste qui veut instruire en racontant un
échec : les intentions ne sont évidemment pas opposées de façon aussi
nette selon les œuvres ; du côté de Marianne serait à placer, avec
Jacob, la jeune fille de la *Lettre contenant une aventure*, malgré les
importantes différences qui séparent ces trois personnages, et du
côté de la Dame âgée, les divers Spectateurs et la Fille séduite et
abandonnée ; mais où ranger l'Inconnu et le Comédien ivrogne ? De
la carrière du premier nous savons bien peu ; s'il est visiblement un
personnage ascendant, comme Jacob et Marianne, c'est un humble,
son amour-propre est effacé, neutralisé, privé de la susceptibilité et
de la combativité qu'a l'amour-propre de Marianne et de Jacob ; il
manque à son énergie, née pourtant d'une prise de conscience et
d'une projection vers l'avenir, l'intériorisation au second degré par
laquelle elle assumerait son sens moral ou immoral. Cela ne signifie
pas que le personnage serait alors plus facile à juger, au contraire :
il serait moins édifiant, plus énigmatique, parce qu'il tirerait le
sens de sa vie et la valeur de ses actes de sa seule et imprévisible
liberté. Le Comédien ivrogne est beaucoup plus émancipé, il annonce
très précisément Jacob (et peut-être Marianne) par son art d'utiliser
auprès d'autrui les talents qu'il se connaît et la bonne opinion qu'il

---

100. La vieille Dame a 74 ans (*ibid.*, XVII, p. 207) ; Marianne a 50 ans (*V.M.²*, p. 22).

a de lui-même ; or finalement, c'est un raté et même un cynique, ce que n'est pas Jacob ; plutôt qu'un personnage spontané, vivant dans l'instant sans retour sur soi, Marivaux a voulu peindre en lui un immoraliste qui ne laisse jamais aliéner sa liberté, intérieure ou extérieure [101].

*
* *

Les hésitations de Marivaux dans les diverses œuvres que nous venons d'examiner sont des hésitations devant le sens de cette liberté : comme égoïsme, l'amour-propre est condamnable, mais le *moi*, auteur de lui-même, n'existe qu'en s'affirmant, et ne peut s'affirmer que par un acte autonome et arbitraire. Seul un « misanthrope sublime » ou un épicurien sceptique s'accommoderait de l'équivoque essentielle à la liberté. Marivaux, semble-t-il, a essayé de la tourner, non sans malice. Dénoncer l'équivoque de l'extérieur, arracher aux hommes leur masque, crier à la mauvaise foi est inutile et facile. Marivaux a voulu voir de l'intérieur ce principe de vie, ce noyau créateur du *moi* : il a fait parler l'amour-propre impudique de la coquette, l'amour-propre humilié de la fille abandonnée, l'amour-propre héroïque de la femme qui rompt avec son amant, l'amour-propre repentant de la Dame âgée, l'amour-propre moralisant de l'Inconnu, l'amour-propre immoraliste du Comédien ivrogne ; et comme chaque fois l'épithète était implicitement réclamée par les sujets animés de ces divers amours-propres, et non imposée par un spectateur étranger, la liberté équivoque, indéterminée, restait toujours en deçà de ses diverses déterminations qualifiables ; et dès que cette équivoque, cette indétermination était non plus vécue du dedans par la sympathie, mais désignée, nommée par le Spectateur moraliste (rôle auquel se plaisaient même quelques-uns des sujets vivants et agissants ou qui l'avaient été, la Dame âgée, l'Inconnu), elle devenait un vice, une hypocrisie. Marivaux était dans une impasse qui l'amusait sans doute plus qu'elle ne l'embarrassait, mais dont il voulait encore sortir. Avec Marianne et Jacob, au contraire, il s'y installera. La transformation du moraliste en romancier sera achevée.

101. Voir *supra*, chap. IV, p. 150.

Chapitre VI
MÉMOIRES

Tous les personnages dont nous avons déjà parlé, aussi bien ceux des *Journaux* que ceux des premiers romans, étaient comme des études préliminaires à la création de Marianne, de Tervire et de Jacob. *La Vie de Marianne* et *Le Paysan parvenu* ne sont pas des romans exactement de même genre, les trois héros ne sont pas sur le même plan, puisque l'histoire de Marianne et celle de Jacob sont des histoires principales, tandis que l'histoire de Tervire est une sorte de récit inséré, les caractères et les situations ne sont évidemment pas les mêmes, mais, malgré ces différences, Marianne, Tervire et Jacob ont en commun d'incarner le héros de roman exemplaire, vraisemblable et intéressant, sensible et intelligent, spontané et parfaitement lucide, dont Marivaux avait posé les conditions dans ses œuvres précédentes.

Ayant commencé par admirer la générosité de la belle âme, et ayant loyalement poussé jusqu'au bout l'essai de la représenter dans l'univers romanesque où il l'avait découverte, Marivaux en était arrivé à douter à la fois de cette âme et de son univers. Démontant le mécanisme de l'imaginaire, il n'y trouvait plus que vanité et imposture et, par les ingénieuses variations qu'étaient *Pharsamon* et *La Voiture embourbée*[1], passait de la peinture des belles âmes à la peinture de ceux qui se mystifiaient eux-mêmes. Mais, paradoxalement, ces fous lui permettaient de créer le monde vrai du *Télémaque travesti* et d'exercer sa faculté maîtresse de romancier, l'aptitude à mimer l'être d'autrui, à représenter son comportement et ses paroles en se pénétrant de sa personnalité. Dans les Journaux, l'expérience du romancier et celle du moraliste tendaient à se rejoindre pour la conception de toute une série de personnages qui racontaient quelque chose de leur vie. En comparant ces pages aux premières tentatives de récits rétrospectifs que Marivaux avait faites dans ses romans de débutant, nous pouvons résumer ainsi les problèmes qu'il cherchait

1. Sur ces variations, voir *infra*, chap. VIII, p. 346-350 et p. 380-387.

à résoudre dans l'invention d'un héros de roman satisfaisant à la fois son esprit et son cœur : d'abord comment préserver le naturel, que tout calcul et tout retour sur soi déflorent, sans rendre le personnage aveugle et naïf ? La belle âme romanesque s'ignorait, laissant aux méchants le repliement de la conscience. Dès que le héros se regardait, il devenait imposteur et ridicule pour un témoin extérieur. Le jugement du moraliste et celui du personnage sur lui-même ne se confondaient pas encore dans les Journaux, sauf pour les personnages vaincus, malheureux, ou qui se condamnaient eux-mêmes ; si la belle âme doit être consciente, comment la faire parler d'elle-même sans ces litotes qu'employaient les héros de la grande époque dans leur invraisemblable modestie ? Toutes les atténuations risquent de paraître affectées. Le second problème est celui de la coquetterie : Marivaux ne la découvrit que lorsqu'il commença à collaborer au *Mercure* ; sans cesser de voir en elle un vice, il comprit alors qu'elle pouvait être la forme la plus raffinée du *moi* conscient et maître de lui. Les derniers problèmes concernent l'expression de ce *moi* quand il veut se connaître et se comprendre : qu'ajoute la rétrospection à ce qu'il a connu et compris dans le passé ? Que devient par son moyen le sentiment d'autrefois qu'elle retrouve dans la mémoire ? Comment par elle l'être actuel se fait-il entendre, en quoi formule-t-il son présent quand il parle de son passé, son récit contribue-t-il à le façonner, y puise-t-il des raisons nouvelles d'être lui-même ? Sauf les narrateurs des *Effets surprenants*, Clorine dans *Pharsamon* et la Dame âgée du *Spectateur français*, aucun des personnages que Marivaux a fait parler dans ses romans et dans ses Journaux n'a encore pu conduire son récit jusqu'au moment où il est en train de le prononcer. La jonction n'a pas été faite entre leur *moi* passé et leur *moi* de maintenant, le lecteur a toujours dû ignorer qui étaient exactement, quels se croyaient être ceux qui parlaient. Comme l'a remarqué M. Matucci, Marivaux semblait incapable de situer ces personnages dans leur vie actuelle, ils ne prenaient conscience d'eux-mêmes que par la rétrospection [2]. En imaginant Marianne, Tervire et Jacob, il va tirer parti de son impuissance, et intégrer à leur personnalité, comme un trait fondamental, le caractère fuyant, obscur pour le lecteur, de leur être présent.

Marivaux les a conçus comme solidaires et complémentaires : il écrit *Le Paysan parvenu* presque d'un seul trait, après la rédaction laborieuse des deux premières parties de *La Vie de Marianne*, comme si son inspiration, freinée par les difficultés et les volontaires lenteurs de l'analyse psychologique, avait eu besoin de se donner libre cours dans une œuvre de ton plus vif. Quant à Tervire, son personnage semble bien avoir été prévu, dès l'origine, pour faire contraste avec celui de Marianne. Marianne est sans famille, mais se retrouve dans son élément lorsqu'elle découvre la haute société parisienne ; malgré les obstacles qu'elle rencontre et qui l'exposent au découragement, elle emploie toute son énergie à se faire reconnaître par ceux auxquels elle appartient naturellement. Tervire est née dans

---

2. M. Matucci, *L'Opera narrativa di Marivaux*, Naples, 1962, p. 140-141.

une famille noble dont elle est la victime ; la plus grande partie de son histoire se déroule en province ; elle va de renoncement en renoncement vers une retraite qui mettra fin à ses malheurs sans la rendre heureuse. Jacob est roturier, il doit acquérir les qualités que Marianne possède dès sa naissance, se transformer sans trahir ses vertus originelles ; il n'a ni la délicatesse innée qui expose Marianne et Tervire à la souffrance, ni aucun bien matériel à perdre, il essuie des accidents plutôt que des malheurs. Pour composer ces trois caractères et les trois récits dont ils sont le centre, Marivaux a donc groupé en les faisant permuter des éléments qui s'opposent deux à deux, Paris et la province, l'aristocratie et la roture, l'appartenance à une famille et l'état d'orphelin, le succès et l'échec [3]. Sans en nier la complexité, on peut ramener chacun des trois personnages à un principe inspirateur, qui serait pour Jacob le plaisir, pour Marianne l'honneur et pour Tervire la charité.

Jacob est un paysan : du garçon qui a grandi en plein air il a la bonne santé, l'air dégagé, la physionomie riante, l'abondante chevelure. Qu'un peu de séjour à Paris lui pâlisse le teint (un teint bronzé passe pour inélégant au XVIIIᵉ siècle), lui apprenne à saluer avec grâce, à parler, lui donne les bonnes manières du citadin, il sera une « belle jeunesse » dangereusement attirante pour les dames sensibles qui ne se résignent pas à vieillir [4]. Il sait qu'il plaît par son apparence, la certitude qu'il en acquiert assez vite lui donne de l'aisance et de la hardiesse [5] ; il est un être naturel qui scandalise les uns, séduit les autres et surprend tout le monde dans une société artificielle et corrompue. Son caractère rustique unit la « gaillardise » [6] qui lui fait aimer la gaieté et le plaisir, au réalisme qui le met en garde contre les illusions et au souci de sa dignité. Ne tenant à rien, il n'est arrêté par aucun préjugé ni par aucun intérêt de classe, il est prêt à accueillir toute bonne fortune, mais ce n'est pas un arriviste ni un aventurier. S'élever dans la société n'est pas pour lui un besoin aussi impératif que pour Julien Sorel ou Rastignac, il n'a pas d'idée précise sur le but à atteindre. Il ne « parvient » pas par intrigue, mais par une sorte de force ascensionnelle qui est autant le fait de sa catégorie sociale que de son caractère individuel, et qu'il décrit au président, devant le conseil de famille [7] : elle a porté la famille Habert de la ferme à la boutique, de la boutique à la bourgeoisie rentière, elle pourrait porter

3. E.J.H. Greene a mis en lumière les traits par lesquels Marianne et Tervire d'une part, Marianne et Jacob d'autre part, étaient symétriques et opposés (*Marivaux*, Toronto, 1965, p. 185 et p. 188-189).

4. *P.P.*, p. 13 (Jacob salue Geneviève « d'un coup de chapeau qui avait plus de zèle que de bonne grâce »), p. 14 (« J'avais d'assez beaux cheveux. Mon séjour à Paris m'avait un peu éclairci le teint »), p. 186 (« Entendez-vous, belle jeunesse ? » lui demande Mme de Fécour).

5. « On se sent bien fort et bien à son aise, quand c'est par la figure qu'on plaît », *ibid.*, p. 135. « Figure » a le sens de conformation extérieure.

6. « Et quand à cette humeur naturellement gaillarde, il se joint encore de nouveaux motifs de gaillardise, Dieu sait comme on pétille ! » *ibid.*, p. 85.

7. *Ibid.*, p. 131.

Jacob de la ferme à la boutique aussi, ou au presbytère [8]. Après la mort de son premier maître, il reste à Paris parce que l'existence lui semble y être plus agréable et que son « cœur » s'y est éveillé à des plaisirs qu'il ignorait [9]. Il se donne donc quelques jours pour voir venir la chance, il est sobre, il peut attendre et « le hasard est volontiers » pour un garçon de cette humeur [10]. C'est sa femme qui songera à lui trouver un emploi, pour l'occuper plus que pour l'enrichir : lui-même se serait bien contenté de « vivre de [ses] rentes », plus exactement de celles de sa femme ; le métier de financier lui agrée parce qu'il rapporte beaucoup et ne coûte guère, guère d'argent sans doute, guère de peine non plus [11].

Le vrai mobile de Jacob n'est donc pas l'ambition mais le goût du plaisir et du confort, à condition qu'ils soient à portée de la main. « Je n'avais aucun dessein déterminé », dit-il après avoir raconté sa première rencontre avec Mme de Ferval [12]. Les pieds dans ses pantoufles, enveloppé de sa robe de chambre, il songe à ce qu'il était encore quelques jours plus tôt : « Je m'en estimai plus heureux, et voilà tout, je n'allai pas plus loin » [13]. S'il prend un carrosse pour aller voir Mme d'Orville, ce n'est pas pour en imposer, c'est « pour tâter d'une autre petite douceur » [14]. Complètement étranger à la bonne société lorsqu'il arrive à Paris, son aptitude à jouir fait qu'il s'y sent aussi naturellement à sa place que Marianne chez Mme Dorsin, malgré toute l'incongruité de son comportement : « Il ne faut ni délicatesse ni usage du monde pour être tout d'un coup au fait de certaines choses, surtout quand elles sont à leur vrai point de vue ; il ne faut que des sens, et j'en avais » [15]. « On est tout d'un coup né natif de Paris, quand on les voit », dit-il en parlant des jolies femmes de chambre qui entourent la femme de son premier « patron » [16].

La sensualité remplace chez lui la volonté de parvenir, et elle a quelque chose de joyeux, d'émerveillé, parce que tout est neuf à son ignorance et qu'il goûte dans leur fraîcheur les découvertes successives qui agrandissent son être ; elles sont pour lui « pur plaisir »,

8. La femme de son premier maître offre à Jacob de servir son neveu, qui va aller au collège : « Que le ciel vous le rende, madame, lui répondis-je [...] ; je me rendrai si savant en le voyant étudier, que je vous promets de savoir quelque jour vous dire la Sainte Messe. Hé ! que sait-on ? Comme il n'y a que chance dans ce monde, souvent on se trouve évêque ou vicaire sans savoir comment cela s'est fait » (*ibid.*, p. 11). Jacob plaisante, mais, prélat ou curé de campagne, laquais ou fermier général, il s'accommoderait de tout. Il a deux oncles, dont l'un est curé et l'autre vicaire (*ibid.*, p. 74).

9. *Ibid.*, p. 12. Dans l'auberge où il a pris pension, la grossièreté des voituriers le dégoûte du village, *ibid.*, p. 40.

10. *Ibid.*, p. 41.

11. *Ibid.*, p. 164.

12. *Ibid.*, p. 140. Même attitude déjà lors de la rencontre de Mlle Habert la cadette : « Je n'envisageais pourtant rien de positif sur les suites que pouvait avoir ce coup de hasard ; mais j'en espérais quelque chose, sans savoir quoi » (*ibid.*, p. 44). Plus tard, quand il a sauvé la vie du comte d'Orsan et gagné son amitié : « Je n'attendais rien de cette aventure-ci, et ne pensais pas qu'elle dût me rapporter autre chose que l'honneur d'avoir fait une belle action » (*ibid.*, p. 256-257).

13. *Ibid.*, p. 249.

14. *Ibid.*, p. 250.

15. *Ibid.*, p. 171.

16. *Ibid.*, p. 12.

comme celui qu'il éprouve lorsque pour la première fois il admire une belle dame à sa toilette [17]. Avec Jacob, grâce à son appétit franc et avide, le style de vie du XVIIIᵉ siècle ne nous paraît plus essoufflé, mièvre, enrubanné, rococo, il reprend vigueur et saveur, il redevient source de voluptés riches et profondes. L'accoutumance dépouillera vite ces joies de leur fleur, « il n'y a point de plaisir qui ne perde à être connu » [18], mais les Mémoires de Jacob s'arrêtent avant les déceptions, et comme il n'oublie jamais d'où il est sorti, au plaisir « pur » s'ajoute celui du retour sur soi, quand il compare ce qu'il était à ce qu'il est devenu : la situation paraît douce au paysan qui « presque au sortir de la charrue pouvait sauter tout d'un coup au rang honorable de bon bourgeois de Paris » en épousant Mlle Habert ; pour ce même paysan, « quel plaisir et quelle magnificence » qu'un habit neuf doublé de soie rouge ! Même la robe de chambre et les pantoufles deviennent un objet de contemplation : « C'était en me regardant comme Jacob que j'étais si délicieusement étonné de me voir dans cet équipage ; c'était de Jacob que M. de La Vallée empruntait toute sa joie. Ce moment-là n'était doux qu'à cause du petit paysan » [19]. Et si son étonnement cesse, il connaît un plaisir presque aussi naïf à ne plus être étonné : « Je n'étais plus ce petit polisson surpris de son bonheur, et qui trouvait tant de disproportion entre son aventure et lui. Ma foi ! J'étais un homme de mérite, à qui la fortune commençait à rendre justice » [20]. Quoi qu'il en dise, la disproportion est trop forte, sa chance l'élève si vite qu'il n'a pas le temps de se familiariser avec son bonheur, ivre de vanité parce qu'une femme de condition, « qui avait apparemment des valets, un équipage » le trouve aimable et tire son amour-propre du néant, « dans un tourbillon de vanité » quand il revient de chez Mme de Fécour, « ébloui », « étourdi d'une vapeur de joie, de gloire, de mondanité » lorsqu'il est mené à la Comédie par le comte d'Orsan [21].

C'est le petit paysan que transportent ces ivresses, mais plus il est loin de sa condition initiale, plus il risque de les voir brusquement se dissiper, s'il se souvient trop qu'il n'est qu'un petit paysan : il en a chassé la pensée en montant dans le carrosse du comte, il y succombe quand il se trouve au foyer de la Comédie, parmi de grands seigneurs au milieu desquels il est « une figure de contrebande ». Il perd contenance, son embarras s'accroît par le sentiment qu'il en a. Ainsi la conscience de ce qu'il est, qui rend plus sensibles pour lui les douceurs de la réussite, est aussi souvent la source de sa honte que de sa vanité. Il rougit quand il voit que Mme de Fécour ne doit pas ignorer son

17. *Ibid.*, p. 16.
18. *Ibid.*, p. 172 ; voir aussi p. 250, à propos de sa robe de chambre : « laissez-moi en parler pendant qu'elle me réjouit, cela ne durera pas ; j'y serai bientôt accoutumé ». « Le plaisir que nous fait une bonne chose, n'est jamais plus vif que quand on le goûte pour la première fois », disait Marivaux dans la Préface de *L'Homère travesti :* argument des Modernes.
19. *Ibid.*, successivement p. 85, p. 166 et p. 248-249.
20. *Ibid.*, p. 252. Voir p. 141 : « J'aimais donc par respect et par étonnement pour mon aventure [...] » ; p. 249 : « Je songeai en moi-même qu'il ne fallait pas paraître aux autres ni si joyeux, ni si surpris de mon bonheur ».
21. *Ibid.*, successivement, p. 140, p. 187 et p. 262.

histoire ; il est déconcerté quand le chevalier le reconnaît chez la Rémy et « assommé » quand il l'appelle par son nom de baptême ; l'humiliation de Mme de Ferval redouble sa propre honte... Il ressent simultanément le plaisir et la confusion quand il se contemple métamorphosé en bourgeois possesseur de son appartement, de ses meubles, de sa robe de chambre et de ses pantoufles ; il ne veut laisser voir son aise à personne, pas même à sa femme : « elle eût bien vu que c'était ce petit valet, ce petit paysan, ce petit misérable qui se trouvait si heureux d'avoir changé d'état [...]. Cette idée-là n'était bonne que chez moi, qui en faisais intérieurement la source de ma joie ; mais il n'était pas nécessaire que les autres entrassent si avant dans le secret de mes plaisirs »[22]. Le comique ici ne vient pas, comme chez les personnages de Stendhal, de ce que les mouvements spontanés de la sensibilité démentent les calculs de l'amour-propre, mais de ce que la conscience de soi fait passer le héros successivement par des états contradictoires d'enthousiasme et de désarroi, ou le conduit à une impasse. Mais c'est cette conscience qui l'empêche de se comporter en aventurier : « Il y a de certaines hardiesses que l'homme qui est né avec du cœur ne saurait avoir ; et quoiqu'elles ne soient peut-être pas des insolences, il faut pourtant, je crois, être né insolent pour en être capable »[23]. En l'occurrence, avoir du cœur consistait à ne pas renier son origine. Jacob n'est pas « un effronté fripon », il reste « assez sot » quand il découvre M. Doucin dans le prêtre qui doit bénir son mariage : « Je n'étais né que hardi, et point effronté »[24]. L'atroce gêne où il est plongé au foyer de la Comédie est donc aussi estimable que ridicule, puisqu'elle vient d'une conscience qui ne peut pas mentir : « Il y en a qui, à ma place, auraient eu le front de soutenir cela, c'est-à-dire qui auraient payé d'effronterie ; mais qu'est-ce qu'on y gagne ? Rien. Ne voit-on pas bien alors qu'un homme n'est effronté que parce qu'il devrait être honteux ?[25] » Sa honte est une réaction saine : un déclassé, une épave sociale n'aurait peut-être aucun scrupule, mais le paysan Jacob a des principes. Il rougit très souvent dans ses aventures, chaque fois qu'il se sent déplacé, comme s'il commettait une espèce d'abus de confiance envers la société en profitant des hasards auxquels elle laisse tant de prise dans son désordre ou dans sa structure assez lâche ; il rougit chaque fois aussi qu'on ne le met pas à la place qu'il mérite, quand M. de Fécour ironise sur ses talents ou quand il l'invite à cautionner un mensonge[26] ; il n'a pas voulu se déshonorer en épousant Geneviève et en lui servant de mari complaisant, et il a trouvé la règle de cet honneur dans ses origines paysannes : « Dans notre village, c'est notre coutume de n'épouser que des filles [...], c'est notre régime, et surtout dans notre famille. Ma mère se maria fille, sa grande mère en avait fait autant ; et de grand'mère en grand'mère, je suis venu tout droit comme vous voyez, avec l'obliga-

22. *Ibid.*, p. 249.
23. *Ibid.*, p. 241.
24. *Ibid.*, p. 136 et p. 106.
25. *Ibid.*, p. 266.
26. *Ibid.*, p. 205 et p. 207.

tion de ne rien changer à cela »[27]. Devant le président, il se déclare fils de fermier et réclame le droit d'être traité en honnête homme[28]. L'humiliation qu'il a essuyée dans le bureau de M. de Fécour l'a si vivement blessé qu'il refuse aussitôt de fonder sa fortune sur le malheur d'autrui ; il en gardera un souvenir ineffaçable qui l'empêchera, si riche et puissant qu'il soit devenu, d'avoir jamais l'âme aussi « cavalière » pour qui que ce soit.

On a voulu voir un progrès moral en Jacob, à mesure qu'il sait mieux le monde et qu'il s'élève dans la société, d'abord domestique, puis transformé en bourgeois par le mariage, enfin ami intime d'un comte qui lui fera connaître la haute aristocratie et la classe dirigeante[29]. Au commencement, il accepte l'argent impur de Geneviève, puis il épouse sans amour une vieille demoiselle assez riche, envers laquelle il se croit dispensé de fidélité ; mais ensuite il refuse l'emploi de d'Orville, se montre « honnête et respectueux » avec Mme d'Orville, porte généreusement secours à un inconnu lâchement attaqué par trois assassins. Jacob lui-même nous invite à penser qu'il est devenu meilleur : « mes principes de probité étaient encore fort courts », dit-il pour excuser sa conduite envers Geneviève ; et il semble déplorer de n'avoir pas été un mari parfait pour Mme de La Vallée : « mes actions [...] jusqu'ici, comme vous voyez, n'ont été que trop infidèles et [...] n'en font point espérer si tôt de plus réglées »[30]. Mais il ne nous dit pas que ce perfectionnement moral se soit produit pendant les deux ou trois mois qui séparent son arrivée à Paris de sa rencontre avec le comte d'Orsan ; il faut le reporter à la période dont nous ne savons rien, au cours de laquelle l'ancien paysan Jacob est devenu le Monsieur*** qui écrit ses Mémoires. En revanche, il est d'emblée doté de belles qualités auxquelles il manque seulement les occasions et les moyens matériels de se traduire en actes[31]. Comme il le dit un peu trop volontiers, il est homme de cœur, grâce à Dieu et à la nature[32] : le premier effet de son ascension dans la société est de l'exposer à la corruption, bien plus que de lui permettre d'exercer sa vertu. Durant le temps que recouvre ce que nous avons de ses Mémoires, il est impossible de discerner un progrès vers le bien, s'il n'est pas possible non plus de discerner une évolution vers le mal. Jacob est aussi bon et aussi mauvais à la fin qu'au commencement. Il est aussi ému par le malheur de sa première patronne[33] que par celui de Mme d'Orville, aussi prêt à

---

27. *Ibid.*, p. 29-30. La gaucherie de l'énoncé est peut-être volontaire (formes différentes pour le même mot, *grande mère*, *grand'mère* ; généalogie ascendante à laquelle il manque un échelon — la grand'mère maternelle de Jacob —, puis généalogie descendante).

28. *Ibid.*, p. 131.

29. Larroumet, *Marivaux*[1], p. 256 : « Jacob [...], à mesure qu'il s'élève, gagne en délicatesse et en loyauté. »

30. *P.P.*, p. 23 et p. 248.

31. C'est ce qu'a bien vu E.J.H. Greene : « he develops a latent capacity for desinterested action », *Marivaux*, éd. cit., p. 190.

32. *P.P.*, p. 44 : « voilà de quelle humeur je suis pour le cœur » ; p. 91 : « je n'ai vaillant que mon pauvre cœur » ; p. 241 : « de certaines hardiesses que l'homme qui est né avec du cœur ne saurait avoir » ; p. 251 : « c'est la manière de combattre d'un homme qui a du cœur ».

33. « Je ne pus la voir sans pleurer avec elle », *ibid.*, p. 38 ; « j'allai me présenter à madame, et lui vouai un service éternel, s'il pouvait lui être utile », *ibid.*, p. 39.

se dévouer à l'une qu'à l'autre : mais il lorgne aussi complaisamment le négligé piquant de celle-là que le déshabillé de Mme de Ferval, et il ne cache pas que Mme de Ferval ne sera pas la dernière : « J'ai bien vu depuis des objets de ce genre-là qui m'ont toujours plu »[34]. Avec le temps ses yeux ont seulement dû apprendre à glisser des regards plus discrets ; car le vrai progrès que fait Jacob, dans les pages que nous pouvons lire, c'est un progrès d'aisance, de bon goût, celui d'un homme qui a l'air de moins en moins emprunté, qui se défait de ses façons de parler paysannes ou qui sait se taire à propos, et surtout qui est très vite capable de situer les gens dans l'échelle sociale, de saisir le rapport qui existe entre leur rang, leur langage, leurs manières, et de modeler là-dessus son propre comportement. Il est loin encore d'une parfaite maîtrise, tantôt il déborde de vanité et se perd lui-même de vue, tantôt il s'observe si attentivement qu'il se paralyse. Mais ce qu'il nous raconte, si l'on tient à considérer son récit comme un *Bildungsroman*, ce n'est pas un apprentissage politique, ni les débuts d'une réussite sociale, ni même une éducation sentimentale, c'est la transformation d'un « rustre » en homme du monde, c'est l'école de la mondanité, cette mondanité dont la vapeur le grise dans le dernier épisode du roman : il apprend à « goûter délicatement le plaisir de vivre », qui ne s'enseigne sans doute que dans certains milieux parisiens[35], et surtout par les femmes ; car s'il n'est pas exact que Jacob arrive par les femmes (seules la femme de son premier maître et Geneviève d'abord, Mlle Habert ensuite, lui procurent des avantages sociaux), les femmes jouent pour lui le rôle d'initiatrices qu'elles jouaient en effet pour les jeunes gens, aussi bien dans la société que dans la littérature romanesque[36].

34. *Ibid.*, p. 172.

35. *Ibid.*, p. 182 : « Pendant leurs discours [de Mme de Ferval et de Mme de Fécour], j'étais assez décontenancé ; moins qu'un autre ne l'aurait été à ma place pourtant, car je commençais à me former un peu [...] » ; p. 190 : « Comme je n'étais pas là avec des madames d'Alain, ni avec des femmes qui m'aimassent, je m'observai beaucoup sur mon langage et tâchai de ne rien dire qui sentît le fils du fermier de campagne » ; p. 210 : « Ce discours, quoique fort simple, n'était plus d'un paysan, comme vous voyez ; on n'y sentait plus le jeune homme de village, mais seulement le jeune homme naïf et bon » (il est clair qu'il n'a pas acquis bonté et naïveté depuis qu'il est à Paris, mais qu'il a appris à éliminer ce qui, dans cette bonté et cette naïveté, était rustique et l'exposait au ridicule). La « vapeur de mondanité » est p. 262, voir *supra*, n. 21 ; « je n'avais point encore goûté si délicatement le plaisir de vivre » est dit p. 187, quand Jacob revient de chez Mme de Ferval et chez Mme de Fécour.

36. « Les femmes [...] se chargent de sa fortune ; par elles il arrive à tout » dit G. Larroumet (*Marivaux*[1], p. 353), qui a de la peine à pardonner cette bassesse ; M. Arland, *Marivaux*, Paris, 1950, p. 76, est plus indulgent : « on dira de lui : parvenu par les femmes. Le tout est de parvenir, et ce moyen a bien des charmes » ; M. Matucci souscrit à cette idée (*op. cit.*, p. 241-242) ; c'est aussi celle de Mme M. J. Durry (*A Propos de Marivaux*, éd. cit., p. 127), et encore celle de M. Gilot, dans l'*Introduction* à son édition du roman (Paris, 1965, p. 11). En comparant Jacob à Bel-Ami, E. Meyer (*Marivaux*, Paris, 1929, p. 182) et Cl. Roy (*Lire Marivaux*, Neuchâtel, 1947, p. 90), l'entendaient de même. Seul R. Mauzi, dans son essai sur *Marivaux romancier*, en tête de son édition du *Paysan parvenu*, affirme, peut-être trop catégoriquement, le contraire : « le double épisode de Mme de Ferval et de Mme de Fécour ne sert finalement à rien : les deux aventures tournent court sans porter le moindre fruit. Il est donc faux que Jacob (que l'on a comparé quelquefois à Bel-Ami) arrive par les femmes » (Paris, 1965, p. 13). Dans la réalité, voir ce qu'ont été Mme de Grafigny pour Desmarets, puis pour Antoine Bret, Mme de Warens pour Rousseau ; dans la littérature, Mme de Lursay pour le jeune Meilcour (*Les Egarements du cœur et de l'esprit*), la marquise de Valcourt pour le comte de ***, Mme de Merteuil pour Danceny (*Les Liaisons*

Aucune valeur morale ne s'attache à cette transformation ; l'école de la mondanité est aussi bien l'école de la corruption, comme le dit Jacob dans des lignes souvent citées : « Voyez que de choses capables de débrouiller mon esprit et mon cœur, voyez quelle école de mollesse, de volupté, de corruption, et par conséquent de sentiment ; car l'âme se raffine à mesure qu'elle se gâte » [37]. Le texte est d'une précision à laquelle il faut prendre garde : Marivaux dit bien que l'âme ne se raffine que si elle se gâte, et non l'inverse ; la dépravation est la condition du raffinement, on ne jouit de soi, on n'acquiert l'aptitude à éprouver toutes les subtiles voluptés de l'amour-propre que si l'on s'offre à l'expérience du vice. Avant d'avoir rencontré Mme de Ferval, Jacob ignorait presque qu'il eût un *moi* : « avais-je senti ce que c'était qu'amour-propre ? [38] » Ce sont les avances d'une femme hypocrite et libertine qui l'ont révélé à lui-même. Nous sommes ici au centre de l'équivoque essentielle à la connaissance de soi, qui rend si énigmatique le personnage de Jacob et que nous retrouverons chez Marianne. Cette connaissance fait passer des « sens » qui suffisent, sans délicatesse ni usage du monde, à mettre l'âme au fait de tout ce qu'elle peut éprouver, au « sentiment », sans lequel l'âme ne sait même pas qu'elle existe [39]. Elle est la perte de l'innocence. Est-elle aussi le moyen, selon une dialectique qui sera chez Rousseau, de l'innocence restaurée ?

On est tenté de répondre que Jacob est pervers avec innocence, d'un égoïsme si naturel et si lucide en même temps qu'il est trop vrai et trop intelligent pour être coupable. Tous les critiques ont souligné l'ambiguïté de son caractère ; l'un se contente de reconnaître qu'il est bien immoral, mais bien sympathique ; l'autre explique sa diversité par sa plasticité, qui le fait se conformer à tous les rôles qu'on attend de lui, devenir l'homme de l'habit qu'il endosse, s'adapter à tous les milieux qu'il traverse, personnage sans caractère positif, défini seulement par sa mobilité et ses métamorphoses ; l'autre le présente comme un aventurier de bonne foi, calculateur par instinct, d'une nature drue et cruelle, contradictoire mais non compliquée, emporté par son élan, étranger aux délicatesses et aux scrupules de ce qu'on appelle le marivaudage, et réaliste, en un mot ; l'autre en fait un cynique qui démasque les hypocrisies en s'en accommodant et un spectateur ironique de la comédie sociale ; l'autre, en notant le mélange du bien et du mal chez Jacob et sa lucidité dans l'équivoque, conclut sur la nature trouble du personnage et sur le malaise qu'il provoque chez le lecteur ; l'autre insiste sur sa sensualité, son attention tournée

dangereuses). Une liste très ample est donnée par L. Versini, dans son édition des *Confessions du comte de ****, Paris, 1969, note 4, p. 171-173. Voir au contraire les conseils que donnait Mme de Tencin à Marmontel, *Mémoires*, livre quatrième (Marmontel, *Œuvres complètes*, Paris, 1819, tome I, Première partie, p. 126) : « Au moyen des femmes, on fait tout ce qu'on veut des hommes », mais une relation amoureuse entre la protectrice et le protégé serait nuisible à l'ambition : « de celle que vous croirez pouvoir vous être utile, gardez-vous d'être autre chose que l'ami ».

37. *P.P.*, p. 187.

38. *Ibid.*, p. 140.

39. Comparer le texte de la p. 187 cité plus haut (voir n. 35) et celui de la p. 171 (voir n. 15).

vers l'extérieur, ses aspects picaresques, mais, remarquant que le roman s'interrompt au moment où l'être moral de Jacob allait devoir se déterminer, le juge déconcertant, insaisissable et sibyllin [40]. L'une des interprétations les plus pénétrantes est sans doute celle de R. Mauzi, qui montre Jacob tenté par les désirs même qu'il fait naître. Jouant un rôle pour se prêter aux promesses d'une situation inconnue, mais réalisant dans ce rôle une de ses virtualités (ou acquérant par ce rôle une faculté nouvelle), mentant pour répondre à l'appel de sa nature et intégrant son mensonge à son être qui s'en enrichit, Jacob est une personnalité en expansion, d'une lucidité conquérante aussi prompte que sa vivacité à jouir. « Avec *Le Paysan parvenu*, comme avec *La Vie de Marianne*, Marivaux a écrit l'histoire d'une conscience » [41].

L'histoire d'une conscience, en effet, et non pas l'histoire d'un comportement : quelles que soient les aventures de Jacob, burlesques, picaresques ou arlequinesques, immorales ou émouvantes, nous ne les connaissons que par lui. Elles ne sont ambiguës que par la façon ambiguë dont il nous les présente, l'équivoque est dans le regard dont il les voit plus que dans leur nature, nous sommes embarrassés à les juger parce que nous ne savons pas comment il les juge. S'il ne se racontait pas lui-même, nous y verrions peut-être plus clair, car sa conduite, malgré ses beaux côtés, sert toujours les intérêts de son égoïsme : il est nonchalant, plus jouisseur qu'ambitieux, mais il calcule adroitement ce qui profite le mieux à sa jouissance. Pour faire de lui le jouet passif du hasard ou le témoin détaché des petitesses humaines, il faut oublier combien profond est en lui l'appétit de plaisir, il vaut mieux dire l'appétit d'exister qui se confond avec le *moi* lui-même. Il n'a jamais forcé le destin, mais chaque fois qu'il a eu à choisir, il a choisi ce qui était le plus flatteur pour ce *moi*, le plus avantageux ou le plus agréable, instinctivement ou délibérément, et ses choix n'ont jamais été si exclusifs qu'un revirement ou un compromis ne lui fût possible : il n'épouse pas Geneviève, mais il accepte son argent et se garde de l'avertir autrement qu'à demi-mot du mépris qu'il a pour elle ; il épouse Mlle Habert, mais après avoir pesé le pour et le contre et s'être tenu prêt « à tirer parti de tout », au cas où les perspectives lui auraient été plus favorables du côté de Mme d'Alain et de sa fille ; s'il a opté pour Mlle Habert, c'est parce qu'elle était « plus sûre que tout cela », et, « d'ailleurs », parce qu'il lui devait de la reconnaissance ; c'est lui qui prononce les mots décisifs et qui conduit Mlle Habert là où elle voulait bien se laisser entraîner, sans doute, mais où elle ne serait jamais allée s'il lui avait fallu faire les avances [42] ; s'il ne ment pas, il ne court aucun

---

40. Ces allusions renvoient à G. Larroumet (*Marivaux*[1], p. 353-354) ; Anna Meister (*Zur Entwicklung Marivaux*, Berne, 1955, p. 48-51) ; Mme M.-J. Durry (*op. cit.*, p. 127-129) ; M. Gilot (*op. cit.*, p. 12 et p. 17-18) ; M. Arland (*op. cit.*, p. 74-78) ; M. Matucci (*op. cit.*, p. 230-249), mais nous n'avons pas cité nommément ces auteurs parce que nos résumés sacrifient trop de nuances de leurs interprétations ; nous voulions seulement donner une idée des multiples visages qu'on peut prêter à Jacob.

41. R. Mauzi, *op. cit.*, p. 16 et p. 14. Nous avons développé ce qui nous a paru impliqué dans un texte remarquablement dense.

42. *P.P.*, p. 81, 87, 88, 91, 93.

risque à lui affirmer qu'il l'aurait aimée même s'il avait été riche : c'est elle qui pose la question, qui n'a guère de sens puisque Jacob plus riche n'aurait pas rencontré ni secouru Mlle Habert, et en tout cas n'aurait pas « conçu des espérances » et « imaginé que cette rencontre pouvait tourner à bien » ; elle n'ose pas lui demander ce qu'il aurait fait si elle avait été pauvre... Et quand il prétend avoir invoqué Dieu au moment même où elle faisait oraison, nous voulons bien le croire, puisqu'il ne nous dit rien pour insinuer le contraire [43]. Une fois marié, il poursuit son intrigue avec Mme de Ferval, en engage une avec Mme de Fécour, et il est probable que sa rencontre avec Mme d'Orville n'aurait pas été sans conséquences, bien qu'il ait un concurrent en la personne du comte d'Orsan. Son art de mettre de son côté le plus d'atouts possible apparaît dans la séance chez le président : il s'est longuement tu, pour être en droit de garder la parole à son tour aussi longtemps qu'il en aurait besoin, mais sans rien dire il a distribué à la ronde des regards habilement ménagés, fréquents et déjà complices à la belle dévote qu'est Mme de Ferval, humbles ou suppliants à la présidente, « extrêmement honnêtes » à M. l'abbé [44]. Il parle au président « d'un air simple, mais ferme et tranquille », et à Mme de Ferval « d'un air naïf », pour faire passer une galanterie [45]. L'adresse va presque jusqu'à la rouerie quand, affectant le grossier bon sens du paysan, il facilite le libertinage de Mme de Ferval en arguant de la faiblesse humaine et en rappelant que la dévotion assure le secret [46]. Ce jeune roturier qui aime surtout les plaisirs se détache de ce qui ne lui en procure plus d'assez vifs : son inclination pour Geneviève baisse dès qu'il s'aperçoit qu'il a plu à sa première patronne, il ne l'aimait du reste que d'un « amour assez tranquille » ; les bourgeois que lui fait fréquenter sa femme ne sont « pas de [sa] force » quand il a découvert un art de vivre plus relevé, il n'est pas disposé à s'en accommoder longtemps ; son ménage même avec sa femme est « le plus doux et le plus tranquille » (l'adjectif n'est pas de bon augure...), il ne mérite plus qu'on en parle, bien que le goût dévot avec lequel Mme de La Vallée lui livre son cœur ait de quoi « réveiller » le mari ; quand sa liaison avec Mme de Ferval est rompue et que Mme de Fécour est mourante, Jacob qui perd là deux chances à la fois « ne s'en embarrass[e] guère » : il a déjà rencontré Mme d'Orville et il sait qu'il la reverra. C'est bien lui qui laissait entendre à Mme de Ferval que, s'il aimait, « ce serait quelque personne qui serait plus que [lui] » [47].

Va-t-il s'écrier comme Gil Blas : « Voilà l'homme ! » et se savoir gré de n'être après tout pas plus mauvais qu'un autre, et quelquefois meilleur ? Laissons ces faciles complaisances aux héros de Lesage [48].

43. *Ibid.*, p. 94 (cf. p. 44) et p. 96.

44. *Ibid.*, p. 129-130.

45. *Ibid.*, p. 126 et p. 137.

46. *Ibid.*, p. 175-176. A l'entrevue précédente, p. 140, il avait poussé la naïveté trop loin, « en vrai paysan pour le coup » : assez malin pour saisir les intentions de Mme de Ferval et les seconder, il n'avait pas deviné que la complicité devait rester connivence.

47. *Ibid.*, successivement p. 16, 19, 188, 248, 245, 138.

48. Sur le sens de cette exclamation chez Marivaux moraliste lui-même, voir *supra*, chap. IV, p. 136.

Jacob n'y a recours que pour encourager l'hypocrisie de Mme de Ferval [49]. Il est beaucoup plus dur pour lui-même et ne se laisse pas tromper même par ce qu'il a eu de bon. Au moment où il rédige ses Mémoires, il dévoile tout ce qui a été ruse spontanée, dissimulation inconsciente, illusion communicative, il explicite ce qui était resté inavoué, il décompose dans ses éléments l'intention ou le sentiment dont il n'avait eu qu'une conscience confuse : du moment actuel, il projette sur le passé une lumière qui dissipe toutes les ombres. On peut définir le Jacob narrateur (mais la définition devra être complétée et corrigée) comme une lucidité ironique à laquelle plus rien n'en impose. Après avoir refusé un emploi pour ne pas faire tort à la « charmante » Mme d'Orville et à son mari malade, il était si content de lui, si sensible à la reconnaissance qu'on lui exprimait, qu'il goûtait avec attendrissement la douceur de sa propre vertu et, se contemplant lui-même pour mieux se féliciter, se disait intérieurement : « Tu es un honnête homme ». Le récit qu'il fait de cet épisode détruit les fausses raisons de son contentement (« Cette jeune dame avait un charme secret [...]. Je ne croyais que l'estimer, la plaindre [...]. Voilà bonnement tout ce que je comprenais au plaisir que j'avais à la voir [...] ; je suivis ces dames avec une innocence d'intention admirable ») et fait connaître ce qu'il avait réellement en tête sans le savoir : « car pour d'amour ni d'aucun sentiment approchant, il n'en était pas question dans mon esprit ; je n'y songeais pas ». L'innocence, la vertu qui l'attendrissait pour autrui, l'honnêteté de Jacob étaient donc illusoires [50]. L'ironie est plus délicate, mais aussi efficace, quand il rend compte des sentiments qu'il éprouvait le jour où il avait sauvé la vie du comte d'Orsan et avait paru l'épée à la main, en courageux libérateur, aux yeux de Mme d'Orville ; elle est toute dans le ton, dans les litotes, dans les exclamations et les interpellations qui invitent le lecteur à sourire : « Oh ! c'est ici où je me sentis un peu glorieux [...]. Je vous avoue qu'en l'état où je me supposais, je m'estimais digne de quelques égards [...]. Ma foi ! J'étais un homme de mérite [...] » [51]. Dans les deux cas, ce que la lucidité actuelle de Jacob éclaire, c'est une erreur de sa conscience d'autrefois, le regard vaniteux et trompeur qu'il portait sur lui-même. On pourrait mal interpréter une expression qui figure dans le second passage : « on se voit dans son amour-propre, pour ainsi dire », et croire qu'elle signifie la clairvoyance intuitive du *moi*, qui est beaucoup mieux averti que n'importe quel témoin extérieur de ce qui le sert ou lui nuit, et qui possède de soi une connaissance intime fondée sur la passion de lui-même, alimentant cette passion [52] ; mais le contexte ne permet aucun doute, ce que dit Jacob est peut-être plus banal, à coup sûr très différent et même opposé : l'amour-propre

---

49. « On fait comme on peut, on n'est ni des saints, ni des saintes », etc., *P.P.*, p. 176.

50. *Ibid.*, p. 209.

51. *Ibid.*, p. 252.

52. Voir *infra*, p. 282, 284. La formule de Jacob n'a pas le même sens que la formule prêtée à Marianne par Mme Riccoboni dans la *Suite de Marianne* (*V.M.²*, p. 601) : « L'amour-propre est pénétrant ; il voit tout, même ce qu'on lui cache ».

(synonyme de la vanité, ne l'oublions pas), même quand l'attention du *moi* est toute occupée à l'événement du dehors, sait encore fabriquer une image flatteuse où l'individu se contemple et se mystifie ; l'amour-propre est la faculté de se choyer dans une représentation qu'on se donne de soi-même, et cette représentation est fausse, Marivaux ne va pas sur ce sujet démentir les moralistes qui l'ont précédé. Le point de vue ironique de la rétrospection inspire un grand nombre de remarques sur la piété de Jacob, la profondeur ou la durée de ses sentiments, ses ignorances, ses maladresses, ses déconvenues [53]. La saveur comique du roman vient de la façon dont Jacob parle de lui-même ; de malicieuses correspondances rapprochent parfois le Jacob passé des personnages dont le Jacob présent se moque : les prières de Jacob ne valaient pas mieux que celles des sœurs Habert lorsqu'elles vivaient ensemble ou celles de Mme de la Vallée depuis qu'elle était mariée ; Jacob était dupe des larmes qu'il affectait et se mettait à pleurer véritablement, Mme de Ferval était dupe de son affectation de bonté et se croyait réellement bonne ; les sœurs Habert qui faisaient semblant de n'avoir pas d'appétit, jetaient « des regards indifférents » sur leur nourriture, Jacob « des regards nonchalants » sur la sienne qu'il pensait ronger « par oisiveté » [54]. Tout cela inviterait à faire du Jacob narrateur un sceptique désabusé qui considère de loin, comme quelque chose dont maintenant il est bien détaché, les illusions et les erreurs de son jeune âge, et pour qui désormais tout est vain, y compris son propre passé. A ses yeux, tout prête également à sourire, tout est également « plaisant » ou « singulier » [55]. Mais le rapport entre le narrateur actuel et le héros des années d'apprentissage n'est pas si simple, la distance qui les sépare tend à se réduire et même à s'annuler, si l'on remarque que le jeune rustre surpris par son ascension rapide est aussi sceptique que l'homme vieilli, et qu'en revanche l'homme vieilli souscrit avec sérieux à des jugements du jeune rustre, qu'un ironiste devrait dénoncer comme des sophismes.

53. La piété de Jacob : « On aime tant Dieu, quand on a besoin de lui ! Je me couchai fort content de ma dévotion, et persuadé qu'elle était très méritoire », *P.P.*, p. 120 ; sa tendresse : « Jugez avec quel attendrissement nos cœurs s'épanchèrent ! On est de si bonne humeur, on sent quelque chose de si doux dans l'âme quand on sort d'un grand péril », *ibid.*, p. 155 ; son chagrin : « C'est une chose admirable que la nourriture, lorsqu'on a du chagrin ; [...] on ne saurait être bien triste pendant que l'estomac digère », *ibid.*, p. 154 ; ses balourdises : « Oh ! je suis honnête garçon, madame, lui répondis-je bien confidemment, en vrai paysan pour le coup », *ibid.*, p. 139-140 ; ses ridicules : « En vrai benêt je saluais cet homme à chaque mot qu'il m'adressait », etc., *ibid.*, p. 226.

54. *Ibid.*, p. 120 (prière de Jacob, cf. *supra*, n. 53) et p. 53 (prières des sœurs Habert), p. 246 (prières de Mme de la Vallée) ; p. 92 (attendrissement de Jacob) et p. 143 (bonté feinte de Mme de Ferval) ; p. 52 (repas des sœurs Habert) et p. 154 (repas de Jacob en prison).

55. *Ibid.*, p. 53 : « le plus plaisant, c'est qu'elles s'imaginaient elles-mêmes être de très petites et de très sobres mangeuses » ; p. 92 : « et ce qui est de singulier, c'est que mon intention me gagna tout le premier » ; p. 143 : « et ce qui est de plaisant, c'est que cette femme, telle que je vous la peins, ne savait pas qu'elle avait l'âme si méchante » ; p. 178 : « Et ce qui est de plaisant, c'est que je disais vrai » ; p. 232 : « Je me méfiais un peu de Mme de Ferval, et ce qu'il est de plaisant, c'est que je m'en défiais à cause que je lui avais plu » ; p. 246 : « Le motif de ses prières, quand j'y songe, devait pourtant être quelque chose de fort plaisant », etc. C'était déjà le ton de la coquette, dans les *Lettres contenant une aventure* : « Mais, ma chère, le plus plaisant de l'histoire », etc., *J.O.D.*, p. 99.

« N'y avait-il que moi de gros garçon à Paris qui fût joli et qui n'eût que vingt ans ? » La question n'est pas posée par le Jacob d'aujourd'hui, mais par celui d'autrefois, quand il comprend qu'il ne peut pas compter sur Mme de Fécour, même si elle recouvre la santé [56]. On peut admettre qu'il se dépouille de toute illusion pour aller vers l'avenir avec plus de courage, et que le scepticisme est ici seulement provisoire. Mais un peu plus loin, pour goûter son bonheur de nouveau bourgeois, bonheur dont il était un instant auparavant si ravi qu'il en avait presque honte, il joue délibérément un rôle, il se donne la comédie : « je lisais je ne sais quel livre sérieux que je n'entendais pas trop, que je ne me souciais pas trop d'entendre, et auquel je ne m'amusais que pour imiter la contenance d'un honnête homme chez soi » [57]. La litote, une fois de plus, marque l'ironie du narrateur, mais l'acteur n'était nullement dupe. Sa faculté de se regarder en se moquant de lui s'exerçait donc bien avant qu'il eût pu s'installer dans l'attitude du mémorialiste pour qui tout est accompli. Néanmoins, les deux passages que nous venons d'alléguer figurent au cinquième livre, où pour Jacob s'achève une première période de son apprentissage ; ailleurs, et même dans ce cinquième livre quand une seconde période s'ouvre pour lui, trop de lucidité l'eût gêné, ou bien il est lucide, mais non ironique, et se laisse si bien entraîner par son jeu qu'il y est pris et que le quant à soi n'a plus de raison d'être. Tous les degrés sont donc possibles, depuis le détachement désinvolte tel qu'il s'exprime dans les deux passages cités, où l'acteur se double d'un spectateur sans illusion, jusqu'à l'élan passionné qui ne comporte aucune réserve, aucun dédoublement, et dont seul le narrateur aperçoit et révèle l'équivoque [58]. Quelquefois Jacob a refoulé une image de lui-même qui se présentait à son esprit : il paye la Rémy avec l'argent de Mme de La Vallée ; « j'en étais honteux », dit-il, « mais je tâchais de n'y prendre pas garde afin d'avoir moins de tort » ; il est assis à côté du comte d'Orsan dans un carrosse dont il aurait pu lui tenir la portière ouverte cinq mois auparavant : « Je ne fis pourtant pas alors cette réflexion ; je la fais seulement à présent que j'écris ; elle se présenta bien un peu, mais je refusai tout net d'y faire attention ; j'avais besoin d'avoir de la confiance, et elle me l'aurait ôtée » [59]. Le récit rétrospectif permet alors la lucidité entière, il explicite les pensées informulées et dit pourquoi elles étaient restées inconscientes. Il est explication et

---

56. *P.P.*, p. 245.

57. *Ibid.*, p. 250.

58. Par exemple, *ibid.*, p. 122, le transport de Jacob : « Oui cousine, oui maîtresse, oui charmante future, et tout ce qui m'est le plus cher au monde, oui je retourne aussitôt », etc. L'accent de ce couplet assez long (l'enthousiasme s'exprime toujours un peu longuement chez Marivaux) interdit de mettre en doute la sincérité de Jacob au moment même. Mais le narrateur fait savoir que Mlle Habert venait de donner à Jacob une grosse somme en or, et c'est lui qui, dans une incise, met ce don en rapport avec l'éloquence de Jacob : « je ne vivrai point que je vous revoie, lui dis-je en me jetant sur cette main généreuse qu'elle avait vidée dans mon chapeau ».

59. *Ibid.*, p. 232 et p. 262. On pourrait faire une analyse semblable du passage où Jacob n'ose pas, avec Mlle Habert, louer la piété de Mme de Ferval : « J'étais encore en prison, cela me rendait scrupuleux », commente le narrateur, *ibid.*, p. 156.

analyse du passé, sans pourtant apporter de révélation puisqu'il prend son appui sur ce qui avait été l'objet d'une connaissance obscure. Pendant le repas que Mme d'Alain a offert à ses hôtes le soir de leur arrivée, Jacob « [mis] comme à l'enchère » par trois femmes dont l'une semblait disposée à l'épouser et les deux autres, Mme d'Alain et sa fille Agathe, lui témoignaient un intérêt assez tendre, a eu l'adresse de répondre aux agaceries de celles-ci juste assez pour qu'elles les lui continuent, et d'inquiéter Mlle Habert sans l'alarmer, dans le but de « hâter ses bons desseins ». Jouer ainsi avec les sentiments d'autrui et avec les siens prouve liberté et présence d'esprit, mais la rétrospection fait apparaître une vue plus secrète : « et s'il faut tout dire, peut-être voulais-je voir ce qui arriverait de cette aventure, et tirer parti de tout ; on est bien aise d'avoir, comme on dit, plus d'une corde à son arc » [60]. Le mouvement retenu de la phrase, qui prétend reproduire les hésitations de l'aveu, est ironique, comme le prouve la familiarité du proverbe final. C'est la conscience d'autrefois qui n'a pas eu le courage de s'avouer cette intention cachée, mais elle n'a pas rusé longtemps avec elle-même, car quelques instants plus tard Jacob délibérait tranquillement : « des deux côtés, je voyais une assez belle carrière ouverte à mes galanteries, si j'en avais voulu tenter le succès [...]. Mais Mlle Habert était plus sûre que tout cela [...]. Ainsi, malgré la faveur que j'acquis dès ce jour dans la maison [...], je résolus de m'en tenir au cœur le plus prêt et le plus maître de se déterminer ». L'intention inconsciente, ou inconsciemment refoulée, était devenue l'un des termes d'une alternative clairement posée, sans que l'acteur s'en aperçût, par un tour de passe-passe que le récit met en lumière : ce n'est vraiment que l'éclairage qui est changé. De même, il restitue la nature intentionnelle d'un sentiment que sa force d'expansion avait assimilé à un sentiment spontané : Jacob était bien conscient de prendre « le ton d'un homme qui pleure » pour toucher Mlle Habert, mais cette conscience a dû être balayée quand il a cédé à l'émotion qui l'envahissait lui-même. Le narrateur peut ironiser sur une bonne foi fort avantageuse, avec laquelle Jacob était sûr de « ne pas manquer son coup ». Mais en même temps qu'il remet à nu l'intention consciente, oblitérée par l'action, il retrouve une sincérité primitive, dont l'action avait aussi effacé la mémoire : « Je me ressouviens bien qu'en lui parlant ainsi, je ne sentais rien en moi qui démentît mon discours ». Nous saisissons là sur le vif, s'accomplissant sous nos yeux dans l'élaboration des Mémoires, l'acte par lequel l'intelligence et la volonté actuelles de Jacob s'emploient à reconstituer le passé. A le reconstituer, non à le ressusciter : la sincérité première, la simulation calculée, la sincérité seconde sont reconnues et mises en place, sans que Jacob revive ses sentiments d'autrefois ; la note dominante de son récit est finalement l'ironie [61]. Pourtant le lien entre le *moi* actuel

---

60. *Ibid.*, p. 87 ; le texte cité ensuite est p. 88.

61. *Ibid.*, p. 92. Moyens de l'ironie : la sincérité retrouvée par le « ressouvenir » est d'abord affirmée, l'« intention » n'est énoncée qu'ensuite, avec une prudence affectée : « j'avoue pourtant que [...] » ; l'effet « singulier » de cette intention est décrit en termes

et le *moi* ancien est intact, le mémorialiste n'est pas devenu, sous l'effet du temps et de l'expérience, extérieur à son passé [62], il le porte en lui, ses Mémoires nous font suivre le mouvement par lequel il se l'approprie définitivement. Par l'histoire d'une conscience passée, dans *Le Paysan parvenu* s'exerce une conscience présente, devons-nous dire : une bonne conscience [63] ?

Quand Mme de Ferval lui avait demandé s'il aimait Mlle Habert, « toute âgée qu'elle [était] », Jacob s'était contenté de sourire sans répondre. Avant de rappeler ce sourire, le narrateur en analyse les circonstances et les motifs de telle façon que la condamnation formelle qu'il en prononce est balancée par la justification qu'ils impliquent. Chaque phrase associe dans un même mouvement une réprobation et une excuse. Si le lecteur veut rester au ras du texte, sans apprécier l'acte de Jacob selon une morale extérieure, s'il veut seulement savoir comment Jacob se juge et entend être jugé, il ne peut pas sortir de l'équivoque. Jacob aimait Mlle Habert, ou « du moins » il croyait l'aimer, et même s'il ne l'avait pas aimée, il devait dire qu'il l'aimait. Aimer ou croire aimer, « cela revient au même », il y a toujours « friponnerie » à se renier [64]. Le narrateur ne rivalise pas ici avec Gil Blas en entourant de distinctions et de réticences le banal argument du « voilà l'homme ! » de l'universelle faiblesse : il se condamne aussi sincèrement qu'il s'excuse, il énonce le pour et le contre, non dans une brutale antithèse, mais dans leur

dévalorisants (« j'en fus la dupe moi-même », « je n'eus plus qu'à me laisser aller ») ; après un passage à la ligne, en tête d'un nouveau paragraphe, la formule brutale : « Aussi ne manquai-je pas mon coup » ; enfin, les commentaires complaisants et techniques sur la prolongation de son chagrin, que Jacob n'arrivait pas à apaiser tout de suite. La démarche du mémorialiste est exactement la même quand il rappelle l'embarras avec lequel Jacob a accepté l'argent de Mme de Ferval (*ibid.*, p. 178) : Jacob est « ébloui de son mérite » et en même temps honteux ; l'éblouissement l'emporte, et Jacob prend l'argent ; la rétrospection explique le rôle de la vanité qui l'a étourdi, mais elle établit l'authenticité de la honte qui le faisait protester : « Et ce qui est de plaisant, c'est que je disais vrai ».

62. Le continuateur anonyme du *Paysan parvenu*, qui n'a pas compris la subtilité des rapports entre le Jacob passé et le Jacob actuel, ni la raison d'être des Mémoires, fait sans cesse invoquer par le héros son « expérience » et ce qu'elle lui a appris, *P.P.*, p. 335, 376, 387, 397, 407, 427, 429.

63. Un autre exemple de sentiment simulé (ou de penchant encore indécis) transformé en sentiment sincère et intense par l'entraînement du verbe se trouve *ibid.*, p. 76. Ayant très bien saisi « l'hypocrite façon » dont Mlle Habert affectait de rire de ses naïvetés pour cacher le plaisir que lui causaient ses galanteries, il tient des propos plus vifs, se laisse emporter par eux et « [laisse] échapper des tendresses étonnantes, et cela avec un courage, avec une ardeur qui persuadaient du moins qu'[il disait] vrai ». Il faut interpréter correctement cette dernière phrase, elle n'est pas un aveu de duplicité. Jacob ne veut pas dire que du moins il était persuasif, à défaut d'être sincère, mais que du moins il était persuasif par son ardeur, à défaut d'être délicat dans ses compliments, comme l'eût été un homme du monde. Son ardeur était devenue tout à fait sincère. Voir *infra*, chap. VII, p. 311 et n. 205.

64. *Ibid.*, p. 136. Nous transcrivons un paragraphe de ce passage, pour montrer le procédé d'expression : « En fait d'amour, tout engagé qu'on est déjà, la vanité de plaire ailleurs vous rend l'âme si infidèle, et vous donne en pareille occasion de si lâches complaisances ! » — « En fait d'amour » : la notion d'amour est-elle si large qu'on puisse parler d'amour même à propos du sentiment qui rapprochait Jacob de Mme de Ferval ? « Engagé » : le mot met en valeur plutôt la parole donnée que l'intensité du sentiment. « Vous rend » : l'incommodité de décliner l'impersonnel *on* autorise une tournure qui rend le lecteur complice. « En pareille occasion » : plus loin, Jacob dit qu'il était capable de fausseté seulement « dans un cas de cette nature » ; la situation où il s'est trouvé était telle que personne n'eût pu agir autrement. « De si lâches complaisances » : malgré le pluriel, qui range l'acte de Jacob dans une catégorie générale, la condamnation est prononcée en termes vigoureux, Jacob ne cherche pas à la vider de son sens.

entremêlement, qu'il s'applique à démêler. Plus il scrute ses intentions et ses actes, plus il devient difficile de les juger, la lumière
qu'il projette sur eux n'est pas celle du jugement moral, mais de
l'intelligence. On ne peut même pas dire que, pour lui, comprendre
soit pardonner, car il ne songeait pas à se pardonner quand il a
entrepris de mieux se comprendre. On dégraderait son caractère en
le représentant comme un coupable en quête d'indulgence. Il avoue
avoir manqué de probité et de délicatesse envers Geneviève en
acceptant son argent, mais il ajoute : « et il y a apparence que Dieu
me pardonna ce gain, car j'en fis un très bon usage ; il me profita
beaucoup » [65]. Le futur « pardonnera » qui est dans la plupart des
éditions anciennes, mais non dans l'originale, constitue un contresens : Jacob n'en est pas à attendre un pardon de Dieu ou du lecteur,
les *Mémoires de M**** ne sont pas des *Confessions*. Comme les
bourgeois positifs si nombreux dans la littérature de son siècle, Jacob
semble même mesurer la valeur morale d'un acte aux bénéfices qu'il
procure, mais nous avons vu que pour lui *parvenir* était moins
s'enrichir matériellement ou acquérir un haut rang social que développer ses facultés de jouissance. Au bout du compte, il est satisfait
de lui-même, et lorsque dans le passé il a pu faire ce compte, tirer
le bilan d'une expérience sur laquelle il n'aurait plus à revenir,
il a déjà pensé de lui ce qu'il en pense maintenant dans sa retraite,
le regard rétrospectif d'autrefois, quand il lui a été possible, était
déjà celui avec lequel il se considère maintenant. Le récit est conduit
assez loin pour que les premières expériences soient dépassées :
Mme de Ferval, à qui Jacob doit l'initiation de son amour-propre,
n'est plus que « cette hypocrite de Ferval », rangée dans la catégorie
de « ces femmes-là » par le charme desquelles Jacob n'est ni moins
tenté ni plus trompé que n'importe qui, que l'anonyme *on*, que *vous*,
lecteurs, qui faites partie de cette collectivité anonyme. Quand Jacob
déclare d'elle et de « la Fécour » : « Je ne m'en embarrassais guère »,
il n'y a aucun décalage entre l'analyse actuelle et l'attitude d'autrefois, Jacob avait sur ce point dès le passé une lucidité parfaite [66].

Sa lucidité était la même au sujet de Mme de La Vallée, ce qui
prouve que les événements du cinquième livre sont bien une époque
dans la vie de Jacob. Etant arrivé dans son récit au moment où son
mariage (l'événement le plus important de la première période)
n'aura plus d'intérêt pour lui, Jacob fait le point de ses sentiments
envers sa femme, pour ne plus avoir à y revenir. Du côté de sa
femme, fraîcheur prolongée, passion singulière dans le goût dévot,
pas de jalousie ; de son côté, de la prévenance, de la jeunesse (il n'est
pas encore blasé), de la reconnaissance (qui « peut suppléer à bien des

---

65. *Ibid.*, p. 23. Voir la note 1 de F. Deloffre.

66. *Ibid.*, p. 245. Sur le *on* et le *vous*, voir *supra*, n. 64. Même absence de décalage, dans
les mêmes termes, non plus à l'occasion d'un des grands bilans du Vᵉ livre, mais lors
d'un bilan provisoire, avant un événement important, p. 85 : « Ma situation me paraissait
assez douce [...]. J'étais à la veille d'avoir pignon sur rue, et de vivre de mes rentes,
chéri d'une femme que je ne haïssais pas, et que mon cœur payait du moins d'une reconnaissance qui ressemblait si bien à de l'amour, que je ne m'embarrassais pas d'en examiner la
différence ».

choses ») et la sécurité de quelqu'un qui n'a pas de « compte importun » à rendre. Ce bilan est fait au présent pour ce qui est acquis (« Nous voilà mariés ; je sais tout ce que je lui dois », etc.), au futur pour le peu qui reste encore à mener de vie commune, et qui ne changera plus rien (« j'irai toujours au devant de tout ce que je lui dois ; [...]. Qu'on s'imagine donc de ma part toutes les attentions possibles pour elle », etc.) : le temps des verbes assure la fusion, l'identité du point de vue du narrateur et du point de vue de l'acteur ; dans l'exemple cité plus haut, l'imparfait marquait encore que, si la vue était la même autrefois et aujourd'hui, le point de vue était différent ; ici, le point de vue lui aussi est le même. L'opposition entre le présent de la narration et le passé du vécu, l'opposition entre l'être qui vit et la conscience qui regarde vivre, font que l'œuvre se déroule sur un double, triple et même quadruple registre : mais les Mémoires ont pour but de ramener à l'unité cette pluralité qui les fonde [67].

On comprend dès lors l'équivoque dont est d'un bout à l'autre marqué le récit de Jacob : Jacob ne fait ni son apologie ni son *mea culpa*. Il rassemble sous le regard de son *moi* actuel l'expérience de son *moi* passé, il n'en renie rien, il se rend à lui-même de tout ce qu'il a fait et pensé, en bien ou en mal, et même de ce qu'il a omis de penser et de faire, un compte confiant, non pas ce compte « importun » qu'aurait exigé une épouse soupçonneuse. Il n'est pas cynique, même s'il relate sans commentaire certaines de ses inquiétantes habiletés ; sans être vil, il peut dire à propos de ses doubles amours avec Mlle Habert et avec Mme de Ferval : « on sent fort bien deux plaisirs à la fois », car ce n'est pas une misérable excuse, c'est l'énoncé d'une fertile découverte, et presque la proclamation d'un droit : ainsi s'est formé Jacob, ainsi s'est élargie sa jouissance de lui-même [68] ; il n'est pas de mauvaise foi, il exprime sa profonde conviction, dans des aphorismes comme celui-ci, dirigé contre Mme de Ferval : « on ne badine pas avec sa conscience », ou cet autre, par lequel il explique son calme dans sa prison : « notre âme, pour ainsi dire, se fait justice » [69]. La sécurité qui règne dans sa conscience permet de comprendre la nature exacte de son ironie.

L'ironie de Jacob n'est pas l'ironie bonhomme de Gil Blas, dont le mordant satirique est enveloppé d'une grande indulgence pour la faiblesse humaine ; on peut y voir une ironie de compensation, par laquelle Jacob se venge des humiliations qu'il a essuyées et efface, en s'en moquant lui-même, les sottises qui l'ont ridiculisé autrefois ; mais il n'y a rien d'amer dans cette ironie, elle n'est pas plus grinçante que complaisante : elle est la forme la plus vive, la plus libératrice, de la prise de conscience accomplie par la rédaction des

---

67. *Ibid.*, p. 247-248. Dans un autre passage du *Paysan parvenu* (P.P., p. 83-84), le passé composé, associé au présent de l'indicatif, traduit bien « l'intention [...] de " liquider " rapidement un certain nombre de faits », comme le note justement F. Deloffre (*Marivaudage*[2], p. 219), pour passer à une nouvelle époque, annoncée au futur : « Serviteur au nom de Jacob, il ne sera plus question que de M. de la Vallée ».

68. *Ibid.*, p. 141.

69. *Ibid.*, p. 137 et p. 147.

Mémoires. Le regard rétrospectif sous lequel s'ordonne le passé de Jacob a un triple pouvoir : d'identification, d'intégration et de dépassement. Jacob identifie comme sien tout ce qu'il a vécu et qui a été parfois exaltant, parfois déconcertant, mais toujours révélateur ; il intègre ce passé à son être actuel, comme la matière de sa sensibilité et de sa mémoire, le support de cette connaissance-jouissance de soi qui constitue toute l'existence du mémorialiste ; il dépasse enfin son personnage, ce *moi* dont il est l'auteur et qu'il est seul à vraiment connaître, en reprenant par l'intelligence qu'il a de lui une joyeuse liberté par rapport à lui-même, éludant toute définition et tout jugement, laissant le lecteur devant un composé de sincérité et de mensonge, de spontanéité et de simulation, de générosité, de ruse, d'égoïsme, devant une énigme sans secret : énigme située dans la voix même qui la prononce, puisque le propre d'une conscience est d'être toujours au-delà de tout ce qu'elle peut connaître d'elle-même.

MARIVAUX a imaginé le personnage de Marianne avant celui de Jacob, mais il a élaboré beaucoup plus lentement l'histoire de Marianne, et a pu ainsi retoucher ou renforcer un portrait qui s'opposait à celui du Paysan parvenu. Plus intuitive et plus rusée aussi en tant que femme, plus délicate et plus susceptible en tant qu'aristocrate de goût et d'instinct, Marianne est nécessairement coquette, non seulement parce que la coquetterie est la seule arme des femmes en face des hommes, mais encore parce que ses malheurs la mettent dans un état d'infériorité qu'elle ne peut pas corriger autrement. Naturellement séduisante, elle doit se méfier de ceux qu'elle séduit, la sincérité chez elle ressemblera toujours à une manœuvre. Elle ne peut pas agir avec la rondeur naïve ou malicieuse de Jacob, elle court des risques beaucoup plus graves. L'image qu'on retient le plus volontiers d'elle est celle d'une jeune fille à la fois coquette et très sensible, très attentive à tout ce qu'elle ressent et le glosant avec satisfaction, mais cette image est trompeuse. Il est encore plus difficile chez Marianne que chez Jacob de distinguer la spontanéité de la rouerie, parce que son ironie elle-même ressemble trop à de la complaisance ; comme il est évident qu'elle n'est pas toujours tout entière et sans quant à soi dans ses émotions, on ne peut la définir essentiellement comme un cœur sensible, et l'on est tenté de la juger délibérément fausse, comme une arriviste qui n'avoue jamais ses desseins et qui prend toutes ses précautions pour ne pas sembler une « aventurière ». Marivaux a voulu qu'elle s'exposât à cette interprétation : elle est bien une « petite aventurière » aux yeux de la dame qui a fait réunir contre elle un conseil de famille [70], et Mme de Miran s'écrie, au moment même où elle vient de consentir à l'amour des deux jeunes gens : « Quelle dangereuse petite fille tu es, Marianne », dangereuse parce qu'elle détourne Valville et Mme de Miran elle-même de ce que les convenances sociales exigent d'eux ; le terme n'est pas l'expression d'un tendre badinage [71] : il traduit une angoisse que l'affection ne peut entièrement étouffer, devant une situation dont on ne sait ce qu'il résultera (« il en arrivera ce qui pourra », disait encore Mme de Miran) et qui, en tout cas, entraînera la plus généreuse, la moins rusée des femmes, à proposer à son fils un mariage clandestin avec celle qu'elle considérait elle aussi comme une « petite aventurière », peu de temps auparavant [72]. Quand on mesure le scandale qu'il y a à traiter une Marianne comme une per-

70. *V.M.*[2], p. 338.
71. *Ibid.*, p. 200.
72. *Ibid.*, p. 285 (« Il suffira que rien ne retombe sur moi ») ; p. 409 ; p. 176 (c'est Mme Dorsin qui pour désigner Marianne, non encore identifiée, à Mme de Miran l'appelle « une fille de cette sorte-là », « la petite aventurière »).

sonne de la bonne société, et les commentaires venimeux que peut susciter une liaison avec elle, on comprend que la bonté de Mme de Miran a quelque chose d'héroïque, et l'on ne s'étonne pas qu'elle ait d'abord voulu employer Marianne elle-même à faire cesser l'amour de son fils, puis qu'elle arrange un petit mensonge pour la présenter dans le monde comme la fille d'une de ses amies[73]. Dangereux, Jacob l'était[74], mais en réalité beaucoup moins que Marianne : l'emploi de la même épithète suggère quelque ressemblance dans le comportement des deux personnages ; elle naît spontanément sur les lèvres d'une dame du monde, pour désigner ce qu'il y a d'inquiétant dans cette gracieuse personne aux genoux de laquelle vient d'être surpris un jeune homme que l'on sait engagé par ailleurs[75], et sur les lèvres du père Saint-Vincent, horrifié par les accusations que Marianne porte contre Climal : « Ah ! la dangereuse petite créature ![76] »

En cette circonstance le bon père se trompe, il aime mieux accuser l'innocente Marianne que de renoncer à sa bonne opinion sur Climal. Mais d'un point de vue plus général il a raison : Marianne est réellement dangereuse. La voilà qui démasque l'hypocrisie d'un faux dévot et qui force un prêtre à douter des effets de son ministère. On comprend la colère et l'effroi du père Saint-Vincent ! Elle va bientôt soulever contre elle toute une famille, faire reprendre à Valville et à Mme de Miran la parole donnée ; elle apporte la division, oblige chacun à prendre parti, ébranle les notions reçues sur la noblesse, sur la famille, sur l'amour, sur les convenances, simplement parce qu'elle est, comme elle dit, « déplacée »[77]. Mais elle court encore plus de dangers qu'elle n'en fait courir aux autres, son énergie et sa finesse ne doivent pas nous dissimuler sa véritable situation : elle combat le désespoir au cœur, prête à retourner au néant dont Mme de Miran l'a tirée. Si la mère adoptive est héroïque en défendant à tous risques sa fille contre la société, la fille est au moins aussi héroïque en maintenant son honneur, malgré les calomnies et les traîtrises, et en réclamant de vivre selon cet honneur, quand elle porte en elle-même le plus grand danger qui la menace, le découragement et le doute sur le sens de son combat.

Jacob est un paysan : il en a eu honte quelquefois, il en a été humilié, mais il ne s'est pas renié, il n'a jamais perdu conscience de sa nature, et c'est comme paysan qu'il est parvenu, assurant

73. *Ibid.*, p. 210-211 (la bonne Mme de Miran, si droite et si simple, est un peu gênée de cette hypocrisie et met sa conscience en paix par un raisonnement casuistique : « Ce que je dirai est presque vrai : j'aurais aimé ta mère si je l'avais connue ; je la regarde comme une amie que j'ai perdue ; ainsi je ne tromperai personne »).

74. *P.P.*, p. 12 (« Ce paysan deviendra dangereux, je vous en avertis ») et p. 176 (« tu es le plus dangereux petit homme que je connaisse », dit à Jacob Mme de Ferval).

75. « Vous êtes en bonne compagnie, un peu dangereuse à la vérité » dit à Valville la dame inconnue qui accompagnait M. de Climal, *V.M.*[2], p. 86.

76. *Ibid.*, p. 141.

77. *Ibid.*, p. 32 et 45. Marianne se sent « déplacée » chez Mme Dutour, mais, aux yeux de ses ennemis, elle est encore plus déplacée chez Mme de Miran, et elle le reconnaît elle-même : « Il n'est pas naturel que vous teniez lieu de mère à une fille orpheline que vous ne connaissez pas, pendant qu'elle vous afflige [etc] », p. 179.

triomphalement l'unité de son être que les aléas de son ascension avaient mise en péril. Marianne n'est rien. Son destin lui est énigmatique : est-il malheur atroce ou très haute dignité ? Les deux possibles sont inscrits dans son origine, en termes contradictoires et obscurs. Son histoire commence par un crime épouvantable, qui pouvait faire d'elle à jamais l'orpheline, la fille maudite, sans feu ni lieu, mais elle n'en connaît l'horreur qu'indirectement, par les récits qu'elle a entendus plus tard, par la pitié qu'on lui a manifestée, par les larmes que le curé et sa sœur ont versées sur elle. Plus elle grandit, plus cette définition de son être se précise, elle voit de mieux en mieux, à chaque obstacle qu'elle doit surmonter, le néant qui est peut-être sa vocation ou sa condition. Mais certaines circonstances liées au crime, les beaux vêtements de l'enfant, ceux d'une des femmes assassinées, une ressemblance de visage, la présence de domestiques donnaient à entendre une fortune élevée, aussi confuse à l'esprit de Marianne enfant que le crime, mais elle aussi de mieux en mieux comprise, de mieux en mieux reconnue comme une grandeur à réintégrer. Le paradoxe propre à Marianne est qu'elle ne sache comment concevoir un *moi* dont elle a le plus exigeant des sentiments : trouvera-t-il son accomplissement dans le triomphe ou dans le sacrifice, dans la joie ou dans les larmes, dans la ruse ou dans l'émotion ? Elle l'ignore, moins parce que l'avenir lui est inconnu que parce qu'elle ignore son être propre. La tentation de la démission, de la retraite, de la mort même par laquelle a commencé sa vie, est très forte chez elle. Avant de remarquer que le sacrifice lui est en général avantageux, et de dire, comme elle le fait elle-même, que le découragement « va remédier à tout »[78], il faut souligner combien fréquent et profond est ce mouvement qui la pousse à renoncer ; dans une de ses heures de désespoir, elle oppose sa vie et son *moi*, et, sans qu'elle ait alors songé elle-même à mourir, elle en vient, au cours de la narration actuelle, à réfléchir sur le suicide : « on dirait que pour être, il n'est pas nécessaire de vivre [...]. On dirait que lorsqu'un homme se tue, par exemple, il ne quitte la vie que pour se sauver [...]. Ce n'est pas de lui dont il ne veut plus, mais bien du fardeau qu'il porte »[79]. Ces formules prouvent bien que, si elle veut être elle-même, l'une des voies qui s'ouvrent à Marianne, et sans doute la plus fascinante, est de disparaître — fût-ce par l'anéantissement momentané de sa conscience —, de fuir « la honte de vivre pour être [sur la terre] l'objet, ou du rebut, ou de la compassion des autres »[80]. Au gémissement qu'elle pousse lorsqu'elle a rompu avec Climal et se voit déshonorée aux yeux de Valville : « Pourquoi suis-je venue au monde, malheureuse que je suis ? Que fais-je sur la terre ? », répondent les cris qu'elle fait entendre après avoir invité Valville à ne plus l'aimer : « Je suis au désespoir d'être au monde, et je prie le ciel de

78. *Ibid.*, p. 80.

79. *Ibid.*, p. 129. Ces réflexions sur le suicide sont inspirées à Marivaux par Malebranche, *Traité de l'amour de Dieu*, éd. Roustan, p. 88 ; voir notre article déjà cité sur « Marivaux et Malebranche ».

80. *Ibid.*, p. 135.

m'en retirer », et en apprenant sa trahison : « Ah ! je ne survivrai
pas à ce tourment-là, je l'espère ; Dieu m'en fera la grâce, et je
sens que je me meurs » [81]. C'est une toute jeune fille qui parle : son
« âme de dix-huit ans » accablée par le malheur, réduite à ne plus
espérer qu'en un Dieu dont l'idée « grave et sérieuse » l'effarouche [82],
se réfugie dans les larmes ou dans la prostration, comme dans l'état
où son *moi* condamné est le plus intimement en accord avec lui-
même et vit intensément l'annulation à laquelle le destin semble
l'avoir vouée en plaçant ses débuts dans l'existence sous le signe
de la mort. Parler d'afféterie ou de sensiblerie serait se tromper
lourdement sur le sens des épisodes les plus pathétiques [83].

La seule personne qui permette à Marianne de s'accomplir par
une autre voie, c'est Mme de Miran : une bonté inlassable, plus forte
que tous les obstacles, une confiance constante, voilà ce que Marianne
trouve en sa mère adoptive ; elle lui doit vraiment la vie, non pas
tant la vie matérielle (à laquelle cependant Mme de Miran porte une
attention délicate) que la vie morale, la vie d'une âme heureuse
d'être elle-même. Tout ce qu'en Marianne la société meurtrit et refuse,
Mme de Miran l'accueille et le protège. Sa sensibilité s'accorde à
celle de Marianne, elle pleure avec elle et transforme en larmes de
tendresse ses larmes de désespoir [84]. Grâce à elle un être qui s'appréhendait dans la négation et dans la tristesse se dilate et jouit de ses
émotions. Mme de Miran procure à Marianne une seconde naissance,
ou plutôt une naissance toujours renouvelée. Quand la sensibilité
passée éclate dans la trame du récit actuel et ressuscite, c'est plus
d'une fois au souvenir de Mme de Miran, et la narratrice retrouve
intacts son amour et ses larmes pour sa mère [85]. Elle n'a pour
Valville ni une affection aussi passionnée, ni des transports si proches
du délire [86].

Ces deux états extrêmes sont ceux où Marianne existe vraiment ;
ils se ressemblent dans leurs manifestations, puisque l'émotion intense

81. *Ibid.*, p. 145, 198, 367, cf. 377.
82. *Ibid.*, p. 145.
83. R. Mauzi a pu écrire de Marianne : « ce n'est pas d'elle qu'il faut attendre de grands
désespoirs » (*L'Idée du bonheur au dix-huitième siècle*, p. 466), mais il ne retenait qu'un
autre trait de son caractère, tout aussi vrai, le réalisme lucide.
84. Par exemple *V.M.²*, p. 181, 198, 412.
85. *Ibid.*, p. 181, 260, 324-325 ; voir *infra*, p. 226.
86. Transports d'amour pour Mme de Miran, *ibid.*, p. 155, 181 (« elle me tendit une
troisième fois la main, que je pris alors du mieux que je pus, et que je baisai mille fois à
genoux, si attendrie moi-même, que j'en étais comme suffoquée »), 206 (« J'éclatai ici par
un transport subit : Ah ! ma mère, m'écriai-je, je me meurs ; je ne me possède pas de
tendresse et de reconnaissance. / Là, je m'arrêtai, hors d'état d'en dire davantage à cause
de mes larmes »), 285 (« Je pleurai d'aise, je criai de joie, je tombai dans des transports
de tendresse, de reconnaissance ; en un mot, je ne me possédai plus, je ne savais plus ce
que je disais »), et l'ardente déclaration de la p. 335 : « Quand on viendrait m'apprendre
que je suis la fille d'une reine, quand j'aurais un royaume pour héritage, je ne voudrais
rien de tout cela, si je ne pouvais l'avoir qu'en me séparant de vous ; je ne vivrais point
si je vous perdais ; je n'aime que vous d'affection [...] ». Mme de Miran préférée à Valville,
p. 281 (« vous savez, ma mère, que j'aime M. de Valville, mais mon cœur est encore plus
à vous qu'à lui ; ma reconnaissance pour vous m'est plus chère que mon amour »), 287, 343
(« si [M. de Valville] m'oubliait, ce serait une grande affliction pour moi, plus grande que je
ne puis le dire ; mais le principal est que vous m'aimiez ; c'est le cœur de ma mère qui m'est
le plus nécessaire, il va avant tout dans le mien »), 386, 413.

annihile le *moi*, et se confondent dans leur cause, puisque la plus
grande joie ravive la plus grande détresse ; c'est à Mme de Miran que
Marianne adresse ces paroles, qui accompagnent l'un des cris les plus
déchirants que nous avons cités plus haut : « Mon Dieu, madame,
pourquoi m'avez-vous rencontrée ? [87] » L'autre possibilité de son destin, la vocation glorieuse, lui inspire des sentiments différents, mais
dans tous les cas le malheur est à la source de son espérance.
Le plus enfantin de ces sentiments, qui n'est pas superficiel pour
autant, est une espèce de satisfaction à être une personne singulière.
On s'intéresse à Marianne quand on apprend son histoire et qu'on la
voit si jeune et si affligée. L'indiscrétion d'une Mme de Fare, qui
veut se donner le plaisir « de révéler une chose qui surprendrait »,
entraîne un redoublement du malheur, et les esprits mal informés
ou malintentionnés, comme la « parente revêche » qui n'est pas « sensible aux vertus romanesques », infèrent trop facilement des aventures une aventurière, mais chez les religieuses des deux couvents
où elle passe — « c'est une espèce de spectacle qu'une fille comme
moi qui arrive dans un couvent » — Marianne excite une curiosité
tendre et apitoyée où elle trouve du réconfort ; devant les larmes
qu'elle verse après la révélation faite par Mme Dutour, Mlle de Fare
ne l'en juge que plus « intéressante » et se sent plus que jamais
attachée à elle ; et il y avait bien un peu de romanesque aussi dans le
premier mouvement d'intérêt de Mme de Miran pour une demoiselle
en belle parure et à l'air distingué qui semblait dans le plus grand
désespoir du monde [88]. Marianne sait l'effet qu'elle produit et elle en
profite, mais elle en jouit aussi et il flatte le pressentiment qu'elle a
d'être d'une essence supérieure. Se croit-elle princesse ? Elle n'y
songe que pour sacrifier le plus beau, le plus impossible de ses
rêves à son amour pour Mme de Miran [89]. Sa naissance inconnue
suffit, si on la regarde sous un certain jour, à l'entourer d'un mystère poétique [90] : ces aventures dont son « étoile » ne l'a pas laissé
manquer, cette histoire « particulière » qu'à cinquante ans elle raconte
à une amie qui veut en faire un livre, elle en avait déjà fait la
confidence à Mlle Varthon, « dans un goût aussi noble que tragique

---

87. *Ibid.*, p. 198, voir *supra* le texte auquel se rapporte la note 81. C'est aussi, mais de
façon plus attendue, ce qu'elle disait à Climal : « je suis désolée, je suis au désespoir de
vous connaître : c'est le plus grand malheur qui pouvait m'arriver », *ibid.*, p. 121. Et c'est
déjà ce que disait au Prince la Silvia de *La Double Inconstance*, agitée de sentiments contradictoires : « vous me donnez du souci, vous m'aimez trop ; je voudrais ne vous avoir jamais
connu [...] » (acte II, scène 12, *T.C.*, I, p. 297).

88. *Ibid.*, successivement p. 340, 338, 233, 294, 273 et 146.

89. Voir le texte de la p. 335, cité à la note 86. La « parente revêche » était perspicace
dans sa méchanceté, quand elle soulignait chez Marianne une hauteur de vue qu'elle traitait
d'imposture : « Vous n'êtes encore qu'une fille de condition, nous dit-on ; mais vous n'en
demeurerez pas là, et nous serons bien heureuses, si au premier jour vous ne vous trouvez
pas une princesse », *ibid.*, p. 338.

90. C'est parce qu'elle semble une « illustre infortunée » qu'elle émeut l'imagination
romanesque de Valville, *ibid.*, p. 80 ; déjà dans *Pharsamon*, Cidalise et Pharsamon lui-même,
comme la Cathos et la Magdelon des *Précieuses ridicules*, ont l'impression d'être nés
de parents plus nobles que ceux qu'ils se connaissent (*O.C.*, XI, p. 273-277. *O.J.*, 537-539) ;
dans *La Vie de Marianne*, Toinon « aurait bien troqué son père et sa mère contre le plaisir
d'être orpheline au même prix que [Marianne] » (*V.M.²*, p. 49). « Tout le monde ne peut
pas être orphelin », dira Poil de Carotte.

[...] en déplorable victime du sort, en héroïne de roman »[91]. Le malheur, inépuisable cause de ses désespoirs et de ses ravissements, est aussi l'aliment de sa vanité.

Mais Mlle Varthon trahit, Valville trahit, les dames de province qui s'étaient prises « d'un goût romanesque » pour la petite orpheline étaient devenues indifférentes au bout de six mois[92] : Marianne risque d'être la dupe de l'émotion que fait naître son état malheureux en elle-même et chez les autres, si ces autres n'ont pas le cœur aussi généreux que Mme de Miran et Mme Dorsin. En fait, jamais Marianne ne déclare explicitement, ni au cours de l'action passée, ni à l'occasion de sa narration actuelle, qu'elle soit réellement noble, ni même qu'elle ait la conviction de l'être. Il y a deux raisons à cela, l'une de modestie, l'autre de sincérité : Marianne *ne sait pas* qui elle est ; elle l'a appris depuis, mais pendant tous les événements qu'elle raconte, elle n'en avait aucune connaissance certaine. Les indices matériels étaient fragiles, les jugements des tiers contradictoires, le sentiment intérieur essentiellement problématique. Marianne rapporte un si grand nombre de témoignages favorables et se fait prodiguer tant d'éloges qu'on pourrait croire à une habileté de son amour-propre, mais s'ils sont destinés à ne laisser aucun doute dans l'esprit du lecteur, ils prouvent aussi l'impossibilité où est Marianne de trancher par elle-même. Ainsi s'explique la grande difficulté où nous sommes de la juger : certains accents cyniques de Jacob inquiètent et son personnage semble moralement beaucoup plus douteux que celui de Marianne, on peut cependant arriver à avoir une intuition de sa cohérence et du dynamisme qui assure son unité ; pour Marianne, cette unité nous échappe dans la mesure où Marianne elle-même hésite sur son identité. De la coquetterie tempérée par du sentiment, de la ruse alliée à de la sincérité, l'instinct infaillible de ce qui est avantageux corrigé par le désintéressement, la satisfaction de soi et une humilité véhémente, de l'ironie et des larmes, quand on a dit qu'il y avait tout cela dans Marianne, on n'a pas défini un caractère, on a seulement énoncé des contradictions, à moins d'expliquer cet être si attirant, si intensément présent, comme un exemple de l'humanité moyenne, un compromis sans relief entre le bien et le mal, une femme fort ordinaire, de même que Valville est « un homme fort ordinaire »[93]. Opposer la Marianne de maintenant, mémorialiste lucide et sans illusions, à la Marianne d'autrefois, instinctive, menée par ses sentiments, n'est pas plus expédient, c'est méconnaître la raison d'être des Mémoires, qui, toutes différences gardées, est analogue pour Marianne à ce que nous l'avons vue pour Jacob. La communication est constamment établie entre la conscience d'autrefois et la conscience de maintenant, et la conscience de maintenant n'éclaire pas mieux que la conscience d'autrefois l'essence du caractère.

91. *V.M.²*, p. 8 et 356.
92. *Ibid.*, p. 14.
93. *Ibid.*, p. 375.

Cette essence est moins contradictoire que fuyante. Marianne change au cours des événements, non pas parce que son expérience augmente et que sa personnalité mûrit, mais parce qu'elle se fait d'elle-même successivement des images différentes selon ses différentes réactions aux circonstances, pour essayer de maîtriser son comportement. Ces images sont toutes également vraies, quand l'une prédomine, les autres ne sont pas totalement absentes, dans sa quête de soi Marianne trouve toujours en elle-même de quoi se comprendre et se conduire ; c'est la combinaison qui se modifie, à tel point qu'on peut distinguer aux divers moments de son histoire plusieurs Mariannes, dont le trait commun est le désir d'être à la hauteur d'un même destin. Dès son arrivée à Paris, Marianne se forme deux représentations de ce destin : le spectacle de la grande ville lui inspire des idées de plaisir, elle pressent de multiples agréments, son « instinct de femme » lui pronostique toutes les aventures qui l'attendent. Ces aventures, déclare-t-elle, « le destin ne tarda pas à me les annoncer » ; et aussitôt, sans transition, « le parent que nous allions trouver était mort », et mort sans un sou, le curé a un accident qui le laisse impotent de corps et d'esprit, la sœur du curé tombe malade et meurt, Marianne éprouve une douleur si profonde qu'elle découvre dans la faculté de souffrir un des éléments constitutifs de son être... D'une page à l'autre, les mots « aventures », « destin » ont donc reçu des sens opposés, sans que la narratrice le fasse remarquer [94]. Son silence n'est absolument pas un trait d'ironie amère, puisque plus tard, à plusieurs reprises, Marianne retrouvera l'intuition qu'elle est faite pour une vie raffinée, « le sentiment bien subtil [...] dans les choses de sa vocation » [95]. Elle a subi une métamorphose, tout en restant la même ; la jeune fille qui lisait en elle un avenir de plaisir et d'élévation sociale est devenue un être voué à la souffrance et finalement à la retraite. D'autres changements s'étendent sur de plus longues périodes, et ne sont pas plus explicitement signalés à notre attention. La Marianne des premiers livres est coquette, si nous voulons résumer son caractère en un mot auquel nous donnerons un sens assez large : elle devine les raffinements de la vie parisienne, elle exerce sur Climal ses premières ruses, elle s'initie avec des battements de cœur à l'art de se parer et de s'habiller, elle s'engage avec Valville dans ces jeux ravissants du marivaudage, où l'amour-propre s'oppose à l'amour pour le protéger. La puissante aptitude au bonheur est d'autant plus émouvante chez la jeune fille qu'elle se développe à travers la douleur et les humiliations et que les larmes sont tout près de sourdre au milieu des sourires. L'étonnant est que Marivaux ait lui-même hésité sur le caractère qu'il voulait lui donner : vérité originelle de ces incertitudes ! Nous ne saurons jamais ce qu'était la Marianne de la première partie dans sa première version, mais ce qui reste de la première version de la seconde partie nous assure que la scène de

94. *Ibid.*, p. 17-22.
95. *Ibid.*, p. 33.

l'église n'existait pas. A la fin de la première partie, Marianne allait à l'église, à la première ligne de la seconde partie elle en sortait, ce qui occupe près de sept pages dans le texte définitif[96] se réduisait à un peu plus d'une ligne : « j'avais excité la curiosité d'une jeunesse étourdie et du beau monde indévot ». Or cette scène de l'église est d'une importance capitale : elle donne à Marianne pour la première fois de sa vie l'occasion de déchiffrer les pensées d'autrui, de distinguer la coquetterie, le naturel conscient de lui-même, la fatuité, d'observer l'effet que sa présence produit, de le provoquer par ses mines. Ce qu'elle découvre ainsi, c'est sa féminité. Climal ne lui en avait guère donné qu'une idée extérieure, elle avait reconstitué, à partir de quelques observations faites dans son village et de quelques souvenirs de lecture, ce qu'elle, Marianne, représentait pour lui et très vite deviné le parti qu'elle pourrait en tirer. Mais à l'église elle fait l'expérience intime de la faculté qu'elle possède comme femme : attirer les regards de tous, se reconnaître dans ces regards qui sont autant de révélations sur elle-même, en même temps vivre en elle tous les mouvements qu'elle fait éprouver à autrui[97]. Elle remplit un univers de son être, tout ce qui existe ne prend de sens que pour la signifier, et dès cette première expérience elle reconnaît les dissonances qui entrent dans l'harmonie de son triomphe : la crainte et le dépit d'un sexe, le désir de l'autre composent à sa vanité un hommage en forme de défi, cependant qu'un sentiment plus grave l'accorde avec un inconnu d'une façon mystérieuse qu'elle n'a pas le temps d'approfondir, mais qui la rend rêveuse. Elle ressent déjà le conflit qu'avait ressenti la jeune fille des *Lettres contenant une aventure* entre la coquetterie conquérante qui exalte le *moi* et une sensibilité élective qui le fait s'oublier lui-même. Ainsi se trouve préparé et justifié l'épisode qui suit : à la place d'un accident romanesque, conforme au schéma traditionnel selon lequel le héros sauve par hasard la vie de l'héroïne et fait éclater ainsi un mérite et une générosité qui lui valent aussitôt une tendre reconnaissance, tandis que lui-même devient amoureux éperdu s'il ne l'était déjà[98], Marivaux

96. *Ibid.*, p. 58-64. Le texte primitif est donné p. 58, n. 1. Il est exclu que l'épisode ait figuré sous une forme ou une autre dans la version primitive de la première partie : (1) par la phrase initiale, Marianne *rappelle* au lecteur qu'elle avait été à l'église et lui *apprend* qu'elle y avait excité la curiosité ; (2) ce n'est pas la curiosité que Marianne excite, selon le texte définitif, mais une diversité de sentiments beaucoup plus complexes ; (3) la suite du texte primitif ne marque pas que Marianne ait jamais aperçu ni observé l'homme qui descend du carrosse quand elle est tombée.

97. « Jouissance de soi, vanité qui se mire dans des regards, station d'un moi au centre d'un cercle de miroirs, c'est la posture même de l'amour-propre tel que Marivaux le propose comme ressort du cœur humain, et surtout féminin », écrit excellemment J. Rousset à propos de la scène de l'église (« L'Emploi de la première personne chez Chasles et Marivaux », communication au XVIIIᵉ congrès de l'Association, *Cahiers de l'Association internationale des études françaises*, nº 19, mars 1967, p. 110). Nous ajoutons seulement que cet amour-propre qui se mire dans les regards d'autrui réfléchit aussi en lui les autres amours-propres. En se voyant dans le regard d'autrui, Marianne devient ce regard d'autrui, la connaissance qu'elle prend d'elle lui révèle aussi les autres.

98. Dans *Les Aventures de Télémaque*, Télémaque sauve Antiope attaquée par un sanglier (livre XVII) ; chez Gomberville, Polexandre avait deux fois sauvé la vie d'Alcidiane au cours de parties de chasse. Même si l'amour a précédé, l'héroïsme confère au sauveur un « mérite » éclatant qui favorise ses feux.

a mis un accident nécessaire, la distraction de Marianne s'expliquant par ce qu'elle a éprouvé à l'église, et le hasard — très plausible, puisque Marianne et Valville habitent la même rue et doivent suivre le même itinéraire — est véritablement le destin, l'événement étant d'avance structuré par la psychologie. En développant la scène de l'église, Marivaux a donc renforcé la cohérence des premières parties, et centré le caractère de Marianne sur la découverte et la jouissance de soi. Ce trait se nuance et s'enrichit à partir de la troisième partie, les obstacles que rencontre Marianne sont plus périlleux, elle ne peut plus les surmonter par sa bonne grâce, par sa chance, par son esprit et par l'adroit parti qu'elle tire de ses faiblesses mêmes : c'est encore à son avantage que tournent ses renoncements et son humilité, mais le *moi* qu'elle magnifie n'est déjà plus ce *moi* brillant, enfantin, riant à travers ses larmes, qui avait éclos à Paris en dépit du malheur, c'est un *moi* plus conscient de ses devoirs envers lui-même, et qui n'a quelquefois pas d'autre moyen de se sauver que le sacrifice. C'est pourtant toujours un *moi* combatif, lucide, énergique jusque dans le désespoir, depuis le moment où Marianne, de nouveau littéralement seule au monde quand elle a rompu avec Climal, sait qu'elle « n'[a] point d'autre ressource que de faire compassion » [99], jusqu'à celui où elle refuse avec éloquence de suivre les conseils de soumission donnés par l'abbesse du couvent où elle a été séquestrée [100]. Son honneur, dans lequel nous avons vu le principe inspirateur de son personnage, est devenu très exigeant et très élevé. Il est renforcé par l'amour qu'elle porte à Valville et par l'affection qui l'attache à Mme de Miran : les attentions de moins en moins douteuses de Climal lui paraissent intolérables à partir du moment où elle se juge déshonorée aux yeux de Valville, et, dût-elle ne jamais retrouver Valville, elle refuse de prolonger sa liaison avec Climal ; son affection pour Mme de Miran lui crée des devoirs auxquels elle sacrifie plusieurs fois son amour, en révélant qu'elle est la « petite fille » qui a jeté le désordre dans la vie de Valville, en plaidant contre elle-même pour détourner Valville de l'aimer, en apprenant à Mme de Miran, malgré le vœu de Valville, ce qui s'est passé chez Mme de Fare. On dira, elle le fait dire elle-même à sa correspondante : « Vous ne couriez aucun risque à être franche, vous deviez même y avoir pris goût [...] » [101]. Mais l'honneur, qui est un sentiment glorieux du *moi*, n'est pas obligatoirement contraire à l'intérêt, la vertu n'est pas infailliblement malheureuse : Tervire incarnera l'échec, tous ses actes de générosité lui seront néfastes et par leurs conséquences confirmeront sa destinée de victime ;

---

99. C'est ce qu'elle dit à Climal mourant, *V.M.*², p. 252. Pour mesurer à quel point tout devient arme pour Marianne, comparer avec ce que disait Parménie, dans *Les Effets surprenants* (*O.C.*, V, 562. *O.J.*, 161), lorsqu'elle était emprisonnée et pleurait sans témoin : « les larmes alors furent mon unique ressource ». Les termes sont les mêmes, les attitudes sont exactement opposées.

100. *Ibid.*, p. 298-299.

101. *Ibid.*, p. 290. C'est déjà ce que Mme de Miran demandait à Marianne, p. 286 : « As-tu pu croire qu'une aussi louable sincérité que la tienne tournerait à ton désavantage auprès d'une mère comme moi, Marianne ? »

Marianne au contraire semble faite pour vaincre ; si, dans les épisodes qui vont de son entrée au couvent à son enlèvement sur
l'ordre du ministre, elle montre plus d'émotion et moins de coquetterie que dans les deux premières parties, elle reste bien la même
Marianne attentive à elle-même et adroite, en qui l'esprit n'est jamais
la dupe du cœur.

Mais elle a reçu des blessures profondes ; l'acuité de son regard
s'est émoussée, le dédoublement ironique par lequel elle assurait sa
liberté ne se produit plus si heureusement ni si vivement ; peut-être
les états d'anéantissement qu'elle a traversés, les ébranlements qu'elle
a subis l'ont-ils forcée à adhérer plus intimement à elle-même, à ne
plus être qu'un cœur ; à la question qu'elle se fait poser par sa
correspondante, elle ne répond pas ce que nous venons de répondre
pour elle, elle proteste d'une sincérité sans repli : « J'en conviens
[que la franchise lui avait toujours réussi], et peut-être ce motif
faisait-il beaucoup dans mon cœur ; mais c'était du moins sans que
je m'en aperçusse, je vous jure, et je croyais là-dessus ne suivre que
les purs mouvements de ma reconnaissance ». Nous devons bien le
croire, puiqu'elle le déclare sous la foi du serment, même si ni le
serment ni l'ingénuité ne sont conformes à ce que nous attendons
de Marianne. Quelque chose s'est transformé en elle. Le changement
ne se fait pas brusquement, il est difficile d'en marquer exactement le
début et de savoir s'il est dû à la répétition lassante du malheur,
ou à la confiance apaisante en la bonté et en la fermeté de Mme de
Miran, ou aux deux à la fois... Les premiers indices en apparaissent
avant même l'enlèvement, comme si Marianne se préparait à un
rôle de grande âme persécutée. Elle a encore en plusieurs circonstances la lucidité qui l'instruit sur elle-même et l'instinct qui lui fait
deviner autrui, toute sa présence d'esprit est à l'œuvre quand elle
répond à l'abbesse du second couvent, quand elle observe le jeune
homme qui parle à un officier âgé ou les personnes réunies chez le
ministre, quand elle déclare ses intentions à ce ministre et que ses
larmes ne l'empêchent pas de noter l'effet qu'elle produit [102]. Mais
depuis qu'elle a été admise et adoptée par Mme de Miran et
Mme Dorsin, elle n'est plus la « petite fille » qui allait à la découverte d'elle-même et à la conquête d'autrui, elle a donné de son
caractère une image à laquelle il faut qu'elle soit fidèle ; spontanément, elle se conforme à cette image et la rend de plus en plus
exacte, avec d'autant moins de duplicité que cette image est celle
d'une jeune fille qui en est incapable. Ceux qui l'admirent lui répètent
qu'elle est une belle âme, qu'il lui manque seulement la naissance
pour être noble et qu'elle surpasse en noblesse de procédés les
nobles les plus authentiques [103]. Or une belle âme n'a jamais d'arrière-

102. *Ibid.*, p. 335.
103. *Ibid.*, p. 172 (« Je ne sache point de figure plus aimable, ni d'un air plus noble »,
dit Mme Dorsin) ; 180 (« Voilà une belle âme, un beau caractère ! », dit encore Mme Dorsin) ;
184 (« Que vous manque-t-il ? Ce n'est ni la beauté, ni les grâces, ni la vertu, ni le bel
esprit, ni l'excellent cœur [...] ; on ne connaît point vos parents, qui nous feraient peut-être
beaucoup d'honneur », dit Mme de Miran) ; 236 (« une fille aussi bien née que vous l'êtes,
et qui ne peut assurément venir que de très bon lieu », dit la religieuse amie de Marianne) ;

pensées et elle ne peut en supposer chez les autres : Marianne va de plus en plus ressembler à ces héroïnes de roman dont elle sait le charme [104] ; Mme de Miran pourra lui reprocher d'avoir manqué de défiance et d'esprit lors de la visite de l'inconnue qui devait l'enlever ; sa franchise naturelle, qui n'excluait pas la finesse ni la ruse, devient celle d'« un cœur simple et sans artifice », au moment où elle a besoin de toute sa bonne conscience pour affronter le conseil de famille (« l'autorité la plus formidable perd à la fin le droit d'épouvanter l'innocence qu'elle opprime ») [105]. Marivaux a ménagé avec beaucoup d'adresse cette modification, et rendu ainsi possible l'aveuglement de Marianne lors de la trahison de Valville, et peut-être cette trahison même. Le triomphe qu'a obtenu Marianne devant le ministre l'a disposée plus à l'attendrissement qu'à la vigilance [106] ; Valville, qui n'a plus à lutter pour sa possession, ne trouve sans doute plus en elle la coquetterie ni l'affliction qui l'avaient séduit, et Marianne se félicite naïvement d'une gaieté et d'une galanterie qui sont les signes de son refroidissement [107]. Des soupçons et de la jalousie seraient indignes d'elle : elle n'a pas même à les écarter, elle n'en ressent rien. Elle reste sourde à tout ce qui aurait pu l'avertir du danger, y compris ses propres réflexes que la rétrospection seule lui éclaire : elle est étonnée de l'attitude de Valville devant Mlle Varthon évanouie, elle trouve son ton singulier, elle lui ôte « sans savoir pourquoi » la main de la jeune fille qu'il pressait dans les siennes, elle ne sait pas non plus pourquoi son empressement lui déplaît, elle attribue à la pure curiosité l'attention qu'il porte à la demoiselle [108]. Tant d'insistance à montrer tout ce qu'elle n'a pas compris et qu'elle aurait dû comprendre prouve bien que la perspicacité, à ce moment-là, eût été chez elle une petitesse. La première conséquence de cet état d'esprit est le récit émouvant que Marianne fera à Mlle Varthon, « de la meilleure foi du monde », emportée par son sentiment. Pour qu'une liaison se nouât entre Valville et Mlle Varthon, il fallait que cette dernière, à moins d'être une intrigante, ignorât l'engagement de Valville et de Marianne. Marivaux a rendu vraisemblable cette circonstance, exigée par son plan, en la fondant sur la psychologie de Marianne, comme il avait rendu vrai-

---

266 (« Elle est fille de qualité, on n'en a jamais jugé autrement. Sa figure, ses grâces et son caractère en sont encore de nouvelles preuves ; peut-être même est-elle née encore plus que moi ; peut-être que, si elle se connaissait, je serais trop honoré de sa tendresse », cette fois c'est Valville qui parle) ; 284 (« Notre orgueil est bien petit auprès de ce que tu fais là », dit Mme de Miran) ; voir encore 288 (Valville), 300 (l'abbesse du second couvent), 324 (« je l'ai trouvée noble, généreuse, et désintéressée », dit Mme de Miran à la prieure — Marivaux écrit par inadvertance : l'abbesse —, qui le répétera à Marianne), 328-329 (Mme de Miran), 331 (le ministre).

104. Voir *supra*, chap. III., p. 84-91.

105. *V.M.*², p. 343, 381 et 317.

106. « J'avais trop de joie, je sortais d'un trop grand triomphe pour m'amuser à être maligne ou glorieuse ; et je n'ai jamais été ni l'un ni l'autre », *ibid.*, p. 340. Sans être maligne ni glorieuse, elle aurait pu rester sur ses gardes.

107. *Ibid.*, p. 347-348. Cf. p. 353 : « Hélas, sûr [que je l'aimais] ! Peut-être ne l'était-il que trop [...] Les âmes tendres et délicates ont volontiers le défaut de se relâcher dans leur tendresse, quand elles ont obtenu toute la vôtre ».

108. *Ibid.*, p. 351-353.

semblable l'accident de la seconde partie : dans son récit, Marianne pour demeurer dans « ce ton romanesque qu'[elle] avai[t] pris », désigne Mme de Miran seulement par périphrase et Valville comme « [un] jeune homme aimable et distingué par sa naissance » ; le hasard intervient ensuite pour empêcher que le récit ne soit complété dans un style plus simple, mais le malentendu n'a été possible que parce que Marianne s'identifiait à une illustre et généreuse infortunée [109]. La seconde conséquence est que les relations entre Valville et Mlle Varthon se développent sans que Marianne se doute de rien, jusqu'à l'illumination soudaine que sont pour elle les larmes de sa rivale ; mais au lieu de se défendre et de lutter, elle en est accablée, elle ne sort pas de la cécité où ses nobles sentiments l'enferment : elle se répand en exclamations et en interpellations à l'adresse de Mme de Miran et de Valville absents, selon la plus pure rhétorique romanesque, elle sait gré à Mlle Varthon d'une franchise et d'une amitié parfaitement hypocrites, elle est toute réduite au désespoir, dans une de ces afflictions « où l'on s'oublie, où l'âme n'a plus la discrétion de faire aucun mystère de l'état où elle est [...], dans un entier abandon de soi-même » [110] ; ces formules définissent une conscience submergée par l'émotion, et où l'esprit n'a plus assez de ressort pour se détacher du *moi* sensible, une âme sans repli, sans regard critique sur elle-même : anéantissement par excès de sensibilité, analogue à ceux par lesquels Marianne a déjà passé, mais selon le mode propre à la belle âme, dont c'est maintenant l'un des avatars.

Marianne n'en restera pas là et va connaître une dernière métamorphose : aux nombreux éloges qui l'ont encouragée dans la représentation élevée qu'elle se faisait d'elle-même, la religieuse en ajoute un, dont le sens et l'effet sont tout différents. Ce qu'elle loue dans Marianne, ce n'est plus tant la noblesse que les ressources du caractère. L'admiration que ses autres amis vouaient à Marianne la soutenait dans les épreuves et l'aidait à être digne d'elle-même par les sacrifices, mais la privait du recours à l'ironie et la paralysait en n'exaltant en elle qu'un seul aspect de sa vocation. La religieuse l'invite à considérer cette admiration comme un avantage à exploiter, au lieu de croire qu'elle lui crée seulement un devoir. Elle lui enseigne aussi que nul sentiment n'est absolu ni éternel, et qu'il faut admettre les changements du cœur selon les accidents de l'existence. C'est par cette leçon qu'elle avait commencé, sous une forme indirecte mais étrangement énergique, en lui répétant les paroles qu'elle avait elle-même entendues d'une de ses amies : « Vous l'aimez : pensez-vous que vous ne pourrez jamais aimer que lui, et qu'à cet égard tout est terminé pour vous ? [...] Est-ce qu'il n'y a plus d'hommes sur la terre, et de plus aimables que lui, d'aussi riches, de plus riches même, de plus grande distinction, qui vous aimeront davantage, et parmi lesquels il y en aura quelqu'un que vous aimerez plus que vous n'avez aimé l'autre ? Que signifie votre désolation ? Quoi ! mademoiselle, à votre

109. *Ibid.*, p. 355-356.
110. *Ibid.*, p. 367, 379, 380.

âge ! Eh ! vous êtes si jeune, vous ne faites que commencer à vivre. Tout vous rit ; Dieu vous a donné de l'esprit, du caractère, de la figure, vous avez mille heureux hasards à attendre, et vous vous désespérez à cause qu'un homme qui reviendra peut-être, et dont vous ne voudrez plus, vous manque de parole ! » Nous avons cité presque tout le passage [111], parce que chaque mot porte. Il n'y a dans ce langage plus rien de commun avec celui de Mme de Miran : a-t-il été vraiment tenu autrefois à Tervire (et dans ce cas, il faudra s'en souvenir pour mieux comprendre le caractère de l'éternelle sacrifiée), ou dans sa géniale charité l'invente-t-elle pour Marianne à qui il s'applique si exactement [112] ? Tervire attend de Marianne qu'au contraire de la belle âme qui est tout entière dans son émotion, elle se reprenne, qu'elle soit « une fille raisonnable, qui se connaît et qui se rend justice » et non plus « un enfant sans réflexion » : car l'héroïne au grand cœur et la petite fille absorbée dans ses larmes se ressemblent par l'absence de retour sur soi. Les conseils de Tervire n'ont pourtant agi sur Marianne que parce qu'ils confirmaient les louanges qu'elle avait jusqu'alors reçues : Tervire ne ruine pas l'image que Marianne avait d'elle-même, elle l'invite à en tirer plus lucidement parti. Et en effet, c'est en réfléchissant sur les qualités qu'on estime en elle que Marianne va se fixer une conduite « digne de cette Marianne dont on faisait tant de cas » : elle va prendre Valville au piège de l'admiration. Nous retrouvons la Marianne du début, intelligente et volontaire, maintenant sans illusion sur le bonheur et beaucoup plus maîtresse d'elle-même qu'autrefois. Quelques « rechutes » dans le découragement nous assurent de sa sincérité et de la réelle énergie qu'il lui faudra pour suivre son plan jusqu'au bout [113], mais désormais elle ne sera plus dupe et elle transformera sa défaite en triomphe. Dans son second entretien avec Mlle Varthon, elle « devine » les intentions de sa rivale et ne reçoit plus comme des consolations des paroles qui visent à lui ôter tout ressort, elle réagit au contraire avec vigueur et prophétise sa revanche [114]. Elle « devine » encore la mauvaise foi du négligé qu'avait passé Mlle Varthon pour se rendre chez Mme de Miran, « une amante jalouse et trahie en sait encore plus qu'une

---

111. *Ibid.*, p. 382.

112. « Ces motifs de consolation [...] vous conviennent mieux qu'ils ne me convenaient », dit la religieuse à Marianne, *ibid.*, p. 383. Les expressions citées ensuite sont à la p. 384. Elles sont à comparer au cri de Marianne à Valville, lorsqu'il avait surpris Climal à ses genoux : « vous vous trompez, vous me faites tort, vous ne me rendez pas justice », p. 121.

113. Les « rechutes » sont signalées *ibid.*, p. 386, mais, au début des réflexions qui vont aboutir à la reprise de soi, l'une d'elles montre la puissance du rêve et de l'aspiration au bonheur chez la jeune fille — ce qui la rend si émouvante : « Faut-il que le plus aimable des hommes, oui, le plus aimable, le plus tendre, on a beau dire, je n'en trouverai point comme lui, faut-il que je le perde ? » (p. 385). Le rythme saccadé de la phrase peint le déchirement d'une âme qui, alors qu'elle était toute heureuse de se donner, doit revenir au quant-à-soi et à la défiance. Valville n'était évidemment pas « le plus aimable » des hommes (au début de cette huitième partie, Marianne l'appelle « homme fort ordinaire » et analyse avec clairvoyance les vacillations de sa sensibilité), mais, pour un cœur encore si pur, le plus aimé. Un peu plus tôt, alors qu'elle était en plein abattement, elle avait poussé un cri de signification un peu différente, mais aussi naïf, à l'adresse de Mlle Varthon : « il m'aimait, et vous me l'avez ôté, je n'avais peut-être que vous seule à craindre dans le monde », *ibid.*, p. 378.

114. *Ibid.*, p. 393.

amante aimée », surtout qu'une amante aimée qui depuis quelque temps avait perdu la vivacité de son esprit critique, et dont Marianne pourra dire : « L'excès de mon bonheur m'empêchait de penser »[115]. Lucide et décidée — « J'avais mes desseins » — elle choisit son moment, plonge Valville dans la honte sans élever la voix, en gardant une parfaite tranquillité et en ayant l'air de vouloir l'aider à ménager les apparences, remplit d'admiration et d'émotion Mme de Miran et Mme Dorsin en renonçant à épouser Valville, et revient à son couvent contente d'elle-même, laissant « occupés » d'elle les trois êtres qui lui étaient les plus chers et qui avaient le plus d'importance dans sa vie. Les larmes lui sont douces, parce que ce ne sont pas des larmes « sans conséquence »[116]. Mais elle pleure, elle suffoque même lorsqu'elle parle à Mme de Miran, et elle a dû exercer sur elle-même un contrôle tyrannique pour ne pas céder à la pitié que son amour lui inspirait pour Valville humilié et confondu[117]. Elle a raison de dire que sa vengeance est généreuse : elle ne renie pas l'amour : elle ne le blesse même pas.

Elle songeait d'abord à ne plus revoir Valville tant qu'il ne serait pas marié, et à venir ensuite vivre avec Mme de Miran. Elle n'a conçu qu'au bout de quelques jours la résolution de se faire religieuse, mais cette résolution est le couronnement du dessein qu'elle avait formé dès qu'elle avait retrouvé clairvoyance et courage. Elle voulait se mettre par la grandeur d'âme au-dessus de l'échec et de l'affront : une fois de plus, le sacrifice était le seul moyen possible, et une fois de plus il sauve tout, l'estime, l'affection, l'honneur. Et le mariage ? Tout n'est pas perdu même sur ce point, Marivaux le laisse assez bien entendre, mais, à la différence des renoncements précédents, celui-ci ne permet pas à Marianne de retrouver sur-le-champ ce qu'elle abandonne. Cette fois, Valville n'est plus son allié. La générosité de Marianne l'accable, il aura des remords d'être infidèle, mais il ne saurait être instantanément reconquis. La noblesse de cœur, qui prouvait la noblesse de naissance ou la valait bien, rendait auparavant le sacrifice inutile en lui ôtant sa raison d'être au moment où il s'accomplissait ; maintenant l'obstacle ne vient plus de la naissance : après avoir peut-être espéré regagner Valville plus tard par le dépit (encore, si elle a

---

115. *Ibid.*, successivement p. 400 et 410. La seconde formule fait allusion à l'indignité de Marianne, à laquelle elle ne pensait plus, tant elle était heureuse. Mais prendre conscience de son indignité, c'est exactement prendre conscience de ses droits, si l'on accepte notre analyse. Voir un autre trait de perspicacité, p. 417-418 : Marianne n'est pas trompée par Mlle Varthon, qui déclare qu'elle ne veut plus revoir Valville ; ce n'est là qu'un « étalage de fierté et de noblesse dans le procédé ».

116. *Ibid.*, p. 414. « Conséquence » est à peu près synonyme d'« importance », on s'émeut des larmes de Marianne. Il ne s'agit évidemment pas de conséquences matérielles.

117. C'est du moins ainsi que nous interprétons la phrase : « il eût fait pitié à toute autre qu'à moi », *ibid.*, p. 403, l'expression à suppléer étant : « à plus forte raison, il me faisait pitié, à moi qui l'aimais ». Malgré cette pitié, malgré toute sa douleur et sa tendresse, elle veut sauver sa fierté et forcer Valville à prendre conscience de sa honteuse conduite. Madame Riccoboni a pourtant interprété le passage autrement et prêté à Marianne, dans une circonstance analogue, un féroce égoïsme : « Pas la moindre compassion pour sa vanité ; je n'étais occupée que de la mienne » (*V.M.*[2], p. 605). Elle pensait peut-être à un mot très voisin de celui-ci, prononcé par la coquette de la *Lettre contenant une aventure* (*J.O.D.*, p. 93. « Je vis son embarras ; une autre en aurait eu pitié »). Mais la situation de la coquette nous paraît très différente.

prévu le dépit, il n'est pas sûr qu'elle ait compté sur le retour de Valville) [118], Marianne a compris que sa générosité devait aller plus loin encore et la conduire à une forme de ce néant qui est inscrit dans sa vocation. Par la retraite religieuse, elle serait en même temps au comble de la grandeur et au plus profond de l'effacement, elle triompherait sans trahir son essence de Marianne, Marianne sans nom de famille et sans identité. Toute son émotion maîtrisée, toutes ses illusions dissipées, parfaitement lucide et parfaitement généreuse, légitimement fière et authentiquement modeste, Marianne à dix-huit ans avait atteint à la sagesse qui mènera à la retraite la Marianne de cinquante ans [119]. Le roman pourrait finir là. Au fait, n'est-ce pas là qu'il finit ? Le reste ne valait pas la peine d'être conté, mais on ne peut ignorer que Marianne n'a pas persisté dans sa décision et qu'elle a vécu dans le monde, si l'on veut interpréter correctement cette décision.

Marianne agit donc toujours en fonction de l'image qu'elle se fait d'elle-même ; si muable que soit cette image, son trait fondamental est le malheur qui lui interdit de posséder un être social et d'être reconnue comme un individu. Dès qu'elle sort d'elle-même, Marianne n'est plus rien, ou peut cesser brusquement d'être ce qu'elle est devenue : « on n'est sûre de rien dans l'état où j'étais », dit-elle en évoquant l'inquiétude qui l'avait prise un matin où elle avait été inopinément appelée chez sa mère adoptive [120]. C'est vrai pendant toute la période racontée dans ses Mémoires. Chaque fois qu'elle a une décision à prendre, à s'adapter à une modification de son sort, Marianne s'assure de ce qu'elle est et examine ce qui est compatible avec l'idée qu'elle a d'elle-même, ou ce qui vient s'ajouter à cette idée. Les trois premières parties racontent les expériences fondamentales qu'elle a faites — expériences de l'abandon, du désespoir, de l'affection, de la coquetterie, de l'amour, de la honte — et les épreuves qui lui ont permis de mieux savoir ce qu'elle était. Elle a eu à résoudre des « cas de conscience », beaucoup moins frivoles qu'il ne semble, dans ses rapports avec Climal et avec Valville, et, comme elle le dit expressivement, à « sentir, peser, essayer sur [son] âme » différentes mortifications [121]. Elle ne cesse de se définir à autrui, pour éviter ou redresser toute erreur sur son compte, pour se faire rendre justice, la vérité des autres se révélant devant sa vérité à elle, et les épreuves où sa sincérité triomphe se transformant en épreuves des autres sincérités. Ainsi s'expliquent ces déclarations qui jalonnent toute son histoire, variations toujours renouvelées d'un même thème, retours obsédants sur son indignité : c'est tantôt une imploration, comme celle qu'elle adresse

---

118. *Ibid.*, p. 407 : « Il ne lui était plus possible, à mon avis, d'aimer Mlle Varthon d'aussi bon cœur qu'il aurait fait ; je le défiais de m'oublier, d'avoir la paix avec lui-même ; sans compter que j'avais dessein de ne le plus voir, ce qui serait encore une punition pour lui ». Ces vues ne signifient pas que Marianne garde l'espérance de reconquérir Valville.

119. Après sa rupture avec Climal, Marianne avait déjà pensé à une retraite au couvent, *ibid.*, p. 147 et 150, et aussi au cours de la scène chez le ministre, *ibid.*, p. 336.

120. *Ibid.*, p. 241.

121. *Ibid.*, p. 40 et p. 79.

à la prieure du couvent où elle a cherché refuge, tantôt une effusion romanesque, comme au début de ses relations avec Mlle Varthon, tantôt une sèche mise au point qui refuse à des âmes trop grossières le droit même de la plaindre [122], tantôt un mouvement de fierté modeste [123], ou, lors de son dernier entretien avec Valville, une protestation ironique d'humilité, qui souligne la lâcheté de l'inconstant [124]. Chaque fois Marianne manifeste qu'elle n'entend pas exister autrement que comme orpheline, petite fille qui n'a rien et qui n'est rien, comme si un malentendu sur ce point, même à son avantage, était une atteinte à son honneur. Elle met de l'emportement et de l'agressivité à s'affirmer « la dernière de toutes les créatures », aussi bien auprès de l'abbesse du second couvent, pour bien prouver qu'elle n'a jamais cherché à en imposer à ses protecteurs, qu'auprès de Mlle Varthon, pour s'indigner de l'hypocrisie avec laquelle celle-ci essaie d'excuser Valville [125]. Même au milieu de son désespoir, quand elle veut décourager Valville de l'aimer [126], quand elle proclame devant le ministre sa dette à l'égard de sa bienfaitrice [127], et quand elle conjure Mme de Miran de céder à l'opinion et d'abandonner l'idée du mariage [128], on sent qu'elle se défend contre une injustice, qu'elle cherche à préserver son intégrité menacée. Ce qui l'anime, c'est bien autre chose que la peur de passer pour une aventurière, c'est l'angoisse d'être méconnue. Son néant est ce qu'elle a de plus sûr ; la bonté de Mme de Miran, qui l'en tire, l'effraye autant que la blesse la pitié de Mme Dutour ou la charité de Climal, si elle l'expose en pleine lumière à des regards ennemis et donne à sa misère une revanche tapageuse : « dans le fond, ce qu'il y a de plus digne en moi de vos attentions [...], assurément c'est ma misère [...]. Et n'est-ce pas là une misère assez honorée ? Faut-il porter encore la charité jusqu'à me marier à votre fils, et cette misère est-elle une dot ? » C'est là peut-être le mot le plus profond que Marivaux ait prêté à Marianne. Sans doute, elle n'allègue tous les obstacles sociaux à un mariage dont Valville ne veut plus que pour ne pas mettre le fils en conflit avec la

122. Voir le dialogue avec Toinon, *ibid.*, p. 43, et la réplique à Villot, p. 311 : « Et moi, monsieur, lui dis-je, je suis orpheline, et vous me faites trop d'honneur ».

123. A l'adresse de la pensionnaire vaniteuse, au couvent : « Je n'ai rien, Dieu m'a tout ôté, et je dois croire que je suis au-dessous de tout le monde ; mais j'aime encore mieux être comme je suis, que d'avoir tout ce que mademoiselle a de plus que moi, et d'être capable d'insulter les personnes affligées », *ibid.*, p. 236-237.

124. « Avec qui vous abaissez-vous à feindre ? Avez-vous oublié à qui vous parlez ? Ne suis-je pas cette Marianne, cette petite fille qui doit tout à votre famille, qui n'aurait su que devenir sans ses bontés, et mérité-je que vous vous embarrassiez dans des explications ? » *Ibid.*, p. 404-405.

125. *Ibid.*, p. 298-299, à l'abbesse : « Je ne sais que trop ce que je suis, je ne l'ai caché à personne, [...] il n'y a peut-être personne qui eût la cruauté de me traiter aussi mal que je l'ai fait moi-même ; [...] je défierais qu'on imaginât une personne plus chétive que je me la suis rendue ; ainsi il n'y a plus rien à m'objecter à cet égard. On ne saurait me mettre plus bas [etc.] » — p. 393, à Mlle Varthon : « Oui, je ne suis plus rien ; la moindre des créatures est plus que moi ; je n'ai subsisté jusqu'ici que par charité [etc.] ».

126. *Ibid.*, p. 193-196 : « Il n'y a qu'à considérer qui je suis [...] ».

127. *Ibid.*, p. 334 : « Je ne suis qu'une étrangère, qu'une malheureuse orpheline, que Dieu, qui est le maître, a abandonnée à toutes les misères imaginables », etc.

128. *Ibid.*, p. 410 : « Une fille que personne ne connaît, une fille que vous avez tirée du néant, et qui n'a pour tout bien que vos charités ».

mère, et sa véhémence laisse deviner un motif plus grave, sur lequel
Mme de Miran ne s'est pas trompée : « Ma fille [...], est-ce qu'il ne
t'aime plus ? » Il n'en reste pas moins que Marianne, qui, aimée,
acceptait d'épouser Valville sans révéler qu'elle n'avait pas de parents,
aurait horreur de devenir un objet de contestation et de scandale.
Dans des moments moins pathétiques, elle considère sa situation
d'orpheline comme une donnée à ne pas perdre de vue et dont il faut
mesurer les conséquences : le projet de mariage change de sens si le
défaut de naissance de Marianne reste caché ou s'il est connu,
« voilà sur quoi il faut que vous comptiez », dit-elle à Mme de Miran
après l'indiscrétion commise par Mme Dutour chez Mme de Fare [129] ;
quand elle reçoit l'offre de l'officier âgé, à un moment où elle est
aussi lucide que résignée, Marianne, « laissant-là toutes les façons »,
lui pose deux questions qui ne sont pas d'une fine arriviste craignant
de perdre au change, mais d'une fille honnête soucieuse d'épargner
à un honnête homme une réprobation publique et à elle-même de
nouvelles humiliations : « Savez-vous mon histoire ? » et : « Vous
êtes un homme de condition, apparemment ? » Un homme de condition doit être averti de ce à quoi il s'expose en épousant une fille
dont l'histoire est celle de Marianne, et Marianne insiste : « Je n'ai
rien, j'ignore à qui je dois le jour, je ne subsiste depuis le berceau
que par des secours étrangers » [130].

Du début à la fin, l'être intérieur de Marianne est donc déterminé
par la conscience qu'elle prend de sa condition d'orpheline, par les
conflits où cette condition la place selon les circonstances, et par
sa volonté constante de comprendre ce que signifie cette condition
en vertu de laquelle tout ce qu'elle devient peut être annihilé sur-le-
champ. Comme celle de Jacob, l'histoire de Marianne est celle d'une
conscience, mais d'une conscience encore plus complexe, qui passe
par des états opposés, et qui est finalement obscure : en faisant d'un
accident négatif, privatif, son essence positive et en mettant son
honneur dans la fidélité à tout ce qu'impliquait cet accident, Marianne
frappait sinon d'inanité, du moins d'impuissance les traits les plus
certains de sa personnalité. On dit quelquefois, en se référant aux
affinités de Marianne avec la société aristocratique réunie chez
Mme Dorsin et à ses répugnances chez Mme Dutour et devant Villot,
que l'histoire de Marianne est celle d'un retour aux sources, tandis
que l'histoire de Jacob est celle d'une conquête : Marianne retrouverait
sa patrie perdue, elle rentrerait dans des droits dont le malheur l'a
frustrée, elle mettrait à se faire reconnaître par ses pairs et à reprendre sa nature originelle l'énergie que Jacob met à s'égaler à
ceux qui lui sont supérieurs et à s'imposer ou à s'adapter à un monde

---

129. *Ibid.*, p. 283.
130. *Ibid.*, p. 421. Il n'y a donc pas lieu d'ironiser sur la « présence d'esprit » de
Marianne, comme le fait l'auteur anonyme de la neuvième partie apocryphe parue en 1739
(signalé par F. Deloffre, *ibid.*, même page, n. 1). Ronald C. Rosbottom, dans une étude intitulée : « Marivaux and the significance of *Naissance* », compare sur ce point Marianne à
Jacob, qui n'a jamais dissimulé sa roture : « She is proud of the fact that she has never
denied her uncertain background » ([sous la direction de] Michel Launay, *Jean-Jacques
Rousseau et son temps*, Paris, 1969, p. 85).

dans lequel il est un intrus [131]. Il serait plus juste de dire que Marianne cherche, mais ne trouve pas. L'histoire de Jacob n'indique pas comment il a fait sa fortune, elle le montre pourtant assez avancé pour qu'on le devine, et qu'on comprenne aussi quelle attitude de détachement il aura prise envers cette fortune. L'histoire de Marianne s'interrompt quand Marianne, sous l'effet de la peur ou du dégoût, renonce à avoir une histoire [132]. Son propre destin, dont elle a édifié de si nombreuses parties, lui semble ne plus appeler l'achèvement, elle est prête à le laisser en suspens, énigmatique. L'attention la plus fervente et la plus délicate à soi-même n'a pas réussi à assurer l'existence de sa personnalité très riche et très forte, au cœur de laquelle était l'inconnu.

Mais, nous l'avons vu, Marianne ne prononcera pas de vœux ; ce sont ses deux derniers interlocuteurs, l'officier âgé et la religieuse sa fidèle amie, qui la feront rester dans le monde, et qui en même temps nous font comprendre pourquoi ses Mémoires ne vont pas plus loin. Pendant toute la période de sa vie qui nous est racontée, le problème essentiel qui se pose à Marianne est de trouver sa place : elle est animée d'un vif désir d'exister, d'un grand plaisir à être elle-même, elle sent en elle quelque chose de supérieur à la condition malheureuse que le destin lui a faite, mais son adoption dans le milieu pour lequel elle semble née soulève tant de difficultés et l'expose à tant de risques que le découragement s'empare souvent d'elle. Les obstacles que la société dresse devant elle ont une liaison obscure, mais nécessaire, avec l'aporie intérieure impliquée dans sa haute exigence de devenir ce qu'elle est digne d'être sans cesser d'être la Marianne qui n'est rien. Elle ne veut pas qu'on lui fasse place par charité, elle ne veut pas non plus revendiquer une place avec la hardiesse de quelqu'un qu'on aurait spolié. Sa misère n'est une dot en aucune façon ; elle est son être, c'est pour cet être qu'elle désire une consécration. Le problème est en vérité insoluble, et l'infidélité de Valville est une première façon de l'éluder. Mais l'officier âgé lui ôte toute raison d'être, quand il déclare à Marianne : « Les âmes ont-elles des parents ? Ne sont-elles pas toutes d'une condition égale ? [133] » Tous les personnages que Marianne avait connus jusque-là la forçaient à mettre en rapport sa misère sociale et son mérite personnel, ses ennemis en alléguant l'une pour lui refuser l'autre, ses amis en exaltant celui-ci pour déplorer celle-là, et en faisant de ses belles qualités la preuve de sa noblesse. Si tentant que fût ce dernier raisonnement pour une jeune fille avide de vivre et de régner sur les cœurs, nous avons vu quelle profonde et secrète résistance Marianne lui opposait, comme si elle redoutait une irréparable erreur sur sa personne. En quelques mots simples et tranquilles, l'officier âgé annule cette relation : Ma-

131. Leo Spitzer, « A propos de la Vie de Marianne », The Romanic Review, février 1953, p. 102-126. F.C. Green, French Novelists, Manners and ideas, éd. cit., p. 99 ; E.J.H. Greene, Marivaux, éd. cit., p. 189.

132. « Ma vie est sujette à trop d'événements ; cela me fait peur. L'infidélité de Valville m'a dégoûtée du monde », V.M.², p. 425.

133. Ibid., p. 423.

rianne n'est pas une fille de mérite *malgré* sa naissance inconnue, ni
à cause de la noblesse inconnue de cette naissance. Dès lors qu'importe
de savoir si Marianne retrouvera une famille, et de quel titre elle sera
revêtue ? La reconnaissance qu'elle réclame se situe sur un autre plan.
M. Arland, commentant l'adresse de Marianne à défendre ses intérêts,
écrivait : « On imagine le bon tour que l'auteur lui eût joué en disant,
dans cette douzième partie qu'il n'a pas écrite : Eh bien, non, Marianne
n'était pas d'origine illustre ; c'était la fille d'une vachère et d'un
bedeau. Et il l'eût dit sans que le caractère ni le destin de son héroïne
nous en parussent invraisemblables ». La dernière proposition n'est
pas tout à fait sûre, surtout si l'on considère en Marianne non pas
l'art de parvenir, mais la délicatesse de cœur et d'esprit ; ce qui est
vrai, c'est, comme le dit Leo Spitzer, que « même si Marianne est *née*,
elle serait ce qu'elle est sans cette *naissance* » [134]. Le mot de l'officier
révèle donc à Marianne ce qu'apprendra plus tard le Théodose de
L'Education d'un prince : « La nature ne connaît pas les nobles » [135].
Marianne pourrait s'en trouver encouragée à lutter pour conquérir
une place dont de toute façon elle est digne, elle juge au contraire qu'il
est vain de se défendre plus longtemps : tout le combat qu'elle a mené
par l'humilité comme par l'orgueil était sans objet, le monde ne pouvait pas lui donner ce qu'elle lui demandait. Mais l'indifférence, qui
justifie la retraite, autorise tout aussi bien à vivre dans le monde
avec détachement, à cueillir des succès auxquels on ne croit plus,
à devenir comtesse si, tout bien pesé, on est moins malheureuse à
être comtesse qu'à être nonne : la leçon de la Religieuse qui va lui
conter son histoire complétera la leçon de l'officier. Dans le destin
de Marianne, la question de son origine est devenue si secondaire
que ce destin était joué quand elle a été résolue : « Il y a quinze ans
que je ne savais pas encore si le sang d'où je sortais était noble ou
non » ; quand elle l'a appris, à plus de trente-cinq ans, quel usage
pouvait-elle faire de cette découverte [136] ? Même si Marivaux n'avait
pas prévu les proportions que prendrait le récit de quelques semaines,
il est clair qu'il n'était pas dans son projet de suivre la vie de Marianne
jusqu'au moment où elle commence à se raconter, et il est probable
qu'il n'avait même pas dessein d'aller jusqu'au moment où elle eût
retrouvé sa famille, ce qui est dit au début du roman nous paraît le
prouver. Le sujet de *Marianne* n'est pas : comment une orpheline
découvre qui elle est, mais : comment être soi quand on n'est personne. Dans l'esprit de Marianne narratrice, la question de son origine
est devenue aussi secondaire que dans son destin : elle raconte
« quelques accidents » de sa vie à une amie qui veut en faire un
livre, mais elle lui enjoint de ne pas révéler son identité ; s'agit-il
de ne pas communiquer au public le secret de sa naissance, ou, plus

---

134. M. Arland, *Marivaux*, éd. cit., p. 60. L. Spitzer, *op. cit.*, p. 108.
135. *J.O.D.*, p. 527. Voir aussi la *Suite des Réflexions sur l'esprit humain* : « Toutes les
âmes se valent » (*J.O.D.*, p. 485), et *supra*, chap. IV, p. 138. Le romancier met en action
et traduit en problèmes vivants la pensée du moraliste.
136. *V.M.²*, p. 9 et p. 22.

banalement, de ne pas dire quel nom cachent les astérisques du
sous-titre : « Les Aventures de Mme la comtesse de *** » [137] ? Même
dans la seconde hypothèse, cette précaution est d'ordinaire le fait
du romancier qui affecte d'être un simple éditeur, et non du rédacteur
de Mémoires prétendument authentiques. Marianne n'est elle-même
que dans l'*incognito* : « Nous ne savons qui elle était » [138].

L'anonymat de Marianne, le décalage chronologique qui sépare de
ses aventures la découverte de son identité et qui rend celle-ci inutile,
accroissent la distance théorique entre la narratrice et l'objet du
récit. Mais en pratique Marianne narratrice est beaucoup plus prise
par son récit que ne l'est Jacob narrateur. Elle est femme, donc plus
émotive et plus bavarde. Elle ne s'adresse pas comme Jacob à des
lecteurs inconnus, mais à une amie qui attend ses confidences et
qui a avec elle en commun des souvenirs datant des dernières
années [139]. Enfin, le passé n'est pas pour elle ce qu'il est pour le
Paysan parvenu : Jacob peut regarder son passé à la fois avec satisfaction et ironie, parce que sa vie a été une réussite grâce à ce passé
même ; tout montre au contraire que la vie de Marianne n'a pas
découlé de son passé, et qu'une fois achevée la période intermédiaire
dont nous ne savons rien, et que nous devinons remplie de mondanités,
de tout le jeu social hypocrite et artificiel, elle se retourne avec nostalgie vers ce qu'elle a été dans son adolescence. Jacob s'est accompli
dans le sens où l'orientaient ses années d'apprentissage, Marianne
est allée dans une autre direction ; elle ne s'est pas reniée, mais elle
s'est repliée, pendant que son personnage extérieur triomphait dans
le monde. A l'âge de la retraite, elle retrouve dans son passé une
Marianne qu'elle aurait pu être, une promesse qui n'a pas été tenue
par la vie. Jacob fait revivre dans son souvenir des plaisirs dont la
fraîcheur est restée pour lui inégalée, celui de son premier repas
chez les sœurs Habert, celui de son premier rendez-vous chez Mme de
Ferval [140], mais il n'a rien à regretter de ce qu'il est devenu par la
suite, il serait plutôt blasé par excès de satisfaction ; au contraire,
heureux ou malheureux, les souvenirs les plus vifs de Marianne lui
arrachent des larmes : les uns lui retracent les épreuves les plus
profondes qui lui ont révélé sa faculté de souffrir et donné préma-
turément le désir de la retraite, les autres, les émotions causées par
les êtres qu'elle a le plus aimés, la sœur du curé, morte en lui donnant
des préceptes de vertu qui l'ont protégée pendant ses premières
expériences à Paris, et qu'elle se rappelle « presque mot pour mot »
après des années de « folies » et de « faiblesses », Mme de Miran,

---

137. *Ibid.*, p. 8 et p. 9.

138. *V.M.*², p. 8. La correspondante de Marianne a pourtant fait lire à des amis les premières parties de son récit (*ibid.*, p. 271). Jacob aussi cache son nom (*P.P.*, p. 7), mais
pour avoir plus de commodité à écrire, et il semble ne pas trop s'alarmer à l'idée d'être
reconnu par ceux qui le liront.

139. Voir *infra*, chap. VIII, p. 414 sqq.

140. Voir sur ce point les réflexions de Jacques Proust : « Le Jeu du temps et du hasard
dans le *Paysan parvenu* », *Europäische Aufklärung. Herbert Dieckmann zum 60. Geburtstag*,
Munich, 1967, p. 230.

morte également, lui laissant une dette de reconnaissance que sa tendresse ne pourra plus jamais payer [141]. Ainsi, sans doute parce qu'elle en a été gravement séparée et que l'ardente recherche qu'il avait été pour elle s'est soldée par une déception, le passé est beaucoup plus présent pour Marianne que pour Jacob. Son ironie est donc très différente : elle n'est pas détachement désinvolte, mais sensibilité et pudeur. Marianne sourit et s'émeut de la disproportion qu'il y avait entre ses forces et son courage, des défaillances qu'elle n'avait pas prévues, des ruses par lesquelles sa coquetterie essayait de rendre moins lourds les sacrifices exigés par son amour-propre, de sa vanité vigilante au milieu du désespoir. La scène au cours de laquelle Marianne prépare le paquet des effets qu'elle veut renvoyer à Climal est accompagnée en contrepoint d'un commentaire qui ne laisse dans l'ombre aucune des pensées et arrière-pensées de l'héroïne, sans dénaturer en le durcissant ce qui était incertain et fugace [142]. La première scène chez Valville est racontée sur le même ton : Marianne était dans une situation qui aurait pu être dangereuse avec un autre que Valville ; le récit ne devait être ni équivoque, car Marianne n'est pas une de ces innocentes aux scabreuses naïvetés dont s'amusera la littérature libertine [143], ni moralisant, car Marianne joue avec le feu et le pathétique eût été ridicule dans des circonstances toutes proches de l'aventure galante [144]. Seule l'ironie pouvait restituer sans erreur de goût ni de psychologie les mouvements combinés ou contradictoires de pudeur, de peur, de désir, de vanité, de honte par lesquels passait Marianne, ses élans hésitants et ses reprises de soi mal assurées, toutes les émotions intenses de sa jeune âme. Un mot résume à lui tout seul les sentiments que Marianne narratrice porte à celle qu'elle a été dans le passé : l'adjectif *petit*. Il fait comprendre ce qu'ont de plaisant, aux yeux d'une femme maintenant âgée et sans illusions, les erreurs, les calculs, les craintes, les décisions héroïques d'une jeune fille inexpérimentée ; il implique beaucoup d'indulgence et de sympathie dans l'ironie, un mimétisme par lequel Marianne redevient adolescente sans cesser de se voir avec l'esprit critique qu'elle a acquis par l'expérience ; il lui fait retrouver l'adhésion spontanée d'autrefois à ce qu'elle découvrait en elle, et laisse entendre qu'elle n'avait pas tellement tort d'être contente d'elle-même ; il a enfin quelque chose de mièvre qui est aussi propre à la Marianne d'autrefois — son « petit cœur fier », son « petit orgueil », sa « petite finesse », ses « petites réflexions », sa « petite raison » vont bien avec son « petit minois » et sa « petite figure » de « petite fille » — qu'à la Marianne de maintenant, si complaisante à ses propres bavardages. Le qualificatif est si caractéristique qu'il vient immédiatement sous la plume des imitateurs de Marivaux, lorsqu'ils font parler une jeune personne qui a défendu contre les pièges et les

---

141. *V.M.²*, p. 18, 21, 22 et les références données *supra* à la n. 85.
142. *Ibid.*, p. 130-133 ; voir *infra*, chap. VII, p. 332-333.
143. Chez Duclos, par exemple (*Acajou et Zirphile*), ou Voisenon (*Le Sultan Misapouf*).
144. Voir *infra*, Conclusion, p. 500.

périls de la société son amour-propre et son droit au bonheur. La vivacité avec laquelle la narratrice se porte vers son passé est marquée aussi par l'usage qu'elle fait de l'indicatif présent et du futur : il est différent de celui qu'en fait Jacob ; bien qu'on trouve quelques exemples de présent servant au bilan d'un épisode dépassé, en général ce temps marque l'intérêt actuel que la narratrice prend à son récit. Se racontant à une amie, elle revit avec elle les événements successifs, elle partage avec elle l'attente de ce qui va suivre, elle l'y rend plus curieuse. Le temps présent de la narration s'incorpore et s'assimile le temps révolu de l'action, le glissement est rendu facile par les nombreuses interruptions qui font passer au premier plan la Marianne actuelle dialoguant avec son amie : « Je me suis laissée dans le carrosse avec mon homme pour aller chez la marchande », « J'ai laissé Valville désespéré de ce que je voulais partir », « Passons là-dessus, je m'y arrête trop ; j'en perds de vue Valville », sont des remarques appartenant au présent actuel de la narration ; « Sortons de chez M. de Climal » est une expression où l'action de raconter s'identifie à l'action racontée ; la parenthèse : « C'est encore moi qui réponds » transforme, comme une indication scénique, un dialogue d'autrefois en un dialogue auquel la correspondante de Marianne assiste immédiatement ; l'actualisation du passé par l'intermédiaire des réflexions qui interrompent le récit se fait, par exemple, dans le texte suivant : « Mais achevons d'écouter Mme de Miran, qui continue, à qui, dans la suite de son discours, il échappera quelques traits, et qui en est au chirurgien à qui elle alla parler », ou dans cet autre : « Je touche à la catastrophe qui me menace, et demain je verserai bien des larmes », et le mécanisme de cette transposition peut être aperçu lorsque Marianne déclare : « Vous croyez que mon découragement est mal entendu, qu'il ne peut tourner qu'à ma confusion ; et c'est le contraire. Il va remédier à tout : car premièrement, il me soulagea », etc. [145]. Les présents de narration sont assez fréquents, et surtout les expressions « me voilà », « le voilà », « me voici », « nous voici » qui, bien qu'elles ne s'accompagnent d'aucun verbe au présent, ont une valeur de présentatifs et permettent, elles aussi, de confondre le temps de la narration et le temps de l'action [146].

145. Successivement, *V.M.*[2], p. 81, 30, 325, 261, 380, 177, 262, 80 ; voir aussi p. 135.

146. Comparer *V.M.*[2], p. 214 : « Mais nous voici chez Mme Dorsin, aussi bien qu'aux dernières pages de cette partie de ma vie », p. 261 : « [...] Nous partîmes. Nous voici arrivés ; je vis une très belle maison », et p. 346 : « Nous remontâmes en carrosse. Nous voici arrivées au couvent ». Nous avons relevé seize présentatifs de cet ordre dans les huit premières parties de *La Vie de Marianne*, compte non tenu de ceux où la présence d'un verbe indique explicitement si les deux temps sont confondus (type : « Voilà donc mes coquettes qui me regardent à leur tour », p. 61) ou s'ils sont distingués (type : « Voilà d'où me vint la belle apostrophe qu'elle me fit », p. 44). Les occurrences du présent se répartissent ainsi (il s'agit des passages au présent de l'indicatif, qui peuvent s'étendre sur plusieurs lignes et comporter plusieurs verbes, et non du nombre même de ces verbes) : Iʳᵉ partie, p. 30, 31, 44, 61 § 2, 61 § 6 ; IIᵉ partie, p. 68, 78, 80, plus deux glissements du temps actuel au temps révolu, par un imparfait, p. 63 (« Où en étais-je ? A ma coiffe, que je raccommodais [...] »), et par un passé simple, p. 81, commenté plus haut (« J'ai laissé Valville désespéré de ce que je voulais partir ») ; IIIᵉ partie, p. 135-136 et 159 ; IVᵉ partie, p. 176, 177, 202, 207, 209 ; Vᵉ partie, p. 235, 261, 262, 263-264 ; VIᵉ partie, p. 290 ; VIIᵉ partie, p. 324 (intéressant,

Marianne éprouve à connaître et à faire connaître son image d'autrefois une joie analogue en vivacité aux diverses émotions qu'elle rappelle ; cette joie est la forme sous laquelle elle revit sa jeunesse, le symbole du temps qu'il est impossible à la mémoire de retrouver [147], et le seul trait par lequel se manifeste à nous le caractère de la narratrice. Qui est cette comtesse, sans doute veuve depuis longtemps, puisqu'elle parle de sa retraite et ne fait mention ni d'un mari ni d'enfants ? Quelques bribes d'un passé moins éloigné que celui qu'elle raconte dans ses Mémoires apparaissent, rares, fugitives, uniquement destinées à appuyer une réflexion générale ou à faire ressortir un détail du récit ; V. Mylne a fait remarquer que ce récit est chargé d'indications indirectes sur la narratrice, ses goûts, son jugement sur la vie [148] : ce n'est qu'une illusion, admirablement créée par Marivaux, qui a orienté tout le récit vers une lectrice pour qui, et pour qui seule, il est éclairant. La correspondante de Marianne, en lisant les Mémoires, doit mieux comprendre qui est cette amie si intime, dans quel passé plonge ses racines un présent qui lui est si familier : la rédaction des Mémoires est ainsi justifiée par une double nécessité, celle de l'amitié, qui veut tout savoir, et celle de l'existence actuelle, qui se complète par les souvenirs et se retrempe dans son origine. Pour nous, lecteurs anonymes et intemporels, cette nécessité est purement mythique. Nous ignorons presque tout du présent qui sert de référence au passé, mais nous sentons que cette référence existe : Marivaux a obtenu un effet de perspective comparable, toutes différences gardées, à celui qu'obtiendra Balzac en laissant deviner, entre les personnages de La Comédie humaine, un réseau de relations latérales à celles qui sont au centre des différentes histoires. Nous avons ainsi l'impression que la narratrice va se révéler à nous et que le passé, qui explique pour la lectrice privilégiée un présent pour nous encore sans visage, va soudain nous être à son tour expliqué lorsqu'il rejoindra enfin le présent, au dénouement, ou grâce à la péripétie attendue qui résoudra pour Marianne toutes les énigmes et lèvera toutes les difficultés. Mais, nous l'avons dit, le présent de Marianne n'est pas la conclusion de son passé, et le décalage est peut-être la plus profonde motivation des Mémoires. Cette voix si vivante d'une femme dont Marivaux a su imiter les coquetteries de langage et les caprices de composition ne nous dit en fait rien d'autre qu'une saisie du passé ; la narratrice est essentiellement un être qui se souvient, tout son présent n'existe que comme activité de la mémoire et interprétation de ce que fournit la mémoire. Mais comme tel il existe si intensément que l'on pourrait retourner la formule et dire :

parce qu'il s'agit d'un épisode auquel Marianne n'a pas assisté et qu'elle reconstitue, dans sa passion admirative pour Mme de Miran), 325 § 6, plus le glissement du présent actuel à l'imparfait, p. 325 § 3 (« J'en perds de vue Valville, dont Mme de Miran avait encore à soutenir le désespoir »), commenté plus haut ; VIIIᵉ partie, p. 316-317 (présent de bilan), 380, 394, 418. Sur les rapports entre le temps narré et le temps de la narration, voir infra, chap. VII, p. 339-340, et chap. IX, p. 460-463.

147. Sur la fonction de la mémoire selon Marivaux, voir infra, chap. IX, p. 457-459.

148. Vivienne Mylne, The Eighteenth - Century French Novel, Manchester, 1965, p. 108.

le passé de Marianne n'a de réalité et de sens que par son intelligence et sa sensibilité présentes.

Pour faire apparaître dans toutes les œuvres de Marivaux une structure commune, qu'il appelle « du double registre », Jean Rousset s'est appuyé sur une distinction fondamentale entre l'ordre du vécu et l'ordre du connu [149]. Cette distinction se traduit au théâtre par la distinction entre personnages centraux, « entraînés dans le mouvement du sentiment », et personnages latéraux, « personnages témoins », « délégués indirects du dramaturge dans la pièce », les communications étant multiples entre les deux groupes, comme le montre avec précision Jean Rousset. Dans les deux romans en forme de Mémoires, le personnage-acteur et le personnage-spectateur ne font qu'un, c'est le narrateur lui-même, Jacob ou Marianne, qui raconte et commente son passé. A la distinction entre le vécu et le connu correspondent alors la distinction entre autrefois et maintenant et, de façon moins exacte, la distinction entre le cœur et l'esprit. On a pu reprocher à Jean Rousset d'avoir trop insisté sur le côté passif et inconscient du regardé et sur la lucidité du regardant : il est certain que Marianne ou Jacob, dans le passé, sont souvent très lucides et se regardent, se contrôlent avec une parfaite présence d'esprit ; il est certain aussi que l'instinct et la sensibilité ont un rôle à côté de l'intelligence dans la connaissance qu'ils ont d'eux-mêmes au moment de la narration ; il est même des cas où cette connaissance est incomplète, et où l'obscurité du comportement ou du sentiment passé subsiste sous le regard présent. Mais ce qui nous paraît essentiel dans l'exposé de Jean Rousset, en ce qui concerne les deux grands romans, c'est qu'il fait ressortir la présence actuelle, permanente, d'une conscience dans laquelle tout ce qui est l'objet du récit prend son sens. Elle est moins là pour analyser, élucider, expliquer, définir — ce qu'elle fait pourtant avec adresse et avec brio — que pour donner son unité à la matière du roman et la rendre assimilable à notre propre conscience. La métaphore du regard exprime excellemment cette fonction de la première personne, qui ne sert pas seulement à l'abstraction et à la conceptualisation claire, mais aussi à la communication et à la communion. Le passé de Marianne est reçu dans une subjectivité qui est la médiatrice de la nôtre. Il n'est sans doute pas utile de renchérir sur l'analyse de Jean Rousset et de créer une troisième instance du *moi* en disant que le regardant se regarde : le regard du regard est impliqué dans la définition du regard lui-même, qui est une conscience, et il se manifeste seulement par le ton général, par la prolixité heureuse de la parole, et non par une analyse seconde qui aurait pour objet les modalités de l'analyse première : l'analyse que fait actuellement Marianne de son être passé s'ouvre sur une psychologie et une morale générales, des maximes, des sentences, non sur une critique des fondements de l'analyse ni sur une psychana-

149. Jean Rousset : « Marivaux ou la Structure du double registre », dans *Forme et signification*, Paris, 1962, p. 45-64.

lyse [150]. Le regard de la narratrice n'est donc pas une pleine et fixe lumière dans laquelle tous les mouvements vécus par la jeune Marianne recevraient leur désignation définitive, mais une élucidation en acte, plus ou moins complète selon que l'objet est plus ou moins pénétrable, plus ou moins importante selon que le regard de Marianne avait été plus ou moins lucide autrefois. Car Marianne avait dans le passé déjà la curiosité d'elle-même, avec les degrés de clairvoyance et d'aveuglement que nous avons signalés, et de surcroît, pour Marivaux, suivant peut-être Locke en cela, mais plutôt Malebranche [151], il ne se produit dans l'âme aucune modification dont elle n'ait en même temps la connaissance intuitive. Ainsi entre la variété de la vie intérieure chez la jeune Marianne et la variété du regard chez la narratrice se tisse un réseau d'oppositions, de reflets, de renforcements qui fait de *La Vie de Marianne* un roman d'analyse beaucoup plus complexe et plus subtil que *Le Paysan parvenu* : sa richesse et sa diversité tiennent à la qualité même de l'âme de Marianne, dans le passé comme dans le présent. Jean Fabre a dénombré au moins sept plans différents qui interfèrent dans le récit que fait Marianne de ses impressions et de ses décisions après l'achat du trop beau linge par M. de Climal [152]. Un inventaire théorique de ce qu'enveloppe le « regard » de Marianne, c'est-à-dire de ce qu'énonce son discours (la question sera à poser de savoir si le contenu du discours représente intégralement le contenu de la conscience) ferait apparaître les éléments suivants :

— les faits, objets du récit ;

— les « sentiments » aveugles, états d'anéantissement, d'étourdissement, de prostration, impulsions, intuitions, tout ce que Georges Poulet a défini comme le mode d'être fondamental des personnages de Marivaux, livrés aux hasards de l'instant [153] ; ce n'est là, comme nous l'avons vu, que la donnée brute de leur existence, qu'ils doivent élaborer pour devenir réellement eux-mêmes [154] ; la description qu'en donne la narratrice est possible parce que la mémoire a fidèlement enregistré ces sentiments, et que la conscience, toute étouffée qu'elle était, en avait une notion obscure [155] ;

---

150. Walter Ince a raison d'attirer l'attention sur la complexité du regard et de ses rapports avec l'objet qu'il regarde. Mais il frise le verbalisme dans une formule comme la suivante : « Chez Marivaux [...] il y a encore un regard qui scrute le regardant qui scrute le regardé : si l'esprit conscient guette souvent le cœur inconscient, l'esprit guette aussi l'esprit qui guette » (Walter Ince, « L'Unité du double registre chez Marivaux », dans [sous la direction de] Georges Poulet, *Les Chemins actuels de la critique*, Paris, 1967, p. 136).

151. Voir *infra*, chap. VII, p. 285, 287, 291.

152. Jean Fabre : « Intention et structure dans les romans de Marivaux », *Zagadniena Rodzajow Literackich*, III, Z. 2/5 Nadbiska Rozprawy, 1960, p. 6-22.

153. G. Poulet, *Etudes sur le temps humain*, II, *La Distance intérieure*, chap. 1, « Marivaux », p. 1-34, Paris, 1952.

154. Voir *supra*, p. 141 sq.

155. Venant d'apprendre que l'amour entre Valville et Mlle Varthon est réciproque, Marianne, au lieu de sombrer dans le désespoir, se trouve dans « [une] espèce d'état de sens froid », qu'elle explique ainsi : « Quand un malheur, qu'on a cru extrême, et qui nous désespère, devient encore plus grand, il semble que notre âme renonce à s'en affliger ; l'excès qu'elle y voit la met à la raison, ce n'est plus la peine qu'elle s'en désole ; elle lui cède et se tait. Il n'y a plus que ce parti-là pour elle ; et ce fut celui que je pris sans m'en

— les illusions de la conscience, sophismes inspirés par la vanité, mystifications de soi-même, et les cécités volontaires, lucidités incomplètes, refoulées, le travail que fait l'amour-propre pour écarter la vérité qu'il aperçoit ou fabriquer à partir d'elle un mensonge qu'il lui substituera, et dont la conscience sera à moitié dupe ; c'est là que brille particulièrement la perspicacité rétrospective de la narratrice ; l'attention ironique et attendrie avec laquelle elle démêle les ruses, les intentions inavouées, les mauvais prétextes, les petits côtés des grands sentiments chez la jeune fille d'autrefois inspirent les pages les plus caractéristiques du roman, celles qui lui ont valu sa réputation d'œuvre précieuse et subtile, et qui racontent la première scène chez Valville, le compromis que Marianne passe avec elle-même pour accepter les cadeaux de Climal, les défaites qui la dispensent de renvoyer les habits qu'elle empaquetait, ses réactions tout au long du dialogue entre Mme de Miran et Mme Dorsin au couvent, etc. ;

— les idées justes que Marianne avait d'elle-même dans le passé, dans les cas où sa lucidité était déjà complète ; l'analyse actuelle ne peut rien ajouter à ce que la conscience avait su dès lors, les deux « registres » fusionnent, mais comme le registre de la conscience actuelle est seul à traduire le registre de la conscience passée, celle-ci reçoit une espèce de transparence supplémentaire, d'éclairage qui est la forme la plus impondérable de l'ironie [156] ;

— les obscurités persistantes, que la conscience actuelle ne peut pas mieux pénétrer que la conscience d'autrefois ; à la différence des états aveugles que nous avons évoqués plus haut, et dont la nature peut être décrite avec assez de précision, ces obscurités échappent à la prise de conscience rétrospective ; ce sont des trous noirs dans un tissu de lumière, mais Marianne ne leur attache pas l'importance qu'attache Prévost à l'inconscient : il s'agit d'actions qui défient la vraisemblance, et qui prouvent l'adresse et la promptitude extraordinaires de l'instinct de défense de soi, dans des situations que la réflexion ne peut envisager sans trembler ;

— les sentences, maximes, propositions générales, réflexions, concernant la psychologie et le comportement de tous les humains ou de tout le sexe féminin ; elles servent à expliquer la conduite

apercevoir » (V.M.², p. 394). Si l'âme de Marianne n'a pas été pleinement consciente, elle n'en a pas été moins active et elle a fait un choix presque délibéré, dont le résultat est d'ailleurs de lui faire regarder sa situation avec une lucidité parfaite. Sur les sentiments obscurs, voir *infra*, chap. VII, p. 294-295.

156. Marianne a été invitée à se parer pour aller dîner chez Mme Dorsin : « Onze heures sont sonnées ; il est temps de m'habiller, et je vais me mettre du meilleur air qu'il me sera possible, puisqu'on le veut ; et c'est encore bon signe qu'on le veuille, c'est une marque que Mme de Miran persiste à m'abandonner le cœur de Valville. Si elle hésitait, elle n'exposerait pas ce jeune homme à tous mes appâts, n'est-il pas vrai ? / C'est aussi ce que je pense en m'habillant », etc., V.M.², p. 209. Le registre de la conscience passée et celui de la conscience présente sont si exactement équivalents que le propos commencé dans le premier se continue dans le second sans que le lecteur s'en aperçoive avant la question-surprise : « n'est-il pas vrai ? », mais la réponse : « c'est aussi ce que je pense » le ramène au premier registre en précisant que la substitution n'avait rien changé ; le lecteur croyait voir une image directe, un geste rapide lui désigne le cadre du miroir.

passée de Marianne et ses sentiments, ou ceux des personnages à qui elle a eu affaire ;

— le commentaire par la narratrice de son propre discours : il porte le plus souvent sur la composition, le style, ou la longueur et l'à-propos des digressions ; le début et la fin de chaque partie sont les lieux où il se développe le plus facilement ; il porte beaucoup plus rarement sur la perspicacité de l'analyse [157], parce que les réflexions générales remplissent son rôle, impliquant leur propre commentaire comme le regard implique le regard du regard ; mais un dialogue presque continu avec la destinataire accompagne l'exposé, et grâce à lui les Mémoires paraissent une création vivante et spontanée, à l'allure imprévisible, qui se développe sous nos yeux : « Vous allez voir », « Remarquez que... », « Le croiriez-vous ? », « Attendez pourtant, ne vous alarmez pas », « J'oublie de vous dire... », « Et puis me direz-vous... », et dont le déroulement est ponctué par un grand nombre de conjonctions, d'adverbes, d'expressions adverbiales : « aussi », « mais », « donc », « en vérité », « pourtant », « quoi qu'il en soit », « cependant », « au reste » ; ainsi est sans cesse rappelé à notre esprit l'acte par lequel se produit le discours [158].

La retraite n'est pourtant plus le temps de la passion, même de celle qui pourrait naître au souvenir de ce que l'on a été : sous la vivacité de ses mouvements, Marianne narratrice cache un scepticisme moins étincelant que celui de Jacob, mais qui va quelquefois plus loin. Ayant longtemps ignoré qui elle était, elle a pu mesurer quelle part ont l'illusion, le hasard, le préjugé et l'habitude dans la formation du *moi*. Combien de Mariannes possibles comportait l'avenir de l'enfant recueillie à demi étouffée dans le carrosse ! Une demoiselle de compagnie, élevée modestement, mais avec distinction, par un curé et par sa sœur d'origine aristocratique ; une petite marchande de Paris établie à son compte après son apprentissage ; une religieuse ; la femme de Valville ; la femme de l'officier âgé... Aucun de ces destins n'aurait peut-être été contraire à sa nature, et celui qu'elle a finalement rencontré, et que nous ignorons, n'était peut-être pas le plus approprié. Même chez Mme Dutour, où pourtant son amour-propre avait reçu tant de blessures, un de ces *moi* aurait pu s'accomplir : « Il me semblait, en me séparant de la Dutour et en sortant de sa maison, que je quittais une espèce de parente, et même une espèce de patrie » [159]. Avant Mme de Miran, la sœur du curé avait déjà été sa mère adoptive et « la meilleure personne qu'[elle ait] jamais connue » [160]. Si la leçon finale donnée par l'officier

---

157. Par exemple, *V.M.*², p. 129 : « Vous direz que je rêve de distinguer cela. Point du tout », etc.

158. Le dialogue est si naturel à Marianne qu'elle l'emploie même en se parlant à elle-même : « Vous verrez peut-être que, selon lui [Climal], ce sera moi qui aurai voulu le tenter pour l'engager à me faire du bien, me disais-je » (*ibid.*, p. 242). Sur plusieurs des points précédents, voir *infra*, chap. VII.

159. *V.M.*², p. 158.

160. *Ibid.*, p. 16 ; cf. p. 14 (« Cette sœur m'éleva comme si j'avais été son enfant ») et p. 15 (« à mon tour je l'aimais comme ma mère »).

anéantit le privilège de la naissance, la leçon donnée par la religieuse est qu'il n'y a pas de sentiments absolus, c'est du moins ainsi que Marianne l'a comprise ; non seulement elle sait expliquer l'humeur volage de Valville, mais encore elle sème son récit de remarques désabusées : « Tout s'use, et les beaux sentiments comme autre chose » ; « L'âme s'accoutume à tout, sa sensibilité s'use » ; « A force de pleurer, on tarit ses larmes », et ce dernier changement psychologique est d'autant plus humiliant qu'il est facilité par « un peu de nourriture » [161]. Marianne connaît aussi bien que Jacob la plasticité de l'âme humaine : mais lui s'en fait une arme et se sauve par l'ironie, tandis que Marianne, plus sentimentale, semble ne pas oser dévoiler une vérité qui jetterait le doute sur la nature du *moi* lui-même ; sans hausser le ton, sans essayer ni de scandaliser ni d'épouvanter son lecteur, il lui arrive d'ouvrir des abîmes. Dans ce mot, par exemple, qui résume et dépasse Crébillon ou Laclos : « Les sentiments du cœur se mêlent avec les sens ; tout cela se fond ensemble, ce qui fait un amour tendre et non pas vicieux, quoi qu'à la vérité capable du vice ; car tous les jours, en fait d'amour, on fait très délicatement des choses fort grossières » [162] ; ou dans cet autre, qui concerne Climal : « peut-être eût-il été ma première inclination, si nous avions commencé autrement ensemble » [163]. De tels mots, qui sont à l'opposé de l'idéalisme, et qui jettent une lumière rapide, mais crue, sur l'instabilité du cœur, sur le rôle des sens dans le sentiment, sur le caractère totalement contingent de la haine et de l'amour, ne sont nullement cyniques : à bien les prendre, ils sont d'une profonde bonté, puisque l'un élève à la hauteur de l'amour pur les réalités du désir, et l'autre annonce les émotions complexes de charité et de pitié que Marianne éprouvera pour Climal agonisant [164]. Mais ils trahissent chez Marianne le sentiment latent du néant de toutes choses, que nous avons déjà trouvé inscrit dès sa jeunesse au fond de son cœur.

---

161. *Ibid.*, p. 14, 208, 295 (« C'est une chose admirable que la nourriture, lorsqu'on a du chagrin », avait déjà remarqué Jacob, *P.P.*, p. 154).

162. *V.M.*², p. 41. Voir Fontenelle, *Nouveaux Dialogues des morts*, « Platon, Marguerite d'Ecosse », éd. J. Dagen, Paris, 1971, p. 334.

163. *V.M.*², p. 37.

164. « Une chair nue frémit sous le manteau du marivaudage, Zanetta [Benozzi] le savait mieux encore qu'Adrienne [Lecouvreur], sans se départir de la délicatesse par laquelle Marivaux transfigure un tel frémissement en une exaltation de l'âme », Xavier de Courville, « Marivaux et ses interprètes italiens », dans *Marivaux* (Comédie-Française, 1966), p. 39.

LE RÉCIT DE TERVIRE n'est pas inspiré par le désir de revivre le passé et de le méditer, mais par le dessein très précis de détourner Marianne du couvent, ou d'attirer en tout cas son attention sur la gravité de l'engagement qu'elle songe à prendre. Venant de cette religieuse intelligente et sensible, qui avait manifesté plusieurs fois à Marianne une sincère affection, l'avertissement devait avoir une grande force, mais dans le récit un seul épisode fait voir le danger d'une vocation mal assurée, c'est celui où figure une autre religieuse, amoureuse d'un jeune abbé. Tervire ne mène pas ce récit assez loin pour dire en quoi elle-même est une victime du cloître, et le dessein annoncé à la fin de la huitième partie est remplacé, au commencement de la neuvième, par un dessein différent, celui de prouver à Marianne qu'il y a des destinées encore plus malheureuses que la sienne. En imaginant une sorte de rivalité entre personnages qui mettaient leur point d'honneur à être plus infortunés les uns que les autres, les romanciers se donnaient un prétexte pour insérer des narrations parallèles au récit principal [165]. Marivaux s'est évidemment souvenu du procédé ; il ne s'est pas soucié de mesurer le récit de Tervire, pas plus que celui de Caliste dans *Les Effets surprenants*, sur les forces de la narratrice, il a laissé dans le vague la durée de ce récit [166], il a prêté à Marianne une curiosité qui autorise toutes les longueurs et à Tervire l'infaillible mémoire propre à tous les conteurs de récits insérés, sur la vraisemblance de laquelle personne ne s'interroge. Le récit fait par Tervire à Marianne n'en est pas moins profondément différent du récit envoyé par Marianne à son amie : Marianne prenait son temps et s'abandonnait à ses réflexions, elle bavardait avec sa correspondante ; Tervire raconte des faits qui ne sont encore que l'introduction à l'essentiel [167], et qui n'ont pas besoin de commentaire pour être convaincants.

Tervire est en effet beaucoup plus malheureuse que Marianne : non seulement celle-ci a connu la réussite sociale et a brillé dans le monde, mais elle était douée pour le bonheur, malgré sa tendance à douter qu'il valût la peine de vivre, et son récit, surtout dans les premiers livres, est souvent éclairé par le rire et par le plaisir. Tervire

---

165. Il se peut que Marivaux ait emprunté l'idée à Mouhy, voir *infra*, p. 405 sq. Comme on sait, Voltaire la reprendra dans *Candide* (fin du chapitre douzième).

166. Le récit semble avoir été fait en trois soirées, cf. *V.M.²*, p. 493 : « C'est [...] la religieuse qui parle, et qui est revenue sur le soir dans ma chambre où je l'attendais » (début de la dixième partie), et p. 539 : « Nous nous retrouvâmes le soir dans ma chambre, ma religieuse et moi » (début de la onzième partie). Mais Marivaux ne dit pas jusqu'à quelle heure se sont prolongées ces veillées.

167. « Je ne demande pas mieux que de passer rapidement sur bien des choses, pour en venir à ce qu'il est essentiel que vous sachiez », *ibid.*, p. 539. Cet « essentiel » ne sera jamais atteint par le récit.

est une victime, elle n'a joui d'aucun triomphe, les périodes heureuses
ont toutes abouti pour elle à l'échec ou à la déception. Son innocence
doit faire ressortir l'injustice de la société, l'égoïsme cruel des humains. Un amour-propre combatif et toujours sur ses gardes, comme
celui de Marianne et de Jacob, ôterait à son destin sa valeur exemplaire : sa générosité est la cause de son malheur, et pour que ce
malheur apparaisse vraiment comme immérité et scandaleux, il
faut que cette générosité soit naturelle, sans calcul ; l'ironie est donc
étrangère à Tervire, elle a toute la transparence et toute la simplicité
de la belle âme, et sa confiance. Prisonnière de sa loyauté, elle ne
devine pas les intentions des méchants ; elle a promis à l'abbé, neveu
du baron de Sercour, de ne pas dire à son oncle qu'il était informé
de son projet de mariage, et elle lui tient parole, sans apercevoir le
danger auquel elle s'expose, et bien qu'elle ait eu le pressentiment
de sa fourberie ; la résistance de Mme de Sainte-Hermières à la
réalisation de ce projet, dont elle était pourtant l'auteur, lui paraît
singulière, mais elle n'essaie pas d'en pénétrer le sens ; tous les indices
du complot, rétrospectivement clairs, lui ont échappé lors des événements. Elle est encore moins capable de comprendre le caractère
de Brunon et de prévoir le comportement qu'elle aura lorsqu'elle
sera tirée de misère : quelqu'un d'un peu plus méfiant aurait peut-être
pensé qu'un étonnement tel que celui de Brunon devant les bienfaits
et une reconnaissance si démonstrative trahissaient une âme peu
sincère et étrangère à la générosité [168]. L'ingratitude ultérieure de
Brunon permet de supposer que la dureté de la vieille Mme Dursan
pour son fils et son mépris pour sa belle-fille n'étaient pas sans excuses,
s'ils étaient excessifs : en tout cas, le récit de Tervire nous laisse
beaucoup à interpréter, tandis que la perspicacité ne fait presque
jamais défaut dans la narration de Marianne ou de Jacob. Comme il
se doit, cette belle âme ne se connaît pas mieux elle-même qu'elle ne
connaît autrui ; avec le temps, elle s'est expliqué ce qu'elle n'avait
pas compris, mais la lucidité acquise ne l'exalte pas comme celle
de Marianne l'exalte quand elle démêle ses illusions passées ou raffine encore sur la subtile connaissance qu'elle avait déjà d'elle-même
autrefois. Tervire se contente de brèves notations, la triste vérité
apparaît au fil du récit. Que l'on compare la naissance de l'amour
pour Valville chez Marianne et la naissance de l'amour chez Tervire
pour le jeune Dursan. Un instant en proie à un trouble dangereux,
Marianne s'était vite ressaisie ; les exigences de son amour-propre
avaient suscité à son amour bien des difficultés, mais elle raconte
son embarras avec la gaieté d'un esprit qui jouit de ses victoires.
Tervire a d'abord été amoureuse sans le savoir, elle croyait seulement
être charitable et elle le rappelle en plaisantant : « J'aimais à me
sentir un si bon cœur. [...] Mon bon cœur, par un dépit imperceptible, et que j'ignorais moi-même, en devint plus tiède. [...] Et c'était
toujours mon bon cœur qui se vengeait sans que je le susse » [169]. Mais

168. *Ibid.*, p. 472, 512 et 516.
169. *Ibid.*, p. 508.

c'est l'unique fois où la rétrospection s'anime chez elle d'un sourire : ailleurs, elle signale d'un seul mot qu'elle n'était pas pleinement lucide et qu'elle croyait ce qui n'était pas [170]. Elle représente un type de jeune fille, ou d'héroïne de roman, très différent de celui que représente Marianne : sa sensibilité est comme aveugle, toute en intuitions, en pressentiments, en émotions « secrètes » [171] que rien ne semble justifier. Depuis le moment où elle s'intéresse à la dame inconnue qui regagne Paris dans le même carrosse qu'elle, jusqu'au moment où elle découvre sa propre mère dans cette inconnue, elle ressent des impressions étranges, une puissante et soudaine affection, une épouvante qu'elle n'aurait pas dû avoir ; pour elle, Marivaux a renouvelé le vieux poncif de la « voix du sang », il y a mis plus de vraisemblance et plus de pathétique en préparant la reconnaissance par deux séries de démarches en apparence séparées, celles que fait Tervire pour retrouver sa mère et celles qu'elle fait pour revoir la dame inconnue, objet d'une sympathie spontanée. Quand ces deux séries se rejoignent, le lecteur comprend tout le sens du long regard qu'échangent les deux femmes et de ce silence « dont la raison [...] remuait d'avance » Tervire, sans qu'elle la connût [172].

L'histoire de cette belle âme si malheureuse pourrait être déjà celle des *Infortunes de la vertu* : pour Tervire comme pour Justine, le hasard collabore au mal et favorise l'action de ses ennemis ; pour Tervire comme pour Justine, les méchants sont d'une noirceur qu'ils semblent réserver à l'innocence [173] : mis à part les tyrans et les traîtres de ses premiers romans, dont la cruauté est bien conventionnelle, Marivaux n'a jamais imaginé de personnages aussi odieux que Mme de Sainte-Hermières et le jeune abbé, hypocrites en temps ordinaire, criminels quand ils ont affaire à une jeune fille sans secours. Pour Tervire comme pour Justine, le mal résulte du bien par un mécanisme inéluctable qui apitoie le lecteur, mais qui lui cause aussi un peu d'irritation, tant la victime est obstinée à le déclencher [174] : Tervire est si tranquillement, si inévitablement bonne

---

170. Par exemple, *ibid.*, p. 454 : « Je me recueillais [...], je croyais du moins me recueillir » ; p. 503 : « [mon action n'était] pas si louable [...] que je le croyais moi-même » ; p. 505 : « les grâces que [le jeune Dursan] avait, ou que je lui croyais » ; p. 518 : « Ces dernières paroles m'échappèrent et me firent rougir, à cause du fils qui était présent, et sans qui, peut-être, je n'aurais rien dit des deux autres, s'il n'avait pas été le troisième ».

171. *Ibid.*, p. 504 : « Je me levai donc avec une émotion secrète que je n'attribuai qu'à la fâcheuse nécessité de lui remettre le diamant, [etc.] » L'adjectif est un des plus fréquents dans le roman des belles âmes.

172. *V.M.²*, p. 566.

173. C'est par hasard que le billet cacheté de l'abbé à la religieuse s'est ouvert dans la poche de Tervire ; l'abbé croit que Tervire l'a lu et (Marivaux ne le dit pas, mais cela va sans dire) trouve là une première raison de la haïr (*ibid.*, p. 463). Pour imaginer le piège tendu à Tervire par l'abbé et par Mme de Sainte-Hermières, Marivaux s'est peut-être rappelé le début d'une nouvelle publiée dans les nombres I, II et V du *Pour et Contre* (septembre-décembre 1733, novembre-décembre 1735 ; datation établie d'après J. Sgard, *Le « Pour et Contre » de Prévost*, Paris, 1969, p. 31-32).

174. Ajoutons que, comme Justine, Tervire est invitée à ne sacrifier aucun détail : « Non pas, lui dis-je, n'abrégez rien, je vous en conjure, je vous demande jusqu'au moindre détail » (*ibid.*, p. 430 ; voir aussi p. 540) ; Sade, *Justine ou les Malheurs de la vertu*, J. J. Pauvert éditeur, 1955, p. 313 : « Oui, Thérèse, dit Monsieur de Corville, oui, nous exigeons de vous ces détails ».

qu'on finirait par ne plus lui en faire un mérite et par trouver tout naturel, comme Mme Dorfrainville, de compter sur cette bonté pour arranger les affaires d'autrui : « Avec la belle âme que je vous connais, je savais bien qu'en vous amenant ici, je vous faisais le plus mauvais tour du monde » [175]. La sinistre ironie du sort a fait que la seule fois où Tervire ait songé à elle-même, en consentant à un mariage qui lui semblait conforme à « la raison » et qui pouvait la laisser veuve assez vite, elle ait déchaîné la plus terrible catastrophe de sa vie [176].

Mais Tervire n'est pas malheureuse par l'« excès de candeur » que Justine se reprochera [177] : elle l'est parce qu'elle n'hésite jamais à se sacrifier, comme si son propre personnage ne l'intéressait pas. Non pas qu'elle méconnaisse ce qu'elle se doit : elle refuse avec horreur le couvent lorsqu'elle aperçoit la torture morale qui résulte d'une vocation mal assurée, elle ne consent pas à renouer avec le baron de Sercour qui s'était répandu en calomnies contre elle, et son orgueil lui fait hautement tenir tête à la jeune marquise sa belle-sœur pour la défense de sa mère. Ce qui lui manque, c'est la curiosité et la jouissance de soi, si vives chez Jacob et inépuisables chez Marianne. En certains cas, son ignorance d'autrefois s'est même transformée en indifférence, car on ne saurait attribuer à la malice l'incertitude qu'elle laisse encore planer sur la raison de sa rougeur devant un témoignage de confiance donné par le jeune Dursan : « La subite franchise de ce procédé me surprit un peu, me plut, et me fît rougir, je ne sais pourquoi » [178]. Marianne n'use d'une formule semblable que pour ne pas simplifier grossièrement un sentiment complexe dont la nature ne lui échappe pas plus à elle-même qu'elle n'échappe au lecteur [179]. Ni le *moi* actuel, ni le *moi* passé ne se laissent jamais oublier dans le récit de Marianne : sans exagérer jusqu'au paradoxe la différence entre les deux narratrices, qui se ressemblent par certains traits de leur sensibilité et par certaines de leurs idées morales, on peut penser que Tervire tend à n'être qu'une simple récitante, et à parler d'elle comme en parlerait de l'extérieur un romancier. Après sa conversation avec la religieuse, quand elle retourne chez Mme de

---

175. *V.M.²*, p. 509.

176. *Ibid.*, p. 469. L'idée d'un veuvage rapide, que Mme de Sainte-Hermières a suggérée à Tervire, était déjà suggérée à Clarice par Turcamène, *Effets surprenants*, *O.C.*, V, p. 381. *O.J.*, 64. Elle était dans Molière, *L'Avare*, acte III, scène 4 ; voir aussi La Bruyère, *Les Caractères*, « De la société et de la conversation », § 82.

177. Sade, *Justine ou les Malheurs de la vertu*, éd. cit., p. 107.

178. *V.M.²*, p. 502.

179. *Ibid.*, p. 132 : « Ce cœur si fier s'amollit, mes yeux se mouillèrent, je ne sais comment, et je fis un grand soupir, ou pour moi, ou pour Valville, ou pour la belle robe : je ne sais pour lequel des trois ». On trouve aussi l'expression d'une incertitude actuelle concernant autrui, dans le passage suivant (p. 351) : « Valville gardait cette main [de Mlle Varthon], la serrait, ce me semble, et ne se relevait pas », cette incertitude porte sur le comportement de Valville, que Marianne ne pouvait pas bien observer ; dans cet autre (p. 399) : « je laissai tomber quelques larmes, et en même temps je m'aperçus que Valville rougissait ; je ne sais pourquoi », l'incertitude porte sur les sentiments de Valville : il ignore encore que Marianne soit informée de sa trahison, il ne peut donc considérer ces larmes comme l'expression d'un reproche ; la raison de sa honte est donc assez obscure, mais Marianne formule aussitôt après une hypothèse pour l'expliquer.

Sainte-Hermières et ne peut se retenir de pleurer en apprenant que sa mère l'autorise à entrer au couvent, elle se décrit comme la voient les autres, sa vérité extérieure se confond avec l'image qu'elle leur offre : « C'étaient des larmes de tristesse et de répugnance, on ne pouvait pas s'y méprendre à l'air de mon visage » ; au contraire Marianne, sauf dans un cas où son accablement est tel qu'elle en perd le sentiment de sa personnalité, s'attache à donner à son « air » une signification ambiguë, ou se dépite de ne pouvoir sauver les apparences [180]. Mais le désintéressement de Tervire n'est pas de l'aveuglement ; elle voit très bien ce qui est mal et ce qui est injuste, les méchants, qui peuvent la surprendre, ne peuvent pas lui en imposer ; elle, qui a si peu d'ironie quand elle parle d'elle-même, sait être cinglante quand elle parle d'eux ou qu'elle s'adresse à eux ; et surtout elle n'a pas la passivité servile de Justine, elle est l'auteur volontaire et responsable de son propre destin, qu'elle accomplit en intervenant avec autorité dans l'existence d'autrui. Sa situation initiale n'était pas très différente de celle de Marianne, qu'elle croit capable de « juger mieux qu'une autre » les tristesses de sa vie d'enfant [181] : celle qui n'avait pas de famille et celle qui avait été abandonnée par la sienne ont commencé à se sentir exister en se sentant souffrir et ont dépendu de la charité de gens qui ne leur étaient rien. Mais de cette première expérience elles ont tiré des leçons opposées : Marianne a voulu affirmer un *moi* qui n'avait pas droit à l'existence, Tervire s'est identifiée à la charité qui la faisait vivre, elle s'est donné pour vocation d'aider les malheureux et de défendre leurs droits. L'entrée en religion, vers quoi la conduisait Mme de Sainte-Hermières, aurait faussé cette charité, elle aurait empêché les initiatives altruistes par lesquelles Tervire, en détruisant en apparence son bonheur, accède à la vraie plénitude de son être. Elle « prend sur elle » d'effrayer l'abbé pour mieux secourir la malheureuse religieuse ; elle organise avec la plus grande audace, « se chargeant de tout » et utilisant le danger même comme une circonstance favorable, la reconnaissance entre Dursan mourant et sa mère qui n'a plus que quelques jours à vivre ; elle presse celle-ci d'annuler un testament qui eût définitivement assuré sa propre fortune ; elle force l'inconnue du carrosse à accepter de l'argent, à venir partager le repas des voyageurs où elle lui sert les meilleurs morceaux ; elle qui n'avait jamais quitté sa province, elle affronte à Paris la femme de son frère dans son propre salon, au milieu de ses familiers, et

---

180. *Ibid.*, p. 465. Pour Marianne, voir *ibid.*, p. 69 (Marianne embarrassée par la présence de Valville pendant que le chirurgien examine son pied), p. 84 (contenance de Marianne quand Climal surprend Valville à ses genoux), p. 274 (« air de douleur et de consternation » que Marianne ne peut dissimuler) ; le cas où l'identité de l'apparence et de l'être est acceptée est p. 302, quand Marianne rejoint sa chambre après son entretien avec la supérieure du second couvent : « J'y entrai le cœur mort ; je suis sûre que je n'étais pas reconnaissable ». Les transports et les larmes au moment des émotions intenses, en présence de Mme de Miran, surtout dans la quatrième et dans la sixième partie, ne sont évidemment pas à considérer ici, étant donné l'intimité de la jeune fille avec sa mère adoptive.

181. *Ibid.*, p. 446.

à cette grande scène de confrontation et de procès que chacun
des trois jeunes héros doit subir, quand Jacob devant le président
et Marianne devant le ministre comparaissent en accusés, Tervire
se présente en accusatrice. Bien que son histoire soit sombre et
qu'elle soit une victime, elle met dans la charité cette énergie caractéristique du XVIIIᵉ siècle, déjà présente chez Marianne et chez Jacob.

Si donc elle s'apparente plus que Marianne et que Jacob aux
« belles âmes » du roman baroque, il s'en faut qu'elle annonce les
personnages malheureux et sentimentaux des romans « sensibles »
qu'on écrira quelques années plus tard. J. Fabre a bien montré la
portée dénonciatrice de son récit : « L'histoire de Mlle Tervire [ne]
se ramène [pas] à une variation purement littéraire sur le thème
de l'innocence persécutée ou des malheurs de la vertu. [...] On sent
dans [l']insistance [de Marivaux] un véritable acharnement à prévenir
contre sa bonne conscience une société trop portée à compenser ses
vices par l'étalage d'une sensibilité de parade » [182]. Or, cette compensation du vice par l'étalage de la sensibilité, Marivaux pouvait la
pressentir dans une œuvre parue avant qu'il eût publié l'histoire
de Tervire, La Paysanne parvenue, de Mouhy ; bien pis, il pouvait
y trouver la platitude et la veulerie déguisées sous une mauvaise
imitation de ce qu'on n'appelait pas encore le marivaudage [183]. Tervire
est sans doute une anti-Jeannette, dans la mesure où Jeannette est
une caricature involontaire de Marianne. Tout réussit à Jeannette,
les préjugés sociaux s'effacent devant sa beauté, les vicieux et les
méchants sont punis ou se repentent de lui avoir voulu du mal, sa
bonne conscience lui permet de s'engager sans risque dans des
situations scabreuses et d'y trouver son profit. Elle peut être contente
d'elle-même et d'une société qui s'est faite inoffensive pour ses beaux
yeux et son bon cœur. Par l'exemple de Tervire, Marivaux a montré
qu'au contraire même la vraie vertu ne pouvait pas s'imposer
à une société cruelle et hypocrite, qu'elle devait dénoncer le mal et
assister les malheureux sans espérer d'autre récompense que la
satisfaction intérieure d'avoir bien agi. Mais la vie de Tervire ne
contient pas seulement un avertissement de Marivaux à ses contemporains : elle illustre la défiance déjà plusieurs fois exprimée par
Marivaux envers les enthousiasmes de l'héroïsme. Nous avons vu
qu'au fond Marianne ne croyait pas aux sentiments absolus. Les
personnages grotesques de Pharsamon et de La Voiture embourbée
faisaient comprendre que l'héroïsme était une mystification de soi-
même, et Le Télémaque travesti comportant une critique de l'idéal
fénelonien, de son anachronisme et de ses illusions. Avec le personnage de Tervire, la réflexion de Marivaux sur ce thème se nuance
et s'applique mieux à la société : à l'héroïsme, boursouflure de
l'imagination et erreur de l'esprit, il substitue le mouvement sincère

182. J. Fabre, article cité, p. 22. Léo Spitzer, dans l'article que nous avons déjà cité plus
haut, met en parallèle « l'héroïsme séculier » de Marianne et « l'héroïsme dévot » de Tervire ;
mais, à notre sens, l'adjectif « dévot » est ici de trop.

183. Sur cette œuvre, voir infra, chap. VIII, p. 405.

et spontané par lequel le cœur se porte vers autrui, mouvement auquel l'intelligence et la volonté souscrivent ; le sacrifice de soi s'accomplit en toute lucidité et s'il est finalement vain, la faute n'en est plus à une imposture intime de celui qui l'assume, mais à l'égoïsme de ceux pour qui il est fait. Tervire est un Télémaque dans le monde réel : elle a la rigueur morale et la délicatesse du personnage dont Fénelon avait raconté les aventures, l'effacement de l'amour-propre est encore plus grand chez elle que chez lui, si la volonté est aussi plus forte. Le rapprochement n'est pas factice ; il est confirmé par l'une des aventures : comme Télémaque partait à la recherche de son père, Tervire part à la recherche de sa mère, et comme Télémaque elle rencontre sans la reconnaître la personne qu'elle cherchait et se sent émue par une sympathie mystérieuse. Marivaux, qui avait parodié l'épisode dans *Le Télémaque travesti* [184], en avait sans doute saisi l'intérêt romanesque et la signification symbolique : la belle âme est frustrée de ce qu'elle poursuit au moment où elle va l'atteindre, il lui faut une fois de plus s'armer de patience. C'est la leçon que développait Mentor, et que Marivaux faisait refuser par Brideron dans un de ses moments de bon sens [185] ; il l'accepte maintenant, peut-être parce qu'en s'assombrissant sa philosophie s'est attendrie. Par ses malheurs, par sa générosité, par ses intuitions qui viennent de son cœur plus que de son esprit, par sa simplicité intérieure, par son regard tourné plus souvent vers autrui que vers elle-même, Tervire témoigne de l'admiration persistante que Marivaux porte à l'âme romanesque, après avoir démasqué ce qu'elle a de trompeur.

Des trois personnages qui racontent leur vie dans ces deux romans, Tervire est le seul dont le récit n'ait pas en lui-même sa propre fin ; elle ne se passionne pas en le faisant, elle énonce, pour éclairer les faits et les caractères, ce qu'elle a appris et compris par la suite sur elle-même et sur les autres, mais elle ne semble pas le découvrir, ou le redécouvrir, à l'instant où elle le dit, ni trouver à être perspicace autant de plaisir que Marianne et Jacob. Le passé la ressaisit pourtant à plusieurs reprises, quand elle parle de Mme de Tresle ou qu'elle songe à l'abandon dans lequel on l'avait laissée après la mort de sa grand-mère, et son cœur mal guéri serait bien encore capable de souffrir au souvenir du jeune Dursan [186]. Mais chaque événement du passé était pour elle la destruction d'une chance d'avenir : son présent est ce qui lui est resté quand tout a été enlevé, une retraite vide en comparaison de laquelle celle de Marianne déborde de vie. Nous croyons mieux connaître Tervire, comme être actuel, que Marianne, parce que l'actuel de Tervire appartient en réalité au passé de Marianne, et que Tervire, au moment où elle se raconte, est déjà pour nous quelqu'un dont on nous a parlé. La Marianne de maintenant ne se révèle que par sa narration,

---

184. *T.T.*, p. 359-360.
185. Voir *supra*, chap. III, p. 124.
186. *V.M.²*, p. 446, 450, 451, 540.

la Tervire de maintenant (qui est un autrefois) est visible en dehors
de sa narration, dans la narration de Marianne : son âme n'est plus
secrète que s'il y a du secret dans le renoncement total. Pourquoi
est-elle entrée en religion ? La confession de la religieuse qu'elle avait
aidée lui avait donné l'horreur du couvent ; abandonnée par le jeune
Dursan, elle avait surmonté son désespoir grâce aux consolations
d'une amie, si du moins ce qu'elle raconte à Marianne pour lui
rendre courage est vrai [187], et si c'était bien le jeune Dursan qui était
en cause ; a-t-elle pris le voile quand elle n'a plus eu aucune raison
humaine de vivre ? Ou bien a-t-elle été poussée par une foi ardente ?
Rien ne laisse deviner une telle foi, mais Marivaux déteste trop ceux
qui étalent leur piété, sincère ou hypocrite, pour n'avoir pas fait
de celle de Tervire une affaire entre son âme et Dieu. En tout cas,
il est certain qu'elle ne goûte pas les « petits attraits » du cloître,
« qui ne durent pas longtemps » et contre lesquels elle met en garde
Marianne [188]. Au terme du passé qu'elle évoque, son être actuel ne
peut pas être proposé en modèle à une jeune fille dont la vie
commence et en qui elle reconnaît plusieurs de ses propres traits.
Tervire n'est maintenant plus rien que l'altruisme auquel elle s'est
de plus en plus identifiée au cours de sa jeunesse. Le passé n'est
pas plus mort pour elle qu'il n'est mort pour Marianne ou pour
Jacob, c'est elle qui est morte pour son passé.

187. Voir *supra*, p. 217-218.
188. *V.M.*², p. 455.

MARIVAUX n'a pas raconté ce qu'est devenue Marianne après la narration de la religieuse, mais nous devinons qu'elle a eu une vie pleine de succès. C'est pourtant sur la vie de Tervire que le roman s'interrompt. L'ordre dans lequel se lisent les quatre grands fragments qui constituent *La Vie de Marianne* et *Le Paysan parvenu*, donc l'ordre dans lequel ils ont été écrits, et encore plus l'ordre dans lequel ils ont été interrompus, possède une signification. *La Vie de Marianne* commençait comme l'histoire d'une jeune fille condamnée par un malheur initial à ne pas exister, et qui partait à la conquête de l'existence avec la conscience intime de sa valeur, beaucoup d'intelligence et beaucoup d'énergie. La vivacité du ton, une ironie joyeuse plus forte que l'accent douloureux de certains souvenirs sont d'une femme que les déceptions ont fait peut-être aspirer à la retraite, mais qui n'en a pas moins connu de beaux triomphes auparavant. *Le Paysan parvenu* est le récit de débuts dont la vie a tenu et dépassé toutes les promesses : Jacob n'a rien perdu à vieillir, que la fraîcheur de ses jouissances toutes neuves. Lorsque *La Vie de Marianne* reprend, Marivaux suscite au bonheur de l'héroïne une série d'obstacles qui la découragent, et qui découragent l'auteur lui-même, puisqu'il renonce définitivement à conduire l'histoire jusqu'au bout. Plusieurs allusions à la coquetterie féminine et aux mœurs mondaines prouvent que Marianne aura l'existence brillante annoncée dans les deux premières parties, mais l'avenir sera désenchanté pour elle, même s'il remplit la plupart de ses desseins : ce qu'il aura de meilleur sera, au moment de la retraite, la remémoration du passé. Enfin Tervire, après une suite de malheurs dont plusieurs résultaient de ses victoires, s'est retirée assez jeune au couvent. En laissant de côté les deux premiers livres de *La Vie de Marianne*, qui confirmeraient notre conclusion, mais qui sont liés aux livres suivants, on peut dire que les trois récits de Jacob, de Marianne et de Tervire traduisent un pessimisme croissant de Marivaux : le temps, dans l'intervalle de ces trois vies qui nous est voilé, a porté à son comble la réussite de Jacob, satisfait l'amour-propre de Marianne en décevant son cœur, et effacé Tervire du monde. On ne constate pas d'évolution comparable dans les comédies : sauf *La Dispute* [189], il n'y a pas de comédie vraiment pessimiste chez Marivaux. Il était pourtant dépourvu d'illusions, et l'on peut dire qu'il n'y a pas non plus de comédie où il n'ait laissé voir les ruses de l'égoïsme, la fragilité et l'inconstance des cœurs, dénoncé durement ou plaisanté avec indulgence les illusions que se font également sur eux-mêmes les sages et les passionnés, et rappelé que souvent le sentiment s'allie

189. Sur *La Dispute*, voir *infra*, chap. VII, p. 288-290.

avec l'intérêt, la sincérité avec le mensonge [190]. Mais au théâtre l'allégresse du jeu, l'émotion contagieuse, la vision condensée rendent le triomphe du bien logique et nécessaire à l'intérieur de l'univers scénique ; les risques de dislocation ultérieure n'apparaissent que comme obstacles surmontés et contribuent à l'harmonie finale. L'action s'arrête quand les malentendus sont dissipés, les erreurs redressées, les défiances désarmées, les défauts corrigés et les conflits résolus. La gaieté et la profonde bonté de Marivaux sont parfaitement servies par ces conventions qui isolent dans l'existence humaine quelques moments rapides couronnés de bonheur [191]. Le roman, qui dispose du temps, peut développer ce qui vient avec le temps, les déceptions accumulées, l'expérience amère, la transformation des caractères que la grâce de la jeunesse abandonne et que sclérose la fonction ou le rang ; il peut même, lorsque sa gestation a été assez longue, refléter l'évolution d'un auteur rendu plus grave par les années : on a noté cet effet dans le *Gil Blas* de Lesage [192]. *La Vie de Marianne* a occupé l'esprit de Marivaux pendant près de quinze ans, et bien qu'à aucune époque de sa vie ne lui aient manqué les causes de tristesse, accueil froid du public, incompréhension des critiques ou soucis d'argent, il est probable que le vieillissement a modifié chez lui aussi l'humeur et les idées. Tout est lié : quand il passe de Marianne à Jacob, de Jacob à Marianne, de Marianne à Tervire, Marivaux doit transformer la tonalité, la couleur, le rythme, le sens de ce qu'il écrit. Le monde n'est pas le même s'il est vu par les yeux d'une aristocrate vieillie, d'un roturier enrichi ou d'une religieuse. Les procédés d'expression et la composition sont commandés par le point de vue adopté et changent en même temps que lui [193], la durée romanesque, notamment, n'est plus la même selon la personnalité de celui qui raconte et l'existence qu'il a vécue. Mais si ces modifications d'ordre technique découlent du choix que Marivaux a fait de tel ou tel narrateur, le choix même de ce narrateur et de tout ce qu'il entraîne avec lui comme conséquences sur l'atmosphère générale du récit répondait peut-être à un mobile intérieur qui nous échappe, et non pas seulement à un désir d'expérimentation littéraire. Toujours est-il que le temps s'alourdit de texte en texte, et qu'il détruit ou paralyse au lieu de créer, dans les dernières parties du récit de

190. *Le Triomphe de l'amour*, où sont assez durement ridiculisés le philosophe Hermocrate et sa sœur Léontine, est de l'époque où Marivaux écrit la seconde partie de *Marianne*. Les personnages du Marquis, dans *Le Legs*, de Dubois (et même de Dorante) dans *Les Fausses Confidences*, rappellent plutôt la psychologie équivoque de Jacob, malgré la grande différence des situations et des caractères, que le pathétique des parties de *Marianne* (de la quatrième à la huitième) dont ces comédies sont contemporaines. La *Joie imprévue* et *L'Epreuve* accompagnent l'élaboration de la fin du roman : la première comédie n'a rien de sombre, et dans l'autre la prétendue cruauté de Lucidor implique une exigeante et délicate tendresse qui assure le bonheur d'Angélique.

191. On peut lire sur cet aspect de la technique dramatique chez Marivaux l'ouvrage de Marlyse M. Meyer : *La Convention dans le théâtre d'amour de Marivaux* (São Paulo, 1961), qui cite des jugements de X. de Courville, de G. Poulet (p. 24) et des réflexions théoriques de P. Arnold (p. 53).

192. Voir l'article de Jean Cassou sur « Lesage », dans le *Tableau de la littérature française* (XVIIe-XVIIIe siècles), préfacé par André Gide, Paris, 1939, p. 213-219.

193. Voir *infra*, chap. VIII, p. 393 sqq.

Marianne et dans le récit de Tervire. La durée saisie devient plus longue, les intervalles d'attente ne sont plus des parenthèses négligeables qu'on peut sauter, ils font mûrir les complots, les trahisons, ils figent le monde extérieur, la société, en une masse menaçante dans laquelle le personnage principal risque de se trouver englué. S'il y reste, comme Jacob et Marianne, il ne sera pas longtemps innocent ; même les paroles de Tervire invitent Marianne à sortir de l'innocence et à retrouver par la désinvolture et le calcul la liberté à laquelle elle était autorisée par la candeur [194]. Plus le personnage est soumis à ces servitudes, plus son existence reçoit d'elles son sens : Marianne, parlant d'une époque où tout était pour elle « de bonne prise » et où chaque expérience servait à la former, se répand en réflexions prolixes ; Jacob est volontiers bavard, ses commentaires sont courts et simples, mais assez fréquents ; lorsque le récit de Marianne recommence, les réflexions se font beaucoup plus rares, et elles disparaissent presque totalement de la narration de Tervire [195]. Il se peut que Marivaux se soit lassé du marivaudage, ou qu'il ait cédé (comme on peut le penser d'après ce que dit Marianne au début de la sixième partie) aux critiques de ses lecteurs ; le fait que ses narrateurs perdent progressivement leur autonomie par rapport à leur narration n'en traduit pas moins la perte de leur autonomie de personnages par rapport à la réalité du temps et des choses. La dernière à parler, Tervire, celle aussi dont l'histoire recouvre la durée la plus longue, n'a plus à interpréter son récit ; la leçon en est dans les faits, son existence se confond avec la matière de son histoire, et son rôle même de narratrice est un rôle qu'elle remplit dans une histoire — celle de Marianne ; elle est entièrement narrée, jusque dans sa narration, alors que Jacob et Marianne s'évadent — de moins en moins bien — de leur histoire par la narration qu'ils en donnent. Jacob narrateur, Marianne narratrice sont au-delà ou en dehors de ce qu'ils racontent, avec nostalgie ou avec ironie ; Tervire n'est rien par elle-même, elle est toute dans la narration de Marianne, elle ne se projette pas hors de l'œuvre, comme Marianne s'en projette à tout instant et pour instituer l'œuvre. La subordination de l'histoire de Tervire à celle de Marianne, que Leo Spitzer avait affirmée, est inscrite dans la structure des récits, dans la situation des deux narratrices par rapport à leurs récits [196]. Mais l'élément subordonné supplante l'élément qui le subordonne ; et si l'on suit la succession des textes, on voit que, même dans les récits de Marianne et de Jacob, la liberté du narrateur a tendance à s'enliser progressivement dans l'objet de la narration. Marivaux romancier a commencé *La Vie de Marianne* en voulant fonder le romanesque sur la spontanéité créatrice du personnage narrateur, il l'a abandonnée quand les faits ont pris le dessus et que la première personne devenait un procédé de présentation, au lieu d'être l'origine absolue qui mettait le roman

194. Ces paroles de Tervire sont citées *supra*, p. 217-218.
195. Voir les chiffres et nos commentaires, Appendice II.
196. Leo Spitzer, art. cit., p. 115, n. 5, dans le n° de *Romanic Review*.

à l'abri de la contingence. Tel qu'il le conçoit à l'époque de sa maturité, le roman tend à être doublement autonome : d'abord comme récit échappant à l'arbitraire de l'invention et possédant la raison de son existence dans cette existence même ; au problème de vraisemblance qu'avaient posé Scarron et Furetière, que soulèvera de nouveau Diderot, Marianne et Jacob apportent la solution la plus raisonnable : il est dans la nature du personnage dont l'histoire est racontée qu'il raconte lui-même son histoire ; les moyens de la narration font partie de l'objet même de cette narration comme traits de caractère, et la raison d'être du roman, c'est qu'il n'est pas un roman [197]. L'autre autonomie réside dans le *moi* qui se raconte : tout ce qu'il a éprouvé et qui se présentait à l'origine comme accidentel lui est devenu essentiel, non parce qu'il a été modelé par les influences extérieures, mais parce qu'il a fait sa substance de l'événement, surmonté le hasard en se le rendant personnel, intégré en un tout qui lui est propre la diversité du réel, donné un sens à ce qui l'entoure par la découverte et l'expansion de lui-même. A la fois roman du monde et roman du *moi*, l'œuvre aurait montré l'obstacle se transformant en miroir, elle n'aurait plus rien contenu d'étranger à la vie de l'individu dont elle était l'expression suprême. C'est l'inverse qui s'est produit, les objets, la société, l'accidentel, l'extérieur ont envahi l'existence individuelle et l'ont dévorée. Tervire s'est retirée et a laissé le champ libre à l'égoïsme des autres, Marianne dans le monde a joué la comédie, Jacob même, dont la vie n'a pas trahi les espérances, ne dit pas ce qu'il a fait pour s'enrichir ni quels rôles il a tenus. Les Mémoires s'interrompent quand au *moi* naissant et en devenir succède le *moi* engagé et fixé dans sa définition sociale [198].

197. Voir *infra*, chap. VIII, p. 366.
198. Une autre raison de l'inachèvement est l'incertitude de Marivaux sur son public, voir *infra*, chap. IX, p. 494.

Si Marivaux avait été satisfait de la société, et si ses personnages s'étaient identifiés à leur carrière, il aurait pu mener leur histoire jusqu'au bout, comme feront tous ses imitateurs, et comme le fait Lesage avec Gil Blas de Santillane. La ressemblance entre Jacob et Gil Blas n'est qu'apparente ; outre une lucidité bien plus aiguë, Jacob a ce qu'il manque à Gil Blas : l'esprit d'indépendance. Jamais Jacob ne se sait gré d'avoir été bon copiste, bon rédacteur, bon secrétaire, ni d'aucun talent qui lui ait permis de se faire estimer par des supérieurs. Gil Blas peut bien vers la fin de son récit mettre dans un tiroir des titres de noblesse qui l'humilient et dire adieu à l'ambition et à l'espérance, c'est à force de servir qu'il a gagné le droit au détachement, les qualités dont il s'honore le plus sont celles d'un fidèle et loyal domestique, même l'indulgente ironie qu'il exerce contre lui-même lui est inspirée par la conscience qu'il a des limites que son petit individu ne doit pas dépasser. Cette attitude lui permet de faire sentir aussi les limites d'autrui et de dégonfler bien des baudruches, mais l'*Histoire* de sa vie, tableau des pièges, dangers, vanités et ridicules du monde, est plutôt l'histoire d'une expérience que celle d'une intériorité.

Non seulement Marivaux ne s'intéresse plus au *moi* qui a cessé de devenir, mais il ne s'intéresse pas à un *moi* dont le devenir serait le dévoilement de ce qu'il était en puissance. S'il y avait une génétique en morale comme dans les sciences naturelles, Marivaux serait partisan de l'épigénèse et non de la préformation. La rétrospection à laquelle se livrent ses personnages ne fait pas apparaître de destin. Des Grieux s'interroge sur un passé dont il ne sait si le responsable est lui-même ou une énigmatique Providence qui voulait lui révéler sur lui-même la vérité qu'il ignorait. Cleveland découvre dans la transcendance divine le sens de son être qu'il a cherché à travers les aventures de toute une vie : les trois narrateurs que fait parler Marivaux savent, au contraire de ceux de Prévost, qu'ils ont en eux-mêmes la clef de leur existence, ou que, si elle leur échappe, elle n'est au pouvoir de personne ni de rien, que des déterminismes naturels et sociaux ou du hasard. Marianne évoque son destin et son étoile [199], mais non pas la Providence ou la fatalité, et ce qu'elle désigne ainsi, ce n'est pas une influence supérieure qui aurait d'avance déterminé les événements de sa vie, c'est le caractère tout personnel que prennent les événements quand ils arrivent à « une fille comme [elle] ». Même Tervire, comme nous l'avons vu, n'est nullement passive, ses malheurs sont autant d'actes d'accusation qu'elle dresse contre l'injustice sociale. Pour de tels personnages,

---

199. *V.M.*², p. 418 et 17.

raconter son passé ne consiste donc pas, comme pour les personnages de Prévost, à gémir, à chercher, à interroger ou à adorer, mais à authentifier leur existence en y faisant ressortir leur marque.

Ils n'ont donc pas grand-chose de commun non plus avec les personnages de Courtilz de Sandras, malgré les ressemblances de situations qui ont été justement relevées entre les *Mémoires de M. de B.* et *La Vie de Marianne* [200] : les romans de Courtilz sont des romans d'aventures et des romans de mœurs ; plus les événements sont extérieurs aux personnages narrateurs, plus ils jugent leur destinée singulière ; leur existence s'absorbe dans les circonstances dont ils sont les témoins et qu'ils rapportent ; même s'ils disent, comme M. de B. : « un homme comme moi », leur philosophie est de respecter, au moins pour la forme, les puissances temporelles qui disposent de leurs actes, de leur liberté et de leur vie : « j'ai toujours cru que chacun devoit se rendre justice, et que pour se sentir appuyé, il ne falloit pas se croire tout autre que l'on étoit » [201]. Ils se flattent avec raison de toucher la curiosité du lecteur, car l'image qu'ils donnent du monde est fourmillante, mouvementée, pleine d'intrigues, d'enlèvements, de surprises, de secrets, c'est le monde de la conspiration, du déguisement, de l'espionnage, du double jeu, en un mot de l'aventure, telle qu'on pouvait se la représenter, en la projetant dans le passé, en ces premières années du XVIIIᵉ siècle qui voient une vive recrudescence du goût baroque. L'intérêt de leurs Mémoires est presque tout entier dans les événements.

On serait alors tenté de rapprocher les personnages de Marivaux de personnages historiques pareils à ceux qui font en grande partie ces événements dans les romans de Courtilz, lorsque, comme Retz, Mlle de Montpensier ou Saint-Simon, ils ont écrit leurs Mémoires. Marivaux a très probablement lu les deux premiers. Une comparaison entre Marianne et la grande Mademoiselle ne serait pas absurde : Mlle de Montpensier écrit de sa retraite, doucement occupée de ses souvenirs, et dans cette perspective sa vie se présente tout naturellement « dans son ordre » ; elle écrit ses Mémoires pour « quelques personnes » qu'elle aime, sans se soucier du style ni de la composition ; la haute idée qu'elle a d'elle-même, les chimères qu'elle entretient, sa tentation d'entrer aux Carmélites et surtout les difficultés que soulève son amour pour Lauzun et les déceptions qu'il lui a causées fourniraient quelques points d'un parallèle plus bizarre que convaincant [202], mais il n'était peut-être pas étranger à l'intention de Marivaux de prouver que la destinée d'une orpheline de naissance inconnue était aussi digne d'intérêt que celle d'une petite-fille de Henri IV [203]. L'usage que Mademoiselle fait de ses *Mémoires* est trop

200. Signalées par F. Deloffre, *V.M.²*, p. XIII-XVI. Il y a aussi des ressemblances entre le début de l'histoire de Tervire et le début des *Mémoires de Mr L.C.D.R.*, 1687.

201. *Mémoire de Mr de B***** [...], à Amsterdam, chez Henry Schetten [...], MDCCXI, t. I, p. 35, et t. II, p. 522 (la pagination est continue d'un tome à l'autre) ; « pour se sentir appuyé » signifie : « parce qu'on sent qu'on a des appuis ».

202. *Mémoires de Mlle de Montpensier, petite-fille de Henri IV*, collationnés [...] par A. Chéruel, Paris, G. Charpentier et Cie, 4 vol. s. d. Les expressions citées sont au t. I, p. 2.

203. Voir *infra*, chap. IX, p. 468-469.

différent de celui qu'en fait Marianne pour que la comparaison vaille d'être tentée. La comparaison avec Retz est plus satisfaisante : les *Mémoires* de Retz racontent un dessein et sont l'œuvre d'une conscience étudiant les conditions et les maximes de son action ; le temps chez Retz est parfois aussi lentement détaillé que chez Marivaux, le mois de mars 1649 occupe la moitié d'un volume dans l'édition procurée par G. Mongrédien [204] ; on peut distinguer chez Retz, comme chez Marivaux, les deux « registres », celui du passé et celui de la narration présente, et dans celui du passé les alternatives de recueillement, où les décisions sont préparées, et d'action, où ces décisions sont mises à l'épreuve et souvent déjouées, dans celui du présent les explications qui dégagent la responsabilité de Retz et attribuent la cause de l'échec aux circonstances, car souvent Retz déclare qu'il a frôlé le succès, qu'il s'en est fallu de peu ; au conditionnel passé, il se donne la victoire [205]. Marivaux trouvait donc dans ses Mémoires l'expression d'un *moi* passionnément attentif à lui-même, prenant sa mesure dans sa confrontation avec l'événement, habile à sauver dans l'exposé rétrospectif son intégrité et l'unité de son élan, et éclairant le sens de son récit par des vérités générales énoncées sous forme de maximes ; comme il écrivait réellement pour quelqu'un, Retz en justifiant ses digressions ou ses atteintes à la chronologie, en dialoguant avec la destinataire, avait adopté d'emblée ce ton naturel de l'entretien que Marianne commente chez elle avec un peu trop d'artifice [206]. Le parallèle deviendrait absurde si on le systématisait : homme d'action, aux prises avec l'histoire, Retz savait le poids des réalités politiques parce qu'il les manipulait, et il n'hésite pas à avouer une imprudence, une sottise ou une faute, la difficulté du jeu étant une suffisante excuse aux erreurs de calcul [207]. Si l'existence est aussi un jeu pour Jacob et pour Marianne, sinon pour la malheureuse Tervire, c'est en un sens très différent : Retz risque sa volonté dans une partie où ses partenaires sont d'autres volontés individuelles, qu'il s'agit de gagner ou de réduire, le peuple, dont il ne perd jamais de vue l'opinion, et la fortune, toujours compagne de la grandeur selon l'éthique baroque ; le jeu de Marianne et de Jacob est d'une autre nature, il consiste à exposer la sensibilité à de fécondes surprises, à ne hasarder la sécurité du *moi* que pour jouir plus pleinement de ses ressources ; Retz joue comme un ambitieux, Marianne et Jacob comme des virtuoses : dès que l'existence même du *moi* est menacée, l'atmosphère change, le jeu devient drame ; et lorsque la résistance de l'obstacle social force l'individu à se confondre avec sa fonction, l'aventure ne mérite plus d'être contée, le jeu devient une comédie sans plaisir et sans espérance dont il vaut mieux

---

204. *Mémoires du cardinal de Retz*, préface, notes et table par G. Mongrédien, Paris, Garnier Frères, 4 vol. s. d.

205. Voir, par exemple, *éd. cit.*, t. IV, p. 61 sqq.

206. Dans de très nombreux passages, et par exemple t. III, p. 234 : « Je m'aperçois bien qu'il y a trop de prolixité dans cette disgression. Vous l'attribuerez peut-être à vanité : je ne le crois pas », etc.

207. Par exemple t. II, p. 224 ; t. III, p. 123, 134, 137 ; t. IV, 26, 27, etc. Cas très fréquents.

être observateur qu'acteur. Pour Retz au contraire, l'action ne perd jamais son intérêt, parce qu'il a le sens de l'extraordinaire dans les caractères et dans les événements ; les hommes lui paraissent étonnants et contradictoires, il renonce parfois à déchiffrer l'énigme que reste pour lui leur pensée ou leur conduite, parce que la vérité sur eux ne peut se découvrir que dans le feu de l'action et qu'un narrateur, surtout s'il n'a pas été témoin oculaire de ce qu'il raconte, manque de moyens pour la ressaisir [208]. De là découlent deux autres caractères qui aggravent la différence entre les *Mémoires* de Retz et ceux de Jacob et de Marianne : la froideur, nuancée d'ironie, avec laquelle Retz parle d'assassinats, de trahisons, de guerre civile, d'événements et de dangers dont serait bouleversé un personnage de Marivaux ; le caractère pratique des maximes qui appuient son récit : elles sont soit des règles de conduite qu'il s'est personnellement données comme les mieux appropriées au but qu'il poursuit et au personnage qu'il représente, soit des lois d'expérience dont la connaissance est nécessaire et l'ignorance fatale à ceux qui prétendent agir ; nous verrons que chez Marivaux les maximes générales sont l'expression abstraite de vérités dont le récit apporte l'illustration concrète, elles permettent à l'intelligence de maîtriser la diversité du sensible [209]. En un mot, et pour laisser de côté toutes les nuances, l'action passée est l'objet le plus important pour le mémorialiste, chez Retz, et la parole présente, l'objet le plus important pour le narrateur chez Marivaux.

Sa parole, plutôt que son être : on aperçoit bien quelquefois chez Jacob et surtout chez Marianne une nostalgie du passé et des surgissements de mémoire affective immédiate, mais leur récit n'a pas pour but de ressusciter le passé, ou de métamorphoser le présent par le souvenir. S'il y a une poésie dans les romans de Marivaux, elle n'est pas créée par la magie de la mémoire, il n'est pas le précurseur de la lignée d'écrivains qui va de Rousseau à Proust. Pour ces derniers, le souvenir est un but : ils n'existeraient pas s'ils n'écrivaient pas leur livre. Pour Jacob et Marianne, le souvenir est une satisfaction d'amour-propre, ils jouissent d'eux en donnant à leur passé sa vérité et sa valeur définitives, dévoilant ce qu'il avait eu de caché, dissipant ce qu'il avait eu de faux. Leur récit, qui n'est certainement ni une conclusion ni une synthèse, est du moins un aboutissement, et non pas un point de départ. Ils diffèrent en cela de Stendhal dont on les a rapprochés [210], et qui entreprend son autobiographie parce qu'il ne sait pas que penser de lui-même [211]. Marivaux nous ferait croire qu'ils auraient pu ne pas se raconter, eux qui n'existent pour nous que par leur récit. « L'expérience passée n'est valable que dans la mesure où elle peut s'intégrer à nouveau dans l'activité intellectuelle

208. Par exemple t. I, p. 45 et très souvent.
209. Voir *infra*, chap. VII, p. 315 sq.
210. Voir *infra*, chap. IX, p. 491, et chap. IX, n. 233.
211. Stendhal, *Vie de Henri Brulard*, chap. 1, dans *Œuvres intimes*, éd. H. Martineau, Paris, 1955, p. 40.

d'un homme décidé, moins à la capter pour la sauver de l'oubli, qu'à la projeter pour alimenter sa raison présente de penser et de sentir. Or cette raison s'identifie à une ambition littéraire », écrivait Henri Fluchère à propos de Sterne [212]. Comme Tristram Shandy, Marianne et Jacob sont essentiellement, uniquement, une voix qui monologue. L'objet du monologue n'est pas le même : Marianne et Jacob ne réclament pas contre le destin, ils ont mené leur vie selon leur volonté, Tervire aussi ; la minutie de Marianne ne s'explique pas, comme celle de Tristram, par le besoin de réduire à l'esprit un mystère étrange et fuyant, mais par le plaisir d'exercer l'intelligence et la sensibilité actuelles sur une matière déjà élaborée par l'intelligence et la sensibilité passées ; la sincérité, nécessaire chez Tristram, est ironique et non pas crue chez les narrateurs de Marivaux ; Tristram vit son drame au moment du récit, il est submergé par les déterminations extérieures, disloqué, et tend toutes les ressources de son esprit pour les réunir et les ordonner, sans surmonter la discontinuité à laquelle son discours est asservi par l'enchaînement et le déterminisme universels ; la synthèse lui est impossible, son propos va de fil en aiguille. Les narrateurs de Marivaux, eux, ont vécu et leur retraite a mis leur vie en ordre, ils peuvent en suivre le cours au rythme qui leur agrée, leurs digressions sont le plus souvent des explications et des élargissements. Ils occupent à se raconter les loisirs d'une retraite devenue paradoxalement l'époque la plus pleine de leur vie, pour se donner à connaître, aider autrui à se connaître, par sociabilité : car si la société a sclérosé ce qu'ils avaient d'original et rendu inutile le récit de leur vie à partir du moment où elle n'était plus exemplaire, c'est à la société pourtant qu'ils doivent ce qu'ils sont finalement devenus, l'extrême floraison de leur intelligence, leur aptitude à se comprendre et leur plaisir à se dire. Pour eux aussi, du moins pour Jacob et Marianne, la raison présente de penser et de sentir se résume bien à une ambition littéraire, mais cette ambition est tournée vers le monde dont ils se sont détachés. Tervire est un cas à part, puisque son récit est moins un acte essentiel à son existence présente qu'un moment de la vie de Marianne, et qu'il a plus d'importance par son contenu que par son énonciation. Mais, si essentiel que soit l'acte de se raconter pour le Jacob actuel et la Marianne actuelle, on ne peut pas dire qu'ils se racontent pour être, comme Tristram Shandy ou comme le narrateur d'*A la Recherche du temps perdu*, mais qu'ils sont pour se raconter. Une lacune sépare leur existence actuelle de l'existence qui est l'objet de leur récit, leur être actuel voit leur être passé d'une certaine distance qui le met en perspective. Dans cette lacune, dans cette distance Marivaux invisible s'est glissé, choisissant leurs mots, composant leurs actes, faisant de Marianne et de Jacob narrateurs, comme du Spectateur français ou de l'Indigent philosophe, des personnages. Invisible ? Nous nous demanderons si quelquefois il n'apparaît pas furtivement.

212. H. Fluchère, *Laurence Sterne, De l'homme à l'œuvre*, Paris, 1961, p. 240.

Chapitre VII

ANATOMIE

L ES DEUX PRINCIPAUX ROMANS DE MARIVAUX ne sont pas uniquement des romans d'analyse, mais l'analyse y tient une très grande place, tout particulièrement dans les deux premières parties de *Marianne* ; même les romans de ses débuts contiennent en assez grand nombre des réflexions générales de morale et de psychologie. Il s'est proposé l'étude du cœur humain aussi bien dans ses romans que dans ses Journaux ou ses essais de moraliste ; s'il était besoin de le prouver, il suffirait de remarquer que presque tous ses textes théoriques sur la littérature et le langage concernent l'analyse psychologique et l'expression de la vie intérieure. Au romancier comme au journaliste et au dramaturge ses contemporains reprochèrent de « courir après l'esprit », c'est-à-dire de sacrifier la vraisemblance et l'intérêt à la subtilité. Sa justification ne fut pas entendue : il eut beau retourner l'accusation contre les « auteurs » qui n'écrivaient que pour écrire, il resta pendant tout le XVIIIe siècle, et même jusqu'à une époque assez récente, le type du précieux qui joue sur les mots et qui dépense une prodigieuse ingéniosité verbale à exprimer les mille nuances aperçues dans leurs âmes par des personnages délicats et oisifs. F. Deloffre a retracé l'évolution de sens qu'ont subie les mots *marivaudage* et *marivauder* depuis leur création, aux environs de 1760, jusqu'à nos jours : même lorsqu'ils ont perdu, dans le dernier tiers du siècle dernier, leur signification péjorative, ils n'ont cessé de désigner le badinage, la galanterie raffinée et l'afféterie [1]. F. Deloffre a fait apparaître aussi que ce badinage était très sérieux, qu'il répondait à un progrès de la sensibilité, et il a non seulement décrit les procédés de ce style qu'est le marivaudage, mais rendu compte de leur raison d'être et de leur emploi. Nous étudierons l'analyse chez Marivaux d'un point de vue plus abstrait, en nous demandant à quelles doctrines philosophiques on peut rattacher sa « science du

---

1. F. Deloffre : *Marivaudage*², p. 5-8.

cœur », et nous n'examinerons que quelques-uns de ses moyens d'expression et des tours les plus apparents de son style, dans leur rapport avec la création des personnages et des caractères romanesques.

Marivaux « a passé sa vie à peser des œufs de mouche dans des balance en toile d'araignée » ; « c'est un homme qui se fatigue et qui me fatigue moi-même en me faisant faire cent lieues avec lui sur une feuille de parquet ». Ces deux mots célèbres, qui sans doute visent à parodier le style de Marivaux, semblent venir du parti philosophique [2]. L'opposition d'un Desfontaines ou d'un Granet se fonde sur des critères classiques, celui de l'essence du genre romanesque (« N'est-il pas contre l'essence de la narration de faire ainsi à chaque instant de longues réflexions ? ») [3], celui de la mesure (« Nous avons jusqu'ici environ un mois de la vie de Marianne : si elle a vécu longtemps et si toutes les circonstances de son histoire sont toujours exposées avec la même prolixité, il sera peut-être difficile que la la vie d'un homme puisse suffire à lire la sienne ») [4], celui de la vraisemblance (« Ce sont des traits de maître, et non d'un jeune rustre, qui, né avec de l'esprit, et même, si vous voulez, du discernement, ne doit point avoir l'usage et le rare talent de les démêler, et de les apprécier avec autant de pénétration qu'il en fait paraître ») [5] ; à ces critères, on peut en ajouter d'autres qui ne s'appliquent pas à l'analyse psychologique, celui de la bienséance et celui de la moralité, au nom desquels sont condamnées la dispute entre Mme Dutour et le cocher de fiacre, dans *Marianne*, et les scènes chez Mme de Ferval et chez la Rémy, dans *Le Paysan parvenu* : aux yeux des critiques traditionalistes, Marivaux apparaît alors comme un novateur qui viole les canons de l'esthétique littéraire et qui méconnaît les traits les plus universellement vrais du caractère humain. Avec le recul du temps, nous apercevons ce que fonde Marivaux dans le genre romanesque, ce qu'imiteront une foule de médiocres fabri-

2. Le premier est de Voltaire, il figure dans une lettre à Trublet du 27 avril 1761 (Besterman 8974), mais Marivaux n'est pas explicitement nommé ; c'est Grimm qui, l'attribuant à Voltaire, l'applique à Marivaux (*Correspondance littéraire*, éd. Tourneux, Paris, 1878, t. V, février 1763 p. 236). Marmontel le cite à son tour, sans référence, mais toujours à propos de Marivaux, dans ses *Eléments de littérature*, article « Affectation ». Il avait été prononcé et connu bien avant 1761 ; rendant compte de la seconde partie de *La Vie de Marianne* en février 1734, le rédacteur des *Anecdotes* écrit : « Marivaux auroit bien de l'esprit s'il vouloit moins en avoir. Il se donne la torture pour gâter celui que la nature lui a donné, et il est assez malheureux pour y réussir. Je crois [...] que la plus grande louange qu'on puisse lui donner est de dire, que ce n'est pas sans peine qu'il déplaît. Il y a longtems que Voltaire a dit de lui, qu'il pèse des idées dans des toiles d'araignée ». Le journaliste a déjà une idée assez précise de ce que sera *Le Paysan parvenu*, dont la première partie ne paraîtra que quatre mois plus tard (*Anecdotes ou Lettres secrètes sur divers sujets de littérature et de politique*, s. l., 1734-1736, 5 vol., t. I, p. 10 sq. Cet ouvrage est attribué à Bruzen de la Martinière). Le second mot se trouve dans l'*Eloge de Marivaux* par d'Alembert qui l'attribue à « une femme d'esprit », sans doute Mme du Deffand (voir *T.C.*, t. II, p. 988).

3. Desfontaines, dans *Le Pour et Contre*, nombre XXX, cité par F. Deloffre, *V.M.*[2], p. LXVIII.

4. Desfontaines : *Observations sur les écrits modernes*, t. VII, p. 287, cité par F. Deloffre, *ibid.*, p. LXXVI.

5. Granet : *Réflexions sur les ouvrages de la littérature*, 1737, t. I, cité par F. Deloffre, *P.P.*, p. XXXIX.

cants de romans ses contemporains, ce que continueront Richardson, Diderot et les grands romanciers romantiques après eux. Le paradoxe est donc que ce créateur du roman de mœurs, réprouvé par les défenseurs du bon sens et du bon goût, ait été presque unanimement blâmé pour sa « métaphysique » et sa « préciosité » par ceux qui auraient dû reconnaître leur dette envers lui. Son importance leur a été cachée, on ne peut admettre qu'ils aient été tous aveugles : l'appareil trop étalé de l'analyse psychologique a empêché de voir tout ce que le contenu de cette analyse avait de moderne, et son rapport avec les mœurs mêmes que le roman avait désormais mission d'évoquer.

Une étude détaillée de l'opposition à l'esprit au cours du XVIIIᵉ siècle réserverait sans doute bien des surprises. On s'attendrait que les ennemis de l'esprit fussent surtout les défenseurs de valeurs nouvelles dont la promotion était liée à l'ascension de la bourgeoisie ; ceux qui fondaient toute connaissance sur l'expérience, qui ne distinguaient pas dans le principe la moralité ou la beauté de l'utilité, qui préféraient la spontanéité de la nature et du génie aux jouissances raffinées de la culture et du goût et qui se croyaient plus proches de l'homme universel que les membres de la caste aristocratique, devaient être portés à considérer l'esprit comme un fait de classe, comme un jargon propre à un petit groupe de privilégiés. Mais l'une des armes les plus puissantes au service de ces idées nouvelles était l'ironie, ou plus généralement ce que nous appelons l'esprit critique, et, même si un seul mot peut avoir des emplois différents et désigner différentes réalités selon le contexte, il y avait certainement des points communs entre l'esprit des gens du monde et celui des philosophes, surtout lorsque la philosophie, dans ses débuts, était encore clandestine ou masquée. D'autre part le snobisme a pu s'allier avec l'ignorance pour faire mépriser l'esprit à ceux-là mêmes qui en cultivaient les formes les plus ridicules ; Rousseau dénonce en 1740 un parti pris aristocratique, lorsqu'il écrit dans son *Mémoire à M. de Mably :* « On ne lui [à l'enfant] apprendra point à dire d'un air de petit Maître, Cela est trop fleuri, Cela est trop sec, Cet Auteur pense faux, Celui-ci court après l'esprit, Celui-là donne dans le néologisme »[6] : ces propos de petit-maître sont l'écho des critiques si souvent adressées aux « néologues » dont Fontenelle, La Motte et Marivaux faisaient partie. Il faut donc se garder de généraliser trop vite, ne pas rapporter au seul Marivaux toutes les attaques contre l'esprit, ne pas croire qu'elles venaient toutes uniformément du même bord.

On sait que Crébillon s'est moqué dans *L'Ecumoire*, aux chapitres IV, V et VI du troisième livre[7], de l'esprit et du style de Marivaux. Il venait de lire la première feuille du *Cabinet du philo-*

---

6. J.-J. Rousseau : *Œuvres complètes*, tome IV, 1969 (Bibliothèque de la Pléiade), p. 25. Il n'est pas impossible que Rousseau en écrivant ce passage se soit rappelé la septième feuille du *Spectateur français*.

7. Nous en citerons le texte d'après la *Collection complète des œuvres de M. de Crébillon le fils*, Londres, MDCCLXXIX. Il figure au tome second, p. 156-189.

sophe et la seconde partie de *Marianne*, parues toutes deux à la fin de janvier 1734, et il s'inspirait des critiques formulées par l'abbé Desfontaines dès février dans le nombre XXX du *Pour et Contre*[8], ainsi que de la préface plus ancienne du *Dictionnaire néologique*[9]. Comme Marivaux put encore glisser dans le texte du *Cabinet du philosophe*, déjà approuvé par la censure, une réponse à Desfontaines, mais ne fit à son tour la critique de Crébillon que dans la quatrième partie du *Paysan parvenu*, approuvée le 30 septembre 1734, il est vraisemblable que les chapitres de Crébillon ont été écrits en février et publiés entre juillet et septembre[10]. La fée Moustache, que sa marraine la fée Barbacela a métamorphosée en taupe pour la soustraire à la vengeance du génie Jonquille, raconte à Tanzaï et à Néadarné ses amours avec le prince Cormoran. Les réflexions longues et alambiquées dont elle coupe son récit suscitent l'étonnement et l'irritation de Tanzaï. Desfontaines avait dit que les réflexions de Marianne étaient ennuyeuses, qu'elles renversaient « les règles de la nature » et corrompaient « l'essence de la narration » en prenant la place principale dans une œuvre où elles auraient dû rester l'accessoire, et il en dénonçait le « style précieux »[11]. Crébillon reprend les mêmes griefs. Il caractérise le style de Marivaux de la même façon que Desfontaines caractérisait le style des « néologues » en général dans la préface du *Dictionnaire néologique* : « Pourquoi seroit-il défendu de faire faire connoissance à des mots qui ne se sont jamais vus, ou qui croient qu'ils ne se conviendront pas ? La surprise où ils sont de se trouver l'un après l'autre, n'est-elle pas une chose qui comble ? et s'il arrive qu'avec cette surprise qui vous amuse, ils fassent beauté, ne vous trouvez-vous pas singulièrement étonné ?[12] » Crébillon n'a pas mieux compris que Desfontaines la

---

8. L'approbation du tome II du *Pour et Contre*, dont le nombre XXX constitue le dernier fascicule, est du 21 février 1734, voir J. Sgard : *Le « Pour et Contre » de Prévost*, p. 31.

9. Elle avait paru en 1726, voir F. Deloffre, *Marivaudage*[2], p. 36 et 522.

10. La dixième feuille du *Cabinet du philosophe* contient un petit texte intitulé « De la critique » où est citée (de façon anonyme) une phrase de l'article de Desfontaines, voir Marivaux *J.O.D.*, p. 389 et la note 171 des éditeurs. *Le Cabinet du philosophe* cessa de paraître en avril. Fumiki Satô, dans un article de 1961, a essayé de démontrer que le texte de Crébillon était paru dès 1733 (résumé en français dans *Etudes de langue et littérature françaises*, n° 6, 1965, publiées par la Société de langue et littérature françaises du Japon) : mais on ne voit pas alors pourquoi Marivaux aurait attendu la quatrième partie du *Paysan parvenu* pour critiquer à son tour Crébillon ; la troisième partie du *Paysan parvenu* ayant été approuvée le 5 juillet, nous avons pris cette date comme *terminus a quo*. Voir pourtant *infra*, note 12.

11. Voir *supra*, note 3.

12. C'est Néadarné qui parle, dans Crébillon, *op. cit.*, p. 178. Desfontaines écrivait : « Un mot ne s'étonnera plus d'un autre mot, quand une fois l'Auteur leur aura fait faire connoissance. D'ailleurs qu'ils soient étonnés ou non, il n'importe, pourvu qu'ils composent un beau sens, et qu'ils forment une image saisissante » (« Préface de l'Auteur », en tête du *Dictionnaire néologique à l'usage des beaux esprits du siècle* ; nous citons l'édition d'Amsterdam, chez Michel-Charles Le Cène, MDCCXXXI ; folio 5 recto, non paginé). Dans la sixième feuille du *Cabinet du philosophe* (début mars 1734 ?), Marivaux revendique le droit d'associer des mots « qu'on a rarement vu aller ensemble » pour exprimer une pensée qui « n'est pas commune ». Nous croyons qu'il répond à Desfontaines, et non à Crébillon, dont il n'avait selon nous pas encore lu le texte quand il rédigeait cette feuille. Néanmoins on peut avoir des doutes : « Je vois d'ici un jeune homme qui a de l'esprit, qui compose, et qui, de peur de mériter le même reproche, ne va faire que des phrases ; il craindra de penser finement [etc.] », *J.O.D.*, p. 384. Ce « jeune homme » n'est-il pas Crébillon ? Dans *Le Paysan parvenu*, le personnage épisodique en qui l'on voit ordinairement Crébillon (*P.P.*, p. 201-202)

technique romanesque de Marivaux, il n'a pas vu que le personnage
du narrateur était au centre de l'œuvre et que l'auteur avait voulu
intéresser le lecteur à la narration comme acte autant qu'aux événements du récit. La « préciosité » de Marivaux consiste pour lui
dans l'emploi artificiel de certains tours et de certaines images, et
les réflexions générales sont des développements parasites qui
étouffent la narration. Mais ses critiques vont plus loin que celles
de Desfontaines quand il s'agit de la psychologie et de la morale.
Les maximes que débite Moustache sur la vertu, le bon sens, la coquetterie, etc., paraissent à Tanzaï monotones et absurdes, et non pas
seulement « longues et déplacées » [13]. En faisant faire à Moustache
l'éloge de l'esprit opposé à la raison, Crébillon retourne l'éloge
de la raison opposée à l'esprit qui était dans la première feuille
du *Cabinet du philosophe* et il insinue par là que le texte de
Marivaux n'était que l'exercice brillant d'un écrivain sans sincérité,
qui jouait avec les mots et pour qui la vérité même était matière
à paradoxes [14]. Conformément à l'intention de Marivaux, il entend
sous le nom de « réflexions » aussi bien les considérations générales
sur des traits permanents de l'humanité que les analyses des impressions et des sentiments éprouvés au cours de l'action. Sa critique passe des premières aux secondes sans qu'il en marque nettement la distinction, parce que la psychologie personnelle lui paraît
aussi vaine que la psychologie universelle : « Que me sert à moi qui
ai envie d'être promptement au fait de votre histoire, de sçavoir
toutes les réflexions que vous avez faites après coup sur vos aventures ? » Dans cette question de Tanzaï, l'emploi du passé (« les
réflexions que vous avez faites » et non « les réflexions que vous
faites ») signifie que Crébillon vise non plus les commentaires abstraits
venus à l'esprit du narrateur au cours de son récit, mais ses réflexions
d'autrefois sur lui-même, réflexions qui font partie de son histoire
bien qu'elles se situent dans un moment postérieur à l'action. L'admiration de Néadarné pour les propos de Moustache traduit par

est aussi un « jeune homme », qui a « assez d'esprit », mais qui écrit de façon confuse parce
qu'il n'a « pas assez débrouillé » ses idées. On serait bien tenté de croire que Marivaux
pensait déjà à *L'Ecumoire* dans la sixième feuille du *Cabinet du philosophe*, et sa critique
serait tout à fait judicieuse : à celui qui lui reprochait d'être trop subtil et de faire trop de
crédit à l'analyse intérieure, il reprocherait de ne pas oser regarder avec assez d'attention
l'âme de ses personnages et d'être injuste pour eux par crainte de passer pour précieux. Mais
si les quelques paragraphes qui constituent le chapitre « De la Critique » dans cette
sixième feuille et qui ont très probablement été ajoutés juste avant l'impression (ce sont eux
qui contiennent l'allusion au tout récent article de Desfontaines) sont assez courts pour avoir
pu passer sans nouvel examen de la censure, le chapitre « Du Style » est bien trop long
pour que Marivaux se soit permis de le faire imprimer sans visa ; de plus, Marivaux n'aurait
pas eu le temps de l'écrire, le texte de Crébillon n'ayant pu être rédigé avant février, et le
sien propre ayant dû être livré à l'imprimeur au plus tard à la fin de ce même mois. Ce
qu'il faut penser, c'est que dans le petit monde des hommes de lettres, les projets des
uns, les critiques des autres, les nouveautés, les objections, les réfutations devaient alimenter
bien des bavardages avant même d'avoir pris leur forme définitive sous la plume de
l'écrivain, et *a fortiori* sous les presses du libraire. Voir *infra* n. 22, et, sur la possibilité de
connaître une œuvre avant sa publication, *supra*, n. 2, notre remarque sur un texte des
Anecdotes ou Lettres secrettes [...].

13. Crébillon, *op. cit.*, p. 176-177.

14. Marivaux, *J.O.D.*, p. 340-341 ; Crébillon, *op. cit.*, p. 162-163.

antiphrase la même idée : « Sur-tout rendez-moi compte exactement de ce que vous avez fait, et non-seulement de ce que vous avez pensé, mais encore de ce que vous auriez voulu penser ». C'est bien ce que fait Marianne : elle analyse les pensées et les sentiments qu'elle a eus, mais aussi ceux qu'elle a écartés, et ceux qu'elle aurait pu avoir [15]. Mais pour Crébillon, si les réflexions actuelles sont un bavardage inutile, les réflexions d'autrefois ne peuvent être qu'hypocrisie ou calcul. Il parodie les premiers moments de l'amour entre Marianne et Valville, les regards à l'église et la scène de l'aveu. Dès la première rencontre, Moustache est devenue amoureuse de Cormoran : « Le prince des Cormorans [...] m'avoit vue, regardée, émue ; en fait d'amour ou dépend d'une seconde ». Ce n'était pas à l'église mais « au cercle chez Barbacela » (Barbacela est reine de l'île Babiole). « Une attention particulière qu'il parut faire à ma personne, fixa le penchant que je me sentois déjà pour lui ». Marianne aussi avait distingué un jeune homme dans la foule, et, expliquait-elle, « ce jeune homme, à son tour, m'examinait d'une façon toute différente de celle des autres ; elle était plus modeste, et pourtant plus attentive ». Les impressions de Marianne étaient confuses, ses regards timides bien qu'elle ne pût les retenir, et en sortant de l'église elle était absorbée dans une rêverie dont elle ne savait pas ou croyait ne pas savoir le sens. Moustache rêve, elle aussi, et échange des regards avec Cormoran, mais elle est aussitôt au fait et se lance sans hésiter dans l'aventure : « Je m'aidai si bien de mes réflexions, que quand je le quittai le soir, ma passion ne pouvoit plus augmenter. [...] Mon cœur qui sembla, au premier coup d'œil, s'entendre avec le sien, abjura toutes les bienséances ; et par une étourderie inconcevable, marcha sur le ventre à toutes les idées de raison qui auroient pu le contredire » [16]. La coquetterie de Marianne est instinctive, elle disparaît sous l'effet d'un sentiment vrai et ne reparaît ensuite que comme une forme de pudeur et un moyen de défense. Le paradoxe était de présenter les ruses et les joies d'une jeune vanité féminine comme des traits presque naïfs, et en tout cas innocents. C'était possible grâce à l'ironie de la narratrice âgée, grâce à la structure de l'intrigue qui allait faire succéder l'émotion et le pathétique à la coquetterie, grâce surtout à la perspicacité généreuse de Marivaux, à la sympathie avec laquelle il pénétrait la complexité des cœurs. Crébillon, qui n'est pas moins perspicace ni peut-être, au fond de lui-même, moins généreux, est plus pessimiste. La conduite de Moustache est consciente et décidée : « J'étois vive, agaçante, et ma beauté étoit, pour ainsi dire, tappée de coquetterie » [17]. Dans la scène de l'aveu, Moustache est, comme l'était

---

15. Crébillon, *op. cit.*, p. 177-178. Marivaux, *V.M.*[2], p. 38 : « M. de Climal m'avait parlé d'un habit qu'il voulait me donner [...]. Je crois que je l'aurais refusé, si j'avais été bien convaincue qu'il avait de l'amour pour moi ; car j'aurais eu un dégoût, ce me semble, invincible [etc.] ».

16. Crébillon, *op. cit.*, p. 159, 165, 166 ; Marivaux, *V.M.*[2], p. 64.

17. Crébillon, *op. cit.*, p. 159. L'adjectif *tapé* appartient au vocabulaire de la coiffure (*frisé, crêpé*), non à celui de la peinture (« tableau tapé, tableau fait avec beaucoup de liberté et de hardiesse » dit Littré, au mot *tapé*, 7°) ; ce dernier sens est ignoré des dictionnaires

Marianne, une jeune fille troublée par la passion de son premier amoureux, lui-même aussi troublé qu'elle : « Je crois que s'il avoit été moins égaré, j'étois perdue. Lorsque je revins de mon trouble, le prince étoit encore dans le sien [...] »[18]. Mais avant ce trouble, elle avait fixé ce qu'elle pouvait permettre à Cormoran, et elle eût été aussi fâchée de trop que de trop peu de réserve : « Un coup d'œil favorable le rassura donc [...] ; sans paroître le souhaiter, je l'amenai au point de me faire sa déclaration » ; elle l'amène aussi à lui baiser la main et ils rougissent tous deux, mais non pas d'embarras : lui de plaisir, elle de dépit, parce qu'elle souhaitait une galanterie plus pressante. Pour l'encourager sans trop hasarder, elle lui adresse un regard savamment calculé, mais que la force du sentiment rend malgré elle un peu trop significatif : « Je jettai sur lui un regard qui me fatigua étrangement ; il mouroit d'envie d'être tendre, je n'étois pas fâchée qu'il le fût : je fis en sorte qu'il n'exprimât que la colere où j'aurois dû être ; mais je n'y réussis pas, et l'amour qui le guidoit, le fit comme pour lui-même, avant que j'eusse songé seulement à en corriger l'expression »[19]. Ce regard ressemble aux regards mal assurés que Marianne à l'église échangeait avec Valville : « Tout ce que je sais, c'est que ses regards m'embarrassaient, que j'hésitais de les lui rendre, et que je les lui rendais toujours ; que je ne voulais pas qu'il me vît y répondre, et que je n'étais pas fâchée qu'il l'eût vu » ; ou à la contenance qu'elle se donnait pendant que Valville examinait son pied avec le chirurgien : « Pour moi, je ne disais mot, et ne donnais aucun signe des observations clandestines que je faisais sur lui ; il n'aurait pas été modeste de paraître soupçonner l'attrait qui l'attirait, et d'ailleurs j'aurais tout gâté si je lui avais laissé apercevoir que je comprenais ses petites façons : cela m'aurait obligé moi-même d'en faire davantage, et peut-être aurait-il rougi des siennes [...]. J'agissais donc en conséquence ; de sorte qu'on pouvait bien croire que la présence de Valville m'embarrassait un peu, mais simplement à cause qu'il me voyait, et non pas à cause qu'il aimait à me voir » ; ou encore au salut équivoque qu'elle adressait à Climal : « En un mot, j'en fis trop et pas assez. Dans la moitié de mon salut il semblait que je le connaissais ; dans l'autre moitié, je ne le connaissais plus ; c'était oui, c'était non, et tous les deux manqués » ; et surtout au regard que jetaient sur Marianne les belles dames éclipsées lors de son

---

anciens (l'Académie en 1694, Richelet, le Dictionnaire de Trévoux, éd. de 1752, expliquent *taper* par « arranger les cheveux », « les faire bouffer », « les faire tenir contre le front en les frisant ») ; mais « une pièce tapée » était un sou marqué d'une fleur de lys : le mot semble ici réunir l'idée d'adresse et celle de marque originale.

18. Crébillon, *op. cit.*, p. 169. Cf. Marivaux, *V.M.*², p. 74 : « Vous n'y songez pas ! Finissez donc, monsieur, dis-je à Valville en retirant ma main avec assez de force, et d'un ton qui marquait encore que je revenais de loin, supposé qu'il fût lui-même en état d'y voir si clair ; car il avait eu des mouvements, aussi bien que moi [...]. Et puis, dans quel danger n'est-on pas quand on tombe en de certaines mains, quand on n'a pour tout guide qu'un amant qui vous aime trop mal pour vous mener bien ! Pour moi, je ne courais alors aucun risque avec Valville [etc.] ».

19. *Id., ibid.*, p. 167-168.

arrivée à l'église : « Je compris fort bien tout ce qu'il y avait dans ce coup d'œil-là : on avait voulu le rendre distrait, mais c'était d'une distraction faite exprès ; car il y était resté, malgré qu'on en eût, un air d'inquiétude et de dédain, qui était un aveu bien franc de de ce que je valais. Cela me parut comme une vérité qui échappe, et qu'on veut corriger par un mensonge » [20]. Dans l'ambiguïté, Marianne est sincère et les dames sont de mauvaise foi : Moustache est cynique. Crébillon veut faire comprendre qu'aucune innocence n'est possible dans le calcul, et pour mettre mieux en lumière l'intention vicieuse de Moustache, il a renversé le rapport social entre les deux jeunes gens. Marianne était une orpheline sans nom et sans fortune en face d'un riche aristocrate ; Moustache est supérieure à Cormoran, Crébillon ne dit pas pourquoi ni comment, l'essentiel étant la conséquence de cette supériorité sociale pour les relations galantes : « mon rang m'obligeoit à faire les avances » [21]. Sa coquetterie est délibérée ; très différente de celle de Marianne, elle n'est même pas exposée à la révélation du sentiment comme celle de la jeune fille qui parlait dans les *Lettres contenant une aventure*, et encore moins susceptible du remords qu'éprouvait la Dame âgée du *Spectateur français* [22]. Tout ce que Marianne faisait dans « la consternation » [23] et le désarroi, la main qu'elle abandonnait, ses soupirs, ses protestations, ses résistances, Moustache le fait par adresse, pour provoquer et retenir Cormoran. Elle ne retarde le bonheur de son amant que pour ne pas lui paraître une conquête méprisable et le perdre par sa facilité : « cette raison me retint, où la pudeur ne l'auroit sçu faire » [24]. La vertu n'est « pas d'usage à la cour » de l'île Babiole ; elle ne sert d'ailleurs à rien, la femme vertueuse met seulement plus longtemps à se rendre, et elle sait très bien ce que recouvre le langage de la tendresse : « toute femme entend qu'on la désire, quand on lui dit : *Je vous aime ;* et ne vous sait bon gré du : *Je vous aime,* qu'à cause qu'il signifie : *Je vous désire* ». C'est chez Marivaux lui-même que Crébillon a pu lire ces propos, qu'il a fait traduire ainsi par Moustache dans son jargon parodique : « Voyez-vous, cela revient au même, le tendre est effectif dans le fond » [25].

20. Marivaux, *V.M.²*, p. 64, 68-69, 84, 61. Si la quatrième partie avait été écrite dès alors, Crébillon aurait pu y voir aussi la « légère inclination de tête », accompagnée d'un soupir, que ménage Marianne à l'adresse de Mme Dorsin, *V.M.²*, p. 180.

21. Crébillon, *op. cit.*, p. 167.

22. Dans les dix-septième, dix-huitième et dix-neuvième feuilles, voir *supra*, p. 177-179 et 183-184. La brillante apologie de la coquetterie que fait Moustache (*L'Ecumoire*, éd. cit., p. 174-176) est un excellent « à la manière de Marivaux », mais ce que dira sur ce sujet Marivaux à son tour dans la cinquième feuille du *Cabinet du philosophe* (*J.O.D.*, p. 377-378) aura un sens tout différent : il montrera dans la coquetterie un vice nécessaire auquel les hommes contraignent les femmes, le seul moyen qu'elles aient d'alléger l'esclavage où ils les ont réduites. Nous ne pensons pas qu'il ait pu vouloir réfuter Crébillon ; la rencontre prouve seulement que, peignant le même milieu et les mêmes mœurs, les deux écrivains savaient sur quels points ils devaient le mieux marquer leurs différences.

23. Marivaux, *V.M.²*, p. 81.

24. Crébillon, *op. cit.*, p. 170.

25. Marivaux, *J.O.D.*, p. 337 (le passage figure dans la première feuille du *Cabinet du philosophe*, que Crébillon a lue très attentivement) ; Crébillon, *op. cit.*, p. 158. Comme on sait, Diderot à son tour s'inspirera de Marivaux dans *La Promenade du sceptique* (1747) : « Quand on dit : Monsieur est amoureux de Madame, c'est la même chose que si l'on disait :

Les subtilités de l'analyse ont donc pour seul effet d'aider la conscience coupable à se dissimuler la vérité ; l'on cède aux tentations en prétextant la surprise, la naïveté, le malentendu, la pureté des desseins, la particularité des circonstances. Toute réflexion sur soi, si elle n'est pas cynique, est hypocrite, elle crée un univers intérieur imaginaire, des scrupules ou des justifications qui ne sont que les déguisements de la sensualité ; les distinctions psychologiques forgées par l'esprit ne sont pas senties par le cœur, bien que ce soit lui qui les dicte pour ruser avec les plus secrètes tendances dont il a honte. Crébillon appelle cela « le quiétisme » de l'amour [26].

Dans *Les Egarements du cœur et de l'esprit*, Meilcour pense que cette casuistique lui aurait été plus facile s'il avait eu plus d'expérience ; malgré son amour pour Hortense, il n'aurait pas été si longtemps embarrassé devant Mme de Lursay : « elle ne m'en auroit que plus promptement séduit : ce qu'on appelle l'usage du monde ne nous rendant plus éclairés que parce qu'il nous a plus corrompus » [27]. Crébillon s'est ici souvenu de ce que Marivaux avait fait dire à Jacob : « L'âme se raffine à mesure qu'elle se gâte » [28]. Les deux romanciers peignent le même milieu, le monde, et considèrent que le raffinement mondain est une école de lucidité, mais Crébillon montre la lucidité se retournant contre le monde et démasquant avec le plus vigoureux mépris l'hypocrisie qui commande tous les comportements mondains, tandis que pour Marivaux démasquer n'est qu'une étape, la lucidité doit créer les conditions d'une entente et d'une sincérité vraies. Ce monde sur lequel ni l'un ni l'autre n'a d'illusion, à la corruption duquel ni l'un ni l'autre ne souscrit, est pour Crébillon l'objet d'une enquête ethnologique, qu'animent seulement sa nostalgie désespérée de l'innocence et la cruauté vengeresse de ses séducteurs, et pour Marivaux le lieu des aventures du *moi*, d'une épreuve sans laquelle l'individu ne peut pas se connaître complètement. Le langage du monde, selon Crébillon, est un ensemble de conventions destinées à dissimuler la grossièreté des désirs et à permettre leur satisfaction sans scandale ; ceux qui y sont initiés sont à l'abri du jugement des profanes, mais il ne leur rend pas possible un véritable dialogue : instrument de mauvaise foi qui sert aux uns à s'aveugler, aux autres à dominer, par son moyen s'af-

---

Monsieur a vu Madame ; sa vue a excité des désirs dans son cœur [etc.] » et jugera utile de donner la même leçon à sa fille (*Correspondance*, lettre à Sophie Volland [22 novembre 1768], éd. G. Roth, Paris, 1962, t. VIII, p. 231 ; voir à ce passage la note 16 de l'éditeur).

26. *Op. cit.*, p. 153-154 : « Ah ! voilà précisément, s'écria Tanzaï, ce quiétisme affreux que je crains ! Voilà ces distinctions cruelles que l'esprit fait, et que le cœur ne sent pas ». Voir aussi *Les Egarements du cœur et de l'esprit*, même édition, tome I, p. 354 : « j'aurois sauvé mon cœur du désordre de mes sens, et par ces distinctions délicates, que l'on pourroit appeler le quiétisme de l'amour, je me serois livré à tous les charmes de l'occasion, sans pouvoir courir le risque d'être infidèle ». Ce texte des *Egarements* est de deux ans postérieur à celui de *L'Ecumoire* ; l'hypocrisie est inconsciente chez Néadarné, elle est cynique chez les mondains corrompus. Vingt ans plus tard, dans *La Nuit et le moment* (éd. citée, t. I, p. 18 de la seconde partie du tome), Crébillon montrera les mondains délivrés même de l'hypocrisie et hardis dans leur jouissance, grâce aux leçons de la « philosophie moderne ».

27. Ed. cit., p. 354.

28. *P.P.*, p. 187. Voir *supra*, chap. VI, p. 195.

frontent le mensonge et l'insolence, Zulica et Nassès dans *Le Sopha,* Cidalise et Clitandre dans *La Nuit et le Moment,* Célie et le duc dans *Le Hasard du coin du feu.* Peut-être Crébillon dans ces scènes a-t-il encore une dette envers Marivaux : après la publication de *L'Ecumoire,* Marivaux, ayant reproché à Crébillon ses indécences [29], voulut lui prouver qu'il pouvait faire mieux que lui sans tomber dans la bizarrerie et le mauvais goût et imagina l'épisode de Jacob chez la Rémy ; la plupart des conversations que Crébillon écrivit ensuite ressemblent plus ou moins à celle de Mme de Ferval et du chevalier qui l'a surprise. Mais si Crébillon comprit la leçon concernant les mondains corrompus, il refusa de faire entendre le langage des honnêtes gens tel que le décrivait Marianne, « si excellent, si exquis, si simple » [30]. Quand Versac explique à Meilcour ce qu'est « ce ton de la bonne compagnie, si célébré », ce « bon ton », ce « ton de l'extrêmement bonne compagnie », il n'y voit que médisance, ignorance, suffisance, frivolité, absurdité, méchanceté ; à ce ton-là il oppose bien, de façon obscure, « le ton de la vraiment bonne compagnie », peut-être celui qu'on avait chez Mme Dorsin, puisque pour l'avoir « il faut avoir l'esprit orné sans pédanterie, et de l'élégance sans affectation, être enjoué sans bassesse et libre sans indécence » [31]. Cette « vraiment bonne compagnie » existe-t-elle, ou est-elle un rêve impossible de Versac et de Crébillon ? Si elle existe, elle n'est pas, comme le monde, un groupe d'humains ayant en commun des usages, des comportements rituels, des signes, des institutions, soumis à des contraintes auxquelles les plus libertins doivent se plier, système socio-culturel fermé sur lui-même que le moraliste peut donner à connaître et à juger : elle est une réunion d'individus libres, elle n'est plus objet d'observation ni de description, elle est hors de la littérature [32]. La longue conversation de Versac et de Meilcour, qui donne son sens au roman et ouvre une nouvelle phase, vite interrompue, de l'action, est en marge de l'œuvre : elle est « d'une longueur si énorme qu'avec plus d'ordre, et des idées plus approfondies, elle pourrait presque passer pour un Traité de morale » [33]. La critique du monde se fait donc chez Crébillon de trois manières : par le comportement et les propos des mondains, jeu complexe et plein de ruses dont le déroulement a sa signification en lui-même ; par les confessions cyniques ou mélancoliques des libertins lucides, séducteurs et dominateurs ; par les interventions de l'auteur ou du narrateur, brèves, mais massacrantes ; la première critique est implicite ; la seconde est explicite et se fait entre personnages du roman, mais sur un plan extérieur à l'intrigue mondaine ; la troisième est directement présentée au lecteur. La scène

---

29. Voir *supra,* n. 12. Mais dès mars 1723, la seizième feuille du *Spectateur français* contenait un dialogue cynique d'amants libertins (*J.O.D.,* p. 202-203).

30. *V.M.*[2], p. 212.

31. Ed. cit., p. 304.

32. La Morlière dans *Angola* (chap. I ; réèd. Flammarion, Paris, s. d., p. 5) signale par des italiques l'expression « *l'extrêmement* bonne compagnie » (l'ouvrage est de 1746).

33. Ed. cit., p. 305.

entre Meilcour et Mme de Lursay, qui suit immédiatement la conversation avec Versac, fait comprendre pourtant que la critique du monde n'est pas le seul objet de Crébillon. Mme de Lursay, mondaine prisonnière du monde, ne saurait s'expliquer tout entière — très supérieure en cela à ce que sera Mme de Merteuil chez Laclos — par référence au système mondain affronté, maîtrisé ou méprisé : le « secret » du monde, que Versac révèle à Meilcour, n'est pas grand-chose (et pour Versac tout le premier, comme pour tous les libertins blasés qu'a dépeints Crébillon) ; sur le cœur humain, le jeune homme en apprend de Mme de Lursay plus que de Versac lui-même, beaucoup plus que n'en apprendra, chez Duclos, le comte D*** de toutes ses maîtresses. La vraie sagesse n'est pas dans la noire habileté d'un Versac, ni même dans la blancheur à retrouver avec Hortense, encore moins dans la tolérance de Mme de Selve [34], mais peut-être dans la sensibilité cachée, l'intelligence et la solitude intime de Mme de Lursay. Meilcour s'y trompe encore lorsque le roman s'interrompt : Crébillon a refusé de développer ce qui aurait pu faire croire chez lui à quelque confiance dans les gens du monde et affaiblir sa sévérité pour la fausse prude. L'analyse ne peut servir qu'à démasquer, à détruire, elle n'a de sens que si elle s'attaque à la méchanceté du cœur et de l'esprit. Il n'en est pas de même chez Marivaux, pour qui le monde comporte à la fois le poison et le remède [35].

Diderot a moins ouvertement pris parti contre Marivaux, sans doute parce qu'il n'accordait plus grande importance à cet écrivain d'un autre âge [36] : il l'a pourtant plus d'une fois imité sans le nommer et lui doit certains des traits les plus nouveaux de sa propre façon d'écrire. Il se surprend parfois à « marivauder » dans sa Correspondance, et il en plaisante [37]. Il porte sur Marivaux un autre jugement que Crébillon : il ne redoute pas les longueurs, il les admire chez Richardson, mais à condition qu'elles soient consacrées à la préparation des moments intenses, aux descriptions détaillées du cadre matériel, du physique, à la mise en place de toutes les circonstances qui déterminent une crise [38] ; ce qu'il appelle *mouvement*, ce n'est pas l'émotion, comme l'entend Marivaux, c'est sa manifestation ex-

34. Des *Confessions du comte D ***, de Duclos.

35. A l'éloge que Marianne fait de la conversation chez Mme Dorsin, il faut opposer les propos satiriques de L'*Indigent philosophe* (septième feuille, *J.O.D.*, p. 322-323) sur « cette politesse [...], cette bienséance [...], ce bel air que les gens du monde ont dans leurs festins », et l'anathème jeté dans les *Réflexions sur les hommes* (*ibid.*, p. 509) : « Malheur à toute société d'hommes qui ont assez d'esprit et d'expérience pour savoir en combien de façons fines, secrètes et impunies, on peut manquer d'honneur, de justice et de vertu » : voir sur la pensée sociale de Marivaux, *supra*, chap. II et *infra*, chap. IX, p. 488-492.

36. Voir *Le Neveu de Rameau*, éd. J. Fabre, nouvelle édition, Paris, 1963, p. 6. Quand en 1748, au XLVIe chapitre des *Bijoux indiscrets* (*Œuvres romanesques* de Diderot, éd. par H. Bénac, Paris, 1951, p. 193), Diderot faisait entrer quatre pages de *La Vie de Marianne* et du *Paysan par...* dans la composition « d'un anti-somnifère des plus violents », il imitait une plaisanterie de Montesquieu (*Lettres persanes*, CXLIII) et rangeait sans scrupule les deux romans de Marivaux parmi les œuvres libertines, avec *Les Egarements* de Crébillon et *Les Confessions du comte D ***, de Duclos.

37. « Car je marivaude, Mariveau [sic] sans le sçavoir, et moi le sachant », à Sophie Volland [9-10 novembre 1760], *Correspondance*, éd. G. Roth, t. III, Paris, 1957, p. 249.

38. *Eloge de Richardson* (*Œuvres esthétiques*, éd. par Paul Vernière, Paris, 1959, p. 34-36).

térieure et corporelle, gestes, attitudes, cris [39]. Les analyses développées de Marivaux ont peut-être empêché Diderot de reconnaître
dans *Le Paysan parvenu* et surtout dans *La Vie de Marianne* ce
pathétique du mot et du tableau qu'il recherchera pour son propre
compte. Persuadé de l'insuffisance du langage, se représentant la
vie intérieure comme un flux continuel d'impressions et de réflexions, d'élans contradictoires, incontrôlables, indiscernables, et
l'homme comme une espèce de polype pénétré par l'univers de toutes
parts, il ne pouvait pas recourir aux classifications et aux définitions
arrêtées de l'analyse psychologique s'il voulait suivre le dynamisme
et les transformations de l'individu. Mais il avait bien reconnu
« l'imagination vive » de Marivaux, et la raison de ses néologismes.
Selon Diderot, l'imagination vive substitue le concret à l'abstrait ;
les écrivains imaginatifs ressentent le vide des mots généraux qui
ne signifient rien pour personne et proposent à leur place des
tours hardis, des peintures, des situations précises, « les nuances
délicates qu'ils apperçoivent dans les caractères ». Cette dernière
phrase est bien une allusion à la psychologie de Marivaux, qui, dans
le même passage de la *Lettre sur les aveugles*, est désigné par son
initiale et présenté comme l'écrivain français qui plaît le plus aux
Anglais [40]. La remarque de Diderot est profonde, d'Alembert qui
la reprendra ne semble pas en avoir mesuré toute la portée [41]. Devant
se façonner sur une réalité toujours particulière, le langage de
Marivaux doit échapper aux habitudes, donc être néologique ; la
réalité est trop riche, les moyens d'expression trop pauvres : il faut
enrichir ceux-ci pour ne pas trahir celle-là, user d'un langage anormal
dont seuls les étrangers ne sentiront pas l'étrangeté. Diderot a compris
mieux que personne au XVIIIe siècle la justification que Marivaux
avait donnée de son style : mais il la prend à contresens, il voit
toute l'attention de Marivaux psychologue dirigée vers l'unique et
employée à le saisir dans son irremplaçable, incomparable et indicible
unicité, alors que, si elle cherche en effet à saisir cette unicité, elle
veut aussi la repérer, la classer, la définir et la comprendre.

---

39. *De la Poésie dramatique* (*ibid.*, p. 271 : « C'est la peinture des mouvements qui charme,
surtout dans les romans domestiques »).

40. *Lettre sur les aveugles*, éd. par R. Niklaus, Genève-Lille, 1951, p. 32. Le succès de
Marivaux auprès des Anglais, attesté par les traductions de ses œuvres, est signalé aussi par
Mme du Boccage, qui était en Angleterre en 1750 (*Œuvres* de Mme du Boccage, Lyon, 1764-1770,
tome III, lettre cinquième ; cité par Grace Gill-Mark, *Une Femme de lettres au dix-huitième
siècle : Anne-Marie du Boccage*, Paris, 1927, p. 67) et par Fontanes, qui écrivait d'Angleterre
en 1785 à Joubert : « Les deux romans français dont on me parle sans cesse, c'est *Gil Blas* et
Marianne [...] » (cité par R. Laufer dans l'Introduction de sa thèse sur *Lesage romancier*,
Paris, 1971, p. 26, d'après Paul de Raynal, *Les Correspondants de Joubert*, Paris, 1883, p. 35).

41. Voir *T.C.*, II, p. 991 ; au lieu de reconnaître l'expressivité des « défauts » qu'il reproche
au style de Marivaux, d'Alembert en impute le succès à l'amour-propre des lecteurs anglais,
fiers de comprendre un français qui sort de l'ordinaire : l'idée de Diderot est au contraire
que les Anglais n'apperçoivent pas que le français de Marivaux n'est pas ordinaire.

*
* *

Marivaux refuse l'analyse réductrice à laquelle procède Crébillon et qui vide la vie intérieure de sa réalité pour ne plus voir en elle que les hypocrisies de l'amour-propre ; il reconnaît l'existence positive de sentiments, d'émotions, de désirs, de tout un domaine que l'individu apprend à connaître à mesure qu'il vit. Sur la plasticité de l'âme humaine et son aptitude à recevoir selon les circonstances n'importe quelle modification, il a déjà l'opinion qui sera celle d'Helvétius [42], mais il la corrige dans le sens où la corrigera Diderot, puisque chez lui le tempérament, le déterminisme physiologique de la personnalité ont un certain rôle que nous verrons plus loin [43], et il ne va pas jusqu'à dissoudre l'individu dans l'univers dont il fait partie. Si l'on se représente le *moi* comme résultant des influences extérieures subies par un organisme vivant, on doit renoncer à lui attribuer une essence, on ne peut lui reconnaître que des tendances et des habitudes [44]. Cette vision nouvelle de la personnalité entraînera à la longue le remplacement du roman d'analyse par le roman du comportement. Dès 1744, J.-B. Jourdan, au nom de la tradition romanesque française, condamnera la psychologie ouverte, les caractères qui changent et se contredisent au cours de l'action : il s'appuiera encore sur la psychologie fixiste, qui définit et classe les « passions de l'âme » et peint des caractères arrêtés, quand une psychologie dynamique, selon laquelle le caractère se découvre et se forme par des expériences successives, aura déjà trouvé son expression dans le roman avec Richardson [45]. Le mot de « caractère », qu'emploie

42. Voir *supra*, chap. IV, p. 139, et n. 51.

43. Voir Diderot, *Réfutation suivie de l'ouvrage d'Helvétius intitulé L'Homme*, cité dans *Œuvres philosophiques*, textes établis [...] par Paul Vernière, Paris, s. d., p. 577-580. Contre Helvétius pour qui les différences d'esprit entre les hommes sont dues seulement à l'éducation et au hasard des circonstances, Diderot montre l'irréductible originalité des caractères. Marivaux tient compte des données physiologiques, cf. *infra*, p. 290-292, mais il s'exprime si confusément qu'il semble être d'avance d'accord avec Helvétius, quand il écrit (*Réflexions sur l'esprit humain*, J.O.D., p. 485) : « car d'iniquité, de bassesse et de petitesse d'âme, de stupidité ou d'infériorité d'esprit positives, primitives, distinctes et proprement dites, il n'y a point : rien de pareil n'a été créé pour nous ». Il appelle « formation commune, uniforme et complète » (*ibid.*, p. 484) la constitution naturelle de l'homme, mais il assure qu'elle est « reçue » différemment selon les différents individus : autant dire que, si elle est commune et complète, elle n'est pas uniforme ; Marivaux la qualifie, p. 483, de « diversement commune et complète ».

44. Voir d'Holbach (sous le nom de Mirabaud), *Système de la Nature ou Des Loix du Monde physique et du Monde moral*, Londres, 1793, tome I, p. 63 (« Dans un monde où tout est lié, où toutes les causes sont enchaînées les unes aux autres, il ne peut y avoir d'énergie ou de force indépendante et isolée. C'est donc la nature toujours agissante qui marque à l'homme chacun des points de la ligne qu'il doit décrire ; c'est elle qui élabore et combine les élémens dont il doit être composé ; c'est elle qui lui donne son être, sa tendance, sa façon particulière d'agir », et tout ce chapitre 6 de la première partie) et p. 86-99 (chap. 8 : « Des facultés intellectuelles. Toutes sont dérivées de la faculté de sentir ») ; l'ouvrage est de 1770. Voir aussi Diderot, *Le Rêve de d'Alembert*, édition critique par Paul Vernière, Paris, 1951, p. 70-71 (« Et vous parlez d'individus, pauvres philosophes ! Laissez la vos individus [...] Il n'y a qu'un seul grand individu, c'est le tout [...] Et vous parlez d'essences, pauvres philosophes ! laissez la vos essences. Voyez la masse générale » [etc.]).

45. « Pour les caractères, j'aurois pu me dispenser de les rendre soutenus : ce n'est plus la mode, quoi qu'on en die un grand Maître de l'antiquité. Depuis qu'il nous est venu des nouvelles regles d'Angleterre pour la conduite de ces sortes d'Ouvrages, nous pouvons sans craindre la critique, donner à nos Personnages des qualités opposées, peindre nos

Jourdan, appartient au vocabulaire des moralistes : les caractères sont les signes qui permettent d'identifier un type social ou moral, c'est ce que La Bruyère appelle des « remarques »[46] ; par translation du sens, un « caractère » est le type identifiable par une série de remarques convergentes, les traits qui dessinent ce caractère sont tous — en principe — de même signification : le comble de l'art est alors de composer le caractère avec des traits aussi variés que possible, leur variété rendant d'autant plus piquante leur identité[47]. C'est aussi bien l'art de La Bruyère que celui de Célimène dans la scène fameuse du *Misanthrope* qu'on appelle scène des portraits et qu'il vaudrait mieux appeler scène des caractères[48], car le portrait, contrairement au caractère, est complexe, il assemble les traits de divers ordres qui constituent la personnalité. Marivaux a composé des caractères et des portraits, mais il a refusé le nom de *Théophraste moderne*, pour diverses raisons parmi lesquelles il faut certainement compter son refus de l'esprit de système[49]. Quand presque tous ses contemporains lui reprochaient sa « métaphysique » subtile, ils étaient sensibles au contraste qui existe en effet chez lui entre les détails psychologiques nombreux et minutieux et les caractères fuyants, flous, difficiles à définir, manquant d'assise et d'unité. C'est cette impression que traduisent, entre autres, Voltaire (« je lui reprocherai [...] de trop détailler les passions et de manquer quelquefois le chemin du cœur »), l'abbé de la Porte (« Peut-être qu'un peu plus de précision jetterait [dans ses comédies] plus de chaleur [...]. Ces tristes analyses du sentiment [...] ne peignent ni les mœurs ni le ridicule des hommes »), d'Alembert (« Nous avouerons [...] que les tableaux même qu'il fait des passions ont en général plus de délicatesse que d'énergie ; que le sentiment, si l'on peut s'exprimer de la sorte, y est plutôt *en miniature* qu'il ne l'est à *grands traits* ; et que si Marivaux, comme l'a très bien dit un écrivain célèbre, connais-

Héros tout à la fois avares et prodigues, doux et coleres, orgueilleux et rampans, capricieux et raisonnables, selon qu'ils se présenteront pour le moment à notre imagination ; il faut avouer que cela devient d'un très grand secours », J.-B. Jourdan, *Le Guerrier philosophe ou Mémoires de M. le duc de ****, La Haye, 1744, p. xvi. L'auteur antique auquel Jourdan fait allusion est Horace (*Art poétique*, vers 125-127).

46. La Bruyère, *Les Caractères ou les Mœurs de ce siècle*, texte établi [...] par Robert Garapon, « Préface », p. 64-65.

47. C'est la technique de La Bruyère, telle que la décrit Roland Barthes (Préface aux *Caractères*, recueillie dans *Essais critiques*, Paris, 1964, p. 232-234); l'opposition entre le procédé *métaphorique*, propre aux variations, et le procédé *métonymique*, propre au récit, vient, comme l'indique R. Barthes, de Roman Jakobson (« Deux aspects du langage et deux types d'aphasie », essai recueilli dans *Essais de linguistique générale*, traduits par N. Ruwet, Paris, 1963 et 1970). Elle est à assouplir en l'occurrence, car il y a des récits chez le peintre de caractères qu'est La Bruyère, comme il y a de longues descriptions de caractères chez le romancier qu'est Balzac.

48. *Le Misanthrope*, II, 4. Les deux mots sont dans le texte, tous deux prononcés par Clitandre : « Timante encor, Madame, est un bon caractère », et : « Dieu me damne, voilà son portrait véritable ».

49. *J.O.D.*, p. 22. Le nom avait déjà été utilisé pour *Le Théophraste moderne, ou Nouveaux Caractères des mœurs*, à Paris, chez Michel Brunet, privilège de 1699, « nouvelle édition » en 1701 ; l'ouvrage est attribué à P.-J. Brillon. Languet de Gergy, en recevant Marivaux à l'Académie, reprit l'expression, par malice ou par ignorance (*J.O.D.*, p. 453).

sait tous les sentiers du cœur, il en ignorait les grandes routes ») [50].
C'est encore elle qui s'exprime dans les jugements contradictoires
selon lesquels les comédies de Marivaux, classées comédies d'intrigue
et non comédies de caractère, manquent pourtant presque totalement
d'action [51]. Leur action, en effet, essentiellement psychologique, consiste
en une transformation, un « jeu », un « triomphe », une « inconstance », une « surprise » ; en toutes s'opèrent des métamorphoses ;
les comédies de caractère décrivent les conflits dans lesquels sont
engagés des caractères posés *a priori,* la résolution de ces conflits
n'y est pas amenée par le changement des caractères, mais par
celui de leurs rapports ; les comédies de Marivaux décrivent au
contraire les sentiments différents qui se succèdent, se combattent
ou se réunissent dans un même personnage quand il réagit aux
sentiments, non moins changeants, d'un autre personnage. Au lieu
d'être déduite d'un caractère et de la situation dans laquelle il est
placé, la vie intérieure est toute en évolutions, « ce sont des mouvements de cœur », déclare Marivaux dans l'Avertissement des *Serments indiscrets* [52] : ce cœur n'est pas défini par autre chose que
par ses mouvements, et les personnages paraissent sans structure,
tandis que l'action semble se ramener à une monotone combinatoire
de la curiosité, du dépit, de la jalousie, de l'amour-propre, de
l'amour... Les contemporains de Marivaux ont eu l'impression qu'il
écrivait toujours la même pièce sous des titres différents. De nos
jours, la critique parle volontiers de ballets où des figures s'en-
gendrent les unes les autres, d'une musique où les thèmes se
développent et se varient [53]. Au centre du *moi* on ne trouverait ainsi
que l'aptitude à devenir tout ce que la présence d'autrui et les
circonstances suscitent ; le *moi* ne se découvre que par l'expérience,
il ne se connaît jamais tout entier d'avance, il s'éprouve ; l'*épreuve,*
qui constitue l'action de presque toutes les pièces de Marivaux et qui
tient tant de place dans ses deux grands romans, n'est pas la véri-
fication, le contrôle soupçonneux de l'existence d'un sentiment, elle
est son invention, l'exploration de tout ce qu'il implique et la libération de toutes ses richesses ; elle est toujours accroissement d'être,
même dans la douleur. Mais nous avons insisté sur le rôle de l'intelligence et de la volonté dans le développement du *moi* [54] : l'âme
humaine n'est pas une girouette livrée à tous les vents et différente
à chaque instant d'elle-même, ou un récipient vide prêt à recevoir
n'importe quel contenu. Elle reconnaît ce qu'elle éprouve, elle le
choisit, elle impose une unité à la diversité dont elle s'instruit.

50. Voir les textes cités par F. Deloffre, *T.C.,* t. II, p. 958, 972, 988. On peut hésiter sur ce
que l'abbé de la Porte entend par « précision » : c'est sans doute à la fois la définition précise des caractères et celle des situations sociales.

51. Voir *ibid.,* les jugements de Palissot, de la Porte, Lesbros de la Versane, Paulmy,
d'Alembert (p. 971, 972, 975, 978, 982 et 985).

52. *T.C.,* t. I, p. 966.

53. Voir les citations réunies et commentées par Henri Lagrave, *Marivaux et sa fortune
littéraire,* Bordeaux, 1970, p. 121-125.

54. Voir *supra,* chap. IV, p. 141 sq., 153.

Pourtant cette unité reste toujours ouverte, il reste toujours au *moi* la possibilité de découvrir ce qu'il ignorait encore de lui ; même dans la retraite, la remémoration du passé est pour Marianne et pour Jacob une expérience de plus. Marivaux emploie déjà le mot de *caractère* au sens où Beaumarchais l'emploiera, pour désigner le dynamisme du *moi*, sa puissance à s'affirmer [55]. Le statut du *moi* est donc paradoxal chez Marivaux : d'une part, tout ce qu'il découvre est nommé et classé, soit dans le moment même, soit rétrospectivement, soit (au théâtre) par des personnages-témoins ; chacun de ses mouvements est identifié, expliqué par une loi générale. L'individu se connaît et se donne à connaître, les divers aspects de son comportement se définissent par référence à des catégories sociales ou psychologiques, à l'âge, au sexe, à la condition, au mécanisme des passions et des facultés. L'observation faite sur soi-même et l'observation faite sur autrui communiquent, ce sont les mêmes données qu'on enregistre, la même expérience qui permet le jugement, la prévision, la connaissance de ce cœur humain qu'on partage avec les autres hommes, la sagesse, la morale. Toutes les propositions de l'analyse tendent à la maxime [56]. Mais d'autre part la classification globale de l'individu n'est pas faite, la totalisation reste en suspens, parce que le *moi* ne cesse de s'annexer de nouveaux pouvoirs et de réaliser de nouvelles virtualités, chacune de ses prises de conscience est une surprise. Même la rétrospection n'arrive pas à conclure ; nous avons associé le dynamisme du *moi* au principe de l'honneur chez

55. « [Mme de Miran] aimait mieux qu'on manquât de sagesse que de caractère » *V.M.²*, p. 171 ; « [notre formation] ne laisse-t-elle suffisamment percer aucune des sensibilités, aucun des penchants dont notre âme est généralement susceptible ? ne leur donne-t-elle ni assez de liberté, ni assez d'essor ? Nous voilà de nulle valeur en fait d'âme, et d'une telle faiblesse ou médiocrité de caractère, soit en bien, soit en mal, que nous ne méritons pas d'être définis » (*Réflexions sur l'esprit humain. J.O.D.*, p. 485). Mais Marivaux emploie très souvent aussi le mot dans ses sens habituels de marque distinctive et d'ensemble des traits psychologiques et moraux.

56. Voir dans la *Suite des Réflexions sur l'esprit humain à l'occasion de Corneille et de Racine* ce que dit Marivaux sur les effets de la « formation » commune à tous (*J.O.D.*, p. 479-487) ; l'idée que l'homme est universel est une idée tout à fait classique, mais Malebranche la formulait en des termes qui nous semblent s'appliquer excellemment à ce que pense Marivaux : « C'est par l'expérience de ce que nous sentons dans nous-mêmes que nous nous instruisons avec une entière assurance de toutes les inclinations des autres hommes, et que nous connaissons avec quelque certitude une grande partie des passions, auxquelles ils sont sujets. Que si nous ajoutons à ces expériences la connaissance des engagements particuliers où ils se trouvent et celle des jugements propres à chacune des passions desquelles nous parlerons par la suite, nous n'aurons peut-être pas tant de difficulté à deviner la plupart de leurs actions que les astronomes en ont à prédire les éclipses » (*De la Recherche de la vérité*, V, II, éd. cit., t. II, p. 85-86). Voir *supra*, chap. IV, p. 134. Dans un texte peu connu, mais où l'on trouve des souvenirs des *Pensées sur différents sujets* et où Marivaux est justifié contre ceux qui l'accusent d'avoir « trop d'esprit », La Motte affirmait que le sentiment vrai se reconnaissait à sa portée générale : « voici, ce me semble, une méthode bien facile, pour [...] reconnaître si un sentiment est naïf, quelque fin et quelque ingénieux qu'il paroisse, c'est de transformer le sentiment en proposition générale ; et si la proposition est vraie, il ne reste plus qu'à examiner si l'expression du sentiment en est une conséquence bien légitime : car, comme je l'ai dit, le sentiment supprime les principes, et c'est cette suppression qui lui donne l'air de subtil et d'ingénieux. J'ai distingué les sentimens des pensées ; et pour ne laisser là-dessus aucun embarras, il faut d'abord poser l'idée précise que j'attache ici au mot de pensée. C'est proprement une réflexion générale, une espèce de maxime qu'on établit et qui est comme le résultat des expériences. Selon cette vue, un sentiment peut aisément se transformer en pensée » (*Discours sur l'églogue*, dans les *Œuvres* de M. de La Motte, à Paris, chez Prault l'aîné, 1754, vol. III, p. 312).

Marianne, au principe du plaisir chez Jacob et au principe de la
charité chez Tervire : c'était marquer seulement une orientation
générale, et non la cause transcendante d'une destinée ; il est probable
que pour Marivaux cette orientation générale elle-même n'est pas
première et qu'elle résulte des conditions différentes dans lesquelles
il a placé chacun des trois personnages à son entrée dans l'existence.
On comprend que l'analyse semble se perdre dans le détail comme
dans du sable, et que les nuances s'ajoutent aux nuances sans jamais
amener le mot de la fin. Marivaux s'est trouvé devant le problème
qui a embarrassé tous les penseurs au début du XVIIIe siècle, Montesquieu à propos des gouvernements, Fontenelle et Voltaire à
propos de la nature : rendre compte du changement au moyen de
concepts fixistes. L'important pour lui était de sauver à la fois les
droits impérieux de l'intelligence et l'irréductibilité du vécu. Sa
passion est d'élucider, son œuvre est soulevée par le bonheur de
mettre dans la puissance de l'esprit les mouvements les plus inattendus et les plus intimes du cœur. Il est vain de chercher à le
ranger dans une école philosophique, il ne s'est jamais posé de
problèmes en théoricien sur l'origine des idées, les rapports du
corps et de l'âme, la définition du *moi*, les perceptions confuses, la
valeur des notions abstraites, etc. Mais il était informé des philosophies de son temps, et l'on peut en reconnaître chez lui l'influence
et les échos.

MARIVAUX n'a jamais parlé du langage sans affirmer hautement qu'il refusait l'initiative aux mots. Ils sont au service de la pensée, leur subordination est un dogme pour Marivaux depuis la Préface de *L'Homère travesti* jusqu'aux *Réflexions sur Thucydide*. Tout ce qui n'est pas dit pour exprimer une réalité et pour en communiquer à autrui la connaissance authentique est du verbiage, l'effet illusoire d'un vain usage de l'esprit. Marivaux n'a que mépris pour le formalisme, le jeu verbal, qu'il soit adroite soumission à de prétendues règles ou invention sans contrôle : tout cela est le propre des *auteurs*, de ceux pour qui l'acte d'écrire existe en lui-même comme une activité spécifique ayant sa technique et ses succès. Ni Marivaux, ni aucun de ceux qu'il a fait parler, le Spectateur, l'Indigent, le Philosophe, Marianne, Jacob, ne sont des auteurs [57]. Entre le comique de Scarron et celui de Marivaux, la différence est celle du mot et de la pensée : « Je trouve que son Burlesque, ou son Plaisant, est plus dépendant de la bouffonnerie des termes que de la pensée ; c'est la façon dont il exprime sa pensée qui divertit plus que sa pensée même [...]. C'est toujours l'Autheur qui parle, on le voit qui travaille, on ne le perd point de vûë [...]. J'ay tâché de divertir par une combinaison de pensées qui fût comique et facetieuse, et qui sans le secours des termes, eût un fond plaisant, et fît une image réjoüissante. [...] J'ay tâché que l'on oubliât le Poëte et que l'imagination du Lecteur se transportât pour ainsi dire dans les Armées des Grecs et des Troyens » [58]. C'est la même différence encore qui sépare le véritable sublime (celui de Racine) du faux sublime (celui de Corneille) [59] : le véritable sublime consiste à dire exactement tout ce qui est contenu dans une pensée, c'est « *une exposition exacte de toute espèce de pensées dans toute la gradation de sens et de vrai dont elle est susceptible* » [60], exposition synthétique plutôt qu'analy-

57. « Lecteur, je ne veux point vous tromper, et je vous avertis d'avance que ce n'est point un auteur que vous allez lire ici » (*Le Spectateur français*, première feuille, *J.O.D.*, p. 114) ; « Bref, je veux être un homme et non pas un auteur » (*L'Indigent philosophe*, sixième feuille, *ibid.*, p. 311) ; « Jusqu'ici vous ne connaissez presque que des auteurs qui songent à vous quand ils écrivent [...] Je ne dis pas que ce soit mal fait ; mais vous ne voyez pas là l'homme comme il est. [...] Il me semble qu'il peut être curieux de voir un homme à cet égard-là. En voici un [...] » (*Le Cabinet du philosophe*, première feuille, *ibid.*, p. 335-336) ; « Marianne n'a aucune forme d'ouvrage présente à l'esprit. Ce n'est point un auteur, c'est une femme qui pense » (*V.M.²*, p. 55) ; au début de son récit, Jacob annonce qu'il écrira du mieux qu'il pourra et demande qu'on lui « passe » son style en faveur de sa véracité (*P.P.*, p. 6).

58. Préface de *L'Homère travesti*, *O.C.*, t. X, p. 121.

59. Cette supériorité accordée à Racine sur Corneille suffirait à prouver que la réflexion de Marivaux n'est pas arrivée à maturité ; nous pensons que le véritable Marivaux est cornélien, non comme Moderne et disciple de Fontenelle, mais comme peintre de la lucidité et de l'énergie.

60. *Pensées sur différents sujets*, « Sur la pensée sublime », *J.O.D.*, p. 57.

tique, qui donne à une pensée toute sa portée et la fait découvrir comme neuve dans cette totalité à ceux qui n'en connaissaient que des bribes ; la condition d'une vision sublime est le renoncement à la technique [61] ; en matière littéraire, et particulièrement dans la tragédie, le vrai sublime sera soit *sublime de sentiment*, soit *sublime de la nature ;* par le premier, « l'auteur nous peint ce qu'il devient, il est l'effet des impressions qu'il reçoit et qui le surprennent » ; le second « est une exposition du sujet rendu tel que l'esprit l'a vu, rendu dans l'audace et le feu de la perception ; [...] ouvrage de la chaleur de l'esprit, [...] sur qui l'âme a comme empreint son caractere, et qui est enfin le fruit de la liberté que nous lui laissons » [62] : quelle que soit la différence entre ces deux sublimes [63], ils ont en commun d'être des vérités apparues immédiatement et intuitivement, jaillies toutes armées de l'esprit, « indivisible tissu dont nous ne connaissons pas la façon, qui se fait en nous, non par nous », saisies et livrées avant que la surprise de celui qui vient de les découvrir soit refroidie. Au contraire le faux sublime, *sublime de pensée* ou *sublime de l'homme,* est le résultat d'un travail, d'une « façon », d'une réflexion, d'un « retardement » au cours duquel entre en action la recherche du bizarre, de l'exceptionnel quant au fond, du brillant ou du surchargé, du style en un mot, quant à la forme ; dans tous les cas ce faux sublime est le fait d'un esprit emprisonné dans une technique, ayant perdu sa liberté de découvrir la vérité [64]. La réaction spontanée d'une âme libre au contact de la réalité, voilà ce que doit être l'œuvre littéraire.

Le langage, pur moyen d'expression, d'une transparence parfaite, n'existe pas en dehors de l'usage qu'on en fait. Cette doctrine, selon laquelle le mot n'est que le signe arbitraire de l'idée, a reçu sa formulation la plus nette dans la sixième feuille du *Cabinet du philosophe ;* le mot recouvre exactement le sens, comme une étiquette désigne sans équivoque un objet et nul autre : « L'idée de

---

61. Voir *supra*, chap. IV, p. 134-136.

62. *J.O.D.*, p. 59-60.

63. Marivaux oppose d'abord deux sortes de sublime tragique, le *sublime de sentiment* et le *sublime de pensée*, distinction qu'il attribue à « bien des gens » ; ensuite il propose en son propre nom une autre opposition, entre le *sublime de la nature* et le *sublime de l'homme*. On pourrait dire que la première opposition se situe dans le sujet, elle correspondrait à peu près à celle du cœur et de l'esprit ; et que la seconde est dans l'objet, l'objet étant présenté dans sa vérité immédiate (*sublime de la nature*) ou au contraire déguisé, tronqué, augmenté (*sublime de l'homme*). Mais ces deux séries d'oppositions se recoupent, et la pensée de Marivaux n'est pas claire ; ses distinctions ne correspondent ni à celles de Longin (*Traité du sublime*, chap. VI, traduit par Boileau, dans *Dissertation sur la Joconde, Arrest burlesque, Traité du sublime*, texte établi et présenté par Ch.-H. Boudhors, Paris, 1942, p. 59-60), ni à celles de Huet, divulguées par Leclerc (*Bibliothèque choisie*, t. X, Amsterdam, 1706) et discutées par Boileau dans la dixième des *Réflexions critiques* (voir Boileau, *Dialogues, Réflexions critiques, Œuvres diverses*, texte établi et présenté par Ch.-H. Boudhors, Paris, 1942, p. 172-176).

64. Quand Marivaux reproche à cet esprit d'être victime « des préjugés d'exactitude qui l'empêchent d'être l'arbitre de son idée » (*J.O.D.*, p. 60), la formule est équivoque : si Marivaux parlait pour son propre compte, « préjugé d'exactitude » pourrait signifier « idée préconçue qu'on prend pour la vérité » ; mais Marivaux plaide pour Crébillon : il veut dire que l'exactitude exhaustive n'est qu'un préjugé, et que l'écrivain peut s'en dispenser ; voir *infra*, p. 282.

charmes s'exprime par le mot *charmes*. L'idée d'une femme, par le mot de *une*, et par celui de *femme* »[65]. Ces formules, qui poseraient sans doute à un linguiste de notre époque de difficiles problèmes, ont pour Marivaux la simplicité de l'évidence. A leur origine est une théorie traditionnelle depuis Aristote, qu'il pourrait avoir apprise dans la *Grammaire générale et raisonnée* de Port-Royal : « Parler est expliquer ses pensées par des signes que les hommes ont inventés à ce dessein », ou chez l'oratorien Bernard Lamy : « La parole est composée de sons que les hommes ont établis pour être les signes de leurs pensées »[66]. Mais il donne à cette théorie un caractère plus radical qu'elle n'a chez Nicole et Arnauld. Pour eux, le langage est parfois équivoque, non pas seulement par le mauvais usage qu'en fait le peuple ignorant, mais par le fait même qu'il est en usage, « l'on dispute tous les jours de la signification que l'usage donne aux termes » ; par conséquent tout écrivain a le droit de définir ou de préciser le sens qu'il donne à ses mots, sans aller pourtant jusqu'à contredire l'usage : pour Marivaux, chaque mot ayant un sens et un seul sens, celui qui sait sa langue doit pouvoir dire exactement ce qu'il a à dire[67]. C'est peut-être dans *La Logique* de Port-Royal que Marivaux a trouvé l'exemple de fines analyses qui font apparaître des nuances entre mots apparemment synonymes, mais les auteurs jansénistes ne disaient pas clairement si ces nuances reposaient sur une distinction du sens ou sur une différence de style, ou plus exactement, s'ils présentaient le style figuré comme signifiant quelque chose de plus — plus de force, plus de mouvement — que le style simple, ils restaient attachés à la distinction des genres, à l'idée que tel ton était propre à tel sujet, que tel mot pouvait être honnête et tel autre non[68]. Ils partageaient aussi l'avis de Boileau et des classiques, selon lequel « il arrive quelquefois qu'un même mot est estimé honnête en un tems, et honteux en un autre »[69]. Marivaux ne s'est pas interrogé sur l'évolution du langage, il ne tient pas compte du caractère rare ou désuet d'un mot, il refuse la distinction des genres et les notions de style noble, obscur,

65. *J.O.D.*, p. 384.

66. *Grammaire générale et raisonnée*, c'est la deuxième phrase de l'Introduction (je cite d'après Duclos, *Remarques sur la grammaire générale et raisonnée*, dans *Œuvres complètes*, Paris, 1821, tome I, p. 446) ; Bernard Lamy : *Entretiens sur les sciences*, édition critique présentée par François Girbal et Pierre Clair, Paris, 1966, p. 92 (« Idée de la logique », chap. 2, § 9). Voir encore Malebranche, *Recherche de la vérité*, éd. G. Lewis, Paris, 1946, t. III (VIIIᵉ Eclaircissement), p. 50 : « Il est évident que des sons ou des paroles n'ont point point, et ne peuvent point avoir naturellement de rapport aux choses qu'elles signifient, quoi qu'en dise le divin Platon et le mystérieux Pythagore », ou Frain du Tremblay, *Traité des langues*, Amsterdam, 1709, p. 28 : « Je ne saurois comprendre qu'un mot simple exprime de lui-même la nature d'une chose, et autrement qu'à raison de la liaison accidentelle qui a été faite de l'idée de cette chose avec ce son », ou Fénelon, *Lettre à l'Académie*, 1714, III, « Projet d'enrichir la langue » : « les paroles ne sont que des sons dont on fait arbitrairement le signe de nos pensées. Ces sons n'ont eux-mêmes aucun prix » (éd. E. Caldarini, Genève, 1970, p. 33) ou Locke, *Essai philosophique concernant l'entendement humain*, III, 2, § 1, etc.

67. *La Logique ou l'Art de penser*, Iʳᵉ partie, chap. 14 (je cite la huitième édition, à Paris, chez Guillaume Desprez, 1750, p. 100) ; *J.O.D.*, p. 384. Voir *supra*, chap. IV, p. 137.

68. *La Logique ou l'Art de penser*, ibid., p. 102-103.

69. *Id., ibid.*, p. 105.

plat, affecté ou singulier ; si un homme écrit mal, c'est qu'il pense
mal, « son style est ce qu'il doit être, il ne pouvait pas en avoir
un autre ; et tout son tort est d'avoir eu des pensées, ou basses, ou
plates, ou forcées, qui ont exigé nécessairement qu'il se servît de
tels et tels mots qui ne sont ni bas, ni plats, ni forcés en eux-mêmes,
et qui entre les mains d'un homme qui aura plus d'esprit, pourront
servir une autre fois à exprimer de très fines ou de très fortes
pensées ». Port-Royal aurait sans doute répondu que « tels et tels
mots » étaient bas, plats ou forcés dans tel milieu et à tel moment [70].
Marivaux et les grammairiens de Port-Royal s'opposent également sur
les figures de style : pour ceux-ci, elles nuiraient à un exposé objectif, elles ne sont à leur place que dans la poésie ou dans les
mouvements passionnés de l'éloquence ; elles sont des ornements,
ou l'expression affective de l'idée ; pour Marivaux, elles sont un
outil intellectuel ; elles permettent de mieux signifier une réalité
que le langage courant n'a pas toujours les moyens de nommer [71] ;
mais sur ce point Marivaux n'a pas encore bien expliqué sa pensée.

Cette doctrine linguistique, dérivée de celle de Port-Royal [72], mais
simplifiée et durcie, considère le vocabulaire plutôt que la syntaxe,
n'admet pas la polysémie, affirme qu'il n'y a pas de synonymes, ne
se préoccupe ni des connotations dont l'histoire a chargé les mots,
ni de l'apprentissage des langues. Quand Marivaux reproche à d'Ablancourt de ne pas traduire littéralement Thucydide, de l'enjoliver, il
ne prétend pas, comme Boileau et Racine à propos du vocabulaire
concret d'Homère, que les mots de Thucydide étaient nobles en son
temps et dans sa langue : ce serait au contraire justifier un embel-
lissement motivé par un désir de fidélité au ton original ; il pense
que les mots de Thucydide, qui littéralement traduits en français
donnent une platitude (selon d'Ablancourt), étaient bien une platitude en grec, ou plutôt une simplicité, une naïveté ; c'est par cette
simplicité, cette naïveté que Thucydide est un ancien, c'est elles qu'il
faut nous rendre fidèlement pour nous faire mesurer tout ce qui
le sépare de nous, modernes. Marivaux n'imagine pas un instant
que la traduction littérale puisse fausser la signification et l'accent
authentiques du texte [73]. Il ne se représente pas l'apprentissage du

70. *J.O.D.*, p. 381.

71. *La Logique ou l'Art de penser*, éd. cit., p. 103 ; *J.O.D.*, p. 52 (*Pensées sur différents
sujets*, « Sur la clarté du discours »).

72. S'il n'est guère utile de prouver que Marivaux a lu la *Grammaire* et la *Logique* (le
contraire serait invraisemblable), je ne sais d'où il a tiré les termes de « petites conjonctions » par lesquels il désigne les articles (*J.O.D.*, p. 384). La *Grammaire* de Port-Royal se
sert du mot « particules », aussi bien pour les prépositions (IIe partie, chap. 6, éd. cit., p. 484)
que pour les articles (IIe partie, chap. 7, p. 487), mais emploie la terminologie encore actuellement en usage dès que le lecteur a pu comprendre ce qu'elle désigne ; plus confus, le
P. Bernard Lamy appelle « particules » les articles, les prépositions, les conjonctions de
coordination et les conjonctions de subordination (*L'art de parler*, 3e édition, à Paris, chez
André Pralard, 1678, livre I, chap. 4, p. 12, et chap. 7, p. 22-23), selon un usage traditionnel
que l'abbé Girard condamnera sévèrement (*Les Vrais Principes de la langue françoise*, à
Paris, chez Le Breton, 1747, tome I, p. 78-80, et tome II, p. 310-315).

73. *Réflexions sur Thucydide*, dans *J.O.D.*, p. 459-461. Sur la doctrine et la pratique
de Perrot d'Ablancourt, voir Roger Zuber, *Les « Belles Infidèles » et la formation du goût
classique*, Paris, 1968, particulièrement troisième partie, chap. III, « L'art de la prose ».

langage par l'enfant autrement que comme la résolution de devi-
nettes successives, par laquelle l'enfant arrive à établir le sens des
mots qu'il ignore, en faisant attention « à l'air et à la manière »
dont nous les prononçons : les mots auxquels ces mots inconnus
sont liés, le discours dans lequel ils entrent, loin d'être une aide,
paraissent plutôt un obstacle à la compréhension, précisément dans
la mesure où comprendre un mot est, pour Marivaux, rapporter
une émission vocale définie à une notion aussi définie ; chaque mot
ne peut être pleinement compris qu'isolé, et son enchaînement avec
d'autres est une difficulté supplémentaire [74]. Cette identification exige
une activité, une curiosité, une attention, une « façon » dont sans
doute l'enfance est seule capable parce qu'elle est l'âge des « premiers
étonnements », mais que pourtant on ne peut comprendre dans un
esprit encore totalement inculte : « c'est presque deviner, et non
pas apprendre, c'est un secret entre la nature et [l'enfant], qui n'est
guère explicable » [75]. Quand les jeunes gens de La Dispute sont mis
en présence d'êtres et d'objets inconnus, ils possèdent déjà un
langage, au moyen duquel ils peuvent demander et entendre de
leurs instructeurs les désignations qu'ils ignorent, homme, femme,
ruisseau, portrait, miroir ; Marivaux ne nous dit pas comment ils
ont appris à parler, et il ne se demande pas si, sans le langage,
ils auraient pu apercevoir en eux toute la variété de sentiments qu'ils
éprouvent à leurs découvertes. Il eût certainement souscrit à cette
phrase de Condillac : « [Les connaissances] précèdent les mots,
puisque nous ne faisons des mots que pour exprimer des idées que
nous avions déjà », mais n'eût pas trouvé à ajouter : « C'est à
l'usage des mots que vous devez le pouvoir de considérer vos idées
chacune en elle-même, et de les comparer les unes avec les autres
pour en découvrir les rapports » [76].

   Les idées de Marivaux sont celles des Modernes : on en trouve

R. Zuber ne fait pas mention du passage commenté par Marivaux, mais il montre que
d'Ablancourt a bien senti les caractères originaux de la prose de Thucydide (p. 363). Les
mots de Boileau et de Racine auxquels nous faisons allusion sont dans la neuvième des
Réflexions critiques sur quelques passages du rhéteur Longin (éd. cit., p. 105) et dans les
Remarques sur l'Odyssée d'Homère (Œuvres de J. Racine, éd. des Grands Écrivains,
tome VI, p. 163). La doctrine de Marivaux sur la traduction est opposée à celle d'Arnauld
dans la *Défense de la traduction du Nouveau Testament imprimé à Mons, contre les
sermons du P. Maimbourg* [...], Cologne, 1669. Pour Arnauld, la fidélité littérale, qui
ignore les connotations propres à chaque langue, est une trahison.

   74. Il ne nous paraît donc pas possible de supposer chez Marivaux le pressentiment,
même très vague, d'un *système de la langue*, au sens où entendent ce terme les linguistes
de notre époque, qui pensent en voir l'ébauche chez les grammairiens de Port-Royal.

   75. *J.O.D.*, p. 479. Reproduisons tout le paragraphe, pour justifier notre interprétation,
selon laquelle l'ordre syntagmatique serait aux yeux de Marivaux un obstacle à la compréhension des mots inconnus : « Que cet enfant retienne tous les mots qu'il entend dire, on
le comprend ; mais que de chaque mot qui ne va jamais seul, et que nous mettons toujours
avec d'autres, il parvienne à en saisir le sens que nous ne lui disons jamais, il entre dans
cette opération-là plus de façon qu'on ne se l'imagine : c'est presque deviner, et non pas
apprendre, c'est un secret entre la nature et lui, qui n'est guère explicable ».

   76. Condillac, *Cours d'étude du prince de Parme* [...], *Grammaire*, première partie,
chap. 2 et chap. 4, à Genève [...] et à Paris [...], 1789, tome I, p. 132 et p. 143. Voir
également, sur « la nécessité des signes », l'*Essai sur l'origine des connaissances humaines*,
I, 4, 1, cité dans le *Condillac* de Roger Lefèvre, Paris, 1966, ainsi que le paragraphe sur « le
rôle du langage » dans l'Introduction de l'éditeur, p. 23-26.

l'exposé cohérent chez l'un des porte-parole du parti, l'abbé de Pons, dans les Dissertations publiées en 1718 par le *Mercure*. Familier de Mme de Lambert, admirateur de La Motte, adversaire de Mme Dacier, l'abbé de Pons articule déjà tous les arguments que Marivaux emploiera dans les *Pensées sur différents sujets*, dans la septième feuille du *Spectateur français* et plus tard dans la sixième feuille du *Cabinet du philosophe*. La communauté de pensée entre les deux écrivains est même si grande que, malgré les quinze années écoulées entre les Dissertations de l'abbé de Pons et *Le Cabinet du philosophe*, les ressemblances d'expression et de tours sont frappantes. Si vraiment Marivaux a eu « quelque part » dans une *Réponse* (inconnue) aux *Réflexions sur l'éloquence* (parues dans le *Mercure* en mai 1718) et au *Nouveau système d'éducation* (paru en juillet 1718), cette *Réponse* ne devait pas être une réfutation, et la divergence ne devait porter que sur des détails [77]. Comme Marivaux, l'abbé de Pons voit dans la langue un ensemble de signes arbitraires, qui n'ont en eux-mêmes aucune qualité esthétique ou morale : « Il n'y a aucun rapport physique, entre les pensées de notre esprit, et les figures, ou les caractères variés qui en sont les signes : un mot n'est pas plus beau par lui-même, qu'un autre mot : une expression n'est, ni plus noble, ni plus brillante qu'aucune autre : mais comme nos pensées ont par elles-mêmes des dénominations distinctes ; que les unes sont belles, vrayes, nobles, lumineuses ; les autres communes, fausses, ignobles, confuses ; nous déférons stupidement aux signes les honneurs dûs aux choses signifiées » [78]. A la conclusion de l'abbé de Pons : « Ramenons donc toutes nos vûës à l'art de bien penser, et ne soyons plus les duppes des dogmes confus de nos Docteurs littéraires ; ces Messieurs n'en veulent qu'aux mots ; on diroit qu'ils ont renoncé à tout droit sur nos pensées », fait écho la remarque de Marivaux : « Enfin c'est toujours du style dont on parle, et jamais de l'esprit de celui qui a ce style. Il semble que dans ce monde il ne soit question que de mots, point de pensées » [79]. La sixième feuille du *Cabinet du philosophe* reprend terme à terme les raisonnements de l'abbé de Pons, comme le fait apparaître ce parallèle :

77. C'est dans l'Avant-propos de la *Lettre à une Dame sur la perte d'un Perroquet* (*Mercure*, d'août 1718), que Marivaux annonce cette *Réponse* ; voir *J.O.D.*, p. 42 et notes 188 et 189 de la Section I ; sur l'abbé de Pons, voir deux articles de Sainte-Beuve, « Histoire de la Querelle des Anciens et des Modernes par M. Hippolyte Rigault », des 15 et 22 décembre 1856, recueillis au tome XIII des *Causeries du Lundi*.

78. « Réflexions sur l'Eloquence », dans les *Œuvres de Monsieur l'abbé de Pons*, à Paris, chez Prault fils, 1738, p. 7-8. Dans le *Discours sur Homère*, placé en tête de son *Iliade*, La Motte avait déjà formulé ces idées. Contre Mme Dacier, il soutient que notre langue n'est inférieure au grec ni pour la richesse du vocabulaire, ni pour l'élégance, ni pour l'harmonie, et qu'il n'y a pas de mot plus beau qu'un autre : « Les sons d'une langue sont indifférens, du moins pour ceux qui n'en sçavent point d'autres ; ils ne nous plaisent ou ne nous choquent, que par le sens que nous y attachons ; car enfin ils ne sont que l'occasion arbitraire de nos idées ; c'est de nos idées que naissent nos plaisirs et nos dégoûts, et il ne tiendroit qu'à nous de faire un beau mot de celui de *porc* ; et un mot désagréable de celui de *coursier* : il ne faudroit pour cela, qu'en changer le sens, et faire que l'un signifiât ce que signifie l'autre » (*Œuvres*, Paris, 1754, tome II, p. 173). Même idée chez le P. Claude Buffier, *Examen des préjugez vulgaires* [...], 1704, VIIᵉ proposition ; Buffier est pourtant un disciple de Boileau en ce qui concerne la traduction.

79. Abbé de Pons, *Œuvres*, éd. cit., p. 16, et Marivaux, *J.O.D.*, p. 381.

ABBÉ DE PONS	MARIVAUX
La richesse d'une langue est proportionnelle à l'étenduë des connoissances acquises par le peuple particulier qui l'a formée.	Le nombre des mots, ou des signes, chez chaque peuple, répond à la quantité d'idées qu'il a.
La langue que parlent les *Lapons* dont l'intelligence n'embrasse qu'un très-petit cercle d'idées ne peut être que fort pauvre. Si l'on dégrossissoit ces peuples, en portant chez eux les Sciences et les Arts, à mesure que leurs idées se multiplieroient, on verroit croitre leur idiome ; le besoin de commercer entr'eux des connoissances acquises, leur feroit inventer de nouveaux signes, de nouvelles expressions ; et cette même Langue, pauvre dans une certaine époque, pourroit avec le tems, se trouver aussi riche qu'aucune qui fût dans l'Univers.	Il y a des peuples qui ont peu de mots, dont la langue est très bornée ; et c'est qu'ils n'ont qu'un petit nombre d'idées : c'est la disette d'idées qui fait chez eux la disette de leur langue, ou de leurs mots. Il y a des peuples dont la langue est très abondante ; et c'est qu'il y a parmi eux une grande quantité d'idées, à chacune desquelles il a fallu un mot, un signe.
C'est ainsi que la nôtre, toute indigente qu'elle étoit, il n'y a pas encore trois siècles, est enfin parvenuë à ce point de richesse où nous la trouvons aujourd'hui. L'étude des sciences et des arts a multiplié nos idées. Nous avons exercé notre jugement à saisir tous les rapports qu'elles ont entr'elles. A mesure que nous nous sommes formés, nous nous sommes communiqués nos progrès les uns aux autres ; il a donc fallu convenir de nouveaux signes ; voilà l'histoire des progrès de notre langue, qui grossira encore, si les Sciences et les Lettres ne cessent pas d'être en honneur en France.	Ils ont par exemple démêlé dans l'homme, dans ses passions, dans ses mouvements, mille choses qu'un autre peuple n'y a pas vues ; c'est une finesse d'esprit et de vue qui est générale parmi eux, et qui les a obligés d'inventer autant de mots qu'elle leur a procuré d'idées. S'il venait en France une génération d'hommes qui eût encore plus de finesse d'esprit qu'on n'en a jamais eu en France et ailleurs, il faudrait de nouveaux mots, de nouveaux signes pour exprimer les nouvelles idées dont cette génération serait capable [...] [80].

Sur la légitimité de la traduction, l'abbé de Pons a l'opinion de Perrault, de La Motte, celle que Marivaux partagera : « On ne sçauroit dire qu'une Langue soit moins propre qu'une autre à la vraie peinture des pensées et des sentimens. Les mots ne signifient rien par eux-mêmes ; c'est le caprice arbitraire des Nations, qui des sons articulez a fait des signes fixes, au moyen desquels les hommes se pûssent communiquer réciproquement leurs pensées. Chaque Nation a ses signes fixes pour représenter tous les objets que son intelligence embrasse. Qu'on ne dise donc plus que les beautés qu'on a senties en lisant Homére, ne peuvent être parfaitement renduës en François. Ce qu'on a senti ou pensé, on peut l'exprimer avec une élégance égale dans toutes les Langues. [...] De-là je conclus que si Madame Dacier a senti dans l'Iliade autant de merveilles qu'elle le publie, elle nous a dû rendre toutes ces merveilles en François avec

---

80. Abbé de Pons, *Dissertation sur les langues en général, et sur la langue Françoise en particulier*, article troisième : « De la Richesse des langues », dans les *Œuvres*, éd. cit., p. 165-166 (cette dissertation est de mars 1717) ; Marivaux, *J.O.D.*, p. 383.

une élégance équivalente à celle du Texte » [81]. Il est donc permis de
juger Homère sur une traduction. En faisant entrer en ligne de
compte les révolutions qui ont empêché une transmission complète
de l'héritage spirituel et la décadence du goût qui à certaines époques
a interdit aux écrivains une expression correcte de leurs pensées,
si riches qu'elles fussent, Marivaux apportera des compléments à la
doctrine des Modernes, mais n'abandonnera aucun des principes
qu'il reçoit d'eux en matière de langage [82].

Le plus important de ces principes est celui qui affirme l'exactitude spontanée, nécessaire, de la langue chez ses usagers : « Il y a
peu d'Auteurs, qui écrivant dans leur langue naturelle, tombent
dans le cas de méconnoître les expressions qui répondent à leurs
propres pensées ; chacune de nos idées se présente à notre esprit,
accompagnée de son signe ; il y a tel ouvrage du plus vil de nos
Ecrivains, où l'on ne trouveroit peut-être pas une expression im-
propre ; je veux dire, une expression qui ne rende précisément l'idée
ou le sentiment que l'Auteur avoit conçu » [83]. Voilà pourquoi il ne
faut pas opposer le mauvais écrivain à l'écrivain excellent, mais
l'auteur qui pense mal à celui qui pense bien, tous deux étant égaux
par leur façon d'écrire. C'est l'idée que Marivaux développera avec
insistance. Avec l'abbé de Pons, il pose comme condition préalable
que l'écrivain sache bien sa langue, mais pour bien savoir sa langue,
il n'est besoin d'aucun effort ni même d'aucun apprentissage. Le
bon auteur, selon La Bruyère, cherche avec soin ses expressions, et
« la plus simple, la plus naturelle » est celle qu'il met souvent
le plus longtemps à trouver : « Entre toutes les différentes expressions qui peuvent rendre une seule de nos pensées, il n'y en a qu'une
qui soit la bonne. On ne la rencontre pas toujours en parlant ou en
écrivant » [84]. Marivaux pense exactement le contraire : « C'est un
homme qui, comme je l'ai dit, sait bien sa langue, qui sait que ces
mots ont été institués pour être les expressions propres, et les signes
des idées qu'il a eu ; il n'y avait que ces mots-là qui pussent faire
entendre ce qu'il a pensé, et il les a pris. Il n'y a rien d'étonnant

---

81. Abbé de Pons, *Lettre à Monsieur *** sur l'Iliade de Monsieur de la Motte, ibid.*,
p. 310-311. Cette lettre avait paru en 1714. La Motte était sur la traduction d'une opinion plus
prudente que Marivaux et l'abbé de Pons : la beauté d'une langue morte nous étant à jamais
impossible à connaître, La Motte admet d'emblée, sur la parole de Mme Dacier, que la
langue d'Homère était « élégante » et prétend seulement juger l'ordre du poème, l'action, le
sentiment, le caractère des Dieux et des Héros, « le gros des choses » (*Réflexions sur la
critique*, Amsterdam, 1719, p. 31-33). Sur l'égalité des langues, l'importance du sens et
l'insignifiance du son, Fontenelle exprime des idées très proches de celles de Marivaux et
de l'abbé de Pons, dans une lettre à Gottsched du 24 juillet 1728, citée et commentée par
A. Pizzorusso, *Il Ventaglio e il compasso, Fontenelle a le sue teorie letterarie*, Naples, 1964,
p. 168-169.

82. *Réflexions sur Thucydide*, *J.O.D.*, p. 462-464 ; *Le Miroir, ibid.*, p. 549. Marivaux ne
s'est pas mieux expliqué sur les éclipses de ce goût, dont Mme Dacier en 1714 et après elle
Rémond de Saint-Mard (*Trois Lettres sur la décadence du goût en France*, parues pour la
première fois en 1734 ; voir les *Œuvres mêlées* de Rémond de Saint-Mard, La Haye, 1742, t. III)
avaient déploré la corruption. C'est la *Digression sur les Anciens et les Modernes* de
Fontenelle qui a pu suggérer à Marivaux le rôle des révolutions historiques et du mauvais
goût.

83. Abbé de Pons, *Réflexions sur l'éloquence, op. cit.*, p. 14-15.

84. La Bruyère, *Les Caractères*, I, 17 (éd. R. Garapon, Classiques Garnier, p. 71).

à cela ; et encore une fois, je ne songe point à lui en tenir
compte [...] ; car pour les expressions de ses idées, il ne pouvait
pas faire autrement que de les prendre, puisqu'il n'y avait que
celles-là qui pussent communiquer ses pensées ». L'auteur peut être
mauvais, son style est forcément bon : « Il n'y a rien à y corriger.
Cet homme, qui sait bien sa langue, a dû se servir des mots qu'il
a pris, parce qu'ils étaient les seuls signes des pensées qu'il a eu » [85].
La propriété du langage, qui était pour les classiques et leurs conti-
nuateurs un aboutissement, est pour Marivaux et pour les Modernes
une donnée initiale.

---

85. *Le Cabinet du philosophe*, sixième feuille, *J.O.D.*, p. 381. Voir aussi *supra*, chap. IV,
p. 137 et n. 48. Marivaux semble bien avoir voulu corriger la réflexion de La Bruyère en
parlant d'*idée* là ou La Bruyère parlait d'*expression*, *J.O.D.*, p. 388 (*Le Cabinet du philosophe*, sixième feuille : « Il y a des gens qui, en faisant un ouvrage d'esprit [etc.] »).
Ajoutons qu'entre la Querelle de 169? et celle de 1715, Frain du Tremblay dans son *Traité des
langues* (Paris, 1703 et Amsterdam, 1709), avait formulé à peu près tous les arguments qu'on
retrouve chez La Motte, Fontenelle, l'abbé de Pons, Marivaux, sur la nature des langues, leur
enrichissement, la priorité absolue du sens, la possibilité de la traduction ; Marivaux avait
certainement lu ce *Traité* dont deux chapitres (X, « De la clarté du discours », et XVIII, « De
la sublimité ou de la grandeur du discours ») traitent les mêmes thèmes que les *Pensées sur
différents sujets*, et dans un esprit très voisin.

Des vues aussi radicales retirent au langage toute autonomie et toute valeur spécifique ; elles étaient la réponse de Marivaux à ceux qui l'accusaient de n'avoir pour talent qu'une manière et de jouer avec les mots. Dès ses premières réflexions sur le style, il avait affirmé la priorité du signifié, mais reconnaissant une certaine insuffisance du signifiant, il invitait l'écrivain à recourir aux figures de style. Naturellement, il ne pouvait pas décrire ce qu'il considérait comme inexprimable, c'était « [une] pensée ou [un] sentiment trop vif », « une modification qui n'a point de nom » et que l'âme qui l'éprouve est « dans l'impuissance » d'exprimer [86]. Le vocabulaire n'est pas net : qu'appelait-il *pensée ?* Une évidence première, ou une vérité aperçue seulement par l'esprit de finesse ? Et *sentiment ?* Le mot peut désigner aussi bien une émotion qu'une certitude intime. L'alternative « pensée ou sentiment » peut donc opposer ou bien l'intuition intellectuelle à l'affectivité, ou bien, dans l'ordre de la connaissance intellectuelle, ce qui est réflexif à ce qui est intuitif, ou ce qui se rapporte à l'objet à ce qui se rapporte au *moi* (je pense, et j'ai le sentiment que je pense). Le terme de *modification* appartient à la philosophie traditionnelle, « on nomme *modification* une maniere d'être de la substance » [87] : l'âme étant une substance est susceptible de modifications. Mais Marivaux l'a très probablement emprunté à Malebranche, chez qui il est très fréquent : « par ces mots, *pensée, manière de penser*, ou *modification de l'âme*, j'entends généralement toutes les choses qui ne peuvent être dans l'âme sans qu'elle les aperçoive [par le sentiment intérieur qu'elle a d'elle-même] : comme sont ses propres sensations, ses imaginations, ses pures intellections, ou simplement ses conceptions, ses passions mêmes et ses inclinations naturelles » [88]. La perception des objets extérieurs peut être la cause occasionnelle de certaines de ces modifications, elles n'en sont pas moins d'un ordre essentiellement différent du corps, et leur seule cause réelle est

86. « Sur la clarté du discours », *J.O.D.*, p. 52.
87. Para du Phanjas, *Elémens de métaphysique*, Paris, 1780, p. 85. On dit plus habituellement *mode*.
88. *De la Recherche de la vérité*, III, 2, 1, éd. cit., t. I, p. 235. L'éditeur a mis entre crochets droits les additions apportées par Malebranche à la 1re édition (1674-1675). La formule que nous citons est la plus extensive, puisqu'elle inclut les pures intellections. Cf. au contraire VI, I, 2, *ibid.*, t. II, p. 162 : « [Les modifications de l'âme ont trois causes, les sens, l'imagination et les passions] », et *Conversations chrétiennes*, éd. L. Bridet, Paris, 1929, Entretien III, p. 75 : « Ce principe : que les idées que nous avons des objets sont bien différentes des modifications et des perceptions de notre esprit, est incontestable ». Dans la suite de ce même Entretien (p. 81-82), Théodore, porte-parole de Malebranche, invite à distinguer d'une part les idées intelligibles, « éternelles, immuables, communes à tous les esprits unis à la souveraine Raison », et qui ne sont pas des modifications de notre esprit, d'autre part les perceptions que nous avons de ces idées par le sentiment intérieur, perceptions qui, elles, sont des modifications passagères et finies de notre esprit.

en Dieu. Il n'est donc pas nécessaire de rattacher la pensée ici formulée par Marivaux au sensualisme de Locke. Mais Marivaux s'écarte très sensiblement de Malebranche quant à la nature de ce qui est impossible à exprimer.

Pour Malebranche, la « vivacité » est une cause d'obscurité, et elle vient de l'intérêt passionné que le corps prend à ce qui occupe l'âme : « c'est une des lois de l'union de l'âme avec le corps que toutes les inclinations de l'âme, même celles qu'elle a pour les biens qui n'ont point de rapport au corps, soient accompagnées des émotions des esprits animaux qui rendent ces inclinations sensibles ; [...] la connaissance des choses spirituelles est toujours accompagnée de quelques traces du cerveau qui rendent cette connaissance plus vive, mais d'ordinaire plus confuse » [89]. Tout ce qui vient du corps est confus et détourne l'attention des idées claires et distinctes [90]. Mais le sentiment intérieur que l'âme a d'elle-même et de ses modifications n'est pas plus clair : « nous ne la connaissons que par *conscience*, et c'est pour cela que la connaissance que nous en avons est imparfaite » [91]. Ses sentiments « ne sont point attachés aux mots », aucune définition verbale ne peut les faire connaître à autrui, « il arrive souvent que les mots sont équivoques » et rien ne peut nous assurer que ce soit bien le même sentiment que des hommes différents ressentent quand ils l'expriment par le même mot ; pour juger de ce qu'éprouvent les autres, nous en sommes réduits à faire des conjectures à partir de ce que nous éprouvons nous-mêmes [92]. Entre notre expérience intime, irréfutable, puisque « notre sentiment intérieur ne nous trompe jamais » [93], mais confuse, et l'expérience intime d'autrui, le langage ne crée qu'une communication aléatoire, alors qu'entre nos idées et celles d'autrui il crée une communication parfaite, pour peu qu'on refuse toute équivoque.

Il semble bien que Marivaux trouve de l'inexprimable non seulement dans le sensible, comme Malebranche, mais encore dans l'intelligible, quand il veut garder à « la pensée » son « degré précis de force et de sens ». Le mot *force*, à peu près synonyme du mot *vivacité* que Marivaux emploie dans la même page, s'oppose un peu plus loin au mot *délicatesse*, la force et la délicatesse imposant toutes deux des limites à la clarté. Si la délicatesse est ce qu'il y a de plus subtil, de plus difficile à apercevoir dans une idée, elle

89. *De la Recherche de la vérité*, V, 2, éd. cit., tome II, p. 86.

90. I, 18, *ibid.*, tome I, p. 86 : « Les sens appliquent donc extrêmement l'âme à ce qu'ils lui représentent [...]. Elle laisse donc les idées claires et distinctes de l'entendement, propres [cependant] à découvrir la vérité des choses en elles-mêmes ; et elle s'applique uniquement aux idées confuses des sens qui la touchent beaucoup [...] ».

91. III, II, 7, *ibid.*, tome I, p. 257. Voir aussi XIᵉ Eclaircissement, *ibid.*, tome III, p. 98-104, et *Méditations chrétiennes*, éd. H. Gouhier, Paris, 1928, IXᵉ Méditation, p. 178 sq. (« les sens te trompent toujours, et le sentiment intérieur que tu as de toi-même, n'est jamais accompagné de lumière »).

92. *De la Recherche de la vérité*, III, II, 7, éd. cit., tome I, p. 258. Sur l'impossibilité de représenter les sensations par des mots, voir *ibid.*, I, 13, tome I, p. 67.

93. *Ibid.*, Iᵉʳ Eclaircissement, tome III, p. 10. Malebranche affirme pourtant que notre expérience, si confuse qu'elle soit, nous permet de connaître autrui avec certitude ; voir *supra*, n. 56.

réclame de l'attention, et l'attention, selon Malebranche, doit aboutir à l'évidence ; selon Marivaux, au contraire, elle risque d'ôter à l'idée sa netteté. Quant à la force, elle n'est plus pour Marivaux l'accompagnement affectif de l'idée, mais l'évidence elle-même, que les explications obscurcissent [94]. Rapportées à la doctrine de Malebranche, les propositions de Marivaux sont donc incompréhensibles, bien qu'il doive au philosophe de l'Oratoire à la fois la notion de l'expérience intime, celle des modifications de l'âme, et celle de leur énoncé approximatif.

Pour Malebranche, est inexprimable ce qui est confus parce que nous ne le connaissons que par sentiment ; pour Marivaux, est inexprimable aussi, du moins dans ce texte et à cette date, ce qui est trop clair pour ne pas perdre de sa clarté à être exprimé. Cette vue rappelle non plus Malebranche, mais Pascal, ou plus exactement une doctrine dont Pascal nous fournit l'énoncé le plus cohérent : « Il y a des mots incapables d'être définis ; et si la nature n'avait suppléé à ce défaut par une idée pareille qu'elle a donnée à tous les hommes, toutes nos expressions seraient confuses ; au lieu qu'on en use avec la même assurance et la même certitude que s'ils s'étaient expliqués d'une manière parfaitement exempte d'équivoques ; parce que la nature nous en a elle-même donné, sans paroles, une intelligence plus nette que celle que l'art nous acquiert par nos explications » [95]. Il s'agit des évidences que l'esprit ne peut ni expliquer ni réfuter, des notions fondamentales de la géométrie, désignées « par ces mots primitifs, espace, temps, mouvement, égalité, majorité, diminution, tout », que « cette admirable science » ne peut ni ne veut définir, « [leur] manque de définition est plutôt une perfection qu'un défaut, parce qu'il ne vient pas de leur obscurité, mais de leur extrême évidence » [96]. Ces premiers principes, dit Pascal dans les *Pensées* [97], viennent « du cœur et de l'instinct », « les principes se sentent ». Ce cœur ou cet instinct selon Pascal peut-il être assimilé à ce que Descartes appelle intuition ou lumière naturelle ? Pour Descartes, déjà, on ne pouvait essayer de définir les évidences premières sans les rendre obscures et sans tomber dans l'embarras [98]. Certains

---

94. Il s'agit toujours des Pensées « Sur la Clarté du discours », *J.O.D.*, p. 52 sq. En prétendant que les idées deviennent obscures quand on les regarde de trop près, comme les objets ont « [un] point de distance auquel ils doivent être regardés », Marivaux interprète à sa façon un mot de Fontenelle, *Entretiens sur la pluralité des mondes* (éd. A. Calame, Paris, 1966, p. 50) : « nous voulons juger de tout, et nous sommes toûjours dans un mauvais point de vûe. Nous voulons juger de nous, nous en sommes trop près ; nous voulons juger des autres, nous en sommes trop loin ».

95. Pascal, *De l'Esprit géométrique*, dans *Pensées et opuscules* publiés par Léon Brunschvicg, 13e édition, Paris, s. d., p. 168.

96. *De l'Esprit géométrique, ibid.*, p. 172 et 173.

97. Pensée 282, *ibid.*, p. 459.

98. Descartes, Lettre au P. Mersenne, 16 octobre 1639 : « [Herbert de Cherbury] examine ce que c'est que la vérité ; et pour moi, je n'en ai jamais douté, me semblant que c'est une notion si transcendentalement claire, qu'il est impossible de l'ignorer. [...] Et je crois le même de plusieurs autres choses, qui sont fort simples, et se connaissent naturellement [...], en sorte que, lorsqu'on veut définir ces choses, on les obscurcit et on s'embarrasse », cité d'après les *Lettres* de Descartes, textes choisis par M. Alexandre, Paris, 1954, p. 55.

commentateurs répondent par la négative [99]. Retenons que pour Descartes et pour Pascal, toute définition étant faite de mots dont le sens ne peut lui-même être défini que par d'autres mots, il faut remonter jusqu'à un en-deçà du langage, jusqu'à des évidences primitives et naturelles. Pascal, considérant que ces évidences sont senties par le cœur, distingue l'existence des objets dont elles nous assurent et leur essence, sur laquelle nous pouvons être en désaccord : « tous les hommes conçoivent ce qu'on veut dire en parlant du temps, sans qu'on le désigne davantage [.] Cependant il y a bien de différentes opinions touchant l'essence du temps » [100].

D'autre part, un banal précepte de rhétorique invitait à ne pas définir ce qu'une simple dénomination suffisait à désigner sans équivoque ; le goût classique était ennemi de la prolixité et de la superfétation, et Méré disait au maréchal de Clérambault que « l'expression est assez claire si l'on entend tout ce que quelqu'un dit, quoi qu'on n'entende pas d'abord tout ce qu'il pense, et que son sens s'étende plus loin que ses paroles » [101]. Pascal, dont le goût devait beaucoup à Méré, unit le principe de logique et le précepte de rhétorique ; pour montrer qu'il est inutile de définir les « mots primitifs », il prend l'exemple du mot *homme :* « Ne sait-on pas assez quelle est la chose qu'on veut désigner par ce terme ? Et quel avantage pensait nous procurer Platon, en disant que c'était un animal à deux jambes sans plumes ? Comme si l'idée que j'en ai naturellement, et que je ne puis exprimer, n'était pas plus nette et plus sûre que celle qu'il me donne par son explication inutile et même ridicule » [102]. La notion d'*homme* n'est pas d'une netteté géométrique, et l'argument de Pascal manquerait de rigueur, s'il ne s'agissait pour lui dans les deux cas d'évidences sensibles ; l'intuition du cœur en géométrie et l'expérience que nous recevons du monde extérieur par notre corps sont toutes deux des données de fait à partir desquelles le raisonnement édifie toute connaissance, puisque « traiter quelque science que ce soit dans un ordre absolument accompli », c'est-à-dire intégralement démonstratif, en définissant tous les termes et en prouvant toutes les propositions, nous est impossible [103].

99. Voir par exemple Jean Laporte, *Le Cœur et la raison selon Pascal*, Paris, 1950, p. 101-110.

100. *De l'Esprit géométrique*, éd. cit., p. 170.

101. Chevalier de Méré, *Les Conversations D.M.D.C.E.D.C.D.M.*, IVᵉ Conversation, dans les *Œuvres complètes*, éd. par Ch.-H. Boudhors, Paris, 1930, tome I, p. 62. « Tout ce qui d'un seul mot se fait concevoir nettement, pleinement et sans équivoque, n'a pas besoin d'être défini », dira Marmontel dans ses *Eléments de littérature*, article *Définition*. Pratiquement, Descartes admet que « la connaissance peut être claire sans être distincte », ce qui suffit pour qu'on s'entende (*Les Principes de la philosophie*, I, 46). Malebranche au contraire se défiait beaucoup des termes que l'on croit « clairs et sans équivoque, parce que l'usage les a rendus fort communs » : « tout ce qui est familier, n'excite point cette attention, sans laquelle il est impossible de rien comprendre » (*Entretiens sur la métaphysique*, VII, *Œuvres* de Malebranche, éd. par Jules Simon, Paris, 1859, t. I, p. 137).

102. *De l'Esprit géométrique*, éd. cit., p. 168. Comme le fait remarquer L. Brunschvicg, « l'anecdote est empruntée à Montaigne qui l'avait lue dans Diogène de Laërte ».

103. Sur ces questions, voir Jeanne Russier, *La Foi selon Pascal*, Paris, 1949, notamment au tome II, p. 312-313 et 327.

Marivaux ne connaissait pas ce texte de Pascal [104] quand il écrivait
les *Pensées sur différents sujets*, mais il n'est pas impossible que
quelque chose en soit passé jusqu' à lui [105], et l'ait incité à admettre
une définition pratique et rhétorique de la clarté à côté d'une définition plus rigoureuse et plus philosophique. Cette dernière est
néanmoins la seule à laquelle il souscrive réellement, l'autre n'est
qu'un argument occasionnel destiné à défendre les impropriétés peu
défendables de son ami Crébillon le tragique. Il nous semble difficile
de trouver chez Marivaux, comme le fait F. Deloffre, « les bases d'une
stylistique de la suggestion, de l'impropriété même » [106] : chaque fois
qu'il lui a fallu justifier son propre style, Marivaux n'a pas plaidé
la cause de l'imprécision, mais celle de la stricte exactitude, de la
correspondance nécessaire entre le signifiant et le signifié. Il est beaucoup plus exigeant pour lui-même que pour Crébillon. Ses contemporains lui reprochaient non pas de suggérer, mais de détailler à
n'en plus finir, et il ne s'en est pas défendu. Sa théorie de l'expression
est en accord avec la pratique de ses analyses, insistantes, minutieuses ; en fait, il assimile la clarté et le sublime, puisque la même
formule lui sert à définir la première dans sa perfection (« c'est
l'exposition nette de notre pensée au degré précis de force et de sens
dans lequel nous l'avons conçue ») et le second dans sa généralité
(c'est « une exposition exacte de toute espèce de pensées dans toute
la gradation de sens et de vrai dont elle est susceptible ») [107] : tel est
son idéal d'anatomiste de l'âme humaine.

Le lecteur ne perçoit pas toujours ce que l'auteur a perçu : Marivaux veut bien lui donner raison contre l'auteur, car un auteur
qui n'est clair que pour quelques esprits particulièrement agiles « n'a
satisfait que très imparfaitement à ses devoirs ». Mais cette concession
est accompagnée de tant de réserves que bien peu de lecteurs ont
finalement le droit de reprocher à un auteur son obscurité ; sont exclus
ceux qui confondent la clarté avec la netteté syntaxique et avec la
banalité de l'expression [108] ; ceux qui refusent de comprendre quand

104. La première publication, fragmentaire, du traité *De l'Esprit géométrique* a été faite
en 1728 par Dom Desmolets, dans la *Continuation des Mémoires de littérature et d'histoire*,
tome V, partie II. Elle ne comportait que la section II, « De l'art de persuader ».

105. Les auteurs de la *Logique* de Port-Royal avaient connu ce traité et le citaient (éd. cit.,
p. 9) mais sans proposer d'autres notions claires et distinctes que celles de la géométrie.

106. F. Deloffre, *Marivaudage²*, p. 144. Mais *la pratique* de la suggestion et de l'impropriété est courante dans ses comédies et dans les dialogues de ses romans.

107. *J.O.D.*, p. 52-57. La pensée de Marivaux est encore très confuse. Il comprend qu'un
écrivain ne doit jamais rien écrire que poussé par une espèce de nécessité, d'évidence
qui s'impose à lui, mais il confond sous le nom de sublime cette évidence sensible avec une
clarté intelligible ; il prête au génie sublime une domination parfaite de son sujet, vu dans
une lumière sans ombre, alors que l'écrivain non sublime voit mal le sien et le domine
mal, « il l'a chez lui, non à lui ». La confusion s'aggrave du fait que Marivaux tient à faire
l'apologie d'un écrivain sans rigueur, et justifie les impropriétés par leur clarté suffisante.
Voir *supra*, l'ensemble du chap. IV, et *infra*, p. 301 et n. 170.

108. La netteté, ici (*J.O.D.*, p. 55 : « Ils énervent souvent eux-mêmes leurs pensées par des
fatigues peu nécessaires de netteté ») ne concerne que le style, et n'a pas de rapport avec
la netteté mentionnée dans la phrase que nous citons plus loin (*ibid.*, p. 56 : « l'auteur
pourrait être en faute [...] si, dans ces occasions, on peut se convaincre intérieurement qu'on
n'aperçoit rien de net »).

la compréhension exige un effort ; ceux qui aperçoivent fugitivement
une finesse, mais ne savent pas la tenir sous leur regard. Le seul cas
où l'obscurité soit réellement condamnable est celui où « [l']on peut
se convaincre intérieurement qu'on n'aperçoit rien de net » : Marivaux
retourne le critère qui chez Descartes servait à reconnaître la vérité ;
l'absence d'évidence claire en fin d'analyse est une évidence d'obscurité.

Ce retournement nous paraît signifier que tout ce qui est réel
trouve toujours à se faire reconnaître : l'objet évident, irréfutable,
n'est plus une « idée », une intuition du νςϋὸ, cœur ou esprit, mais une
réalité sensible, un comportement dont on fait l'expérience. L'« instinct » dont il est question dans les dernières lignes des Pensées
« Sur la pensée sublime », et qui est aussi bien celui de « l'homme
supérieur » que celui de « l'homme épais », n'a plus grand-chose de
commun avec ce que Descartes et Pascal avaient quelquefois appelé
ainsi [109]. Il est la perception nette de ce que l'on éprouve et de ce
qu'éprouve autrui.

La métaphysique spiritualiste rend obscure l'expression de la
pensée, mais une obscurité supplémentaire vient du fait que Marivaux
n'a pas distingué le langage de l'analyse et celui de la passion. Il parle
d'*idée*, de *pensée*, mais il prend la défense d'un auteur tragique qui
n'exprime que des sentiments. C'est pour Crébillon qu'il revendique
un droit à l'impropriété qu'il n'a jamais réclamé pour lui-même ; c'est
à l'exemple de La Motte qu'il accepte des transpositions, des images
« n'ayant aucun rapport avec la chose » à exprimer : les « similitudes
tronquées », disait La Motte, sont autorisées en poésie, « les Poëtes
ne doivent pas tant songer à donner des idées précises, qu'à en
donner de vives, quoiqu'un peu plus confuses » [110]. Si l'on éclaire les
Pensées sur différents sujets en se reportant aux autres œuvres de
Marivaux lui-même, elles prennent la valeur d'une sorte de manifeste
dont les principes pourraient se formuler ainsi : quand on parle du
cœur humain, le lecteur, même « épais », a toujours assez d'instinct
et d'expérience pour comprendre ce qu'on lui dit, si ce qu'on lui dit
est vrai ; inutile donc de développer des explications et des raisonnements qui émoussent cette vérité, elle doit être formulée dans un
langage précis, mais resserré ; quand on fait parler des êtres humains,
la situation dans laquelle ils sont, les rapports des uns avec les
autres, leurs sentiments antérieurs, tout ce que nous savons d'eux
donne à leurs paroles une force qui autorise, et même oblige, l'auteur
à être bref : tout parle en eux, le bavardage est une faute.

109. Descartes, Lettre à Mersenne, 16 octobre 1639 : « Je distingue deux sortes d'instincts :
l'un est en nous en tant qu'hommes et est purement intellectuel ; c'est la lumière naturelle
ou *intuitus mentis* » (éd. cit., p. 56) ; Pascal, *Pensées*, éd. cit., nº 411 : « Malgré la vue de
toutes nos misères, qui nous touchent, qui nous tiennent à la gorge, nous avons un instinct
que nous ne pouvons réprimer, qui nous élève ». Nous ne prétendons évidemment pas que
Descartes et Pascal entendent le mot dans le même sens. Sur le rôle de l'intelligence dans
l'instinct chez Marivaux, voir *supra*, chap. IV, p. 152.

110. La Motte, *Discours sur Homère*, dans les *Œuvres*, Paris, 1757, t. II, p. 75. A. Pizzorusso qui cite ce passage, y voit une terminologie cartésienne (*Teorie letterarie in Francia*,
éd. cit., p. 281). Nous dirions plutôt : terminologie malebranchiste, mieux assimilée par
La Motte que par Marivaux (cf. *supra*, p. 278, et n. 89).

La distinction des deux langages est nécessaire : l'un tire son énergie du contexte proche ou éloigné, l'autre la reçoit de sa précision ; l'un est un langage affectif, l'autre un langage descriptif ; c'est ce dernier seul que nous étudions dans ce chapitre, mais tous deux ont une qualité commune, que Marivaux appelle la « vivacité », et qui n'admet l'à-peu-près ni dans les images ni dans l'écriture [111].

111. J. von Stackelberg a attiré l'attention sur l'importance et l'originalité des *Pensées sur la clarté du discours*, et montré combien Marivaux s'éloigne de la rhétorique classique, telle qu'il a pu l'apprendre chez les Oratoriens ou dans *La Rhétorique ou l'Art de parler* du père B. Lamy (Jürgen von Stackelberg : « Marivaux novateur », dans le recueil collectif, *Studi in onore di Italo Siciliano*, Florence, 1966, p. 1155-1163). Sur le langage du silence et de la suggestion chez Marivaux, lire l'article de May Daniels : « Marivaux, precursor of the " Théâtre de l'inexprimé " », *Modern Language Review*, 45, 1950, p. 465-472. Voir aussi *infra*, chap. VIII, p. 427. Un fragment du *Cabinet du philosophe*, VI, *J.O.D.*, p. 388, corrige et contredit presque le conseil donné dans les *Pensées sur différents sujets* : l'expression approchée d'une idée est, en réalité, l'expression exacte d'une idée approchée, et l'auteur qui s'en tient à cette idée approchée renonce à l'idée précise, elle lui échappe « par paresse, par nécessité ou par lassitude ». Dans tous les cas, ce décalage est une faiblesse.

Au XVIIIᵉ siècle, la recherche des bases ontologiques de la connaissance est remplacée par celle des bases expérimentales ; l'homme construit sa vérité à partir de ce qu'il observe dans le monde et en lui-même, et renonce à s'assurer les certitudes métaphysiques hors desquelles il se croyait jusqu'alors incapable de rien savoir. Le mot *métaphysique* change de sens, il ne désigne plus la spéculation sur la transcendance et l'absolu, mais l'étude des démarches réelles de l'esprit, l'établissement des axiomes propres à chaque science. D'Alembert félicite Locke d'avoir créé la métaphysique « à peu près comme Newton avait créé la physique », de l'avoir réduite « à ce qu'elle doit être en effet, la physique expérimentale de l'âme » [112]. Marivaux est bien de son siècle : s'il croit encore aux idées innées et à la lumière intérieure en morale [113], il écarte les problèmes métaphysiques préalables à la connaissance psychologique et à la communication ; pour lui, les états et les mouvements du *moi* sont l'objet d'expériences directes indiscutables ; chez tous les hommes ces expériences sont de même nature, les différences n'étant que de degrés et de combinaisons ; l'écrivain a le devoir de fournir l'expression la plus exacte de ces expériences, expression qui existe toujours dans le langage, actuellement ou potentiellement.

A-t-il appris cet empirisme chez Locke ? Rien n'est moins sûr.

---

112. Voir sur ce sujet l'ouvrage de G. Gusdorf, *Les Principes de la pensée au siècle des Lumières*, Paris, 1971, notamment le chapitre 3 de la deuxième partie, « Mort et résurrection de la métaphysique ». Les phrases de d'Alembert sont tirées du *Discours préliminaire* de l'*Encyclopédie* ; elles sont citées et commentées par G. Gusdorf, op. cit., p. 233. Voir aussi J.-R. Carré, *La Philosophie de Fontenelle ou le sourire de la raison*, Paris, 1932, p. 233-235, et l'Introduction de Condillac à son *Essai sur l'origine des connaissances humaines*. En psychologie, le mot « métaphysique », notamment quand on l'emploie à propos de Marivaux, a pris au XVIIIᵉ siècle le sens d'analyse curieuse remontant jusqu'aux plus subtils éléments, d'inventaire minutieux qui ne laisse rien à deviner ; on le trouve chez la plupart des contemporains qui ont donné leur opinion sur Marivaux ; voir, à la fin de *T.C.*, t. II, les jugements de Voltaire, d'Argens, Palissot, l'abbé de la Porte, La Dixmerie, Voisenon, tous plus ou moins péjoratifs, auxquels on peut ajouter, entre mille autres, celui de l'abbé Coyer, qui sans nommer Marivaux pense évidemment à lui et se souvient des propos comiques de la taupe Moustache : « En général, l'esprit de l'autre siècle manquoit d'une qualité essentielle : il n'étoit pas subtil, il ne laissoit que les grands traits, le nôtre s'attache aux petits : nous disséquons les vertus, nous analisons les sentimens, nous fendrions un cheveu en quatre. On écrivoit, et il ne falloit dans le Lecteur que du bon sens pour comprendre : la finesse est devenue nécessaire : souvent l'Auteur ne s'entend pas lui-même, il se devine. On n'employoit la Métaphysique que dans les disputes d'Ecole : nous l'appliquons à d'autres usages : elle peint les mœurs, elle se fâche ou s'attendrit dans les passions, elle embellit nos Comédies et nos Chansons » (*Bagatelles morales et dissertations*, nouvelle édition, Londres et Francfort, 1757, p. 8). Il est remarquable que, dans son nouveau sens, ce mot soit étranger à Marivaux lui-même.

113. « Nous regorgeons là-dessus [sur le devoir d'être vertueux], si j'ose le dire, d'instructions intérieures et pressantes [...]. Ecoutez la voix de votre conscience [etc.] », *Le Spectateur français*, vingt et unième feuille, *J.O.D.*, p. 233. Mais cette allusion à la voix « sacrée » de la conscience vient après que Marivaux a avoué son ignorance radicale « des mystères de notre existence » et affirmé qu'il fallait seulement « interrog[er] les hommes » pour apprendre l'utilité réciproque qu'ils ont à être vertueux. Voir *infra* et n. 114.

Il a vécu à une époque et dans un milieu où Locke était connu et commenté, mais aucune des formules où paraît le mieux la priorité qu'il donne aux faits sensibles n'est vraiment inspirée de Locke : il vaut mieux dire que Marivaux a interprété à la lumière du sensualisme lockiste des idées qu'il avait retenues d'ailleurs, surtout de Malebranche et de ceux qu'on appelle les Modernes. Chaque fois qu'on essaye de retrouver l'origine des vues théoriques exposées par Marivaux, c'est à ces Modernes que l'on est ramené. Il y a du malebranchisme dans l'affirmation selon laquelle l'âme ne peut pas se connaître, mais la conséquence qu'en tire Marivaux n'est pas de rattacher, comme Malebranche, la psychologie à la théologie, elle est de mettre entre parenthèses l'ontologie, comme le faisait Fontenelle, et de ne tenir compte que de l'observable : « Laissez à certains savants, je veux dire aux faiseurs de systèmes, à ceux que le vulgaire appelle philosophes, laissez-leur entasser méthodiquement visions sur visions en raisonnant sur la nature des deux substances, ou sur choses pareilles » [114]. Nous avons souligné le rôle que joue dans la connaissance de soi le travail organisateur de la raison appliquée aux données empiriques de la conscience [115]. Le moraliste, l'observateur du cœur humain doit, exactement comme le savant, user de son intelligence pour axiomatiser la nature : à cette condition, la connaissance existe ; sinon, le *moi* disparaît dans le fouillis des impressions et dans la succession des instants.

Qu'est-ce donc que ce sentiment, qui seul, si l'on en croit Marianne, peut nous donner des nouvelles un peu sûres de nous [116] ? Ici encore, il faut interroger Malebranche : « nous ne savons de notre âme que ce que nous sentons se passer en nous », « on ne connaît ni l'âme ni ses modifications par des idées, mais seulement par des sentiments », « on ne connaît point l'âme ni ses modifications par idée claire, mais seulement par conscience ou par sentiment intérieur » [117]. Marianne oppose le sentiment à l'esprit, comme Malebranche l'opposait à l'idée. Et quand Marianne vient de faire « l'épreuve [...] de cette douleur dont nous sommes capables » et s'écrie : « Combien de douleur peut entrer dans notre âme, jusqu'à quel degré peut-on être sensible ! », elle découvre par l'expérience ce que Malebranche déjà avait affirmé ne pouvoir être découvert autrement : « Lorsque je souffre quelque douleur je le sais, mais avant que de la souffrir je ne comprenais pas que ma substance en fût capable », « Si nous

---

114. *Le Spectateur français*, vingt et unième feuille, *J.O.D.*, p. 232. Marivaux n'a sans doute pas connu les *Fragmens d'un traité de la raison humaine* publiés seulement après la mort de Fontenelle, et où l'on peut lire : « Je n'entreprends point sur la nature de l'esprit une spéculation métaphysique [...]. J'éviterai avec soin les idées trop philosophiques [...] » (Cité par G. Gusdorf, *op. cit.*, p. 229, qui fait remarquer le caractère hésitant d'autres phrases du même texte).

115. Voir *supra*, chap. IV, p. 142-154.

116. *V.M.²*, p. 22. Voir *supra*, p. 141.

117. *De la Recherche de la vérité*, III, II, 7, éd. cit., t. I, p. 257, 258 ; XIᵉ Eclaircissement, t. 3, p. 102. C'est une idée que Malebranche a souvent répétée, dans le *Traité de l'amour de Dieu* (éd. Désiré Roustan, Paris, 1922, p. 88), dans les *Méditations chrétiennes* (IXᵉ Méditation, éd. H. Gouhier, Paris, 1928, p. 181), etc.

n'avions jamais senti de douleur, de chaleur, de lumière, etc., nous ne pourrions savoir si notre âme en serait capable, parce que nous ne la connaissons point par son idée »[118]. Mais Malebranche, tout en reconnaissant l'extrême importance du sentiment intérieur (qui nous assure indubitablement de notre liberté, par exemple) le définit comme imparfait et confus et lui préfère « les idées claires et évidentes que l'esprit reçoit par l'union qu'il a nécessairement avec le Verbe »[119], au lieu que Marivaux voit en lui la source unique de ce que Malebranche appelait « la science de l'homme » ; et si pour tous deux « la plus belle, la plus agréable et la plus nécessaire de toutes nos connaissances est sans doute la connaissance de nous-mêmes », cette connaissance a pour Marivaux sa fin dans la jouissance de soi et dans la justesse des relations avec autrui, et non plus dans l'union avec Dieu et dans le refus des bonheurs terrestres[120].

Privé de sa finalité transcendante et n'étant plus considéré comme inférieur à l'esprit pur, le sentiment intérieur dont parle Marivaux ressemble beaucoup à celui dont parlait Locke. Mais le passage du malebranchisme au lockisme s'opère dans ce domaine si naturellement par quelques soustractions que Marivaux a pu retrouver la pensée de Locke sans beaucoup lui emprunter directement. Coste, traducteur de Locke, rendait l'anglais *consciousness* par le français *conscience* en s'autorisant, pour cet emploi néologique, de Malebranche, le premier, semble-t-il, à avoir fait passer le mot de son sens moral traditionnel à un sens psychologique[121]. Le *consciousness*

118. *Méditations chrétiennes*, IXe Méditation, éd. cit., p. 177 ; *De la Recherche de la vérité*, III, II, 7, éd. cit., t. I, p. 257. Mais Montaigne disait déjà : « Je ne me juge que par vray sentiment, non par discours » (*Essais*, III, 13, éd. Villey, Lausanne, 1965, p. 1095).

119. *De la Recherche de la vérité*, II, III, 6, éd. cit., t. I, p. 211.

120. *Id., ibid.*, Préface, t. I, p. xiv ; cf. *ibid.*, p. xiii : « il n'y a rien de sensible à quoi nous devions nous arrêter, ni de quoi nous devions nous occuper », et *Traité de morale*, éd. H. Joly, Paris, 1953, p. 205 : « La vie présente se doit rapporter à celle qui suit », p. 265 : « Il faut rompre le commerce dangereux que nous avons avec [le monde] par notre corps, si nous voulons augmenter l'union que nous avons avec Dieu par la Raison » ; et partout... Bien qu'elle soit imparfaite dans sa source (notre âme n'a pas d'elle-même une connaissance claire) et qu'elle ait hors d'elle-même sa finalité, la science de l'homme est très riche et très subtile chez Malebranche : « Tout lecteur de la *Recherche* sait que Malebranche se montre au total assez bien renseigné et même, si l'on ose dire, trop bien, sur la nature et les façons d'être de cette âme en principe inconnaissable » (J. Deprun, « Thèmes malebranchistes dans l'œuvre de Prévost », *L'Abbé Prévost, Actes du colloque d'Aix-en-Provence 20 et 21 décembre 1963*, Aix-en-Provence, 1965, p. 169). L'utilisation « mondaine » d'une psychologie fondée sur le sentiment allait de soi, et la filiation malebranchiste est évidente non seulement chez Marivaux et Mme de Lambert, mais chez le mondain abbé Morvan de Bellegarde : « Nous avons intérêt de nous connoître, et de connoître les autres [...] ; or entre les moïens de parvenir à cette double connoissance il ne m'en paroît point de plus sûr que d'étudier les inclinations naturelles de l'homme. Nous les sentons, et ce sentiment n'est point équivoque. Les Philosophes les plus solides sont même d'accord que nous n'avons aucune idée de nôtre âme, et que nous ne la connoissons que par ses modifications, c'est-à-dire, par expérience. C'est donc la maîtresse que je propose à ceux qui voudront prendre la peine de lire cet ouvrage » (*L'Art de connoître les hommes*, 3e édition, Amsterdam, 1709, p. 1-2. Selon A. Cioranescu, *Bibliographie de la littérature française du dix-huitième siècle*, n° 23088 et 23089, ce livre serait d'un certain Louis des Bans, 1re éd., 1702).

121. Locke, *Essai philosophique concernant l'entendement humain*, traduit de l'Anglois par M. Coste, Livre II, chap. 27 (nous citons l'édition d'Amsterdam, 1758, t. II, p. 392, n. 2). Leibniz, dans ses *Nouveaux Essais sur l'entendement humain*, hasardait *consciosité* (II, 27, § 9 ; l'ouvrage est de 1704, mais n'a été publié qu'en 1765 et Marivaux ne l'a pas connu). Sans ôter à Malebranche la priorité, Geneviève Lewis remarque que « l'usage philosophique du terme de *conscience*, jusque-là réservé au domaine moral, s'introduit peu à peu dans la

de Locke, la *conscience* ou *sentiment intérieur* de Malebranche, le *sentiment* de Marivaux sont à peu près synonymes. Ce sentiment accompagne toutes les activités de l'âme et assure l'identité du *moi*. Il est pour Locke l'expérience inexprimable que nous avons des « idées simples », comme celle de la douleur et du plaisir : « On ne peut décrire ces idées, non-plus que toutes les autres idées simples, ni donner aucune définition des mots dont on se sert pour les désigner. La seule chose qui puisse nous les faire connaître, aussi-bien que les idées simples des sens, c'est l'expérience » ; « c'est [...] l'expérience qui nous convainc que nous avons une connoissance intuitive de notre existence, et une infaillible perception intérieure que nous sommes quelque chose » [122]. Locke refuse les idées innées, il fait composer par l'esprit, à partir des « idées simples » arrivées par les sens ou intérieurement éprouvées, tout le contenu de la conscience : mais Marivaux n'avait pas besoin de recourir à Locke pour mettre en lumière le caractère expérimental de la connaissance de soi, Malebranche lui fournissait assez d'arguments. Ce que Locke lui a peut-être fait voir, c'est l'intérêt pris par le *moi* à lui-même dans cette connaissance : Malebranche affirmait que la volonté de bonheur était essentielle à l'homme et reconnaissait le plaisir comme mobile de la recherche du bien, mais il condamnait un amour-propre qui ne se confondait pas avec l'amour de Dieu ; Locke, sans y insister, note que « le *Soi* est cette chose pensante, intérieurement convaincuë de ses propres actions [...], qui sent du plaisir et de la douleur, qui est capable de bonheur ou de misère, et par-là est intéressée pour soi-même, aussi-loin que cette *con-science* peut s'étendre » [123]. En posant que les plus simples sensations elle-mêmes sont nécessairement agréables ou désagréables, Condillac unira indissolublement l'attention à soi et l'intérêt [124], rendant ainsi plus systématique la théorie de Locke. Marivaux, venu du malebranchisme, se rapproche donc de la philosophie sensualiste, mais il évite le risque couru par Condillac, d'orienter presque exclusivement vers le monde extérieur l'attention intérieure.

Passionnément curieux des découvertes que le *moi* peut faire sur lui-même et de ses expériences nouvelles, Marivaux ne s'est pas posé de questions sur la genèse de la connaissance, sur la démarche par laquelle le sentiment devient pensée : il lui eût fallu discuter le

langue française » chez les cartésiens de la fin du siècle et signale un exemple avant-coureur chez Descartes lui-même, dès 1647, dans les « Réponses aux troisièmes objections », second point (G. Lewis, *Le Problème de l'inconscient et le cartésianisme*, Paris, 1950, p. 112). Comme celui du mot *métaphysique*, le sens néologique du mot *conscience* est étranger à Marivaux.

122. Locke, *op. cit.*, II, 20, § 1, éd. cit., t. II, p. 125 ; *ibid*, IV, 9, § 3, éd. cit., t. IV, p. 147.

123. Locke, *ibid.*, II, 27 § 17, éd. cit., t. II, p. 410 ; voir aussi § 26, *ibid.*, p. 425, et II, 7, § 3, t. I, p. 242. Malebranche avait déjà noté, mais pour le déplorer, que « l'esprit n'apporte pas une égale attention à toutes les choses qu'il aperçoit ; car il s'applique infiniment plus à celles qui le touchent, qui le modifient et qui le pénètrent [...] », *De la Recherche de la vérité*, VI, I, 2 (éd. cit., t. II, p. 161).

124. « Les choses attirent notre attention par le côté où elles ont le plus de rapport avec notre tempérament, nos passions et notre état », *Essai sur l'origine des connaissances humaines*, I, 2, § 14 (cité par R. Lefèvre, *op. cit.*, p. 94).

spiritualisme de Malebranche, auquel il devait tant, et examiner la doctrine lockiste de la *tabula rasa*. Marivaux n'ignorait pas le problème ; deux ans avant l'*Essai sur l'origine des connaissances humaines* de Condillac, il l'a abordé dans *La Dispute* : cette comédie prouve qu'il avait le sens de l'actualité, qu'il savait le rapport entre ses propres vues sur le cœur humain et les investigations des philosophes contemporains, mais qu'il tenait à son quant-à-soi. Le Prince de *La Dispute* imagine une expérience qui permette de saisir la nature authentique avant qu'elle ait été déformée par l'éducation, les préjugés, les habitudes, les exemples : à ce titre, *La Dispute* est un maillon dans la longue chaîne des œuvres qui peignent l'éveil de la connaissance et des sentiments chez un être entièrement neuf, enfant, homme primitif, homme sauvage ou statue animée [125]. Le

125. Ortensia Ruggiero, *Marivaux e il suo teatro*, Milan-Rome, 1953, p. 84 (cité par F. Deloffre, *T.C.*, II, p. 596) suggère que Marivaux a pu trouver l'idée de sa pièce dans un passage célèbre d'Hérodote (*Histoires*, II, 2). En fait, le thème, sous différentes formes, avait souvent été traité avant Marivaux, voir R. Mercier : *La Réhabilitation de la nature humaine (1700-1750)*, Villemomble, 1960, p. 399-402, et Georges Gusdorf, *op. cit.*, p. 239-247, qui, en plus d'Hérodote, citent Arnobe (*Adversos gentes*), Ibn Thofaïl (dont le roman écrit en arabe au XIIᵉ siècle avait été traduit en latin en 1671 sous le titre de *Philosophus auto-didactus*), Gracian (*El Criticon*, 1651, traduit en français en 1696), Ramsay (*Les Voyages de Cyrus*, 1727). A cette liste, il faut ajouter Milton (*Le Paradis perdu* avait été traduit en 1729 par Dupré de Saint-Maur), le prétendu Chevalier de Repert (*L'Enfant trouvé*, 1738), Boureau-Deslandes (*Pigmalion*, 1741) et peut-être Meusnier de Querlon, si la première édition des *Hommes de Prométhée* est bien de 1741, comme le croyait D. Mornet (voir dans S. P. Jones, *A List of French prose fiction* [...] à la date de 1748). Les deux œuvres dont Marivaux s'est le plus probablement inspiré sont *Le Paradis perdu*, comme vient de le montrer Lucette Desvignes (*Marivaux et l'Angleterre*, Paris, 1970, p. 125-129) et *El Criticon*, de Gracian, où nous pensons pouvoir trouver aussi une source secondaire du « Voyageur dans le Nouveau Monde » (*Le Cabinet du philosophe*, de la sixième à la onzième feuille). Dans la traduction française, le chapitre 4 du livre III (« De la Vieillesse ») s'intitule : « Le Monde déchiffré », et tout l'ouvrage est un voyage vers ce que Marivaux appellera « le nouveau Monde », une recherche de la vérité à travers les illusions ; le titre français était *L'Homme détrompé* (la B. N. possède une édition d'Amsterdam datée de 1708) *. Après Marivaux, le thème sera plus que jamais à la mode, tant dans la littérature scientifique et philosophique (Buffon, Condillac, Bonnet) que dans le roman (John Kirby, *Life of Automathe*, 1745 ; Mme Leprince de Beaumont, *Le Triomphe de la vérité*, 1748 ; Guillard de Beaurieu, *L'Elève de la nature*, 1763 ; L.-S. Mercier, *L'Homme sauvage*, 1767). On sait le parti que Rousseau tirera du mythe de Pygmalion. Des expériences réelles furent-elles tentées sur des enfants ? G. Gusdorf rappelle que Maupertuis les suggéra à Frédéric II en 1752 dans une *Lettre sur le progrès des sciences*. Selon le narrateur de *L'Enfant trouvé, ou Histoire du chevalier de Repert*, écrite par lui-même, Paris, 1738-1740, œuvre qui contient certainement beaucoup de pages autobiographiques, le directeur de l'hôpital des Enfants trouvés avait reconnu l'hébreu dans le « jargon articulé » parlé par l'enfant à six mois, et écrit une dissertation démontrant que « la langue hébraïque [était] la langue naturelle et innée de toute espèce humaine » (p. 4). La pièce de Marivaux est donc d'un auteur très attentif à l'actualité intellectuelle, mais nous ne pouvons absolument pas y voir, comme W.H. Trapnell (« The " Philosophical " implications of Marivaux's *Dispute* », *Studies on Voltaire* [...], LXXIII, 1970, p. 193-219), l'intention d'examiner sérieusement, à la lumière d'une expérience fictive, un problème de philosophie.

    * Sans nous engager dans le très complexe problème des sources, indiquons ici en passant que la source principale du « Voyageur dans le nouveau Monde » est dans les *Entretiens sur la métaphysique* de Malebranche. Posée dans le Iᵉʳ Entretien (« je ne vous conduirai point dans une terre étrangère ; mais je vous apprendrai peut-être que vous êtes étranger vous-même dans votre propre pays. Je vous apprendrai que ce monde que vous habitez n'est point tel que vous le croyez, parce qu'effectivement il n'est point tel que vous le voyez ou que vous le sentez [...] »), la métaphore est plusieurs fois reprise (par exemple, Iᵉʳ Entretien encore : « Supposons, Ariste, que Dieu anéantisse tous les êtres qu'il a créés, excepté vous et moi [...]. Supposons de plus que Dieu imprime dans notre cerveau toutes les mêmes traces, ou plutôt qu'il produise dans notre esprit toutes les mêmes idées que nous devons y avoir aujourd'hui. Cela supposé, Ariste, dans quel monde passerions-nous la journée ? Ne serait-ce pas dans un monde intelligible ? Or, prenez-y garde, c'est dans ce monde-là que nous sommes et que nous vivons [...] ») et Théodore peut féliciter son compagnon, dans le

postulat de Marivaux n'est pas exactement la *tabula rasa*, puisqu'il s'agit de savoir de quel sexe est venue la première infidélité en amour, donc de détecter une tendance innée, mais Marivaux se sert de l'hypothèse sensualiste pour pousser à l'extrême son opinion personnelle sur la plasticité du caractère : le *moi* est modelé par les divers objets que lui font connaître ses sens, il change sans être responsable de son changement ; dans *La Double Inconstance*, la mutation était un mode d'accès à la vérité, une meilleure appropriation par le *moi* de sa nature réelle — Silvia était faite pour aimer le Prince, et non Arlequin ; Arlequin était fait pour être aimé de Flaminia plutôt que de Silvia — ; ici, la mutation est gratuite, à l'état pur, il n'y a pas de donnée naturelle à rejoindre après avoir dissipé des illusions ; le cœur naturel est mobile, avide de nouveauté, livré aux occasions ; s'il devient constant, ce sera par vertu, par un effort de raison et de sagesse. La morale volontariste dont nous avons déjà noté le rôle chez Marivaux [126] se trouve confirmée par la leçon de *La Dispute*. En fait, Marivaux n'a vu dans l'expérience fictive qu'un prétexte, il n'a nullement cherché à résoudre un problème de psychologie génétique. Seuls lui importent le cœur humain, les relations sentimentales des gens de son siècle. Le lieu de l'action est romanesque et imprécis — ce n'est même pas l'Orient des *Mille et une Nuits*, c'est on ne sait où —, les noms propres sont bizarrement forgés, irréels [127], mais Marivaux recourt volontiers à de pareilles fantaisies dans ses comédies « philosophiques » ; ce qui ruine le sérieux de l'expérience, c'est l'ironie annoncée dès la scène 1, et c'est le dénouement, par lequel les données de l'expérience sont altérées : aux deux couples d'enfants observés se joint un troisième couple inattendu ; son arrivée laisse entendre que le problème a été mal posé, ou qu'on ne peut rien conclure ; le Prince et Hermiane concluent pourtant, lui, que les femmes sont hypocrites, elle, que les hommes sont « d'une perfidie horrible », inconstants « à propos de rien ». Or ni Eglé ni Adine n'étaient vraiment hypocrites, elles étaient tout simplement naturelles toutes les deux, et Azor et Mesrin n'étaient pas inconstants à propos de rien, ils avaient bien quelque raison de l'être. Le Prince et Hermiane, dont l'accord initial était assez ambigu, se séparent presque fâchés ; l'expérience, au lieu de les éclairer, a renforcé des préjugés que la galanterie essayait d'abord d'écarter, elle a appris aux deux protagonistes que le sentiment est fragile et que le cœur humain est déloyal : elle le leur a appris en les rendant eux-mêmes déloyaux l'un envers l'autre, d'où

Vᵉ Entretien : « Je vois bien, Ariste, que vous avez été fort loin dans le pays de la vérité, et que, par le commerce de la raison, vous avez acquis des richesses bien plus précieuses et plus rares que celles qu'on nous apporte du Nouveau Monde » (les passages cités figurent au t. I, p. 32, 39 et 112 de l'éd. des *Œuvres* de Malebranche par Jules Simon, Paris, 1859). Voir notre article sur « Marivaux et Malebranche ».

126. Voir *supra*, chap. IV, p. 145.

127. Noms féminins se faisant écho : Dina, Adine ; noms masculins se faisant écho : Mesrou, Mesrin, Meslis ; à ces noms fantaisistes sont joints des noms romanesques (Azor) ou antiquisants (Carise, Eglé).

leur aigreur. Le dernier mot, très pessimiste, d'Hermiane regarde beaucoup plus ses rapports avec le Prince que la méchanceté de la nature
humaine et de tel sexe en particulier.

Indifférent aux problèmes de la psychologie théorique, Marivaux
s'intéresse aux mouvements les plus subtils de la vie intérieure. Ici
encore, il s'inspire de Malebranche dont il infléchit la pensée vers
les thèses modernistes et sensualistes. Malebranche affirmait que notre
âme ne connaissait pas toutes les modifications dont elle était capable : celles dont elle fait l'expérience sur cette terre dépendent
des hasards de l'existence, il en est qu'elle aurait pu ne jamais
rencontrer, et « outre celles qu'elle a par les organes des sens, il
se peut faire qu'elle en ait encore une infinité d'autres qu'elle n'a
point éprouvées et qu'elle n'éprouvera qu'après qu'elle sera délivrée
de la captivité de son corps » [128]. Mais les modifications de l'âme,
qui lui viennent ici-bas des sens, de l'imagination et des passions,
sont confuses, et surtout elles occupent trop l'esprit et l'empêchent
de considérer les idées de l'entendement pur : l'homme doit donc
faire un effort d'attention pour ne s'arrêter qu'à l'évidence, seul
critère de la vérité : « On ne peut découvrir la vérité sans le travail
de l'attention, parce qu'il n'y a que le travail de l'attention qui ait
la lumière pour récompense. Afin de supporter et de continuer le
travail de l'attention, il faut avoir acquis quelque *force* d'esprit, et
quelque autorité sur son corps, pour imposer silence à ses sens,
à son imagination, à ses passions » [129]. Nous avons vu plus haut que
Marivaux, dans les Pensées « Sur la clarté du discours », redoutait
un excès d'attention comme une cause d'obscurité : c'est qu'entendue
au sens de Malebranche l'attention se détourne du sentiment intérieur
et s'attache aux idées pures, et que pour Marivaux le véritable objet
d'intérêt dès cette époque était le sentiment intérieur. Il reçoit de
Malebranche la leçon — qui était presque à toutes les pages — d'un
usage exaltant de l'attention, mais il applique cette attention au
sentiment intérieur ; et les modifications inconnues de l'âme, dont
Malebranche réservait la révélation à la vie future, il en ouvre le
trésor aux esprits attentifs de son temps et aux générations à venir.
Le changement d'objectif l'apparente aux sensualistes, le goût de
la nouveauté signale en lui le Moderne.

Ayant pour objet le *moi* sensible et le faisant jouir de lui-même,
l'attention est difficile sans doute, mais heureuse, elle n'exige pas
comme chez Malebranche une discipline ascétique [130] ; Marivaux voit
en elle plus volontiers un effet de la nature que de la volonté ; il n'est
pas donné à tout le monde d'être attentif à ses sentiments, à leurs
nuances fugitives : « le bel esprit est doué d'une heureuse confor-

---

128. *De la Recherche de la vérité*, III, I, 1, éd. cit., t. I, p. 218-219.

129. *Traité de morale*, éd. cit., p. 59. Dans *La Recherche*, au livre VI, Malebranche admet
qu'on facilite le travail de l'attention en s'aidant prudemment des passions bonnes et des
sens.

130. Pour encourager son lecteur, Malebranche dit pourtant dès le début de *La Recherche*
(I, 1, éd. cit., t. I, p. 1-2) que l'effort d'attention n'a rien de pénible et qu'il est abondamment
récompensé.

mation d'organes, à qui il doit un sentiment fin et exact de toutes les choses qu'il voit ou qu'il imagine ; il est entre ses organes et son esprit d'heureux accords qui lui forment une manière de penser, dont l'étendue, l'évidence et la chaleur ne font qu'un corps » [131]. Marivaux formulait dès 1719 cette doctrine d'une base physiologique des facultés spirituelles, et il y revenait fidèlement dix-neuf ans après dans la quatrième partie de *La Vie de Marianne* : « Quand quelqu'un a peu d'esprit et de sentiment, on dit d'ordinaire qu'il a les organes épais ; et un de mes amis, à qui je demandai ce que cela signifiait, me dit gravement et en termes savants : C'est que notre âme est plus ou moins bornée, plus ou moins embarrassée, suivant la conformation des organes auxquels elle est unie » [132]. L'identité du vocabulaire technique (« conformation des organes ») et la référence de Marianne à un savant ami nous invitent à chercher la source de l'idée chez un philosophe connu de Marivaux. Ce philosophe est évidemment Fontenelle : c'est déjà lui que désignait Marianne, dans la première partie, comme « un savant de premier ordre » qui n'avait pas d'illusions sur sa science [133]. Charles Quint, dans les *Dialogues des morts*, demandait à Erasme : « Quoy, l'esprit ne consiste-t-il pas dans une certaine conformation du cerveau [...] ? Vous estiez un grand génie ; mais demandez à tous les Philosophes à quoi il tenoit que vous ne fussiez stupide et hébêté. Presque à rien ; à une petite disposition de fibres ; enfin à quelque chose que l'Anatomie la plus délicate ne sçauroit jamais appercevoir » [134]. Comme on sait, les Modernes fondaient sur cet argument leur prétention à égaler les Anciens : la qualité de l'esprit étant liée à la conformation du cerveau, et la nature, qui produit toujours les mêmes arbres et les mêmes animaux, ne pouvant être soupçonnés de produire des cerveaux moins bien conformés qu'autrefois, les esprits de maintenant doivent valoir ceux de l'Antiquité [135]. Ces philosophes unanimes auxquels renvoie Charles Quint sont les cartésiens et surtout Malebranche : ils avaient montré comment l'âme liée au corps était condamnée à

131. *Lettres sur les habitants de Paris*, J.O.D., p. 34. Voir aussi « Sur la Pensée sublime », J.O.D., p. 67 : « L'homme le plus délicat, et de la conformation d'organes la plus heureuse, porte sa vue et son sentiment plus loin que l'homme ordinaire, voilà tout ».

132. *V.M.*², p. 214. Voir aussi *Le Spectateur français*, huitième feuille (J.O.D., p. 148) : « Ses organes assujettissent » le jeune écrivain à telle ou telle sorte d'ingénieux, de fin, de noble.

133. *Ibid.*, p. 22. F. Deloffre renvoie aux *Nouveaux Dialogues des morts* (« Paracelse, Molière »). Le procès de la raison savante revient plusieurs fois dans les *Dialogues des morts* (« Anacréon, Aristote » ; « Parménisque, Théocrite de Chio » ; « Sénèque, Scarron » ; « Artémise, Raymond Lulle » ; « Le Troisième faux Demetrius, Descartes », etc.) mais l'optimisme cartésien (« le bon sens est de tout sexe ») que Marivaux joint au scepticisme fait plutôt penser aux *Entretiens sur la pluralité des mondes* (voir par exemple, dans l'édition Calame, aux pages 6, 11, 75, 142, 143).

134. Fontenelle, *Nouveaux Dialogues des morts*, Paris, 1971, p. 215. Marivaux a-t-il connu aussi en manuscrit le *Traité de la liberté* paru seulement en 1743 (dans les *Nouvelles Libertés de penser*, à Amsterdam) ? Il pouvait y lire : « On convient que l'âme dépend absolument des dispositions du cerveau sur ce qui regarde le plus ou moins d'esprit » (Deuxième partie, 4°, dans les *Textes choisis* de Fontenelle, éd. par M. Roelens, Paris, 1966, p. 147).

135. L'idée que la nature est constante dans ses productions se trouve dans la *Digression sur les Anciens et les Modernes* de Fontenelle (1688), dans les *Parallèles des Anciens et des Modernes* de Perrault (1688-1692).

l'erreur par l'habitude, les passions, les illusions des sens, la maladie, la vieillesse, etc. Fontenelle fausse leur pensée, car ils avaient soin de séparer le corps et l'âme comme deux substances essentiellement différentes et n'admettaient pas de degrés de capacité dans les âmes en tant que telles ; mais pour rendre compte de la correspondance entre les idées de l'âme et la mécanique du corps, ils avaient recours à des explications obscures, alors que cette correspondance était évidente et qu'ils en décrivaient eux-mêmes les diverses modalités comme si elles étaient des vérités d'expérience : « il est assez facile de rendre raison de tous les différents caractères qui se rencontrent dans [les esprits] des hommes : d'un côté par l'abondance et la disette, par l'agitation et la lenteur, par la grosseur et la petitesse des esprits animaux, de l'autre, par la délicatesse et la grossièreté, par l'humidité et la sécheresse, par la facilité et la difficulté de se ployer des fibres du cerveau, et enfin par le rapport que les esprits animaux peuvent avoir avec ces fibres » [136]. Le mot « esprit », qui désigne dans la même phrase la faculté d'une substance immatérielle et la forme la plus subtile de la matière, favorise la confusion. Le passage du physique au psychologique est si peu évitable que cette phrase où Malebranche explique par des raisons physiques la différence des esprits humains (facultés mentales), figure dans le livre deuxième de La Recherche, consacré aux esprits (éléments matériels) qui déterminent les traces des images dans le cerveau. Toute la tradition des moralistes classiques, Montaigne, Pascal, La Rochefoucauld, avait mis en lumière cette dépendance de l'âme par rapport au corps : « La force et la faiblesse de l'esprit sont mal nommées ; elles ne sont en effet que la bonne ou la mauvaise disposition des organes du corps » [137]. Mais c'est bien Fontenelle, interprète de Descartes et de Malebranche, qui a enseigné Marivaux sur ce point.

136. De la Recherche de la vérité, II, I, 1, éd. cit., t. I, p. 96. Comparer Descartes, Discours de la Méthode, VI : « L'esprit dépend si fort du tempérament et de la disposition des organes du corps que, s'il est possible de trouver quelque moyen qui rende communément les hommes plus sages et plus habiles qu'ils n'ont été jusqu'ici, je crois que c'est dans la médecine qu'on doit le chercher ». Le P. Bouhours décalque la formule de Descartes : « Je voudrois bien sçavoir [demande Eugène] d'où viennent toutes ces qualitez qui font le bel esprit. Elles viennent, répondit Ariste, d'un tempérament heureux et d'une certaine disposition des organes [...] » (Les Entretiens d'Ariste et d'Eugène, « Le Bel Esprit, Quatrième entretien », Paris, 1671, réédition Bibliothèque de Cluny, Paris, 1962, p. 123), et c'est peut-être de Bouhours (en même temps que de Pascal) que Marivaux s'est souvenu quand il a donné sa définition du bel esprit, Lettres sur les habitants de Paris, J.O.D., p. 34. Ici non plus, il n'est donc pas besoin de supposer sur Marivaux une influence de Locke, qui n'a traité le thème que par prétérition, Essai philosophique [...], II, 11, § 2 : « Je n'examinerai point ici combien l'imperfection dans la faculté de bien distinguer les idées, dépend de la grossièreté ou du défaut des organes, ou du manque de pénétration, d'exercice et d'attention du côté de l'entendement, ou d'une trop grande précipitation naturelle à certains tempéramens » (éd. cit., t. I, p. 313). Quant à Spinoza (Ethique, II, Propos. 13, Schol. ; Propos. 14 ; III, Propos. 11, où les perceptions dont l'âme est capable sont présentées comme proportionnelles aux modifications dont le corps est susceptible), Marivaux ne l'a très probablement pas connu, bien qu'il eût été défendu contre Malebranche par Dortous de Mairan, familier du salon de Mme de Lambert, et adapté en français par Boulainviller, ami du maréchal de Noailles et membre d'un groupe intellectuel que Fontenelle fréquentait (voir Paul Vernière, Spinoza et la pensée française avant la Révolution, Paris, 1954, tome I, p. 279 sqq. et p. 395 sqq.).

137. La Rochefoucauld, Maximes, 44 (éd. J. Truchet, Paris, 1967, p. 16).

Les gens d'esprit pénétrant constituent donc une élite dont le privilège réside dans le tempérament et les organes : aux yeux de Perrault, Homère et Virgile étaient des génies comme la nature pouvait toujours en produire, et Fontenelle opposait les « esprits fins » aux « esprits ordinaires » [138]. Une fois de plus, Marivaux adopte l'opinion des Modernes : il croit que certains individus ont un discernement plus subtil de ce qui se passe dans leur âme et dans celle d'autrui, il revendique pour eux le droit de dire ce qu'ils voient et de le dire avec toute l'exactitude possible ; ils enrichissent ainsi la connaissance que l'homme peut avoir de lui-même, en énonçant ce qui n'avait été avant eux que confusément aperçu ; nous avons déjà cité ce que Marivaux a écrit de plus décisif sur ce sujet [139] ; il adaptait à son expérience personnelle l'argumentation des Modernes selon lesquels le progrès était aussi réel dans la psychologie (qu'ils appellent la morale) que dans la science ou la technique : « [les Anciens] connoissoient en gros aussi bien que nous les passions de l'âme, mais non pas une infinité de petites affections et de petites circonstances qui les accompagnent [...]. En un mot, comme l'Anatomie a trouvé dans le cœur des conduits, des valvules, des fibres, des mouvements et des symptômes qui ont échappé à la connoissance des Anciens, la Morale y a aussi trouvé des inclinations, des aversions, des désirs et des dégousts, que les mesmes Anciens n'ont jamais connus. Je pourrois vous faire voir ce que j'avance en examinant toutes les passions l'une après l'autre, et vous convaincre qu'il y a mille sentimens délicats sur chacune d'elles dans les Ouvrages de nos Auteurs, dans leur Traitez de Morale, dans leurs Tragédies, dans leurs Romans, et dans leurs pièces d'Eloquence, qui ne se rencontrent point chez les Anciens ». A. Pizzorusso, qui cite ce texte de Perrault, fait justement remarquer qu'il annonce les considérations théoriques de Marivaux et qu'on trouvera des idées analogues chez La Motte et l'abbé Terrasson [140]. Si Fontenelle, dans la *Digression sur les Anciens et les Modernes*, semble limiter le progrès aux sciences mathématiques et physiques, c'est que, dans la poésie et dans l'éloquence, il considère seulement la technique de l'expression et juge que les Anciens ont pu y être parfaits ; le ton assez méprisant dont il en parle ne devait pas déplaire à Marivaux, lui-même très

138. Fontenelle, *Entretiens sur la pluralité des mondes*, sixième Soir : « Les Horloges les plus communes et les plus grossieres, marquent les heures, il n'y a que celles qui sont travaillées avec plus d'art qui marquent les minutes. De même les esprits ordinaires sentent bien la différence d'une simple vrai-semblance à une certitude entiere ; mais il n'y a que les esprits fins qui sentent le plus ou le moins de certitude ou de vrai-semblance, et qui en marquent, pour ainsi dire, les minutes par leur sentiment » (éd. cit. p. 162). Cf. un peu plus haut (*ibid.*, p. 158) : « Contentons-nous d'être une petite troupe choisie qui les croyons [les habitants des autres mondes], et ne divulgons pas nos mysteres dans le Peuple » ; en note, A. Calame fait remarquer l'« aristocratisme intellectuel » de Fontenelle. Helvétius, dont nous avons noté les points de contact avec Marivaux, et qui doit beaucoup à Fontenelle (voir W. Krauss : « Fontenelle et la formation d'Helvétius », *Studi in onore di Italo Siciliano*, Florence, 1966, t. I, p. 599-607), s'est séparé d'eux sur ce point, *De l'Esprit*, IIIe Discours, chap. 1 et 3 (voir *supra* chap. IV, p. 139 et n. 51, et p. 263).

139. Voir *supra*, p. 137-138.

140. A. Pizzorusso, *op. cit.*, p. 123 ; le texte de Perrault vient des *Parallèles des Anciens et des Modernes*, Paris, 1688, t. II, p. 31.

dédaigneux des problèmes de pure forme : mais la *Préface sur l'utilité des mathématiques et de la physique* étendait le bénéfice des progrès faits par l'esprit géométrique aux ouvrages « de morale, de politique, de critique, peut-être même d'éloquence », et la *Lettre sur* « *Eléonor d'Yvrée* » louait dans le roman de Catherine Bernard « une certaine science du cœur », « les peintures fidelles de la nature, et surtout celles de certains mouvemens du cœur presque imperceptibles, à cause de leur délicatesse »[141]. « Délicatesse », « délicat », ce sont les mots que les nouveaux Précieux emploient quand ils parlent de ce que la subtilité moderne découvre de neuf dans le cœur humain[142].

« On fait ainsi tous les jours de nouvelles découvertes dans ses pensées, comme dans les autres choses, et l'on y aperçoit ce que l'on n'avoit point cru qui y fût » : en s'exprimant de cette façon, Nicole rejoignait Perrault, mais il parlait seulement de ce que chaque individu pouvait apprendre sur lui-même, et non de l'accroissement des connaissances collectives sur l'esprit humain[143]. Le problème des zones obscures de la conscience avait été posé au XVIIe siècle dans trois domaines différents : en théologie, à propos de la grâce générale, on se demandait si le pécheur, pour être déclaré responsable de sa faute, ne devait pas avoir effectivement entendu, si obscurément que ce fût, l'injonction divine qui l'en détournait ; c'était la doctrine soutenue contre Arnauld par Nicole, et déjà, sous une forme assez différente, celle des casuistes que Pascal avait ridiculisés ; en métaphysique, à propos des idées innées, on se demandait comment des idées pouvaient être dans l'entendement sans que celui-ci les ait aperçues, et si l'âme pensait même lorsqu'elle n'en avait pas conscience chez l'homme endormi ou chez l'enfant nouveau-né ; c'étaient les objections soulevées par Locke contre le système de Descartes et des cartésiens, et réfutées par Leibniz dans une perspective étrangère au cartésianisme[144] ; enfin dans le domaine de la morale pratique et dans celui de la connaissance courante, Pascal, La Rochefoucauld, Méré, Saint-Réal avaient montré

141. *Textes choisis* de Fontenelle, éd. cit., p. 273 (cette *Préface* est de 1702) et *Mercure galant*, septembre 1687 (le texte complet de la *Lettre* est reproduit dans notre ouvrage sur *Le Roman jusqu'à la Révolution*, Paris, 1968, t. II, p. 94-95).

142. Marivaux, qui emploie ces mots lui aussi, dit encore plus souvent « finesse », « fin » ; Mme de Lambert a écrit un *Discours sur la délicatesse d'esprit et de sentiment* qui expose les avantages (« Elle découvre mille beautés, et rend sensible à mille douceurs qui échapent au vulgaire : c'est un microscope qui grossit pour certain tems ce qui est imperceptible aux autres ») et les inconvénients de la délicatesse, et dont chaque terme semble pouvoir s'appliquer à Marivaux (*Œuvres de Madame la marquise de Lambert* [...], Amsterdam, 1747, p. 274-276).

143. Nicole, « Discours qui peut servir de préface » (1691) au *Traité de la grâce générale* (publié en 1715), cité par G. Chinard, *En lisant Pascal*, Lille-Genève, 1948, p. 122.

144. Locke, *Essai philosophique concernant l'entendement humain*, livre I, chap. 1, notamment § 5 ; livre II, chapitre 1, notamment § 18 et 19 ; Leibniz, *Nouveaux Essais sur l'entendement humain*, Avant-propos et livre II, chap. 1, § 11-15 (p. 131-136 des *Extraits* publiés par L. Guillermit, Paris, 1961) ; sur cette question, voir l'ouvrage déjà cité de Geneviève Lewis, *Le Problème de l'inconscient et le cartésianisme* ; G. Lewis note, p. 261, que si Leibniz a correspondu avec Arnauld et lui a parlé des « perceptions insensibles », la pensée d'Arnauld d'une part, celle de Leibniz d'autre part ont cheminé séparément sans influence réciproque.

d'une part le rôle des mobiles inconscients, de l'autre celui de l'intuition et de l'esprit de finesse [145]. Comme toujours, Marivaux choisit et coordonne : il hérite de la défiance des moralistes classiques envers l'activité de l'amour-propre [146] ; il croit comme Leibniz (qu'il n'a sans doute pas lu) aux « petites perceptions » et comme Nicole aux « pensées imperceptibles », c'est-à-dire aux sentiments obscurs que les esprits supérieurement perspicaces savent démêler et faire reconnaître, mais il n'en déduit pas, au contraire de Nicole, que le double sens fasse la beauté du style [147] ; il s'oppose donc à Locke qui nie la pénombre de la conscience [148], mais il a peut-être appris chez lui l'inépuisable diversité et l'importance primordiale de l'expérience sensible ; il a enfin noté la sûreté de l'instinct et des passions, mais pour la subordonner à la conscience lucide, dans laquelle il fait résider l'unité et l'identité du *moi* [149].

*
* *

Le cœur est un continuel défi à la connaissance, par ses ruses, ses intermittences, ses violences, ses contradictions ; il est la donnée première à partir de laquelle le *moi* se construit, en la modifiant, la restreignant ou l'amplifiant par un effort d'attention et de volonté ; il

145. Pascal, *Pensées*, éd. classique Brunschvicg, 1 (« Différence entre l'esprit de géométrie et l'esprit de finesse »), et *passim* dans la section II ; La Rochefoucauld, un peu partout, et notamment la Maxime supprimée sur l'amour-propre (M.S. 1 dans l'édition de J. Truchet, 563 dans l'édition des Grands Ecrivains de la France) ; Méré, *Discours des Agrémens* (*Œuvres complètes*, éd. cit., t. II) et *Les Conversations* D.M.D.C.E.D.C.D.M., IVᵉ conversation (*ibid.*, t. I) ; Saint-Réal, *De l'Usage de l'histoire*, IIᵉ Discours (*Œuvres*, Paris, Huart, 1745, t. II, p. 494-495 ; le texte est de 1671 ; admirables remarques sur les « sentimens insensibles », leur refoulement par l'inconscient et la thérapeutique morale par l'analyse de soi).

146. La dernière des *Réflexions sur les hommes* (*J.O.D.*, p. 512), condense les deux dernières *Lettres sur les habitants de Paris*, à trente-quatre ans de distance. Marivaux y montre que l'amour-propre des hommes leur dissimule le mérite de leurs concurrents dans une même profession ou un même talent : « Qu'on demande par quel art ce que je dis là peut se passer dans l'esprit, et comment il est possible qu'un homme connaisse une vérité, et en même temps se garde le secret de la connaissance qu'il en a ! C'est ce qui serait si difficile à expliquer qu'on ne s'entendrait pas ». Comparer avec Fontenelle, *Entretiens sur la pluralité des mondes*. Premier soir : « Les mouvements les plus naturels, répondis-je, et les plus ordinaires, sont ceux qui se font le moins sentir, cela est vrai jusque dans la Morale. Le mouvement de l'amour-propre nous est si naturel, que le plus souvent nous ne le sentons pas, et que nous croyons agir par d'autres principes » (éd. cit., p. 43).

147. « On peut dire [...] que les livres n'étant que des amas de pensées, chaque livre est en quelque sorte double, et imprime dans l'esprit deux sortes d'idées. Car il y imprime un amas de pensées formées, exprimées et conçues distinctement. Et outre cela il y en imprime un autre composé de vues et de pensées indistinctes, que l'on sent et que l'on aurait peine à exprimer, et c'est d'ordinaire dans ces vues excitées et non exprimées que consiste la beauté des livres et des écrits » (Nicole, « Discours qui peut servir de préface », cité par G. Chinard, *op. cit.*, p. 124). Nicole retrouve ici les idées de *La Logique* de Port-Royal sur les connotations.

148. Il était plus facile de faire comprendre l'idée distincte (ou confuse) que l'idée claire (ou obscure), et Locke (*op. cit.*, II, 29, éd. cit., t. II, p. 462-486 ; voir aussi II, 1, § 7, *ibid.*, t. I, p. 181) n'est pas plus décisif sur ce point que Descartes (*Les Principes de la philosophie*, I, § 45-46, Paris, 1723, p. 31-32) ou Malebranche (*De la Recherche de la vérité*, notamment VI, I, 2, éd. cit., II, p. 160-162 et Xᵉ Eclaircissement, *ibid.*, t. III, p. 84-85) ; chez tous les trois, ces distinctions relèvent plus de la logique que de la psychologie. Voir aussi Leibniz, *Nouveaux Essais*, II, chap. 29, § 4-13 (éd. cit., p. 142-150).

149. Voir *supra* tout le chapitre IV.

représente ces attributs de l'âme sensible qui, avec les attributs du corps et ceux de l'intelligence composent la « matière », l'« origine » de chaque homme [150], et il possède une priorité naturelle dans le temps (« on a du sentiment avant d'avoir de l'esprit ») [151] ainsi que dans l'élaboration de la connaissance (« Il n'y a que le sentiment qui nous puisse donner des nouvelles un peu sûres de nous ») [152]. Cette connaissance n'est complète que lorsque l'esprit a distinctement aperçu les sentiments du cœur et qu'il les a nommés et définis. La perspicacité passée, la fidélité de la mémoire, l'agilité intellectuelle présente associée à une riche expérience font que presque plus rien n'échappe au narrateur des mouvements qu'il a autrefois éprouvés. Nous avons vu comment la conscience actuelle parachève l'élucidation déjà bien commencée par la conscience dans le passé [153]. Marianne, Jacob, Tervire même ne savent presque rien maintenant d'eux-mêmes qui leur ait totalement échappé au moment de l'action : ils ne sont pas devant eux-mêmes, dans leur mémoire, comme devant des personnages extérieurs dont ils reconstituent d'après le comportement les intentions obscures et les mobiles inconscients, ils retrouvent dans leur conscience la trace du mouvement qui s'était fait en eux ; si les réflexes purement mécaniques ne concernent pas le *moi*, il est en revanche averti de tous ceux qui le caractérisent et lui sont propres, ou il ne croit les ignorer que parce qu'il se les dissimule, et l'attention rétrospective les remet en lumière. Tous les moralistes dont Marivaux recueille l'héritage, Montaigne, Pascal, La Rochefoucauld, Méré, Malebranche ont en somme pensé, comme Nicole [154], que les sentiments imperceptibles n'étaient que des sentiments d'« une moindre perceptibilité », et ils ont placé la valeur morale dans la perspicacité, faisant au *moi* un mérite de bien se connaître. Au contraire de Prévost, dont les romans doivent leur sombre poésie et leur tragique aux ténèbres dans lesquelles se meuvent les cœurs, Marivaux cherche le romanesque dans l'illumination du cœur par l'intelligence, dans l'appropriation des sentiments par la lucidité. Et comme pour lui, de même que pour la plupart de ses contemporains théoriciens du langage, l'expression verbale ne crée pas le contenu mental, mais vient après coup le qualifier, on peut admettre que le sentiment de soi est, de façon latente ou évidente, une connaissance de soi [155].

Malebranche avait soutenu le contraire [156], mais on peut mesurer

---

150. *Réflexions sur l'esprit humain, J.O.D.*, p. 485.

151. *V.M.²*, p. 443.

152. *V.M.²*, p. 22 ; voir *supra*, p. 141-142 et p. 285.

153. Voir *supra* pour Jacob, p. 198, 200-203 ; pour Marianne, p. 211, 215-217, 225-226, 229-232 ; pour Tervire, p. 235, 238 ; nous avons montré aussi, p. 240, que l'introspection était moins développée chez Tervire, personnage qui figure dans le récit de Marianne et y est montré de l'extérieur.

154. Dans une *Dissertation contre le P. Hilarion « Sur les Pensées imperceptibles »* citée par G. Chinard, *op. cit.*, p. 127-130.

155. Selon saint Augustin, que citent Frain du Tremblay et plusieurs de ces théoriciens, le son articulé n'est que la voix de la parole, *vox verbi* (Frain du Tremblay, *Traité des langues*, éd. cit., p. 11).

156. Par exemple dans *De la Recherche de la vérité*, III, II, 7, § 4 (éd. cit., t. II, p. 257) et XI° Eclaircissement (*ibid.*, t. III, p. 98-99).

ici la profonde transformation que Marivaux fait subir au spiritualisme : celui-ci n'arrivait pas à sortir de l'opposition entre la clarté de l'évidence intellectuelle et l'obscurité de l'expérience sensible ; Marivaux se situe délibérément hors du problème, il ne veut considérer que les données de l'expérience, il veut être un fidèle observateur et non un auteur de systèmes. A l'opinion de Malebranche : « La connaissance de l'homme est de toutes les sciences la plus nécessaire à notre sujet. Mais ce n'est qu'une science expérimentale » [157], il souscrit en faisant sauter la restriction : science expérimentale, la connaissance de l'homme l'est heureusement et n'est connaissance qu'à cette condition. Ainsi sont levées toutes les difficultés à propos desquelles s'affrontaient cartésiens et malebranchistes, partisans de Nicole et partisans d'Arnauld ; dissipés aussi, en tout cas éludés, les débats sans issue sur les rapports de l'abstrait et du concret, de l'universel et du particulier : la « formation » est dans tous les hommes « commune, uniforme et complète » ; la communication avec autrui, la compréhension que chacun a d'autrui, la reconnaissance de dispositions et de sentiments communs à soi-même, à autrui et à tous les hommes sont des faits d'expérience sur lesquels peut s'édifier une science du cœur aussi positive que les sciences de la nature ; le privilège dont jouissait l'intelligible pur chez tous les penseurs spiritualistes, qu'ils fussent disciples de Descartes, de Malebranche ou de Leibniz, est aboli, la seule base de la connaissance est désormais l'intuition sensible exploitée par le raisonnement. Cette conclusion rejoint la doctrine de Locke, mais nous n'avons pas relevé de souvenirs textuels qui laissent croire que Marivaux ait lu l'*Essai philosophique concernant l'entendement humain :* les seuls philosophes avec lesquels des rapprochements textuels soient possibles sont Descartes et surtout Malebranche, interprétés dans un sens empiriste sous l'influence de Fontenelle.

Si l'on replace ainsi la psychologie de Marivaux dans l'histoire des idées, on voit combien on aurait tort de considérer Marivaux comme un impressionniste, un poète de la versatilité et du papillonnement, qui aurait voulu suggérer le caractère immédiat, fugitif et incommunicable des émotions. En face de la vie intérieure, il n'a évidemment pas l'attitude d'un béhavioriste, mais bien celle d'un observateur ; quelles que soient les objections que pourraient formuler les psychologues de notre époque contre le statut d'objets conféré aux expériences subjectives, dès que « connaissable » n'est plus synonyme d'« intelligible » et d'« évident », le fait psychologique, aussi peu évident à l'esprit que le fait physique, est tout aussi connaissable que lui, et même les états de vertige, de confusion, d'anéantissement, puisqu'ils sont éprouvés par le *moi*, sont matière d'observation et de connaissance : obscurs, ils sont exactement définis comme tels. De même que la rétrospection explique ce que l'introspection ou le sentiment confus de soi avait aperçu lors de l'action, et que les deux paliers du « double registre » décrit par Jean Rousset sont en presque constante communication [158], de même le narrateur a parfaitement le

157. *Traité de morale*, I, 5, § 17, éd. cit., p. 55.
158. Voir *supra*, p. 200-202, 203 sq., 229 sq.

droit, pour mieux comprendre ce qu'il a été, de faire appel à des lois
générales que l'expérience lui a apprises ; la connaissance objective du
cœur est exactement aussi solidaire de la connaissance subjective, que
la conscience actuelle est solidaire de la conscience passée. Ainsi est
surmontée une antinomie sur laquelle Jean Rousset s'appuie pour
affirmer de façon trop catégorique le dédoublement du héros-narrateur
en *regardant* et *regardé* et la séparation de *maintenant* et d'*autrefois*.
Sans doute l'Indigent philosophe a raison de dire des passions : « on
ne songe guère à ce qu'elles sont quand on les a, [...] on ne les connaît
bien que lorsqu'on ne les a plus » [159] ; mais « on », ce sont les cœurs
sans profondeur, les âmes vaines comme celle de la femme savante
dont parle l'Indigent ; les Marianne, les Tervire et les Jacob savent
être attentifs à leurs expériences [160].

*
* *

La difficulté de l'analyse ne réside donc pas dans la perception,
mais dans l'expression : son objet peut être connu (fût-ce comme une
perte de connaissance), mais il ne peut pas être formulé sans une
libération du langage. Marivaux qui croit que la pensée est antérieure
aux mots, croit aussi que le passage de la pensée aux mots est presque
automatique et immédiat ; l'obstacle à l'expression n'est pas tant dans
la pauvreté du langage que dans les usages et les préjugés.

Cette confiance dans le langage s'explique par la confiance dans les
connaissances déjà acquises sur l'objet à décrire. Si Marivaux croyait
apporter une façon révolutionnaire de considérer le *moi*, des expériences inouïes, il aurait à se battre contre le langage pour le forcer à
dire ce qui n'aurait jamais été dit ; mais des siècles sans réflexion, une

---

159. *L'Indigent philosophe*, septième feuille, *J.O.D.*, p. 318.

160. C'est dans le même sens que Marivaux écrit (*Le Cabinet du philosophe*, troisième
feuille, *J.O.D.*, p. 354) : « Nous sommes plus pressés d'aller, de jouir de nous, que de nous
voir » ; l'intention réprobatrice n'est plus sensible dans le passage du *Miroir* (*J.O.D.*, p. 540)
auquel renvoie une note de F. Deloffre accompagnant la phrase citée de l'Indigent : « nous
nous soucions bien moins de connaître que de jouir ». La même idée se retrouve chez
Mme de Lambert, dans *Psyché, en grec Ame* (*Œuvres*, éd. cit., p. 229) : « L'Ame est mise
dans le corps pour jouir, et non pas pour connaître », et dans le *Traité de la vieillesse* (*ibid.*,
p. 162) : « Nous avons en nous de quoi jouir ; mais nous n'avons pas de quoi connaître.
Nous avons les lumieres propres et nécessaires à notre bien être ; mais nous courons après des
vérités qui ne sont pas faites pour nous » ; ce scepticisme vient de Fontenelle (*Nouveaux
Dialogues des morts*, « Parménisque, Théocrite de Chio », éd. cit., p. 288 : « [La nature] a mis
les Hommes au monde pour y vivre ; et vivre, c'est ne sçavoir ce que l'on fait la plupart du
temps » ; « Apicius, Galilée », éd. cit., p. 322 : « Si vous ne voulez que jouïr des choses,
rien ne vous manque pour en jouïr, mais tout vous manque pour les connoître ») et, naturellement, de Montaigne et de l'*Apologie de Raymond Sebond*. Malebranche, d'un avis
contraire à celui de Fontenelle quand il s'agit du « vrai bien » (« Il dépend beaucoup de
[l'homme] de connaître le bien ; et il ne dépend nullement de lui d'en jouir », *Traité de
morale*, I, § 18, éd. cit., p. 8), est d'accord avec lui quand il s'agit de la vie courante : « Les
sens ne nous sont donnés que pour la conservation de notre corps, et non pour apprendre
la vérité (*De la Recherche de la vérité*, I, 10, § 4, éd. cit., tome I, p. 58 ; voir tout le
chapitre). Locke montrait (« Avant-propos » de son *Essai philosophique* [...]) que « l'étenduë
de nos connoissances est proportionnée à notre état dans ce monde, et à nos besoins ». Dans
un registre plus banal, la pensée de Marivaux se retrouve chez Duclos, elle était sans doute
un lieu commun : « Plus on sent, moins on pense, et l'on ne réfléchit que sur le moment de
mémoire » (*Mémoires sur les mœurs de ce siècle* dans les *Œuvres complètes*, Paris, 1821, t. I, p. 316). « Il
n'est pas de la nature des passions violentes de réfléchir sur elles-mêmes », avait dit Méré
(*Les Conversations* [...], IVe Conversation, éd. cit., t. I, p. 58).

longue tradition de moralistes païens et chrétiens ont établi pour les
nouveautés que l'esprit moderne découvre un cadre où elles se placent
et une nomenclature dont on peut se servir pour les étiqueter [161]. Frain
du Tremblay, l'abbé de Saint-Pierre [162] avaient réclamé pour le savant
le droit de forger les noms des objets nouveaux inventés par la
science : Marivaux adopte à leur exemple l'attitude du savant, celle-
là même qu'adopteront à la fin du siècle les créateurs de sciences nouvelles, Lavoisier en chimie, Dupont de Nemours en économie politique [163] ; mais sa doctrine du « mot propre » est probablement défensive : il soutenait que sa façon d'écrire était nécessaire et commandée
par la nature de l'objet, et non pas gratuitement ornementale ; plaidant
pour la néologie, il voulait se distinguer de ceux qui affectaient le
néologisme, des précieux avec lesquels le *Dictionnaire néologique* le
confondait et parmi lesquels il faut bien compter Fontenelle [164]. En fait,
il n'a hasardé que très peu de néologismes de vocabulaire, qui ne
sont peut-être que des archaïsmes ou des provincialismes [165]. Un
inventaire de son lexique psychologique n'apprendrait pas grand-
chose : on y retrouverait, selon la terminologie traditionnelle, l'*âme*,
l'*esprit* et le *cœur* ; les mots désignant les opérations de l'esprit et leur
contenu (*jugement, raison, pensée, idées, réflexions, attention...*) moins
nombreux que les mots désignant la vie du cœur (*sentiment, sensibilité,
passions* — avec toute leur variété répertoriée, *orgueil, fierté, vanité,*

161. Voir *supra*, chap. IV, p. 137-138, comparer avec ce mot de Fontenelle : « Nous nous
sommes toujours représenté l'inconnu sous la figure de ce qui nous était connu ; mais,
heureusement, il y a tous les sujets du monde de croire que l'inconnu ne peut pas ne point
ressembler à ce qui nous est connu présentement » (*De l'Origine des fables*, éd. critique par
J.-R. Carré, Paris, 1932, p. 17).

162. Frain du Tremblay, *Traité des langues*, éd. cit., p. 84.

163. Sur Dupont de Nemours et les économistes, voir J.-R. Armogathe, « Métaphysique du
langage et science économique : le vocabulaire social du marquis de Mirabeau », dans le
recueil de l'Université de Halle : *Struktur und Funktion des sozialen Wortschatzes in der
französischen Literatur*, Halle, 1970 ; Lavoisier s'est expliqué sur le langage de sa science dans
la préface de son *Traité élémentaire de chimie* (1789 ; cité par P. Juliard, *Philosophies of
language in Eighteenth Century France*, La Haye-Paris, 1970, p. 103).

164. Sur la néologie, voir P. Dupont : *Un Poète-philosophe au commencement du dix-
huitième siècle : Houdar de La Motte*, Paris, 1898, p. 315 sqq. et dans l'*Histoire de la langue
française* de F. Brunot le tome XVI, IIe partie, « La langue post-classique », par A. François
(Paris, 1932). « La néologie est un art, le néologisme est un abus » dit le *Dictionnaire* de
l'Académie en 1762 (cité par A. François, *op. cit.*, p. 1127). La doctrine et la pratique de
Fontenelle ne sont pas exactement celles de Marivaux et des théoriciens qui l'inspirent. Il a
été souvent moqué pour son style fleuri (voir *Micromégas*), et en effet cherchait moins la
précision technique qu'« une manière un peu plus agréable et un peu plus égayée » de
présenter les choses (Préface des *Entretiens sur la pluralité des mondes*, éd. cit., p. 5). Dans
son *Discours sur la nature de l'églogue*, tout en reconnaissant les avantages du style simple
utilisé à exprimer les sentiments délicats, il fait l'éloge du style spirituel : « Les hommes qui
ont le plus d'esprit, et ceux qui n'en ont que médiocrement, ne diffèrent pas tant par les
choses qu'ils sentent, que par la manière dont ils les expriment [...]. [Les] passions qui
éclairent à peu près tous les hommes de la même sorte, ne les font pas tous parler les uns
comme les autres » ; c'est alors qu'il oppose à ce que dirait « un homme du commun » ce
que dit (à peu près) La Rochefoucauld : « L'esprit a été en moi la dupe du cœur ». « Le
sentiment est égal, la pénétration égale ; mais l'expression est différente, que l'on croirait
volontiers que ce n'est plus la même chose » (*Œuvres*, éd. cit., tome III, p. 64-65). Fontenelle donne la version « précieuse », en 1688, d'une doctrine dont Boileau donnera en 1701 la
version « classique » (Préface de 1701, dans les *Satires*, éd. Ch.-H. Boudhors, Paris, 1934,
p. 4). Commentant la même maxime de La Rochefoucauld, Marivaux formulera une doctrine
tout à fait différente, voir *infra* p. 335 sq.

165. Voir F. Deloffre, *Marivaudage²*, p. 295-296. Cet ouvrage nous dispense d'une étude
linguistique et stylistique que nous n'étions pas qualifié pour entreprendre.

coquetterie, colère, amour, amitié, etc. —, *émotions, mouvements, transports, instinct, inclination, sympathie, goût...*) ; le *souvenir,* l'*imagination ;* les verbes *savoir, voir, trouver, croire, sentir, apercevoir, songer, éprouver...,* les impersonnels *il paraît, il semble ;* des mots marquant des états violents, *anéantissement, étourdissement, ivresse, confusion* et les verbes amenant ces résultats, *agiter, bouleverser, étonner ;* des adjectifs et des substantifs signifiant la qualité de la perception intérieure, *fin, délicat, vif, finesse, délicatesse, vivacité ;* plusieurs termes désignant les indices psychologiques, *air, physionomie, façons, figure, grâce, manières, mine, ton...* Mais chez Marivaux, on peut dire qu'aucun mot n'est exclu du vocabulaire psychologique ; tout lui sert, substantifs concrets, adjectifs évoquant des qualités sensibles, verbes d'action ; c'est là le principe fondamental, la clé de toute sa doctrine linguistique : faire servir à la description de la vie intérieure tout le pouvoir expressif des mots, d'où qu'ils viennent, quel que soit leur emploi habituel. Il est impossible de séparer *a priori* ce qui appartient au lexique de la psychologie et ce qui appartient à d'autres lexiques ; le premier est en droit de s'annexer tous les autres [166]. Il ne faut pas en conclure, nous allons le voir, que le style de Marivaux soit entièrement un style figuré.

Il est tout aussi impossible de classer de façon catégorique les termes mêmes qui appartiennent assurément au vocabulaire de la psychologie : l'*âme* est tantôt distincte du *cœur* et de l'*esprit,* tantôt elle les enveloppe ; l'*esprit* est nommé quand on attendrait le *cœur,* bien que l'opposition de l'*esprit* et du *cœur* soit nécessaire à la compréhension de la vie intérieure [167] ; par l'*esprit,* Marivaux désigne tantôt l'entendement, tantôt des jeux fantaisistes qu'il condamne comme froids et trop concertés et qui ont plus de rapport avec l'invention verbale et le plaisir esthétique qu'avec l'intellection : certaines de ses remarques impliquent l'adhésion aux explications psycho-physiologiques de Descartes et de Malebranche, à l'idée des traces dans le cerveau et des mécanismes de l'habitude [168], mais la référence au système n'est qu'occasionnelle, la division des fonctions entre l'entendement, la volonté, les sens n'est pas clairement rappelée, le fonctionnement de la mémoire, de l'imagination, de l'attention n'est pas analysé ni supposé connu ; les thèses sensualistes ne sont pas plus nettes : l'« anatomie » n'est pas l'illustration d'une théorie de l'âme, elle est la description d'une expérience, au moyen de notions usuelles que cette expérience même confirme, mais qu'elle oblige à affiner, à combiner, et dont elle néglige les relations structurelles. Ardemment métaphysicien si l'on entend par métaphysique la curiosité de ce qui n'est pas

---

166. Un inventaire lexical exhaustif serait en revanche très utile.

167. Sur les rapports de l'esprit et du cœur, voir *supra,* chap. IV, et notamment p. 144 sq. Exemples de confusion des ordres : « Je pensai, et ma première pensée fut de la tristesse », *V.M.²* p. 443 ; « le cœur mort [...], [...] l'esprit bouleversé, c'était de ces accablements où l'on est comme imbécile », *ibid.,* p. 302 ; « vous devez juger mieux que moi combien je souffris, moi que rien n'avait préparée à cette sorte de misère, moi qui n'avais pas la moindre idée de ce qu'on appelle peine d'esprit », *ibid.,* p. 446.

168. Voir *supra* p. 290-292, et, dans les *Lettres sur les habitants de Paris,* la comparaison de l'âme du peuple avec une machine, *J.O.D.,* p. 12.

immédiatement matériel, Marivaux ne l'est guère si l'on appelle métaphysique — comme on le faisait de son temps déjà — l'établissement
des axiomes propres à une science, et il ne l'est pas du tout si la
métaphysique est méditation sur l'essence des choses : il est empiriste.

*
* *

Marivaux n'a jamais prétendu que tout le contenu de la conscience
pût être exprimé ; au contraire, il a souvent déclaré que la richesse, la
complexité, la violence, la fugacité de ce contenu étaient très supérieures à tout ce qu'il essayait d'en dire : « Est-ce qu'on peut dire tout
ce qu'on sent ? Ceux qui le croient ne sentent guère, et ne voient apparemment que la moitié de ce qu'on peut voir » [169] ; c'est précisément
parce qu'on voit beaucoup qu'on ne peut pas tout dire ; l'acuité de la
perception l'emporte sur la subtilité des moyens d'expression ; Marianne confirme sur ce point la remarque de Jacob : « Ce sont
des objets de sentiment si compliqués et d'une netteté si délicate qu'ils se brouillent dès que ma réflexion s'en mêle ;
je ne sais plus par où les prendre pour les exprimer : de
sorte qu'ils sont en moi, et non pas à moi » [170] ; les deux
ordres de connaissance, celui du sentiment et celui de la réflexion,
s'opposent moins par leur nature que par leur allure : le premier est
simultané, la seconde successive ; le premier saisit d'une seule vue
toute la « netteté » et toute la « délicatesse » des « objets » et toute la
complexité de leurs rapports, la seconde sépare, considère chaque
« objet » dans sa qualité particulière, et par là même détruit sa relation avec d'autres objets ; mais l'embarras de choisir par lequel
commencer et l'impression de ne pas épuiser par les mots le contenu
de la conscience ne sont pas les preuves que la réflexion trahisse le
sentiment : elle l'appauvrit, elle ne le fausse pas. Nous l'avons dit et
redit, Marivaux a confiance dans le langage, et l'on se tromperait en
faisant de lui le précurseur de Diderot et des romantiques dans la
lutte du génie contre les mots. C'est encore pour lui un procédé
d'expression que de faire avouer à ses personnages l'insuffisance de
leurs expressions ; ces aveux viennent toujours couronner des tentatives, et souvent des réussites, de descriptions suffisamment détaillées,
ils sont la touche complémentaire qui fait sortir le tableau du cadre :
Marianne annonce « une situation d'esprit très difficile à dire », mais
le lecteur peut juger qu'elle l'a fort bien dite [171] ; et quand elle conclut
l'évocation d'un état complexe par cette phrase : « Ce sont de ces
choses dont on ne peut dire que la moitié de ce qu'elles sont », elle

169. *P.P.*, p. 142.
170. *V.M.*², p. 166. Marivaux tient à souligner ce caractère vécu de la réalité à connaître.
Dans le texte de 1715 « sur la Pensée sublime », il déclarait déjà que le sublime de la nature
était « un ouvrage de la chaleur de l'esprit, [...] qui se fait en nous, non par nous » (*J.O.D.*,
p. 60). Mais dans ces pages où sa réflexion était encore mal élucidée, il reprochait aussi à
l'auteur non sublime d'apercevoir confusément et incomplètement la vérité de son sujet : « il
l'a chez lui, non à lui ». Les deux formules sont littéralement contradictoires. Sur l'identification de la clarté et du sublime, voir *supra*, p. 281 et n. 107.
171. *V.M.*², p. 160.

oublie qu'elle venait de dire avec assurance : « c'était là précisément tout ce que j'éprouvais » ; sa formule même fait de l'indicible une catégorie repérée à laquelle elle renvoie le lecteur comme à quelque chose de bien connu [172] ; les exemples sont innombrables : Marivaux veut faire sentir combien la vie déborde les mots ; il ne se relâche jamais dans son effort pour exprimer par les mots le plus de vie possible [173].

« Je crois aussi que les hommes sont bien supérieurs à tous les livres qu'ils font », dit encore Marianne [174] ; mais les livres sont pleins de sens quand on sait les lire avec l'expérience de la vie et la pénétration d'un esprit supérieur. Dans des vers de Crébillon ou de La Motte dont le sublime frapperait même l'homme épais, sans qu'il ait plus qu'une vague intuition de tout ce qu'ils signifient, Marivaux démêle la plus riche complexité de sentiments, mille nuances délicates [175]. Il possède cette « science du cœur humain » que la société oblige tous les hommes à apprendre, et qui est plus développée chez certains : « ce n'est pas dans les livres qu'on l'apprend, c'est elle au contraire qui nous explique les livres, et qui nous met en état d'en profiter » [176]. Il faut savoir lire entre les lignes, dirait-on, mais l'expression n'est pas tout à fait juste. Ce qu'il faut, c'est restituer aux mots le contenu dont l'auteur les a investis, en se reportant à l'expérience commune qui lui a inspiré son œuvre. Tout langage, arbitraire à l'origine, échappe à l'arbitraire dès qu'il est en usage : il s'applique à la réalité et la suit dans tous ses développements, il se charge de sens à mesure que se complète la connaissance collective qu'ont d'elle les hommes. Même si l'on ne crée pas ces mots nouveaux, ces tournures nouvelles dont Marivaux ressent le besoin, la langue s'enrichit par le progrès de l'esprit. Savoir sa langue, c'est donc savoir tout ce qu'implique un mot, avoir clairement à l'esprit ses propriétés, ne pas l'employer dans un sens qu'il n'a pas, ne pas laisser inutilisées certaines indications qu'il peut fournir. Nous ne croyons pas que Marivaux ait jamais voulu tirer du langage des effets d'interférence, de suggestion poétique dont, bien qu'il vive à une époque sans poésie, Horace, Virgile ou Racine aurait pu lui donner l'idée ; nous croyons que pour lui un mot étant l'étiquette d'une chose signifie toujours exactement tout ce que nous savons de cette chose, comme le mot *triangle* signifie pour un homme non informé une figure à trois côtés, mais pour un géomètre une figure impliquant des dizaines de propriétés distinctes et solidaires. Ainsi se justifie la théorie formulée dès 1718 dans les *Pensées sur différents sujets* et rappelée en 1723 dans la vingtième feuille du *Spectateur français :* dans un texte écrit par un grand observateur du

172. *V.M.*², p. 89.

173. Voir encore, *V.M.*², p. 66, entre une précaution oratoire (« Je ne saurais vous définir ce que je sentais ») et une conclusion prudente (« voilà ce qui m'a semblé de l'état où j'étais »), la description, en plus de quinze lignes, de l'étourdissement causé par la première apparition de l'amour.

174. *V.M.*², p. 166.

175. « Sur la pensée sublime », *J.O.D.*, p. 60-72 ; *Le Spectateur français*, vingtième feuille, *J.O.D.*, p. 225-231.

176. *Réflexions sur l'esprit humain, J.O.D.*, p. 476.

cœur humain, chacun trouve à comprendre en proportion de son esprit, l'esprit grossier le « caractère générique » des passions exprimées, l'esprit supérieur toute leur étendue et toute leur finesse. Quant à l'auteur, c'est parce qu'il a su s'identifier au personnage qu'il a pu le faire parler avec tant de justesse [177]. Reste une question : dans la vie, un être de chair et de sang trouverait-il spontanément les mêmes mots ? Pour Marivaux, cette question ne se pose pas : le langage d'un être vivant sera exactement aussi expressif que son âme sera sensible ; les êtres raffinés auront un langage raffiné, entendons, comme l'explique Marivaux dans l'Avertissement des *Serments indiscrets*, un langage de « feu », d'une « naïveté fine et subite », leur langage naturel [178], et les êtres simples aux sentiments vifs des expressions d'une énergie que ne saurait jamais inventer l'écrivain le plus « spirituel ». Ainsi s'expliquent également les idées de Marivaux sur l'éloquence sacrée : il reproche aux prédicateurs de vouloir faire les habiles, de remplacer le « sentiment » qu'ils pourraient communiquer à tous les auditeurs par la « spiritualité » qui est un jeu ingénieux de l'esprit avec les mots [179] ; un bon prédicateur est un homme qui, « sans y employer d'art inutile, n'a d'autre secret pour vous persuader de ce qu'il dit que d'en être persuadé lui-même » ; tout décalage étant aboli entre la pensée et le mot, sa parole est comparable aux « entretiens intérieurs que nous avons avec nous-mêmes » [180], au langage le moins formel, support de la pensée presque inexistant, évanoui sans le moindre son ni le moindre souffle : la véritable éloquence du cœur se moque de l'éloquence [181]. Marivaux use de styles fort différents, le philosophe ou l'esthéticien des *Pensées sur différents sujets* et des *Réflexions sur l'esprit humain*, le Spectateur et l'Indigent, Marianne, Mme Dutour, Brideron ont chacun leur façon de parler, mais c'est à divers niveaux le même langage, précis et pleinement expressif, toujours dicté par la nature et transcrivant directement le réel ; les différences viennent du lexique, chaque condition ayant ses mots, et de l'attention, l'anatomiste du cœur ou la jeune fille animée par son émotion s'exprimant avec

177. Voir les textes cités à la note 175, et *supra*, chap. IV, p. 172-173.

178. *T.C.*, t. I, p. 967.

179. *Le Cabinet du philosophe*, troisième feuille, *J.O.D.*, p. 352. « Spiritualité » nous semble signifier : « qualité de ce qui est spirituel », c'est le défaut tant reproché à Marivaux lui-même, d'avoir trop d'esprit, celui d'une dame, dans *L'Indigent philosophe*, qui connaît l'amour par l'esprit et non par le cœur (« sa tendre spiritualité me faisait bâiller », *J.O.D.*, p. 296) ; Marivaux a fait passer le mot du langage religieux au langage de l'analyse, comme il l'a fait pour « mondanité » dans *Le Paysan parvenu* (*P.P.*, p. 262).

180. *Le Spectateur français*, quinzième feuille, *J.O.D.*, p. 195. Dans la vingt-cinquième feuille, *ibid.*, p. 262, la méditation de l'Inconnu prend la forme d'un discours intérieur, « comme on se parle quelquefois ».

181. B. Munteano, dans un article richement documenté du recueil collectif *Stil- und Formprobleme in der Literatur*, Heidelberg, 1966, p. 66-77 : « Constances humaines en littérature : l'éternel débat de la *raison* et du *cœur* », a montré que de nombreux théoriciens, tant à l'époque classique (Arnauld, Nicole, Boileau, Gibert, Rapin, Bouhours) qu'au XVIIIᵉ siècle (Du Bos, Buffier, Fénelon, Trublet, Rollin, Diderot) ont soutenu que l'éloquence et l'art en général doivent s'adresser au cœur, exciter les passions. Mais la rhétorique du cœur, pour s'opposer à la rhétorique de la raison, n'en a pas moins ses principes de goût et de bienséance, et même ses règles : on peut même se demander si toute rhétorique n'est pas une codification des moyens d'atteindre le cœur ! Marivaux nous paraît se distinguer par son refus constamment répété de toute rhétorique.

plus d'abondance, l'un parce qu'il discerne plus, l'autre parce qu'elle
éprouve plus que les gens simples. Si l'on n'est persuasif qu'à condition
d'être persuadé, les simulateurs doivent être sincères, la différence
entre un sentiment joué et un sentiment éprouvé disparaît : c'est ce qui
se produit pour Jacob, il se laisse prendre par la tristesse qu'il avait
affectée ; la contagion des sentiments n'en agit que mieux : « Aussi ne
manquai-je pas mon coup », dit-il, au point qu'après avoir attendri
Mlle Habert, il ne peut pas arrêter tout de suite le cours de sa propre
sensibilité [182]. Mais le « coup » dont Tervire frappe Mme Dursan, sa
tante, est également un coup monté, dans lequel elle a pour complice
Mme Dorfrainville, Brunon et le jeune Dursan [183]. Il ne faut donc pas
considérer comme des imposteurs ou des intrigants tous ceux qui
jouent un personnage et se cachent derrière un masque, la Flaminia
de *La Double Inconstance*, la Léonide du *Triomphe de l'amour*, le Dorante des *Fausses Confidences*, le *Lucidor de L'Epreuve*, sans parler
des deux protagonistes du *Jeu de l'amour et du hasard* : ils disent la
vérité, non pas même par antiphrase, mais telle qu'elle est. Et pourtant le mensonge est un des ressorts les plus puissants de ce théâtre,
dans *La Fausse Suivante* par exemple ou dans *Les Acteurs de bonne
foi*, deux pièces où l'on ment aussi délibérément pour amener une
rupture que pour consolider une union. C'est que tout mensonge
suppose une sympathie, entre le menteur et son mensonge, entre le
menteur et sa victime même. Le paradoxe n'est qu'apparent : les
théories de Malebranche sur l'imagination communicative fournissent
une explication philosophique [184] de ces comportements ambigus,
l'intuition psychologique de Marivaux en établit la cohérence et la
vraisemblance : on peut dire que le masque libère la vérité, que les
personnages dissimulés sont plus libres d'être eux-mêmes, sous le
masque ou quand ils l'ont enlevé, mais c'est rester à la surface des
choses ; on saisit mieux le sens du mensonge dans toute l'œuvre de
Marivaux si l'on observe que la fonction même de l'écrivain est de
jouer tour à tour tous les personnages qu'il invente, et de les jouer
dans leur exacte vérité, en devenant chacun d'eux par sympathie au
plus profond de son cœur. Les menteurs non convaincus, les hypocrites
comme Climal ou Mme de Ferval se trahissent même par leur
langage. Il faut être sincère pour savoir bien mentir [185].

Mais l'analyste n'a pas à imiter le langage naturel des personnages,
il a à rendre compte de leurs sentiments, et d'abord des siens propres
quand c'est de lui qu'il parle. L'analyse de soi, la plus importante, ne
dispose pas de moyens spécifiques, les mêmes instruments servent
à connaître autrui et à se connaître soi-même : le sentiment intérieur,
l'observation extérieure, l'expérience. Le sentiment intérieur, qui nous
donne des nouvelles de nous, nous en donne aussi des autres, puisque

---

182. *P.P.*, p. 92 ; voir *supra*, chap. IV, p. 201.

183. *V.M.²*, p. 526 : « Le coup qui devait la frapper était mon ouvrage » ; p. 512, Tervire
parle même de « supercherie ».

184. Voir dans *La Recherche de la vérité* tout le livre deuxième, consacré aux effets de
l'imagination.

185. « On imite si mal et si tristement ce qu'on ne sent point », dit Tervire quand elle veut
affecter la gaîté devant sa tante, *V.M.²*, p. 495.

« les âmes se répondent » [186] ; Jacob possède la même pénétration que
Marivaux : « cet art de lire dans l'esprit des gens et de débrouiller
leurs sentiments secrets est un don que j'ai toujours eu et qui m'a
quelquefois bien servi » [187] ; Marianne en est douée aussi : « Je devinais
la pensée de toutes ces personnes-là sans aucun effort » ; elle présente
cet « instinct » comme « un enfant de l'orgueil », de la coquetterie vaniteuse [188], mais l'orgueil est synonyme de « noblesse de cœur » quand il
lui fait deviner les égards délicats de Mme de Miran [189] ; quand la
sympathie a établi la communication, l'esprit peut « débrouiller » ce
que le cœur a ressenti ; l'observation extérieure fournit des indices à
interpréter, l'expérience les cadres de l'interprétation.

186. *V.M.*², p. 147. Voir *supra*, p. 297 et chap. IV, p. 134-136.
187. *P.P.*, p. 86.
188. *V.M.*², p. 59.
189. *V.M.*², p. 154.

LES ROMANCIERS de l'époque baroque avaient constitué un code des signes extérieurs des passions, code que Descartes avait confirmé de son autorité philosophique et qui avait été légué aux écrivains et aux artistes classiques [190]. *Les Effets surprenants de la sympathie* en offrent des applications exemplaires ; la psychologie héroïque représentait la belle âme comme émerveillée ou accablée de ce qu'elle éprouvait, ou livrée comme un champ de bataille aux conflits des passions qui l'envahissaient, et cette représentation se traduisait par l'indication des attitudes, des jeux de physionomie, changements de couleur, etc., ce qui s'accordait fort bien avec le goût du spectaculaire. Le mot même de *mouvement*, qui sert à désigner ces modifications de l'âme, est encore souvent pris au sens physique dans le premier roman de Marivaux, et jusqu'à la fin son emploi suppose que ce qui se passe dans l'âme apparaît plus ou moins au dehors ; la même ambivalence est dans le mot *agiter*, qui peint la façon la plus violente dont le mouvement s'effectue. Les manifestations des sentiments les plus fréquentes sont les larmes auxquelles Marivaux ne cessera jamais d'attribuer une grande place dans ses romans ; les altérations de la voix, expirante, entrecoupée, paralysée ; les altérations du teint, rougeur, pâleur, ou simple changement de couleur sans autre précision ; les regards, baissés, languissants, fixes, levés vers le ciel ; les soupirs, le tremblement des mains et du corps ; l'immobilité, l'affaiblissement, l'évanouissement. Bien que tout soit présenté comme sensible (surtout visible et audible), il est rare que ces notations soient groupées en un tableau original ; elles se multiplient dans les scènes pathétiques sans que Marivaux parvienne jamais au détail saisissant ; il en use comme d'un langage conventionnel, il renvoie son lecteur à des poncifs dont il croit la banalité expressive. Bien loin de décrire, il économise la description par ce système de références : « la tristesse était peinte sur son visage », « il la regardait avec des yeux d'envie », « il parla de son amour avec un emportement peut-être peu respectueux, mais convenable au caractère d'un homme aussi violent », toutes ces formules, comme la plupart de celles qu'on trouve dans *Les Effets*, substituent des stéréotypes aux particularités concrètes. Marivaux recourt déjà aux formules générales qui classent tel ou tel sentiment dans une catégorie, et l'on comprend comment il a pu passer du lieu commun de psycho-physiologie à la vérité universelle de psychologie, par une

190. Voir, dans l'Introduction de G. Lewis à son édition des *Passions de l'âme* (Paris, 1955), les pages 32-33 et les références au peintre Le Brun et aux Conférences de l'Académie royale de peinture et de sculpture. Malebranche (*De la Recherche de la vérité*, V, 3, éd. cit., t. II, p. 89) explique aussi par le mouvement des esprits animaux et du sang les modifications subies par le corps dans les passions et leur pouvoir communicatif.

phrase comme la suivante : « A cet aspect son cœur se troubla, elle pâlit, elle fut saisie de cette espece de fureur que produit un mouvement subit de haine et de désespoir, et qu'ont allumé avant les réflexions les plus funestes » [191].

Deux apparences globales synthétisent l'une le caractère permanent d'un individu, l'autre ses sentiments réels ou affectés à tel moment de l'action : la *physionomie* et l'*air*. Nous verrons quelle importance elles ont prises dans les œuvres ultérieures ; dans *Les Effets*, les notations concernant la physionomie sont peu nombreuses et d'une complète banalité : la physionomie est douce, charmante, aimable, rude, ou sa qualité n'est même pas signalée, comme s'il suffisait de parler de physionomie pour faire comprendre sous quel extérieur se présente un caractère [192] ; l'air peut, comme la physionomie, être habituel, mais en général il apparaît dans une circonstance précise, et déjà Marivaux a compris le parti qu'il pouvait tirer de son ambiguïté : l'air, en effet, peut être aussi bien volontaire qu'involontaire, il manifeste les sentiments qu'on éprouve ou il sert à faire croire qu'on éprouve ces sentiments ; l'air signifie toujours quelque chose : « l'air distingué que je vois en vous me fait préjuger que [vos] chagrins sont considérables » ; « Frosie me parla [...] d'un air qui signifioit [...] » ; « l'air dont je lui répondis lui fit penser [...] » ; « La femme d'Hosbid me regardoit d'un air qui marquoit de la tendresse » [193]. La grande fréquence de ces notations contraste avec la rareté des cas où la physionomie est mentionnée, et cette différence est normale : la physionomie fait partie des éléments statiques du roman, elle renvoie à l'ensemble du caractère et s'intègre dans un portrait ; or il n'y a que des ébauches de portraits dans *Les Effets*, roman d'aventures où les événements sont l'essentiel ; l'air, au contraire, élément dynamique, est noté au fil du récit, il appartient à une série de faits et le lecteur est invité à se demander ce qui va le suivre : quelles intentions annonce-t-il, est-il sincère ou simulé, quel sens donne-t-il à l'action en cours, quels événements peut-on en attendre ? La notation de l'air est donc un moyen de narration, elle fait avancer le récit par les questions ou les indications qu'elle apporte. Aussi Marivaux est-il déjà attentif à l'analyser assez précisément. Les qualifications en sont variées, quelquefois multiples : « d'un air grand et majestueux », « d'un air obligeant et naïf », « d'un air craintif et troublé », « d'un air mêlé de tendresse et de timidité », « d'un air mêlé de douceur et de fierté », « d'un air passionné, mais hardi et présomptueux », etc. [194]. Alors qu'il ne sait encore rien dire de la physionomie, Marivaux applique à l'air certains des procédés d'analyse que nous définirons plus loin.

191. *Les Effets surprenants*, O.C., V, p. 283, 301, 344, 390, O.J., 14, 23, 45, 69.
192. Par exemple, *ibid.*, V, p. 437. O.J., 94 : « Sa physionomie et son air me présagent que son aventure n'est pas ordinaire » ; 409. O.J., 80 : « Je ne sçais si ma physionomie, ou le zele avec lequel je l'ai servi, m'ont attiré de sa part plus de confiance » ; VI, 180. O.J., 272 : « Isis, qui d'abord n'avoit rien vu qui l'intéressât dans la physionomie de l'inconnu [...] ». Le mot prend au contraire un sens positif dans les exemples cités plus bas, p. 312 et n. 209.
193. *Ibid.*, VI, p. 29, 82 ; VI, p. 141 ; VI, p. 38. O.J., 191, 219, 250, 196.
194. *Ibid.*, V, p. 304, 434, 500 ; VI, p. 184 ; V, p. 346, 542. O.J., 25, 92, 127, 274, 46, 150.

Dans *Pharsamon*, Marivaux tourne en ridicule la description des sentiments par leurs signes extérieurs conventionnels, c'est-à-dire le procédé même qu'il avait abondamment employé dans *Les Effets*. Pharsamon et Cidalise font ce que faisait le romancier, ils mettent l'apparence à la place de la réalité, comme Marivaux utilisait des descriptions de comportement toutes faites au lieu d'imaginer des situations où les sentiments les mieux connus pussent se traduire dans des comportements nouveaux. Du même coup, Marivaux se trouve libre pour le réalisme ; l'analyse telle qu'il la pratiquait auparavant n'ayant ici à saisir que des simulations, il doit inventer une façon différente de montrer et de faire comprendre ses personnages. La satire est insistante, Marivaux la pousse même jusqu'à l'absurdité bouffonne quand il parle de cheveux dressés d'horreur sur une tête peut-être rasée et portant perruque [195] : on ne peut mieux dénoncer le verbalisme de ces notations qui prétendent à l'expressivité. L'air, dans ces aventures burlesques, est toujours un air que l'on se donne ou qu'on essaye de se donner sans éprouver le sentiment qui lui corresponde ; les regards, les altérations de la voix et du teint, les faiblesses et les évanouissements sont ridiculement concertés [196]. Pour les histoires sérieuses insérées dans le roman, Marivaux retourne de façon plus discrète aux procédés antérieurs, mais les œuvres qu'il écrit ensuite, *La Voiture embourbée*, *Le Télémaque travesti*, n'en offrent plus guère que des emplois parodiques [197]. Marivaux sait maintenant voir autre chose dans ses personnages que les signes convenus des passions, il saisit les caractéristiques de l'âge, du métier, du milieu social, du langage, des habitudes physiques, de l'humeur. Quand il revient à l'analyse, dans ses périodiques et dans ses deux grands romans, il montre la correspondance du physique et du moral sans céder aux conventions de l'esthétique romanesque ni aux poncifs de la psycho-physiologie baroque et classique.

C'est bien de celle-ci qu'il part, mais il en tire un nouveau parti : les circonstances qui font naître les sentiments sont plus vraisemblables et mieux amenées, les détails choisis sont plus précis, moins banals, ils se groupent en tableaux plus frappants ; le récit à la première personne donne à ces phénomènes physiques une réalité

---

195. *Ibid.*, XI p. 234. *O.J.*, 516.

196. Sauf, comme le dit fort obscurément Marivaux dans la quatrième partie (*ibid.*, XI, p. 218. *O.J.*, 508), l'évanouissement de Pharsamon après son combat dans le jardin ; sur les qualités de Pharsamon, voir *supra*, chap. III, p. 107 ; sur les « airs » affectés et les évanouissements de convention, *ibid.*, p. 108-110.

197. Dans *La Voiture embourbée*, Jacques, le mari de Perrette, rougit de colère, mais Félicie, à qui Amandor a osé baiser le corsage, rougit d'abord et pâlit ensuite (*O.C.*, t. XII, p. 271 et 204. *O.J.*, 384 et 349). Descartes disait que la colère qui fait pâlir est beaucoup plus dangereuse que celle qui fait rougir (*Les Passions de l'âme*, article 200) ; dans *Le Télémaque travesti*, Tarbé «dans une confusion terrible [...] devenoit de toutes sortes de couleurs sans pouvoir ratraper la bonne » (*T.T.*, p. 183). La parodie du procédé se double une fois d'une parodie littéraire : Félicie-Ariobarsane découvre dans la caverne du magicien « un nombre prodigieux de femmes extrêmement belles ; les unes se promènent avec une langueur et une pâleur mortelle sur le visage ; les autres, assises dans des fauteuils, lèvent au ciel des yeux baignés de larmes » (*O.C.*, t. XII, p. 219. *O.J.*, 357) : « Triste, levant au ciel ses yeux mouillés de larmes », disait Néron de Junie (*Britannicus*, II, 2).

plus grande, ils sont sentis de l'intérieur quand le narrateur parle de lui et agissent sur sa sensibilité quand il décrit l'apparence d'autrui ; la fin dernière des deux romans étant l'intelligence d'eux-mêmes que veulent se donner et donner aux lecteurs Marianne et Jacob, l'effet cherché n'est pas le pathétique brut, mais une émotion pénétrée d'esprit et même d'ironie ; les indices sont les mêmes, les rapports entre l'âme et le corps sont conçus de la même façon : l'âme ne peut tressaillir dans l'espérance d'un proche bonheur sans que le sang soit agité [198] ; les soupirs, symboliques et rituels chez les personnages des *Effets surprenants* et grotesquement « mugissants » chez Cliton, ne sont pas seulement la marque de l'affliction où se trouve l'âme, mais un réflexe qui la soulage et qu'elle peut provoquer sans aucun ridicule quand elle est trop oppressée [199] ; si l'innocent affligé « soupire », le coupable inquiet « tremble », le corps est véritablement le baromètre de l'âme et le révélateur infaillible de ses mouvements [200] ; aussi le vocabulaire de l'analyse est-il très naturellement concret, la réaction physique et le sentiment intérieur étant les deux manifestations corrélatives d'un même état. Le style « figuré » de Marivaux peut trouver là une de ses plus sûres justifications.

Nous ne donnerons qu'un seul exemple de ces indications physiques qui rendent l'analyse plus concrète ; en l'occurrence, elles permettent de l'alléger et de la fondre avec le récit ; ailleurs elles la précisent et la complètent, notamment dans les portraits, comme nous le verrons. Le passage choisi, qui n'est ni plus ni moins significatif qu'un autre, est dans la cinquième partie de *La Vie de Marianne* [201] : Marianne doit se rendre chez Mme Dorsin avec Mme de Miran et pense que c'est Valville qui est venu la chercher au couvent ; elle trouve Mme de Miran seule : « J'en fus interdite, ma gaieté me quitta tout d'un coup ; je pris pourtant sur moi, et je m'avançai avec un découragement intérieur que je voulais cacher à Mme de Miran ; mais il aurait fallu n'avoir point de visage ; le mien me trahissait, on y lisait mon trouble, et malgré que j'en eusse, je

---

198. *V.M.*², p. 207.

199. Voyant Pharsamon tomber évanoui, Cidalise pousse un soupir « qui pouvoit passer pour un cri : Elle n'étoit pas encore stilée à soupirer en Héroïne », *O.C.*, XI, p. 34. *O.J.*, 409 ; Cliton, ému par les plaintes et les soupirs de son maître qui regrette Cidalise, se met à déplorer mélancoliquement lui aussi l'amour de Fatime ; Pharsamon l'invite à se taire, mais Cliton a « encore quelque chose sur le cœur qui veut sortir » : « Un moment encore, Monsieur. répliqua l'Ecuyer [...] : mais il vaudroit autant n'avoir pas parlé si je ne pousse quelques soupirs, je ne vous demande que le tems d'en faire quatre, ce n'est point trop, vous en avez poussé plus de mille » (*O.C.*, XI, p. 126. *O.J.*, 459) ; Marianne, désespérée de l'infidélitée de Valville, descend au parloir où Mme de Miran l'a demandée, et se donne bonne contenance : « J'essuyai mes pleurs, je tâchai de prendre un visage serein ; et après deux ou trois soupirs que je fis de suite, pour me mettre le cœur plus à l'aise, j'entrai » (*V.M.*², p. 395 ; quand elle était entrée dans l'église après avoir dénoncé au père Saint-Vincent l'hypocrisie de Climal, c'était déjà pour « soupirer à [son] aise », *ibid.*, p. 145 ; de même Tervire accueillie par M. Villot et sa femme : « j'osai du moins alors pleurer et soupirer à mon aise », *ibid.*, p. 451).

200. *P.P.*, p. 147-148 : « En de pareilles occasions [Jacob vient d'être conduit en prison], nous sommes d'abord saisi des mouvements que nous méritons d'avoir ; notre âme, pour ainsi dire, se fait justice. Un innocent en est quitte pour soupirer, et un coupable tremble ; l'un est affligé, l'autre est inquiet ».

201. *V.M.*², p. 238-239.

m'approchai d'elle avec un air de tristesse et d'inquiétude, dont je la vis sourire dès qu'elle m'aperçut. Ce sourire me remit un peu le cœur, il me parut un bon signe » ; en effet, elles rejoignent bientôt Valville, au grand bonheur de Marianne qui n'espérait plus le voir avant d'arriver chez Mme Dorsin : « quel gré mon cœur ne sut-il pas au sien d'avoir avancé notre joie de cette minute de plus ! » Elle rapporte quelques mots adroitement tendres de Valville, que Mme de Miran invite en badinant à plus de discrétion, puis : « Tu baisses les yeux, toi, ajouta-t-elle en s'adressant à moi ; mais je t'en veux aussi ; je t'ai vu tantôt pâlir de ce qu'il n'était pas avec moi ; ce n'était pas assez de votre mère, mademoiselle ? » Les sentiments successifs de Marianne ont donc été la gaieté, le découragement, le désir de cacher ce découragement, le réconfort et la joie. Ils sont indiqués tels qu'ils ont été éprouvés de l'intérieur ; mais le découragement a entraîné un trouble, une tristesse et une inquiétude visibles de l'extérieur, l'« air » et la « figure » les ont trahis ; ils sont signalés, sans que la narratrice décrive avec précision leur apparence : le procédé est une modalité de l'analyse, il consiste à décomposer un contenu de conscience en marquant que ses indices étaient aperçus du dehors. Procédé légitime, puisque Marianne éprouve et connaît mieux que Mme de Miran tout ce qui peut être inféré de sa contenance. Cette contenance, c'est Mme de Miran qui très logiquement en révèle le trait expressif : Marianne avait pâli. Elle révèle aussi un autre trait qui permet au lecteur de rétablir un sentiment dont Marianne n'avait rien dit : Marianne avait baissé les yeux, pour cacher sa joie par pudeur, comme elle avait voulu cacher son découragement par délicatesse. La mémorialiste, dans le registre présent où se tient son récit, n'ajoute rien à ce qu'elle a compris d'elle-même dans le passé, elle se contente de disposer les faits et les sentiments de telle façon que tout soit clairement lié et intelligible, la clarté définitive étant apportée par l'active collaboration du lecteur.

L'air est très régulièrement noté ainsi que tout ce qui peut être assimilé à l'air, tout ce qui, sans être concrètement décrit, est la traduction extérieure d'un sentiment, manière, mine, figure, ton ; l'adverbe *comme* suffit souvent à indiquer cette transparence. L'air, pour le sens commun, s'opposant à la réalité, on serait tenté de croire qu'il n'est jamais sincère, et des expressions courantes à l'époque, *se donner des airs, les bons airs du grand monde, par air, le bel air,* encouragent cette interprétation [202]. Quand Jacob raconte à Mlle Habert

---

202. Sur les airs qu'il est convenable de prendre — sans pour autant mentir à son naturel — dans la société, voir des textes que Marivaux a sans doute connus : Callières, *De la Science du monde*, Paris, 1717, Première conversation, chapitre VI, p. 63-67 ; Morvan de Bellegarde, *L'Art de plaire dans la conversation*, XIVᵉ Entretien (p. 269-280 de l'édition de La Haye, 1743. Cet ouvrage est en réalité de D'Ortigue de la Vaumorière et a paru en 1688 pour la première fois) ; Moncrif, *Essais sur la nécessité et les moyens de plaire*, première partie, « De quelques qualités qui semblent plaire par elles-mêmes » (p. 44 de l'éd. de Paris, de Prault fils, 1738 ; la première édition est de 1737). « Se donner des airs » est dans *L'Indigent philosophe* (*J.O.D.*, p. 296), « les bons airs du grand monde » dans *Le Cabinet du philosophe* (*ibid.*, p. 404).

son histoire « d'une manière naïve et comme on dit la vérité » ou répond « d'un air naïf » à Mme de Ferval, quand Marianne nomme Mme Dutour à Valville « naïvement et comme entraînée par le torrent » de sa tendresse, ou fait à Mme de Miran « d'un air simple et naïf » un petit aveu qu'elle aurait dû faire plus tôt [203], quel crédit cette naïveté mérite-t-elle ? Il est aussi difficile de se dire naïf que de se dire modeste. Marianne et Jacob sont-ils des hypocrites, hypocrites d'autant plus sûrs de réussir qu'ils se prennent à leur propre jeu et sont eux-mêmes leurs premières dupes [204] ? Mais la lucidité n'est pas un signe de mauvaise foi, elle est au contraire la preuve que le sentiment apparent est réellement éprouvé. Là où nos contemporains, à la suite de J.-P. Sartre, voient les veules compromis d'une fausse bonne conscience, Marivaux et ses contemporains voient l'effort loyal de la volonté qui met l'âme en état d'éprouver et de faire exprimer au corps le sentiment désiré : il n'y a là ni lâcheté, ni imposture, mais sage utilisation de ce que l'expérience a appris sur les rapports du physique et du moral. Nous citerons ici un peu longuement Malebranche qui, une fois encore, fait admirablement comprendre sur quelle analyse théorique repose la description faite par Marivaux du cœur humain : « L'âme découvre ce qu'elle a de plus secret, par l'air qu'elle répand machinalement sur le visage ; et lorsqu'on est sensible aux différents airs, on voit dans le cœur de celui qui parle, les sentiments et les mouvements dont il est agité par rapport à nous. Ainsi, pour bien persuader aux hommes qu'ils ont dans notre estime et dans notre amitié le rang qu'ils souhaitent, il faut véritablement les estimer et les aimer. Aussi bien y sommes-nous obligés. Il faut en leur présence exciter en nous des mouvements qui se fassent naturellement sentir à eux par l'air qu'ils répandront sur notre visage » ; ou un peu plus loin : « il est évident que pour prendre naturellement, et sans qu'il paraisse de l'affectation, cet air modeste et respectueux qui nous rend aimables à ceux-là principalement qui ont beaucoup d'orgueil, il ne suffit pas de croire que les autres ont plus de qualité et de mérite que nous, il faut que notre imagination en soit actuellement émue, et qu'elle mette en mouvement les esprits animaux, cause immédiate de tous les changements qui arrivent dans notre corps et sur notre corps » [205]. La sin-

---

203. *P.P.*, p. 44 et p. 137 ; *V.M.²*, p. 82 et p. 185.

204. Voir Anna Meister : *Zur Entwicklung Marivaux*, éd. cit., p. 55-61 (« Der Mensch als Schauspieler ») et les articles paradoxaux de René Girard : « Marivaudage and Hypocrisy », *The American Society Legion of Honour Magazine*, 34, 1963, n° 3, p. 163-174, et de Jean Roudaut : « Le Réalisme de Marivaux », *Mercure de France*, 349, novembre 1963, p. 608-612 (pour qui l'hypocrisie est le principe directeur de Marianne et de Jacob et la forme la plus élaborée de la conscience). Selon Hegel, peut-être en cela plus fidèle à Marivaux, l'hypocrisie n'est qu'une étape de la dialectique qui va de la belle conscience dupe d'elle-même à la construction du *moi* moral (Jacques d'Hondt : « Hegel et Marivaux », *Europe*, nov.-déc. 1966, p. 323-337).

205. *Traité de morale*, deuxième partie, 12, § 10, et 13, § 7 (éd. cit., p. 247-248 et p. 258). Lévesque de Pouilly a esquissé une explication de l'*air* dans un chapitre de sa *Théorie des sentiments agréables* (chap. 5, p. 64-65 de l'édition parue chez David le Jeune à Paris en 1749 ; comme on sait, cette œuvre parut pour la première fois en 1737 dans le *Recueil de divers écrits sur l'amour, l'amitié* [...] réuni par Saint-Hyacinthe ; la place et le contenu des chapitres varient selon les éditions) ; ce moraliste fait la transition entre

cérité est une conquête, et le *moi* se construit plus encore qu'il ne se subit : c'est là la morale de Marivaux, nous ne le répéterons jamais assez. D'ailleurs, comme le fait remarquer Tervire, « il y a de certains états où l'on ne prend pas l'air qu'on veut »[206] ; certains sentiments sont trop vifs pour qu'un air affecté les dissimule, la vérité perce toujours, du moins aux regards de ceux qu'un esprit supérieur ou que la sympathie rend perspicaces ; au caractère authentique est attaché un air naturel, et lorsque l'air simulé ne s'accorde pas avec cet air naturel, l'affectation est immédiatement décelée[207] ; ajoutons que Marianne et Jacob n'avaient peut-être pas dans le passé, au moment de l'action, une conscience aussi claire de leur naïveté que le récit rétrospectif le laisse croire ; dans ses deux romans en forme d'autobiographie, Marivaux s'est amusé à brouiller la distance entre le temps de l'action et celui de la narration, tantôt l'accusant par l'ironie, tantôt l'annulant par l'équivoque : mais cette équivoque n'est jamais poussée au point de faire douter que les narrateurs ne soient intelligents, ni que l'auteur ne soit avec eux d'intelligence[208].

La physionomie est moins souvent mentionnée que l'air, pour les raisons que nous avons dites plus haut, mais elle figure toujours dans les portraits dont elle est un élément ; ailleurs, si elle ne se confond pas tout à fait avec l'air, l'air semble être une modification de la physionomie, ou un aspect passager qui la contredit ou la confirme. Le mot en lui-même est sans doute assez évocateur pour Marivaux, il signifie que le visage d'un personnage est particulièrement expressif : « Il y a des physionomies qui [se] passent [de la beauté], et qui peut-être n'en valent que mieux de n'en point avoir », dit, non sans quelque dépit, une femme du « Monde vrai »[209] ; et Marianne, à propos de Mme Dorsin : « Il n'y a guère de physio-

---

Malebranche et le sensualisme ; sur lui, voir R. Mercier, *La Réhabilitation de la nature humaine*, éd. cit., p. 261-264, et R. Mauzi, *L'Idée du bonheur au dix-huitième siècle*, éd. citée, p. 240-249, qui ne signalent pas l'indéniable influence malebranchiste.

Voir *supra* chap. VI, p. 200-202, les degrés de lucidité chez Jacob et les rapports entre la sincérité et la simulation ; la lucidité est ce qui distingue Jacob de Mme de Ferval, hypocrite qui se ment à elle-même : « cette femme [...] ne savait pas qu'elle avait l'âme si méchante, le fond de son cœur lui échappait, son adresse la trompait, elle s'y attrapait elle-même, et parce qu'elle feignait d'être bonne, elle croyait l'être en effet » (*P.P.*, p. 143).

206. *V.M.*², p. 544. Voir aussi Jacob à la Comédie, *P.P.*, p. 265.

207. Voir La Rochefoucauld, Réflexion III : « De l'air et des manières » (*Maximes*, éd. J. Truchet, Paris, 1967, p. 190-191).

208. Dans les comédies, les indications scéniques font connaître à l'acteur la façon dont il doit exprimer le comportement ou le sentiment du personnage : « d'un air plaintif », « d'un air inquiet », « comme impatiente » signifient, dans *La Double Inconstance* (I, 12 ; II, 12) que l'actrice doit faire voir Silvia réellement attristée, inquiète et impatiente ; ces indications sont ambiguës dans les rôles de Flaminia et de Lisette, qui souvent parlent par artifice, mais non toujours, et c'est seul le contexte permet de savoir si elles sont sincères ou non ; à la scène 2 de l'acte II, une indication scénique porte : « Le Prince paraît et affecte d'être surpris », parce que « paraît surpris » ferait savoir seulement que le Prince éprouve de la surprise ; Marivaux a voulu dire que le Prince, non content de l'éprouver, la manifeste ostensiblement.

209. *Le Cabinet du philosophe*, huitième feuille, *J.O.D.*, p. 407. « Si elles ne sont pas belles, elles ont de la physionomie qui supplée à la beauté », dira Saint-Preux des Parisiennes (*La Nouvelle Héloïse*, II, 21, *Œuvres complètes* de J.-J. Rousseau, t. II, Paris, 1961, p. 266). Voir aussi La Mettrie, *L'Art de jouir* (édité à la suite de *L'Homme machine* par M. Solovine, Paris, 1921), p. 156 : « Toutes les femmes n'ont que des visages, Ismène seule a de la physionomie ».

nomie comme la sienne, et jamais aucun visage de femme n'a tant
mérité que le sien qu'on se servît de ce terme de physionomie pour
le définir et pour exprimer tout ce qu'on en pensait de bien »[210]. La
formule laisse entendre non seulement que Marivaux a une idée plus
distincte de cette physionomie qu'il nommait déjà dans ses premiers romans, mais encore qu'il songe à quelque œuvre où « ce
terme de physionomie » est un terme technique. L'abbé Pernety n'avait
pas encore publié ses *Lettres philosophiques sur les physionomies*
(1748), ni Vauvenargues son *Introduction à la connaissance de l'esprit
humain* (1746), où une réflexion traite « de la Physionomie » ; l'intérêt
anthropologique d'une étude de l'expression n'apparaîtra aux philosophes sensualistes qu'un peu plus tard [211] ; une tradition de science
physionomiste existait depuis Aristote, certains « physionomistes »
se targuaient même d'être des devins, mais ce n'est pas chez eux
ni chez Cureau de la Chambre que Marivaux a lu quelque chose sur
le sujet [212] ; le *Spectator*, en revanche, avait attiré son attention par
une lettre sur l'« Art de la physionomie » qui admettait la possibilité
de juger quelquefois les gens sur la mine, mais soulignait les risques
d'erreurs graves que comporte un tel jugement [213] ; au moment même
où il rédigeait la quatrième partie de *La Vie de Marianne*, dans
laquelle se trouve la phrase citée plus haut sur la physionomie de
Mme Dorsin, Marivaux retrouvait le thème longuement développé
dans un roman de Mouhy, *Mémoires de monsieur le marquis de
Fieux* [214]. Il l'avait lui-même souvent abordé dans ses périodiques ;
c'est son actualité qui, dans *La Vie de Marianne*, a valu au mot
d'être souligné [215].

210. *V.M.²*, p. 214.

211. Voir Jacques Proust, « Diderot et la physiognomonie », *Cahiers de l'Association internationale des études françaises*, n° 13, juin 1961 ; La Mettrie, *L'Homme machine*, éd. cit.,
p. 71 (l'œuvre est de 1747).

212. On peut nommer Cardan, Giambattista Della Porta, Campanella. Cureau de la
Chambre (*L'Art de connoître les hommes*, Amsterdam, 1660) s'inspirait d'Aristote dans ses
chapitres sur la physionomie (livre II, chap. 3 et 4). Si Marivaux ne les a pas lus, il a
certainement lu le *Traité de la phisionomie* que Sorel avait publié en 1673 à la fin de ses
Récréations galantes, et le petit essai du chevalier de Méré, *Des Agrémens*, paru en 1677 et
plusieurs fois réédité : Méré y rappelle, après Cicéron et Montaigne, une anecdote sur la
physionomie de Socrate (voir dans l'éd. cit., tome II, p. 53, ce texte et les références
données en note par Ch.-H. Boudhors), à rapprocher de la conversation avec l'homme à la
« physionomie massive », au début de la dixième feuille du *Spectateur français*.

213. C'est le Discours LXVIII du premier volume, dans la traduction française parue en
1714 à Amsterdam chez D. Mortier ; même numérotation dans les éditions ultérieures. Il y a
plusieurs souvenirs de ce Discours dans *Le Spectateur français*, notamment au début de la
dixième feuille, à laquelle la note précédente fait allusion.

214. Paru en 1735-1736 chez Prault fils (première partie) et chez Grégoire Antoine Dupuis
(deuxième, troisième et quatrième parties). Voir première partie, p. 85 et p. 89 sq. L'approbation de cette partie est du 17 mai 1735 ; celle de la quatrième partie de *La Vie de Marianne*
est du 19 mars 1736.

215. L'opinion de Marivaux sur la physionomie tient en deux propositions : d'une part,
la physionomie peut tromper, « la nature fait souvent de ces tricheries-là » ; d'autre part,
à qui sait vraiment la lire, la physionomie fournit toujours un indice sûr, « des paroles
prononcées ne seraient pas plus claires » que l'air, le geste, les regards, le ton. La première
phrase vient de la première partie du *Paysan parvenu* (*P.P.*, p. 39), elle est exactement
contemporaine de la seconde qui vient du *Cabinet du philosophe*, huitième feuille (« Suite
du Monde vrai », *J.O.D.*, p. 401). « C'est une foible garantie que la mine, toutefois elle a
quelque considération », disait Montaigne dans son chapitre « De la Phisionomie » (*Essais*, III,
12), où se trouve l'anecdote sur Socrate.

*
* *

La science du cœur ne serait pas une science si elle ne reposait pas sur des lois et si elle ne disposait pas de catégories entre lesquelles se répartit la matière dont elle s'occupe. Marivaux veut constamment donner l'impression qu'il explique le particulier par le général ; chaque comportement, chaque sentiment s'éclaire par référence à un type universel. Il est très conforme à l'essence du genre romanesque non seulement de raconter, mais de faire comprendre, et d'Honoré d'Urfé à Jean Giraudoux beaucoup de romanciers français ont présenté leurs récits comme l'illustration de leurs idées sur l'homme. F. Deloffre a bien caractérisé l'emploi de l'abstrait chez Marivaux, en le mettant en rapport avec une psychologie selon laquelle l'âme est « la composante d'un certain nombre de forces ou tendances, l'amour-propre, la vanité, les passions, la raison » [216]. A une exception près, les procédés d'expression qu'emploie Marivaux dans ses analyses explicatives ne sont pas nouveaux, il les avait presque tous utilisés dès son premier roman ; ils remontent, en effet, au XVIIe siècle, on en trouverait d'abondants exemples chez La Calprenède, Mlle de Scudéry, Mme de Lafayette : il n'y a pas eu d'interruption dans leur emploi jusqu'à Marivaux, et ils seront encore chez Laclos qui s'en servira dans un dessein peut-être plus trouble [217]. Les remarques générales, chez Marivaux, sont aussi bien le fait de l'auteur (dans les romans qui n'ont pas la forme autobiographique) ou du narrateur (Jacob, Marianne, Tervire) que des personnages dont nous sont rapportées les paroles ; elles peuvent prendre place dans le temps de l'action comme dans le temps de la rédaction ; les protagonistes ne sont donc pas des êtres privilégiés sortant de l'ordre commun, mais des gens comme tout le monde en qui se vérifient à tout moment les règles auxquelles le comportement de tout le monde est soumis : « Je suis ce que vous voyez, ce que vous êtes peut-être, ce qu'en général nous sommes tous ; [...] n'est-ce pas là tout le monde ? » Aussi leur perspicacité, si elle est plus vive que celle de tout le monde, n'est pas d'une autre essence : « Ce sont là des remarques que tout le monde peut faire, surtout dans les dispositions où j'étais » [218].

Le seul procédé d'expression créé par Marivaux est ce qu'il appelle la réflexion ; nous avons vu comment l'importance des réflexions décroît en même temps que diminue la confiance de Marivaux dans son entreprise et dans l'autonomie sociale de ses héros [219] ; elles n'en restent pas moins la raison d'être des deux grands romans, le mode fondamental d'existence du principal personnage romanesque. Elles n'ont pas toujours une portée générale, elles peuvent commenter le caractère du narrateur, ou d'un personnage, ou

216. F. Deloffre, *Marivaudage*[2], p. 330.
217. Voir Laurent Versini, *Laclos et la tradition*, Paris, 1968, p. 369-396.
218. *V.M.*[2], p. 321 ; *P.P.*, p. 210.
219. Voir *supra*, chap. VI, p. 243-245.

un fait de société, ou la composition de récit et se retourner alors
sur elles-mêmes ; lorsqu'elles sont consacrées à l'analyse, elles sont
des maximes développées, ou les maximes sont des réflexions conden-
sées. Marivaux recourt aux unes et aux autres, mais il n'abuse pas
des maximes [220] et ne cherche pas à les mettre en relief par leur
place dans le paragraphe ou par un tour épigrammatique. Dans les
réflexions comme dans les maximes, la généralisation se marque par le
présent de l'indicatif ou le futur du verbe (quelquefois subordonné
à un impératif) et par la forme du sujet, qui est tantôt un abstrait,
vice, vertu, passion, faculté de l'âme, tantôt un collectif, groupe
social, groupe caractériel, sexe, ou une relative à antécédent indéter-
miné, *ceux qui, tous ceux qui,* tantôt un pronom indéfini de forme
ou de sens, *on, vous, nous,* tantôt un infinitif [221]. La situation où se
trouve le personnage devient un « cas », « en pareil cas », « dans un
cas comme le mien », « dans les circonstances où j'étais » [222]. La vie
de Marianne et celle de Jacob sont ainsi exemplaires dans leurs
moindres incidents et dans leur dessin le plus large, surtout celle
de Marianne qui répète souvent : « nous autres femmes », entendant
représenter son sexe tout entier [223].

La vérité universelle du cœur humain étant la référence constante
du récit, les narrateurs présentent leur histoire intérieure comme
une suite d'effets découlant de lois qui jouent infailliblement dans
les circonstances où ils se trouvent. Quand la loi est énoncée d'abord,
sa conséquence est introduite par *aussi, donc,* ou par une tournure
de sens analogue : « Et quand, à cette humeur naturellement gaillarde, il se joint encore de nouveaux motifs de gaillardise, Dieu sait
comme on pétille ! Aussi faisais-je [...] » — « Et ce n'est pas là
l'heure des larmes : on n'en verse qu'après que la tristesse est prise,
et presque jamais pendant qu'on la prend ; aussi pleurerai-je bientôt »
— « Les reproches durs ne réussissent point ; ce sont des affronts
qui ne corrigent personne, et nos torts disparaissent dès qu'on nous
offense. Aussi ma mère trouva-t-elle Mme de Tresle fort injuste » —
« En de pareilles occasions, nous sommes d'abord saisi des mouvements que nous méritons d'avoir [...]. Je n'étais donc qu'affligé, je
méritais de n'être que cela » — « Rien ne réveille tant qu'une extrême

220. Nous appelons *réflexions,* comme fait Marivaux, les interventions un peu développées
du narrateur dans le récit, et *maximes* les phrases plus brèves énonçant une vérité générale de
morale ou de psychologie : nous transposons ainsi l'opposition entre *maximes* et *réflexions* qui
est chez La Rochefoucauld. La distinction entre *maxime, pensée, sentence, aphorisme,* nous
semble assez arbitraire : voir ce qu'en dit C. Rosso dans son livre très riche d'aperçus :
La « Maxime », Saggi per una tipologia critica, Naples, 1968.
221. Par exemple : « Les femmes d'un certain état s'imaginent en avoir plus de dignité,
quand elles ont un joli visage » (V.M.², p. 93) ; « Les passions de l'espèce de celle de
M. de Climal sont naturellement lâches » (*ibid.,* p. 40) ; « Il est quelquefois difficile de décider
entre sa fortune et son devoir » (*ibid.,* p. 280) ; « On va d'abord au plus pressé ; et le plus
pressé pour nous, c'est nous-même, c'est-à-dire notre orgueil » (*ibid.,* p. 86) ; « Fiez-vous aux
personnes jalouses du soin de vous connaître, vous ne perdrez rien avec elles » (*ibid.,*
p. 62) ; etc.
222. Par exemple : V.M.², p. 66, 73, 129, 159, 201, 231, 304, etc. P.P., p. 29, 144, 147
(deux fois : « en de pareils moments », « en de pareilles occasions »), 210, etc.
223. Par exemple, V.M.², p. 59, 147, 313 ; cf. 66 (« C'est l'histoire de toutes les jeunes filles
de mon âge ») et 420 (« chez nous », c'est-à-dire chez les femmes).

joie, ou que l'attente certaine d'un grand bonheur ; et sur ce pied-là, jugez si je devais avoir beaucoup de disposition à dormir » [224].

Quand le fait est énoncé le premier, la règle qui le détermine est introduite par *car* : « J'eus le cœur gros encore quelque temps, le sentiment me menait ainsi, et il me menait bien ; car quand on est une fois en train de se plaindre des gens, surtout en fait de tendresse, les reproches ont toujours une certaine durée [...] » — « Mon sang se glaçait aux périls que je me figurais : car quand une fois l'imagination est en train, malheur à l'esprit qu'elle gouverne » — « Enfin ma mère, que personne ne défendait, qui n'avait ni parents qui prissent son parti, ni amis qui s'intéressassent à elle ; car des amis courageux et zélés, en a-t-on quand on n'a plus rien ? [...] » [225].

Ou bien le lien de la cause générale à l'effet particulier est indiqué par une relative explicative, une subordonnée de cause ou de conséquence : « Et comme en pareil cas tous nos mouvements tendent machinalement à notre conversation, que je n'avais ni verge ni bâton, je me mis à ramasser cette épée, sans trop savoir ce que je faisais » — « Et comme les cœurs s'entendent, apparemment qu'il sentit ce qui se passait dans le mien » — « Enfin, le cœur est de si bonne composition quand il est content en pareil cas, que vous allez être édifié du parti que je pris » — « Sa colère n'interrompit point sa curiosité, qui est un mouvement chez les femmes qui va avec tout ce qu'elles ont dans l'esprit » [226].

Mais, le plus souvent, ces articulations logiques sont absentes, elles sont remplacées par le mouvement du discours, les appels au lecteur, la simple conjonction *et* qui peut exprimer aussi bien la cause : « Par respect pour la confidence qu'on devait lui faire, elle débuta par avertir toute la maison qu'on devait lui en faire une ; son zèle et sa bonté n'en savaient pas davantage ; et c'est assez là le caractère des meilleures gens du monde » — que la conséquence : « L'âme s'accoutume à tout, sa sensibilité s'use, et je me familiariserai avec mes espérances et avec mes inquiétudes » [227].

Les démonstratifs généralisants : « c'était un de ces hommes ordinaires qui [...] », « c'était de ces mères de famille qui [...] », « un de ces visages indifférents qu'on voit [...] », « N'avez-vous jamais vu de ces visages qui annoncent [...] ? » [228] ; les désignations d'espèces : « Il y a de petites vérités contre lesquelles on n'est point en garde », « Il y a dans le monde bien des gens de ce caractère-là », « Il y a des âmes perçantes à qui [...] », les adverbes *toujours, jamais, souvent* : « Dans quelque affliction que nous soyons plongées, notre vanité fait toujours ses fonctions, elle n'est jamais en défaut »,

224. *P.P.*, p. 85 ; *V.M.²*, p. 135, 440 ; *P.P.*, p. 147-148 ; *V.M.²*, p. 207.

225. *P.P.*, p. 92 ; *V.M.²*, p. 26, p. 572 ; tournure très fréquente ; on trouve aussi *c'est que* (voir F. Deloffre, *Marivaudage²*, p. 497 sq.). « Je mouillai [cette main] des plus tendres et des plus délicieuses larmes que j'aie versé de ma vie. C'est que notre âme est haute, et que tout ce qui a un air de respect pour sa dignité la pénètre et l'enchante » (*V.M.²*, p. 155).

226. *P.P.*, p. 144 ; *V.M.²*, p. 72, p. 178, p. 44.

227. *P.P.*, p. 99 ; *V.M.²*, p. 208 ; voir F. Deloffre, *ibid.*, p. 495-497.

228. *V.M.²*, p. 436, 439 ; *P.P.* p. 12, 59.

« Quelque politesse naturelle qu'on ait, dès que nous voyons des gens dont la figure nous prévient, notre accueil a toujours quelque chose de plus obligeant pour eux que pour d'autres » ; le verbe *devoir* : « Et dans le fond, c'était assez là comme je devais être » [229], cent autres moyens stylistiques proposent au lecteur un univers des essences dont l'univers réel n'est qu'un accident, chaque individu étant à ranger dans une classe, chaque sentiment ayant son archétype, chaque état d'âme résultant de principes universels ; mais l'allusion platonicienne est ici déplacée, Marivaux ressemble plutôt à un physicien qui voit des lois vérifiées par l'expérience et qui fait avec enthousiasme constater cet accord : « Et c'est ainsi que j'étais avec M. de Climal », « Et c'est ce qui m'arriva en saluant cet officier », « Et il n'y a là rien d'étonnant » [230]... Même un fait qui a toutes chances d'être très exceptionnel, voire unique, est caractérisé par des traits propres à une catégorie : il n'est pas courant que parents et enfants se perdent de vue pendant de longues années et que le hasard amène leur reconnaissance ; même si cette rencontre est une banalité de roman, le romancier s'attache à nous la présenter comme extraordinaire, et Marivaux n'y a pas manqué pour celle de Tervire et de la marquise de... ; Tervire pourtant en parle comme d'un événement de série : « C'est une si grande et si intéressante aventure que celle de retrouver une mère qui vous est inconnue ! [231] » Tout ce qui arrive aux personnages de Marivaux leur est nouveau, ils découvrent leur âme capable de sentiments qui leur étaient aussi inconnus que le monde où ils entrent, mais tout est en même temps normal et expliqué ; connaître, c'est à la fois sentir et reconnaître.

*
* *

Pour donner à connaître un personnage dans ses traits essentiels, tel qu'il est en dehors du temps, composé unique de facultés universelles, Marivaux écrit des portraits. Il n'y a pas de portraits de Jacob, de Marianne ni de Tervire, parce que leur être est présenté dans son devenir, et de l'intérieur. Il ne peut y avoir de portraits que de personnages dont l'intervention dans l'existence du personnage narrateur conserve une signification globale — que cette intervention soit fugitive et secondaire ou durable et primordiale : nous ne trouverons donc pas de portraits des personnages dont le rapport avec le personnage narrateur a changé, qu'il a démasqués ou dont il a découvert un aspect d'abord ignoré ; M. de Climal, Valville, ne sont pas l'objet de portraits parce que leur première rencontre avec Marianne ne les a pas révélés dans leur vérité complète et que l'histoire intérieure de Marianne doit comporter ultérieurement cette révélation. Quels sont donc les portraits tracés dans les romans de Marivaux, et comment sont-ils composés ?

229. *P.P.*, p. 71, 117 ; *V.M.²*, p. 33, 313, 420, 414.
230. *V.M.²*, p. 38, 420 ; *P.P.*, p. 241.
231. *V.M.²*, p. 553.

En insérant des portraits dans ses romans, Marivaux renoue avec la tradition de Mlle de Scudéry et de La Calprenède, de même que Mme de Lambert en composant les portraits de quelques-uns de ses amis continuait ce qu'avaient fait entre 1656 et 1658 les amis de la Grande Mademoiselle. Comme à son ordinaire, Marivaux dissimule sous la désinvolture un dessein très sérieux et très conscient, et ces portraits qu'il prétend tracer « en passant », « au hasard », sont dans sa conception du roman un élément aussi fondamental que les « réflexions ». Peut-être a-t-il senti une certaine résistance du public : « Tous ces portraits me coûtent » fait-il dire à Marianne, comme il lui fera avouer un peu plus tard la « difficulté » qu'elle éprouve à faire des réflexions [232] ; peut-être aussi les portraits ont-ils souffert, comme les réflexions, de cet enlisement du narrateur que nous avons déjà invoqué [233]. Ils sont plus rares dans la seconde moitié de *La Vie de Marianne* ; celui du ministre, à la fin de la sixième partie, est le dernier portrait développé, et ni ses dimensions ni sa forme ne s'expliquent par les nécessités intérieures de la composition romanesque ; il n'est pas qualifié de portrait, aucun portrait ne porte plus ce nom après celui de Mme Dorsin au début de la cinquième partie. Mais les contemporains de Marivaux ne s'y sont pas trompés et ont bien vu leur importance : Crébillon et Duclos, romanciers moralistes influencés par Marivaux, ont composé des portraits dans *Les Egarements du cœur et de l'esprit* et dans *Les Confessions du comte de****, en accentuant leur signification sociologique ; et il est comique de voir le continuateur anonyme du *Paysan parvenu* et Mme Riccoboni dans la suite de *La Vie de Marianne* condamner le procédé, mais l'employer en imitateurs fidèles [234].

En effet, les portraits ont des défauts : ils interrompent l'action, « ce grand portrait » du ministre, dans *La Vie de Marianne*, vient « vous glacer au milieu de la chaleur de l'intérêt le plus vif », à en croire l'abbé Desfontaines [235] ; ils sont invraisemblables : à moins d'une perspicacité et d'une disponibilité d'esprit que son âge et sa situation excluaient, le protagoniste, au moment de l'action où s'insère le portrait, ne pouvait en apercevoir distinctement toutes les composantes. Mais Marivaux tenait à faire connaître certains

232. *V.M.²*, p. 214 et 272.

233. Voir *supra*, p. 314.

234. Chez Mme Riccoboni, Marianne déclare qu'elle n'a pas « la liberté d'esprit » nécessaire pour composer des portraits, mais elle fait celui de Mme de Malbi (*V.M.²*, p. 611), après avoir fait celui du vieil officier que Marivaux avait seulement esquissé (*ibid.*, p. 593 : « je ne vous l'ai peint qu'à moitié ») ; chez le continuateur du *Paysan parvenu*, Jacob refuse de faire les portraits d'acteurs et d'actrices annoncés par Marivaux à la fin de la cinquième partie (*P.P.*, p. 288) ; il fait ceux de Mme de Damville (*ibid.*, p. 293) et de Mme de Vambures (*ibid.*, p. 375), après avoir déclaré : « peindre les caractères, c'est rebattre ce qu'on a presque toujours dit » (*ibid.*, p. 293) ; il laisse entendre que le second portrait « n'est point fini », parlant sans doute de sa dimension plutôt que de sa composition, car ce portrait comporte les rubriques essentielles, aspect extérieur, « esprit » et « âme » (p. 376). Lesbros de la Versane, grâce à quelques phrases d'introduction et de conclusion, a réussi à fabriquer trente-sept portraits tirés des diverses œuvres de Marivaux (*Esprit de Marivaux ou Analectes de ses ouvrages*, Paris, 1769, p. 41-97).

235. Cité par F. Deloffre dans son Introduction à *La Vie de Marianne* (*V.M.²*, p. LXXVI).

personnages en dehors du temps, selon leur nature permanente, par
un artifice que les narrateurs ne songent pas à cacher, puisqu'il
garantit la vérité : « Ce ne fut pas sur-le-champ que je démêlai tout
ce caractère que je développe ici, je ne le sentis qu'à force de voir
Agathe », ou encore : « Telle était donc la dame d'auprès de qui
je sortais ; je vous la peins d'après ce que j'entendis dire d'elle dans
les suites, d'après le peu de commerce que nous eûmes ensemble
et d'après les réflexions que j'ai faites depuis » [236] ; Marianne procède
comme Jacob : « Telle était la femme dont je vous parle ; je ne
jugeai pourtant pas d'elle alors comme j'en juge à présent que je
me la rappelle ; mes réflexions, quelque avancées qu'elles fussent,
n'allaient pas encore jusque-là ; mais je lui trouvai un caractère
qui me déplut » [237]. Un portrait est analytique par sa composition,
puisqu'il décrit un certain nombre de traits répartis en catégories
distinctes, mais chacun de ces traits résulte d'une synthèse par abstraction des diverses circonstances dans lesquelles tel ou tel aspect
est apparu à l'observateur. Le portrait représente donc l'effort
le plus poussé qu'ait fait Marivaux pour atteindre à une psychologie
des caractères fixes et définitifs, parallèle à la psychologie ouverte,
des potentialités et de la plasticité, qui est celle des protagonistes,
Marianne, Tervire, Jacob et de quelques autres. Les mêmes éléments
entrent en composition dans l'un et dans l'autre, esprit, cœur,
« passions de l'âme », mais les personnages se divisent en deux
groupes : ceux qui ont un devenir et ceux qui sont tout devenus.

Deux grands portraits sont pour ainsi dire en hors-texte dans
chacun des deux romans : le portrait de Mme de Ferval et celui de
Mme de Fécour dans *Le Paysan parvenu*, le portrait de Mme de
Miran et celui de Mme Dorsin dans *La Vie de Marianne*. Nous verrons
ailleurs ce qu'il faut penser de leur place, nous ne les considérons
ici que comme les modèles du portrait complet selon Marivaux. Ils
sont annoncés, assez longtemps à l'avance dans le cas de Mme de
Miran et de Mme Dorsin, un peu moins longtemps dans le cas de
Mme de Ferval, le portrait de Mme de Fécour étant exécuté aussitôt
qu'annoncé ; dans trois de ces cas, l'annonce s'accompagne d'une
indication sur la longueur que pourra avoir le portrait, et dans
le quatrième d'une espèce d'excuse (« puisque j'y suis ») que nous
retrouverons dans d'autres portraits moins développés ; que le narrateur se flatte de tenir au lecteur une promesse qu'il lui avait faite,
ou qu'il fasse mine de se débarrasser en passant d'une tâche
nécessaire, dans les deux cas il marque bien la séparation entre ce
qui est récit et ce qui est description [238] ; le portrait de Mme de Miran

236. *P.P.*, p. 87 et 143 ; cf. p. 181 : « Au reste, ce ne fut pas alors que je connus
Mme de Fécour comme je la peins ici, car je n'eus pas dans ce temps une assez grande
liaison avec elle, mais je la retrouvai quelques années après, et la vis assez pour la connaître ».
237. *V.M.²*, p. 254.
238. Le portrait de Mme de Ferval est annoncé *P.P.*, p. 125 ; il est aux p. 141-143 ; le
portrait de Mme de Fécour est aux p. 179-181 ; les portraits de Mme de Miran et de
Mme Dorsin sont annoncés *V.M.²*, p. 161 ; celui de Mme de Miran occupe les pages 167-171
(entre l'annonce et le portrait se sont écoulés les quatre mois qui séparent la troisième de
la quatrième partie), celui de Mme Dorsin les pages 214-216 et 219-229.

est précédé de réflexions sur la possibilité même de tracer le portrait de quelqu'un.

Les quatre portraits commencent par l'indication ou le rappel de l'âge ; le physique n'est pas décrit : « Quoique je n'aime pas à peindre pour les yeux, mais seulement pour l'esprit ; il faut vous dire un mot de sa figure », disait Mme de Lambert en tête du portrait de Mr de... : mais de cette « figure » elle ne faisait rien voir de précis, elle l'évoquait seulement par quelques adjectifs conventionnels [239] ; Marivaux sait et aime peindre pour les yeux, mais pour lui comme pour Mme de Lambert le portrait (qui détaillait successivement tous les traits du visage et du corps au XVIIᵉ siècle) est uniquement psychologique. Dans *Le Paysan parvenu* le réalisme a plus de place que dans *La Vie de Marianne*, à cause de la personnalité de Jacob et du genre auquel se rattache ce roman : l'énorme gorge de Mme de Fécour, l'impression générale qu'éprouve Jacob lorsqu'il se trouve pour la première fois en présence de cette personne sont mentionnées *avant* l'annonce du portrait, ce sont des éléments de l'action, ils relèvent du récit ; la main belle, la gorge encore figurent dans le portrait non plus comme objets de description, mais, si l'on ose dire, comme accessoires favorisant la manifestation du caractère. De même pour Mme de Ferval, les belles mains, les beaux bras, le visage, la gorge n'apparaissent pas au début du portrait, mais pour faire comprendre comment Mme de Ferval savait « se mettre » d'une manière modeste, sans rien diminuer de ses « agréments naturels » ; les yeux sont nommés aussitôt après, parce que eux aussi laissent voir un tempérament vif caché sous une sagesse hypocrite [240].

Au lieu de peindre le physique, Marivaux donne une idée de ce que nous avons défini comme la synthèse visible du caractère, la physionomie : l'air, la mine, le regard, la taille chez Mme de Ferval et chez Mme de Miran [241], même les détails donnés sur les « agréments naturels » et la parure de Mme de Ferval appartiennent à la physionomie : « Venons à la physionomie que composait le tout ensemble ». Sur cette physionomie, on lit la franchise et une bonté éclipsant la beauté chez Mme de Miran, la beauté tempérée par la grâce et une extraordinaire mobilité d'âme chez Mme Dorsin, « un air franc et cordial » et « un air de santé robuste » chez Mme de Fécour.

L'esprit et le cœur viennent ensuite ; la distinction est explicite et commande l'ordre du portrait, qu'elle semble brouiller en raison du caractère propre à chacune des quatre dames : Mme de Fécour n'a ni cœur ni esprit, son comportement envers autrui, comiquement décrit, s'explique par le trait dominant de son caractère, sur lequel s'achève le portrait : elle « n'avait que des sens et point de senti-

---

239. *Œuvres* de Mme de Lambert, éd. cit., p. 232. Le personnage décrit est probablement le marquis de Sainte-Aulaire.

240. La jambe et le pied de Mme de Ferval n'apparaissent que dans le récit, à un moment de l'action, *P.P.*, p. 171-172.

241. Paradoxalement, la taille est « noble » chez Mme de Ferval (*P.P.*, p. 141), et chez Mme de Miran elle est « bien faite » et « aurait été galante, si Mme de Miran l'avait voulu » (*V.M.²*, p. 168).

ments », caractère « d'une infinité de personnes qu'on appelle communément bonnes gens dans le monde ». Mme de Ferval est soupçonnée d'avoir beaucoup d'esprit, Jacob n'en sait pas plus sur ce point ; mais son cœur est méchant en même temps qu'hypocrite : d'où son comportement envers autrui ; le dernier trait noté est l'ignorance où est Mme de Ferval de son propre caractère. Chez Mme de Miran la bonté du cœur se fait beaucoup plus remarquer que l'esprit, qui est simple et sensé : les qualités du cœur et de l'esprit sont toujours examinées dans leur effet sur la conduite du personnage avec autrui, et la simplicité de Mme de Miran fait qu'elle est selon les gens généreuse et désintéressée, froide, indulgente ou sévère ; même ses sentiments religieux sont déterminés par le rapport particulier qu'ont chez elle l'esprit et le cœur [242]. C'est dans le portrait de Mme Dorsin que l'ordre des trois facteurs : esprit, cœur, comportement dans les relations avec les autres, est en apparence le plus bouleversé : il l'est d'autant plus que Marivaux use d'une terminologie équivoque et affecte de souligner des articulations logiques qui sont incohérentes. Ayant parlé de la physionomie, sur laquelle l'âme peint ses mouvements, Marivaux continue : « Parlons maintenant de cette âme, puisque nous y sommes », et aussitôt il passe à l'esprit, agile et si propre à tout que Mme Dorsin n'avait besoin d'aucune coquetterie pour le faire valoir. Quand le portrait est repris, au début de la cinquième partie, Marivaux enchaîne : « Je vous ait dit combien elle avait d'esprit, nous en sommes maintenant aux qualités de son cœur ». Mais pour comprendre les qualités du cœur chez Mme Dorsin, il ne faut jamais perdre de vue l'excellence de son esprit : dans une longue réflexion théorique, sur le plan de la plus abstraite généralité (« Supposons la plus généreuse et la meilleure personne du monde », etc.), Marivaux établit que la bonté accompagnée d'un esprit très perspicace paraîtra toujours moins bonne que la bonté accompagnée d'un esprit moins pénétrant. « Or » ce second cas est celui de Mme de Miran, et le premier celui de Mme Dorsin. Ici le portrait est interrompu par une autre réflexion générale, sur les rapports entre bienfaisance, reconnaissance, orgueil et modestie, puis nouvelle reprise : « Revenons à Mme Dorsin et à son esprit ». Naturellement, Marivaux veut dire : « à son cœur », mais à son cœur tel que le fait apparaître son association avec un esprit supérieur ; et en effet tout le développement qui suit porte sur la bonté de Mme Dorsin, sa délicatesse à rendre service et à prévenir la reconnaissance, la spontanéité avec laquelle, dans la conversation, elle se mettait de plain-pied avec l'esprit de chacun ; sous la rubrique de l'esprit, Marivaux avait noté que l'intelligence de Mme Dorsin la dispensait de toute minauderie,

242. Les sentiments religieux sont le dernier point noté dans le portrait de Mme de Miran : il y a là peut-être une allusion à la personnalité de Mme de Lambert, modèle supposé de Mme de Miran ; mais plusieurs portraits du *Recueil* de 1659 s'achevaient de la même façon (voir dans *La Galerie des portraits de Mademoiselle de Montpensier*, éditée par E. de Barthélemy, Paris, 1860, les portraits de la comtesse d'Esche, p. 101 sq., de Mme de Sainctot, p. 165 sq., de la comtesse de ***, p. 334 sq., de la marquise de la Grenouillère, p. 373 sq., de la comtesse de ***, p. 384 sq., etc.).

qu'elle voulait se faire comprendre, et non plaire : il en résultait dans les rapports sociaux quelque « fierté d'amour-propre » ; le résultat est donc l'inverse dans les rapports sociaux qui relèvent du cœur, puisque Mme Dorsin s'accommode à tous et fait même se surpasser l'esprit des autres. Les conséquences sur la vie en société sont bien ce qui intéresse Marivaux (ou plutôt Marianne, car c'est elle qui entre dans le monde introduite par Mme de Miran et Mme Dorsin) et il les mentionne dans les deux volets de sa description du caractère ; le cœur et l'esprit collaborent dans le comportement social, mais, en raison de la supériorité de l'esprit, ce que l'on voit du cœur dans le premier volet paraît à son désavantage, tandis que dans le second volet l'éloge du cœur tourne à la gloire de l'esprit [243].

Jusqu'ici la composition du portrait est telle que l'esprit et le cœur semblent constituer l'âme ; mais voici que Marivaux emploie le mot *âme* dans un sens autre que celui qu'il avait précédemment : « Mme Dorsin, à cet excellent cœur que je lui ai donné, à cet esprit si distingué qu'elle avait, joignait une âme forte, courageuse et résolue ; de ces âmes supérieures à tout événement », etc., la suite est une définition généralisante d'un type dont nous avons parlé. L'âme est ici ce que nous appellerions le caractère, avec une nuance d'idéalisme stoïcien, l'énergie, la maîtrise de soi ; alors que l'opposition binaire du cœur et de l'esprit est très fréquente chez Marivaux, comme dans tout son siècle, l'opposition ternaire du cœur, de l'esprit et de l'âme est rarissime : il faut qu'il considère l'âme, du moins dans le passage que nous commentons, comme l'organe de la volonté, l'esprit étant celui de l'entendement et le cœur celui de la sensibilité [244]. Marivaux en vient alors aux sentiments qu'éprouvaient pour Mme Dorsin tous ceux qui la connaissaient, les autres femmes, ses domestiques, ses amis, et il s'arrête au début d'une phrase, le portrait étant déjà bien long.

Le schéma le plus général d'un portrait complètement développé paraît donc comporter quatre rubriques : la physionomie, l'esprit, le cœur, les qualités sociales ; mais Marivaux transforme profondément ce schéma selon le caractère du personnage et l'organise en fonction d'un trait dominant, sensualité, hypocrisie, bonté, intelligence. L'important est que le portrait se détache distinctement du contexte et qu'un certain nombre de points soient successivement passés en revue selon un plan. Ces principes de composition sont

243. Mme Dorsin fait mentir le Vieillard du *Cabinet du philosophe*, qui disait : « [le sentiment] a la clef de tous les esprits : il n'y a que lui qui les pénètre et qui les éclaire » (*J.O.D.*, p. 352). « Avec Mme Dorsin, ce n'était pas de même [qu'avec Mme de Miran] ; tout ce que vous n'osiez lui dire, son esprit le pénétrait ; il en instruisait son cœur, il l'échauffait de ses lumières [...] » (*V.M.²*, p. 223).

244. La phrase sur le cœur, l'esprit et l'âme de Mme Dorsin sera textuellement recopiée (avec quelques autres) par l'auteur de la notice sur Mme de Tencin publiée dans *Les Etrennes aux Dames* en 1763 (voir le texte cité par F. Deloffre, *V.M.²*, p. 210, n. 1). On trouve une autre opposition ternaire dans *La Vie de Marianne*, au début de la neuvième partie, quand Tervire définit Marianne elle-même comme « un caractère excellent, un esprit raisonnable et une âme vertueuse » (*ibid.*, p. 429), mais elle ne semble pas viser à recouvrir la totalité de l'être intérieur, elle désigne seulement les qualités les plus éminentes de Marianne.

ceux que respectaient les romanciers et les psychologues mondains de l'époque baroque [245].

Dans *La Vie de Marianne* deux autres portraits, bien qu'ils ne portent pas ce nom, peuvent être rapprochés des précédents pour leur grande dimension, le portrait de Mlle de Fare et celui du ministre. De Mlle de Fare Marivaux ne décrit presque que la physionomie, sa figure, ses airs, sa taille, son allure, sa mine, dans une des analyses les plus expressives qu'il ait jamais faites ; le comportement social tient en quelques mots, et les qualités du cœur et de l'esprit sont résumées en une phrase énumérative, le rôle de Mlle de Fare dans l'action devant les faire mieux apparaître : « Ceci regarde le caractère, que vous connaîtrez encore mieux par les choses que je dirai dans la suite » [246]. Mais ce caractère ressort de façon si suggestive que nous n'avons pas besoin des détails ultérieurs : ils pourront seulement en confirmer et en enrichir l'image, non pas la corriger. Dans le portrait du ministre, la physionomie est aussi le seul élément analysé, l'âme, les qualités sociales (« les mœurs ») et le caractère sont adroitement réunis dans une phrase ; mais le portrait, après ce peu de lignes, se prolonge pendant deux grandes pages qui font l'éloge du ministre dans sa façon de gouverner : un trait du comportement social est ainsi détaché et hypertrophié, sans doute parce que en 1736 Marivaux voulait flatter le cardinal Fleury que l'on s'accorde à voir représenté dans ce ministre [247].

De ces six portraits, trois sont formellement détachés du contexte, transplantés si l'on peut dire, et sont faits pendant une pause du récit, entre deux épisodes ; ce sont ceux de Mme de Ferval, de Mme de Miran et de Mme Dorsin. Les trois autres interrompent le récit, l'interruption et la reprise étant explicitement signalées, mais se rattachent à lui, puisqu'ils présentent des personnages au moment où ils apparaissent pour la première fois dans l'action. Il en est de même de tous les portraits qu'on trouve encore dans les deux grands romans de Marivaux : la narration reste en suspens, mais les portraits s'y raccordent, parce qu'ils font connaître l'impression produite sur le narrateur par un personnage qui entre en scène, ou qu'ils expliquent dans une circonstance particulière par un trait de son caractère la conduite d'un personnage déjà aperçu auparavant.

Marivaux appelle en effet *portraits* ces courtes descriptions inspirées autant par son désir de faire voir que par son désir de faire comprendre ; comme toujours, les personnages y apparaissent tels qu'ils sont et non tels qu'ils se modifient : « comme je l'ai connue depuis, j'ai envie de vous dire en passant à quoi elle ressemblait ». Cette formule (qui concerne la sœur de Mme de Fécour) met bien

245. Voir J.-D. Lafond : « Les Techniques du portrait dans le " Recueil des portraits et éloges de 1659 " », *C.A.I.E.F.*, mars 1966, n° 18, p. 139-148, et Jacqueline Plantié : « La Rochefoucauld et Climène », *R.H.L.F.*, avril-juin 1966, 66e année, n° 2, p. 209-222 (particulièrement p. 212, où l'identité de plan entre les deux portraits du *Recueil* signés M.R.D. est montrée : le « dehors », l'humeur, l'esprit, l'âme).

246. *V.M.*², p. 257.

247. *V.M.*², p. 314-316.

en lumière trois caractéristiques de ces descriptions : elles sont des synthèses *a posteriori* ; elles se détachent du contexte, en excusant leur aspect de digressions, Marivaux ne fait que le souligner ; elles disent « à quoi » quelqu'un ressemble [248]. Quand le mot *portrait* est absent, Marivaux parle de *peindre*, ou met la description entre parenthèses par des expressions comme : « C'était un de ces hommes ordinaires qui... », « Telle était notre maîtresse », « Telle était la femme dont je vous parle », « Je n'ai vu de ma vie rien de si distingué ni de si touchant que la physionomie de... », « Je n'ai rien vu de si sérieux, de si posé, et en même temps de si grave que cette physionomie-là... » [249]. Le seul de ces portraits qui soit composé des quatre éléments dénombrés dans les grands portraits hors-texte est celui d'Agathe, dans *Le Paysan parvenu* : l'âge est d'abord rappelé, l'esprit est caractérisé avant la physionomie, après celle-ci ce qui appartient au cœur, en l'occurrence « du penchant à l'amour » et une extrême fausseté à laquelle l'esprit, de nouveau nommé, vient en aide. La plupart du temps, la physionomie est décrite et par son moyen le trait dominant du caractère, quelquefois expressément formulé : Marivaux y est plus concret que dans les grands portraits en forme, aussi ces passages relèvent-ils plus du peintre que de l'analyste [250].

En résumé, dès que Marivaux veut présenter un personnage à son lecteur, il cherche à le rendre pleinement intelligible, par ce qu'exprime son physique, par la catégorie à laquelle il rattache son type psychologique, par la nature générale des traits qu'il fait voir en lui ; dans les premiers romans, la technique du portrait que Marivaux avait pu admirer chez les grands baroques ne subsistait plus que fragmentairement : ni *Les Effets surprenants*, ni *Pharsamon*, ne contiennent de portraits en forme ; on trouve quelques portraits ébauchés selon la structure traditionnelle, celui de Tormez, par exemple, dans *Les Effets surprenants* : « Ce jeune-homme étoit

---

248. *P.P.*, p. 243.

249. « Sur le portrait que j'en fais », *P.P.*, p. 37 (un domestique) ; « Pour faire ce portrait-là », *ibid.*, p. 77 (Mme d'Alain) ; « Mais j'oubliais une chose, c'est le portrait de la jeune fille », *ibid.*, p. 87 (Agathe) ; « Il faut le peindre », *ibid.*, p. 211 (Bono) ; « telle était Mme Dutour, que je vous peins par hasard en passant », *V.M.²*, p. 99 ; les autres expressions citées viennent de *V.M.²*, p. 436 (Tervire le fils) ; *P.P.*, p. 10 (la femme du premier patron de Jacob) ; *V.M.²*, p. 254 (Mme de Fare) ; *P.P.*, p. 205 (Mme d'Orville) ; *V.M.²*, p. 296 (l'abbesse du second couvent).

250. Plusieurs fois la physionomie est présentée en avant-garde, quand apparaît le personnage, et l'analyse du caractère reportée à plus tard : Mme Dutour est montrée à son entrée en scène comme « une grosse réjouie qui, à vue d'œil, paraissait la meilleure femme du monde : aussi l'était-elle » (*V.M.²*, p. 31 ; les derniers mots cités sont très importants, ils nous font passer de l'aspect circonstanciel à l'être permanent) ; ce caractère de « bonne femme » est « peint » dans une circonstance ultérieure, où Marianne a pu en éprouver particulièrement les qualités et les défauts (*ibid.*, p. 98-99). La « mine » et l'« embonpoint » de la prieure du premier couvent sont décrits et expliqués par des considérations générales, *ibid.*, p. 148-149, mais le caractère de cette religieuse n'est pas analysé : « J'en ferai peut-être le portrait quelque part ». Ce portrait, qui n'a jamais été fait, aurait pris place en marge du récit, alors que la présentation physique du personnage fait partie du récit. Enfin, Mlle Habert la cadette est décrite dans sa mine et sa tenue de dévote lorsque Jacob la rencontre sur le Pont-Neuf. Son caractère n'est pas analysé, il apparaît dans la suite de l'action, où il se transforme.

beau, de bonne mine et d'une des meilleures maisons du pays ; mais
sa figure lui donnoit tant de prévention en sa faveur, qu'à peine
l'avoit-on vu deux fois, que le mépris suivoit de près l'estime qu'on
auroit naturellement faite de lui, s'il avoit été plus modeste : je ne
dirai rien de son esprit, vous en jugerez par la suite de mon histoire ».
En raccourci, c'est déjà le même schéma que le portrait de Mlle de
Fare, avec la projection d'un des éléments du portrait dans l'avenir
du récit : ou plus exactement, c'est le vestige sclérosé d'un schéma
qui n'est plus vivant pour Marivaux à ce moment-là, et qu'il ressuscite dans *Le Paysan parvenu* et dans *La Vie de Marianne*. Alors que
les nombreux portraits ébauchés dans ces deux romans sont, pour
ainsi parler, les harmoniques affaiblis des trois ou quatre grands
portraits structurés, et servent d'intermédiaires entre ces effigies
immobilisées et le courant du récit où la psychologie fixiste s'émiette
en mille mouvements, la pauvreté des rares portraits qu'offrent *Les
Effets surprenants*, *Pharsamon* et *La Voiture embourbée* témoigne
d'un art maladroit et retardataire, en fort contraste avec l'abondance
(sinon l'originalité) de leurs maximes généralisantes et de leurs
analyses nuancées [251].

251. *O.C.*, t. V, p. 540. *O.J.*, 149 ; voir aussi le portrait du fils du concierge, *ibid.*, p. 593.
O.J., 176, et celui de Merville, t. VI, p. 27-28. *O.J.*, 190 ; dans *Pharsamon*, le portrait du
protagoniste : « il étoit bien fait ; l'air vif, les sentimens de son cœur et la disposition
de son esprit ajoutoient encore aux graces de sa physionomie je ne sçai quoi de noble et
de sérieux qui faisoit qu'on remarquoit notre jeune homme » (*O.C.*, XI, p. 5. *O.J.*, 394) est
conventionnel et inutile, puisqu'il ne mentionne pas les dispositions à la « valeur » et à la
tendresse, signalées auparavant, et surtout parce que l'air, l'esprit et le cœur de Pharsamon
sont justement ce qui est en question dans le reste du roman. *La Voiture embourbée*
commence par le portrait des voyageurs, ce qui permettra de comprendre le caractère du
récit fait par chacun ; à l'intérieur même du « Roman impromptu », le portrait de Félicie
s'intercale entre des paroles d'Amandor et la réponse de la dame : « il fallait vous mettre
au fait du caractère de son esprit, pour que vous goûtiez dans les suites toutes ses reparties »
(*O.C.*, XII, p. 184. *O.J.*, 338). La formule met bien en valeur la fonction de ces portraits,
uniquement psychologiques.

Qu'elle s'applique aux traits constants d'un caractère ou à un état d'âme passager, l'analyse y découvre des facultés, des inclinations, des passions, des vices, des vertus qui sont communs à tous les hommes ; les époques futures ne pourront pas en allonger beaucoup la liste, même si elles discernent des nuances supplémentaires [252]. Une vue simplifiée pourrait représenter la conscience comme un champ clos où s'affrontent des forces antagonistes : c'est ainsi qu'elle apparaît dans la psychologie héroïque de Corneille et des baroques. Marivaux a tourné en ridicule les imposteurs qui essayaient de se faire illusion à eux-mêmes sur leurs grands sentiments, et quand Jacob rapporte le dialogue qu'il a tenu en lui-même avec l'honneur et la cupidité, il parodie après Mascarille les débats intérieurs des héros cornéliens [253]. Marivaux n'a pourtant pas renié l'idéal dont s'était éprise dans sa jeunesse son âme romanesque. Présenter la vie intérieure comme un conflit d'abstractions rend l'analyse plus commode et s'accorde avec une morale de la connaissance et de la construction de soi. Aussi trouve-t-on beaucoup de phrases où le sujet ou le complément d'un verbe actif est une entité morale ou psychologique : « sa sagesse ne disputait plus le terrain qu'en reculant lâchement », « mon orgueil avait de la pudeur », « je m'en allais avec mon cœur à qui il manquait quelque chose, et qui ne savait pas ce que c'était », « ce n'était pas ma raison, c'était ma douleur qui concluait ainsi », « mes tantes avaient réduit ma douleur à se taire », etc. [254]. Ces phrases ne sont pas parodiques : si l'on y entend parfois une légère ironie, c'est que le narrateur sourit au souvenir du temps où il n'était qu'un jeune être inexpérimenté allant à la découverte de ce dont son âme était capable.

L'idée que l'âme a une capacité limitée vient de Malebranche [255] :

252. Voir *supra* chap. IV, p. 134-135, 138-139.

253. *P.P.*, p. 26-27 ; Molière, *L'Etourdi*, III, 1, (« Taisez-vous ma bonté, cessez votre entretien [...] Oui, vous avez raison, mon courroux, je l'avoue », etc.). Marivaux avait déjà imité Molière dans *Pharsamon* : « Allons, ferme mon cœur, encore quatre ou cinq coups de bon vin que voilà » (*O.C.*, XI, p. 224. *O.J.*, 511) ; Molière *Le Tartuffe*, IV, 3 : « Allons, ferme, mon cœur, point de faiblesse humaine »), mais il retrouve spontanément ce style dans la tragédie : « Choisis, mon cœur. Mais quoi ! tu crains la servitude ? [...] Impitoyable honneur, examinons tes droits », déclame Prusias dans *Annibal* (III, 6, *T.C.*, t. I, p. 152). L'emploi bouffon de l'abstrait est dans le *Télémaque travesti* (« Quand ma jeunesse voudra lever la crête, ma raison lui rabattra son caquet », *T.T.*, p. 77).

254. Successivement *P.P.*, p. 18, 211 ; *V.M.²*, p. 64, 304, 451. Voir d'autres exemples cités et commentés par F. Deloffre, *V.M.²*, Introduction, p. LXII, et *Marivaudage²*, p. 325-330.

255. Par exemple, *De la Recherche de la vérité*, III, I, 4, éd. citée, tome I, p. 230 : « Ainsi l'âme étant d'un côté très limitée, et de l'autre ne pouvant s'empêcher de sentir sa douleur et toutes ses autres sensations, sa capacité s'en trouve remplie... ». Mais le désir d'amour est infini : « le vide des créatures ne peut remplir la capacité infinie du cœur de l'homme », *ibid.*, p. 229, et la capacité virtuelle de l'âme soulève l'enthousiasme de Malebranche : « Car il faut que tu saches que l'âme contient en elle-même tout ce que tu

mieux encore qu'une psychologie des conflits, elle justifie une psychologie des mélanges et des dosages, celle de Marivaux depuis ses premiers romans jusqu'à ses dernières œuvres de moraliste, bien que Marivaux ait été plutôt frappé par la diversité et l'intensité de ce qui pouvait entrer dans une âme que par l'étroitesse de sa capacité [256]. Il a voulu montrer ce qu'il dit avoir vu lui-même dans *Le Miroir*, « toutes les façons possibles de penser et de sentir des hommes, avec la subdivision de tous les degrés d'esprit et de sentiment, de vices et de vertus, de courage et de faiblesse, de malice et de bonté, de vanité et de simplicité que nous pouvons avoir » [257].

L'analyse peut démêler les divers sentiments, les diverses tendances qui s'associent ou s'opposent dans un état de conscience ; elle peut également chercher à définir la nuance exacte d'un unique sentiment, cette nuance résultant de la réunion de plusieurs tonalités différentes ou de l'élimination de nuances voisines ; elle s'exprime par divers tours qu'il est difficile d'isoler, car ils se combinent entre eux de façon très riche et très souple, mais qu'on peut réduire aux types suivants :

— *les énumérations :* « j'aimais donc par respect et par étonnement pour mon aventure, par ivresse de vanité, par tout ce qu'il vous plaira, par le cas infini que je faisais de cette dame [...]. De sorte que je m'en retournai pénétré de joie, bouffi de gloire, et plein de mes folles exagérations sur le mérite de cette dame » [258]. Le plus souvent, l'un des termes de l'énumération se détache, soit parce qu'il domine les autres : « une mine qu'il serait assez difficile de définir. Il y avait de tout, du chagrin, de la confusion, de la timidité, qui venaient d'un reste de respect dévot pour ce directeur ; et sur le tout, un air pensif [...] » [259], soit parce qu'il renchérit sur eux ou surprend par sa présence : « Je l'imitai par hauteur, par prudence, et même par une sorte de pitié pour lui ; il y avait de tout cela dans mon esprit » [260]. Comme le montrent deux des exemples précédents, l'énumération n'est pas exhaustive et Marivaux laisse apercevoir dans le sentiment éprouvé tout ce qui n'est pas exprimable : « Eh ! seigneur, m'écriai-je avec amour, avec douleur, avec mille mouvements confus

---

vois de beau dans le monde... Ces couleurs, ces odeurs, ces saveurs et une infinité d'autres sentiments, dont tu n'as jamais été touché, ne sont que des modifications de ta substance. Cette harmonie qui t'enlève n'est point dans l'air qui te frappe l'oreille ; et ces plaisirs infinis, dont les plus voluptueux n'ont qu'un faible sentiment, sont renfermés dans la capacité de ton âme » (*Méditations chrétiennes*, IX, § 221, éd. citée, p. 182-183).

256. Très malebranchiste est cette question posée dans *Les Effets surprenants* (*O.C.*, t. V, p. 578. *O.J.*, 168) : « L'amour peut-il trouver place dans une âme que le chagrin occupe toute entière ? » D'un type plus banal, la phrase suivante : « Mes transports furent inconcevables ; toute mon âme suffisait à peine pour y fournir » (*ibid.*, t. VI, p. 117. *O.J.*, 238). Mais Tervire demandera (*V.M.*[2], p. 450) : « Nous qui sommes bornés en tout, comment le sommes-nous si peu quand il s'agit de souffrir ? », et les *Réflexions* parues dans le *Mercure* de mars 1751 condamnent les qualités « excessives », mais glorifient les qualités « infinies » (*J.O.D.*, p. 501-502).

257. *J.O.D.*, p. 535.

258. *P.P.*, p. 141.

259. *P.P.*, p. 106.

260. *V.M.*[2], p. 204.

que je ne saurais expliquer » [261]. L'unité complexe du sentiment, brisée par l'analyse, est restituée par des expressions synthétisantes, en fin d'énumération, ou bien présentée comme « un mélange » : « Je pleurai d'aise, je criai de joie, je tombai dans des transports de tendresse, de reconnaissance ; en un mot, je ne me possédai plus » [262] ; ou bien : « C'était un mélange de trouble, de plaisir et de peur [etc.] » [263] ; « Y avait-il rien de plus obligeant pour moi que cette peur-là, madame, rien de plus flatteur, de plus aimable, rien de plus digne de jeter mon cœur dans un humble et tendre embarras devant le sien ? Car c'était là précisément tout ce que j'éprouvais. Un mélange de plaisir et de confusion, voilà mon état » [264].

Ces tournures étaient déjà dans les premières œuvres de Marivaux, bien que les éléments mis en lumière par l'analyse y fussent en général ou bien successifs, ou bien contradictoires ; la psychologie héroïque aimait peindre des âmes passant subitement d'un extrême à l'autre ou déchirées par des conflits paralysants : « Tantôt épouvantée de la hardiesse de son entreprise, elle se représentoit [...]. Tantôt se défiant du courage de Clorinde elle craignoit [...]. Un moment après, elle croyoit déjà se voir en liberté [etc.] » [265] ; ou bien : « Caliste, que la surprise, l'horreur, l'amour rendoient presque immobile » [266] ; ou encore, analyse enveloppée d'une synthèse : « nous sentîmes en ce moment tous deux tout ce que la surprise la plus douce, la douleur et la passion peuvent composer de mouvements différents » [267] ;

— *les dosages* : ils indiquent grossièrement une proportion entre deux composants, tantôt pour marquer l'état de division où se trouve l'âme et son incertitude sur elle-même : « Enfin, me voici entrée, moitié rêveuse et moitié gaie » ; « moitié par un sentiment de religion qui me vint en ce moment, moitié dans la pensée d'aller soupirer à mon aise et de cacher mes larmes [...], j'entrai dans cette église » [268] ; tantôt pour faire entendre que l'un des éléments occupe l'âme presque tout entière ou domine le caractère et que l'autre vient seulement le nuancer : « je pleurais moins par chagrin,

---

261. *V.M.*², p. 198.

262. *V.M.*², p. 285.

263. *V.M.*², p. 63.

264. *V.M.*², p. 89. Voir encore *P.P.*, p. 245 : « Il y a dans leurs façons [des fausses dévotes] je ne sais quel mélange indéfinissable de mystère, de fourberie, d'avidité libertine et solitaire, et en même temps de retenue, qui tente extrêmement ».

265. *Les Effets surprenants*, *O.C.*, t. V, p. 347. *O.J.*, 47.

266. *Les Effets surprenants*, *ibid.*, t. VI, p. 234. *O.J.*, 300.

267. *Les Effets surprenants*, *ibid.*, t. VI, p. 62. *O.J.*, 209. L'énumération s'achevant sur un *tout* qui la résume et la dépasse est un vrai tic de style dans les deux premiers romans : « Mon désespoir, la haine que j'ai pour mon tyran, et j'ôse dire encore, sans crainte que vous en abusiez, un sentiment d'estime que vous paroissiez mériter ; tout cela m'engage à vous prier de me tirer des lieux où je suis » (*Les Effets surprenants*, *O.C.*, t. V, p. 350 ; cf. 353, 374-375, 406, 425, 448, 464, 489, 500 ; t. VI, p. 43, etc. *O.J.*, 48, 50, 61, 78-79, 88, 100, 108, 121, 127, 198, etc.). « J'allai m'enfermer dans ma chambre où le trouble, le plaisir, la crainte, la honte, enfin mille mouvements différents m'agiterent tous ensemble » (*Pharsamon*, *ibid.*, t. XI, p. 154. *O.J.*, 473).

268. *V.M.*², p. 231 et 145.

je pense, que par mignardise », « il me semble que je fus plus fâchée qu'interdite » [269] ; le portrait de Mme de Miran, dont Marivaux paraît avoir voulu délicatement atténuer certains traits, présente plusieurs fois cette construction : « cette physionomie plus louable que séduisante », « ces yeux qui demandaient plus d'amitié que d'amour », « Mme de Miran avait plus de vertus morales que de chrétiennes, respectait plus les exercices de sa religion qu'elle n'y satisfaisait [...], aimait plus Dieu qu'elle ne le craignait, [...] et le tout avec plus de simplicité que de philosophie » [270]. Des tournures analogues se rencontrent dans *Le Paysan parvenu* : « On sentait [chez Agathe] plus de disposition à être amoureuse que tendre, plus d'hypocrisie que de mœurs, plus d'attention pour ce qu'on dirait d'elle que pour ce qu'elle serait dans le fond » ; « je rougis un peu par pudeur, mais bien plus par je ne sais quel sentiment de plaisir [...] » ; « je restai pleurant entre mes quatre murailles, mais avec plus de consternation que d'épouvante ; ou, si j'avais peur, c'était par un effet de l'émotion [etc.] » [271] ; elles semblent plus rares dans les premiers romans [272].

— *les éliminations :* le procédé consiste à nommer à côté de la qualité ou du sentiment exact une qualité ou un sentiment voisin, mais étranger au personnage et qu'il ne faut pas confondre avec le premier. Dans le dosage, un trait secondaire venait nuancer le trait principal ; ici un trait extérieur sert à définir la nature précise du trait existant, en le distinguant de tout autre. Diverses tournures sont possibles : « Il se représentoit ce chagrin sans aigreur [...], ce désespoir sans fureur, cette désolation capable seulement d'attendrir et non pas d'effrayer » ; « Pharsamon s'en sentit le cœur ému ; mais ce ne fut pas d'une émotion qui l'attendrît » ; « je n'avais point d'autre intention que de me divertir, et non pas de plaire » ; « il n'était pas amoureux, il était tendre » ; « de ces âmes qui peuvent être affligées, jamais abattues ni troublées » ; « je n'étais né que hardi, et point effronté » ; « des yeux sinon tendres, du moins tristes de ne pouvoir l'être » ; « L'espèce de jalousie qu'il ressentoit n'avoit point les fureurs de celle qu'a devancé une longue habitude de se voir ou qu'excite la perfidie : c'étoit une jalousie inquiète et tendre [...] » [273]. Cette dernière citation montre que le terme négatif

---

269. *V.M.²*, p. 414 et 120.

270. *V.M.²*, p. 168 et 171. Tout le portrait semble conçu selon cette structure : « l'air si bon » de Mme de Miran « rend la belle personne plus estimable, mais son visage plus indifférent : de sorte qu'on est plus content d'être avec elle que curieux de la regarder », « cette mine [...] la faisait plus ressembler à une confidente qu'à une rivale ».

271. *P.P.*, p. 88, 135, 147. Voir aussi le portrait de Mme de Fécour, « plus joyeuse que spirituelle à table, plus franche que hardie, pourtant plus libertine que tendre », p. 180.

272. « Cette perfidie, ou plutôt ce manque de respect pour sa maitresse, me piqua, peut-être plus par un sentiment de l'aversion que cette fille m'inspiroit, que par attention à sa malice contre sa maitresse », *Les Effets surprenants, O.C.,* t. VI, p. 86. *O.J.,* 222 ; « Je versai des larmes mais la joie de voir un cœur si pénétré, y eut plus de part que mes chagrins », *Pharsamon, O.C.,* t. XI, p. 169. *O.J.,* 481.

273. Successivement *Les Effets surprenants, O.C.,* t. V, p. 426. *O.J.,* 88-89 ; *Pharsamon,* ibid., t. XI, p. 235. *O.J.,* 517 ; *P.P.,* p. 87 ; *V.M.²,* p. 74, 227 ; *P.P.,* p. 106 ; *Les Effets surprenants, O.C.,* t. VI, p. 186. *O.J.,* 275 ; t. V, p. 482. *O.J.,* 117. Voir ce que F. Deloffre appelle « parallélisme », *Marivaudage²,* p. 454-455.

peut être assez développé pour s'opposer point par point au terme positif et mieux en faire ressortir l'originalité : ainsi la « vraie bonté » de Mme de Miran ne doit pas être confondue avec la noblesse d'âme, la coquetterie décente avec la coquetterie libertine, la piété avec la dévotion, la vanité glorieuse avec la vanité honteuse, l'embonpoint religieux avec l'embonpoint profane, et le parallèle donne alors lieu à toute une « réflexion » [274] ;

— *les retouches :* F. Deloffre a défini le procédé [275] ; il consiste à préciser la nuance d'un sentiment, d'un mouvement, d'un caractère, en faisant suivre le terme qui le désigne d'une correction spécifiant sa catégorie ou ses qualités ; le terme principal lui-même peut être repris, ou omis, ou remplacé par un terme de la même famille : « Je retournai donc chez moi, perdu de vanité, comme je l'ai dit, mais d'une vanité qui me rendoit gai, et non pas superbe et ridicule » (au procédé de la retouche s'ajoute ici celui de l'élimination) ; « c'était des grâces de tout caractère ; c'était du noble, de l'intéressant, mais de ce noble aisé et naturel qui est attaché à la personne [...] ; c'était de cet intéressant qui fait qu'une personne n'a pas un geste qui ne soit au gré de votre cœur » ; « je rougis à mon tour, mais en ennemie hardie et indignée, qui se sent l'avantage d'une bonne conscience » [276]. On trouvera de nombreux autres exemples dans la thèse de F. Deloffre. La retouche peut être introduite par *mais*, par *je dis*, par *pourtant*, par *et*. Elle a très souvent une valeur généralisante, Marivaux aimant définir par classement ;

— *les qualifications multiples :* des épithètes plus ou moins hétérogènes sont attribuées à un même substantif ; la diversité, qui est le fait de l'analyse, est ainsi dégagée sans que soit blessée l'unité, qui est le fait de la vie ; de plus, ce tour a le piquant que Marivaux met volontiers dans ses notations psychologiques, parce qu'il associe les mots de façon inattendue. Les qualificatifs sont rarement plus de deux ou trois : « un empressement inquiet et obligeant », « une joie vive et cruelle », « une crainte tendre et respectueuse », ces expressions qui viennent des *Effets surprenants* [277] sont déjà du même type que celles qu'on trouve dans *Le Paysan parvenu* ou dans *La Vie de Marianne :* « me voilà remuée par je ne sais quelle curiosité inquiète, jalouse, un peu libertine, si vous voulez », « une tristesse dévote et précieuse », « je me retrouvai glorieuse et confuse » [278], etc. ;

— *les compléments de caractérisation :* de la grande masse d'exemples rassemblés par F. Deloffre dans le chapitre de sa thèse qu'il a consacré au complément de caractérisation, nous dégagerons

---

274. *V.M.²,* p. 169, 208 ; *P.P.,* p. 47, 249 ; *V.M.²,* p. 148.

275. *Marivaudage²,* p. 447-450.

276. *P.P.,* p. 187 ; *V.M.²,* p. 256-257, 203.

277. *O.C.,* t. V, p. 521, 420, 594. *O.J.,* 138, 85, 176 (on peut ranger dans cette catégorie cette expression imitée de Racine, *ibid.,* p. 351. *O.J.,* 49 : « la passion la plus tendre et la plus malheureuse »). « Je demeurai interdite, immobile et peut-être tendre », *Pharsamon, ibid.,* t. XI, p. 468. *O.J.,* 640.

278. *P.P.,* p. 231, 195 ; *V.M.²,* p. 82 ; autres exemples dans F. Deloffre, *Marivaudage²,* p. 345-346.

quatre types propres à l'analyse psychologique [279]. Dans le premier type, le complément représente l'organe, le support du sentiment, de la qualité ou du penchant que désigne le substantif principal : « bonté de cœur », « désordre d'esprit », « bizarrerie de sentiment », « émotions d'âme », etc. [280]. Dans le second type, le complément représente le sentiment, la qualité, le penchant, etc. dont le véhicule ou le moyen de manifestation est désigné par le substantif principal : « air de bonté », « esprit de badinage », « action de charité », « œuvre de sentiment », etc [281]. Dans le troisième type, le complément représente encore le sentiment, la qualité, le penchant, etc. et le substantif déterminé en exprime la qualification ou l'aspect : « abondance de bonté », « effusion de sentiments tendres et généreux », « plénitude de reconnaissance », etc. [282]. Dans le quatrième type, le complément représente toujours un sentiment, une qualité, un penchant, etc. et le substantif déterminé en désigne encore la qualification ou l'aspect, mais cette qualification, cet aspect est déjà ce que Malebranche appellerait une « modification » de l'âme, c'est-à-dire l'effet actuel d'un sentiment, d'une qualité, d'un penchant... De ce type sont des expressions comme « une affliction de tendresse », « une attention d'étonnement », « un courroux de fierté », « une curiosité d'intérêt », « un enthousiasme d'amitié », « une surprise de gaieté », etc. [283]. Dans les deux premiers types, le complément fait fonction d'adjectif (on pourrait dire : « désordre intellectuel », « action charitable »), dans les deux derniers, c'est le substantif déterminé (on pourrait dire : « bonté abondante », « étonnement attentif »). Mais que l'adjectif existe ou non (quelquefois, il existait déjà à l'époque de Marivaux, quelquefois il n'existe pas même à la nôtre), le complément de caractérisation exprime autre chose : il propose à l'esprit des abstractions, des entités qui se combinent, que l'esprit peut saisir aussi bien dans leur essence respective que dans leurs articulations réciproques ; les formules du quatrième type, notamment, perdent toute valeur expressive si on les remplace par des substantifs accompagnés d'adjectifs ; elles montrent comment Marivaux tend à décomposer la vie intérieure en unités intelligibles, et jusqu'à quel point il pousse sa divisibilité. A-t-il eu l'impression d'aller trop loin ? Les tournures du quatrième type sont plus fréquentes dans *Les Effets surprenants* et dans *Pharsamon* que dans *La Vie de Marianne* et dans *Le Paysan parvenu*, où le style est plus naturel, et elles sont absentes des comédies.

---

279. Voir F. Deloffre, *Marivaudage*², p. 331-341. Nous ne retenons que les locutions servant à l'analyse psychologique (à partir de la p. 335) ; toutes nos citations viennent du chapitre de cet ouvrage, on y trouvera leurs références.

280. C'est ce que F. Deloffre désigne comme « type : *Bonté de cœur* » (p. 335), mais tous les exemples qu'il donne ne répondent pas à notre définition.

281. C'est dans l'ouvrage de F. Deloffre le « type : *Air de bonté* » (p. 388) ; même remarque qu'à la note précédente.

282. C'est le « type : *Abondance de cœur* », *ibid.*, p. 340.

283. Nos exemples sont rangés par F. Deloffre sous le « type : *Adresse de tempérament* » (p. 335), mais ils ne représentent qu'une catégorie que nous croyons pouvoir extraire de ce type.

Il arrive que l'analyse soit conjecturale, quand le narrateur parle d'autrui ou d'une circonstance de son propre passé où sa lucidité n'était pas entière. Marivaux laisse alors le lecteur libre de son interprétation. Mais, tout comme l'indicible, le « je ne sais quoi » est soit une figure de rhétorique, soit une catégorie du réel conventionnellement désignée. Les procédés d'expression en sont aussi anciens que la littérature d'analyse psychologique elle-même. Le plus visible est celui qui propose plusieurs explications (en général une alternative, mais quelquefois trois termes) sans décider entre elles ; dès *L'Astrée* on en trouve des exemples parfaits : « Je ne pouvais avoir alors que quinze ou seize ans, mais j'avouerai bien que je ne cédais à autre de mon âge en la bonne opinion de moi-même : fût pour l'assurance de ma beauté (que la flatterie des hommes qui m'approchaient m'avait donnée), fût pour l'amour que chacun porte à soi-même (qui me faisait juger toutes choses plus parfaites en moi qu'aux autres). Tant y a qu'il me semblait que j'attirais les cœurs aussi bien que les yeux de tous ceux qui étaient en la cour » [284]. La construction est exactement la même dans *La Princesse de Clèves* : « Pour le vidame de Chartres, il fut ruiné auprès d'elle, et soit que le cardinal de Lorraine se fût déjà rendu maître de son esprit, ou que l'aventure de cette lettre qui lui fit voir qu'elle était trompée, lui aidât à démêler les autres tromperies que le vidame lui avait déjà faites, il est certain qu'il ne put jamais se raccommoder sincèrement avec elle » [285], et plus tard dans cette phrase de *La Guerre d'Italie* : « Depuis l'hiver passé, ma passion pour Mademoiselle de Plombini étoit fort ralentie, et soit que la derniére affaire qu'elle m'avoit attiré, qui m'avoit causé bien des railleries, m'eût rendu plus sage, soit que je me ressentisse de l'inconstance de la Nation Françoise, qui ne se pique pas d'une grande fidélité en Amour, il est sûr que quoi que le mien ne fût pas tout-à-fait éteint, il s'en falloit pourtant bien qu'il fût aussi violent qu'il l'avoit été pendant deux années entiéres » [286]. Elle correspond sans doute à l'une des démarches les plus naturelles à l'analyste [287] : après avoir passé en revue les explications possibles, il sort de l'aporie en revenant au récit par « tant y a que... », « il est certain que... », « il est sûr que... ». Chez Marivaux, la même page présente deux fois cette construction : c'est dans la troisième partie de *La Vie de Marianne*,

284. Honoré d'Urfé, *L'Astrée*, III, 3, cité d'après G. Charlier, *Un Episode de l'Astrée, les Amours d'Alcidor*, Paris, 1921, p. 65.

285. Mme de Lafayette, *La Princesse de Clèves*, dans *Romans et nouvelles*, éd. E. Magne, Paris, 1939 (class. Garnier), p. 329.

286. *La Guerre d'Italie, ou Mémoires du comte D ***,* nouvelle édition, Cologne, 1707, p. 111-112 (ce roman date de 1702 et est attribué au sieur de Grandchamp).

287. On la retrouve chez Proust, avec une force décuplée d'enveloppement et de pénétration ; le narrateur explique pourquoi Swann aime « retrouver dans les tableaux des maîtres [...] les traits individuels des visages que nous connaissons » : « Peut-être ayant toujours gardé un remords d'avoir borné sa vie aux relations mondaines, à la conversation, croyait-il trouver une sorte d'indulgent pardon à lui accordé par les grands artistes [...] ; peut-être aussi s'était-il tellement laissé gagner par la frivolité des gens du monde qu'il éprouvait le besoin [etc.]. Peut-être au contraire avait-il gardé suffisamment une nature d'artiste pour que [etc.]. Quoi qu'il en soit [etc.]. » *A la Recherche du temps*

au moment où Marianne fait le paquet du linge qu'elle veut renvoyer à Climal. Il ne lui reste plus à plier que la robe, et pour cela il faut remettre l'ancienne [288] :

« Je me levai donc pour l'aller prendre ; et dans le trajet qui n'était que de deux pas, ce cœur si fier s'amollit, mes yeux se mouillèrent, je ne sais comment, et je fis un grand soupir, ou pour moi, ou pour Valville, ou pour la belle robe : je ne sais pour lequel des trois.

« Ce qui est de certain, c'est que je décrochai l'ancienne, et qu'en soupirant encore, je me laissai tristement aller sur un siège, pour y dire : Que je suis malheureuse ! Eh ! mon Dieu ! pourquoi m'avez-vous ôté mon père et ma mère ? »

L'incertitude de Marianne n'est pas tout à fait sincère, elle a sans doute soupiré pour les trois objets, mais elle ne veut pas avouer qu'elle a soupiré *aussi* pour la robe, et elle laisse l'analyse en suspens ; en fait, de la part de la narratrice, c'est inviter le lecteur à sourire avec elle de cette petite fille qui ne savait pas encore distinguer ses grands désespoirs de ses petits chagrins ; le récit repart en avant avec « ce qui est de certain, c'est que... », mais pour retomber dans une autre incertitude :

« Peut-être n'était-ce pas là ce que je voulais dire, et ne parlais-je de mes parents que pour rendre le sujet de mon affliction plus honnête ; car quelquefois on est glorieux avec soi-même, on fait des lâchetés qu'on ne veut pas savoir, et qu'on se déguise sous d'autres noms ; ainsi peut-être ne pleurais-je qu'à cause de mes hardes. Quoi qu'il en soit, après ce court monologue qui, malgré que j'en eusse, aurait fini par me déshabiller, j'allai par hasard jeter les yeux sur ma cornette, qui était à côté de moi ».

Sous une forme plus directe, l'alternative se poserait ainsi : « je pleurai, soit sur mon état d'orpheline, soit sur la perte de mes beaux habits ». Elle est de même nature que l'indécision précédente, elle n'exprime pas une réelle perplexité, mais, indirectement, les dérobades de la jeune Marianne devant le geste à accomplir. Une nouvelle locution concessive remet le récit en marche.

L'exemple cité est intéressant, d'abord, parce qu'il montre que les formules d'incertitude, si elles manifestent souvent, comme il se doit, l'impossibilité de conclure une analyse, sont quelquefois aussi

---

perdu, Du côté de chez Swann, deuxième partie, *Un Amour de Swann* (Paris, 1947, t. I, p. 161-162).

288. *V.M.²*, p. 132. Voir aussi *Le Cabinet du philosophe*, huitième feuille, *J.O.D.*, p. 404 : « Lui plaisais-je parce que j'arrivais de Paris, que j'avais vu la cour, et qu'elle me trouvait les bons airs du grand monde ? Ou bien était-ce ma personne qu'elle aimait ? C'est ce qu'il était difficile de décider, et ce qu'elle n'aurait pu décider elle-même. Quoi qu'il en soit, que ce fût son cœur, ou son imagination qui se fût allumée pour moi, je fis réflexion que [etc.] ». Dans *V.M.²*, p. 202, une première analyse hypothétique, faite actuellement, se termine par une locution concessive, et est suivie aussitôt d'une seconde analyse hypothétique, faite dans le passé, terminée elle aussi par une locution concessive : « Quoi ! M. de Climal ! dis-je en moi-même avec un étonnement où *peut-être* entrait-il un peu d'émotion. *Ce qui est de certain*, c'est que j'aurais mieux aimé qu'il n'eût point été là ; *je ne savais* s'il devait m'être indifférent qu'il y fût, ou si je devais en être fâchée ; mais *à tout prendre*, ce n'était pas une agréable vision pour moi [...] » (nous soulignons les termes caractéristiques).

des artifices de style dans le sens implicite desquels le lecteur est mis de connivence ; ensuite, parce qu'il présente à côté de la conjonction d'alternative « ou » les tournures plus souples « peut-être », « je ne sais » ; enfin parce qu'il comporte une locution concessive ou restrictive qui constitue l'issue de l'incertitude. Mais en général les analyses conjecturales sont moins développées, la clausule concessive ou restrictive manque, les constructions symétriques par *ou*, par *soit que*, sont plus rares que les affirmations atténuées « je crois », « peut-être », « je ne sais quel... », « ce me semble », etc. [289]. Le résultat est une certaine indétermination de l'analyse, un ton parlé très varié, bien qu'à l'origine plusieurs de ces tournures fussent propres au style tragique ou héroïque. Des locutions du type de « quoi qu'il en soit » (c'est la plus fréquente ; mais on trouve aussi : « tout ce que je sais, c'est que... », « ce qu'il y a de sûr, c'est que... », « du moins ») Marivaux fait un emploi plus général, elles lui servent à revenir au récit des faits quand un commentaire l'a interrompu, réflexion faite en passant, esquisses d'un caractère, rappel d'un détail précédemment omis, etc. Ces locutions diffèrent de « revenons » ou de « où en étais-je ? », que Marivaux utilise aussi, en ce qu'elles relèguent le commentaire au second plan : il appartient au domaine de l'hypothèse ou du spéculatif, le récit à celui de la réalité. Chez Jacob, et surtout chez Marianne, c'est un tic ou une coquetterie de style [290], mais Crébillon, chez qui les articulations de l'analyse sont plus affirmées, s'est approprié cet emploi de la locution concessive, et il est arrivé à Duclos de l'imiter [291].

289. Quelques exemples seulement : « Il avance en tressaillant et avec un battement de cœur que causoit ou un sentiment de joie, ou la crainte de ne pas réussir, et peut-être un certain pressentiment qui précède toujours un malheur près de nous surprendre », *Les Effets surprenants*, O.C., t. V, p. 362. O.J., 54. « Soit que la perte de son sang eût épuisé ses forces sans retour, soit que sa tristesse l'eût mortellement saisi, il lui prit une foiblesse si grande, qu'on commença à désespérer de sa vie » (*Les Effets surprenants*, t. VI, p. 24. O.J., 188 ; voir aussi *V.M.²*, p. 232) ; « [Alcanie] avoit apperçu de loin Tarmiane [...] ; mais je ne sçai par quelle humeur sombre ou mélancolique, ou peut-être par un sentiment secret de jalousie qu'elle conservoit contre elle, elle ne l'avoit point abordée » (*Pharsamon*, O.C., t. XI, p. 441. O.J., 624) ; « La subite franchise de ce procédé me surprit un peu, me plut, et me fit rougir, je ne sais pourquoi » (*V.M.²*, p. 502) ; « Je n'aurais su, ce me semble, comment m'y prendre pour le regarder » (*V.M.²*, p. 245) ; voir aussi p. 38 : « J'aurais eu un dégoût, ce me semble, invincible à profiter de sa faiblesse » ; « Je crois pourtant que je l'aurais aimée davantage si je n'avais été que son amant [...]. [Mais j'étais son obligé] et je pense que l'amour en souffrait un peu » (*P.P.*, p. 245) ; etc. On trouve même « soit que... » sans corrélatif, *J.O.D.*, p. 54 ; *V.M.²*, p. 312.

290. *V.M.²*, p. 26 (« Ce qui est de sûr, c'est que j'ai toujours retenu leurs visages »), 35 (« Quoi qu'il en soit, la conversation, de ma part, devint dès ce moment-là plus aisée »), 64 (« Tout ce que je sais, c'est que ses regards m'embarrassaient »), 156 (« Quoi qu'il en soit, cette fille prit le billet »), 191 (« Quoi qu'il en soit, onze heures venaient de sonner »), 234 (« Quoi qu'il en soit, je me rendis donc au réfectoire »), 290 (« Quoi qu'il en soit, j'écrivis à Mme de Miran), 304 (« Quoi qu'il en soit, dès que je les vis, mon malheur me parut sans retour »), 305 (« Quoi qu'il en soit, je passai une nuit cruelle »), 348 (« Quoi qu'il en soit, il eut envie de nous suivre »), 354 (« Quoi qu'il en soit, la jeune demoiselle [...] vint galamment se jeter à mon cou »), 455 (« Quoi qu'il en soit, cette parente de ma veuve n'oubliait rien pour me gagner »), etc. *P.P.*, p. 57 (« Ce qui est de sûr, c'est que son visage, ses yeux, son ton, disaient encore plus que ses paroles »), 230 (« Quoi qu'il en soit, je n'avais qu'un amour fort naturel »), 241 (« Quoi qu'il en soit, ce ne fut pas par manque d'orgueil que je pliai dans cette occasion-ci »), 251 (« Quoi qu'il en soit, nos trois hommes reculèrent »), etc.

291. *Les Egarements du cœur et de l'esprit*, éd. cit., t. I, p. 288 ; *Lettres athéniennes*, XXXII, *ibid.*, t. VI, p. 6 ; XXXIV, p. 31, etc. Crébillon recourt beaucoup plus souvent que

*
* *

L'exactitude que vise Marivaux exige qu'il fasse la part de l'indicible et de l'insaisissable ; elle exige aussi qu'il retrouve non seulement la nature du sentiment, mais sa vivacité. Dans les *Pensées sur différents sujets*, l'idée de vivacité est associée à celles de force, d'audace, de feu ; la force encore, la finesse, la profondeur, la singularité pour lesquelles le Spectateur français ou le Vieillard du *Cabinet du philosophe* réclament le droit d'utiliser tous les mots qui leur paraissent justes sont aussi les qualités de Marianne et de Jacob. Quand il s'excuse pour une image un peu hardie, Jacob a exactement le même mouvement d'ironie impatiente que, treize ans plus tôt, le Spectateur français [292]. Métaphore, métonymie, synecdoque, catachrèse, tout ce vocabulaire d'école n'a aucun sens quand il s'agit de Marivaux ; qu'il soit transfert ou extension de sens, construction inhabituelle, image hardiment concrète, le néologisme est toujours chez Marivaux ce qu'on lui a reproché d'être, ce que Marivaux a proclamé presque dans les termes mêmes où on le lui a reproché, une association de mots « très rarement vus ensemble » [293], nous dirions un écart par rapport à l'usage courant, il disait, lui, un écart nécessaire et naturel par rapport à l'usage conventionnel. Là où ses contemporains voyaient une figure de style, il voyait l'expression exacte et appropriée. « Elle ne vit plus » n'est pas une autre façon de dire « elle est morte », c'est une façon de dire autre chose, il faut distinguer « ces deux façons de parler, qui paraissent signifier la même chose, et qui dans le sentiment pourtant en signifient de différentes » [294]. « L'esprit est souvent la dupe du cœur » dit autre chose que : « l'esprit est souvent trompé par le cœur, le cœur en fait accroire à l'esprit », car « on est souvent trompé sans mériter le nom de dupe » ; et Marivaux développe ce que fait entendre ce nom de dupe, ce qu'il ajoute à la simple idée de tromperie : « Voilà bien des choses, que l'idée de dupe renferme toutes, et que le mot de cette idée exprime toutes aussi ». Nous avons vu que Fontenelle, commentant la même Maxime de La Rochefoucauld, louait l'originalité de la forme en elle-même et que Marivaux se refuse

Marivaux aux balancements par *ou... ou, soit que..., soit que...*, aux concessives (*Quoique..., quelque... que..., si... que...*), aux consécutives (*si... que...*), etc. Chez Duclos, *Histoire de Madame de Luz*, seconde partie (*Œuvres complètes*, Paris, 1821, t. I, p. 200), *Mémoires sur les mœurs de ce siècle*, première partie (*ibid.*, p. 343), etc.

292. « [...] qu'il abandonne, après, cet esprit à son geste naturel. Qu'on me passe ce terme qui me paraît bien expliquer ce que je veux dire ; car on a mis aujourd'hui les lecteurs sur un ton si plaisant, qu'il faut toujours s'excuser auprès d'eux d'oser exprimer vivement ce que l'on pense » (*Le Spectateur français*, septième feuille, *J.O.D.*, p. 148-149) ; « [...] je me sentis étourdi d'une vapeur de joie, de gloire, de fortune, de mondanité, si l'on veut bien me permettre de parler ainsi (car je n'ignore pas qu'il y a des lecteurs fâcheux, quoique estimables, avec qui il vaut mieux laisser là ce qu'on sent que de le dire, quand on ne peut l'exprimer que d'une manière qui paraîtrait singulière [...] » (*P.P.*, p. 262). L'argumentation de Jacob est ensuite la même que celle du *Cabinet du philosophe*, sixième feuille, *J.O.D.*, p. 386.

293. *Le Cabinet du philosophe*, sixième feuille, *J.O.D.*, p. 386. Voir *supra*, p. 254 et n. 12.

294. *V.M.²*, p. 350. C'est un bon commentaire du vers de La Fontaine (*Le Philosophe scythe*, *Fables*, XII, 20) : « Ils font cesser de vivre avant que l'on soit mort ».

à cet esthétisme [295]. Marivaux ne s'arrête pas au terme de « dupe » comme à un ornement de langage, il va directement à « l'idée de dupe » et la prend, ne disons pas : au pied de la lettre, mais au plein de son sens, pour revenir seulement ensuite au mot, étiquette neutre et transparente de l'idée. Parler ici de figure de style ne serait pas juste : Marivaux ne considère pas *dupe* comme un terme transplanté, une métaphore au sens étymologique, mais comme le terme propre. Le rôle de la métaphore, qui fait la beauté du style métaphorique, est de provoquer l'esprit à un rapprochement, elle institue une ressemblance à l'intérieur d'une différence qui continue à être perçue, elle apparente deux objets naturellement séparés. Le mysticisme romantique conférera à la métaphore un pouvoir révélateur, la parenté métaphorique ne sera plus une fantaisie de l'esprit, un jeu à la surface des apparences, mais une vérité secrète, plus réelle que la différence usuelle entre les objets. Quand Marivaux écrit, une telle conception de la métaphore est impensable, mais il en est moins loin que de la conception qui n'y voit qu'un procédé de style. En rompant avec l'usage courant de la langue, Marivaux pense rapprocher celle-ci de la réalité, non d'une réalité mystique, mais d'une réalité expérimentale. Ses « figures » ne sont presque jamais empruntées à d'autres domaines que celui de la sensibilité physique (conformément à ce qui sera la doctrine des sensualistes : penser, c'est peser ; sentir, c'est éprouver une sensation ; le goût est d'abord une impression gustative...). Peut-être s'imagine-t-il ainsi rendre à la langue sa fonction originelle, qui est, pour lui, d'exprimer directement le rapport de l'homme aux choses, en ce cas un rapport prodigieusement enrichi et diversifié au cours des siècles. Attitude de poète ? Nous ne le croyons pas ; le poète, ce sera Rousseau, selon qui « le premier langage dut être figuré », et qui dira : « Pour peu qu'on ait de chaleur dans l'esprit, on a besoin de métaphores et

---

295. Voir *supra*, p. 299 et n. 164. L'abbé Trublet, ami de Fontenelle et de Marivaux, a essayé de rapprocher leurs deux points de vue : « Il ne faut pas que les esprits médiocres s'enorgueillissent de ce qu'a dit Mr de Fontenelle, que les hommes ne diffèrent pas tant par la manière de penser, que par celle d'exprimer leurs pensées. Ce n'est pas que cela ne soit vrai dans un sens, mais ce sens ne favorise en aucune façon les esprits médiocres. Qui s'exprime autrement, pense autrement. Qui s'exprime mieux, pense mieux ; et en un mot il n'y a dans l'expression que ce qui étoit auparavant dans la pensée. Ainsi tout ce qu'on peut dire, si l'on ne veut rien dire de trop [...], c'est que les hommes ne diffèrent pas tant par ce qu'ils pensent, que par la manière de le penser » (« Du Style », dans les *Essais sur divers sujets de littérature et de morale*, Paris, 1762, tome III, p. 365-366). Mais la doctrine de Trublet sur le style n'est guère consistante. De nos jours, l'idée, contre laquelle s'élève Marivaux, que la valeur de cette Maxime est essentiellement stylistique, se retrouve dans l'article (d'ailleurs plein de remarques intéressantes sur l'histoire de la pensée et sur la corrélation de cette Maxime avec son contexte) de Margot Kruse « L'esprit est toujours la dupe du cœur » « Bemerkungen zu einer Maxime La Rochefoucauld », *Romanistisches Jahrbuch*, VIII, 1957, p. 132-145. Margot Kruse va jusqu'à dire que « l'auteur, voulant [...] agir sur le lecteur par une voie artistique, était forcé de sacrifier à l'effet littéraire quelque chose de la vérité » (traduit par nous) ; il faut cependant noter que, pour Margot Kruse, cet effet littéraire est dans l'adverbe « toujours », que ni Fontenelle, ni Marivaux n'ont retenu, la citation de La Rochefoucauld étant fausse chez l'un et chez l'autre. Jean Fleury, dont le livre (*Marivaux et le marivaudage*, Paris, 1881) fut un de ceux qui donnèrent le départ aux études sur Marivaux, après avoir bien exposé les théories de Marivaux sur le style et souligné la priorité de l'idée sur le mot, ramène pourtant le marivaudage à des « procédés » artificiels, métaphores, métonymies, dissonances de ton, alliances surprenantes de mots (*op. cit.*, p. 271-273, 281 sq.).

d'expressions figurées pour se faire entendre, [...] il n'y a qu'un géomètre et un sot qui puissent parler sans figures »[296]. Les souvenirs, les échos, les symboles, les silences donnent au style de Rousseau une résonance inconnue de Marivaux : ce serait bien plutôt le langage du géomètre que celui-ci voudrait égaler, par la densité et la précision du sens et le refus de toute vibration vague autour des mots ; ce qu'il appelle l'indicible n'a rien de commun avec ce que les héritiers de Rousseau appelleront l'ineffable ; il ne cherche pas à faire rêver, mais la réalité que son langage capte étant de l'ordre du senti, il atteint une exactitude saisissante, poétique si l'on veut, à l'opposé de l'incantation.

N'importe quel terme du langage concret, substantif, adjectif, verbe ou adverbe, peut être employé dans l'analyse psychologique. Les tours dont nous traitons ici sont à distinguer avec soin des comparaisons développées, qui se présentent ouvertement comme des moyens d'expression didactiques[297] ; des trouvailles populaires que Marivaux prête à Mme Dutour, à Mme d'Alain, à Catherine, à Jacob dans certains cas, comme aux Arlequins et aux paysans de son théâtre, et qui appartiennent authentiquement au style figuré ; enfin des métaphores recherchées propres aux artistes du style que sont Fontenelle et La Bruyère[298]. Ils sont beaucoup plus difficiles à définir, sauf à dire comme Marivaux qu'ils associent des mots rarement vus ensemble ; le mieux est d'identifier ceux qui se rencontrent dans quelques lignes de texte. Soit l'analyse que fait Marianne de ce qu'elle a ressenti lorsqu'au moment de son accident ses regards ont croisé ceux de Valville[299] : nous voyons des sentiments qui forment « un mélange », une fille qui en est « là-dessus à son apprentissage », et qui ne sait « où tout cela la mène », des mouvements qui « l'enveloppent », « disposent d'elle », « la possèdent » ; « un plaisir fait comme un danger », « quelque chose qui la menace, qui l'étourdit, et qui prend déjà sur elle ». Comme très souvent dans ce genre d'analyse, les adverbes et pronoms neutres, « là-dessus », « tout cela », « là » « quelque chose » facilitent l'emploi du vocabulaire concret. Un peu plus loin, quand Marianne est chez Valville, nous voyons qu'elle est tenue « comme enchantée » par ses mouvements, puis que « la vapeur » s'en « dissipe », que son âme est moins « entreprise »[300] ; plus loin encore, que la joie la « pénètre »,

296. J.-J. Rousseau, *Essai sur l'origine des langues*, chap. III (édité par Ch. Porset, Bordeaux, 1968, p. 45) et *La Nouvelle Héloïse*, II, 16 (*Œuvres complètes*, t. II, Paris, 1961, p. 241).

297. Par exemple, dans *La Vie de Marianne*, la comparaison de certains raisonneurs à des nouvellistes (*V.M.²*, p. 22), des gens sans idées à un homme qui passerait sa vie à la fenêtre (*ibid.*, p. 254) ; dans *Le Cabinet du philosophe*, des mots qui traduisent la pensée aux couleurs d'un mobilier (*J.O.D.*, p. 381-382).

298. Parmi les exemples que donne F. Deloffre dans le chapitre de sa thèse consacré aux images (*Marivaudage²*, p. 251-272), ceux qui se rapprochent le plus du procédé que nous essayons de caractériser sont ceux de Mme de Lambert, à part deux ou trois où elle a adopté la manière de Fontenelle, et une image qu'elle a recopiée de Pascal.

299. *V.M.²*, p. 66.

300. *Ibid.*, p. 73.

une joie « douce, flatteuse, et pourtant embarrassante », qui la « gagne » [301]. Lorsque, dans *Pharsamon*, Marivaux nous dit (avec quelque ironie) d'une solitude sylvestre : « il y régnoit un calme qui passoit jusqu'à l'âme », ou lorsque Marianne, parlant de ses premières impressions parisiennes, déclare : « je fus charmée de me trouver là, je respirai un air qui réjouit mes esprits » [302], le physique et le psychologique se confondent au point que presque chaque mot est à double sens, l'âme redevenant le souffle de la respiration, l'air étant non seulement un élément atmosphérique, mais aussi une apparence significative, et les esprits appartenant aux deux domaines à la fois ; c'est le mot « se trouver » qui gagne le plus à ce contexte, il indique que Marianne est physiquement à Paris, par le hasard des circonstances, et qu'elle s'y découvre moralement, qu'elle « se retrouve », comme elle le dit un peu plus haut. Mais ces derniers exemples n'avaient rien qui pût surprendre des lecteurs ayant étudié l'âme dans Descartes et dans Malebranche.

Les états où la conscience est presque annulée, par la joie ou par le désespoir, états qui ont valeur d'expériences cruciales pour les personnages de Marivaux, ne pouvaient pas être décrits dans un autre style. Ils semblent par définition devoir échapper à l'analyse, et Marivaux se contente parfois de parler de « stupidité », d'« anéantissement », ou de les définir par une suite de négations [303]. Mais il sait aussi les rendre sensibles de façon très positive : c'est, pour Marianne, « le cœur mort », « l'esprit bouleversé », « de ces accablements où l'on est comme imbécile » ; pour Tervire, « de ces tristesses retirées dans le fond de l'âme, qui la flétrissent, et qui la laissent comme morte » ; pour Jacob, « pénétré de joie », « bouffi de gloire », une « ivresse de vanité », ou un état dont la hauteur l'« éblouit », où il se sent « étourdi d'un vapeur de joie, de fortune, de mondanité » [304]. La dernière image est précisément celle que Jacob croit nécessaire d'excuser auprès des lecteurs puristes en matière de style [305].

---

301. *Ibid.*, p. 75.

302. *Pharsamon*, *O.C.*, t. XI, p. 111. *O.J.*, 450 ; *V.M.*², p. 17 (comparer un emploi analogue du mot *air* dans *P.P.*, p. 187, où Jacob décrit les séductions de Mme de Ferval et Mme de Fécour, « l'air qu'on respire au milieu de tout cela »).

303. *V.M.*², p. 30, 90 (« interdite sans savoir ce que je pensais moi-même, sans avoir ni joie, ni tristesse, ni peine, ni plaisir [...] dans un étonnement qui ne me laissait nul exercice d'esprit »), 380, etc.

304. *V.M.*², p. 302, 446-447 ; *P.P.*, p. 141, 262. Dans sa « Lettre à une Dame angloise », *Bagatelles morales*, nouvelle édition, Londres, 1757, p. 146, l'abbé Coyer signale « excédée », « anéantie », parmi les « expressions brillantes qui distinguent le grand monde ».

305. C'est l'image de la vapeur enivrante, et non l'emploi néologique de *mondanité*, que Marivaux commente ; de même dans *V.M.*², p. 254, c'est encore une image concrète, tout à fait dans le style des expressions que nous commentons : « D'abord ses yeux se jetèrent sur moi, et me parcoururent ; je dis se jetèrent, au hasard de mal parler, mais c'est pour vous peindre l'avidité curieuse avec laquelle elle se mit à me regarder » ; de même aussi dans le texte déjà cité du *Spectateur français*, voir *supra*, n. 292.

L'AME est mouvement, comme le *moi* est devenir. Or l'analyse décompose ce qui est continu, ralentit ce qui est rapide, immobilise ce qui est changeant. Marivaux a plusieurs fois attiré l'attention du lecteur sur cette déformation : « Au reste ces réflexions que je lui fais faire étoient bien plus promptes dans sa tête qu'elles ne le paroissent, lorsqu'il les faut mettre sur le papier : car, en un instant, Pharsamon réfléchit, raisonna, et jugea tout ce que je n'ai pu dire, moi, qu'en beaucoup de mots »[306]. C'est la même chose pour Marianne : « Au reste, tout ce qui me vint alors dans l'esprit là-dessus, quoique long à dire, n'est qu'un instant à être pensé »[307]. L'analyse est toujours insuffisante, non seulement parce qu'elle n'a pas les moyens linguistiques de rendre toutes les nuances et toute la vivacité du sentiment, mais parce que, quand bien même elle les aurait, c'est le papier et l'encre qui manqueraient, et la patience du lecteur : « ce ne serait jamais fait si on en voulait tout dire », que ce soit des yeux de Mme de Ferval ou du caractère de Mme Dorsin ; « le détailler exactement [...], c'est un ouvrage sans fin »[308].

En fait, Marivaux n'est pas pressé : nous avons vu qu'il n'a sans doute ni le dessein ni de marier Marianne ni d'établir Jacob ; il a donc tout son temps, puisqu'il ne veut conduire nulle part l'œuvre entreprise. Entre le moment où le chirurgien sort de chez Valville et celui où survient M. de Climal, il s'écoule en tout quelques minutes, mais le drame intérieur qui agite alors Marianne méritait bien quatorze pleines pages de développement[309] ; lorsque Jacob sort de chez Mme de Ferval, il n'y a aucun intervalle de temps entre « nous nous quittâmes donc » et « je m'en retournai », mais l'analyse met dans le récit un grand intervalle d'une page, triplé encore par le portrait qui suit, et que Jacob veut faire « avant que de [se] mettre en chemin »[310]. Le temps de l'analyse n'a aucun rapport avec le temps vécu, mais la grande invention de Marivaux, qui le distingue de tous les romanciers analystes dont il continue la tradition, Marguerite de Navarre, Honoré d'Urfé, Mlle de Scudéry, Mme de Lafayette, c'est qu'il a fait un temps vécu du temps de l'analyse lui-même : elle a ses rythmes, ses accents, ses reprises, ses nonchalances et ses coquetteries, dont nous avons dit l'effet dans le récit de Marianne, et qui sont

306. *Pharsamon*, *O.C.*, t. XI, p. 244. *O.J.*, 521.

307. *V.M.*², p. 72.

308. *P.P.*, p. 142 et *V.M.*², p. 227.

309. *V.M.*², p. 69-83. Mieux encore : au milieu d'une phrase de Mme de Miran qui s'interrompt au bas de la p. 176 et reprend par « Et qui m'a dit... » vers le bas de la p. 177 s'intercalent 23 lignes analysant l'état et les réflexions de Marianne.

310. *P.P.*, p. 140-141 et 141-144.

présents aussi, moins marqués, dans le récit de Jacob [311] ; elle dessine autour de l'histoire une arabesque vivante, tantôt confondant son temps avec le sien, tantôt s'en écartant et s'attardant à des considérations intemporelles.

Mais Marivaux ne renonce évidemment pas à suggérer le temps du sentiment analysé : l'un des progrès les plus importants qu'il ait faits dans ce domaine depuis *Les Effets surprenants* est le remplacement de la répétition par la succession ; conformément à l'usage des romanciers baroques, Marivaux plaçait les sentiments à analyser dans un temps récurrent, chaque sentiment reprenant son tour après les autres, agitation circulaire ou dilemme sans issue ; l'imparfait (qui parfois, bizarrement, servait aussi au récit) était normalement alors le temps servant à l'analyse [312] : « Quelque fois elle souffroit tout ce que la jalousie la plus piquante peut inspirer de douleur ; quelquefois, par la surprise que lui causoit cette rencontre, son cœur demeuroit suspendu entre des mouvemens différents. Souvent elle ressentoit une joie bisarre [...] : elle songeoit un moment après à prendre une résolution. Il lui sembloit dans son trouble que cette aventure devoit l'engager à de grands desseins : son imagination lui fournissoit là-dessus mille idées confuses [...]. Elle fut longtemps dans ce dérangement de pensées » [313]. L'imparfait est encore très fréquent dans les analyses de *La Vie de Marianne* et du *Paysan parvenu*, mais il sert à passer en revue les différents composants d'un état de conscience, à étaler comme sur une planche d'anatomie ce qui est global [314] ; le schéma dont nous venons de donner un exemple n'est plus utilisé que lorsque réellement le temps raconté, le temps de l'action s'arrête, ainsi lorsque Jacob est en prison, ou que Marianne est enfermée de force dans le second couvent [315] ; mais le passé simple est devenu le temps propre à l'analyse quand elle traduit un changement, les monotones verbes *sentir, se sentir, ressentir* ont fait place à la variété expressive des verbes d'action, tout comme la noble passivité de la belle âme devant ses sentiments a fait place à la lucidité d'une prise de conscience [316].

311. Voir *supra* chap. VI, p. 232.

312. Voir *infra*, chap. IX, p. 459-460. Nous appelons temps de l'analyse ou temps de la narration celui dans lequel se fait l'analyse ou le récit, le temps où se trouve le narrateur ; temps servant à l'analyse, temps servant au récit, le temps des verbes employés dans l'analyse ou le récit : on peut dire aussi temps du sentiment, temps de l'action, ou temps raconté. C'est l'opposition qu'Eberhard Lämmert exprime en allemand par les mots *Erzählzeit* et *Erzählte Zeit* (*Bauformen des Erzählens*, Stuttgart, 1968, p. 12 et note).

313. *Les Effets surprenants*, O.C., t. V, p. 454. O.J., 103. Voir aussi *ibid.*, p. 471. O.J., 112 : « Elle cessa de fuir l'inconnue ; souvent même mille secrets motifs la lui fesoient chercher : tantôt [...] elle aimoit à voir l'inconnue, pour se représenter Clorante en elle : tantôt c'étoit pour l'entendre gémir [...]. Souvent elle alloit la chercher [etc.] » ; p. 524, etc. O.J., 139, etc.

314. C'est le cas pour le passage du *Paysan parvenu* évoqué plus haut (*P.P.*, p. 140-141).

315. *P.P.*, p. 148-149 (la répétition n'est pourtant marquée qu'une fois : « Quelquefois son évanouissement m'inquiétait un peu [...] », p. 149) ; *V.M.²*, p. 294-295 (ici encore, nous sommes très loin de la lourde symétrie qu'on trouve dans *Les Effets* ; la répétition n'est indiquée qu'une fois à propos de Marianne : « ces douloureuses réflexions, que j'adoucissais quelquefois de pensées plus consolantes », et deux fois à propos de la sœur converse qui lui tient compagnie).

316. « Cette belle personne sentit le calme revenir dans son cœur » (*Les Effets surprenants*, O.C., t. V, p. 332. O.J., 39 ; « Clorinde [...] se sentoit elle-même touchée des témoignages

Le substantif désigne donc l'élément stable et universel ; le verbe peint l'événement, l'expérience telle qu'elle se déroule. N'importe quel substantif de catégorie peut-être sujet, objet ou instrument de n'importe quel verbe d'action, entrer, tomber, remplir, épuiser, dissiper, prendre, venir, étourdir, enivrer, gagner, etc. L'analyse en reçoit une allure un peu discontinue, la vie intérieure se présente comme une suite de sauts d'un état à l'autre plutôt que comme un courant fluide, elle manque de fondu : mais ce style unit la clarté des notions fixes et l'intensité des modifications. Qu'on relise les exemples cités au long de ce chapitre : le verbe, ou le terme, participe, adjectif, substantif, indiquant une action, fait souvent la force et l'originalité de l'analyse.

Dans les *Pensées sur différents sujets* Marivaux invitait les écrivains à ne pas dépasser un certain point de clarté, au-delà duquel, en croyant rendre leurs idées plus claires, ils les rendraient plus faibles [317] ; dans *Le Cabinet du philosophe*, il les invite à ne pas dépasser « un certain degré d'esprit et de lumière », au-delà duquel on ne pourrait plus les suivre, on les croirait obscurs [318]. Ce qu'il appelle « lumière » en 1733 n'est plus ce qu'il appelait « clarté » en 1719 : la « clarté » était intelligibilité facile, due à l'explicitation totale de tout ce qu'on voulait faire entendre, dans un langage sans ellipse qui ne laissât rien à suppléer au lecteur ; la « lumière » est finesse, intelligence portée dans les replis les plus subtils de la conscience, et s'exprimant dans un langage hardi, qui déroute les habitudes du lecteur ; quand il défendait en 1719 contre une clarté trop simple les droits d'une obscurité mal définie, qui n'était en certains cas que l'impropriété, Marivaux réservait déjà ceux d'une perspicacité pénétrante, qu'il ose maintenant appeler lumière. Mais en 1733, s'il sait mieux pour quoi il plaide, il semble moins sûr de gagner, on dirait qu'il perd courage et qu'il préfère se taire plutôt que d'être suivi par « si peu de gens » — *the happy few !*

Ces réflexions du *Cabinet du philosophe* sont immédiatement suivies par des réflexions sur le je ne sais quoi. Le je ne sais quoi dont il s'agit là n'est pas le complément discret des énumérations, l'évasif « peut-être », la catégorie de l'indéfini que Marivaux fait toujours, ou presque, figurer dans ses analyses parce qu'il sait qu'il n'a pas tout dit ; il est partout, unique et multiple, toujours le même et toujours différent ; il est la palpitation des cœurs, l'infinie diversité des mouvements qui animent un être sensible, le sentiment qui redevient sentiment au moment même où il s'est fait connaissance, l'objet de l'analyse se confondant avec son acte, ce que Marivaux n'a cessé d'observer passionnément, la vie qu'il a donnée aux êtres créés par son esprit : « Dans ce nombre infini de grâces qui passent sans cesse

éloquents de sa passion » (*ibid.*, p. 352. *O.J.*, 49) ; « [Elle] le remercia d'une maniere qui faisoit juger du plaisir qu'elle ressentoit » (*ibid.*, p. 359. *O.J.*, 53). On compterait plus d'une centaine d'exemples dans *Les Effets surprenants*.

317. *J.O.D.*, p. 54. Voir *supra*, p. 278 sq.

318. *J.O.D.*, p. 345-346.

devant vos yeux, qui vont et qui viennent, qui sont toutes si différentes, et pourtant également aimables, et dont les unes sont plus
mâles et les autres plus tendres, regardez-les bien, j'y suis ; c'est
moi que vous y voyez, et toujours moi. [...] Ne me cherchez point
sous une forme, j'en ai mille, et pas une de fixe : voilà pourquoi on
me voit sans me connaître, sans pouvoir ni me saisir, ni me définir :
on me perd de vue en me voyant, on me sent et on ne me démêle
pas ; enfin vous me voyez, et vous me cherchez, et vous ne me
trouverez jamais autrement ; aussi ne serez-vous jamais las de me
voir » [319].

Les « grâces de tout caractère », la « physionomie vive » de
Mlle de Fare ; l'âme « qui passe à tout moment » sur la physionomie
de Mme Dorsin, « qui va y peindre tout ce qu'elle sent », « qui la
rend aussi spirituelle, aussi délicate, aussi vive, aussi fière, aussi
sérieuse, aussi badine, qu'elle l'est tour à tour elle-même », c'est
encore le je ne sais quoi ; pour le saisir, l'analyse s'est faite pareille
à lui ; certains diront peut-être que le Spectateur regarde sa propre
image, et que le miroir de Marianne reflète seulement Marivaux. Nous
préférons penser que la sympathie lui a révélé le cœur de ses semblables : « le poète [...], par emportement d'imagination [...] devient
lui-même la personne dont il parle » [320].

---

319. *J.O.D.*, p. 350-351.
320. « Sur la pensée sublime », *Pensées sur différents sujets*, *J.O.D.*, p. 64. Voir *supra*,
chap. V, p. 172-173 et n. 67.

Chapitre VIII

TECHNIQUE

Un LONG ROMAN dont le style et la facture retardent de cinquante ans, *Les Effets surprenants de la sympathie ;* trois romans satiriques, l'un, *Pharsamon,* conjuguant de façon bizarre le roman et l'anti-roman, l'autre, *La Voiture embourbée,* tournant en ridicule l'effort d'invention et de composition, le troisième, *Le Télémaque travesti,* entièrement démarqué de son modèle ; un récit à la fois allégorique et réaliste, *Le Bilboquet ;* deux romans enfin qui allaient être deux grands récits de destinées individuelles dans le monde moderne, *Le Paysan parvenu* et *La Vie de Marianne,* laissés inachevés... La production romanesque de Marivaux semble trahir un esprit instable, chercheur et désinvolte, prompt à entreprendre et paresseux à conclure ; on dirait qu'il n'a pas pris au sérieux ses premiers romans et n'a pas aperçu tout ce que les derniers contenaient de promesses. Cette image du romancier est trompeuse : l'attitude apparente de l'auteur envers ses propres œuvres répond à un dessein, elles doivent offrir une certaine représentation d'un rapport entre elles-mêmes et leur créateur, entre lui et le lecteur. Les inachèvements sont-ils involontaires ? Les négligences sont-elles de véritables négligences, ou des artifices cachant de minutieux arrangements, ou une méthode très consciente de découverte ? Marivaux fut-il un adroit calculateur ou un improvisateur ? Ses contemporains ont compris son importance comme romancier, mais leur admiration comportait de fortes réserves et ils n'ont pas avoué tout ce qu'ils lui ont emprunté, alors que le genre romanesque au XVIIIe siècle lui doit plus qu'à Lesage, au moins autant qu'à Prévost et qu'à Rousseau. Une bonne partie de ce qu'il apportait de neuf est restée lettre morte, c'est notre époque, plus attentive, peut-être excessivement, aux problèmes de forme, qui peut essayer de démêler ses intentions et de caractériser ses procédés.

*
* *

Dans *Les Effets surprenants de la sympathie*, quatre personnages s'interposent entre le récit et le lecteur : d'abord l'éditeur, qui prend la défense de l'œuvre dans un long « Avis au lecteur » ; ensuite un intermédiaire, ami de l'auteur qui lui a remis son manuscrit ; ensuite l'auteur lui-même, qui intervient à plusieurs reprises dans son récit ; enfin une Dame dont l'auteur est amoureux, à qui il dédie son œuvre et à qui s'adressent ses commentaires. L'intermédiaire apparaît seulement dans les premières lignes de la première partie, puis, dans l'édition originale, aux dernières lignes du tome II et au début du tome III. Il n'est pas question de lui dans l'« Avis au lecteur », rédigé évidemment après l'achèvement de l'œuvre [1]. Cette omission d'une part, d'autre part le rôle identique joué par l'éditeur dans l'« Avis au Lecteur » et par l'intermédiaire au début du récit [2] autorisent le lecteur à considérer l'éditeur et l'intermédiaire comme un seul et même personnage. Mais l'éditeur, de son côté, laisse clairement entendre qu'il se confond avec l'auteur : il est jeune et hardi comme lui, veut comme lui plaire aux honnêtes gens spirituels et aux dames [3], condamne comme lui les pédants, défend comme lui les droits de la nature et du sentiment. L'origine du récit est donc incertaine, on ne sait trop qui va parler, et comme l'intermédiaire affecte d'avoir sur l'amour une opinion contraire à celle de l'auteur, selon la « formalité d'usage » qui oblige le préfacier à plaider le « contre » quand l'auteur plaide le « pour », on ne sait pas non plus où commence et où s'arrête le paradoxe. Ajoutons que la Dame dédicataire n'est visiblement qu'une Iris en l'air ; fût-elle réelle, le ton sur lequel

---

1. L'« Avis au Lecteur » (*O.J.*, p. 3-9) n'est pas paginé dans l'édition originale (*Les Avantures de*** ou Les Effets surprenans de la sympathie*, à Paris chez Pierre Prault [...], MDCCXIII) ; il n'a pas été reproduit dans les éditions des *Œuvres Complètes*, mais il figure dans une réédition peu connue, « à Amsterdam, pour la Compagnie, MDCCXV ». On s'est demandé s'il était vraiment de Marivaux : aucun doute n'est pourtant possible ; « il serait naïf de se laisser prendre à cette petite supercherie. Le procédé est parfaitement normal à l'époque », écrit F. Deloffre, l'un des tout-premiers à avoir remis ce texte en lumière (« Premières idées de Marivaux sur l'art du roman », *L'Esprit créateur*, vol. 1, n° 4, Winter 1961, p. 178-183). L'usage est que les préfaces s'écrivent quand l'œuvre est finie, et il nous paraît très difficile d'admettre que Marivaux ait rédigé ces pages vives et assez denses de critique littéraire avant d'avoir l'assurance que donne un grand roman achevé. Cette considération confirme ce que nous avons dit, *supra*, chap. I, p. 19-20, sur la date à laquelle furent rédigés les deux derniers tomes. L'allusion que fait « l'éditeur », dans l'« Avis au lecteur », à « quelques gens à qui [il a] lu le manuscrit » ne prouve pourtant rien, ces amis qui encouragent un auteur à se faire publier étant encore plus conventionnels que la Dame dédicataire. Sur les éditions modernes de ce texte, voir *supra*, chap. III, p. 203, n. 87.

2. L'un et l'autre sont des intermédiaires entre l'auteur et le public, et chacun des deux ignore l'autre.

3. Dès ce premier texte critique, Marivaux exalte le cœur aux dépens de l'esprit (tout en donnant à l'esprit le rôle qu'il a dans tout le reste de son œuvre : « L'auteur de ces Avantures ne se sert presque de l'esprit que pour peindre le cœur ») : il écrit pourtant pour des gens d'esprit (« ne soyez point sçavans, mais simplement spirituels », dit-il aux pédants ; « c'est à ces honnêtes spirituels, qui par une supériorité de goût et de genie ont le secret d'en sçavoir autant que ces sçavans jurez, sans être pedans comme eux ; c'est aux Dames [...] que j'adresse cette Préface ») ; n'est-ce pas à un groupe bien précis qu'il pense, à celui que formaient Fontenelle, La Motte, les amis de Mme de Lambert ? Le roman a sans doute été écrit en province, mais l'« Avis au lecteur » peut avoir été écrit à Paris.

l'auteur s'adresse à elle ne saurait être qu'un jeu. Prétexte à ce jeu, le récit à son tour perd de sa crédibilité. Marivaux n'attaque pas encore l'essence du romanesque, mais il ne le laisse se développer que derrière un écran d'ambiguïté qui, à l'extérieur et aux articulations du récit, produit le même effet d'éloignement qu'à l'intérieur du récit l'incertitude sur le récitant et la difficulté où est le lecteur de situer tel ou tel épisode dans les multiples cercles concentriques de l'intrigue.

Après l'auteur, les narrateurs principaux sont successivement Caliste, Parménie, Merville, Frédelingue. Ils se contentent de raconter leur propre histoire, ou de répéter ce qu'ils ont entendu dire, s'effaçant alors jusqu'à laisser parler à la première personne les personnages dont ils ne sont que les introducteurs. Leur rôle n'excède jamais celui du narrateur tel qu'on le trouve dans tous les romans antérieurs : raconter les événements, expliquer le comportement des personnages, ménager les transitions, raccorder les épisodes entre eux lorsque l'action se divise, quelquefois anticiper sur ce qui va suivre, très souvent faire appel à l'étonnement, à l'admiration, à l'assentiment de leur auditeur, continuellement (et ceci est plus particulier à Marivaux) ponctuer l'action d'innombrables maximes morales et psychologiques, aussi banales qu'inutiles. Même lorsque leur récit est justifié par la situation et utile à la suite de l'intrigue, leur comportement de narrateurs ne se ressent à peu près jamais du lien particulier qu'ils peuvent avoir avec leur auditeur ; un romancier ne s'adresse pas autrement à un lecteur anonyme que ne le fait Caliste parlant à Clorante, Merville à Clorante encore, ou Parménie à Frédelingue. Une interpellation fugitive, « Seigneur », quelques mots rappelant sa présence, « vous désirez sans doute savoir... », « vous jugez aisément que... », c'est tout ce qui marque qu'un personnage du roman est en train d'écouter ; c'est juste ce qu'il faut pour que le lecteur ait l'impression d'assister en tiers à un conte (et cette impression a un certain pouvoir poétique), c'est trop peu pour qu'il garde présente à l'esprit la situation dans laquelle sont engagés l'un par rapport à l'autre dans le roman le récitant et l'auditeur, et jamais cette situation n'ajoute de valeur dramatique au récit pendant qu'il est fait. Les formules d'actualisation du récit sont banales et passe-partout, Marivaux lui-même semble plus d'une fois avoir oublié qui parlait et à qui ; à la fin du récit, l'auteur, revenant au temps de l'action principale, décrit la réaction qu'a eue l'auditeur, il nous dit par exemple que Clarice, après avoir écouté Caliste, cacha ses larmes parce qu'elle avait vu dans ce récit l'amour le plus tendre qui fut jamais [4]. Mais alors qu'il a fait très longuement raconter par Caliste les amours de Frédelingue et de Parménie, ses parents, et l'a laissée répéter mot pour mot tout ce qu'autrefois Parménie avait pu dire à Frédelingue de son passé, les propos de Caliste qui concernaient Clorante, ces propos que Clarice attendait passionnément, pour lesquels elle a eu la patience d'écouter si

---

4. *O.C.*, t. VI, p. 179. *O.J.*, 271.

longtemps sa rivale, et qui ont provoqué en elle cet accès de désespoir, ces propos, Marivaux, ou l'auteur, les résume en une phrase : Caliste fit à Clarice « le récit de la rencontre de Clorante et de tout ce que vous avez déjà vu »[5]. Pour éviter la maladresse de se répéter, il a commis la maladresse plus grave encore de proposer au lecteur un récit amputé de sa raison d'être, de la signification dramatique qu'il aurait dû recevoir des circonstances où il était fait.

Le seul narrateur qui dramatise son récit, c'est l'auteur. Jamais il ne s'interpose entre le lecteur et les narrateurs secondaires ; la plupart de ses interventions dans son propre récit sont semblables aux leurs, seulement plus fréquentes, et ses commentaires sont plus détaillés et plus approfondis : mais pour fléchir la belle insensible à qui le récit est dédié, il engage avec elle un dialogue ironique et lyrique, par lequel le romancier prend position en face du roman. Marivaux ne sape pas aussi insolemment que Scarron ou Furetière la convention romanesque, il fait de son narrateur l'avocat des belles âmes auprès de la Dame sceptique qui ne croit pas à la générosité. Souvent rattachées à une explication fine des personnages[6], ces interventions ébauchent tout au long du roman un commentaire critique comparable, pour l'intention du moins, au commentaire dont Marianne accompagnera le récit de sa vie. Délibérément fictif, outré dans le sentiment et ostentatoire dans le ton, le dialogue du prétendu auteur, dont Marivaux s'amuse à jouer le personnage, et de la Dame est le moyen par lequel le romancier a essayé d'entrer avec son lecteur dans une relation lucide et sincère. Dans les romans ultérieurs la parodie sera un moyen plus radical, peut-être plus facile, mais riche de promesses[7].

Par ses traits les plus apparents, le narrateur de *Pharsamon* est le continuateur du romancier burlesque, et fait souvent penser à Scarron[8] ; comme lui, il affecte de composer, ou plutôt d'improviser, à ciel ouvert, sous les yeux du lecteur, qu'il convie même à inventer avec lui : « il me semble que le Lecteur me demande déjà compte de l'Oncle [...] ; le Lecteur auroit bien pu le conduire chez lui, quand j'aurois oublié de le faire »[9] ; il le consulte pour savoir s'il doit laisser ses aventuriers parler à table[10] ; il lui communique ses propres sentiments, coupant court à de « fades compliments » qui l'ennuient, renonçant à rapporter une conversation dont le récit le fatiguerait, interrompant la trop longue description d'un jardin, refusant de satisfaire la curiosité du lecteur sur Cidalise parce qu'il est plus pressant et plus naturel de suivre

5. *Ibid.*, p. 176. *O.J.*, 270.

6. Par exemple, *ibid.*, t. V, p. 472-473. *O.J.*, 112-113, quand la Dame met en doute la pitié que Clarice a pu, malgré sa jalousie, éprouver pour Caliste.

7. Sur la lucidité critique dans *Les Effets surprenants*, voir *supra*, chap. III, p. 295.

8. Le terme « burlesque » se trouve deux fois dans *Pharsamon* (*O.C.*, t. XI, p. 241 et 261. *O.J.*, 520 et 530), mais il y signifie « grossier et comique ».

9. *O.C.*, t. XI, p. 112. *O.J.*, 451.

10. *Ibid.*, p. 128. *O.J.*, 460.

Pharsamon[11]. Comme faisait Scarron, il confond le temps où l'action se déroule et celui où il la raconte : « Voilà tous nos gens couchés, il n'est encore que trois heures du matin pour eux, mais il n'est que neuf heures du soir pour moi, et ainsi je vais les faire agir tout comme s'ils avoient ronflé vingt-quatre heures »[12], ou, plus banalement : « Disons un mot de Madame Clorine, et puis nous rejoindrons ce triste Chevalier qui ne s'ennuiera pas à nous attendre », « Tirons son rideau pour la laisser reposer, et revenons un peu au Chevalier Pharsamon que j'apperçois se promenant à grands pas dans sa chambre »[13].

De même que le scepticisme devant les sentiments romanesques s'incarnait dans la Dame à qui étaient dédiés Les Effets surprenants, le scepticisme devant les écarts de l'imagination s'incarne dans un lecteur « sérieux », un « esprit froid » avec lequel l'auteur dialogue en l'appelant « mon critique », « Monsieur le critique »[14], et dont il réfute les objections. Il est paradoxal de défendre la vraisemblance et la logique des extravagantes aventures que connaissent Pharsamon et Cliton, mais il était paradoxal de prouver les délices de l'amour par les terribles épreuves de Clorante ou de Parménie : sur ce point, les deux premiers romans de Marivaux sont symétriques, malgré l'opposition qui sépare le romanesque parodique du romanesque sérieux ; dans les deux cas Marivaux croit à une cohérence significative de l'imaginaire, auquel il veut en même temps laisser la liberté de la fantaisie.

Quand son lecteur mal disposé lui reproche une invraisemblance, l'auteur répond de diverses façons : la réponse la plus simple consiste à dire qu'il n'y a pas invraisemblance. En survenant au milieu d'un repas de noces, Pharsamon et Cliton ont déchaîné une violente bagarre au cours de laquelle Pharsamon perd connaissance à la vue de Fatime évanouie ; les gens de la noce comprennent qu'ils ont affaire à des fous, offrent un lit à Pharsamon et recommencent leur festin auquel ils invitent Cliton. « Que l'imagination est une belle chose ! dit un esprit froid » ; on ne se réconcilie pas si vite avec des intrus qui ont tout bouleversé dans la maison. « Grand sujet d'étonnement, en vérité ! » réplique l'auteur : les gens de la noce ont pris le parti de se divertir de ces fous au lieu de se venger, « c'étoit le meilleur », « et

11. *Ibid.*, p. 130, 270, 533 et 421. *O.J.*, 461, 535, 674, 614.
12. *Ibid.*, p. 398. *O.J.*, 603. Le comique vient ici de ce que le télescopage des temps est incomplet : il reste du temps à l'auteur, donc les personnages ne doivent pas se reposer ; mais il est neuf heures du soir pour lui, il sera le matin pour eux. Le télescopage des temps n'est pas burlesque à l'origine. On en fait remonter l'emploi à *La Gerusalemme liberata* de Torquato Tasso ; Malherbe a employé le procédé dans *Les Larmes de saint Pierre*, strophe VI.
13. *Ibid.*, p. 205 et 209. *O.J.*, 500 et 503. Ayant employé une périphrase héroïque (« une cruelle milice l'avoit obligé de dire adieu au doux son des musettes, pour aller écouter le bruit éclatant des trompettes »), Marivaux traduit en langage courant (« je veux dire que cet infortuné avoit été servir le roi », *ibid.*, p. 205. *O.J.*, 500), comme faisait Scarron au début du *Roman comique* après avoir désigné l'Aurore par une périphrase mythologique.
14. Par exemple, *ibid.*, p. 243, 259, 280, 322, 370, 397. *O.J.*, 521, 529, 541, 562, 588, 602 ; ce lecteur sérieux et triste devient pourtant, sans trop de cohérence, un « jeune lecteur impétueux », p. 287. *O.J.*, 544.

le second repas que je leur fais faire est une suite raisonnable de l'avanture plaisante qui les avoit dérangés » [15]. Une autre réponse est de reconnaître un manque de précision, mais de montrer avec quelle facilité on peut supposer une circonstance quelconque qui rendra tout vraisemblable, et qu'il n'était pas la peine de mentionner : « je [ne] réponds rien du tout, la question n'en vaut pas la peine. Ne peut-on pas se dire tout ce qu'il faut là-dessus ? [16] » Une autre réponse encore est de fournir des explications : ces fous ou demi-fous ne se conduisent pas selon ce qu'un esprit normal croirait le bon sens, il faut comprendre leur façon de voir ; on ne peut critiquer le faux héroïsme si l'on ne fait pas la psychologie des mythomanes ; Marivaux s'intéresse à eux pour une double raison, parce qu'il n'est indifférent à aucun phénomène de la vie mentale, et parce que leurs impostures et leurs égarements l'aident à mieux comprendre les sentiments authentiques [17]. D'ailleurs, si grotesque que soit leur conduite, il ne cesse pas d'élucider tout au long du roman le mécanisme du délire qui les fait agir.

La première réponse est d'un réaliste qui sait très bien développer la logique d'une situation et rendre l'action vraie, quelle que soit la bizarrerie des données initiales ; la troisième réponse est d'un moraliste ; la seconde est d'un romancier qui a compris l'inutilité de tout dire : il est des détails indispensables dans la réalité, et platement fastidieux dans un récit ; Marivaux a renoncé à la technique naïve du récit exhaustif, qu'il pratiquait dans *Les Effets surprenants*, et découvert le principe qu'il formulera quelques années plus tard dans ses *Pensées sur la clarté du discours* [18].

C'est encore à une accusation d'invraisemblance qu'il répond lorsqu'il fait l'éloge du *rien*. Nous reviendrons sur le sens de ces pages [19] ; en ce qui concerne la technique romanesque, elles complètent les réflexions de Marivaux sur les détails inutiles : s'il n'est pas besoin de retracer exhaustivement toutes les étapes de la moindre action, les détails à retenir ne sont pas choisis en fonction de leur dignité, mais en fonction de leur valeur expressive ; quand on parle d'une bergère, les détails n'auront pas le faste qui se déploie quand on parle d'une princesse [20]. La théorie du réalisme est déjà très claire dans l'esprit de Marivaux quand il écrit *Pharsamon*. Mais, ajoute-t-il pour le lecteur qu'il n'aurait pas convaincu, chacun juge à sa manière

---

15. *Ibid.*, p. 373. *O.J.*, 588.

16. *Ibid.*, p. 338. *O.J.*, 570 ; cf. p. 306. *O.J.*, 553-554 : là mère de Cidalise arrive sans prévenir à dix heures du soir dans sa maison de campagne. « De quoi s'avisoit cette femme, dira-t-on [...] ? Bon, de quoi s'avisent toutes les Dames d'avoir des caprices ? n'y eût-il que cette raison, elle suffiroit pour autoriser l'arrivée imprévue de la mère de Cidalise ; mais il y en avoit d'autres ». Marivaux les donne, ces autres raisons, mais elles sont si platement trouvées qu'il aurait été mieux de n'en pas donner.

17. Voir *ibid.*, p. 243. *O.J.*, 521 (les réflexions de Pharsamon), p. 531. *O.J.*, 672 (pourquoi Félonde a pu devenir amoureuse de l'extravagant Pharsamon), p. 540. *O.J.*, 676 (le caractère de Félonde), et *supra*, chap. III, p. 106-111.

18. Voir *supra*, chap. IV, p. 137.

19. *O.C.*, XI, p. 322 sq. *O.J.*, 562. Voir *infra*, chap. IX, p. 495.

20. *O.C.*, XI, p. 397 sq. *O.J.*, 602.

et « c'est un grand embarras que de répondre à tous les goûts » ; il est libre de raconter ce qui lui plaît, il n'est pas un auteur, il veut seulement se divertir, heureux s'il réussit en même temps à divertir le « benin lecteur » : on reconnaît là un thème qui est au centre de la doctrine de Marivaux sur l'art d'écrire, et que traiteront tour à tour le Spectateur français, l'Indigent philosophe, Jacob et Marianne. La désinvolture proche de l'insolence que manifestera l'Indigent, la satisfaction ironique de soi-même et les plaisanteries sur la modestie, l'abandon aux caprices de la fantaisie, Marivaux dès son second roman en fait les traits caractéristiques de l'écrivain, si un personnage aussi dépourvu d'ambition et de projets peut encore être appelé écrivain [21]. L'auteur de *Pharsamon* justifie ses digressions comme feront par la suite les narrateurs des deux grands romans et les journalistes, c'est-à-dire qu'il ne les justifie pas : il faut les prendre comme elles viennent, dictées par un « malin esprit », par le goût de moraliser, par le hasard, par la négligence : « Auteurs, ne jurez jamais de rien, ne promettez rien ; ce que l'on promet aux lecteurs est souvent la chose que l'on tient le moins » [22].

Bavarder au hasard, écrire sans se plier à aucune règle, selon son bon plaisir, c'est le moyen d'être vraiment soi, d'abandonner son esprit à son geste naturel, comme dira le Spectateur français, au lieu de falsifier son langage et de « courir après l'esprit » [23]. Nous ne croirons pas que le narrateur de *Pharsamon* soit Pierre Carlet de Marivaux lui-même, pas plus que ne l'est le dépositaire du manuscrit des *Effets surprenants* ou le rédacteur du *Spectateur français*, mais ils sont tous la représentation, aussi authentique qu'imaginaire, des goûts, des tendances de Marivaux ; la littérature lui sert non pas à se raconter, mais à se donner l'être ; aussi par la voix du narrateur entendons-nous Marivaux, sous le masque, qui nous entretient de sa paresse et de sa passion de moraliser : usage égotiste de l'art d'écrire, qui fait de *Pharsamon*, pendant un bref instant, une œuvre préparatoire aux Journaux [24].

L'auteur joue un rôle moins important dans *La Voiture embourbée*, mais il s'est composé un personnage multiple comme dans *Les Effets surprenants*. La Préface est d'un écrivain, qui dialogue avec son lecteur en s'inspirant de Boileau [25] et plaisante sur le thème cher à Marivaux de la modestie et de la vanité ; le récit est d'un jeune homme, c'est une lettre envoyée à un ami et relatant une aventure de voyage. Le voyage littéraire est un genre consacré [26], les

21. *Ibid.*, p. 122. *O.J.*, 457 (« un peu de bigarrure me divertit »), p. 203. *O.J.*, 500 (écrit au hasard et est assez content de lui-même), p. 322. *O.J.*, 562 (« j'aime à moraliser, c'est ma fureur »), p. 405. *O.J.*, 606 (« ma négligence, ma passion favorite »), p. 520. *O.J.*, 667 (mieux vaut être sincèrement vaniteux qu'hypocritement modeste), et voir *supra*, chap. IV, p. 129-130 et chap. V, p. 167.
22. *O.C.*, t. XI, p. 259. *O.J.*, 529 (« mon critique a raison » dit ironiquement l'auteur), p. 287, 405. *O.J.*, 544, 606 ; la dernière phrase citée est p. 281. *O.J.*, 541.
23. Voir *supra*, chap. IV, p. 139-140, et *infra*, p. 418.
24. *O.C.*, XI, p. 405. *O.J.*, 606.
25. *Ibid.*, t. XII, p. 137-142. *O.J.*, 313-315 ; comparer Boileau, satire IX (vers 287 sqq).
26. Dans le *Voyage de Messieurs de Bachaumont et Chapelle* (1656), la *Relation d'un voyage en Limousin* de La Fontaine (1663), les *Avantures* et les *Avantures d'Italie* de

lecteurs savent bien qu'ils ne doivent pas prendre pour des faits avérés toutes les aventures qu'on leur raconte, mais l'auteur d'ordinaire ne commence pas par rendre impossible la convention selon laquelle ces aventures auraient eu lieu au cours d'un voyage réel. C'est pourtant ce que fait Marivaux en présentant dans la Préface comme un « ouvrage », comme un « livre », c'est-à-dire comme quelque chose d'imaginaire et d'artificiel, ce qui est donné ensuite comme un écrit personnel, le récit d'un événement vécu. Voilà donc la seconde fois où la relation entre le lecteur et l'auteur est fondée sur une ambiguïté. Fugitivement, le jeune homme qui rédige la lettre se transforme en auteur burlesque : juste avant que commence le « Roman impromptu », le temps où la lettre est écrite et celui où s'est faite l'action (celui de l'improvisation) se télescopent[27] ; l'épistolier redouble en lui-même l'ambiguïté du rapport qui était entre lui et le préfacier, et parle exactement comme l'auteur de *Pharsamon*. De ces ambiguïtés, qui sont solidaires, et où sont impliqués l'auteur, le narrateur et le lecteur, Diderot tirera dans *Jacques le fataliste* toute une poétique nouvelle du genre romanesque. Il ne semble pas que Marivaux ait voulu s'engager dans cette voie. L'ambiguïté chez lui résulte de l'embarras où il est, et dont il veut sortir, amateur de romanesque qui se méfie du roman. Elle est moins suivie dans *La Voiture embourbée* que dans *Les Effets surprenants de la sympathie*, mais elle se retrouve ensuite à l'intérieur de l'œuvre, à la fois dans le rapport qui est entre « Le Roman impromptu » et ses narrateurs et dans le déroulement du « Roman impromptu » lui-même[28]. Conçu par ses auteurs comme un jeu, « Le Roman impromptu » n'a besoin d'être ni cohérent, ni vraisemblable, il est pure et libre invention, au vu et au su de tous ceux qui l'inventent ; chacun tient à dire comment il invente, pour faire accepter par les autres sa façon de pratiquer le jeu. La longueur d'un récit, les digressions, la division de l'intrigue, le comique, le merveilleux, le prosaïque sont commentés comme dans *Pharsamon* étaient commentés par l'auteur les caprices de son imagination, mais ici le commentaire est intégré à l'œuvre : extérieur au « Roman impromptu », il fait essentiellement partie de *La Voiture embourbée*. Ce que l'auteur de *Pharsamon* était pour son récit, les auteurs du « Roman impromptu » le sont pour le leur, sans être jamais mis en question, sauf dans la Préface, comme personnages de *La Voiture embourbée*. La solution trouvée par Marivaux pour rendre nécessaire et naturel le commentaire est d'insérer le texte commenté dans une œuvre dont rien — sauf, encore une fois, la

---

d'Assoucy, le fond est vrai, les incidents sont traités littérairement ; dans *Le Voyage interrompu* de Laffichard (1737), qui imite ostensiblement *La Voiture embourbée*, *Le Voyage de Saint-Cloud par mer et par terre* (1748) par Néel et le *Retour de Saint-Cloud par terre et par mer* (1750), attribué à Lottin, tout est imaginaire, mais le cadre est réaliste.

27. « Revenons au fait, car le bel Esprit pétille de curiosité de m'entendre entamer matière [...] ; le Campagnard ouvre de grands yeux [...] ; la Dame par des yeux languissans m'annonce qu'elle est impatiente [...], et le Vieillard tient un verre de vin qui s'échauffe entre ses mains, commençons de peur qu'il ne s'aigrisse » (*O.C.*, t. XII, p. 177-178. *O.J.*, 335). Sur ces télescopages des temps, voir *infra*, chap. IX, n. 134.

28. Voir *infra*, p. 383-387.

Préface — ne conteste le mode et la raison d'être. Dans *La Vie de Marianne* et dans *Le Paysan parvenu* le résultat sera atteint avec plus de sûreté par le recours à un narrateur-personnage principal parlant à la première personne. L'ambiguïté, reflet d'un malaise, ne sera plus un procédé d'écriture dérivé du burlesque, elle sera à l'origine même de l'œuvre, dans l'acte par lequel une conscience se connaît et se dépasse en se connaissant.

Le narrateur du *Télémaque travesti* est de tous ceux qui n'ont pas de rôle dans l'action celui qui a le ton le plus juste. Le principe de la parodie est exposé dans le préambule du Livre premier, et jusqu'au bout l'auteur jouera franc jeu avec le lecteur, il lui expliquera comment les deux extravagants déforment les épisodes du *Télémaque*, le fera juge de leur folie et en rira avec lui sans affecter la désinvolture moqueuse du narrateur de *Pharsamon* ou de *L'Indigent philosophe*. En refusant de dire si son histoire était vraie ou non, Marivaux a cédé encore à son goût de l'ambiguïté, mais l'ambiguïté ne porte pas cette fois sur le caractère et l'intention du narrateur, encore moins sur sa véracité à laquelle il ne cherche pas à nous faire croire : la question laissée en suspens invite le lecteur à réfléchir sur ce que peut être le vrai dans le roman, et elle signifie que Marivaux connaît maintenant la réponse [29]. Par rapport à ses héros et à leurs aventures, le narrateur conserve une liberté enjouée et sans scepticisme, qu'il fait partager au lecteur. Cette façon de traiter le roman comique n'avait pas de modèle : ce n'était celle ni de Furetière, ni de Scarron, ni de Sorel, ni des conteurs de la Renaissance, ni de Rabelais ; en revanche, ce sera un peu celle de Voltaire, mais Marivaux est moins mordant, moins elliptique, il semble s'amuser de meilleur cœur. Les interventions du narrateur, finalement assez nombreuses, sont chaque fois très courtes et c'est sur l'une d'elles que s'achève le roman, entre honnêtes gens qui se retrouvent ensemble après s'être divertis des fous [30].

Pourquoi Marivaux n'a-t-il plus jamais employé la troisième personne ? Sauf l'histoire d'Eléonor et de Mirski [31], tous les récits un peu importants des Journaux sont à la première personne. Nous avons dit que sa vocation était de s'identifier par la sympathie à des êtres différents de lui, et de parler spontanément leur langage [32]. Le *Télémaque travesti* prouve qu'il aurait fort bien pu être un romancier « objectif » et que s'il a choisi une autre voie, ce n'est pas par impuissance, mais en parfaite connaissance de cause.

29. *T.T.*, p. 50.

30. Si *Le Télémaque travesti* avait été une œuvre connue, nous y verrions l'un des ancêtres du récit égayé, tel que le pratiqueront en Angleterre Walter Scott et en France Stendhal. Scarron, Diderot et Fielding, que G. Blin cite à juste titre parmi les écrivains qui ont pu inspirer à Stendhal ses « intrusions d'auteur » (*Stendhal et les problèmes du roman*, Paris, 1954, p. 208-215), relèvent d'une tradition un peu différente (et à laquelle Marivaux a lui-même contribué par son *Pharsamon*, plusieurs fois traduit en anglais au XVIII⁰ siècle) : leur verve d'auteur est plus appuyée, leurs intrusions sont plus insistantes, sur le modèle du burlesque.

31. *Le Spectateur français*, onzième feuille, *J.O.D.*, p. 166-171.

32. Voir *supra*, chap. V, p. 173 et n. 67.

*
* *

Le narrateur conscient que nous avons entendu dialoguer plus ou moins loyalement avec le lecteur de ces premières œuvres est remplacé dans les deux derniers romans par le personnage qui raconte sa propre vie. L'ironie qui met en doute le sérieux du récit est impossible à Marianne et à Jacob ; s'il y a ambiguïté chez eux, elle est dans leur caractère, non dans la nature de leur récit. Est-ce à dire qu'ils aient entièrement éliminé Marivaux, l'auteur réel de ce qu'ils écrivent ? Le romancier qui jusqu'ici avait toujours mis quelque distance entre lui-même et ce qu'il racontait s'est-il effacé, s'est-il confondu sans réserve avec Jacob et avec Marianne, nous invitant nous aussi à un complet assentiment ? Marianne et Jacob, dira-t-on, sont déjà trop ironiques pour qu'une ironie à leurs dépens ne paraisse pas un raffinement inutilement subtil, ou ne rende pas leur personnage incompréhensible. Mais on pourrait admettre que l'auteur en sache sur eux plus qu'eux-mêmes et nous les donne à connaître mieux qu'ils ne le croient par leurs actes, leurs paroles, leurs commentaires et leurs réflexions. La lumière que leur apporte la rétrospection ne serait donc pas totale, nous serions autorisés à ne pas voir leur passé exactement comme ils le voient, à les juger autrement qu'ils ne se jugent et à considérer leur façon même de se connaître et de se raconter comme un comportement qui, pour un regard extérieur, témoigne de ce qu'ils sont sans qu'ils s'en rendent compte.

Le ton, la manière du mémorialiste sont assez différents chez Jacob et chez Marianne pour constituer des indices de leur caractère respectif ; les Mémoires de l'un et de l'autre sont bien à l'image de l'un et de l'autre [33], nous pouvons les traiter avec esprit critique comme des documents au lieu de les écouter comme des confidences. Mais nous avons écarté l'idée que Jacob serait un arriviste et Marianne une aventurière, il nous a paru qu'on pouvait faire confiance à leur lucidité et à leur sincérité. Imaginer Marivaux complice de leur hypocrisie ou en faisant la satire cachée, ce serait admettre un Marivaux mystificateur, bien accordé au Marivaux libertin, cruel, sadique que notre siècle prétend découvrir : et certes la mystification, plus encore que le libertinage, la cruauté et le sadisme, est un des penchants de Marivaux ; il est aussi capable d'insolence et de hardiesse dans la pensée ; mais sa sensibilité généreuse, telle qu'elle s'exprime dans les Journaux, sa vocation même de romancier, qui est de pénétrer par sympathie dans le caractère des autres, excluent un usage retors de la littérature, la double entente, le cynisme, même au service du bien. Il ne faut pas l'affadir en invoquant sa bonté comme on l'a rendu mièvre en invoquant son marivaudage : mais on le caricature bien plus gravement en le faisant virer du rose au noir. Le quant-à-soi de l'auteur, dans La Vie de Marianne et dans Le Paysan parvenu, nous semble ne disposer que d'une marge très étroite ; on risque moins de se tromper en partant de l'hypothèse qu'il sous-

---

33. Voir Vivienne Mylne, *The Eighteenth-Century French novel*, Manchester, 1965, p. 107-108.

crit à tout qu'en supposant sous tous les mots une intention secrète tournée contre Jacob ou Marianne, ou contre le lecteur. Et il faut bien peser toutes les vraisemblances avant de décider que dans tel ou tel passage l'auteur a trahi le narrateur.

De sa bonne conscience, de ses sentiments envers Mme de La Vallée nous avons vu que Jacob n'est pas dupe[34]. Pour comprendre Jacob autrement qu'il se comprend lui-même, il faut sortir de l'œuvre, l'interpréter en fonction du moment historique auquel elle appartient, juger à travers elle l'hédonisme du XVIIIe siècle, la morale de Marivaux, etc. Presque tous les passages équivoques le sont par la volonté de Jacob lui-même ; les seuls à propos desquels on peut hésiter sont les suivants :

— ayant perdu ses deux « amoureuses », Jacob ne s'en soucie guère : nous savons que son cœur s'est déjà ému pour Mme d'Orville, mais Jacob ne dit pas que ce soit là le motif de son indifférence pour Mme de Ferval et pour Mme de Fécour[35] ; peut-être se réservait-il de le dire par la suite, quand le développement de l'intrigue l'aurait conduit au moment où ses sentiments auraient été plus nets ; mais peut-être aussi Mme d'Orville n'aurait-elle eu aucun rôle dans la fortune de Jacob, ni aucune place dans sa vie sentimentale. Nous ne pouvons donc rien conclure du silence de Jacob[36] ;

— Jacob songe à se faire financier : « Le seigneur de notre village, qui est mort riche comme un coffre, était parvenu par ce moyen, parvenons de même » ; en fait, le seigneur du village n'était pas mort riche, mais ruiné, et Jacob a vu lui-même la femme de ce seigneur réduite à se retirer au couvent ; il se rappelle mieux la fortune du maître que le malheur de la femme : trait d'égoïsme dont il ne prend pas conscience, même rétrospectivement[37] ?

— Jacob découvre la féminité quand Mme de Ferval le reçoit couchée sur un sofa et en déshabillé : « ce fut pour la première fois de ma vie que je sentis bien ce que valaient le pied et la jambe d'une femme ; jusque-là je les avais comptés pour rien ; je n'avais vu les femmes qu'au visage et à la taille, j'appris alors qu'elles étaient femmes partout »[38]. Cela se passe le lendemain de sa nuit de noces... Le plus plaisant est que, rentrant chez lui « l'âme remplie de tant d'images tendres », il procure à Mme de La Vallée une nuit encore plus heureuse que la première[39]. Sur les illusions de l'amour, Marivaux

---

34. Voir *supra*, chap. VI, p. 202-204.

35. *P.P.*, p. 245 (en fait, le sensuel Jacob n'est pas tout à fait aussi indifférent à la perte de Mme de Ferval qu'à celle de Mme de Fécour) ; voir *supra*, chap. VI, p. 197.

36. Voir *infra*, p. 407 sqq. ; bien qu'il n'y ait aucune raison de penser que le continuateur du *Paysan parvenu* ait connu l'intention de Marivaux, on doit noter qu'il a fait épouser Mme d'Orville par le comte d'Orsan. Mais, selon la remarque très judicieuse de Fr. A. Friedrichs (*Untersuchungen zur Handlungs- und Vorgangs-Motivik im Werke Marivaux*, Heidelberg, 1965, p. 140), il a reculé devant les complications sociales d'une rivalité amoureuse entre le comte et Jacob.

37. *P.P.*, p. 164. Il est vrai que « le Seigneur de notre village » n'est peut-être pas celui que Jacob a personnellement connu, mais le père de celui-là, dont on a dû lui parler dans son enfance.

38. *Ibid.*, p. 171.

39. *Ibid.*, p. 189.

n'a rien à apprendre de Crébillon ou de Duclos, et la simple succession des trois épisodes en dit plus long que les commentaires psychologiques et sociologiques les plus ingénieux. Ces épisodes n'ont-ils tout leur sens que pour Marivaux et pour le lecteur malin, ou bien Jacob les a-t-il fort bien compris lui-même ? La réponse, à notre avis, ne fait pas de doute : Jacob est parfaitement conscient, il explicite de ses sentiments tout ce que la pudeur permet d'expliciter et laisse dans l'ombre ce qui serait blessant pour Mme de La Vallée. Il en dit assez en général pour ne pas avoir besoin de toujours tout dire, et c'est nous qui en développant ce qui est implicite nous trompons sur l'intention du texte et sur le caractère du narrateur ; le propos de Jacob dans le texte précédent ne doit pas être interprété d'autre manière.

Faut-il passer en revue les cas où Marianne, qui prétend avoir « le caractère trop vrai », « trop de cœur et de sincérité » pour tromper [40], peut être accusée ou soupçonnée de mensonge ? On en trouverait, par exemple dans la quatrième partie. Marianne décrit à Mme de Miran la surprise que lui a causée Valville venu, travesti en laquais, lui apporter une lettre au couvent : « J'ai pris sa lettre sans le regarder, et je ne l'ai reconnu qu'à un regard qu'il m'a jeté en partant ; je me suis écriée de surprise, on vous a annoncée et il s'est retiré » [41] ; elle ne dit pas, et la narratrice ne rappelle pas, que le regard avait été réciproque et assez expressif pour que les cœurs aient pu s'entendre [42]. Marianne raconte comment Valville a surpris Climal à ses genoux « dans l'instant qu'il [l'] entretenait de son amour pour la première fois » ; c'est littéralement vrai, et elle avait vainement essayé d'empêcher cette déclaration mortifiante pour elle, mais elle ne dit pas, et la narratrice ne relève pas, qu'elle était déjà sûre de cet amour auparavant et qu'elle s'était fait « un petit raisonnement » pour retarder la rupture [43]. Peut-on croire que, même pour une « petite fille » ignorante et naïve, aimer à première vue le charmant Valville et aimer Mme de Miran, ce soit « la même chose » [44] ? Peut-on croire, bien qu'elle suive point par point les instructions de Mme de Miran dans la scène où elle doit décourager Valville de l'aimer, qu'elle s'y prenne de la façon la meilleure pour arriver au résultat cherché ? Et revient-il au même de déclarer à Valville, comme elle le fait ou à peu près, qu'elle se fera religieuse puisqu'elle ne peut pas l'épouser, ou de lui déclarer, comme le conseillait Mme de Miran, qu'il ne pourra pas l'épouser parce qu'elle se fera religieuse [45] ? Mais reprocher à la narratrice de ne pas dénoncer

40. *V.M.²*, p. 48 et 289.

41. *Ibid.*, p. 182. Marianne met pourtant le lecteur en éveil en signalant qu'elle a « hésité un instant » avant de faire cette réponse.

42. *Ibid.*, p. 161.

43. *Ibid.*, p. 186, cf. p. 39, 45 et 115-119.

44. *Ibid.*, p. 187.

45. *Ibid.*, p. 198, cf. p. 184. Il est un autre cas, au début de cette même scène, où ce que dit Marianne ne semble pas l'exacte vérité ; à deux reprises on peut croire qu'elle prétend avoir informé Valville de sa situation (p. 193 : « Ne vous ai-je pas dit les malheurs que j'ai

les arrangements que la jeune Marianne apportait à la vérité, ce serait ne rien comprendre à ce que Marivaux a voulu faire. Comme la scène où Climal à genoux lui a déclaré son amour, la scène où Marianne cherche à décourager Valville est une scène terrible. La vérité de cette scène est dans le désespoir de Marianne, dans l'épreuve déchirante qu'elle s'est imposée en parlant de séparation quand tout en elle appelait le bonheur et l'amour, dans l'instinctive défense d'elle-même qui, au moment même où elle souhaite la mort, donne à son renoncement l'accent passionné de l'aveu [46]. Etait-ce à la narratrice à faire ressortir cette vérité par un commentaire ? Elle n'hésite pas à dévoiler ses faiblesses et ses ridicules, et même la réflexion par laquelle elle se retint d'un excès de désintéressement [47] : mais ce pathétique avait-il besoin d'être commenté ?

La Vie de Marianne et Le Paysan parvenu sont les seuls véritables romans qu'ait écrits Marivaux parce qu'à aucun moment le personnage de l'auteur n'y vient par ses plaisanteries, son dialogue avec le lecteur, jeter le doute sur la crédibilité du récit. Marivaux jouait un rôle dans ses autres romans ; dans ceux-ci, le lecteur est seul en face des narrateurs. Et pourtant une présence est sensible [48] ; Marianne et Jacob vivent au-delà de leurs discours ; tout ne se résout pas pour eux en pur plaisir de comprendre, l'analyse admet à côté d'elle la suggestion, mais ce qui nous est suggéré n'est pas un point de vue d'auteur disqualifiant le point de vue des mémorialistes, c'est la confirmation comme involontaire de ce qu'ils pensent et veulent qu'on pense d'eux. La bonté de Marivaux n'est pas une simple attitude morale : elle est le principe inspirateur du romancier dans la création de ses personnages [49].

essuyés dès mon enfance ? » ; p. 194 : « Je vous ai déjà dit que j'ai perdu mon père et ma mère »). En réalité, lors de son accident, elle était allée jusqu'à nommer Mme Dutour, mais l'arrivée de M. de Climal l'avait interrompue au moment où elle parlait des « plus grands malheurs du monde » qui la réduisaient à vivre chez la lingère ; depuis, elle n'a revu Valville qu'un instant, lorsqu'il lui a apporté sa lettre au couvent. Il faut donc interpréter autrement les paroles de Marianne : elle avait réellement évoqué à Valville ses « malheurs », elle les lui précise maintenant, p. 193, puis elle répète et développe, p. 194, devant Mme de Miran, ce qu'elle a dit un instant plus tôt. La grande explication est ainsi préparée, et de plus Marianne ne ment pas en supposant que Valville est informé : Mme Dutour a dû lui dire ce qu'elle savait (p. 182) et elle-même avait invité Valville à se renseigner auprès du père Saint-Vincent (p. 158).

46. *Ibid.*, p. 196-197.

47. *Ibid.*, p. 200.

48. « Même là où l'auteur s'interdit d'intervenir ostensiblement, c'est encore à de certaines modalités de sa *présence* qu'est imputable l'éventuel mérite de son œuvre ». Ce que G. Blin (*Stendhal et les problèmes du roman*, Paris, 1954, p. 318, n. 1) dit du roman à la troisième personne nous paraît être aussi vrai du roman à la première personne.

49. Pour employer la terminologie de Wayne C. Booth, Jacob et Marianne sont des narrateurs conscients et dignes de foi (« self-conscious, reliable narrators »). Voir Wayne C. Booth : *The Rhetoric of fiction*, Chicago et Londres, 1969 (la première édition est de 1961), première partie, chap. VI, et deuxième partie. Voir aussi *infra*, chap. IX, p. 460, n. 126.

SUR LES MODALITÉS du roman à la première personne, les contraintes auxquelles il doit se soumettre, ses avantages et ses inconvénients, nous ne manquons pas d'études systématiques, d'inventaires théoriques et historiques qui examinent qui est le narrateur, pourquoi il narre, quand il narre, ce qu'il narre et comment il le narre [50]. Mais sur les raisons pour lesquelles le roman à la première personne, en forme d'autobiographie fictive, s'est si largement développé au cours de la première moitié du XVIIIᵉ siècle, la réflexion est encore bien sommaire [51]. Que l'on ait été dégoûté à la fois des grandes aventures baroques et de leur mode d'expression, le récit épique à la troisième personne, c'est probable : le refus général d'appeler *romans* les récits imaginaires en prose est un indice de ce dégoût. Que beaucoup de romanciers aient suivi la mode et aient écrit vers 1740 des « Mémoires et Aventures » à la première personne comme ils auraient écrit une « Histoire » à la troisième personne vers 1670 et comme ils allaient écrire des « Lettres » vers 1770, c'est probable aussi, mais il s'agit de dire pourquoi la mode est née et s'est répandue. Si l'on considère, et nous persistons à croire qu'il est légitime de le faire [52], le genre romanesque comme la littérature de la classe bourgeoise, et le réalisme sérieux, dont Chasles et Marivaux sont en France les premiers représentants, comme le moyen de présenter à cette classe une image de sa vie et de ses problèmes où elle se reconnaisse, le vrai roman de la bourgeoisie est le roman à la troisième personne, celui de Balzac : il peint une réalité dominée, l'explique et la mesure ; le doute et le jeu, les illusions et les incertitudes de la subjectivité n'ont pas de place dans son univers solide, qui a ses mystères et ses drames, mais qui offre à l'action une prise franche ; au centre de tout, l'auteur et le lecteur jettent sur le monde et la société un regard de maîtres. Est-ce la tradition du réalisme grotesque qui a obligé les premiers peintres de la vie moderne à faire un détour par le récit subjectif, le réel n'ayant pas encore assez de dignité aux yeux du public pour être montré

50. Ces cinq questions sont celles que se pose successivement Bertil Romberg dans la troisième partie de ses très méthodiques *Studies in the narrative technique of the first-person Novel*, Lund, 1962 (traduit en anglais par M. Taylor et H. H. Borland) ; voir également les ouvrages cités *supra* de W.C. Booth (n. 49) et *infra* de V. Mylne (n. 55), Ph.R. Stewart (n. 57), J. Pouillon (n. 79), ainsi que celui de Franz K. Stanzel, *Typische Formen des Romans*, Göttingen, 3ᵉ éd. 1967 ; bon exposé de synthèse dans J. Souvage, *An Introduction to the study of the novel*, Gand, 1965, p. 54-58.

51. Ce n'est plus vrai. Depuis que ces lignes ont été écrites, René Démoris a soutenu en Sorbonne (janvier 1973) une thèse d'Etat sur *Le Roman à la première personne, du classicisme aux Lumières* (à paraître). Sur l'évolution par laquelle Marivaux lui-même a été conduit au roman à la première personne, voir *supra*, nos chapitres IV et V.

52. Voir notre ouvrage *Le Roman jusqu'à la Révolution*, p. 286 et 318-319.

directement ? Est-ce la timidité de la conscience bourgeoise à sa naissance qui a amené les romanciers à présenter une image encore problématique du *moi* et de ses rapports avec le milieu auquel il doit s'imposer ? Est-ce la situation en porte-à-faux de la classe dirigeante, bourgeoisie non émancipée et aspirant à la noblesse, aristocratie domestiquée et menacée, qui a favorisé cette façon d'aborder de biais la réalité ? Des causes secondaires ont également agi : les échanges intellectuels dans la bonne société étant le fait de la parole, il fallait dans un salon intéresser à ce que l'on disait par la façon dont on le disait, mais aussi par la personne que l'on était, et le héros du roman devait s'adresser au public comme un honnête homme aurait parlé dans le monde ; d'autre part l'analyse psychologique abstraite ou objective qu'avaient pratiquée les moralistes classiques ne suffisait plus à des lecteurs curieux de voir comment, de l'intérieur, étaient vécus les sentiments et les passions, curiosité, d'ailleurs, qu'il faudrait elle aussi expliquer et dont la philosophie sensualiste est une manifestation et non une cause [53] ; enfin l'intérêt pour la politique s'arrêtant, même chez les gens cultivés, aux intrigues de cour et de cabinet et aux anecdotes biographiques, et le rôle des réalités économiques étant ignoré, la vie privée, les détails secrets révélés par des Mémoires attiraient plus l'attention que les grands récits à prétention historique : c'est ce qui avait fait le succès de l'*Histoire amoureuse des Gaules*, par Bussy-Rabutin, de Courtilz de Sandras, dont Marivaux s'est peut-être inspiré, des *Mémoires du chevalier de Grammont* par Hamilton, etc. Mais pour rendre compte d'un fait d'histoire littéraire aussi net que la mode des mémoires fictifs, les explications trop vastes et les explications trop particulières sont également douteuses. En tout cas il ne nous semble pas possible de retenir celle qu'ont avancée plusieurs de nos contemporains, selon qui les romanciers auraient voulu faire croire à l'authenticité de leurs histoires.

Le terme *illusion* est équivoque, il peut désigner l'état de celui qui confond représentation et réalité et l'état de celui qui, sans cesser d'être conscient de la représentation, lui accorde le droit d'émouvoir des sentiments réels, entendons par là des sentiments ayant importance et signification pour sa vie réelle. Le factionnaire de Baltimore qui tira un coup de fusil sur Othello n'avait pas compris qu'Othello était un personnage de théâtre représenté par un acteur [54] ; le spectateur qui assiste à la tragédie de Shakespeare le sait bien, lui, et il peut même apprécier le jeu, les costumes, le décor, la beauté du texte, tout en ressentant une horreur et une pitié qui

---

53. Marivaux n'aurait pas si bien conçu et peint la complexité psychologique des femmes sensibles et pleines d'esprit que sont Marianne et Silvia, si le sensualisme de Locke n'avait pas fait rechercher un principe valable de la connaissance, dit Charlotte Schlötke-Schroeer (« Marivaux und die Probleme der Marivaudage », dans *Stil- und Formproblem in der Literatur*, Heidelberg, 1959, p. 230-238) ; nous avons montré plus haut (chap. VII, p. 285) que Marivaux doit pourtant plus à Malebranche qu'à Locke.

54. Voir Stendhal, *Racine et Shakespeare* I, chap. I (*Œuvres complètes*, texte établi par P. Larive, Paris, 1954, t. XVI, p. 15).

modifient — si fugitivement que ce soit [55] — son être vrai, celui qu'il est hors du théâtre, dans sa vie de tous les jours. S'il renie ces sentiments dès qu'il est sorti du théâtre, ce n'est pas forcément la faute de l'auteur. Selon les époques et les écoles, différents moyens, même les plus éloignés du réel, sont à la disposition de l'auteur pour créer l'*illusion* au second sens du terme, le seul sens à notre avis qu'il doive recevoir, l'autre illusion pouvant être appelée *trompe-l'œil*. Parmi ces moyens, la recherche de la vraisemblance, l'imitation de la réalité sont ceux qu'ont adoptés les romanciers du XVIIIᵉ siècle, ainsi que l'a montré Vivienne Mylne [56]. Mais les termes de *vraisemblance*, d'*imitation* et même de *réalité* ont eux aussi un sens très flottant, qui dépend des idées reçues, de la croyance, de la pratique, de l'expérience, du niveau culturel. L'emploi de la première personne crée une *illusion*, il n'est absolument pas plus apte que l'emploi de la troisième personne à créer une *vraisemblance*, si l'on entend par là ce qui a l'apparence du vrai tel que le reconnaissent en général les contemporains de l'auteur [57]. Tous les procédés qui accompagnent souvent l'emploi de la première personne, noms propres remplacés par des astérisques ou réduits à des initiales, mystère fait sur la personnalité réelle du narrateur, déclarations de l'éditeur sur l'origine du manuscrit, du prétendu traducteur ou adaptateur sur les modifications qu'il a dû lui faire subir, tout cela [58] doit être considéré comme un ensemble de signaux à l'adresse du lecteur ; ils ne tendent pas à lui faire croire qu'il est devant un document authentique, au contraire ils constituent les indices de la fiction, ils avertissent qu'on entre dans le domaine du conventionnel. Le lecteur sait qu'il a affaire à ce que nous appelons un roman, ou, puisque le mot est discrédité au XVIIIᵉ siècle, à une représentation, à une image ; il est invité non pas à croire aveuglément, mais à « suspendre volontairement son

---

55. On sait les réflexions de Rousseau sur l'« émotion passagère et vaine » et la « pitié stérile » qu'on éprouve à la tragédie (*Lettre à Mr d'Alembert sur les spectacles*, éd. crit. par M. Fuchs, Lille-Genève, 1948, p. 32).

56. Dans son ouvrage déjà cité, *The Eighteenth Century French novel, Techniques of illusion*. C'est à elle que nous empruntons les termes de *représentation* et de *trompe-l'œil* (p. 3). V. Mylne pense que les romanciers du XVIIIᵉ siècle ont d'abord prétendu être littéralement vrais, mais elle fait d'excellentes remarques sur le sens relatif des termes *vrai*, *vérité* (chap. 2) et ses analyses des œuvres romanesques font bien apparaître que les auteurs voulaient créer une illusion et non un trompe-l'œil. A notre avis, dans la mesure — faible — où leur prétention à la vérité littérale n'était pas une convention reconnue et acceptée, les romanciers profitaient de la confusion entre fiction et histoire scandaleuse pour laisser croire aux lecteurs que leurs œuvres étaient à clefs et leur révèleraient le dessous des cartes. Et de fait certaines œuvres étaient de cette espèce, l'*Histoire du prince Apprius*, par Godart de Beauchamps, *Les Avantures de Pomponius*, par Prévost, *Mémoires secrets pour servir à l'histoire de Perse*, par Toussaint, etc.

57. Il vaut mieux définir le *vraisemblable* comme ce qui est cohérent, dans le domaine de l'illusion comme dans celui de la réalité. Le romancier imagine un monde qui sert de référence à son histoire et lui donne sa vraisemblance : la cohérence interne de la fiction constitue sa preuve. Mais la définition du *vraisemblable* comme ce qui est conforme à l'expérience moyenne du public moyen n'est ni absurde ni à rejeter, voir *infra*, chap. IX, p. 467-468.

58. Ces procédés sont analysés par Ph.R. Stewart dans *Imitation and illusion in the French memoir-novel, 1700-1750. The Art of make-believe* (New-Haven et Londres, 1969), ouvrage bien documenté, mais contestable dans son principe, parce que Ph.R. Stewart prend au mot les romanciers qui prétendent à l'authenticité.

incrédulité » [59]. Rousseau dans *La Nouvelle Héloïse* et Diderot dans *Jacques le fataliste* rendront plus sensible le paradoxe de cette convention en la contestant, chacun à sa manière ; Marivaux, Lesage, Prévost, Crébillon, beaucoup de romanciers de moindre importance en avaient fort bien compris la nature, bien que l'insuffisance de l'analyse théorique et les faux problèmes soulevés par la polémique sur le genre romanesque les aient empêchés de la formuler clairement [60].

La critique s'est préoccupée plus que les romanciers des servitudes qui auraient dû peser sur ce genre de narration : les manquements à la « vraisemblance » sont innombrables, ainsi que les excuses ou les atténuations qui les signalent au lieu de les dissimuler [61]. Marivaux n'a été ni plus ni moins scrupuleux que ses contemporains ; pour lui comme pour eux les invraisemblances ont été évitées parce que le récit était unilinéaire et l'intrigue assez simple, et non parce que l'auteur veillait à ne rien laisser passer qui ne fût matériellement justifié. En toute logique, le narrateur ne devrait raconter que ce qu'il a vu ou fait lui-même ; en cas contraire, il devrait indiquer par quel moyen il a eu connaissance de ce dont il n'a pas été témoin ; on admet que sa mémoire lui fasse retrouver avec exactitude tout ce qu'il a ressenti, pensé, dit, entendu, jusqu'au moindre détail, au moins dans les circonstances importantes de son histoire ; mais s'il reproduit le texte d'une lettre, il doit nous dire qu'il en a conservé l'original, ou le double, et qu'il l'a sous les yeux au moment où il écrit, ou bien admettre qu'il le reconstitue « à peu près » ; et s'il rapporte un récit qui lui a été fait, ne pas lui donner une longueur disproportionnée au temps dont il disposait pour l'écouter et à la capacité de sa mémoire ; ne présenter que comme des hypothèses les pensées qu'il prête à autrui, à moins qu'elles ne lui aient été communiquées par la suite... Ces obligations devraient être remplies sans que le lecteur s'en aperçoive, mais si le narrateur attire son attention en s'expliquant, il alourdit maladroitement son récit et fait naître le scepticisme : il vaudrait encore mieux aller son train en les ignorant toutes, sans laisser au lecteur le temps de se poser de questions.

C'est ce que fait Marivaux dans ses premiers romans. Il y emploie la première personne soit pour obéir au principe général qu'avaient suivi les romanciers baroques, selon lequel l'auteur raconte l'action principale mais cède la parole à des personnages lorsqu'il s'agit d'actions secondaires (récits de Merville et de Frédelingue, dans *Les Effets surprenants*), soit pour faire partager au lecteur l'expérience intime d'un personnage (récits de Parménie, dans *Les Effets surprenants*, de Clorine et de Célie, dans *Pharsamon*), soit pour donner

---

59. Admirable formule de Coleridge, citée par V. Mylne, *op. cit.*, p. 8.
60. Le mot de Marivaux au début du *Télémaque travesti*, rapporté plus haut (voir *supra*, p. 351 et n. 29), offre la même ambiguïté que la Préface de *La Nouvelle Héloïse*, ou que celle des *Illustres Françoises*.
61. Sur tout ce qui suit, voir Philip R. Stewart, *op. cit.*, chap. 4, « The Narrator's Perspective », p. 102-140, et chap. 6, « Nothing but the truth », p. 169-193.

à la narration du pittoresque et de la vie (récits de Cliton, dans *Pharsamon*, de Brideron, dans *Le Télémaque travesti*, et récit-cadre de *La Voiture embourbée*) [62], mais surtout parce qu'une histoire n'est vraiment intéressante à ses yeux que si celui qui la raconte est le premier intéressé à la raconter. Le respect de la vraisemblance matérielle lui est inconnu : il est conforme à la convention du genre que Caliste puisse rapporter au style direct à Clarice toute l'histoire de Parménie telle que celle-ci l'avait racontée à Frédelingue, y compris, à l'intérieur de cette histoire, le récit de Merville qui contient lui-même les récits de Misrie, de Guirlane et de l'Anglais [63] ; il n'est pas absolument invraisemblable que ce récit de Caliste et tous ceux qu'il enveloppe n'aient occupé qu'une soirée et une nuit ; mais on peut se demander, entre autres choses, comment Parménie a eu connaissance des longs « discours » tenus par la Princesse à Adislas qui mourut avant de revoir sa fille [64] ; de la conversation entre la Princesse et Mériante mourant [65] ; comment Merville a su quelles paroles avaient échangées Frosie et son patron, lui absent, et ne connaissant d'ailleurs pas la langue des Barbaresques [66] ; comment il peut décrire Halila arrivant chez son oncle « les cheveux épars, la frayeur peinte sur le visage » et rapporter les propos d'Halila, de Méhémet, de l'oncle, alors qu'il était lui-même, pendant tout ce temps, blessé et évanoui [67] ; comment Frédelingue-Emander a appris ce que s'étaient dit Fermane et sa sœur et ce que Fermane avait expliqué au commandant du galion, puisqu'aussitôt arrivé à bord il a été mis au secret et a eu « le malheur de ne pouvoir dire un mot à cet officier » [68]... Marivaux ne s'est pas posé toutes ces questions ; la composition des *Effets surprenants* lui aurait été impossible, il lui aurait fallu changer complètement la structure de l'œuvre, car la pratique du récit imbriqué implique une certaine autonomie du narrateur secondaire, qui se comporte comme un romancier omniscient : ainsi, dans *Pharsamon*, Célie peut raconter l'histoire de sa mère et reproduire littéralement les conversations d'Hasbud et de Tarmiane, auxquelles elle n'a évidemment pas assisté. *La Voiture embourbée* ne révèle aucun progrès de Marivaux dans la recherche de la vraisemblance :

62. Par rapport au récit de Merville, l'action principale est le récit que fait Caliste de l'histoire de Parménie, et c'est Caliste qui représente l'« auteur ».

63. Il arrive à Marivaux d'oublier lui-même à qui il a confié le récit (*O.C.*, V, p. 512. *O.J.*, 133, Parménie parle d'Adislas : « il monta même à l'assaut avec mon père », elle veut dire « avec mon grand-père », Erisman ; mais l'histoire racontée n'est pas encore celle de Parménie elle-même, c'est celle de ses parents, dont la narratrice la mieux qualifiée eût été Phronie, d'où le lapsus ; *ibid.*, VI, 27. *O.J.*, 189, l'histoire de l'enlèvement de Parménie « fut bientôt divulguée et parvint jusqu'à moi par le frere de la Princesse qui l'avoit sçu aussi », or c'est Parménie elle-même qui parle, elle ne devait pas ignorer son propre enlèvement !).

64. *O.C.*, tome V, p. 571. *O.J.*, 165.

65. *Ibid.*, t. VI, p. 14 sq. *O.J.*, 188-189.

66. *Ibid.*, t. VI, p. 91. *O.J.*, 224.

67. *Ibid.*, t. VI, p. 93-96. *O.J.*, 225. Le sort ultérieur d'Halila, de Méhémet et de l'oncle est aussi raconté par Merville, sans qu'on comprenne comment il l'a appris : Halila, Méhémet et l'oncle sont morts, et Guirlane (qui aurait pu renseigner Merville, puisque son mari avait acheté leurs esclaves) ne les a jamais connus.

68. *Ibid.*, t. VI, p. 195-197. *O.J.*, 279-281.

le narrateur décrit non seulement ce qu'il n'a pas pu voir et que d'autres ont pu lui rapporter (la gouvernante Nanon dans sa cuisine, se peignant et mangeant son pain frotté de lard, alternativement : le financier et le bel esprit ont été témoins de la scène), mais encore ce qu'aucun des voyageurs n'a eu le moyen de savoir (les propos et les attitudes de Nanon, du curé, de Blaise et de Mathurin dans la salle du haut : pendant cette scène, le financier et le bel esprit sont dehors à attendre que quelqu'un vienne leur ouvrir) [69].

Ces inadvertances, il vaut mieux dire : ces anomalies résultant d'une convention, sont absentes du *Télémaque travesti*, non pas parce que Marivaux a pris soin de les éviter, mais parce que le « point de vue » adopté par le romancier les rendait impossibles : dans le récit à la troisième personne, l'auteur était en droit de fournir tous les renseignements qui éclairaient l'action, et dans le récit de Brideron tout est vécu, marqué de sa personnalité grotesque.

C'est aussi la présence vivante du narrateur en tant que tel qui a assuré la vraisemblance générale de la narration dans *Le Paysan parvenu* et dans *La Vie de Marianne*. Marivaux prend certaines précautions qui ne lui avaient pas paru jusqu'alors nécessaires. Les circonstances de l'attentat dans lequel ont péri ceux qui étaient sans doute les parents de Marianne, la façon dont elle a été conduite par un groupe d'officiers au curé et à sa sœur, Marianne n'a pu les apprendre que d'autrui, et elle indique sa source : « C'est de la sœur de ce curé de qui je tiens tout ce que je viens de vous raconter » [70] ; elle laisse même entendre comment la sœur du curé a pu être renseignée, par les officiers qui avaient retiré Marianne du carrosse (« à ce qu'ils ont dit depuis ») et par le procès-verbal rédigé ensuite. De telles indications sont naturelles, puisqu'un narrateur ne saurait rien se rappeler de ce qui lui est arrivé avant qu'il fût en âge de se connaître [71], mais ni Caliste, dans *Les Effets surprenants*, ni Célie, dans *Pharsamon*, ne les avaient données. Marivaux pousse le scrupule plus loin : quand le récit appelle une précision dont Marianne manquait au moment de l'action, elle nous dit comment elle l'a obtenue par la suite. Mlle Varthon, qui avait promis de ne plus revoir Valville, a été demandée au parloir et s'est trouvée en face de lui, mais elle assure à Marianne qu'elle n'avait pas deviné qui la demandait : « et là-dessus elle disait vrai, je l'ai su depuis », précise Marianne [72]. Tout ce que Mme de Miran avait fait pour retrouver Marianne après son enlèvement, Marianne l'a sans doute appris en grande partie de Mme de Miran elle-même (elle ne juge pas utile de le dire, parce que cela va de soi), mais certains détails lui sont venus d'ailleurs : l'inquiétude vraiment maternelle de Mme de Miran lui a été décrite par les religieuses de son couvent et par la

---

69. Sur le récit de Clorine dans *Pharsamon*, voir *supra*, chap. V, p. 160 et n. 13.
70. *V.M.*[2], p. 12.
71. Voir Philip R. Stewart, *op. cit.*, p. 125.
72. *V.M.*[2], p. 387.

tourière, les élans d'affection avec lesquels Mme de Miran parlait d'elle lui ont été rapportés par « l'abbesse » [73]. Lorsque Climal entre à l'improviste chez Valville, Marianne lui adresse un salut si embarrassé que Valville le remarque et en est frappé ; « car il me l'a dit depuis », ajoute Marianne, et l'on comprend bien qu'il ne pouvait pas le lui avoir dit tout de suite [74]. Mais ces justifications sont strictement formelles, elles n'ont aucun autre rôle dans le récit que d'écarter une question possible. On admet aisément que Marianne, à son retour au couvent, ait obtenu des explications des religieuses, de la tourière et de l'abbesse, le bon accueil et les congratulations qu'elle reçoit de toutes le donnent à penser [75] ; mais quand et comment a-t-elle eu confirmation de la sincérité de sa rivale, quand et comment a-t-elle appris de Valville qu'il avait remarqué son salut à Climal ? On aurait tort de voir dans ces brèves indications l'annonce d'épisodes à venir, ce ne sont pas des pierres d'attente, il ne faut rien en déduire au sujet de la suite que Marivaux aurait donnée au roman ; solutions tout à fait artificielles de petites difficultés logiques, elles font croire à un prolongement du récit, sans en rien faire apercevoir : elles n'engagent à rien. Il suffit de remarquer leur petit nombre, le peu d'importance des difficultés qu'elles résolvent, pour comprendre que Marivaux ne s'est nullement fait un principe de justifier tout ce que Marianne peut savoir, tout simplement, nous l'avons dit, parce que le déroulement très naturel du récit dispense de plus de justifications. La seule à laquelle Tervire ait recours concerne un fait de sa petite enfance [76]. Elles sont tout aussi rares dans le récit de Jacob [77].

De ces justifications on peut rapprocher ce que Jacob et Marianne disent des portraits, dans lesquels ils réunissent des observations faites en plusieurs fois et dont ils ne possédaient pas tous les éléments au moment correspondant de l'action. Les portraits sont de l'analyse intemporelle ; ils sont extérieurs au récit [78] : les circonstances ultérieures auxquelles le narrateur renvoie pour expliquer sa connaissance des personnages sont aussi indéterminées, aussi peu indicatives que celles auxquelles renvoient les justifications du récit lui-même.

73. *Ibid.*, p. 323. De même, p. 419, l'entretien entre l'officier âgé et Mme de Miran est rapporté à Marianne par Mme de Miran ; plusieurs fois, ces indications permettent à Marianne de rester modeste en laissant à autrui la responsabilité de propos élogieux sur elle.

74. *Ibid.*, p. 85. Voir aussi p. 190 (« à ce qu'il m'a dit depuis ») et p. 191 (« Il m'a avoué depuis »).

75. *Ibid.*, p. 341.

76. *Ibid.*, p. 440 (« Mme de Tresle, qui depuis raconta ce fait-là à plusieurs personnes de qui je le tiens, s'aperçut bien qu'elle m'avait nui [...] ») ; Tervire ne dit pas comment elle a su le détail de la machination criminelle montée contre elle par Mme de Sainte-Hermières (*ibid.*, p. 477), le lecteur ne le comprend que lorsque lui est rapportée (*ibid.*, p. 480-481) la confession de la femme de chambre.

77. *P.P.*, p. 19 (« J'ai su tout le détail de ce traité impur [entre Geneviève et son maître] dans une lettre que Geneviève perdit [...] ») ; p. 109 (« le bonhomme, épicier du coin, comme je le sus après »). Le cas est un peu différent p. 54 (« Vous me direz : Comment avez-vous su ces entretiens [...] ? C'était en ôtant la table [...] »), puisqu'il s'agit de quelque chose que Jacob a directement appris par lui-même.

78. Voir *supra*, chap. VII, p. 318-319.

En revanche, Marivaux conserve les conventions sans lesquelles un récit rétrospectif à la première personne serait inconcevable, et il ne cherche pas à les justifier. Jacob et Marianne se souviennent de tout ce qu'ils ont vécu, des paroles qu'ils ont prononcées ou entendues, des personnes qu'ils ont connues, de leur air, de leurs gestes caractéristiques. Il n'y a même pas là une convention, mais un effet du fonctionnement de la mémoire, qui recrée tout ce qu'elle rappelle [79]. Un récit autobiographique serait anéanti dans son projet même, si chaque phrase devait être dubitative, chaque fait présenté comme une reconstitution hypothétique, et le narrateur n'a pas à fournir les titres qu'a chaque souvenir à être un souvenir. Quand il le fait, ce n'est pas l'existence du souvenir qu'il explique, mais son intensité, la vivacité du sentiment dont il s'accompagne ; ainsi Marianne se rappelant les dernières paroles de la sœur du curé : « je ne perdis rien de tout ce qu'elle me dit, et en vérité je vous le rapporte presque mot pour mot, tant j'en fus frappée » [80]. Elle serait ridicule si elle voulait fournir la même justification chaque fois qu'elle rapporte des paroles ; ce sont les moments pathétiques de sa vie, ses expériences révélatrices, dont le souvenir a le pouvoir de la bouleverser, et elle ne manque pas alors de signaler son émotion.

Mais comment Marianne a-t-elle pu retrouver intégralement le long récit de Tervire, qui occupe les trois dernières parties de l'œuvre, près de quatre cents pages dans l'édition originale ? Le mécanisme spontané de la mémoire ne saurait ici être invoqué, la convention ne peut être reçue que comme convention. Bien loin de chercher à la dissimuler, Marivaux la souligne en la niant, en prêtant à Marianne et à la destinataire des Mémoires ce dialogue au début de la onzième partie : « Eh ! par quelle raison vous plaît-il d'écrire si diligemment l'histoire d'autrui, pendant que vous avez été si lente à continuer la vôtre ? Ne serait-ce pas que la religieuse aurait elle-même écrit la sienne, qu'elle vous aurait laissé son manuscrit, et que vous le copiez ? — Non, madame, je ne copie rien ; je me ressouviens de ce que ma religieuse m'a dit, de même que je me ressouviens de ce qui m'est arrivé ; ainsi le récit de sa vie ne me coûte pas moins que le récit de la mienne [...] » [81]. Marivaux prend volontairement le contre-pied de ce que Prévost avait fait dire par ses narrateurs ; Cleveland, au moment de rapporter le long récit de Bridge, le Doyen de Killerine, au moment de rapporter celui de Patrice, annoncent qu'ils transcrivent un texte écrit par le narrateur secondaire à leur

---

79. Sur le rôle de l'imagination dans l'analyse psychologique et dans le souvenir des faits psychiques, lire les remarques pénétrantes de Jean Pouillon, dans *Temps et Roman*, Paris, 1946 (chapitre premier : « Roman et psychologie », p. 41-68) : « Un phénomène psychique ne revient pas. Il faut le réinventer ». Théorie très éloignée de ce que Marivaux pouvait penser, mais qui explique pourquoi les auteurs d'autobiographies fictives n'ont pas cru utile de faire prouver par les narrateurs la fidélité de leur mémoire.

80. *V.M.*[2], p. 21. Par symétrie, les conseils immoraux de Mme Dutour sont aussi rapportés littéralement : « Je n'ai jamais oublié les discours qu'elle me tint », p. 46.

81. *Ibid.*, p. 540. Noter combien ce texte confirme les vues de J. Pouillon : c'est parce qu'elle est opération de sa mémoire que l'histoire de Tervire coûte à Marianne autant de peine que sa propre histoire.

demande[82] ; de même, l'Homme de qualité avait écrit l'histoire de
Des Grieux aussitôt après l'avoir entendue et pouvait assurer la
fidélité du récit, « jusque dans la relation des réflexions et des sentiments »[83]. Les contemporains de Marivaux étaient donc bien conscients
de l'invraisemblance que comportaient les récits de récits, comme
on en trouvait dans *Les Effets surprenants*, et Marivaux, au lieu de
la corriger, la met encore mieux en lumière. Sans doute jugeait-il artificielle l'invention de ces écrits qui, à point nommé, venaient soulager
la mémoire des narrateurs quand de toute façon le caractère oral de
l'histoire était soigneusement reproduit. Cleveland, le Doyen de
Killerine, l'Homme de qualité s'aident d'un texte, mais c'est Bridge,
Patrice et Des Grieux qu'on entend parler, avec toutes les into-
nations que l'émotion met dans leur voix. Marivaux n'aurait peut-être
pas fait affirmer paradoxalement par Marianne le pouvoir de sa
mémoire, et aurait rapporté sans commentaire le récit de Tervire,
s'il n'avait pas interprété comme un reproche implicite les déclarations d'un Prévost. En maintenant dans tous ses droits la convention du récit dans le récit, comme en maintenant les portraits hors-
texte, il choisit une technique retardataire, non parce qu'il redoute
la nouveauté, mais parce qu'il a réfléchi sur la vraisemblance qu'il
voulait atteindre, comme sur la psychologie qu'il voulait illustrer.

Marianne et Jacob n'avaient pas besoin de multiplier les allusions
à des faits ultérieurs pour justifier leur connaissance d'autrui : leur
pénétration était innée, ils savaient d'instinct lire les airs et les
physionomies, et bien souvent « les âmes se répondent »[84] ; leur intuition dans leur jeunesse, la réflexion qu'ils font maintenant sur ce
qu'ils se rappellent suffisent à expliquer qu'ils démêlent si finement
les sentiments et les intentions, leurs Mémoires tissent de leur passé
et de leur présent complémentaires une seule étoffe[85]. Par sa façon
de concevoir ses narrateurs et par son idée de la communication des
consciences, Marivaux s'installe d'emblée dans la vraisemblance
sans se laisser ligoter par des minutes. La conversation surprise,
moyen éculé de faire sortir le narrateur de son champ unique de
vision et d'introduire dans le récit une action indépendante de l'action
principale, ne lui sert pas à faire avancer l'intrigue en mettant en
possession du narrateur quelque secret capital[86]. Jacob n'entend pas

---

82. Prévost, *Le Philosophe anglois ou Histoire de Mr Cleveland* (1731 ; c'est la fin du
livre III) ; *Le Doyen de Killerine* (tome I, Paris, 1735, p. 152) ; cités par Ph.R. Stewart,
op. cit., p. 118-119.

83. Prévost, *Histoire de chevalier des Grieux et de Manon Lescaut*, éd. par F. Deloffre et
R. Picard, Paris, 1965, p. 17. Cité par Ph.R. Stewart, *op. cit.*, p. 116. Le texte est de
1731.

84. *V.M.²*, p. 147, voir *supra*, p. 305.

85. Voir *supra*, chapitre VI.

86. Voir Ph.R. Stewart, *op. cit.*, p. 131-136, « The Overheard », où l'habileté de Marivaux
est bien notée ; les romanciers faisaient preuve en général d'adresse dans l'emploi d'un
procédé qui prêtait aux situations intéressantes ; Ph.R. Stewart, en faisant allusion au
Tartuffe, le juge plus spécialement comique. Il l'est en effet chez Molière (*Tartuffe*, IV, 4 ;
voir Diderot, *De la Poésie dramatique*, IX), mais Racine dans *Britannicus*, Mme de Lafayette
dans *La Princesse de Clèves*, en avaient tiré un parti dramatique. Il était fréquent dans le

par hasard, il écoute ce que M. Doucin dit aux sœurs Habert, parce qu'il a compris quel était le personnage et quel mal il pouvait lui causer [87] ; il ne tire d'ailleurs aucun parti de cette conversation surprise, l'arrivée de M. Doucin chez Mme d'Alain le déconcerte et n'est pas liée à la situation du directeur auprès des sœurs Habert. C'est volontairement aussi, par « je ne sais quelle curiosité inquiète, jalouse, un peu libertine », qu'il épie la conversation de Mme de Ferval et du chevalier chez la Rémy, sans même espérer y trouver la matière d'une vengeance, car la partie est définitivement perdue pour lui auprès de Mme de Ferval [88]. Enfin, c'est bien par hasard que Marianne assiste à la conversation de Mme de Miran et de Mme Dorsin, au couvent, et cette conversation est bien d'une importance capitale pour elle : mais Marianne n'est pas cachée, elle comprend progressivement que c'est d'elle-même qu'il est question, tremble, se tourmente, a honte, et prend en pleurant la décision d'intervenir et de révéler son rôle [89] ; la conversation n'est donc pas un événement extérieur fortuit remédiant aux limitations de son champ d'action et de connaissance, mais une étape de sa propre histoire, recevant son sens de son intervention. Dans les trois cas, l'épisode est plus nécessaire pour le développement psychologique du personnage et pour son apprentissage intérieur que pour l'intrigue [90].

Marivaux n'a pas innové en faisant de la narration des Mémoires une action romanesque en elle-même : Lesage avant lui, Prévost en même temps que lui avaient donné l'un à Gil Blas, l'autre à Des Grieux, un accent inconnu aux narrateurs que faisait parler Courtilz de Sandras. Mais Gil Blas narrateur n'est guère qu'un ironiste ; pour les personnages de Prévost, le passé revit avec toutes ses angoisses dans la confession, mais il est dominé — la sûreté de la composition le prouve [91] — et les Mémoires n'ont pas d'autre fonction que de dire ce passé, sauf chez Des Grieux, qui se raconte parce qu'il cherche encore à se comprendre. Pour Marianne et Jacob, si le passé est dominé également, la narration des Mémoires est une opération qui assure l'existence à leur être actuel, aussi important dans l'œuvre, mais plus énigmatique, que leur être passé. Dès le XVIIIe siècle, Sterne ira encore plus loin que Marivaux, en faisant dépendre l'être passé de la narration présente, chaotique et comico-dramatique [92]. Dans une

roman baroque, où il n'était jamais traité comiquement. Dans *Les Illustres Françoises* de R. Chasles, le jeune Dupuis surprend la conversation de deux dames, dont l'une, veuve, sera sa maîtresse pendant cinq ans ; l'épisode est réaliste, mais nullement comique (éd. F. Deloffre, Paris, 1959, tome second, p. 475 sq.).

87. *P.P.*, p. 60-66.

88. *P.P.*, p. 232-240.

89. *V.M.*², p. 174-179.

90. Les *Lettres contenant une aventure* rapportent aussi une conversation surprise. Il fallait bien un témoin caché pour entendre les secrets qui se disent entre femmes seulement.

91. Nous ne voulons pas dire qu'il n'y ait pas de fautes de composition chez Prévost, ni d'incohérence dues aux accidents de la rédaction : mais il sait admirablement ménager le mystère et tenir en suspens l'intérêt.

92. Voir *supra*, chap. VI, p. 246 et 250.

certaine mesure, Marivaux avait pourtant pressenti que la narration pouvait être non seulement une opération manifestant l'être actuel, mais encore un événement le modifiant, lui posant des questions et ayant une histoire : les longs délais qui séparent plusieurs parties de *La Vie de Marianne* ont permis à Marivaux de réfléchir sur les difficultés, intérieures ou extérieures, qu'il rencontrait, et donc à Marianne de commenter l'accueil fait à ses Mémoires et le rythme de leur élaboration ; la confection de l'œuvre devenait le sujet de l'œuvre, secondairement et partiellement sans doute, mais d'une façon plus vraie que chez les burlesques ; la présentation des Mémoires comme d'une suite de lettres à une correspondante autorisait ce regard rétrospectif sur ce qui avait déjà été écrit [93].

93. C'est ainsi que dans la seconde partie de *Don Quichotte* la *Suite* rédigée par Avellaneda est critiquée, et que dans la seconde partie de *Heinrich der Grüne*, de G. Keller, le narrateur commente la première partie, qu'il a fait lire entre temps à des amis (voir Bertil Romberg, *Studies in the narrative technique of the first-person novel*, Lund, 1962, traduit par M. Taylor et H. H. Borland, p. 104-105). Sur les délais de la rédaction et leur commentaire dans *La Vie de Marianne*, voir *infra*, p. 414-419.

Dès l'Avis au lecteur de son premier roman, Marivaux dénonçait la règle qui « symétrise » et « les lois stériles de l'art » ; dans *Pharsamon*, il déclare qu'un auteur ne doit jamais rien promettre ; par la voix de ses moralistes, dans les Journaux, il annonce qu'il écrit au hasard, comme ses pensées lui viennent, en obéissant à ses fantaisies et en se moquant des règles ; Marianne quand elle écrit ses Mémoires « n'a aucune forme d'ouvrage présente à l'esprit », et Jacob, au moment de commencer les siens, avertit qu'il « ne répond de rien » et qu'il mêlera peut-être au récit de sa vie ce qui « se présentera sans qu'[il] le cherche » [94]. De fait, depuis *Les Effets surprenants*, où une histoire reste inachevée et où Marivaux a confondu plusieurs personnages, jusqu'au *Miroir* où il a oublié de parler de ces nombreux génies, « tant auteurs tragiques que comiques », dont il devait faire mention [95], il semble avoir voulu être incomplet et décousu aussi systématiquement que d'autres veulent être ordonnés et conduire leurs compositions jusqu'à leur fin. On peut trouver un fil conducteur à certaines de ses feuilles, on peut dire aussi, comme nous le pensons, que ses récits laissés en suspens n'avaient pas besoin de conclusion, mais doit-on aller jusqu'à chercher dans ses œuvres une structure cachée, un plan qu'il aurait suivi secrètement, en affichant d'écrire à la cavalière ? Nous ne le croyons pas.

Dans la définition du bel esprit il faisait pourtant entrer, en mai 1718, l'intuition globale de l'ouvrage à construire : « Le bel esprit [...] ne s'est pas fait de la géométrie une science particulière ; il n'est point géomètre ouvrier, c'est un architecte né, qui, méditant un édifice, le voit s'élever à ses yeux dans toutes ses parties différentes ; il en imagine et en voit l'effet total par un raisonnement imperceptible et comme sans progrès, lequel raisonnement pour le géomètre contiendrait la valeur de mille raisonnements qui se succéderaient avec lenteur » [96]. On se rappelle en lisant ce passage que Marivaux était neveu et cousin d'architectes, et l'on imagine qu'il a appris des Bullet l'importance d'un plan, le terme de *plan* appartenant d'ailleurs lui-même au langage des architectes et étant de là passé dans le langage commun [97] ; la comparaison de l'écrivain et de l'architecte, de l'œuvre écrite et de l'œuvre bâtie, est du reste un lieu commun de rhétorique. Marivaux avait pu la lire chez Cicéron, chez Rapin, chez Fénelon ; Quintilien lui en fournissait une formulation qui

---

94. *V.M.²*, p. 55 ; *P.P.*, p. 9.
95. *J.O.D.*, p. 541.
96. *Ibid.*, p. 34.
97. « Ce terme, emprunté de l'architecture, et appliqué aux ouvrages d'esprit [...] » (Marmontel, *Eléments de littérature*, article « Plan »).

annonce d'assez près la sienne [98] ; et sans chercher à lui donner une tournure originale, il avait emprunté en la développant celle qu'il trouvait chez Lesage, adaptateur d'Avellaneda, faisant parler Don Quichotte : « Je ne veux point me livrer au sommeil, que je n'aye auparavant rempli mon imagination des moyens dont je dois me servir pour emporter le prix le plus considérable des joûtes. Je vais imiter le prudent architecte qui devant que de mettre la main à l'œuvre conçoit et dispose en son idée toutes les parties de l'édifice qu'il veut bâtir » [99]. Mais la réflexion retrouve chez Marivaux le sens qu'elle avait perdu chez Lesage : elle renvoie à l'esthétique des Modernes, à Bullet de Chamblain, moins rationnel et moins abstrait que les architectes de la génération précédente, et surtout à Perrault, qui avait exalté le Génie et l'intuition des Idées inspiratrices [100]. Le refus de l'esprit géométrique prouve bien que pour Marivaux le plan directeur de l'ouvrage est saisi dans une vision, et non élaboré par un calcul.

Plus intéressantes sont les paroles que prononce un personnage du *Paysan parvenu* à l'adresse d'un jeune écrivain en qui l'on s'accorde à reconnaître Crébillon fils : « Je n'ai point vu le dessein de votre livre, je ne sais à quoi il tend, ni quel en est le but. On dirait que vous ne vous êtes pas donné la peine de chercher des idées, mais que vous avez pris seulement toutes les imaginations qui vous sont venues, ce qui est différent : dans le premier cas, on travaille, on rejette, on choisit ; dans le second, on prend ce qui se présente, quelque étrange qu'il soit, et il se présente toujours quelque chose ; car je pense que l'esprit fournit toujours, bien ou mal » [101]. Il faut donc, quand on écrit, chercher des idées, travailler, choisir, ne pas prendre au hasard ce qui se présente. Est-ce bien l'auteur de *L'Indigent philosophe* qui s'exprime ainsi ? Comme Marivaux entend ici faire la leçon à un confrère qui s'était moqué de son style, on peut croire qu'il dit vraiment ce qu'il pense. Cela ne signifie pas que ses nombreuses proclamations en faveur du naturel, de l'improvisation,

---

98. Cicéron, *De Oratore*, I, 62 ; R. Rapin, *Les Réflexions sur la poétique de ce temps* [...], éd. critique par E. T. Dubois, Genève-Paris, 1970, p. 77 ; Fénelon, *Lettre sur les occupations de l'Académie française*, « Projet de rhétorique », éd. critique par Ernesta Caldarini, Genève, 1970, p. 56 ; Quintilien, *Institution oratoire*, VII, 1 (« Ut opera exstruentibus satis non est, saxa atque materiam, et coetera aedificanti utilia congerere, nisi disponendis eis collocandisque artificum manus adhibeatur : sic in dicendo quamlibet abundans rerum copia cumulum tantum habeat atque congestum, nisi illas eadem dispositio in ordinem atque inter se commissas devinxerit »). Fénelon a traduit Quintilien, *Télémaque*, XVII, éd. cit., t. II, p. 474-475.

99. *Nouvelles Avantures de l'admirable Don Quichotte de la Manche* [...], Paris, 1704, tome I, livre 1, chap. 4, p. 41. La ressemblance des expressions est assez frappante pour qu'on doive penser soit à une imitation directe de Lesage par Marivaux, soit à une source commune.

100. Blondel, mathématicien, ingénieur, « déductif », dont Pierre Bullet avait été l'élève, s'opposait à Perrault l'« intuitif » (voir B. Teyssèdre, *L'Art au siècle de Louis XIV*, Paris, 1967, p. 120 et p. 247). Sur l'esthétique de Perrault et des Modernes, voir notre communication (à paraître) sur « La métaphore de l'architecture dans la critique littéraire au XVIIe siècle » (*Critique et création littéraires en France au dix-septième siècle*, colloque international du C.N.R.S. organisé par la Société d'étude du XVIIe siècle, Paris, les 4, 5, 6 juin 1974).

101. *P.P.*, p. 200.

soient des ruses ; elles sont sincères, et confirmées par la pratique. Le texte du *Paysan parvenu* ne les renie pas, il ne se comprend dans son vrai sens que par elles : les trois mots importants en sont « imaginations », « étrange » et « esprit ». Marivaux a toujours considéré l'extravagance comme le résultat de l'artifice, de l'« esprit », dans le sens péjoratif qu'il donne à ce terme ; c'est son extravagance qu'il reproche à Crébillon (dans le même passage, il parle de « choses purement extraordinaires ») ; elle consiste dans des « imaginations » absurdes, qui sont le contraire des « idées », et Marivaux a appris de Malebranche à se méfier de l'imagination ; en bref, il condamne chez Crébillon ce qu'il avait précédemment condamné chez Pharsamon et chez Cidalise, la froideur d'un esprit faux qui s'abandonne sans contrôle à l'entraînement de l'imagination [102]. Le naturel et la fantaisie n'excluent pas le bon sens, et les caprices de Marivaux sont triés, non pas ordonnés selon un plan, mais orientés selon un dessein qui les inspire et qui rend inutile la régularité de la composition. Il a exagéré la spontanéité de ses personnages, elle n'est sauvegardée chez lui, auteur, que par un contrôle sévère de ce qu'il invente, mais ce contrôle ne va jamais jusqu'à la contrainte, ou, si l'on peut le dire sans paradoxe, ce que son contrôle veille à écarter, c'est l'artifice, la symétrie, l'excès de contrôle. Il a fait de l'absence de composition un principe de composition ; comme celles de Mathurin Régnier, « ses négligences sont ses plus grands artifices », parce que ce sont de conscientes négligences [103].

*
* *

Les Effets surprenants de la sympathie sont le moins bon roman de Marivaux et le plus laborieusement composé. Sa composition est du plus pur style baroque : l'action principale se déroule en moins d'un mois, dans une aire géographique très limitée qu'on peut traverser en deux jours de voyage, en quelques heures seulement si l'on ne tient pas compte du point de départ, la maison de Clarice. L'unité de lieu et l'unité de temps sont donc respectées, la seconde d'une façon encore plus stricte que ne l'exigeait la règle. Un préambule retrace ce qui s'est passé avant le début de l'action principale, l'emprisonnement et la mort (présumée) du père de Clorante, la mort

---

102. Voir *supra*, chap. III, p. 108-110. Sur l'imagination, voir Malebranche, *De la Recherche de la Vérité*, tout le livre deuxième, « De l'Imagination », et particulièrement sa troisième partie, « De la communication contagieuse des imaginations fortes ». Quand Marivaux, dans *Le Miroir*, loue le poème de Milton, « qui est peut-être le plus suivi, le plus contagieux, le plus sublime écart de l'imagination qu'on ait jamais vu jusqu'ici » (*J.O.D.*, p. 537), l'adjectif emprunté à Malebranche prouve que l'éloge ne va pas sans de graves réserves.

103. Satire IX, à Monsieur Rapin, v. 94 (*Œuvres complètes* publiées par G. Raibaud, Paris, 1958, p. 98). Le nom de Régnier est ici un peu plus qu'une « allusio » rhétorique : Marivaux l'a lu, comme il a lu et admiré les autres écrivains de l'époque baroque, Sorel, Du Ryer, Rotrou ; le portrait de Doucin (*P.P.*, p. 59) contient un souvenir de la satire que nous citons : « imaginez-vous de courts cheveux dont l'un ne passe pas l'autre » ; « Propres en leur coiffure, un poil ne passe l'autre », disait Régnier au vers 81.

de sa mère, les dix-huit premières années du jeune homme. Sur le récit central se greffent des histoires secondaires, qui contiennent elles-mêmes d'autres histoires, en disposition concentrique ; toutes ces histoires sont racontées à la première personne ; lorsque l'une d'elles est répétée par quelqu'un qui n'y a pas été acteur, l'intermédiaire, par un artifice explicite de présentation, s'efface et laisse la parole au principal intéressé. Conformément à l'esthétique baroque, les histoires insérées n'ont pas forcément de rapport direct avec l'intrigue centrale, l'auteur devant au contraire prouver son habileté en rattachant le plus naturellement possible à cette intrigue les épisodes les plus variés et les plus éloignés [104]. Le dénouement met fin non seulement à l'intrigue principale, mais aussi à celles des intrigues secondaires dont la conclusion avait été laissée en suspens. Un des modèles de Marivaux a sans doute été La Calprenède, dont la *Cassandre* est composée selon ces principes. Le plan a dû être plus soigneusement conçu que ne le sera celui des autres romans, car la correspondance est exacte entre le préambule et la conclusion : le père de Clorante, que l'on croyait mort, revient en France et retrouve son fils ; le lien entre le plus long des récits insérés et l'intrigue centrale est mis en lumière, et une allusion à son dénouement prouve que Marivaux savait où il allait [105]. Le schéma ci-contre rendra la composition plus facile à comprendre que ne le ferait une analyse.

104. « C'est ici que mon ami finit toute son histoire. Je souhaite que les accidents dont elle est variée, intéressent encore plus que le commencement [...] » (*O.C.*, t. VI, p. 248). *O.J.*, 307.

105. « Au reste, Madame, si le récit d'Isis emporte la plus grande partie des aventures de Clorante, vous ne le trouverez pas si extraordinaire, quand vous ferez réflexion que dans cette histoire est mêlée celle de Caliste elle-même, et que celle de Frédelingue et de Parménie, qu'elle raconte, ont un rapport nécessaire avec la sienne ; que d'ailleurs l'épisode n'est point étrangère, puisqu'elle est un récit des aventures des principaux personnages, je veux dire de Caliste et d'un autre qu'il n'est point temps que vous connoissiez encore ». (*Ibid.*, t. VI, p. 178. *O.J.*, 271.)

Avis au lecteur, par l'éditeur (absent des *O.C.*).

A. L'auteur présente son ami le narrateur.

  B. Récit du narrateur, mêlé de réflexions à la Dame : Histoire du père de
        Clorante.

    C. Récit du domestique du père de Clorante à Clorante : Mort du père de
          Clorante.

  B. Récit du narrateur : Voyage de Clorante. Il rencontre Clarice, puis Caliste ;
        délivre Caliste prisonnière de Périandre, et est fait prisonnier par
        Turcamène, qui séquestre Clarice.

    D. Récit de Cliton à Clorante : Pourquoi il va le faire évader après lui avoir
          sauvé la vie.

  B. Récit du narrateur : Clarice, Clorante et Cliton s'enfuient de chez Turcamène ;
        Clarice chez la paysanne Fétime.

    E. Récit de Fétime à Clarice : Histoire de l'orpheline Dorine.

  B. Récit du narrateur : Sentiments de Clarice envers Caliste, hébergée chez
        Fétime.

    F. Récit de Caliste à Clarice : Histoire de son père Frédelingue, qui délivre
         Parménie et tue son ravisseur, le frère de la Princesse.

      G. Récit de Parménie à Frédelingue : Sa mère adoptive ; elle retrouve son
            père.

  B. Récit du narrateur : Un inconnu blessé est amené chez Fétime.

      G. Suite du récit de Parménie : Intrigues rivales de Mériante, Tormez, la
         Princesse ; Parménie séquestrée par la Princesse, puis par Tormez,
         délivrée par le fils du concierge, réfugiée chez Merville.

        H. Récit de Merville à Parménie : Amours en Angleterre ; enlèvement
           de Misrie ; Merville prisonnier des Barbaresques.

          I. Récit de Misrie à Merville et à Guirlane : Elle avait été enlevée par
            un Anglais.

           J. Récit de l'Anglais à Misrie : Il s'était trompé de personne.

          I. Fin du récit de Misrie : Chez les Sauvages, puis chez les Barbaresques.

          K. Récit de Guirlane à Merville et à Misrie : Comment elle a épousé
            un Barbaresque et est devenue propriétaire de mines et d'esclaves.

        H. Fin du récit de Merville : Mariage et mort de Misrie ; retour en
          France avec un fils.

      G. Fin du récit de Parménie : Elle doit quitter Merville ; elle est séquestrée
         par le frère de la Princesse.

    F. Suite du récit de Caliste : Mariage et mort de Frédelingue. Caliste est
         persécutée par Périandre.

  B. Récit du narrateur : Justification du récit de Caliste ; intérêt pour le blessé
        inconnu.

    L. Récit de l'inconnu (Emander) à Caliste, Clorante et Fétime : Intrigue
         avec la sœur de Fermane ; il délivre une prisonnière de Fermane,
         est exilé par Fermane et déposé dans une île ; vie chez les
         sauvages ; un naufrage y jette l'ancienne prisonnière de Fermane.

      M. Récit de la prisonnière : Treize ans de cachot souterrain.

    L. Suite du récit d'Emander : Retour en France ; il délivre Clorante pri-
         sonnier.

      N. Récit de Clorante à Emander : Il a retrouvé Clorine.

        O. Récit de Clorine à Clorante : Elle n'a pas retrouvé Caliste.

      N. Fin du récit de Clorante à Emander : Il a été fait prisonnier par
         Périandre.

    L. Fin du récit d'Emander : Il n'a pas réussi à délivrer une fille attaquée,
         il a été blessé ; il se nomme : Frédelingue.

  B. Récit du narrateur : Reconnaissance de Caliste et de son père.

    F. Fin du récit de Caliste : Comment elle est venue chez Fétime.

  B. Récit du narrateur : Clarice, Caliste, Fétime partent à la recherche de
        Clorante et de Clorine. Rencontre de Turcamène et de Périandre,
        arrivée de Clorante et de Clarine, mort de Turcamène, de Périandre
        et de Clarice. Clorante est accompagné d'un Anglais.

    P. Récit de l'Anglais : Il est le père de Clorante.

  B. Récit du narrateur : Reconnaissance de Clorante et de son père.

    P. Fin du récit de l'Anglais : Comment il a échappé à ses persécuteurs en
         Angleterre.

  B. Récit du narrateur. Mariage de Clorante et de Caliste, conclusion.

A. L'auteur met le point final au récit de son ami.

Marivaux a raison de dire que le récit de Caliste « emporte la plus grande partie des aventures de Clorante », il représente à lui tout seul presque la moitié du roman ; le récit à la troisième personne, fait par le narrateur, « ami » de l'auteur, en représente moins du tiers [106]. Marivaux s'est compliqué la tâche en s'imposant une double loi : faire en sorte que chacun des principaux personnages soit mis au courant de l'histoire de tous ; faire répéter le plus de récits possible par d'autres que ceux qui en ont vécu les événements ; ainsi des faits dispersés dans le temps et dans l'espace sont réunis dans le même moment et dans le même lieu, la multiplicité est réduite à l'unité. On remarquera aussi la place privilégiée qu'occupe Clarice : dans l'intrigue, elle joue le rôle de rivale confidente, les protagonistes étant Clorante et Caliste ; mais elle est la seule dont toute l'histoire soit renfermée dans le récit principal, sans aucun complément dans des récits secondaires ; elle n'a ni parents à retrouver, ni passé à raconter, elle est un élément autonome dans la texture de l'œuvre : aussi est-elle le seul personnage intéressant de l'intrigue centrale, et peut-être le plus intéressant de tout le roman [107].

Le bourgeonnement des récits s'accompagne de reprises, comme si Marivaux n'arrivait pas à imaginer d'histoires radicalement différentes, ou comme s'il cherchait des effets de redoublement et de miroir : dans toute son œuvre, la répétition est un trait aussi accusé que l'inachèvement.

L'intrigue du récit central peut se schématiser de la façon suivante : Clorante (A) est amoureux de Caliste (B), qui l'aime aussi ; il doit l'arracher à la tyrannie de Périandre (C), amoureux non aimé ; il est d'autre part aimé de Clarice (D), tyrannisée par Turcamène (E), amoureux non aimé. Dans le dernier épisode, Turcamène et Périandre ont uni leurs efforts contre Clorante et pour la reprise de leur proie respective. En représentant par une flèche la passion qu'un personnage porte à un autre, et par une flèche en pointillé le lien d'un personnage avec un autre (compassion, estime, subordination, solidarité, parenté), on obtient la figure suivante :

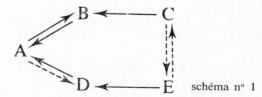

schéma n° 1

---

106. Total des pages, dans les *O.C.* : 564 ; récit de Caliste : 295 ; récit du narrateur : 165 ; ensemble des autres récits : 103. L'édition originale est en cinq tomes, de 323, 324, 288, 265 et 229 pages, le tome quatre comportant deux parties (177 + 88 pages). Ces divisions ne répondent jamais à des articulations importantes du récit ; entre I et II, entre III et IV, 1, entre IV, 1 et IV, 2, il n'y a même pas de pause dans l'action. Le tome III paru avec les deux derniers presque deux ans après les deux premiers (voir *supra*, chap. I, n. 22), comporte deux pages d'introduction, « discours » de l'« amy » de l'auteur à la Dame ; l'auteur lui-même enchaîne avec lourdeur : « C'est là le discours que mon amy continue d'adresser à la Dame, en continuant aussi son Histoire ; et voicy la suite des Avantures de son Héros ».

107. Voir *supra*, chap. III, p. 98-101.

Cette figure se retrouve, identique ou modifiée, plusieurs fois dans le reste du roman. Nous rangeons ses occurrences dans l'ordre de ressemblance dégressive :

Merville (*A*) aime Misrie (*B*), fille de l'Anglais Hosbid, et il est aimé d'elle, mais aussi de Guirlane (*D*), femme d'Hosbid. Comme Clarice, Guirlane fait appel à la générosité de celui qu'elle aime, mais elle le supplie de partir pour ne pas la rendre plus malheureuse, alors que Clarice priait Clorante de l'emmener avec lui. Le rôle du rival (*C*) est tenu par un jeune seigneur anglais, à qui Misrie était promise, et qui se tue maladroitement en se battant avec Merville ; le rôle de l'autre rival (*E*) est tenu par le mari ; il y a solidarité entre *C* et *E*, et sympathie de *A* pour *D*, puisque Merville est sensible à la tendresse et à l'« honnêteté » de Guirlane, mais, « comme enchaîné » par l'amour, n'a pas la force de partir. Le schéma est exactement le même que le précédent.

Frédelingue (*A*) aime Parménie (*B*) depuis le moment où il l'a découverte dans le pavillon où elle est séquestrée, et elle ne tardera pas à lui avouer qu'elle l'aime aussi ; mais il est aimé de la Princesse (*D*), dont il avait accepté, en « honnête homme », un rendez-vous galant, sans savoir qu'il lui était proposé par elle ; elle a pu se tromper à son attitude et croire qu'il l'aimait, de toute façon il n'est pas libre d'ignorer son amour. Le rival (*C*) est le frère de la Princesse, qui séquestrait Parménie. Frédelingue le tuera. Le schéma comporte un élément de moins que le précédent. On peut établir entre *C* et *D* une solidarité, puisqu'il s'agit du frère et de la sœur :

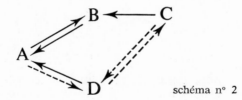

schéma n° 2

Mériante (*A*) aime Parménie (*B*) qui ne l'aime pas, mais ressent pour lui « une compassion d'estime et d'amitié » ; il a pour rival Tormez (*C*) ; il est aimé de la Princesse (*D*), dont il n'a pas le droit de mépriser l'amour. La Princesse voudra faire épouser Tormez à Parménie, et lorsqu'elle renoncera à se venger, Tormez réussira à séquestrer Parménie à son tour. Le schéma diffère du schéma n° 2 par l'affaiblissement de la relation entre *A* et *B* :

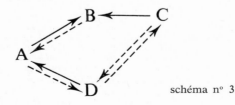

schéma n° 3

On remarquera que ce schéma est un redoublement simplifié de la branche inférieure du schéma n° 1.

Merville (*A*) est aimé d'Halila (*B*) et pénétré de « compassion » pour cette femme qu'il ne peut pas aimer et qu'il ne veut pas « chagriner ». Halila est l'épouse de Méhémet (*C*), auquel l'esclave Frosie (*D*), amoureuse repoussée de Merville, a dénoncé des relations qu'elle prétend coupables [108]. Les flèches entre *A* et *B* doivent être inversées, et la flèche qui va de *A* à *D* supprimée :

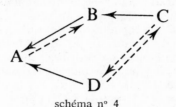

schéma n° 4

Frédelingue (*A*) veut délivrer une prisonnière (*B*) que Fermane (*C*) séquestre dans un cachot ; il est aimé par la sœur de Fermane (*D*), et regrette de ne pouvoir l'aimer lui-même. La relation entre *A* et *B* est encore plus affaiblie que dans le schéma n° 3, le lien entre *C* et *D* est de fraternité, comme dans le schéma n° 2 [109] :

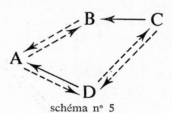

schéma n° 5

Il nous semble également possible de construire selon une variante de ce schéma les relations entre les personnages d'un autre épisode, celui où le père de Clorante est sauvé de la prison et de

---

108. On reconnaîtra là une situation qui est traitée dans *La Provençale*, petit roman attribué à Regnard : Zelmis, esclave d'Achmet, est aimé à la fois de deux des femmes de son maître, Immona et Fatma. Comme il se montre froid à ses avances, Immona croit qu'il aime Fatma (en réalité il aime la Provençale Elvire) et les dénonce tous deux à Achmet. Comme Merville pour Halila, Zelmis, dans un autre épisode du roman, joue le rôle de peintre et dessine des cœurs étroitement unis pour Elvire, esclave au harem de Baba-Hassan. *La Provençale* n'ayant paru qu'en 1731, et n'étant sans doute pas de Regnard (mort en 1709), il faut probablement chercher la source de Marivaux parmi les nombreux textes qu'a énumérés G. Turbet-Delof dans un article intitulé « *La Provençale* est-elle de Regnard ? », *R.H.L.F.*, mai-juin 1970, 70ᵉ année, n° 3, p. 471-476. *La Provençale* a été rééditée en 1963 par Jean-Clarence Lambert avec le *Voyage en Laponie* (Paris, Le monde en 10/18).

109. Fermane jouant le rôle de tyran et Frédelingue celui de libérateur, le schéma que nous proposons est justifié. Mais l'existence d'une rivale de la prisonnière complique les choses : c'est sur l'intervention de cette rivale, qu'il doit épouser, que Fermane fait déporter Frédelingue dans une île. Le schéma pourrait alors être voisin du schéma n° 1, mais pivoterait sur un personnage féminin, non sur un personnage masculin :

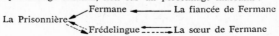

la mort ; il faut pour cela remplacer la fonction du rival (*C*) par une fonction d'obstacle, d'hostilité, remplie par les ennemis politiques du prisonnier ; la fonction de l'amoureuse non aimée (*D*) est remplie par la dame anglaise qui sauve le prisonnier : elle s'est exposée pour lui par reconnaissance, elle l'a probablement aimé autrefois, car il déclare qu'il l'aurait épousée s'il avait été plus riche. La mère de Clorante remplit la fonction B. La dame anglaise étant la femme d'un des ennemis politiques du prisonnier, le lien entre D et C existe :

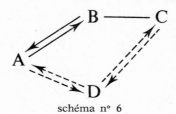

schéma n° 6

mais la fonction *C* se caractérise dans les autres schémas par la violence de la jalousie amoureuse ; en la remplaçant par une fonction d'obstacle, nous tombons dans le schéma classique, celui des tragédies raciniennes par exemple, où l'amour réciproque entre deux jeunes gens se heurte à la jalousie d'un rival, d'une rivale, ou à la raison d'Etat, schéma trop simple pour être utile [110].

Dans ces divers schémas, les personnages d'amoureux et d'amoureuses sont assez pâles ; au contraire ceux qui aiment sans être aimés ont des caractères plus fermement dessinés. Turcamène, Périandre, Tormez, le frère de la Princesse, Fermane sont les représentants variés d'un même type, celui de l'homme violent, incapable de résister à ses désirs et avouant cette impuissance comme une excuse, ayant besoin de tenir en son pouvoir la femme aimée, emprisonnée, séquestrée loin des regards ; prêt à faire couler son sang ou à la battre si elle résiste et à adorer les blessures qu'il lui aura faites, il passe d'une brutalité sadique à une humilité d'esclave envers elle ; l'Anglais qui enlève Ostiane à celui qu'elle allait épouser est aussi à ranger dans cette catégorie de personnages [111]. Les rivales malheureuses ont encore une plus grande diversité : Clarice d'abord,

110. Friedhelm Alfred Friedrichs (*op. cit.*, p. 29-42) en étudiant dans les comédies et les romans de Marivaux le motif de l'« arbitre-rival » (qui ne nous paraît pas avoir autant d'importance qu'il lui en attribue) montre très justement l'origine dramatique de ce motif : c'est celui de *Britannicus* (Néron arbitre-rival entre Junie et Britannicus), et celui de la tragédie jouée en société dans *Pharsamon*, où Clorine et Oriante tiennent les principaux rôles (« un Prince et une Princesse qui s'aimoient, et qu'un Roi jaloux chez qui ils étoient, entreprenoit par la force de séparer », *O.C.*, t. XI, p. 146. *O.J.*, 468).

111. L'imprudent fiancé a montré secrètement à son ami les beautés de celle qu'il aimait, comme Candaule avait montré sa femme à Gygès (il y avait un dialogue de Candaule et de Gygès dans les *Nouveaux Dialogues des morts* de Fontenelle, 1683). Le thème de la beauté épiée est un thème caractéristique du roman baroque : voir par exemple *L'Orphize de Chrysante*, de Ch. Sorel (1626), où l'on trouve une histoire analogue à celle de Candaule, et *L'Ariane* de Desmarets de Saint-Sorlin (1632).

dont nous avons vu le caractère ; la Princesse, qui, à la différence de
Clarice, ne se résigne pas à souffrir et abuse facilement de son
pouvoir, mais qui éprouve des remords après s'être laissé emporter,
sans pouvoir réparer le mal qu'elle a commis ; Guirlane, suppliante,
jalouse, imprudente, généreuse ; la sœur de Fermane, douce, discrète, un peu âgée pour être amoureuse, une de ces femmes dont
Marivaux semble avoir plaint les déconvenues et deviné les succu-
lences cachées ; la dame anglaise qui sauve le père de Clorante n'est
pas à proprement parler une amoureuse, et Frosie est un exemple
tout à fait banal de rivale déloyale, mais Halila, bien qu'elle n'ait
pas dans les schémas que nous avons dessinés la même fonction
que les précédentes, est un type d'amoureuse non aimée que Marivaux
a voulu rendre intéressant.

Les actions sont forcément aussi ressemblantes que les schémas
de relations. Dans toutes les intrigues du roman on retrouve, complète
ou non, la suite : enlèvement, séquestration, évasion, le chevalier
servant qui aide à l'évasion étant quelquefois lui-même déjà condamné
à mort par le rival, ou risquant sa vie dans son entreprise ; Périandre
tient Caliste sous sa domination, Clorante la délivre et est blessé
dans le combat ; Turcamène garde Clarice prisonnière, c'est encore
Clorante qui la fait évader, en échappant lui-même au poison ; Parménie, d'abord séquestrée par la Princesse, est ensuite enlevée et
séquestrée par Tormez, délivrée par le fils du concierge, qui s'est
épris d'elle ; séquestrée de nouveau, par le frère de la Princesse,
elle est délivrée par Frédelingue et s'enfuit avec lui ; Frédelingue
essaie de délivrer la prisonnière de Fermane, il échoue, la jeune fille
est remise pour treize ans au cachot, Frédelingue est transporté
chez les sauvages ; Misrie est tenue emprisonnée par son père Hosbid
tandis que Merville est condamné à mourir empoisonné : il échappe
à la mort grâce à Guirlane, il enlève Misrie qui, malheureusement,
lui est presque aussitôt enlevée par un Anglais ; cet Anglais venait
d'enlever Ostiane, qui avait réussi à s'enfuir... Ces répétitions ne témoignent pas d'un goût particulier de Marivaux, d'une obsession
ou d'un mythe personnel : il ne sait pas inventer une action romanesque, on peut même dire qu'il ne le saura jamais, et il revient
inlassablement au modèle que lui fournit la tradition du roman
baroque. Il procède volontairement par séries, reprenant deux ou
trois fois la même situation ou le même épisode, par commodité,
mais déjà dans le dessein de faire apparaître l'originalité des
comportements dans l'analogie des circonstances : c'est le principe
qui présidera au parallélisme de *La Vie de Marianne* et du *Paysan
parvenu*. Il n'est encore appliqué que de façon très rudimentaire, et
l'on peut se borner à relever que trois fois une femme se déguise
en homme pour échapper à ses poursuivants : Clorante, Parménie,
Misrie, celle-ci se trouvant dans une situation équivoque que Marivaux
exploitera dans *La Fausse Suivante* et dans *Le Triomphe de l'amour* ;
mais, dans *Les Effets surprenants*, elle n'est qu'un souvenir affadi
de la même tradition romanesque ; — que trois fois un personnage

se tue lui-même, par maladresse, dans un combat contre ses ennemis :
Adislas, père de Parménie, quand la Princesse veut enlever sa fille,
le jeune seigneur anglais, rival de Merville, quand il l'a surpris dans
la compagnie de Misrie, Clarice enfin, qui a du moins le temps de tuer
Turcamène avec le poignard même qu'il tenait, et sur lequel elle
s'était mortellement blessée ; ces morts sont conformes à la bienséance ; — que trois fois un domestique sauve la vie et la liberté
au prisonnier de son maître, parce qu'il a horreur du crime et pitié
de la victime : Cliton, domestique de Turcamène, chargé d'empoisonner Clorante, le domestique d'Hosbid chargé d'empoisonner Merville, le domestique de Fermane chargé de garder l'inconnue séquestrée dans un cachot ; — que les trois personnages qui s'enfuient
de chez Hosbid sont tous les trois presque en même temps et dans
des lieux très différents faits prisonniers par des Barbaresques ; —
que deux musulmans, qui n'auraient pas dû boire d'alcool, sont l'un
après l'autre victimes de l'ivresse, l'un, Méhémet, le mari d'Halila,
mourant noyé, assoupi « par les fumées du vin », l'autre, le mari de
Guirlane, mourant des suites d'une débauche où il avait pris « toutes
sortes de liqueurs »...

Il est plus intéressant de noter les motifs que Marivaux s'est
rendus plus personnels.

D'abord celui des sauvages : ils apparaissent deux fois, brièvement dans l'histoire de Misrie, longuement dans celle de Frédelingue ;
sept ou huit ans avant *Robinson Crusoe*, vingt ans avant *Cleveland*
et *Les Aventures de Monsieur Robert Chevalier*, Marivaux les intro-
duisait dans une œuvre romanesque ; il les peint avec une si prodigieuse naïveté qu'on peut se demander à qui il en emprunte l'image [112].
Ils reparaîtront dans une des histoires de *Pharsamon* : Marivaux
considère cet épisode exotique comme un élément presque aussi
nécessaire dans un roman d'aventures que la captivité chez les
Barbaresques.

Les sauvages sont l'humanité dans un état primitif sur lequel les
civilisés peuvent faire des réflexions philosophiques : Frédelingue
apporte aux sauvages, avec le feu et les premiers rudiments de la

112. Ni Denis Veiras (*Histoire des Sevarambes*, 1677), ni G. de Foigny (*La Terre australe
connue*, 1676) n'avaient décrit de sauvages ; Tyssot de Patot non plus (*Voyages et aventures de Jacques Massé*, 1710) ; les récits des voyageurs, ceux de La Hontan notamment
(*Nouveaux voyages dans l'Amérique septentrionale, Mémoires, Dialogues curieux* [...], 1703) lui
auraient fourni les éléments d'une ethnologie moins enfantine (y a-t-il pourtant un souvenir
de La Hontan dans la façon dont Marivaux décrit le mariage ? Le prétendant offre un
rameau ; si la fille ne lui rend pas la moitié de ce rameau, elle doit le suivre : ignorant
le feu, les sauvages de Marivaux ne peuvent évidemment pas « courir l'allumette »). Ses
descriptions font plutôt penser aux récits du XVIᵉ siècle, à Magellan, par exemple, qui
distribuait des miroirs aux Patagons (voir *Arlequin sauvage*, de Delisle de la Drevetière, et
La Dispute, de Marivaux, comédies toutes deux postérieures à *Pharsamon* où les sauvages
déjà s'émerveillent d'un miroir). Aucun rapprochement ne semble possible avec le *Criticón*
de Gracian que Marivaux a pourtant sans doute lu. Les seuls sauvages qui aient ignoré le
feu sont les Mariannais (voir Michèle Duchet : *Anthropologie et histoire au siècle des
Lumières*, Paris, 1971, p. 310, n. 177) ; Marivaux a peut-être emprunté certains détails à
l'*Histoire des Isles Mariannes*, par le père Le Gobien (1700 ; le texte est reproduit dans
l'*Histoire des navigations aux terres australes*, de Charles de Brosses, 1756, article XLIX, t. II,
p. 492-512).

technique, des institutions, celles du moins que leur barbarie peut accepter. Nous voyons ce que sont à leur naissance la société, la famille, la religion selon la nature. La retraite à la campagne permet elle aussi de méditer sur les vices de la civilisation : le thème apparaît trois fois dans *Les Effets surprenants*, sous sa forme la plus développée dans l'histoire de Parménie, lorsque Parménie quitte sa mère adoptive pour aller vivre à la ville et à la cour avec son père ; sous une forme plus brève dans l'histoire de Parménie encore, lorsque Parménie cherche refuge chez Merville ; et dans le récit central, lorsque Clarice reçoit l'hospitalité de Fétime.

A l'origine de l'histoire de Parménie est un amour contrarié : son père Adislas et sa mère Phronie avaient dû s'épouser secrètement, dissimuler la naissance de l'enfant confiée à une nourrice, et lorsque leur mariage avait pu être publié, la nourrice et l'enfant étaient morts, leur maison ayant été détruite par un incendie. En fait, la fillette avait été sauvée et recueillie par une dame généreuse. L'amour de Misrie et de Merville est aussi un amour contrarié : Hosbid veut obliger sa fille à épouser un seigneur anglais, elle s'enfuit, le mariage avec Merville n'aura lieu qu'après bien des aventures. Le thème se retrouve dans *Pharsamon* et sera au centre de *La Vie de Marianne*.

A ce même thème se rattache celui de l'orphelin ou de l'enfant trouvé. Il appartient à la thématique romanesque la plus ancienne ; dans le roman héroïque, il servait surtout à montrer la noble générosité et la grandeur d'âme de personnages de naissance inconnue, qui par la suite se découvraient fils de roi, et le dénouement consistait en une cascade de reconnaissances [113]. Après Mme de Villedieu, Courtilz de Sandras, l'auteur anonyme du *Paysan de qualité* et quelques autres, Marivaux va donner au thème une signification sociale et un contenu psychologique nouveaux [114]. Clorante et Caliste sont orphelins, chacun retrouvera son père ; Dorine, recueillie par Fétime, est orpheline ; Parménie a vécu toute son enfance et son adolescence chez une mère adoptive et retrouve son père ; le fils de Merville et de Misrie a perdu sa mère dans son jeune âge et son père l'élève loin de l'agitation des hommes, dans la solitude ; le thème appartient si naturellement à ce qu'on pourrait appeler la vraisemblance de la convention que Parménie, avant de se déguiser en homme, quand elle vient d'échapper à Tormez, se fait passer auprès de ceux qui l'assistent pour une enfant enlevée : « J'ignore, leur dis-je, le nom de mes parents et le lieu de ma naissance ; je fus enlevée de chez mon père dans mon enfance » [115]. Nous verrons plus

---

113. Sur tout ce qui concerne le roman baroque, ses sources, sa technique, ses thèmes, voir l'ouvrage fondamental de M. Magendie, *Le Roman français au dix-septième siècle, de « L'Astrée » au « Grand Cyrus »*, Paris, 1932.

114. Mme de Villedieu, *Mémoires de la vie d'Henriette-Sylvie de Molière*, 1671-1674 ; Courtilz de Sandras, *Mémoires de Mr de B ***, 1711 ; (anonyme), *Mylord *** ou le Paysan de qualité*, 1700.

115. *O.C.*, VI, p. 11. *O.J.*, 181. Dans *Pharsamon*, l'héroïne de l'« Histoire du Solitaire » sera aussi une orpheline déguisée en homme, Clorine. Elle avait été enlevée à ses parents dès sa naissance.

loin de quelles parties ce thème se compose et quel développement elles ont reçu jusqu'à *La Vie de Marianne* [116].

D'une façon générale ce premier roman, si maladroit et si monotone, est pour Marivaux un magasin d'où il tirera des éléments d'intrigue pour ses autres romans et pour son théâtre ; c'est le cahier de brouillon où il a essayé ses facultés d'écrivain et donné une forme provisoire aux thèmes auxquels son imagination s'était intéressée, parce qu'il les avait rencontrés dans ses lectures ou dans quelque représentation théâtrale. L'histoire de la Princesse, qui malgré sa beauté et son pouvoir ne peut se faire aimer par un seigneur de sa cour, Mériante d'abord, Frédelingue ensuite, se voit préférer Parménie, veut se venger et finit par pardonner, se retrouve, modifiée selon les nécessités de la scène, dans *Le Prince travesti* [117] ; le fils de Merville, jeune sauvage qui devient amoureux de Parménie, annonce *Arlequin poli par l'amour*, ou du moins prouve que Marivaux de bonne heure a songé à montrer comment une conscience s'éveille en même temps que le cœur [118] ; la sœur de Fermane, cette dame douce et sentimentale qui rêve d'un amour d'arrière-saison, aura dans *Pharsamon* une sœur ridicule, Félonde, dans *Le Paysan parvenu* plusieurs sœurs tendres et sensuelles ; Misrie, aimée à la fois par son patron barbaresque et par sa patronne dupe de son travesti, est le prototype du « Chevalier » de *La Fausse Suivante* et de Léonide-Phocion du *Triomphe de l'amour* ; Clarice qui désire s'attacher à sa rivale Caliste pour l'entendre parler de Clorante est dans une situation analogue à celle où se trouvera Marianne écoutant le cruel récit de Mlle Varthon et « ne pouva[nt] renoncer au déchirement qu'il [lui] causait » : la ressemblance de la situation fait apparaître le progrès de l'analyse [119] ; de même, si le fidèle Clorante n'est qu'un peu « retardé » par sa pitié pour Clarice, à laquelle sa femme de chambre Philine a eu tort de prophétiser : « il vous a vu mourante, espérez tout », le trop humain Valville, « extrêmement susceptible d'impression », quittera Marianne pour « une beauté mourante qui le touche » [120].

Certaines répétitions intérieures aux *Effets surprenants* sont des symétries poussées, par exemple celle qui apparaît dans notre

---

116. Voir *infra*, p. 401 sq.

117. Voir la notice de F. Deloffre en tête de cette pièce, *T.C.*, tome I, p. 322-324.

118. *V.M.²*, p. 369.

119. *V.M.²*, p. 119 ; le rapprochement est fait par F. Deloffre, *ibid.*, n. 1, dont nous ne partageons pas la conclusion : « La psychologie des personnages même n'a pas foncièrement changé ». Clarice agit par amour, par ce que Marivaux appelle « un effet prodigieux de son amour » (*O.C.*, t. V, p. 471. *O.J.*, 112.), sa conduite est celle d'une généreuse héroïne de roman. Il n'y a rien de « prodigieux » dans la conduite de Marianne, qui n'est pas femme à servir par amour l'amour de sa rivale. D'autre part, Caliste n'a pour ainsi dire aucun caractère, tandis que Varthon est complexe et secrète.

120. *O.C.*, t. V, p. 317. *O.J.*, 32 et *V.M.²*, p. 376. Mlle Varthon (*ibid.*, p. 378) emploie exactement la même expression que Philine : « D'où lui est venue cette fantaisie de m'aimer dans de pareilles circonstances ? Hélas ! je vais vous le dire : c'est qu'il m'a vue mourante ». F. Deloffre a montré l'origine romanesque de certaines situations traitées par Marivaux dans ses comédies (« Sources romanesques et création dramatique chez Marivaux », *Annales Universitatis Saraviensis*, III, 1/2, 1954, *Mélanges d'histoire littéraire offerts à M. Paul Dimoff*, p. 59-66).

schéma n° 1 (Caliste et Clarice toutes deux amoureuses de Clorante, toutes deux aimées par un brutal, toutes deux sauvées par Clorante, toutes deux réfugiées chez Fétime, toutes deux rejointes par leurs tyrans dans le dernier épisode), ou celle qui apparaît dans nos schémas n° 2 et n° 3 (Mériante joue pour son malheur envers la Princesse, Parménie et Tormez le rôle que jouera avec plus de chance Frédelingue envers la Princesse, Parménie et le frère de la Princesse), ou celle qui existe entre les destins de Caliste et de Clorante (tous deux croient leur père mort et le retrouvent quand il revient en France, veuf et sans grand espoir de revoir son enfant) ; mais d'autres sont les fragments d'un ensemble qui n'a pas pris forme, et qu'elles dispensent de prendre forme : l'inachèvement est étroitement solidaire de la répétition. Marivaux se contente d'indiquer des variantes possibles, comme s'il se réservait le droit de traiter autrement tel ou tel épisode, ou s'il se désintéressait des aboutissements quand il a exploité les ressources sentimentales et psychologiques d'une situation. Il aborde un même thème par divers biais, et l'abandonne sans conclure. L'histoire de Dorine reste en suspens, une étrange contamination de noms entre Dorine et Clorinde suggère un épisode ébauché dans l'histoire de Parménie, qui elle-même fournit un dénouement plausible : qu'importe alors de ne pas savoir qui est réellement Dorine, si elle retrouvera sa famille, qui sont les agresseurs de Clorinde et pourquoi ils l'ont attaquée, pourquoi la mort du seigneur étranger qui voulait enlever Parménie n'a eu aucune suite, etc. [121] ? Le lecteur peut se composer une histoire à sa fantaisie.

*
**

Dans *Les Effets surprenants*, intrigue centrale et récits insérés appartiennent au même monde romanesque. Dans *Pharsamon*, seuls les récits insérés sont romanesques, l'intrigue centrale est bouffonne : mais nous avons vu que Marivaux avait joué de l'équivoque entre les deux registres, et que ce jeu marquait une étape de sa réflexion sur le romanesque [122]. La composition peut être figurée par deux cercles, un petit cercle représentant la première sortie de Pharsamon

---

121. Dans toutes les éditions des *Effets surprenants*, la jeune fille que Clorante vient d'arracher à ses ravisseurs, et qui l'accompagne au moment où il intervient dans le combat final contre Périandre et Turcamène, s'appelle Clorine (*O.C.*, t. VI, p. 234. *O.J.*, 300). C'est évidemment Clorinde, la suivante de Caliste ; les deux femmes avaient fui ensemble de chez Périandre, s'étaient séparées et n'avaient pu se retrouver ; mais cette Clorinde est appelée par erreur Dorine dans le récit fait par Caliste à Clarice (*O.C., ibid.*, p. 176. *O.J.*, 270) et dans le récit fait par Clorante à Frédelingue-Emander (Clorante l'avait retrouvée une première fois et elle lui avait appris qu'elle avait perdu Caliste, *ibid.*, p. 222. *O.J.*, 294). Dans tous les cas, il s'agit bien de Clorinde, elle ne connaît pas Clarice et n'est pas connue d'elle (*ibid.*, p. 235. *O.J.*, 300 ; il est vrai que « sans la connaître » pourrait signifier « sans la reconnaître ») alors que Dorine, fille adoptive de Fétime, lui a été longuement présentée. Marivaux a fini par s'y perdre et n'a jamais corrigé son erreur, mais cette erreur est bien révélatrice : elle n'aurait pas été possible, ou elle aurait été corrigée, si Marivaux ne se représentait pas chaque épisode comme une variable dans une série. Au début de l'histoire de Parménie figure un épisode où la jeune fille est sauvée par un inconnu — son propre père — d'une agression commise par un amoureux.

122. Voir *supra*, chap. III, p. 104-106.

(départ du château, découverte du château de Cidalise, duel avec le rival, blessure, convalescence, retour), un cercle un peu plus grand représentant la seconde sortie (départ du château, stations dans la maison du Solitaire, dans la maison de campagne où est enfermée Cidalise, dans la maison des noces, dans la maison de Félonde où Célie raconte son histoire, retour définitif). C'est ainsi qu'est composée la première partie de *Don Quichotte de la Manche*, mais le rayon des cercles est beaucoup plus court dans *Pharsamon* : l'action se déroule en quelques jours (un jour pour la première aventure, plus quelques jours de convalescence ; un jour pour chaque aventure du second cercle), dans un canton de campagne qu'on peut traverser en deux ou trois heures, à pied ou à cheval.

Les répétitions, qui dans *Les Effets surprenants* résultaient du dessein de rester dans la même thématique, ont plus de subtilité dans *Pharsamon*. L'étroitesse du champ d'action interdisait un grand nombre d'aventures, Marivaux a choisi les cinq les plus typiques qui pouvaient arriver à un chevalier errant : Pharsamon se bat contre un rival, résiste au charme dangereux d'une beauté qui voulait le rendre infidèle, arrache sa Dame à la persécution d'une prétendue magicienne, venge son honneur offensé en la personne de son écuyer, et sauve la vie à une jeune fille poursuivie par un ennemi cruel. En l'absence de répétitions dans les événements de l'intrigue centrale, on constate une régularité mécanique des aventures : Pharsamon sort de l'une pour tomber dans une autre, trois fois son extravagance provoque un déchaînement de violence grotesque ; deux fois aussi l'aventure est l'occasion d'un long récit [123]. Mais la répétition existe à d'autres niveaux, selon trois axes de symétrie :

— Le premier axe sépare les maîtres, Pharsamon, Cidalise, Clorine, des domestiques, Cliton, Fatime, Elice. Le parallélisme entre les maîtres et les subalternes était chez Molière [124], où la conduite des domestiques créait un dérivatif comique à la tension née entre les maîtres et donnait à la brouille une allure de ballet. Marivaux reprendra plusieurs fois le procédé au théâtre, en lui donnant un contenu psychologique et social : parodiés par les domestiques, les maîtres comprendront (avec dépit, d'abord) tout ce qu'il y a de réalité dans cette parodie, les domestiques n'ayant pas de préjugés à respecter, et seront entraînés à prendre conscience de ce qu'ils se cachaient à eux-mêmes et à avouer ce qu'ils voulaient taire [125]. Mais

---

123. L'ouvrage est divisé en deux tomes comprenant chacun cinq parties. Dans l'édition originale (à Paris, chez Prault père, MDCCXXXVII) la pagination est continue d'un tome à l'autre, 714 pages en tout ; l'impression a été faite en une seule fois, les signatures des cahiers se suivent de A à O₀₀. La division en tomes et en parties ne correspond pas au plan de l'œuvre ; il n'y a pas de séparation dans le récit, sauf entre la deuxième et la troisième partie, et entre la quatrième et la cinquième. L'ensemble des récits (y compris celui de Cliton) représente un peu moins du tiers du roman, le récit de Célie à lui seul en représente le sixième.

124. *Le Dépit amoureux*, IV, 2, 3 et 4 ; *Le Bourgeois gentilhomme*, III, 9 et 10.

125. Voir l'article de Bernard Dort, « A la recherche de l'amour et de la vérité. Esquisse d'un système marivaudien », *Les Temps modernes*, 17ᵉ année, nº 189, février 1962, p. 1058-1087 (spécialement p. 1062-1065 et p. 1076-1077).

dans *Pharsamon* l'imitation faite par les domestiques est sans effet
sur les maîtres, trop fous pour se ressaisir. Elice, qui ne doit qu'au
hasard la ressemblance de son destin avec celui de Clorine, se conduit
en adroite suivante capable de défendre ses intérêts en même temps
que ceux de sa maîtresse ; Fatime n'est qu'une sotte copie ; c'est
Cliton l'imitateur original : il accomplit mécaniquement des rites
dont il ne comprend pas le sens, déjà falsifié par son maître, et
comme ces rites sont souvent contraires à son plaisir, il oppose à la
manie de Pharsamon son réalisme terre à terre qui n'oublie jamais
les heures des repas et du sommeil. Chaque geste chevaleresque de
Pharsamon, déjà ridicule en lui-même parce qu'il s'applique à un
monde métamorphosé par ses visions, est ridicule une seconde fois
par l'imitation qu'en fait Cliton dans des conditions ignobles : il n'en
n'était pas « à un barbouillement de crotte près », dit Marivaux. Par
Cliton apparaît la vérité dure et pittoresque de la campagne [126], mais
peut-être le dédoublement parodique n'est-il qu'un cas particulier
de la duplicité universelle : chacun doit traverser le monde faux pour
atteindre le « monde vrai », enlever les masques pour connaître
les visages, refuser le milieu où il est « déplacé » pour chercher
celui où il aura sa place, dissiper ses propres illusions pour « voir
clair dans son cœur ».

   — Le second axe sépare l'action centrale des récits insérés :
Pharsamon se fabrique une existence romanesque d'après les romans
qu'il a lus, et le hasard lui fait rencontrer des personnages dont
l'existence a été réellement romanesque. La ressemblance entre le
fictif et le vécu le trouble, elle le confirme dans sa folie, il rêve
non plus d'être Amadis ou Roland, mais d'être assis mélancoliquement sur l'herbe et d'apercevoir soudain sa maîtresse sur un
rocher comme Hasbud avait aperçu Célie, et il ne doute plus que
le temps des « illustres Aventuriers » ne soit revenu, quand un beau
solitaire lui avoue être une femme déguisée [127]. Sa vie imaginaire
et la vie que lui a racontée Clorine sont comparables en plus d'un
point : Clorine, à qui l'on interdit d'épouser Oriante parce qu'elle
est de naissance inconnue, apprend trop tard qu'elle est la fille d'un
riche gentilhomme, Pharsamon et Cidalise imaginent, comme Cathos
et Magdelon, qu'ils sont nés de parents plus relevés que ceux qu'ils
se connaissent ; Clorine est séquestrée par sa mère adoptive qui veut
l'empêcher d'aimer Oriante, Cidalise est enfermée dans une maison
de campagne par sa mère qui veut l'empêcher d'aimer Pharsamon ;
Oriante courageusement essaie de faire évader Clorine, quand il a
découvert par hasard le lieu de sa prison, et Pharsamon, arrivé par
hasard dans la maison où l'on garde Cidalise, la fait évader après
une bataille à grands coups d'épée contre des fantômes.

   — Le troisième axe sépare *Pharsamon* des *Effets surprenants*. Le
parallélisme était prévisible, puisque *Les Effets surprenants* sont un

---

126. *O.C.*, t. XI, p. 269. *O.J.*, 534.
127. *Ibid.*, p. 522 et p. 139. *O.J.*, 668 et 466.

roman d'aventures et que *Pharsamon* contient d'une part la parodie des aventures dans son intrigue centrale, d'autre part des aventures racontées avec sérieux dans les récits insérés. Parménie et Caliste, orphelines, persécutées et séquestrées, délivrées par leurs chevaliers servants, sont les modèles de Cidalise et de Clorine. La comparaison est moins facile entre les épisodes barbaresques des deux romans, néanmoins on trouve dans les deux séries un Barbaresque amoureux cruel (Méhémet, Hasbud le père), un Barbaresque amoureux courtois (le mari de Guirlane, Hasbud le fils), une femme jalouse (Halila, Alcanie), des attentats commis par vengeance contre un patron d'esclaves (l'assassinat du marchand et de l'oncle d'Halila, l'incendie où périt Hasbud le père). Plus significative que la correspondance des détails est la correspondance du plan d'ensemble : les deux romans présentent dans le même ordre les trois types d'aventures romanesques connus, aventures héroïques (passions généreuses ou brutales), aventures chez les barbaresques, aventures chez les sauvages.

L'histoire de Célie reste doublement inachevée. Nous ne saurons pas mieux que Pharsamon ce qui lui est arrivé dans le passé, puisqu'une visite interrompt son récit chez Félonde ; nous ne saurons pas non plus quel était ce berger qui l'attaquait ni pourquoi elle était habillée en paysanne lorsque Pharsamon l'avait sauvée, ni ce qu'il adviendra d'elle ensuite. Avec l'histoire de Pharsamon finit tout ce que l'auteur avait à nous dire, nous n'avons pas besoin de connaître ce dont Pharsamon n'a plus eu besoin d'être informé. Marivaux romancier omniscient et même comiquement omnipotent dans le reste de l'œuvre, s'en est tenu ici à ce que Jean Pouillon appelle la « vision avec » [128], pour se moquer du lecteur curieux et pour expérimenter une forme de récit qu'il mettra au point dans *Le Paysan parvenu* et dans *La Vie de Marianne*.

Marivaux a emprunté directement à Charles Sorel l'idée de *La Voiture embourbée* et quelques détails de l'intrigue et du conte. Comme on sait, *La Voiture embourbée* est le récit d'un voyage fait par le narrateur, au cours duquel un accident de voiture avait forcé les compagnons de route à s'arrêter de nuit dans un village ; pour passer le temps en attendant la réparation de la voiture, ils avaient décidé de raconter un roman à eux tous, chacun reprenant le fil du récit là où l'abandonnait le narrateur précédent et laissant la parole au suivant quand il ne trouvait plus rien à dire. Mais le mieux est de citer Sorel, qui d'avance a posé les principes exactement observés par Marivaux, même dans les commentaires dont les narrateurs accompagnent leur part du conte : « La propre forme est qu'un de la compagnie recite le commencement d'une histoire, et lors qu'il semble estre en beau chemin, il coupe court, et dit qu'il

---

128. Jean Pouillon, *op. cit.*, p. 74-84.

n'en a pas apris davantage, pource que les personnes qui luy en ont fait le raport, ne luy ont voulu aprendre que cela, ou pource que ne voulant raconter que les choses dont il a esté tesmoing oculaire, il confesse qu'il n'en a rien veu plus avant, ou bien l'on finit sa narration, pour quelque autre sujet que l'on trouve à propos, et là dessus l'on dit que son voysin ou sa voysine, en sçait beaucoup davantage, et pourra achever le conte ; surquoy il faut que la personne qui vous est le plus proche, enchaîne son recit avec le vostre, en gardant les mesmes noms et la condition des personnes, et inventant là dessus tout ce que l'on se pourra imaginer de convenable, jusques à ce que ne sçachant plus que dire, elle se déchargera encore sur un autre, et cettuy-là s'estant acquitté de sa charge, renvoyera aussi le paquet à la personne la plus proche, et ainsi jusqu'à la fin » [129]. Selon Sorel, ou plutôt selon Agenor, l'un des personnages de *La Maison des jeux*, c'est là un jeu « assez souvent pratiqué en France dans les bonnes compagnies ». Marivaux n'a même pas eu grand effort d'invention à faire pour imaginer le récit-cadre, il avait l'exemple des voyageurs de Chaucer dans les *Contes de Canterbury*, si du moins il les avait lus, celui des curistes de Cauterets retenus à Sarrance par les inondations, dans *L'Heptaméron* de Marguerite de Navarre, celui du *Décaméron*, évidemment, et de plusieurs autres recueils de contes français ou italiens. Il lui a suffi de réunir la circonstance du voyage, qui fournit l'occasion des récits, et le jeu décrit par Sorel, pour avoir le plan de son œuvre. Le récit contenu dans *La Voiture embourbée* est le seul récit collectif (en plus de celui qui est dans *La Maison des jeux*) que nous connaissions avant le XXe siècle [130]. Dans tous les autres cas, ou bien chaque narrateur fait un récit différent, ou bien l'un des personnages reçoit du sort la charge de faire un conte, les autres devant composer soit un poème, soit un portrait, soit une chanson, soit une lettre, etc.

Marivaux n'a pas non plus inventé la ressemblance entre le récit

129. [Charles Sorel], *La Maison des Jeux contenant les divertissemens d'une compagnie par des narrations agréables*, dernière édition revue, corrigée et augmentée, à Paris [...] MDCLVII, tome II, p. 395-396 (la première édition est de 1642).

130. On trouve un roman composé de la même façon dans *Les Jeux d'esprit ou la Promenade de la princesse de Conti à Eu*, ouvrage écrit en 1701 par Mlle Caumont de la Force. Le jeu y est très lourdement mené, les narrateurs se donnent la parole les uns aux autres sans aucun naturel, et l'auteur, bien loin d'avoir utilisé la diversité de leurs caractères, note avec fierté « qu'on croiroit presque qu'elle [l'histoire] a été faite d'une seule main ». Marivaux n'a pas pu connaître ce texte, publié pour la première fois en 1862 par le marquis de La Grange, à Paris, chez Auguste Aubry. En 1645, dans *Les Nouvelles choisies*, Sorel était déjà revenu au cadre de *L'Heptaméron* : voir René Godenne, *Histoire de la nouvelle française aux dix-septième et dix-huitième siècles*, Genève, 1970, p. 33. Dans *Mathilde*, de Mlle de Scudéry, le jeu du roman figurait parmi les jeux auxquels se livrait une petite société, mais il n'est pas décrit ; un des personnages que le sort désigne pour « une histoire » présente, toute rédigée, la nouvelle qui donne son titre au livre (*Mathilde*, avec « Les Jeux servant de préface à Mathilde », à Paris, chez Edme Martin et [...] François Eschart, 1667). La structure de *La Fausse Clélie* (par Subligny, 1670) et celle des *Illustres Françaises* (par Chasles, 1713), comportaient des récits complémentaires. Marivaux suivait la mode en écrivant *La Voiture embourbée* : « Il semble que la proportion des œuvres " composites " soit sensiblement plus importante entre 1715 et 1719 que durant la période précédente », selon R. Demoris (« Aspects du roman sous la Régence : un genre en mutation », dans le recueil *La Régence* publié par le Centre aixois d'études et de recherches sur le XVIIIe siècle, Paris, 1970, p. 174).

de chaque narrateur et son caractère personnel : chez Sorel, une narratrice à court d'imagination annonce le mariage des deux protagonistes du récit, on l'accuse d'être trop pressée de conclure ; la vertu de Dorimène est successivement mise en doute, défendue, niée, rétablie par des narrateurs différents ; le magicien Théophraste, vieillard qui vit dans des palais souterrains (à comparer avec le magicien de *La Voiture embourbée*) est accusé par l'un de désirs lubriques pour une bergère, un autre corrige le précédent et dit que la bergère est sa fille, ou qu'il n'a pour elle qu'une pure amitié ; une narratrice, qui n'est adroite qu'à bien monter un ménage, se borne à dire qu'elle se met à la disposition des futurs époux, Alcandre et Dorimène, pour les conseiller dans leurs achats, et elle est applaudie par la compagnie pour l'habile façon dont elle s'est tirée d'affaire, comme, dans *La Voiture embourbée*, est applaudie la jeune demoiselle qui, pour dénouer toutes les difficultés du conte fantastique, dit que c'était un rêve d'Ariobarsane, entièrement dissipé à son réveil ; un narrateur s'exprime dans le style de Nervèze et des Escuteaux (expressément nommés), comme le neveu du curé qui, chez Marivaux, « avoit lu des romans » et se lance dans des compliments ampoulés aux dames [131].

Chez Marivaux, le narrateur qui raconte le voyage est aussi celui qui improvise le premier tiers du roman collectif ; il a le même esprit que le narrateur de *Pharsamon* et n'ajoute rien à la satire que nous connaissons déjà des extravagants en proie au délire romanesque ; la dame entichée des amours de haut goût et des belles aventurières fournit le tiers suivant et imagine la caverne du magicien, le prince amoureux de la petite orpheline, l'histoire du vieillard qui renouvelle sa vie en entrant dans le corps d'un jeune homme, mais qui périodiquement est obligé de reprendre sa vieillesse et sa vulnérabilité [132] ; le bel-esprit se plaît aux tortures sadiques et fait de la caverne de Créor, avant la iettre, un château de Silling ; la demoiselle, caractérisée dans les premières pages du texte par sa sincérité (« elle n'eût point été tendre sans être amou-

---

131. Sorel est un des auteurs auxquels Marivaux doit le plus. Relevons ici, en remettant à une autre occasion d'interpréter ces ressemblances, que Dorimène, dans le récit impromptu de *La Maison des jeux*, orpheline de naissance inconnue, est découverte au dénouement fille du roi de Crète, jadis enlevée au berceau, reconnue grâce à des langes brodés d'or ; que le premier récit, fait par Agenor (Première Journée, tome I, p. 35-80), raconte comment Flamelle essaie de rompre le projet de mariage entre Salviat et Hermine, en retenant Salviat auprès d'elle et en poussant des cris au moment opportun pour attirer son père ; que dans le second récit, qui raconte les voyages fantastiques de Brisevent, figure un pays où les hommes sont tout petits et où « leur voix estoit si foible, qu'à peine en pouvoit-on distinguer les divers accents ; encore falloit-il que ce fust en les prenant sur le poing, et les aprochant prez de l'oreille » (*ibid.*, p. 79-80), le pays des Amazones où les femmes vont au-devant des désirs des hommes, enfin un pays où les femmes avaient pris le pouvoir, massacré ou chassé tous les hommes, puis, trahies par quelques-unes d'entre elles incapables de se passer de leurs amants, avaient été vaincues par les hommes qui avaient désormais sur elles un pouvoir tyrannique : elles s'humilient pour obtenir leurs faveurs, se battent en duel pour leur amour, se tuent de désespoir, gouvernent le ménage et l'état, pendant que les hommes féminisés sont tombés « en un prodigieux anéantissement d'eux-mesmes » (*ibid.*, p. 109). Voir *La Vie de Marianne* (les habits de Marianne, la félonie de l'abbé envers Tervire), *L'Ile de la raison*, *La Colonie*.

132. Sur les sources et la signification de ces épisodes, voir *infra*, chap. IX, p. 464-467.

reuse »), se débarrasse des fantasmagories et coud au récit une anecdote paysanne, en s'en excusant ; le financier revient en quelques pages à la satire de l'extravagance, et le neveu du curé, qui, bien qu'il aime les vieux romans, a un tour d'esprit comique, comme tous les campagnards de Marivaux, invente un dénouement rapide et « grotesque ». La répartition très inégale du récit entre les narrateurs et la précipitation de la fin sont justifiées : les premiers ont pris leur temps, mais la nuit s'est avancée et la voiture va être bientôt réparée ; les derniers à parler doivent faire vite. Le récit garde donc l'apparence de l'improvisation, en quoi il ressemble à tous les écrits de Marivaux. L'allure déséquilibrée est ici une variante de l'inachèvement [133].

L'originalité de Marivaux n'est donc ni dans la mise en scène, ni dans la ressemblance entre les narrateurs et leur narration, mais dans la correspondance entre le réel et le fictif, comme déjà dans *Pharsamon* : inventé au fur et à mesure par les différents voyageurs, chacun suivant son caractère, le Roman impromptu n'a ni unité ni cohérence ; Marivaux rend sensible par là la nature arbitraire de toute fiction ; tout roman est finalement impromptu, et s'il ne l'est pas, s'il est régulièrement composé et symétrisé, il est encore plus arbitraire. Le plus important est le rapport entre le Roman impromptu et le voyage ; celui-ci est réel, l'autre est pure invention ; mais à la fin du Roman impromptu, les trois derniers narrateurs nous montrent les héros romanesques ridicules dans leur équipement de chevalier (car Félicie elle aussi s'est déguisée et a pris le nom d'Ariobarsane), piteusement ramenés à la réalité et se joignant à un repas de paysans, avec l'embarras de gens de la bonne société qui font les délicats et se sentent déplacés dans un milieu rustique ; c'est exactement la situation « réelle » où se trouvent les voyageurs ; ils ont fait les dégoûtés devant la nourriture et les lits de l'auberge et sont allés demander quelques mets et de meilleur vin au curé du village ; et de même, dans la fiction, un paysan vient en aide à Ariobarsane : « je vous menerons dans notre Village ; il y a le Curé, qui est un bon vivant, et qui a plus de bouteilles de vin que de livres » [134]. Les narrateurs les plus imaginatifs ont inventé selon leur rêve ou selon leur humeur, les autres se sont inspirés de leur mésaventure ; seulement, cette mésaventure est, elle aussi, présentée initialement comme une fiction : « Peut-être, mon cher, aurez-vous trouvé trop long le sujet qui conduit à notre Histoire ; mais le sujet est une petite Histoire aussi ; et comme je n'ai eu dessein que de vous divertir, peu m'a dû importer que ce soit, ou par le sujet ou par l'Histoire » [135]. Il serait excessif de parler de composition « en abyme » et d'évoquer *Les Faux-monnayeurs*, mais on voit que Marivaux, en même temps

---

133. Le Roman inpromptu occupe environ les deux tiers de l'œuvre ; le premier narrateur raconte à peu près 31 % du Roman impromptu, le second 34 %, le troisième 14 %, le quatrième 12,5 %, le cinquième 0,45 % et le dernier 0,20 % ; le pourcentage qui manque est occupé par les interventions du narrateur principal, lors des pauses du Roman impromptu.

134. *O.C.*, t. XII, p. 267.

135. *Ibid.*, p. 177.

qu'il étudie les interférences de la sincérité et de l'imposture chez ses extravagants, s'interroge sur le statut de la réalité dans l'œuvre d'imagination, et sur le statut de l'œuvre d'imagination dans la réalité : les mêmes questions seront posées, mais avec une vivacité éblouissante, dans une de ses toutes dernières œuvres, *Les Acteurs de bonne foi* [136].

*
* *

La composition du *Télémaque travesti* a été dictée à Marivaux par Fénelon. Il suffit de remarquer qu'elle présente une quatrième version du double registre, si l'on peut employer cette expression dans un sens un peu plus étendu que celui où l'entend Jean Rousset. La première version était l'unisson : la voix du narrateur dans le récit principal des *Effets surprenants* et celle des personnages qui se racontaient dans les récits secondaires décrivaient le même monde vu de la même façon (l'emploi de la première personne introduisant pourtant dans les récits secondaires une ébauche de ce que sera le double registre de *La Vie de Marianne* et du *Paysan parvenu*) ; la seconde version était celle de la dissonance entre le récit burlesque du narrateur principal dans *Pharsamon* et les récits héroïques et sentimentaux de Clorine et de Célie ; une modulation ramenait l'histoire de Clorine au ton du récit principal, mais l'histoire de Célie restait d'un ton différent ; la troisième version, celle de *La Voiture embourbée,* opposait le fabuleux au réel, avec imitations d'un registre dans l'autre, pour continuer la métaphore musicale ; la quatrième version, celle du *Télémaque travesti*, oppose deux voix qui décrivent le même monde bouffon, mais l'une, celle de l'auteur qui emploie la troisième personne, est savante et spirituelle, l'autre, celle de Brideron quand il dit son histoire chez Mélicerte, et qu'il emploie la première personne, est naïve et spontanée ; on rit *avec* l'auteur et l'on rit *de* Brideron, bien que, parfois, l'on rie aussi *avec* Brideron ; à ces deux voix s'ajoutent pour le lecteur averti des harmoniques secrètes, s'il se rappelle le texte initial de Fénelon.

L'autre remarque qu'on peut faire sur la composition du *Télémaque travesti* concerne le dénouement : ce n'en est pas un. Fénelon a voulu que *Les Aventures de Télémaque* fussent un épisode en marge de *L'Odyssée*, le dénouement est un simple retour à *L'Odyssée*. Marivaux a tiré de cette fin l'idée de l'inachèvement le plus narquois et le plus évasif.

*
* *

Romancier, Marivaux n'a jamais cessé d'être moraliste. L'objet de son roman, sous sa forme finale, est l'histoire des épreuves successives qui ont fait le *moi*, histoire racontée par le *moi* lui-même. Certains textes narratifs des Journaux ont aidé Marivaux à passer du roman de l'aventure, sérieux ou parodique, au roman de l'expé-

---

136. Nous ne commentons pas la composition du *Bilboquet*, qui n'appartient pas exactement au genre romanesque ; voir *supra*, chap. III, p. 121.

rience : ce sont les *Lettres contenant une aventure*, le « Mémoire de ce que j'ai fait et vu pendant ma vie », par une Dame âgée, inséré dans les dix-septième, dix-huitième et dix-neuvième feuilles du *Spectateur français*, l'« Histoire de l'Inconnu » parue dans les vingt et unième, vingt-deuxième, vingt-quatrième et vingt-cinquième feuilles du même périodique, et le récit du comédien ivrogne dans les deuxième, troisième et quatrième feuilles de *L'Indigent philosophe* [137]. De ces textes, seul le « Mémoire » de la Dame âgée arrive à un dénouement ; encore Marivaux a-t-il laissé croire qu'il publiait seulement la moitié du manuscrit, le cahier s'étant déchiré en deux quand il l'avait arraché aux mains de sa propriétaire [138] : la moitié manquante serait celle où était racontée la jeunesse de la dame, puisque la partie publiée va de son mariage à sa retraite, rejoignant le moment actuel où les verbes sont à l'indicatif présent [139]. Mais cette moitié manquante n'a évidemment pas été écrite, même hypothétiquement ; la narratrice fait sur l'écoulement du temps et l'aboutissement de la vie des « réflexions » par lesquelles elle déclare qu'elle « commence », et elle les appelle son « exorde » [140] : elle n'avait donc rien écrit auparavant. Mieux encore, rien dans le texte publié ne comporte de référence à un autre fragment du récit. Marianne et Jacob donneront des aperçus de ce qu'ils ont vécu après le moment où leur récit s'arrête, et créeront dans l'esprit du lecteur l'illusion que ce récit devait être continué : la vie de la dame est nulle et non avenue avant ce que nous avons de son histoire. La leçon de cette histoire étant dans son aboutissement, Marivaux ne pouvait rendre le récit incomplet que dans sa partie initiale : artifice qui risque de passer inaperçu [141].

La composition des *Lettres contenant une aventure* est conventionnelle : trois fois de suite le narrateur a pu surprendre une conversation entre deux jeunes dames, aussi régulières à échanger leurs confidences que lui à les espionner. Mais la fantaisie règne dans la convention même : la première lettre s'achève en même temps que la première conversation, par la volonté du narrateur qui juge la lettre assez longue et interrompt son récit à une coupure de l'action ; il en connaît la suite, qu'il remet à la lettre suivante. La seconde lettre s'achève aussi en même temps que la seconde conversation,

---

137. Ni *Le Bilboquet*, ni le « Journal espagnol » (quinzième et seizième feuilles du *Spectateur français*), ni le « Voyage au Monde vrai » (sixième, septième, huitième, neuvième, dixième et onzième feuilles du *Cabinet du philosophe*, la plus longue des « Suites » parues dans les Journaux) ne racontent les expériences formatrices du *moi* : *Le Bilboquet* est une allégorie satirique, le « Journal espagnol » une suite d'observations, le « Voyage au Monde vrai » une allégorie encore, où une seule expérience, toujours la même, est répétée dans une série d'anecdotes sans que le narrateur atteigne jamais à une véritable intériorité (voir *supra*, chap. IV, p. 136).

138. *J.O.D.*, p. 207.

139. *J.O.D.*, p. 224.

140. *J.O.D.*, p. 208.

141. Il a été bien aperçu et commenté par W.H. Trapnell dans un article dont nous ne partageons pas les conclusions, mais qui contient des réflexions fines et utiles, « Marivaux's unfinished narratives », *French Studies*, vol. 24, n° 3, juillet 1970.

mais parce que le narrateur n'en connaît pas plus long ; il écrira
une autre lettre s'il peut apprendre la suite, Et en effet il peut
entendre un dernier entretien qui devrait faire l'objet d'une troisième
et dernière lettre, et qui en occupe encore une quatrième et une
cinquième pour rester inachevé.

Le premier point à relever est l'incohérence de ce que dit le
narrateur : le premier entretien a lieu un matin, le second « le
lendemain », « sur le soir » dit le texte, mais c'est certainement
une inadvertance, car les deux femmes se demandent comment
elles ont dormi, et elles se séparent pour aller « dîner », c'est-à-dire
déjeuner [142] ; le troisième entretien a été remis à « tantôt », donc
à un moment proche du précédent, sans doute l'après-midi du
même jour. Puisque le narrateur, lors de la première lettre, connaissait le premier et le second entretien, il a pu écrire cette lettre,
par exemple, dans la fin de la matinée du second jour ; la seconde
lettre, écrite quand le narrateur ignore le dernier entretien, doit l'avoir
été avant le moment désigné par le mot « tantôt », soit dès le début
de l'après-midi de ce même second jour : c'est impossible, puisque
entre la première et la seconde lettre il a reçu une lettre de son
correspondant impatient de connaître la suite de l'histoire : plusieurs
jours doivent séparer la seconde de la première lettre, comme
plusieurs jours devraient séparer la première lettre du premier
entretien, puisque le narrateur parlait à l'imparfait d'un temps déjà
passé : « J'étais, il y a quelques jours, à la campagne, chez un
de mes amis [...]. Il me prit fantaisie, un matin, d'aller me promener
seul [...] » [143]. On pourrait en conclure que le dernier entretien n'a
pas eu lieu « tantôt » ; les deux dames n'étaient pas plus sûres de
pouvoir le tenir au moment escompté que le narrateur n'était sûr
de pouvoir l'espionner ; elles ont été retardées, Marivaux n'a pas
besoin de le dire, et plusieurs jours se sont de nouveau écoulés
avant le dernier entretien et la dernière lettre, écrite aussitôt après :
« je sors actuellement de ma niche ». Le narrateur serait encore à
la campagne, ce qui ne s'accorderait pas avec l'imparfait de la première lettre, mais la discordance ne serait pas grave... En réalité, il
est vain de chercher à mettre de l'ordre dans ce qui a été conçu de
façon désordonnée : les trois entretiens se suivent assez rapidement,
c'est une conversation interrompue et reprise sans longs délais ;
à cette rapidité s'accommode tant bien que mal l'évolution de la
dame qui reçoit les confidences de son amie : mélancolique le premier
jour parce qu'elle est séparée de celui qu'elle aime, elle est déjà
le lendemain sensible aux galanteries d'Alidor, et au troisième entretien elle est capable de critiquer *Pharamond* et de se plaire aux
coquetteries de son amie, qui l'effrayaient auparavant. Mais le temps
épistolaire est d'une autre nature : il suppose un certain recul par
rapport aux événements initiaux, des délais d'acheminement entre

142. *J.O.D.*, p. 83 et p. 89.
143. *Ibid.*, p. 77.

les lettres, la curiosité et l'attente de ce qui va venir, non seulement
chez le correspondant qui reçoit les lettres, mais aussi chez celui
qui les écrit, car un récit par lettres, pour être attachant, doit
suivre le déroulement de l'action. Marivaux n'a pas su concilier le
temps de l'action et celui de la narration, il ne s'y est même pas
essayé.

Deux autres temps viennent encore brouiller les choses, le temps
de la rédaction et le temps de la publication. *Le Nouveau Mercure*
paraissait tous les mois ; la première lettre a été publiée dans la
livraison de novembre 1719, la seconde dans la livraison de décembre.
Les déclarations du narrateur reflètent sans doute la réalité, et
l'on peut penser que la deuxième lettre était déjà rédigée quand la
première a paru, mais que les derniers mots de la seconde lettre
(« avec promesse de vous dire la suite, à condition que je l'ap-
prendrai ») ont pour but de préparer le lecteur à un retard ou
même à une interruption : Marivaux n'avait pas de texte prêt à
l'avance, et dans la livraison de janvier 1720 le rédacteur du *Mercure*
fait patienter le lecteur en annonçant la fin de la lettre pour le mois
suivant ; mais le mois suivant non plus Marivaux n'était pas prêt,
il livre à la publication un texte moitié moins long, dont les deux
premières pages contiennent en guise de rappel et de transition le
portrait des deux dames, et qui s'arrête brusquement ; en mars un
texte encore plus court continue celui de février auquel le rattache
une phrase maladroitement inventée pour justifier la coupure ; ce
texte s'arrête aussi brusquement que le précédent ; en avril enfin,
nouveau texte à peine plus long relié à celui de mars par une
phrase en incise, interrompu aussi inopinément que les autres [144]. Un
fait est certain, c'est que les trois derniers textes font un tout dans
l'esprit de l'auteur ; leur sectionnement, qui n'est pas logique, a-t-il
suivi les lenteurs de la rédaction, ou bien a-t-il été imposé par *Le
Mercure*, qui a étendu sur trois numéros la publication d'un texte
dont il espérait toujours recevoir la conclusion ? On peut dire que
cette conclusion n'était pas nécessaire, et c'est vrai : nous savons
que la coquette, qui a continué ses intrigues, a eu d'autres aventures
et « travaille tous les jours à les augmenter », bien qu'elle ait un
attachement solide pour un amant actuellement à l'armée [145] ; une
suite ne nous apprendrait rien, même la scène sur laquelle l'œuvre
s'interrompt, laissant la coquette entre deux rivaux, a déjà été vue
une fois. Cet argument est d'autant plus valable qu'en effet la vie de
la coquette n'est qu'une perpétuelle répétition ; elle s'en réjouit
comme d'un éternel recommencement, mais l'habileté de Marivaux
est de couper sur un *et cetera :* le lecteur comprendra que cette vie
est bien superficielle et monotone si la coquette n'en arrive pas enfin

---

144. Dans la réédition de 1728 (*Le Spectateur françois* [...], nouvelle édition, à Paris, chez
Pierre Prault, tome second : « Pieces détachées écrites dans le goût du Spectateur françois »),
la première lettre a 422 lignes, la seconde 492, la troisième 256, la quatrième 170, la cinquième 310.

145. *J.O.D.*, p. 91 et p. 78.

à aimer authentiquement. Ne voulant pas la justifier, et n'osant pas la condamner pour sa vivacité et son charme, Marivaux trouve la meilleure conclusion dans l'inachèvement [146].

Savait-il en les commençant qu'il ne terminerait pas ces Lettres ? Nous en doutons sur l'apparence des dernières livraisons. Ce sont les difficultés de la rédaction qui lui ont fait comprendre l'inutilité de poursuivre. Sauf si l'inachèvement est dû à la mort de l'auteur ou à une insurmontable difficulté matérielle, on peut dire que toute œuvre interrompue devait être interrompue, que l'interruption était impliquée dans la nature du sujet et que sa nécessité est apparue avec le développement de l'œuvre. L'inachèvement n'est pas une habileté de l'auteur, il n'en n'est pas moins conforme à la vérité de l'œuvre. Marivaux s'arrête parce qu'il n'y a réellement plus rien à dire. Il aurait pu le prévoir ? L'œuvre en aurait été refroidie. *Les Lettres contenant une aventure* nous introduisent aux problèmes que posera *La Vie de Marianne*, sur l'inachèvement et sur les interférences du temps de la rédaction, du temps de la publication, du temps de la narration et du temps de l'action.

Si l'on met à part les aléas de la rédaction, ceux de la gestion financière et la nécessité de remplir toujours le même nombre de pages, Marivaux pouvait découper à sa fantaisie ses textes entre les feuilles de ses périodiques. Nous n'avons pas à étudier la composition du *Spectateur français* ou de *L'Indigent philosophe*, mais à interpréter l'inachèvement des textes narratifs, en faisant abstraction du fait qu'il dépend de l'inachèvement des périodiques eux-mêmes. Le récit de l'Inconnu et celui du Comédien ivrogne sont très différents : l'Inconnu ne donne aucune indication sur ce qui lui est arrivé dans la suite de son existence ; il allait à Paris demander l'aide d'un parent, nous ne savons ni s'il l'a obtenue, ni quelle vie il a menée. Au contraire le Comédien ivrogne nous apprend, sur le plan de l'épisode, qu'il a quitté la dame de province sans avoir obtenu d'elle autre chose que de beaux sentiments, et sur le plan général il nous explique comment il a été réduit à l'indigence, à cause de sa face joyeuse qui empêchait qu'on le prît au sérieux. L'explication est sommaire et n'est pas très sérieuse elle-même, mais elle suffit. L'ivrogne est un « étourdi » qui perd sans cesse le fil de son propos, et qui grâce à son désordre nous dit tout ce que nous avons besoin de savoir. L'inachèvement n'est donc qu'apparent, ou sans importance [147]. Au contraire, si nous voulons savoir qui est l'Inconnu,

---

146. On remarquera l'hésitation de Marivaux, ou celle où il a laissé ses éditeurs, sur la nature même de l'œuvre : *Le Mercure* parle d'abord d'une « lettre » et de sa « suite » (et non de deux lettres différentes), puis d'une « aventure dialoguée », puis d'un « entretien », et finalement d'une « histoire » (voir les notes 232, 257, 277, 289 et 295 de la section I des *J.O.D.*). En 1728, Prault intitule l'œuvre : *Lettre de M. de M. * contenant une aventure*, c'est le titre qui figure aussi dans les *O.C.*, t. IX. Le pluriel n'est apparu qu'au XIXe siècle. Dans les diverses éditions de la *Bibliothèque de campagne* l'œuvre est intitulée *L'Apprentie coquette, aventure* (voir S.P. Jones, *A List of French prose fiction*, au mot « Marivaux » de l'Index).

147. Voir *supra*, chap. II, p. 75 et n. 72.

d'une façon générale, et d'une façon très particulière où il a couché
le soir dans l'auberge envahie par le bénéficier et par ses gens, nous
en sommes pour notre curiosité. Le récit de l'Inconnu a un trait
commun avec les *Lettres contenant une aventure,* c'est qu'il reste
en suspens au milieu d'une scène et trompe soudain notre attente.

MARIVAUX interrompt *La Vie de Marianne* pour écrire cinq parties du *Paysan parvenu*, laisse en suspens *Le Paysan parvenu* et revient à *La Vie de Marianne*, ouvre une parenthèse pour le récit de Tervire, mais ne referme pas la parenthèse et n'apporte de conclusion à aucun des trois récits commencés. Ces textes s'étant relayés les uns les autres, on pressent qu'ils sont solidaires. Abandonner l'un et se mettre à l'autre étaient des opérations liées, mais comment définir ce lien ? Marivaux pouvait interrompre un récit parce qu'il butait sur une difficulté ou au contraire parce que la suite ne lui posait plus de problème intéressant à résoudre ; il pouvait en entreprendre un autre pour traiter autrement le même thème, ou pour aller plus loin en partant de données nouvelles, ou pour changer complètement de direction. L'abandon est-il impuissance ou lassitude ? Le nouveau texte est-il répétition, continuation ou diversion ?

Ces questions sont théoriques. Les ressemblances des trois récits excluent l'hypothèse de tentatives divergentes ou indépendantes, mais leurs différences excluent celle de continuations : si Marivaux avait voulu que Jacob répondît à Marianne, Marianne à Jacob, Tervire à Marianne, on pourrait reconstituer, en mettant les trois récits à la suite l'un de l'autre, et en opérant les mutations réclamées par la différence de sexe, de caractère et de statut social, l'histoire d'un individu, comme on peut, nous le verrons, reconstituer l'enchaînement d'aventures typiquement propres au personnage de l'orpheline en empruntant des épisodes à presque tous les romans écrits par Marivaux. La continuation pourrait, il est vrai, ne pas être chronologique, mais logique : Jacob nous permettrait de voir plus loin que les premiers livres de Marianne, la suite du récit de Marianne plus loin que le récit de Jacob, et Tervire enfin plus loin que Marianne, sur les nobles, par exemple, ou sur la société, ou sur la portée de la révolte individuelle, ou sur la constitution du *moi*[148]. C'est exact, mais en un sens très général : l'expérience humaine de Marivaux et son expérience d'écrivain l'ont fait évoluer vers plus de réalisme, si l'on peut employer ce mot confus dans un sens assez large, vers une conscience plus nette de la pression sociale, vers une résistance plus grande aux entraînements du rêve et aux espérances de bonheur[149]. Les leçons successives de ces quatre textes et les modi-

148. Voir les remarques de Sylvère Lotringer, « Le roman impossible », dans *Poétique*, 3, 1970, p. 297-321 : « En prenant [la place de Marianne], Tervire élimine précisément ce qui à la fois conditionnait et bloquait le récit, à savoir l'obscurité de la condition » (p. 318) ; « Mlle de Tervire peut [...] accomplir ce que Marianne n'eût jamais été fondée à faire : forte de sa naissance, elle se pose en justicière pour flétrir, au nom de la noblesse d'âme (qui comprend la morale) " ce que les préjugés de l'orgueil et de la vanité ont de plus sot et de plus méprisable " » (p. 321 ; la phrase citée est dans *V.M.²*, p. 569).

149. Voir *supra*, chap. VI, p. 242-245.

fications de leur forme suivent donc la même courbe. Mais l'on pourrait en dire autant des œuvres successives, achevées ou inachevées, de très nombreux écrivains.

Compte non tenu de ces changements apportés par le temps et la pratique, nous considérons les trois récits comme des variations sur un même thème, qu'on peut triplement définir comme celui de l'accès de l'adolescent à l'âge adulte, de l'apprentissage du *moi*, et de l'insertion dans la société. Le thème du romanesque vrai et du romanesque faux, de la sincérité et de l'hypocrisie, que développaient les premiers romans, est désormais rattaché au problème des rapports sociaux et de la connaissance d'autrui, et le thème de l'orphelin (ou de l'orpheline), qui prenait forme dans ces premiers romans comme un des modèles de l'aventure romanesque, intégré au triple thème que nous venons de définir, n'a plus besoin d'être traité pour lui-même.

Les trois jeunes gens devront passer par des expériences analogues, parce que le rapport de leur individu à la société est semblable, et que le *moi* de tout individu se forme par les mêmes épreuves intérieures. L'emploi de la première personne met de plus entre ces trois récits une fraternité, celle de la jeunesse et de ses premiers étonnements. Mais si les éléments fondamentaux de leur histoire sont communs, leur ordre n'est pas identique, et il ne semble pas qu'on puisse superposer les trois histoires ou les ramener à un seul schéma.

Les années d'enfance ne sont pas évoquées dans le récit de Jacob, elles occupent environ six pages dans le récit de Marianne et une douzaine dans celui de Tervire (y compris ce qu'on pourrait appeler pour toutes deux la préhistoire, l'attaque du carrosse et l'assassinat des voyageurs pour Marianne, le mariage secret des parents, la mort du grand-père, le second mariage de la mère pour Tervire) [150] : c'est que l'enfance de Jacob est normale, que celle de Marianne et celle de Tervire sont anormales et que la suite de leur existence en est marquée. Leur première expérience à tous trois est celle d'une transplantation. Transplantation heureuse pour Jacob : il passe de son village dans la capitale et dans la maison de son premier maître, apprend qu'au lieu d'être un petit paysan anonyme, il peut être quelqu'un, ayant sa place dans un monde où ce qui le rendait pareil aux autres à la campagne constitue sa différence et son attrait. Transplantation ambiguë pour Marianne : nous avons vu comment l'arrivée à Paris, qui lui permet de « jouir de sa surprise » et de « sentir ses mouvements », est presque aussitôt pour elle l'occasion d'une de ses découvertes les plus importantes, celle de la douleur [151].

---

150. Mariage secret des parents, attendrissement du grand-père à la vue de ses petits-enfants, mort du grand-père qui n'a pas le temps d'annuler le testament déshéritant son fils, c'était déjà ainsi que commençaient les malheurs de l'Homme de qualité, chez Prévost. Les premiers livres des *Mémoires et aventures d'un homme de qualité* avaient paru en septembre 1728. On trouve dans le récit de Tervire d'autres souvenirs de cet ouvrage (reconnaissance de Mme Dursan et de Dursan fils).

151. *V.M.²*, p. 17 et p. 21-22. Voir *supra*, chap. VI, p. 212.

Transplantation malheureuse pour Tervire : elle se sépare de tout ce qu'elle a aimé, de tout ce qu'elle a été [152]. L'âge peut expliquer autant que les circonstances et le caractère les situations différentes des trois personnages : Jacob a déjà presque vingt ans ; Marianne en a environ seize, elle est au moment où l'on quitte la sécurité de l'enfance pour aborder avec espoir et angoisse un âge nouveau : la mort de sa première mère adoptive et le changement de lieu rendent encore plus violente la crise qu'elle traverse ; les circonstances sont les mêmes pour Tervire : changement de lieu et mort de la mère adoptive, mais elle a seulement douze ans et quelques mois ; encore incapable de pressentir en elle les facultés qui vont demander à s'exercer et de savoir qu'elle a un avenir, l'arrachement à ses habitudes et à ses affections équivaut pour elle à un anéantissement. Quelques années passeront avant qu'elle puisse connaître la seconde expérience commune aux trois jeunes gens. Elle aura dix-sept ans, Marianne et Jacob n'auront vieilli que de quelques semaines depuis leur épreuve précédente [153].

Leur seconde expérience consiste à acquérir une identité. Pour tous trois elle se termine par un retour à l'effacement et à l'indistinction, après le refus d'une aliénation qui aurait pu leur assurer cette identité, mais fausse. Jacob refuse de devenir le mari de Geneviève et le complaisant de son maître, Marianne de devenir la maîtresse de Climal, Tervire d'entrer en religion. Leur tentation a été forte : l'avenir trompeur qui s'offrait à eux répondait à un appel éveillé dans leur être, l'appel du plaisir chez Jacob, l'appel de la vanité chez Marianne, l'appel du sentiment chez Tervire, car chacun dès qu'il prend conscience de lui aspire à un bonheur conforme à sa nature, où figurent pour Jacob les jolies femmes, pour Marianne les beaux habits et les regards admiratifs, pour Tervire les effusions des âmes aimantes. Jacob et Marianne ont retardé leur refus par ce qu'il serait trop sévère d'appeler des sophismes, tirant le meilleur parti de leur situation tant qu'ils n'étaient pas acculés à une rupture, et conservant des atouts pour une nouvelle expérience ; Jacob sait maintenant écrire et compter, son goût commence à être formé ; Marianne garde provisoirement pour aller demander asile aux religieuses le bel habit qui attirera l'attention de Mme de Miran, qui lui a déjà permis d'attirer à l'église celle de la bonne société et de Valville. Tout n'est pas négatif, en effet, dans cette expérience, elle a même au contraire la valeur d'une orientation définitive : Jacob

---

152. Tervire a été plusieurs fois transplantée : à un an et demi, du domicile de sa mère au château du marquis son beau-père (*V.M.²*, p. 437) ; quelques mois plus tard, de ce château à la maison de Mme de Tresle, sa grand-mère (*ibid.*, p. 441) ; mais la seule transplantation qui compte est la troisième, faite à douze ans et quelques mois, de la maison de Mme de Tresle à celle du fermier Villot (*ibid.*, p. 445-451) : auparavant, Tervire était trop jeune pour se connaître ; cette fois, elle découvre, seule dans une petite chambre où on l'a reléguée, la flétrissure et l'anéantissement, puis, en s'éloignant de la maison, une douleur qui lui « arrache l'âme » (ce passage, p. 450, est de même mouvement et de même sens que celui du *Spectateur français*, vingt-cinquième feuille, *J.O.D.*, p. 262-263, que nous avons commenté *supra*, chap. V, p. 181-182).

153. *V.M.²*, p. 452.

sera probablement financier comme son premier maître ; le dévouement qu'il voudrait manifester à « madame », sa bienfaitrice, et sa décision de ne pas revenir au village après la mort de son maître prouvent qu'il se sait transformé. Marianne a fait connaissance de Valville, elle le reverra sans avoir délibérément cherché à le revoir, mais sans que le hasard en soit seul responsable ; envers Climal, ses sentiments changeront lorsqu'elle le verra mourant, et dès le début de son histoire elle reconnaît qu'il aurait pu être « [sa] première inclination » [154]. Quant à Tervire, si difficile à interpréter que soit ce destin, elle sera finalement religieuse.

Un brusque changement de vision leur impose la décision de rompre : soudain un être ou un état leur apparaît tout différent, révèle un aspect inconnu et eux-mêmes en sont métamorphosés. Jacob est « totalement rebuté » quand il comprend les véritables intentions de Geneviève, il est aussitôt « résolu de la laisser pour ce qu'elle valait » ; les ménagements qu'il garde lui pèsent jusqu'au moment où, ayant tenu tête à son maître, il entend d'elle un discours par lequel il est « glacé jusqu'au fond du cœur » et qui dissipe ses scrupules [155]. Marianne, parce qu'elle a reçu l'aveu de Valville, ne peut plus écouter les propositions de Climal : « le cœur m'en soulevait. En un mot, ce n'était plus le même homme à mes yeux » [156]. Tervire en entendant la confession de la religieuse est « glacée » pour la vie au couvent, la vue de la malheureuse l'« épouvante », « une grande révolution » se produit dans son esprit [157].

Dans les trois cas le hasard a eu son rôle, mais à des moments différents : pour Jacob, qui a toujours de la chance, le hasard intervient après sa décision et lui donne raison de l'avoir prise : il vaut mieux être jeté sur le pavé par la mort de son maître qu'au cachot par son injustice ; conducteur de vin avant son entrée chez son maître, il se retrouve plus bas encore, sans foyer et sans gagne-pain, mais prêt à tenter l'aventure. Le hasard encore conduit Valville chez Mme Dutour au moment précis où Climal est à genoux devant Marianne, et ce hasard emporte la décision ; Marianne, qui était successivement passée par l'indignation, la honte, le désespoir, est soulevée d'un irrésistible mouvement de colère après lequel il ne peut plus y avoir de raccommodement ; la possibilité de revoir Valville est balayée du même coup, et Marianne est littéralement jetée sur le pavé comme Jacob. Enfin le hasard a fait que l'amie à laquelle Tervire rendait visite au couvent fût malade et ait envoyé à sa place sa malheureuse compagne : ici le hasard est à l'origine de la décision.

L'expérience suivante est celle au cours de laquelle le héros se fait reconnaître par un acte public, de ceux-là mêmes qui le lui refusaient, le droit à une existence personnelle, concrètement le droit de se marier avec la personne de son choix. Sous sa forme la plus

154. *V.M.*², p. 37. Voir *supra*, chap. VI, p. 233.
155. *P.P.*, p. 20 et 34.
156. *V.M.*², p. 108.
157. *V.M.*², p. 459, 461, 462.

simple, le schéma est dans l'histoire de Marianne : l'accord de Mme de Miran est obtenu, l'opposition vient de la famille qui fait enlever Marianne et la fait comparaître devant le ministre ; le juge qui devait la condamner assure ses droits après l'avoir entendue. Le schéma est dédoublé dans l'histoire de Jacob : une première fois, l'arrivée inattendue de Monsieur Doucin fait échouer le projet et Jacob est jugé par un tribunal spontané et subalterne, qui suit l'avis de l'épicier assisté de la malicieuse Agathe ; mais la seconde fois un jugement favorable est prononcé par le président devant le conseil de famille, après le plaidoyer de Jacob. L'épisode de l'enlèvement n'est pas intégré au schéma, l'hostilité du milieu se traduit par l'emprisonnement accidentel de Jacob après la décision favorable du conseil de famille, qui n'avait pas usé de violence pour faire comparaître Jacob. Enfin le schéma est trois fois dans l'histoire de Tervire, tellement transformé la seconde et la troisième fois qu'on hésite à la reconnaître. La première version est constituée par l'épisode du projet de mariage avec le baron de Sercour ; en consentant à ce projet, Tervire pensait se donner l'indépendance matérielle et s'assurer un avenir ; la trahison de l'instigatrice, Mme de Sainte-Hermières, associée au neveu du baron, transforme le projet en piège ; Tervire est victime d'une odieuse machination qui la laisse déshonorée publiquement, sauf aux yeux du bon Villot et de sa femme. Désir d'accéder à une existence individuelle en s'alliant à quelqu'un, opposition de la famille, félonie, jugement public, nous retrouvons ici les éléments du schéma que nous avons décrit. Mais le jugement est une condamnation, la vérité ne sera rétablie et la victime réhabilitée que plus tard, trop tard. L'épisode suivant, qui voit la réconciliation de la vieille Mme Dursan avec son fils et sa belle-fille nous semble construit sur le même schéma avec quelques modifications. Il est logique de placer encore Tervire au centre, c'est toujours d'elle qu'il s'agit, c'est son histoire qu'elle raconte ; nous écartons donc tout schéma centré sur le personnage du fils Dursan ou de la vieille Mme Dursan. Mais Tervire ne peut plus songer à faire son propre bonheur par un mariage. Son projet n'est pas de s'unir à quelqu'un, mais d'unir entre elles deux personnes, la mère et le fils brouillés depuis de longues années ; l'opposition à vaincre vient de la mère ; la félonie se retrouve comme dans les schémas précédents, mais elle est vertueuse et exécutée par ceux qui veulent faire réussir le projet, non par ceux qui s'y opposent : c'est le « coup » monté par Tervire pour amener la vieille Mme Dursan à la réconciliation ; le jugement public s'accomplit en deux fois, d'abord dans le cercle de famille où Mme Dursan pardonne à son fils et reconnaît Brunon comme sa belle-fille, puis « en présence de témoins, avec toutes les formalités qu'on jugea nécessaires », par la lecture du testament dont une clause prévoit le mariage de Tervire et du jeune Dursan. Les traits particuliers à ce schéma sont que le personnage central, Tervire, n'est pas le principal bénéficiaire, en apparence ; que la violence est employée par le parti « demandeur », non par le parti « défendeur » ; que Mme Dursan est à la fois juge et partie. L'on retrouve pourtant le schéma originel si l'on admet qu'en recherchant le bonheur d'autrui Tervire s'émancipe de la tutelle de Mme Dursan ; qu'elle est conduite par un motif plus important qu'elle ne le croit, l'intérêt éveillé en elle par le jeune Dursan ; et que le résultat de la réconciliation qu'elle a obtenue est d'assurer son propre avenir par un mariage. Ce mariage n'aura pas lieu, on le sait, et Tervire partie rejoindre sa mère à Paris y vivra le dernier épisode de son récit, où nous voyons la dernière version du même schéma : la personne à laquelle Tervire veut s'unir pour son indépendance et sa sécurité est sa mère ; le jugement public a lieu dans le salon de sa belle-sœur, où Tervire affronte un groupe social d'abord hostile dont elle retourne l'opinion ; et la violence est présente elle aussi, c'est celle par laquelle l'existence de la mère a été pour ainsi dire annulée, Tervire frustrée de l'objet de sa recherche et transformée en protectrice de sa mère alors qu'elle venait lui demander protection. La fin de l'épisode ne nous est pas racontée, mais il est probable qu'elle n'aura pas été meilleure pour l'héroïne que la fin des épisodes précédents [158].

L'histoire de Tervire ne va pas plus loin. Pour Marianne et pour Jacob, une autre expérience succède à celle de la reconnaissance sociale : celle des illusions perdues ou des espérances ruinées, mais elle n'est pas la même chez les deux jeunes gens. Ayant bien assuré son bonheur conjugal et son confort matériel, Jacob est initié à des valeurs qui lui étaient inconnues : celle de la volupté, celle du pouvoir, celle du sentiment, celle du raffinement mondain. La première lui est révélée dans la chambre de Mme de Ferval, nous avons vu l'importance extrême de cette révélation [159] ; mais la scène chez la Rémy en disjoint définitivement la personne de Mme de Ferval :

158. Nous savons que les représentations graphiques sont souvent illusoires, qu'elles mutilent les textes pour mettre en lumière des similitudes douteuses ou arbitraires. C'est donc très timidement que nous proposons de symboliser ainsi les épisodes que nous venons d'analyser et qui constituent la troisième expérience de Marianne, de Jacob et de Tervire (la flèche simple → marque qu'un personnage cherche à s'allier à un autre, ou à en allier deux autres ; la flèche à deux pointes ↔ marque cette alliance ; les deux points : une séparation définitive ; la barre verticale ǀ indique un obstacle ; la barre de fraction / une voie de fait ; le signe + indique un jugement public favorable ; le signe — un jugement public défavorable ; l'angle tourné vers la droite > indique un résultat obtenu, une modification opérée) :

(Marianne)	A → B ǀ / C — > C + > A ↔ B
(Jacob I)	A → B ǀ C + > C — > A → B
(Jacob II)	A → B ǀ / C — > C + > A ↔ B /
(Tervire I)	A → B ǀ / C + > C — > A : B
(Tervire II)	A → (B ↔ C)
	= A → B' ǀ / C — > C + > A ↔ (B ↔ C)
	= A ↔ B'
(Tervire III)	A → B / A → (B ↔ C) ǀ C — > C + > ?

Si l'on ne croit pas aux graphes, on retiendra du moins que dans tous ces épisodes le personnage central, celui qui raconte son histoire, veut obtenir d'un groupe social la reconnaissance de son lien avec un autre personnage, ou la reconnaissance d'un autre personnage dont il identifie les intérêts aux siens propres ; cette reconnaissance est accordée ou refusée par le groupe qui s'est réuni à l'instigation d'un de ses membres ou du personnage principal.

159. Voir *supra*, chap. VI, p. 195.

« notez qu'ici mon cœur se retire, et ne se mêle plus d'elle » ; Jacob
se sent détaché aussi totalement de Mme de Ferval (même si la
jalousie, la curiosité et l'indignation l'agitent encore) qu'il l'a été
de Geneviève quand il a compris son ignominie ; un aspect secret
du caractère se dévoile, le personnage est vu avec d'autres yeux, tous
les sentiments qu'on avait pour lui sont devenus impossibles et
révoltants. Le pouvoir, Jacob en a entendu parler par sa femme, par
Mme de Ferval, par Mme de Fécour ; il va en juger sur place, à
Versailles : il éprouve le même retournement, pour toute sa vie il
sera dégoûté d'une certaine façon d'être puissant. Quant au sentiment
et à ce qu'il appelle la mondanité [160], il les découvre grâce à Mme d'Orville et au comte d'Orsan, et le récit s'interrompt avant qu'il ait pu
vraiment comprendre la nature de ces valeurs nouvelles. Marianne,
qui sait ce qu'est le monde et n'a rien à apprendre sur le sentiment,
voit se briser leur association, dont elle appréhendait l'imposture :
l'infidélité de Valville ne lui cause pas seulement une déception
terrible, en faisant apparaître dans celui qu'elle aime (et acces-
soirement dans celle en qui elle avait confiance, Mlle Varthon) un
trait de caractère demeuré jusqu'alors caché, elle lui révèle la gravité
du malentendu qu'elle avait laissé naître entre elle et les mondains.
La qualité de l'âme et la qualité sociale ne sont pas liées, la consécration si durement obtenue est inutile, Valville s'est dupé lui-même
par sa générosité romanesque ; il ne reste rien à Marianne que ce qui
était fondé sur la pure entente des cœurs, l'affection de Mme de
Miran [161].

Les conclusions à tirer de ces analyses sont les suivantes :

1° Les trois récits ont bien un sujet commun ; un individu que son
origine sociale ou les circonstances de son enfance condamnaient à
l'obscurité découvre son *moi* et entreprend de le faire reconnaître par
un groupe social représentatif de la société en général ;

2° Ce sujet commun entraîne des épisodes communs, transplan-
tations (deux pour Jacob, trois pour Marianne et une quatrième en
instance, trois pour Tervire), affrontements avec le groupe social,
découverte d'aspects inattendus chez des êtres auxquels le personnage central s'est lié, désarrois, vertiges, anéantissements, ivresses ;

3° Le dernier épisode est le plus important dans chaque récit,
parce qu'il contient les expériences les plus graves, non pas tant
pour l'âme du personnage central que pour son destin : il marque
l'accès de l'individu au cœur de la société, aux valeurs qui sont la
raison d'être du groupe ;

---

160. *P.P.*, p. 262. Voir *supra*, chap. VII, p. 303, n. 179, et p. 335, n. 292, sur cet emploi
néologique.
161. Voir *supra*, chap. VI, p. 223-224. Nous voyons avec les yeux de Marianne la métamorphose de Valville et nous partageons son saisissement à cette découverte, *V.M.²*, p. 397 :
« En un mot, je ne le reconnus plus ; ce n'était plus le même homme ; il n'y avait plus de
franchise, plus de naïveté, plus de joie de me voir dans cette physionomie autrefois si
pénétrée et si attendrie quand j'étais présente. Tout l'amour en était effacé [etc.] ».

4º Ainsi compris, le dernier épisode est symétrique de la première expérience : dans celle-ci, le *moi* venant de prendre conscience de lui-même s'évadait d'un lien social qui l'eût aliéné ; dans celui-là, ayant la certitude de sa qualité, il se mesure aux véritables forces du groupe ;

5º L'histoire de Jacob est une histoire ouverte : chacune de ses acquisitions est dépassée par une découverte nouvelle, chacune de ses déceptions est compensée par un nouvel espoir ; l'histoire de Marianne et celle de Tervire sont des histoires fermées : Marianne presque dès le début a découvert le monde, l'amour, la tendresse filiale et son *moi*, et a fait de ces découvertes une synthèse dont on peut croire qu'elle est brisée dans la dernière partie ; Tervire, dont toute l'histoire se définit comme celle d'une fille abandonnée par ses protecteurs naturels et prise en charge par autrui, retourne sa situation, prend autrui en charge et devient finalement la protectrice de celle qui l'avait abandonnée ;

6º Les schémas que nous avons dessinés ne rendent pas compte de tous les détails de chaque histoire, où l'on peut distinguer des épisodes significatifs et des épisodes ou incidents apparemment sans signification.

*
* *

Certains traits du personnage de Jacob apparaissent dans d'autres œuvres de Marivaux que *Le Paysan parvenu*, mais ces ressemblances sont sans grande portée ; elles sont d'ordre physique ou caractériel, elles ne s'accompagnent pas de ressemblances dans le domaine moral, dans la signification humaine de l'expérience, dans la relation à autrui. Jacob est un jeune paysan, d'une santé robuste, plus charnu que musclé, d'humeur joyeuse, parlant un langage coloré ; prompt à éprouver des désirs, qui tiennent tous un peu de la gourmandise, et à entreprendre de les satisfaire [162] : ce portrait est aussi bien celui de Cliton, de Brideron, des Arlequins d'*Arlequin poli par l'amour*, de *La Surprise de l'amour* et de *La Double Inconstance* [163]. Le parallèle s'arrête là, on risquerait de se tromper gravement sur Jacob si on le croyait de la même étoffe que ces personnages ; même le laquais La Verdure, un des interlocuteurs du « Chemin de la Fortune », dialogue allégorique qui figure dans *Le Cabinet du philosophe*, n'est qu'un crayon hâtif de Jacob, une ébauche, où l'essentiel de ce que sera le Paysan parvenu n'est même pas pressenti [164]. On ne peut pas

162. Voir les appellations qu'il reçoit de Mlle Habert, de Mme d'Alain, de Mme de Ferval et de Mme de Fécour : « gros garçon », « gros brunet », « gros dodu », « gaillard », « belle jeunesse », « mon bel enfant » (*P.P.*, 165, Mme de La Vallée ; 172, Mme de Ferval ; 187, Mme de Fécour ; 246, Mme d'Alain ; 89, Mlle Habert ; 186, Mme de Fécour ; 185, Mme de Fécour ; 224, Mme de Ferval). La gourmandise apparaît dans l'adjectif « friand », par lequel Jacob qualifie le pied (*ibid.*, p. 173) et le corset (*ibid.*, p. 223) de Mme de Ferval ; trait arlequinesque.

163. Voir les rapprochements proposés par F. Deloffre dans la Préface de *P.P.*, p. XV-XVI.

164. Ph. Koch (« A Source of *Le Paysan parvenu* », *Modern Language Notes*, LXXV, nº 1, janv. 1960, p. 44-49) a comparé les personnages du « Chemin de la Fortune » à ceux du *Paysan parvenu*, sans être convaincant sur tous les points. Non seulement la technique du

dire que ces diverses versions du « gros brunet » se complètent ou s'approfondissent les unes les autres : ce sont des personnages différents que l'imagination de Marivaux a dotés de la même physionomie, soit parce qu'elle répond un peu à son propre type physique, soit parce qu'elle satisfait une préférence dont la cause est dans son inconscient, soit plutôt parce que la galerie de ses personnages, dans le roman comme au théâtre, est assez limitée : le gai plébéien y fait pendant à l'aristocrate sentimental, comme la femme mûre et sensuelle à la vive et sincère jeune fille.

Le personnage de l'orpheline est beaucoup mieux structuré ; l'on peut dessiner son caractère et retracer son destin en faisant la synthèse de traits empruntés à Parménie, Dorine, Caliste, Célie, Clorine, Marianne et Tervire. L'enfant est victime d'une faute commise par ses parents, d'un accident ou d'un crime qui vient punir réellement ou symboliquement cette faute : les parents de Parménie, ceux de Clorine, se sont mariés contre la volonté de leurs propres parents ; le grand-père de Clorine a enlevé sa petite-fille et est mort sans avoir dit à qui il l'avait confiée ; Parménie a été mise en nourrice parce que le mariage de ses parents ne pouvait pas encore être déclaré, un incendie a détruit la maison de la nourrice et l'on a cru l'enfant morte avec les habitants ; Tervire aussi est née de parents dont le mariage avait dû d'abord rester secret : son père a été déshérité et elle l'a perdu très jeune, sa mère s'est remariée et l'a abandonnée, conduite qui était peut-être une inconsciente revanche sur les devoirs étroits auxquels on avait voulu la plier ; Dorine (la fille adoptive de Fétime) était poursuivie par des assassins, dont on peut croire qu'ils voulaient détruire le fruit d'un mariage interdit ; Marianne enfin perd dans son plus jeune âge ses parents assassinés : leur assassinat est un accident, mais il semble un signe du destin, la clandestinité de leur mariage est inscrite dans la logique du schéma et suggérée par l'auteur. Le second point du schéma est la vie chez la mère adoptive : l'enfant s'attache à celle qui l'a recueillie, elle l'appelle sa mère, lui voue une affection plus vive qu'à une mère selon la nature ; la permanence de cette affection, qui est réciproque, est plusieurs fois affirmée. Selon Charles Mauron, la fiction d'une mère adoptive serait une réponse à l'angoisse d'abandon du jeune enfant qui, ayant peur d'être privé de sa mère, source de sa nourriture, surtout en l'absence du père, imagine une mère de remplacement, bien à lui, qui l'a choisi et le gardera, au lieu de la mère que le hasard lui a donnée et peut lui enlever [165]. Il se trouve effec-

moraliste et celle du romancier diffèrent profondément, mais encore, ici, le moraliste et le romancier n'ont pas peint les mêmes caractères.

165. Ch. Mauron, *Psychocritique du genre comique*, Paris, 1964, p. 102. Il pouvait être intéressant de connaître l'opinion d'un psychiatre. D'une réponse que le docteur Guy Delpierre a bien voulu faire à la question que nous lui posions sur ces personnages de la mère et de la fille par adoption, nous extrayons les phrases suivantes : « Marivaux a l'obsession de l'univers féminin et s'identifie quasi complètement à sa mère. Il projette dans son théâtre son *anima* et il idolâtre en sa mère très aimée la jeune fille séduisante, belle, pure qu'elle a été [...]. Chez Marivaux, univers mythique de la *puella*, et complexe d'abandon, d'adieu à l'enfance où il y avait féminité exclusive jusqu'à onze ans ».

tivement que Marivaux a été élevé par sa mère et n'a vécu avec son père qu'à partir de neuf ou dix ans. Si ce détail biographique explique la présence de tant de mères adoptives dans ses romans, pourquoi s'est-il substitué des personnages de petites filles ? La seule de ces mères adoptives dont la tendresse ne soit pas partagée, et qui finisse même par inspirer de l'horreur à sa fille, est Iphile, mère adoptive de Clorine (dans *Pharsamon*) ; c'est aussi la seule à qui sa fille croyait être liée par la nature et non par l'adoption ; abusive comme les mères selon le sang, elle n'est pas mieux aimée qu'elles. Dans tous les cas, l'enfant est séparée de sa mère adoptive, et cette séparation est la première épreuve de sa vie consciente, dont elle restera à jamais marquée. Ou bien la mère adoptive meurt, comme la sœur du curé et Mme de Tresle, ou bien le père retrouve sa fille et vient la reprendre, comme le père de Parménie et celui de Clorine (pour cette dernière, la séparation est dramatique parce qu'elle s'est mise à haïr sa mère adoptive, et non parce qu'elle souffre de la quitter). Nous ne connaissons que le début de l'histoire de Dorine, mais Clarice lui fait présager qu'elle sera séparée de Fétime et qu'elle regrettera son affection et la campagne où elle vit avec elle [166] : c'est exactement ce qui arrive à Parménie. Deux fois la mère adoptive disparue est remplacée par une seconde mère adoptive, plus aimée encore : c'est Mme de Miran pour Marianne, Mme Dursan pour Tervire. En effet, la mère adoptive est à la fois plus qu'une mère et moins qu'une mère. L'affection qu'elle porte à sa fille heurte les intérêts familiaux et les préjugés sociaux et il vient un moment où un conflit éclate : Iphile choisit contre Clorine les intérêts de la collectivité ; la rupture entre la mère et sa fille adoptive, malgré le pathétique un peu extérieur des circonstances, est une des péripéties les plus chargées de sens que Marivaux ait jamais imaginées, mais elle a quelque chose de brutal et de cruel, et son génie préfère les émotions plus humaines, les larmes plutôt que la dureté. On comprend alors le dédoublement de la mère adoptive dans l'histoire de Marianne et dans celle de Tervire : la crise de la séparation a lieu pour Marianne et pour Tervire à un âge où elles peuvent découvrir ce que c'est que la douleur, mais ne comprennent rien aux conflits d'intérêts qui risqueraient de dénaturer cette douleur ; le conflit n'éclate que plus tard, quand elles peuvent prendre conscience non seulement de sa nature, mais encore de sa solution, qui est leur

166. Les textes sont cités par F. Deloffre, dans son Introduction de *V.M.²*, p. VII-XI. Bien qu'il soit inutile de chercher des « sources » à une histoire aussi banalement romanesque que celle d'une orpheline élevée à la campagne par des parents adoptifs, il est très probable que Marivaux a lu les *Nouvelles* de Montalvan, traduites en 1644 par Rampalle (F. Deloffre signale, *V.M.²*, p. XVIII, dans la sixième nouvelle : « L'Amitié malheureuse », un personnage d'hypocrite qui fait penser à Climal). La dernière nouvelle du recueil, « La Prodigieuse », raconte l'histoire d'Isménie, villageoise dont le cœur a des sentiments noblement élevés, et qui refuse d'épouser un paysan, le fils de son père nourricier ; on découvre au dénouement qu'elle est fille du roi d'Albanie. Au moment même où Marivaux publiait *Les Effets surprenants* dont le ton, l'atmosphère et quelques épisodes rappellent les *Nouvelles* de Montalvan, Marie-Anne Barbier venait d'adapter deux de ces nouvelles (dont « La Prodigieuse », qu'elle intitulait « Les Prodiges du destin ») dans *Le Théâtre de l'amour et de la fortune*, ouvrage qui eut un assez grand succès et plusieurs rééditions au cours du siècle.

propre sacrifice : la générosité de la fille récompense celle de la mère. Contre les intérêts de la collectivité, Mme de Miran choisit le bonheur de Marianne, mais celle-ci, même avant que Valville l'ait trahie, est prête à renoncer à son bonheur pour ne pas brouiller Mme de Miran avec les siens. Tervire sacrifie son propre intérêt en forçant Mme Dursan à réviser son testament en faveur de son petit-fils et de sa belle-fille. Il y a un temps pour apprendre la douleur, un temps pour s'élever jusqu'au sacrifice — un temps pour la première mère adoptive, enlevée par la mort, un temps pour la seconde, sous la protection de laquelle on découvre les luttes humaines.

Le conflit entre la mère adoptive et l'amant ne semble pas essentiel au schéma : l'affection de la mère et de la fille s'accommode de l'amour que la fille peut porter à un jeune homme ; s'il y a opposition, c'est pour des raisons d'intérêt familial ou social. La mère adoptive de Parménie la protège contre un prétendant rebuté, Mme de Miran approuve l'amour de Valville, Mme Dursan souhaite le mariage de Tervire et du jeune Dursan, Iphile s'oppose violemment à l'amour d'Oriante : dans les quatre cas où l'amour intervient, les quatre mères adoptives ont des conduites différentes.

Mais l'entrée dans la vie se fait sans la mère adoptive : pour Parménie, la séparation est sans retour, la dame qui l'avait recueillie dans son enfance n'a plus aucune place dans son histoire lorsqu'elle a retrouvé son père et qu'elle est conduite à la cour ; Mme Dursan est morte lorsque Tervire va rejoindre sa mère à Paris ; et Marivaux indique à plusieurs reprises que Mme de Miran ne survivra que peu de temps après les événements racontés par Marianne. En revanche, l'entrée dans la vie se fait sous les auspices du père ou de la mère selon la nature, lorsque la reconnaissance peut avoir lieu : c'est le cas pour Parménie, qui retrouve son père, mais que les nécessités de la fable font aussitôt se retirer dans la solitude ; c'est aussi le cas pour Caliste et pour Clorante, orphelins qui n'appartiennent pas à la même série, mais qui retrouvent chacun leur père au dénouement des *Effets surprenants*. Faut-il comprendre qu'avec les parents selon le sang il n'y a plus d'aventures possibles [167] ? Faut-il de plus supposer que Marianne aurait retrouvé sinon ses parents, indubitablement assassinés, du moins quelque grand-père qui, selon le schéma que nous reconstituons, aurait fini son roman et lui aurait fait commencer une vie sans histoire ? C'est bien en tout cas l'épisode final du schéma qui a déterminé la dernière aventure de Tervire : elle eût pu retrouver sa mère à Paris dès son arrivée, sans jouer à cache-cache avec elle, mais elle aurait été privée de la reconnaissance qui concluait le destin d'autres orphelines, ses sœurs en Marivaux.

---

167. Le père de Parménie meurt en défendant sa fille contre un enlèvement, peu de temps après l'avoir présentée à la cour.

*
* *

Le récit de Tervire est lié à celui de Marianne. Marivaux a conçu d'emblée la solidarité des deux histoires, mais il a attendu que le développement de l'œuvre lui fît trouver le meilleur point d'insertion : à la fin de la quatrième partie, le récit de Tervire est annoncé comme une illustration de la vie au couvent ; il devait « faire presque tout le sujet [du] cinquième livre » [168]. La religieuse joue un rôle dans la cinquième partie, ce qui prépare le lecteur à entendre son histoire, mais cette histoire est retardée, pour être mieux « amenée » par la suite de l'histoire de Marianne elle-même [169]. Marivaux a donc jugé bon de renforcer la solidarité structurale des deux récits, miroirs l'un de l'autre, antithétiques et symétriques, par une solidarité d'intrigue : prévue d'abord comme « tiroir », l'histoire de Tervire est promue au rôle d'épisode appartenant à l'intrigue principale, et l'infléchissant en faisant comprendre à Marianne qu'il y a plus malheureuse qu'elle et que l'entrée en religion serait pour elle le pire des malheurs. A la fin de la cinquième partie, cette histoire est annoncée comme devant commencer la partie suivante [170] : Marivaux pensait donc que le désespoir de Marianne après l'indiscrétion de Mme Dutour pouvait fournir à Tervire l'occasion de la consoler en lui racontant sa vie. Mais la sixième partie ne voit pas paraître Tervire, l'incident survenu chez Mme de Fare déroule ses conséquences, Marianne est enlevée, traduite devant le conseil de famille. De nouveau, à la fin de la sixième partie l'histoire de Tervire est annoncée ; « à deux pages près » la septième partie va commencer par elle [171] : la promesse ne pouvait être tenue que si, après la fin du conseil de famille, Marivaux renvoyait à plus tard ou n'imaginait même pas la rencontre avec Mlle Varthon et la trahison de Valville : mais dans ce cas le récit de Tervire serait retombé au rang de tiroir, puisque Marianne n'aurait eu besoin ni d'être consolée, ni d'être dissuadée d'entrer au couvent. Et si la décision du conseil de famille avait été négative ? L'hypothèse n'est pas recevable : quelque part que fasse Marivaux à l'improvisation, elle ne saurait donner champ à des variantes d'une telle amplitude, qui font vaciller la signification générale du roman ; de plus, la situation de Marianne devant le conseil de famille est celle de Jacob devant la famille des demoiselles Habert et de Tervire devant les hôtes de sa belle-sœur, Marivaux a dû concevoir les trois scènes comme semblables et leur prévoir un même dénouement, le retournement de l'opinion. Peut-être Marivaux est-il sincère quand il prétend qu'il ne croyait pas l'histoire de la religieuse « encore si loin », et s'est-il de nouveau laissé surprendre par son propre bavardage au cours de la septième partie ; pourtant la trahison de Valville, son cheminement secret, sa décou-

---

168. *V.M.²*, p. 216.
169. *Ibid.*, p. 237.
170. *Ibid.*, p. 268.
171. *Ibid.*, p. 318.

verte par Marianne et ses conséquences, tout cela ne pouvait pas
être montré en quelques pages. C'est bien à la fin de la huitième
partie, et seulement là, que l'histoire de Tervire intervient à sa place
logique. Nous proposons de toutes ces annonces non suivies d'effet
l'explication suivante : à partir du moment où Marivaux a décidé
de lier l'histoire de Tervire à celle de Marianne par une solidarité
d'intrigue et non plus seulement par une solidarité de structure,
c'est-à-dire pendant qu'il rédigeait la cinquième partie, il a cherché
quelle circonstance se prêterait le mieux à son insertion ; l'incident
chez Mme de Fare en était une, mais à mesure qu'il le racontait
il a compris qu'il ne pouvait le séparer de ses suites et qu'il fallait
reporter le récit de Tervire à une coupure plus naturelle ; il a
continué à l'annoncer comme imminent, en sachant fort bien qu'il
se ferait encore assez longtemps attendre, s'il ne prévoyait pas exactement combien de temps. Ce mélange de calcul et de négligence,
cette façon de transformer l'imprévoyance en jeu ironique nous
paraissent caractéristiques de sa démarche créatrice.

Le récit de Tervire a pour premier motif de prouver à Marianne
que Tervire est la plus à plaindre des deux. Nous avons déjà signalé
que le prétexte servait souvent à l'insertion de récits dans les romans
antérieurs à Marivaux [172] : dans l'*Alexis* de J.-P. Camus (1622-1623),
Méliton, Ménandre et Florimond se racontent leurs aventures et
chacun prétend avoir « la prééminence de calamité » [173] ; dans *Faramond ou Histoire de France*, de La Calprenède (1661), à Faramond
qui assure être infortuné « par un genre d'infortune tout prodigieux,
et tout inouy », « l'affligé Constance » rétorque que lui-même ne peut
espérer à ses malheurs « ny remede, ny consolation », et chacun
fait raconter sa vie à l'autre par un confident pour en fournir la
preuve [174] ; dans *Les Désespérés*, de Marini, roman de 1644, traduit
en 1682 et de nouveau traduit en 1731, Florian et Formidaure se
disputent « le rang du plus malheureux de tous les hommes » et sont
prêts à passer du combat de paroles au combat à l'épée [175] ; enfin
dans la troisième partie de *La Paysanne parvenue*, du chevalier de
Mouhy, la malheureuse religieuse Sainte-Agnès, exemple de vocation
forcée, racontait sa vie à l'héroïne, Jeannette, pour la consoler : « S'il
étoit vrai [...] que la consolation de celles qui souffrent dépendît
de trouver des compagnes plus à plaindre qu'elles, vous seriez
bientôt soulagée. Voyez, ma chere fille, voyez en moi la personne
la plus malheureuse ; quand même vos maux seroient encore plus
grands qu'ils ne sont, ils ne pourroient se comparer aux miens : du
moins vous êtes libre [...] » [176]. Religieuse et amoureuse, Sainte-Agnès

---

172. Voir *supra*, chap. VI, p. 234.
173. J.-P. Camus, *L'Alexis*, Paris, Claude Chappelet, 1622-1623, t. IV, p. 398.
174. La Calprenède, *Faramond ou Histoire de France*, Paris, Antoine de Sommaville, 1670,
t. I, p. 40.
175. La traduction de 1731 a paru en deux volumes chez Pierre Prault, l'éditeur de
Marivaux ; le texte cité est au tome I, p. 168. Bien que toutes ces aventures de roman se
ressemblent, on peut croire, à certaines rencontres entre *Les Désespérés* et *Les Effets surprenants de la sympathie*, que Marivaux avait connu la traduction de 1682.
176. Nous citons l'édition de 1777, chez Prault, à Paris, tome I, p. 309.

est peut-être le modèle de la religieuse dont Tervire elle-même rapportera le malheur, dans la neuvième partie de *La Vie de Marianne*, et qui la détourna — pour quelques années — du couvent [177]. Les deux romanciers ont eu la même idée presque ensemble, mais le premier — de peu — semble bien avoir été Mouhy [178] : c'est peut-être aussi une raison pour laquelle Marivaux a retardé le récit de Tervire, il aurait paru plagier un rival, et c'est plus probablement encore la raison pour laquelle au premier motif il ajouta le second, explicite à la fin de la huitième partie, et s'arrangea pour « amener » le récit de façon plus nécessaire que ne faisait Mouhy. Ce second motif se retrouvera dans un roman de Mme de Tencin, où les souvenirs de Marivaux ne sont pas rares, *Les Malheurs de l'amour*, publié en 1748. La religieuse Eugénie y déclare à la narratrice, qui veut prendre le voile : « Vous voulez donc [...] vous enterrer toute vive. Croyez-moi, ma chere fille, ces sortes de douleurs passent et laissent place à un ennui peut-être plus difficile à soutenir que la douleur. Je vous ai souvent promis de vous conter les malheurs qui m'ont conduite ici. Il faut vous tenir parole. Peut-être en tirerez-vous quelqu'instruction : vous apprendrez du moins, par mon exemple, qu'il y a des malheurs bien plus grands que ceux que vous avez éprouvés » [179].

Marivaux tenait à faire coïncider le début du récit de Tervire avec une nouvelle partie du roman : le récit en a acquis son indépendance, et l'on considère parfois que *La Vie de Marianne* est faite de deux romans inachevés, dont le lien reste inutile et difficile à interpréter. La publication simultanée des neuvième, dixième et onzième parties, les quatre ans écoulés depuis la dernière partie du récit de Marianne, renforcent cette impression [180], mais les ressem-

177. *V.M.*², p. 456-462.

178. L'approbation de la quatrième partie de *La Vie de Marianne*, où le récit de Tervire est annoncé pour la première fois, est du 19 mars 1736. L'approbation de la troisième partie de *La Paysanne parvenue* est du 14 décembre 1735. Dans sa huitième partie Marivaux (*V.M.*², p. 425) introduit le récit par la même formule que Mouhy : « comme je puis encore passer une heure avec vous je suis d'avis [...] de vous faire un petit récit des accidents de ma vie ». Sainte-Agnès disait dans Mouhy (éd. cit., p. 311) : « nous avons encore près d'une heure sans être interrompues, je suis persuadée que cette histoire mettra quelque trève à vos peines ». Le récit de Sainte-Agnès peut réellement ne durer qu'une heure.

179. Nous citons une édition d'Amsterdam, 1763, p. 91. Mme de Tencin a reculé devant la convention acceptée par Marivaux ; la narratrice a aussitôt transcrit à la troisième personne le récit d'Eugénie, et c'est cet écrit qui est reproduit (voir *supra*, p. 363). Dans *Candide*, Cunégonde et la Vieille se prétendront plus malheureuses l'une que l'autre, ce qui amènera le chapitre onzième, « Histoire de la Vieille » (voir l'édition procurée par R. Pomeau, Paris, 1959, p. 118-119).

180. « Plus de trois ans s'écoulèrent [plus de quatre, en réalité] (janvier 1738 - mars 1742) avant que parût *L'Histoire de la religieuse*, épisode indépendant du roman presque au même titre que *Manon Lescaut* par rapport aux *Mémoires d'un homme de qualité* », écrit F. Deloffre (*V.M.*², Introduction, p. xLi). Et M. Arland : « le récit a pris de telles proportions qu'il ne peut plus se fondre dans l'ensemble de l'œuvre [...]. Marivaux, qui doit au caprice, à l'absence de plan, une part de sa grâce, s'en voit soudain la victime. Il cède, laissant une œuvre doublement inachevée » (*Marivaux*, Paris, 1950, p. 88). Comme le rappelle M. Matucci (*L'Opera narrativa di Marivaux*, Naples, 1962, p. 223, n. 54), d'Alembert avait blâmé l'épisode de Tervire, parce qu'il « distrait trop le lecteur de l'objet principal » (note 17 de l'*Eloge de Marivaux*, cité dans *T.C.*, t. II, p. 1017). Au contraire, selon L. Spitzer qui met en lumière le parallélisme des deux histoires, il n'y a pas à l'intérieur du roman de Marianne, inachevé, un autre roman différent et, lui aussi, inachevé, mais en tout un seul roman inachevé (« A propos de la Vie de Marianne », *Romanic Review*, février 1953, p. 115, n. 5).

blances de structure, le soin que Marivaux a pris d'« amener » le récit de Tervire, les différences de style et de rythme qui dénotent le récit de Tervire comme subordonné à celui de Marianne [181] prouvent suffisamment l'unité du tout. Nous avons de plus montré, en comparant l'état de l'intrigue au moment où s'arrête chacun des trois récits, et en soulignant la distance entre la situation actuelle du narrateur et l'objet de son récit, que Marivaux n'avait sans doute pas l'intention d'achever ses romans. Avait-il du moins une idée générale de ce qu'il aurait dû raconter s'il avait voulu être un biographe scrupuleux ? Les vies de Marianne, de Jacob, de Tervire, inachevées sur le papier, étaient-elles achevées dans son imagination ? Il faut poser la question autrement : Marivaux s'est-il arrangé pour faire croire au lecteur qu'il savait ce qui serait venu ensuite, ou ne marque-t-il jamais qu'il en ait connaissance ? La réponse ne peut être que positive ; l'existence du narrateur en dépend, Jacob, Marianne regardent leur passé à partir d'un présent auquel ils sont parvenus par un chemin qu'ils ne peuvent ignorer et auquel ils se réfèrent ; la présence de Tervire, donc la continuité entre son présent et le passé qu'elle rappelle sont encore plus évidentes, elles sont inscrites dans l'histoire de Marianne et prouvées par cette histoire. Mais prenons-y garde : donner au lecteur l'impression d'un prolongement du récit n'est pas la même chose que lui donner des indications qui permettent de reconstituer ce prolongement. Marivaux nous rend sensibles de façon intense ces longues années que chaque narrateur a traversées, mais nous serions bien incapables de les résumer d'après ce qu'il fait semblant de nous en dire. C'est une illusion de croire que nous puissions deviner la suite des récits et que Marivaux n'ait plus rien à nous apprendre parce qu'il nous aurait déjà tout appris [182]. Il n'y a que deux façons de reconstruire ce qui manque : ou bien la structure apparente ou secrète de l'œuvre détermine l'existence et la forme des parties manquantes, ou bien les indices semés dans le texte conduisent à des conclusions certaines. Ces deux voies sont aussi vaines l'une que l'autre dans un roman : à moins que l'auteur n'ait fait savoir son plan et son intention de s'y tenir, ce qui n'est absolument pas le cas de Marivaux, rien ne peut l'empêcher de rompre avec la logique, de frustrer l'attente du lecteur, d'aller dans un sens qu'il n'avait pas prévu lui-même ; il n'existe aucune loi qui préforme l'œuvre comme le futur individu est préformé dans l'embryon, et c'est bien une des plus étranges prétentions de la critique à notre époque, que de savoir mieux que l'auteur la langue qu'il parle, de finir les phrases qu'il commence et d'écrire les œuvres qu'il n'écrit pas [183]. Quant aux

---

181. Voir *supra*, chap. VI, p. 234, 240-241.

182. Cette illusion est celle de W.H. Trapnell dans l'article déjà cité, *supra*, p. 388, n. 141.

183. A la rigueur, on pourrait faire apparaître dans une œuvre inachevée une structure qui prouverait que l'œuvre est en réalité achevée. Nous n'avons même pas eu cette prétention, nous avons seulement voulu montrer quelles raisons Marivaux pouvait avoir eues de ne pas aller plus loin.

indices, ils n'apparaissent comme tels que lorsque le lecteur est en possession explicite de ce qu'ils annonçaient : sinon, il ne sait même pas qu'il y avait des indices ; ils anticipent sur ce qui suit, mais on ne les lit dans toute leur signification que rétrospectivement. Par exemple, c'est par un acte purement arbitraire que le continuateur du *Paysan parvenu* a fait revenir dans le roman les neveux de Jacob et fait épouser « Mme de Dorville » par le « comte de Dorsan » : Marivaux avait ouvert le roman par une scène entre Jacob et ses neveux, et signalé dans la cinquième partie une « petite teinte de tendresse » dans les paroles du comte d'Orsan à Mme d'Orville [184] ; on ne doit pas dire que le continuateur a *vu* dans ces notations des indices de ce qui allait suivre, mais qu'il en *fait* des indices par la suite qu'il leur a donnée. De même l'auteur anonyme de la douzième partie de *La Vie de Marianne* a jugé qu'un mariage entre Marianne et Valville était conforme à la vraisemblance générale de ce qu'avait écrit Marivaux, et, se fondant sur le nom « assez étranger » [185] que les parents probables de Marianne avaient inscrit sur le registre des voyageurs, il a fait de la mère une Italienne, du père le propre fils du duc de Kilnare, frère de cette Mme de Kilnare qui figure en effet dans l'œuvre de Marivaux, et oncle de Mlle Varthon. Or non seulement Marivaux n'a jamais parlé du duc de Kilnare, non seulement ce qu'il dit de Mme de Kilnare exclut qu'elle soit apparentée à Mlle Varthon, mais encore il fait explicitement déclarer par Marianne qu'elle ignorait sa naissance encore quinze ans avant le moment où elle rédige ses Mémoires [186], donc au moins dix-sept ans après celui où le récit s'interrompt. En plaçant la reconnaissance le jour même du mariage, et le mariage quelques semaines après les derniers faits racontés par Marivaux, le continuateur a donc traité comme « indices » certains détails et en a négligé d'autres dont le caractère d'« indices » pouvait paraître beaucoup plus impératif. Pour donner un dernier exemple, il a tiré parti de ce chanoine de Sens échappé au massacre dans la première partie, mais il a laissé sans emploi le « jeune homme de vingt-quatre à vingt-cinq ans » dont une réflexion flatteuse, dans la sixième partie, avait été si sensible à Marianne [187], et en qui certains ont vu un mari possible, en place de Valville [188]. La vérité est que, puisque la suite n'a pas été écrite, ni le chanoine de Sens, ni le jeune homme ne sont des indices. Et quand Marivaux fait allusion à quelque fait ultérieur, ou bien l'allusion est trop vague pour être utilisable et ne sert qu'à créer cette impression de prolongement, cet au-delà du récit essentiel à un écrit en forme de

---

184. *P.P.*, p. 8 et p. 255.

185. *V.M.²*, p. 12.

186. *Ibid.*, p. 9. Marianne dit, p. 22, qu'elle a « cinquante ans passés » et répète ce chiffre, p. 36.

187. *Ibid.*, p. 313.

188. Hypothèse de W.H. Trapnell (art. cit.). Dans sa *Suite de Marianne*, Mme Riccoboni fait revenir ce jeune homme sous le nom de marquis de Sineri.

Mémoires [189], ou bien elle ne donne qu'une vue très générale de l'avenir [190] ; Jacob est devenu riche, Marianne est comtesse, mais rien n'indique comment cela s'est fait, et tous les critiques ont été embarrassés pour expliquer ce titre de comtesse, que Marianne, en l'état du texte, ne pouvait, semble-t-il, recevoir de Valville [191]. Il est même visible que Marivaux a soigneusement évité de s'engager ; on peut supposer — car il faut bien supposer quelque chose, et nous l'avons fait nous-même en nous appuyant sur la réalité sociale [192] — que Jacob a été financier, mais rien dans le texte ne nous force à penser que les vues de Mme de La Vallée aient été remplies ; rien ne nous assure expressément que Marianne ait épousé Valville, ni qu'elle ait été reconnue de naissance noble. « Il y a quinze ans je ne savais pas encore si le sang d'où je sortais était noble ou non, si j'étais bâtarde ou légitime » : le lecteur est mis devant quatre hypothèses sans qu'on lui laisse entendre quelle est la bonne ; après huit parties du roman, il n'est pas plus avancé, et il doit comprendre que Marivaux avait très certainement une intention en prêtant à Marianne une formule impossible à interpréter [193]. Mais quelle intention ? De remettre à plus tard un choix qu'il n'avait pas fait lui-même, ou de laisser le plus longtemps possible le lecteur seul dans une incertitude passionnante ? Précisément, cette intention aussi est impossible à interpréter.

L'intrigue n'est aucunement significative en elle-même : un personnage peut avoir une grande place dans l'intrigue et n'avoir aucune importance pour l'histoire intérieure du narrateur (c'est le cas de Mme Darcire dans l'histoire de Tervire), inversement un personnage peut ne jouer presque aucun rôle dans l'action et représenter une des rencontres les plus importantes dans l'histoire intérieure du narrateur, c'est le cas de Mme Dorsin, qui incarne aux yeux de Marianne les plus hautes valeurs morales et intellectuelles. Déduire de cette importance psychologique et de quelques mots prononcés par Ma-

---

189. Voir *supra*, p. 362. Prévost, qui sait où va le récit de Cleveland, est parfois forcé d'anticiper pour faire comprendre une intrigue complexe où le malentendu joue un grand rôle. Marivaux n'a jamais besoin d'anticipations de ce genre. Il semble parfois ouvrir de vastes perspectives et n'annonce en fait que ce qui va suivre immédiatement (*V.M.*², VII, p. 348 : « C'est [de là] que vont venir les plus grands malheurs que j'aie eus de ma vie » — il s'agit de l'infidélité de Valville ; VIII, p. 418 : « mon étoile ne me laissera pas manquer [d'aventures] » — il s'agit de la visite de l'officier âgé).

190. Par exemple *V.M.*², I, p. 52 : « un événement qui a été à l'origine de toutes mes autres aventures », elle va faire connaissance de Valville, puis de Mme de Miran.

191. C'est dans le sous-titre du roman que Marianne est qualifiée de comtesse. La qualité de Valville n'est jamais indiquée par Marivaux. Voir la note de F. Deloffre *V.M.*², p. 382.

192. Voir *supra*, chap. II.

193. On remarquera la même attitude au sujet du nom inscrit par les parents de Marianne (voir *supra*, n. 12) : « [leur] nom assez étranger n'instruisit de rien, et peut-être qu'ils n'avaient pas dit le véritable ». Marivaux a l'air de fournir deux indices, mais ces deux indices s'annulent l'un l'autre et la suite reste ainsi parfaitement indéterminée. Marianne, qui sait de qui elle est née, ne le donne à aucun moment ni à entendre, ni même à attendre. Au contraire M. de B *** (*Mémoires de Mr de B ***, par Courtilz de Sandras, Amsterdam, 1701, t. I, p. 2) commence par dire qu'il ne sait ni qui est son père, ni qui est sa mère, mais qu'il est sûr d'être gentilhomme, « et même du nombre de ceux qui passent le commun de la Noblesse ». Le narrateur du *Nouvel Enfant trouvé ou le Fortuné Hollandois* (Londres, 1786, p. 2) ignore lui aussi son origine et n'espère même pas que « l'avenir puisse dissiper [ses] doutes, qui, à la vérité, ne [l'] ont jamais inquiété infiniment ».

rianne sur ses obligations ultérieures envers Mme Dorsin que Marivaux
réservait à cette dame un rôle capital dans la suite du roman, c'est
forger une hypothèse parfaitement gratuite et confondre l'ordre des
événements (ou des aventures) et l'ordre de la vie intérieure.

Les détails qui serviraient dans un récit fermé à préparer le
dénouement servent seulement, dans *Le Paysan parvenu* et dans *La
Vie de Marianne*, à caractériser les scènes mêmes où ils figurent. Ils
ne visent pas plus loin. Un chanoine a échappé au massacre des
voyageurs, un jeune homme conversait avec un homme âgé et a
fait une réflexion flatteuse quand Marianne s'est présentée devant le
conseil de famille : la première notation tombe à plat, la seconde
met en mouvement l'inlassable mécanisme de l'introspection chez
Marianne, mais aucune des deux n'a de signification fonctionnelle
dans l'intrigue. On a reproché à Marivaux sa myopie, qui discerne des
nuances infinies dans un sentiment et développe en cinquante pages
le contenu d'une demi-journée : il y a en lui un peintre de genre,
plus proche de Chardin par le goût du détail caractéristique — le
cure-dent de M. Bono, l'embonpoint de la Supérieure — que de
Watteau dont il ignore les échappées [194]. L'œuvre a sa continuité, elle
raconte les étapes successives d'une expérience, et son unité, qu'elle
tient de la première personne ; mais, restant interrompue, laissant
entre son passé et son présent un vaste silence, elle rend à chacun
de ses éléments une relative autonomie. Ce n'est ni le recueil discontinu d'un moraliste, comme *Les Caractères*, ni le récit fortement
structuré d'un destin, comme *Manon Lescaut* ; elle admet que tout
ne soit pas subordonné à une fin unique, que la réflexion s'attarde
ou que la narration s'écarte du sujet. Ce type de composition était
souvent celui des pseudo-Mémoires écrits par les romanciers de la
génération précédente, qui donnaient au personnage principal un
caractère assez superficiel pour qu'il n'accaparât pas tout l'intérêt [195].
On en trouve des traces dans le premier roman de Marivaux, qui
ne raconte pas toujours pour faire avancer l'action, mais pour
intéresser, même si ce qu'il dit n'a aucune utilité pour la suite [196].
Dans les deux grands romans, on peut considérer comme épisodes
marginaux la conversation des voyageurs dans la voiture qui conduit

---

194. Voir *supra*, chap. VII, p. 252 et 264, et *infra*, chap. IX, p. 435 et n. 13.

195. Voir l'analyse des *Mémoires de M.L.C.D.R.*, des *Mémoires de M. de B****, romans de
Courtilz de Sandras, et des *Mémoires de la vie du comte de... avant sa retraite*, roman de
l'abbé de Villiers, dans notre *Roman jusqu'à la Révolution*, tome I (2e éd., Paris, 1968),
p. 306-308. Ce type de romans a été étudié de façon neuve par R. Démoris dans sa thèse
déjà citée.

196. Par exemple dans *Les Effets surprenants* (*O.C.*, t. VI, p. 71), Merville rapporte ses
propos au capitaine du navire dans lequel il s'embarque à tout hasard pour le Pérou :
« j'achevai de lui faire le récit de mes aventures [...]. Mon discours m'avoit si fort occupé, en
lui faisant le récit de mes aventures, que, malgré la foiblesse que je me sentois, j'avois
oublié de lui dire que j'étois assez dangereusement blessé ; car, sans lui parler du combat
que j'avois eu contre l'inconnu, je m'étois contenté de lui dire, pour abréger, qu'il avoit, à mes
yeux, enlevé Misrie ». On se demande ce que Merville a pu raconter au capitaine, s'il a
« abrégé » l'essentiel et « oublié » sa blessure, mais surtout on se demande à quoi sert de
relater cette conversation qui n'a rigoureusement aucun intérêt pour l'action.

Jacob à Versailles [197], l'histoire de l'assassin [198], très probablement
le récit de l'aventure du comte d'Orsan avec une femme galante, dans
Le Paysan parvenu [199] ; la querelle de la lingère et du cocher, le
portrait de deux dames venues en visite chez Mme de Miran, dans
La Vie de Marianne [200]. Mais Jacob et Marianne tirent parti de tout,
tout leur est matière à expérience, les gens qu'ils rencontrent ne sont
pour eux que des occasions d'aller plus loin dans leur propre connaissance ; même s'ils ont un moment partagé leur vie, ils les dépassent
sans espoir de les retrouver, quand la mort ne les élimine pas. La
composition des deux romans n'est nullement circulaire, et Mme de
Ferval ou Mme de Fécour n'ont pas plus d'avenir dans l'histoire
de Jacob que Geneviève ou la femme de son premier patron ; le père
Saint-Vincent, Mlle Varthon, Valville peut-être [201], pas plus d'avenir
dans l'histoire de Marianne que le chanoine de Sens ou M. Villot, à
moins qu'un ricochet inattendu de l'intrigue ne les ramène pour un
instant, comme Mme Dutour [202]. Marcel Arland rappelle à juste titre

197. *P.P.*, p. 190-202.
198. *Ibid.*, p. 156-157. Le caractère marginal du récit est rendu sensible par la façon dont
il est introduit : « vous me demanderez peut-être [...] ».
199. *Ibid.*, p. 257-261 et 263.
200. *V.M.²*, p. 92-97 et 345-346.
201. Au début de la huitième partie, Marianne rapporte les propos de sa correspondante,
qui réclame la suite de l'histoire : « mais de grâce, qu'il n'y soit plus question de Valville ;
passez tout ce qui le regarde ; je ne veux plus entendre parler de cet homme-là ». Il y a au
moins douze ans (p. 8-9) que le correspondant connaît Marianne : s'exprimerait-elle de
cette façon si Marianne avait épousé Valville, ou ce mariage pourrait-il être ignoré d'elle ?
Mais nous nous refusons à voir dans ces phrases un « indice » quelconque, il y aurait
vingt façons de les accorder avec l'hypothèse du mariage aussi bien qu'avec n'importe
quelle autre.
202. *V.M.²*, p. 263 : « Mme Dutour, de qui j'ai dit étourdiment, ou par pure distraction,
que je ne parlerais plus, et qui, en effet, ne paraîtra plus sur la scène. » Marianne,
objectera-t-on, avait oublié que Mme Dutour avait encore un rôle à jouer, mais Marivaux,
lui, le savait bien ; le personnage est distrait, le romancier est attentif. Voire ! Quand Marianne
s'excuse d'une distraction qu'elle n'a pas commise — car si elle a fait en pleurant ses
adieux à Mme Dutour, p. 158, elle n'a pas dit qu'elle ne parlerait plus d'elle — où est la vraie
distraction, et à qui l'imputer ? Il y a une bévue symétrique, plus accusée, p. 316 : « J'oublie
de vous dire que le fils du père nourricier [...] s'y trouvait aussi ; il se tenait d'un air
humble et timide à côté de la porte » ; ce qu'elle croit avoir oublié, Marianne l'a dit trois
pages plus haut, p. 313 : « M. Villot [...] y était aussi, à côté de la porte, où il se tenait comme
à quartier, et dans une humble contenance ». De ses négligences, Marivaux fait un beau
feu d'artifice, mais quelques fusées ne partent pas. La « distraction » de Marianne a sans
doute été imaginée par Marivaux pour créer une vraisemblance. Pour avoir toute sa
signification, l'arrivée de la lingère chez Mme de Fare devait être aussi inattendue que celle
du chevalier chez la Rémy, dans *Le Paysan parvenu* (les deux scènes sont symétriques) ; le
sort d'une fille qui n'est rien est à la merci d'un coup de hasard ; Marivaux a préféré ne
rien annoncer, pour ménager une surprise conforme à la vérité profonde de la situation.
Mais Marianne, quand elle raconte, connaît toute la suite des événements ; ne rien faire
pressentir de celui-ci était un effet de composition très littéraire, peu naturel chez cette
femme qui refuse d'être « auteur » (il y en a un semblable dans *Cleveland*, où le narrateur
laisse croire que sa fille a été dévorée par des anthropophages, alors qu'il la retrouvera
quelques années plus tard). Pour sauver le naturel, Marivaux suppose une distraction, mais
qui n'est pas celle qu'avoue Marianne : nous la voyons se commettre sous nos yeux ; elle
consiste à avouer étourdiment une étourderie qu'on n'a pas commise. Jacob pouvait être
reconnu par n'importe quel familier de ses premiers patrons, Marianne ne pouvait être
reconnue que par Mme Dutour. A quelque moment que Marivaux ait pris conscience de cette
nécessité d'intrigue, son habileté de romancier à empêcher qu'on n'accuse la narratrice d'être
trop habile n'est finalement qu'une maladresse. En tout cas, si « faire ses adieux à
Mme Dutour » (sujet : Marianne au moment de l'action) a le même sens que « ne plus avoir
à parler de Mme Dutour » (sujet : Marianne au moment de la narration), c'est que pour
Marivaux la présence d'un personnage dans un épisode n'est pas une raison de le faire
figurer dans un épisode ultérieur.

la phrase que Stendhal attribue à Saint-Réal et par laquelle il définit le roman : « Un miroir qu'on promène le long d'un chemin » [203]. Tout ce qui n'est pas utilisé par Marianne et par Jacob pour leur formation personnelle, ou pour leur information (ce qui revient au même), renvoie le lecteur au monde dans lequel ont vécu Marianne et Jacob, où les expériences qu'ils racontent étaient possibles et vraisemblables, un monde où il existait un chanoine de Sens, des visiteuses importunes, des jeunes gens prompts à manifester leur admiration à une jolie demoiselle [204] : encore ne voyons-nous que peu de chose de ce monde, en dehors de ce qui a directement instruit Marianne et Jacob.

*
* *

L'usage de publier des romans par tranches séparées était courant au début du XVIIIe siècle, et avait soulevé des protestations [205]. Pour se faire une idée exacte de ce que signifiait cet usage, il faudrait établir la liste exhaustive de toutes les livraisons, de leur nombre de pages, de leur espacement, étudier la nature de chaque œuvre, le découpage du contenu entre les livraisons. Il semble que Marivaux ait d'abord songé à publier ensemble au moins les deux premières parties de *La Vie de Marianne* [206]. La lenteur de sa rédaction, ses hésitations sur le plan [207], peut-être l'habitude qu'il avait prise de composer par unités assez courtes quand il écrivait *Le Spectateur français* ou *L'Indigent philosophe*, l'ont conduit à donner ses deux romans partie après partie, selon leur avancement, mode de publication très différent de celui qu'il avait adopté pour *Les Effets surprenants* et qu'il avait sans doute l'intention à l'origine d'adopter pour *Pharsamon*. S'il avait eu un plan bien arrêté et s'il avait cru pouvoir le remplir, aurait-il procédé autrement et attendu de pouvoir remettre à l'éditeur des manuscrits complets, ou plus étoffés ? Il est impossible de le savoir. La publication de petits fascicules favorisait en tout cas les caprices de composition et l'inachèvement, et somme toute le public s'en accommodait : sa lecture était ponctuelle, sans rétrospection ni anticipation. Les critiques mêmes commentaient les parties successives sans trop s'inquiéter de la composition d'ensemble ; on pensait, par exemple, que Crébillon n'avait pas fini *Les Egarements du cœur et de l'esprit* parce que Duclos lui avait volé son dénouement dans ses *Confessions du comte de **** [208], mais on n'accusait pas Crébillon d'impuissance à conclure une intrigue ou à construire une œuvre. Les lecteurs sentaient si un épisode était traînant ou rapide,

203. M. Arland, *Marivaux*, éd. cit., p. 53.

204. C'est à peu près ce que R. Barthes appelle des « informants » dans son « Introduction à l'analyse structurale des récits », *Communications*, n° 8, 1966, p. 10-11. Mais la distinction entre ce qui est utile à l'action (ou à l'expérience du personnage principal) et ce qui ne l'est pas reste, il faut l'avouer, parfaitement arbitraire.

205. Voir les textes cités et commentés par G. May, *Le Dilemme du roman au dix-huitième siècle*, éd. cit., p. 89-91.

206. Voir *supra*, chap. I, p. 41 et n. 80.

207. Voir *supra*, chap. VI, p. 212-213.

208. Voir L. Versini, édition des *Confessions du comte de ****, Paris, 1969, Introduction, p. XII-XIII.

ils n'attendaient pas pour l'apprécier de pouvoir le replacer dans l'œuvre achevée. L'extrême lenteur du récit, les digressions étaient critiquées dans la perspective de l'épisode en cours ; la plaisanterie de Desfontaines sur ce roman dont la lecture exigerait une vie d'homme [209], si elle prouve qu'il n'avait pas compris le dessein de Marivaux, prouve aussi qu'à ses yeux l'achèvement, le bouclage du récit n'était pas la condition nécessaire pour qu'un roman existât, sinon il n'aurait même pas parlé de l'œuvre aux lecteurs de son Journal.

La division du *Paysan parvenu* n'appelle pas de remarques particulières : l'ouvrage a été assez vite rédigé pour que le dessein initial en soit resté sans doute intact. Le récit s'interrompt à des coupures naturelles ; à la fin de la première partie Jacob vient de s'installer chez les sœurs Habert et de faire connaissance avec leur intérieur ; à la fin de la troisième, il part rendre à Mme de Ferval une visite qu'il lui doit ; à la fin de la quatrième il revient de Versailles et se rend chez la Rémy où l'attend Mme de Ferval ; la fin de la cinquième partie ne coïncide pas avec celle d'un épisode, mais l'attention de Jacob, dirigée à la Comédie vers les spectateurs et vers la figure qu'il fait lui-même parmi eux, va se tourner vers le spectacle, changement d'orientation qui suffit pour justifier une pause : si Marivaux n'avait pas l'intention de poursuivre le roman, ou s'il n'avait pas encore une idée précise de la suite, le lecteur n'en devinait rien, en raison du lien assez serré entre la cinquième partie et ce qui était annoncé de la sixième ; il est étrange cependant que cette sixième partie dût commencer par ce qu'il faut considérer, par rapport au fil général de l'intrigue, comme une digression, le portrait des comédiens. Il est plus difficile de donner une signification logique à la séparation entre la seconde et la troisième partie : non seulement c'est la même scène qui continue, mais encore c'est le même moment de cette scène, le départ des témoins lorsque Mme d'Alain a révélé la vérité sur Jacob. La division en parties a donc été conçue par Marivaux avec l'ouvrage lui-même, et les références à cette division figurent dans les propos du narrateur, à la fin de la première partie, à la fin de la troisième et au début de la cinquième, mais Marivaux ne s'en est pas rendu esclave. En revanche chaque partie comprend deux épisodes importants, plus chargés de péripéties dans la quatrième et la cinquième. Ce sont le séjour chez le premier maître et la rencontre de Mlle Habert pour la première partie ; l'installation chez Mme d'Alain (avec le projet de mariage) et l'échec du projet de mariage pour la seconde ; le conseil de famille et le mariage, pour la troisième, où les deux épisodes principaux sont séparés par l'épisode accidentel de la prison [210] ; la visite chez Mme de Ferval puis

---

209. Cité par F. Deloffre, *V.M.*², Introduction, p. LXXVI.
210. Cet épisode qui (semble-t-il) n'a pas de conséquences dans l'action est ainsi au cœur du roman ; on pourrait chercher à cette position privilégiée un sens, par exemple voir dans le séjour en prison l'épreuve initiatique par laquelle doit passer Jacob pour être lavé de son origine roturière... Il a sans doute été imaginé pour faire pendant à l'épisode où Jacob, armé d'une épée qui cette fois sera bien à lui, sauvera la vie au comte d'Orsan.

chez Mme de Fécour et le voyage à Versailles, pour la quatrième ;
enfin le rendez-vous chez la Rémy et l'amitié nouée avec le comte
d'Orsan pour la cinquième.

Les quelques mots prononcés par Jacob pour marquer le passage
d'une partie de son récit à une autre sont le vestige le plus discret
de l'intrusion d'auteur que Marivaux avait pratiquée de façon beaucoup plus appuyée, à l'imitation des burlesques, dans *Pharsamon*.
En tant que narrateur conscient, ayant vécu ce qu'il raconte et le
commentant, Jacob est partout dans son récit, mais en tant qu'écrivain, qui s'est posé des problèmes de composition et de rédaction, il
n'apparaît guère que dans ces rapides transitions et dans deux passages d'importance inégale, l'un au début de la première partie, où il
présente brièvement son projet, l'autre dans la cinquième partie,
où il justifie avec impatience une tournure un peu hardie [211].

La Vie de Marianne n'est pas un récit fait au lecteur, mais une
suite de lettres envoyées à une amie. Les livraisons successives au
libraire et au public sont assimilées à des missives. *A priori*, la division
du texte selon ses articulations naturelles ne coïncide pas obligatoirement avec sa division en fascicules publiés ; les lettres ou les
groupes de lettres sont encore une forme de division qui peut
ne pas correspondre aux deux autres. Le principe rationnel de
découpage selon le sens est concurrencé par la nécessité du découpage
selon la facilité plus ou moins grande à écrire et par les servitudes
de la publication, qui imposent un certain nombre de cahiers de vingt-
quatre pages : si le tome est trop petit, l'auteur doit l'étoffer, s'il
est trop gros, l'auteur doit le dédoubler et produire de quoi
étoffer un second tome. Le libraire peut toujours compléter un
cahier ou un demi-cahier en reproduisant l'approbation et le privilège
ou en ajoutant un catalogue des livres qu'il vend, mais un rapport
de proportions entre les diverses parties n'en est pas moins exigé
de l'auteur, et il faudrait étudier l'influence de ces contraintes sur
la forme des ouvrages et sur l'inspiration des écrivains [212]. Dans les
deux autobiographies fictives dont Marivaux a pu s'inspirer pour
donner à *La Vie de Marianne* la forme épistolaire, *Les Avantures ou*

---

211. *P.P.*, p. 6 et p. 262. Le texte de théorie littéraire le plus long du *Paysan parvenu* n'est
pas le fait de Jacob, c'est la conversation des voyageurs sur un roman libertin, dans la
quatrième partie.

212. Même les dimensions de la feuille de papier sur laquelle on écrit ont sans doute leur
influence (et, de nos jours, l'emploi de la machine à écrire). Michel Gilot a fait apparaître
dans chacune des quatre dernières parties du *Paysan parvenu* quinze jalons qui scandent la
composition à intervalles d'une régularité mathématique (« Remarques sur la composition du
" Paysan parvenu " », *XVIIIᵉ Siècle*, nᵒ 2, Paris, 1970, p. 181-195) ; sa démonstration ne nous
semble pas convaincante, pour deux raisons : la première est que les « jalons » ne sont
pas toujours évidents ; étant déterminés *a priori* par découpage arithmétique, ils devraient
infailliblement correspondre à une étape du sens, sinon nous serions devant une pétition de
principe ; la seconde est que le découpage admet quelque latitude, l'écart qui sépare les
jalons est sujet à de petites variations, de cinq ou six lignes ; nombre faible sans doute,
qui serait négligeable si les divisions avaient plusieurs centaines de lignes, mais qui ne l'est
peut-être pas quand elles en ont entre 100 et 130. Si l'existence de tels jalons était
confirmée, il faudrait les expliquer moins par un système délibéré de composition que par
la pulsation naturelle, les jets réguliers de l'inspiration, ou par la base matérielle de
l'écriture, la grande feuille pliée en deux ou en quatre.

Mémoires de la vie d'Henriette-Sylvie de Molière, par Mme de Villedieu (1674), et l'*Histoire de la comtesse de Gondez*, par Mlle de Lussan
(1725), chaque partie représente un envoi, et le découpage est toujours
logique, le passage d'une partie à une autre correspond toujours
à un tournant ou à un arrêt de l'action. Dans les deux cas la narratrice écrit ses Mémoires pour répondre à la demande, qui est
un ordre, d'une protectrice, et s'engage à dire sincèrement la vérité,
même lorsqu'il s'agit de fautes et de faiblesses dont elle a honte.
Quand elle s'arrête, à la fin d'une partie, c'est pour « donner du
relâche » à sa correspondante, qu'une lecture trop longue fatiguerait
et dont les moments sont précieux, et aussi, chez Mme de Villedieu,
pour se reposer elle-même. Les reprises, dans les *Mémoires de la vie
d'Henriette-Sylvie de Molière*, se font sans aucun commentaire concernant l'allure du récit : or la publication s'était étendue sur trois ans,
perturbée par certaines circonstances de la vie de l'auteur [213] ; au
contraire, dans l'*Histoire de la comtesse de Gondez*, dont les deux
tomes ont paru la même année, lorsque le récit reprend (il est seulement en deux parties) la narratrice se prétend pressée par sa
correspondante de donner la suite, et déclare ne pas s'en défendre
plus longtemps, comme si elle l'avait fait attendre [214].

Marivaux, à qui ses publications périodiques avaient appris ce
que c'est que de remplir une feuille ou un cahier, et qui avait pratiqué
avec adresse des déboîtements entre le découpage logique du contenu
et le découpage arithmétique des feuilles, a profité de la forme
épistolaire, dans *La Vie de Marianne*, pour intégrer à l'œuvre le
commentaire des modalités de sa composition : il est normal, quand

213. Selon Micheline Cuénin (édition critique des *Désordres de l'amour* de Mme de Villedieu, Genève-Paris, 1970, p. LIX) le privilège serait du 29 avril 1671, et les tomes V et VI
auraient paru le 16 janvier 1674. Une comparaison de ces *Mémoires de la vie d'Henriette-
Sylvie de Molière*, et de *La Vie de Marianne* est à faire. Les caractères des deux héroïnes
sont très différents et leurs existences aussi, mais les rencontres sont assez nombreuses (nous citons l'édition d'Amsterdam, chez Abraham L'Enclume, 1733) ; emploi
hypocoristique de l'adjectif « petit » (« mes petites façons », p. 8 ; « j'avois un petit air
galant », p. 10 ; « ces petites badineries auxquelles je m'abandonnois », p. 13) ; digressions excusées (p. 70, 358, 418) ; histoire d'une religieuse annoncée à la fin d'un livre et
racontée dans le suivant (p. 404 et 434) ; cette religieuse, au contraire de Tervire, conseille
à l'héroïne de se retirer du monde et d'entrer au couvent, mais, comme Tervire, elle a été
victime d'un guet-apens matrimonial (moins scandaleux) ; Henriette-Sylvie, enfant abandonnée, regarde la marquise de Séville, qui la protège et la chérit, « comme si elle eût été
[sa] véritable mere » (p. 78), mais elle laisse entendre que cette marquise est en effet sa
mère, sans en avoir jamais la certitude ; Englesac, amoureux d'Henriette-Sylvie, se déguise en
maître d'hôtel, il a « la bassesse de se soumettre à prendre un tel emploi » (p. 91) pour
approcher de celle qu'il aime (Valville se déguisera en laquais, et Dorante, dans *Les Fausses
Confidences*, se fera intendant). Aucun de ces traits n'est vraiment significatif, mais il n'est
pas sans intérêt de mettre en parallèle ces deux histoires de jeune fille sans famille.

214. Comme Marianne, la comtesse de Gondez n'écrit que pour sa correspondante, et ne se
pique ni de suivre les règles, ni d'être un auteur : « Vous me pressez, Madame, d'une
maniere trop obligeante de vous donner la suite de mon Histoire, pour m'en défendre plus
longtemps. J'ai écrit pour vous amuser. J'ai peut-être mis peu d'ordre dans ce que vous
avez déjà lu ; je ne suis pas capable d'en mettre davantage dans ce que vous allez lire. Je ne
cherche point à vous séduire, en m'assujettissant à des regles prescrites pour cette
fin : la vérité est mon seul guide ; et l'amitié dont vous m'honorez, vous intéressant à mes
avantures, vous fera pardonner ce que vous ne pardonneriez peut-être pas à tout
Auteur qui n'écriroit que pour plaire » (début de la seconde partie ; nous citons le texte
reproduit dans la *Bibliothèque de campagne ou Amusemens de l'esprit et du cœur*, tome IX,
Bruxelles, 1785, p. 161).

on écrit une lettre, de répondre à l'impatience ou à l'étonnement du correspondant, d'expliquer pourquoi on a tardé à écrire ou pourquoi, au contraire, une lettre suit de près la précédente [215]. Chez Mme de Villedieu, les aléas de la rédaction n'avaient eu aucun écho dans le texte, chez Mlle de Lussan inversement une timide allusion au retard de la rédaction fictive ne correspondait à aucun retard dans la rédaction réelle. D'emblée Marivaux avait prêté à Marianne un trait de son propre caractère, la nonchalance capricieuse, comme au Spectateur français et à l'Indigent philosophe, mais le retard pris par la seconde partie l'a amené à confondre ses propres irrégularités, réelles, avec celles de la narratrice, imaginaires ; la première page de la seconde partie, dans sa version primitive, ne comportait pas de commentaires initiaux ; dans la version définitive, ils répondent à la « curiosité » de la correspondante qui « presse » Marianne de continuer son histoire ; Marivaux n'avait pas eu lieu de penser à cette impatience et à cette curiosité quand la seconde partie était destinée à paraître dans le même tome que la première. Les commentaires s'accordent ensuite assez exactement aux divers intervalles des publications, la narratrice reconnaissant laconiquement ses retards et se félicitant ironiquement de sa diligence [216]. A ceux qui lisaient

---

215. La forme épistolaire justifie aussi, cela va de soi, le ton décousu, les « réflexions » qui coupent le récit, et même l'inachèvement de l'œuvre. Dans un article aux vues par ailleurs très contestables, Fr. Jost a fait de *La Vie de Marianne* le type représentatif d'un « roman épistolaire statique » où l'auteur des lettres communique les sentiments qu'il a éprouvés autrefois, par opposition à un autre « roman épistolaire statique », celui où l'auteur communique ses sentiments actuels, et dont le type est le *Werther* de Gœthe (« Le Roman épistolaire et la technique narrative au XVIIIe siècle », *Comparative Literature Studies*, III, 4, 1966, University of Maryland, p. 397-427).

216. Début de la seconde partie (intervalle : 2 ans 9 mois) : « Dites-moi, ma chère amie, ne serait-ce point par compliment que vous paraissez si curieuse de voir la suite de mon histoire ? » (*V.M.²*, p. 57). « Vous me pressez de continuer, je vous en rends grâces et je continue » (*Ibid.*, p. 58). — Début de la troisième partie (intervalle : 1 an 10 mois) : « Oui, madame, vous avez raison, il y a trop longtemps que vous attendez la suite de mon histoire ; [...] j'ai tort et je commence » (*ibid.*, p. 105). — Début de la quatrième partie (intervalle : 4 mois) : « les différentes parties de l'histoire de Marianne se suivent ordinairement de fort loin [...]. Il n'y a que deux mois que vous avez reçu la troisième. [...] Peut-être qu'en ce moment vous me savez bon gré de ma diligence, et vous ne la remarqueriez pas si j'avais coutume d'en avoir » (*ibid.*, p. 165). — Début de la cinquième partie (intervalle : 5 mois et demi) : « Voici, madame, la cinquième partie de ma vie. Il n'y a pas longtemps que vous avez reçu la quatrième, et j'aurais, ce me semble, assez bonne grâce à me vanter que je suis diligente ; mais ce serait me donner des airs que je ne soutiendrais peut-être pas [...] » (*ibid.*, p. 219). — Début de la sixième partie (intervalle : un mois et demi) : « je vous envoie la sixième partie de ma vie ; vous voilà fort étonnée, n'est-il pas vrai ? Est-ce que vous n'avez pas encore achevé de lire la cinquième ? [...] C'est que ma promesse gâtait tout. Cette diligence alors était comme d'obligation, je vous la devais, et on a de la peine à payer ses dettes [...] » (*ibid.*, p. 271. En réalité, Marianne n'avait jamais promis d'être diligente). — Début de la septième partie (intervalle : 3 mois). « Souvenez-vous-en, madame ; la deuxième partie de mon histoire fut si longtemps à venir, que vous fûtes persuadée qu'elle ne viendrait jamais. La troisième se fit beaucoup attendre ; vous doutiez que je vous l'envoyasse. La quatrième vint assez tard ; mais vous l'attendiez, en m'appelant une paresseuse. Quant à la cinquième, vous n'y comptiez pas sitôt lorsqu'elle arriva. La sixième est venue si vite qu'elle vous a surprise : peut-être ne l'avez-vous lue qu'à moitié, et voici la septième. [...] Suis-je paresseuse ? ma diligence vous montre le contraire. Suis-je diligente ? ma paresse passée m'a promis que non » (*ibid.*, p. 321. En récapitulant, Marianne fait apparaître une accélération régulière de ses envois, qui auraient fini par devancer la confiance croissante de sa correspondante. En fait, il est faux que la quatrième partie soit venue « assez tard », elle s'était moins fait attendre que la cinquième). — Début de la huitième partie (intervalle : 11 mois) : « Vous me demandez

l'œuvre dans sa fraîcheur, Marivaux devait peut-être des explications, mais qu'importait à ceux qui plus tard avaient en main les onze parties réunies, que l'une se fût fait attendre et que l'autre eût paru plus vite qu'on ne l'attendait ? En principe, il n'y avait aucun rapport entre les accidents qu'avait connus l'élaboration de l'œuvre par un écrivain, un imprimeur et un libraire et les caprices d'une mémorialiste imaginaire ; la fiction initiale en vertu de laquelle l'œuvre arrivait au public n'était pas qu'une dame inconnue expédiait à une amie ses Mémoires par lettres séparées, à mesure qu'elle en avançait la rédaction, mais que la totalité du manuscrit avait été trouvée dans une armoire. La narratrice avait pu être paresseuse, l'éditeur pouvait l'être à son tour, ces deux paresses étaient étrangères l'une à l'autre, la rédaction et la publication n'appartenaient pas au même temps. Marivaux a le sentiment d'avoir été rapide quand une partie de son livre ne lui a demandé que quelques mois de travail, mais pour Marianne qui écrit au fil de ses souvenirs, ces quelques mois deviennent seulement quelques jours, puisqu'elle peut sans exagération grossière supposer que sa correspondante n'a pas même fini de lire les feuillets précédents quand elle lui en envoie d'autres. Les circonstances de l'édition abolies, les raisons réelles de ses délais variables oubliées et désormais sans intérêt, il reste la fiction pure, l'œuvre seule, Marianne vivant la rédaction de ses Mémoires, s'interrogeant sur ses propres expressions et ses réflexions, réagissant aux réactions de sa correspondante. Marivaux s'est éclipsé entièrement derrière le personnage qu'il a doté de son expérience et de ses pouvoirs. L'œuvre contient en elle-même l'écho de son devenir. Comme pour confirmer son autonomie paradoxale par rapport à Marivaux, Marianne, qui effectivement a été diligente à envoyer la dixième partie après la neuvième et la onzième après la dixième, proclame qu'elle sera tout aussi diligente à l'avenir : et aucune autre partie ne fut écrite.

Le sectionnement du récit n'est justifié explicitement que quatre fois : à la fin de la première partie, Marianne veut reprendre haleine et laisser un répit à sa correspondante ; à la fin de la quatrième partie, elle est fatiguée et tombe de sommeil ; à la fin de la huitième, Marianne s'arrête pour laisser parler Tervire ; à la fin de la onzième, la cloche qui appelle la religieuse à la prière fournit à Marianne

quand viendra la suite de mon histoire ; vous me pressez de vous l'envoyer. Hâtez-vous donc, me dites-vous, je l'attends » (*ibid.*, p. 375). — Début de la neuvième partie (intervalle : 4 ans 2 mois) : « Il y a si longtemps, madame, que vous attendez cette suite de ma vie, que j'entrerai d'abord en matière » (*ibid.*, p. 429). — Début de la dixième partie (mise en vente en même temps que la neuvième) : « Vous reçûtes hier la neuvième partie de mon histoire, et je vous envoie aujourd'hui la dixième ; on ne saurait guère aller plus vite. [...] ma diligence [...] a plus l'air d'un caprice qui me prend que d'une vertu que j'acquiers, n'est-il pas vrai ? [...] Patience, vous me faites une injustice, madame ; mais vous n'êtes pas encore obligée de le savoir ; c'est à moi dans la suite à vous l'apprendre, et à mériter que vous m'en fassiez réparation » (*ibid.*, p. 493). — Début de la onzième partie (mise en vente avec les deux précédentes) : « Quoi ! vous écriez-vous, encore une partie ! Quoi ! trois tout de suite ! [...] ma diligence vient de ce que je me corrige, voilà tout le mystère ; vous ne m'en croirez pas, mais vous le verrez, madame, vous le verrez » (*ibid.*, p. 539).

l'occasion de s'interrompre aussi. Dans tous les autres cas, le récit s'arrête comme s'il était évident qu'il ne dût pas aller plus loin, le nombre de pages désirable étant atteint. Le prétexte avancé à la fin de la septième partie pour renvoyer la suite au début de la huitième est même, bizarrement, d'éviter toute interruption, tant la division en partie paraît naturelle et inéluctable [217]. Comme l'a noté F. Deloffre, toutes les parties s'interrompent sur une situation intéressante, et chaque fois les dernières phrases excitent la curiosité pour ce qui va venir [218], sauf dans le récit de Tervire, sur les divisions duquel il n'y avait pas lieu d'attirer l'attention : son découpage est très régulier et très logique, chaque partie représente un épisode (l'enfance de l'orpheline jusqu'à son projet de mariage manqué ; l'assistance généreusement apportée aux cousins ingrats ; la recherche de la mère et l'accomplissement du devoir filial) qui se déroule dans un lieu différent. L'histoire de Marianne, elle aussi, s'accommode naturellement à la division en parties, mais avec plus de souplesse et de liberté : chaque partie a plusieurs centres d'intérêt, un même épisode passe d'une partie à une autre, Marivaux s'étant réservé le droit de suivre le dynamisme de l'invention et d'ajouter les développements qui lui viendraient à l'esprit en cours de route [219]. C'est un écrivain qui fait volontairement la part de l'improvisation : elle est pour lui une garantie de sincérité et d'exactitude. Sans doute, il a mis quelque affectation et quelque ruse dans son prétendu désordre, mais ce n'est pas un savant désordre, effet de l'art et du calcul, c'est une spontanéité pour laquelle il a délibérément créé toutes les conditions favorables. Le romancier qu'il est écrit sous la pression de ce qu'il a vraiment à dire, non par obéissance à un plan préétabli. Certains écrivains comme Proust et Rousseau arrivent par le jeu

---

217. « Remettons la suite de cet événement à la huitième partie, madame ; je vous en ôterais l'intérêt, si j'allais plus loin sans achever » (*ibid.*, p. 371). La suite de la huitième partie n'était donc pas prête ; l'interruption fut de onze mois, mais elle permit à Marivaux un puissant contraste entre la fin de la septième partie et le début de la huitième, et à Marianne un admirable recul, un trait d'intelligence souverainement libre, avant qu'elle « rentr[ât] dans tout le pathétique de [son] aventure » (p. 377).

218. Voir *V.M.*², p. 101, n. 1. A la fin de la première partie, Marianne annonce « un événement qui a été à l'origine de toutes [ses] autres aventures » et par lequel elle va commencer la seconde partie. Il s'agit de l'accident qui lui a fait rencontrer Valville, et qui en effet, dans la version primitive, était au début de la seconde partie ; dans la version définitive, il est précédé par la scène de l'église. La quatrième partie commence par le portrait de Mme de Miran et s'achève par le début du portrait de Mme Dorsin ; la cinquième commence par la fin du portrait de Mme Dorsin : places privilégiées attribuées à des personnages importants ; peut-être Marivaux considérait-il aussi ces places comme propices aux arrêts dans le récit que sont les portraits, puisqu'il se proposait, nous l'avons vu, de commencer la sixième partie du *Paysan parvenu* par le portrait des comédiens.

219. Première partie : Mort de la sœur du curé, Marianne sous la coupe de Climal. Deuxième partie : Rencontre de Valville. Troisième partie : Marianne rompt avec Climal et renonce à revoir Valville ; rencontre de Mme de Miran. Quatrième partie : Mme de Miran permet à Valville d'aimer Marianne ; Marianne reçue dans le monde. Cinquième partie : mort de Climal ; la vérité sur Marianne est révélée chez Mme de Fare. Sixième partie : Marianne est enlevée et traduite devant le conseil de famille. Septième partie : Marianne est admise par la famille ; trahison de Valville. Huitième partie : comportement de Marianne devant la trahison.

minutieux des convergences, des correspondances secrètes et profondes, à une grâce où toute trace d'effort a disparu ; d'autres,
comme Stendhal, ont besoin, une fois aperçue l'idée génératrice, de
se jeter dans l'invention : Marivaux est de ceux-là. L'essence du
romanesque chez lui est peut-être dans cet élan ; s'il reste naturel,
en revanche il s'essouffle et s'épuise vite.

« CE N'EST point un auteur, c'est une femme qui pense [...] et qui, en contant ses aventures, s'imagine être avec son amie, lui parler, l'entretenir, lui répondre ; et dans cet esprit-là, mêle indistinctement les faits qu'elle raconte aux réflexions qui lui viennent à propos de ces faits : voilà sur quel ton le prend Marianne. Ce n'est, si vous voulez, ni celui du roman, ni celui de l'histoire, mais c'est le sien » [220]. « Histoire » désigne sans doute ici non pas ce que nous appellerions une des sciences humaines, mais l'une des variétés du genre narratif. Ce qui distingue *La Vie de Marianne* de toute œuvre littéraire de fiction, qu'elle relève de la tradition héroïque du « roman » ou du genre plus moderne et moins ambitieux de l'« histoire », ce sont les réflexions mêlées au récit comme dans une conversation familière. On peut en dire autant du *Paysan parvenu*, puisque Jacob s'y propose simplement de raconter du mieux qu'il pourra les événements de sa vie et d'exercer sur eux son « esprit de réflexion » [221]. Le ton est différent dans les deux œuvres, les réflexions de Marianne et celles de Jacob ne sont les mêmes ni par le contenu ni par l'importance, mais nous pouvons admettre que, selon l'intention de Marivaux, *La Vie de Marianne* et *Le Paysan parvenu* doivent tous deux être exclus du genre romanesque. Comme les romans baroques, ceux de Mlle de Scudéry notamment, comportaient des « réflexions » nombreuses, et comme *La Princesse de Clèves*, type du roman ou de l'histoire classique, sans contenir de véritables réflexions, faisait aller de pair le récit et l'analyse, le trait caractéristique qui interdit de voir dans les deux œuvres de Marivaux des romans est le rôle du narrateur. C'est par le narrateur que la réflexion devient l'objet principal de l'écrit et que le lecteur, au lieu de se trouver devant une suite d'événements sur lesquels on pouvait fort bien l'inviter à réfléchir, mais qui étaient l'âme de l'œuvre, se trouve devant un interlocuteur « qui pense ». Les essais journalistiques ont enseigné à Marivaux à faire parler ce genre de personnages, nous n'y reviendrons pas. Mais mises à part les réflexions, le texte, que ce soit celui de Marivaux ou de n'importe quel romancier, est constitué essentiellement par le récit, auquel se joint éventuellement la description, et par le dialogue.

Marivaux n'a pas une réputation de conteur, au contraire de Lesage et de Voltaire. C'est qu'il ne fait pas parler les faits seuls, et tous les faits. Dans le tissu de la narration, chez Lesage et chez Voltaire, tout est expressif, tout fait mouche, rien en tout cas ne semble énoncé par acquit de conscience, pour restituer les moments successifs d'une action ; la phrase la plus banale d'un récit apporte

220. *V.M.²*, p. 56 (Avertissement de la seconde partie).
221. *P.P.*, p. 6.

toujours une information intéressante, digne de notre attention au
même titre que toutes les autres. Il n'en est pas de même chez
Marivaux. Il a d'abord été victime du scrupule d'exhaustivité qui
accablait les romanciers de l'âge baroque, mais dont les romanciers
classiques avaient su se délivrer. Dans *Les Effets surprenants* les
détails expressifs sont mis sur le même plan que les détails oiseux,
l'action se déroule avec une régularité monotone : « Après ces mots,
elle appella quelqu'un, et elle ordonna qu'on fût voir si l'inconnu
étoit éveillé et en état de recevoir sa visite. On revint un instant
après dire que l'inconnu la remercioit de son honnêteté, et qu'il
l'attendoit. Ma mere s'habilla promptement, et me prenant par
dessous les bras : Venez [...]. Je la suivis ; nous entrâmes dans la
chambre de l'inconnu [etc.] » [222]. Le seul geste expressif dans la
situation, la mère adoptive « prenant sous les bras » Parménie pour
la pousser dans la chambre de son père inopinément retrouvé, et
dont l'arrivée va mettre fin au bonheur commun des deux femmes,
ce geste est noyé dans la succession des énoncés inutiles. De même,
un romancier moins attaché à ne pas sauter de maillon aurait tout
simplement écrit : « Au souper, elle mangea peu et jettoit toujours
sur moi des regards qui ne lui étoient pas ordinaires », mais Marivaux
décompose et énumère : « On servit, nous soupâmes ; elle mangea
peu [etc.] » [223]. Il craint que le lecteur ne puisse imaginer les faits
s'il ne les lui désigne pas tous. Aussi lorsque le fil de l'intrigue amène
une circonstance un peu complexe, dont les antécédents n'ont pas
pu être tous mis en lumière plus tôt parce qu'ils étaient étrangers
aux faits racontés, Marivaux s'embrouille dans les explications : « Un
de ces esclaves [de Méhémet], *qui* sçavoit les affaires de son maître
avec le Marchand, ne douta point *qu*'il n'eût fait périr l'un et l'autre
[Méhémet et Halila], *pour* ne pas payer l'argent *qu*'il devoit à
Méhémet *pour* des marchandises *dont* avant le repas le Marchand
avoit signé une reconnoissance *que* Méhémet avoit mise dans sa
poche, *et qui* se trouvoit perdue par l'aventure *qui* fesoit périr son
maître, et *dans laquelle* on avoit enveloppé Halila *afin qu*'elle n'ac-
cusât point l'auteur de la mort de son mari » [224]. Le dialogue est figé
dans un style noble et conventionnel, l'articulation entre le dialogue et
le récit est toujours attentivement marquée par « en disant ces
mots » ou « après ces mots ». Dans *Pharsamon*, les deux récits insérés
sont écrits selon la même technique ; les détails expressifs du récit
principal sont mieux mis en relief, parce que les personnages sont
ridicules ; on sent pourtant encore que Marivaux craint de manquer
son effet : il détache chaque trait, l'emploi trop fréquent du présent
de narration aboutit à une vision sans relief, bizarrement saccadée :
« Le pere nourricier un peu brutal donne alors un soufflet à sa femme
pour la corriger de sa vivacité. La pétulante femme oubliant son
ennemi, se releve sur ses jambes, et pousse son mari de toute sa

---

222. *O.C.*, t. V, p. 530. *O.J.*, 142.
223. *Ibid.*, p. 528. *O.J.*, 141.
224. *Ibid.*, t. VI, p. 106. *O.J.*, 232.

force ; son mari va se coigner les reins contre la serrure de la porte, la douleur qu'il ressent lui fait perdre un reste de sang-froid qu'il avoit encore, il retourne à la charge sur sa femme, et la terrasse, en la tenant par les cheveux ; l'oncle qui avoit eu le temps de se relever, s'empressa de faire cesser ce nouveau combat, pendant que Colin exhorte Mathurin à châtier sa femme.» [225] ; une scène très mouvementée est ainsi ramenée à une série d'images instantanées : « Cependant, à ce désordre qui paroît effroyable, et dont les Dames, ennemies du bruit, sont épouvantées, les unes en criant se sauvent çà et là ; celle-ci descend l'escalier sans sçavoir ce qu'elle fait ; l'autre pousse une porte, parcourt des appartemens, arrive enfin jusqu'à celui des époux, dont par ses cris effrayans elle trouble la félicité. Les Cavaliers au désespoir contre ceux qui terminent leurs plaisirs, s'efforcent d'abord de saisir Pharsamon ; ils cherchent leurs épées ; mais où sont-elles [etc.] » [226].

Deux passages sont à mettre à part dans *Pharsamon* : c'est, dans la cinquième partie, la courte conversation de Cliton avec un paysan, et dans la septième partie le récit fait par Cliton de sa vie et de celle de son maître [227]. Si maladroit encore dans le romanesque sérieux, Marivaux a trouvé d'emblée le ton juste dans le romanesque comique : il perd son temps à imiter Mlle de Scudéry ou La Calprenède, il avance à grands pas quand il imite Rabelais et Charles Sorel. Ce qu'il y a de meilleur dans *La Voiture embourbée* et dans *Le Bilboquet* est de la même veine, ce sont quelques croquis plaisants, celui du repas rustique où le narrateur offre à boire dans son chapeau et où une pomme cuite roule à terre pour être aussitôt remise dans le plat « barbouillée de cendre et de poussière », celui de Nanon assise devant un escabeau, tantôt mordant son pain et son lard, tantôt peignant ses cheveux jaunes, celui du grave magistrat qui au lieu de retourner à table place sa serviette sous son bras et se met à jouer au bilboquet [228]. Mais l'expression n'arrive pas à suivre l'invention dans les voies du fantastique grotesque, et pour décrire l'antre du magicien et les supplices qui s'y exécutent, ou la contagion universelle de la folie du bilboquet, Marivaux manque de souffle et n'a pas le sens de l'énormité. Ces deux œuvres, presque exactement contemporaines, sont comme des essais rapides où Marivaux a repris plusieurs scènes déjà traitées auparavant, en attendant de faire mieux [229].

225. *Ibid.*, t. XI, p. 100 (deuxième partie). *O.J.*, 444.

226. *Ibid.*, p. 355 (septième partie). *O.J.*, 581.

227. *Ibid.*, p. 248-249 et p. 382-396. *O.J.*, 524 et 594-601.

228. *Ibid.*, t. XII, p. 154. *O.J.*, 322 et *Le Bilboquet*, éd. cit., p. 20-21.

229. *La Voiture embourbée* est composée sur le même schéma et repose sur le même genre de plaisanterie que *Pharsamon*. Dans *Le Bilboquet* la scène où des enfants grimpés aux arbres pour dénicher des pies en tombent, se blessent, et sont accablés de coups de fouet par leurs parents (éd. cit., p. 41-42) est une reprise sur un ton plus brutal et moins pittoresque du passage de *Pharsamon* où Cliton raconte comment il s'était cassé une jambe en tombant d'un pommier dont il volait les fruits ; la dispute de la poissonnière et de l'honnête homme (éd. cit., p. 48) est une esquisse de la dispute entre Mme Dutour et le cocher, dans *La Vie de Marianne*.

Le talent descriptif et narratif, l'art du dialogue dans le genre comique chez Marivaux ont atteint leur plus haut point dans *Le Télémaque travesti* : tous les détails sont précis et vigoureux, le mouvement des phrases est expressif par lui-même, les images appartiennent au même univers que les objets qu'elles servent à concrétiser, la diction de l'auteur et celle des personnages, de Brideron notamment pendant son long récit, s'accordent sans se confondre. En parodiant systématiquement chaque paragraphe et presque chaque phrase du *Télémaque* de Fénelon, Marivaux s'est obligé à voir chaque détail autrement que l'auteur parodié, et voir autrement, c'était faire exister. Devant le texte de Fénelon, Marivaux n'avait que deux conduites possibles : ou supprimer, ou traduire. Il lui est arrivé ce qui arrive souvent à un traducteur, de renforcer ce qu'il traduit par crainte de ne pas le rendre exactement ; en l'occurrence le principe de déformation a joué comme eût joué le principe d'exactitude. Non pas que la réussite du *Télémaque travesti* ait quoi que ce soit de mécanique, nous voulons au contraire souligner le pouvoir créateur de la parodie : elle n'est pas un langage (comme elle l'est quelquefois dans *L'Homère travesti*, et constamment dans la pâle *Henriade travestie* de Fougeret de Monbron), mais une vision, qui doit s'exprimer dans chaque trait et impose son unité à l'œuvre. Dans *Le Télémaque travesti*, Marivaux égale les plus grands conteurs parce que le récit n'y souffre aucune relâche, tout y est ou propos direct, ou fait saisi dans le caractère spécifique par lequel il est expressif de l'univers imaginé.

Les faits et les événements ne manquent pas dans *Le Paysan parvenu* et dans *La Vie de Marianne*, mais en principe ils n'y sont pas directement montrés : ils sont interprétés deux fois avant de parvenir au lecteur, une première fois par la conscience du personnage principal quand il les connaissait, une seconde fois par sa conscience actuelle de narrateur quand il se les remémore. Si l'on appelle récit ce qui reste du texte après élimination des réflexions générales et du dialogue, la plus grande partie de ce récit a pour objet la vie intérieure et expose les sentiments que les personnages ont éprouvés, manifestés, dissimulés, devinés, les faits proprement dits étant seulement évoqués ou résumés. Marivaux ressent bien la nécessité de justifier tous les événements, mais il regrette la liberté des vieux romanciers qui arrangeaient les faits à leur gré sans rendre de compte, « commodité charmante », comme il le dit dans *La Voiture embourbée* [230]. S'il n'eût voulu en une bonne fois expédier une suite de circonstances aussi utiles à connaître que fastidieuses à imaginer,

---

230. *O.C.*, t. XII, p. 212. *O.J.*, 353. Il s'agissait d'expliquer comment Félicie avait pu trouver une tenue masculine pour se travestir en chevalier. Marivaux se souvenait sans doute de la lourdeur avec laquelle il avait expliqué, dans *Les Effets surprenants*, comment Philine avait procuré des habits d'homme à Clarice : « Elle alla chez un marchand dont la boutique étoit près de-là ; on lui indiqua un homme qui pourroit lui trouver ce qu'elle souhaiteroit. Elle se rendit chez lui ; il lui dit qu'il avoit dans un magasin toutes sortes d'habits. Ils y monterent ; elle en choisit un qui lui parut propre pour sa maîtresse, et le paya ce que l'homme voulut [etc.] » (*O.C.*, t. V, p. 320. *O.J.*, 33).

il n'eût jamais laissé passer dans *La Vie de Marianne* une phrase de
ce genre : « Dès le lendemain, elle alla loger dans le château, *qu'*elle
le pria sans façon de lui laisser libre le plus tôt qu'il pourrait, *et
dont* il sortit huit jours après pour s'en retourner chez lui, fort honteux
du peu de succès de ses respects et de ses courbettes, *dont* il vit
bien qu'elle avait deviné les motifs, *et qui* n'avaient servi qu'à la
faire rire, *sans compter encore* le chagrin qu'il eut de me laisser
dans le château, *où* le bonhomme Villot, *qui* connaissait cette dame,
m'avait amenée depuis cinq ou six jours, *et où* je plaisais, *où* mes
façons ingénues réussissaient auprès de Mme Dursan, *qui* commençait
à m'aimer, *qui* me caressait, *à qui* je m'accoutumais insensiblement,
que je trouvais en effet bonne et franche, *avec qui* j'étais le lendemain plus à mon aise et plus libre que la veille, *qui* de son côté
prenait plaisir à voir *qu'*elle me gagnait le cœur, *et qui*, pour surcroît
de bonne fortune pour moi, avait retrouvé au château un portrait
*qu'*on avait fait d'elle dans sa jeunesse, *à qui* il est vrai *que* je
ressemblais beaucoup, *qu'*elle avait mis dans sa chambre, *qu'*elle
montrait à tout le monde »[231]. Ce qui embarrasse Marivaux, ce n'est
pas le fait matériel en lui-même, c'est son insertion dans la trame
de l'analyse. La mesquinerie du détail concret s'oppose à l'intensité
ou à la richesse des sentiments dont il est l'occasion, et Marivaux,
gêné par ce contraste, éprouve régulièrement le besoin de s'excuser :
« Les petites choses que je vous dis là, au reste, ne sont petites que
dans le récit », « Toutes ces petites particularités, au reste, ne sont
pas si bagatelles qu'elles le paraissent ». Tervire use des mêmes formules que Marianne : « J'entre dans ce détail à cause de vous, à
qui il peut servir », « Voulez-vous que j'abrège le reste de mon
histoire ? [...] j'ai quelque confusion de vous parler si longtemps de
moi, et je ne demande pas mieux que de passer rapidement sur bien
des choses »[232]. Le détail n'avait pas à être excusé dans *Le Télémaque
travesti*, il était l'objet même du récit, sa raison d'être ; dans l'histoire de Marianne et dans celle de Tervire, même dans celle de Jacob
qui est pourtant plus avide de sensations, il n'est que prétexte à la
description des sentiments et à l'analyse morale. Lorsqu'il sert simplement à rendre intelligible l'enchaînement de l'action, le lecteur
doit prendre patience : « Tous ces détails sont ennuyants, mais on
ne saurait s'en passer ; c'est par eux qu'on va aux faits principaux » ;
« je ne saurais me dispenser d'entrer dans ce détail, puisqu'il doit
éclairer ce que vous allez entendre, et que c'est d'ici que les plus
importantes aventures de ma vie vont tirer leur origine »[233]. Dans
l'histoire de Jacob, l'épisode de la prison, important sans doute pour

231. *V.M.*[2], p. 487. Voir également, p. 244, un pesant résumé de faits concernant le père
Saint-Vincent, et p. 565, l'exposé que fait Tervire à « l'inconnue » des raisons pour lesquelles
elle est depuis si longtemps sans nouvelles de sa mère ; le style des journaux n'est pas
toujours plus vif, voir par exemple l'inutile exhaustivité d'un passage comme celui-ci (*Le
Cabinet du philosophe*, Neuvième feuille, *J.O.D.*, p. 412) : « Je me couchais en tenant ce
discours, que je finis par lui dire bonsoir. Nos gens nous éveillèrent le lendemain dès que le
jour parut ; nous nous levâmes, et nous voilà partis ».

232. *V.M.*[2], p. 62 et 31, p. 455 et 539.

233. *Ibid.*, p. 258 et 483.

l'expérience morale et sociale du personnage, ressemble pourtant à un ajouté et ses circonstances matérielles sont bien encombrantes pour le narrateur : « Je laisse là le récit de tout ce qui se passa depuis la visite de Mlle Habert », « ne vous attendez point au détail exact de cet interrogatoire », « Voilà tout ce que je dirai là-dessus », « tout ce détail de prison est triste », et pour finir, quand on est arrivé au bout de l'épisode et de ses suites immédiates : « Mais tous ces menus récits m'ennuient moi-même ; sautons-les »[234]. Jacob passe donc ce qui serait trop long à détailler[235], Marianne affecte de réparer au dernier moment un oubli qu'elle allait faire, comme si le détail, transporté hors de sa place logique, pesait moins lourd et tenait moins de place : « Mais j'omets une chose », « Je n'ai pas songé à vous dire que [...] », « J'oublie pourtant une circonstance, c'est que [...] ». Cette figure de style n'est souvent qu'une prétérition[236], mais sa raison profonde est dans le refus de subordonner le déroulement des Mémoires à la suite des événements : un fait n'est pas énoncé parce qu'il se produit, mais parce qu'il est intéressant de commenter des sentiments qu'il a fait naître. Le soir de son enlèvement, Marianne passe, dans le couvent inconnu où l'a fait emmener la famille de Valville, par des alternatives d'espoir et d'abattement dont la description occupe une grande page et s'achève ainsi : « Mais j'oubliais un article de mon récit. C'est qu'en entrant sur le soir dans ma chambre, au sortir du jardin où je m'étais promenée, je vis mon coffre (car je n'avais point encore d'autre meuble) qui était sur une chaise, et qu'on avait apporté de mon autre couvent »[237]. Le détail, avec ses tenants et ses aboutissants qui ne vont pas sans lourdeur, n'interrompt qu'un instant l'analyse ; celle-ci repart aussitôt pendant une autre grande page, la vue du coffre ayant provoqué la consternation et des réflexions accablantes chez Marianne, nouvel état d'âme qui n'est pas moins digne d'intérêt que le précédent, quoique le transport et la vue du coffre soient en réalité, et doivent rester dans l'expression, tout à fait secondaires : « il y a des choses qui ne sont point importantes en elles-mêmes, mais qui sont tristes à voir du premier coup d'œil, qui ont une apparence effrayante ; et c'est par là qu'on les saisit quand on a l'âme déjà disposée à la crainte »[238]. On est ainsi conduit à distinguer la réalité et sa « saisie », et à opposer l'écrivain réaliste qui fait un sort à chaque détail observé et l'écrivain analyste et moraliste qui retient seulement les circonstances chargées de sentiment et propices aux réflexions.

---

234. *P.P.*, p. 154, 155, 157, 162.

235. Voir *P.P.*, p. 39 (« je passe la suite [...]. Le détail en serait trop long »), 188, 217.

236. *V.M.*[2], p. 359, 361, 156 ; voir aussi p. 11, 85, 316, 341, etc. La plus pesante prétérition de Marianne se trouve *V.M.*[2], p. 158 : « Je supprime ici un détail que vous devinerez aisément », et ce détail supprimé devient une énumération inutile et fastidieuse, aboutissant sans transition à quelques phrases d'analyse très expressives.

237. *V.M.*[2], p. 304.

238. Voir un exemple exactement semblable, *ibid.*, p. 191 : le détail « oublié », c'est que Marianne était restée dans son négligé pour recevoir Valville. Le commentaire qui suit est admirable de finesse et de sensibilité.

C'est ce dernier qui écrit l'histoire d'une conscience quand il raconte les expériences de Jacob, de Marianne et de Tervire. Le récit se présente alors sous deux aspects, selon qu'il s'agit des événements intermédiaires ou des scènes cardinales de l'action. Déjà dans le premier cas, l'abondance des indications psychologiques éclipse la notation des faits. Par exemple, dans la cinquième partie de *La Vie de Marianne*, entre le moment où Marianne est invitée chez Mme de Fare et celui où survient Mme Dutour, il s'écoule un après-midi, une nuit et quelques heures du lendemain matin ; toutes les actions accomplies sont bien mentionnées, on peut en reconstituer la suite : on se lève de table, on quitte la maison de M. de Climal, on arrive dans la belle maison de Mme de Fare, on se promène dans le bois attenant, on joue à se lancer des feuilles, on soupe, on dort et le lendemain matin Marianne est habillée par une femme de chambre. Mais à quoi que ces instants aient été occupés, c'étaient des instants de bonheur, dont Marianne rappelle la qualité affective en y ajoutant une note de mélancolie, inspirée par la pensée de la catastrophe dont elle ignorait alors l'imminence. Sur ce fond sentimental, l'énoncé des faits est une série de petites touches à peine marquées [239].

Les grandes scènes font une place encore plus importante à l'expression du sentiment ; quand Marianne raconte son accident et les soins qu'elle a reçus chez Valville, les événements sont presque dissous dans le commentaire, les paroles rapportées sont d'une extrême brièveté ; la tonalité pathétique de la scène, l'émotion intense de la jeune fille sont traduites par Marianne âgée et ne nous sont communiquées que par elle. D'autres fois la charge sentimentale est confiée aux paroles qui se gonflent démesurément, la matière même de l'action se réduisant ici aussi à quelques gestes, à des soupirs, à des regards : au cours de la scène du parloir, entre Marianne, Valville et Mme de Miran, dans la quatrième partie, l'exhortation de Marianne à Valville occupe presque quatre pages [240]. Marivaux n'avait évidemment l'intention ni d'imiter les propos qu'auraient pu tenir des personnages réels, ni d'écrire un dialogue stylisé comme ceux du théâtre : il s'agit d'une affirmation véhémente de soi (qui peut être paradoxalement dénigrante), comparable pour la passion qui l'anime à l'analyse même faite par la narratrice âgée. On la retrouve dans la défense présentée par Marianne devant le conseil de famille, dans ses reproches à Mlle Varthon, dans ses paroles à l'abbesse, etc. [241] ; elle n'est à proprement parler ni analytique, ni lyrique, on pourrait la qualifier d'éloquente, si les effets de style n'en étaient pas aussi simples. Cette prolixité, que ce soit celle de la narratrice dans son commentaire ou celle du personnage dans ses discours, peut conférer par contraste ou par contagion un fort pouvoir suggestif à un détail concret, à un mot dépouillé, préparés

239. *Ibid.*, p. 261-262.
240. *Ibid.*, p. 194-197. La tirade reprend même p. 198, après des larmes et des soupirs.
241. *Ibid.*, p. 333-337 ; 392-393 ; 298-299. Voir *supra*, chap. VI, p. 220-221.

par le contexte, tout comme est préparé par Tervire le « coup »
qui réconciliera Mme Dursan et son fils. Ainsi, dans cette dernière
scène précisément, le dernier mot de Mme Dursan à propos de
Brunon : « vous me disiez que je la connaissais, vous autres ; il fallait
dire aussi que je l'aimais », ou celui de Mme de Miran quand Marianne
a renoncé au mariage dans une longue tirade, suivie d'un moment
d'embarras et de silence entre elle, Valville, Mme Dorsin et Mlle Varthon : « Ma fille [...], est-ce qu'il ne t'aime plus ? » ; ou la simple
mention de la « petite chambre » où Tervire se retire pour gémir
et pleurer après la mort de Mme de Tresle, ou les « trois ou quatre
doigts » seulement que Marianne peut tendre à Mme de Miran à
travers la grille du parloir quand se scelle le lien de la mère et de
la fille adoptive [242]. Cependant ces mots et ces détails sont très rares :
au théâtre, Marivaux sait avec la plus grande sûreté amener des
situations tellement tendues qu'une exclamation, un soupir, un silence,
le « Ah ! je vois clair dans mon cœur » de Silvia, le « Et voilà pourtant
ce qui m'arrive » d'Araminte [243] ont un extraordinaire pouvoir d'expression : les aveux dans ses comédies se font presque sans paroles.
Ce style de suggestion, d'allusion, où les mots signifient beaucoup
plus qu'ils ne disent à la lettre, est très différent du style rigoureux
de l'analyse dont Marivaux fait son idéal dans ses théories sur le
langage. Mais dans les romans le silence lui-même est exprimé, ressenti, commenté avec beaucoup de mots ; à la fin de la scène du
parloir où Marianne, en cherchant à décourager Valville de l'aimer,
a prouvé à la mère et au fils combien elle méritait qu'on l'aime, les
paroles de Mme de Miran, si naturelles et même naïves qu'elles soient,
semblent encore trop abondantes, et il n'eût pas été nécessaire d'en
faire explicitement apparaître au lecteur « tout le sens favorable »,
si le but de Marivaux avait été seulement de raconter.

Les dialogues sont plus vifs, les faits mieux circonstanciés dans
Le Paysan parvenu ; on voit mieux les choses et les gens sous leur
aspect matériel, il est rare qu'un personnage, même secondaire, ne
soit pas caractérisé par sa façon de parler ou par quelque particularité extérieure, qu'une scène ne comporte pas quelque notation
s'adressant aux sens ou à l'imagination du concret. Ce concret, loin
d'être insinué à la sauvette comme un prétexte, est parfois en pleine
lumière au centre de scènes importantes. C'est que l'attitude de
Jacob devant l'existence n'est pas celle de Marianne : dans sa jeunesse il s'est tourné vers le monde extérieur dont il voulait jouir,
dans sa vieillesse de narrateur il ironise en parvenu qui a su ne pas
se rendre esclave de sa réussite [244]. Emu, éloquent dans les moments

---

242. *Ibid.*, p. 529 ; 411 (voir la note de F. Deloffre à ce passage) ; 445, 173.

243. *Le Jeu de l'Amour et du hasard*, acte II, scène 12 (*T.C.*, t. I, p. 829) ; *Les Fausses Confidences*, acte III, scène 12 (*ibid.*, t. II, p. 415).

244. Voir *supra*, chap. VI, p. 204-205. F. Deloffre a défini *La Vie de Marianne* comme un roman féminin et *Le Paysan parvenu* comme un roman masculin, en essayant de fonder sur le sexe des personnages une typologie des romans de Marivaux (« De Marianne à Jacob : les deux sexes du roman chez Marivaux », *L'Information littéraire*, 11e année, n° 5, nov.-déc. 1959, p. 185-192).

graves, il se retrouve vite prêt à sourire et à rire. Mais il ne faudrait pas définir *Le Paysan parvenu* comme un roman réaliste et *La Vie de Marianne* comme un roman uniquement psychologique. Dans *Le Paysan parvenu* l'analyse et le commentaire, bien qu'ils tiennent moins de place, sont constamment présents, principal objet de l'œuvre par la nature même de la narration, et la peinture du réel leur est subordonnée. Inversement, le réalisme n'est pas absent de *La Vie de Marianne*.

« Dans une vraie description, il ne faut rien oublier ». Ce précepte de Charles Sorel [245], Marivaux l'emprunte pour le mettre dans la bouche de Cliton : « Quand on conte quelque chose, il faut y mettre la paille et le bled, et dire tout », où il devient plutôt une sottise qu'une règle d'art. Tout dire, c'est le fait du rustre qui ne distingue pas l'intéressant de l'inutile, d'Arlequin, par exemple, dans *Le Prince travesti :* « Oh ! quand je conte quelque chose, je n'oublie rien » [246]. Le vrai réaliste n'est donc pas plus asservi aux détails du réel que le moraliste, et, au contraire de Cliton, l'auteur de *Pharsamon* connaissait le prix de la mise en forme : « La maniere de raconter est toujours l'unique cause du plaisir ou de l'ennui qu'un récit inspire » [247]. C'est le principe du choix qui est différent : dans le récit dit « réaliste », aucune intention étrangère à l'imitation expressive du réel n'y préside. Deux façons d'écrire, l'une qui pénètre dans les âmes et contribue à la science du cœur, l'autre qui s'empare des apparences, s'excluent l'une l'autre à l'origine. Marivaux les avait rapprochées de force par la structure des œuvres et par la parodie dans *Pharsamon* et dans *La Voiture embourbée ;* il les associe et les rend complémentaires l'une de l'autre dans *La Vie de Marianne* et dans *Le Paysan parvenu*, sans les confondre, mais sans qu'il existe de rupture de ton quand il passe de l'une à l'autre. Dans ce que Marivaux et Jacob nous disent du réel, tout n'est pas exclusivement, du moins tout n'est pas immédiatement absorbé dans l'analyse morale et psychologique. Ces narrateurs si passionnément attentifs aux aventures de leur *moi* sont capables de s'intéresser aux choses pour elles-mêmes, et de regarder le comportement des gens. On dirait

---

245. Charles Sorel, *Polyandre, histoire comique*, à Paris, chez la Veuve de Nicolas Cercy, 1648, p. 472. Ce rapprochement, fondé sur une seule phrase, pourrait sembler hasardeux. Mais il est sûr que Marivaux a lu attentivement les écrits de Sorel, même les moins importants, comme *La Maison des jeunes* (voir *supra*, p. 383-385) et *Le Parasite Mormon* (voir *infra*, chap. IX, p. 471), et qu'il a médité sur la technique et les théories littéraires de leur auteur. Dans le passage cité, Sorel, décrivant la Foire Saint-Germain, réclamait moins le droit d'être exhaustif que celui de montrer les réalités « basses », pourvu qu'elles fussent caractéristiques.

246. *Pharsamon*, partie, *O.C.*, XI, p. 390. *O.J.*, 598 ; *Le Prince travesti*, I, 4, *T.C.*, I, p. 342.

247. *Pharsamon*, loc. cit., p. 398. *O.J.*, 602. La description exhaustive étant le fait du roman héroïque, Marivaux la ridiculise dans *Le Télémaque travesti* : « J'ai oublié de parler de la Chambre de Champagne. Pour me conformer à mes Heros, Brideron et Phocion, je devrois scrupuleusement faire une description de cette Chambre de même qu'on en a fait une de la Maison de Protésilas. Je me contenterai de dire [etc.] » (*T.T.*, p. 266) ; suivent quelques traits caractéristiques, parmi lesquels « deux thèses » qui ornaient les murailles : elles seront mieux à leur place dans la chambre de Fabrice, au chapitre 13 du septième livre de *Gil Blas de Santillane* (éd. A. Dupouy, Paris, 1935, t. II, p. 79).

que pour observer ils se détachent d'eux-mêmes, oublient qu'ils sont
eux-mêmes en jeu, soit pour saisir en un éclair un geste, un mot,
soit pour laisser leur partenaire s'enfoncer dans le ridicule, le rapport
passionné qui les liait à lui étant pour un temps remplacé par une
parfaite extériorité. C'est ainsi que Jacob peut parler non seulement
de Catherine, de Mme d'Alain, de Mlle Habert l'aînée, mais de Geneviève, de Mme de Ferval, et même de Mme de La Vallée. Un des
ressorts les plus efficaces de son histoire est son pouvoir de transformer en objets ceux qu'un ressort contraire lui avait permis de
réunir à son âme en toute sincérité. Ce que nous avons dit de lui
comme mémorialiste peut rendre compte de ce double mouvement
par lequel Jacob assure sa liberté et unifie en lui-même les diverses
expériences qu'il a faites. Marianne est souvent aussi objective que
Jacob : la jeune fille éperdue qui vient chercher secours auprès du
père Saint-Vincent quand elle doit renoncer aux bienfaisances de
Climal a parfaitement saisi ce qu'il y a de sottise et d'étroitesse
chez le bon religieux ; si Villot, « le fils du père nourricier de madame »,
lui soulève le cœur, elle pouvait faire de lui, dans les paroles qu'elle
lui prête, une caricature moins cruelle et surtout moins insistante ;
Mme Dutour, à qui Marianne s'était pourtant attachée, est peinte
sans dureté, mais sans ménagement, et le portrait de la prieure, dans
la troisième partie, figurerait fort bien dans *Le Paysan parvenu* sans
qu'il y fallût changer un mot [248]. Même sur Mme de Miran Marianne
jette un regard lucide ; les premiers mots qu'elle rapporte d'elle,
quand Mme de Miran vient d'apprendre l'inconduite de Climal, sont
de l'humanité la moins déguisée : « Juste ciel ! que m'apprenez-vous ?
s'écria-t-elle ; quelle faiblesse dans mon frère ! Madame, ajouta-t-elle
à son amie, au nom de Dieu, ne dites mot de ce que vous venez
d'entendre ». C'était presque le mot du père Saint-Vincent à Marianne quand il avait entendu d'elle la même révélation : « Ne
songez plus à tout cela, ma fille [...]. Soyez discrète, la charité
vous l'ordonne, entendez-vous ? [249] » Se moque-t-elle de Mme de Miran
comme du religieux ? Ni de l'un, ni de l'autre, sans doute, mais
elle les entend, elle les voit tels qu'ils sont, comme elle voit Climal
surpris à ses genoux par Valville ramener « d'une main tremblante
[...] son manteau sur ses épaules » ou dans l'église où la famille
se trouve réunie « tir[er] de sa poche une espèce de bréviaire » [250].
On pourrait attribuer à la mémorialiste une acuité de vue et un
sang-froid qui manquaient à Marianne dans l'action. Mais nous
refusons absolument d'opposer dans ces deux romans au héros jeune
le narrateur âgé : tout ce que l'un a été, l'autre l'assume et l'intègre ;
tout ce que celui-ci pense, celui-là lui a acquis la faculté de le penser.
Le détachement de soi est le commencement de l'attention à soi-

248. *V.M.*², p. 138-145 ; 308-312 (c'est un des passages les plus « féroces » de Marivaux) ;
93-94 ; 148-149.
249. *V.M.*², p. 186, 144.
250. *V.M.*², p. 121 et 203. F. Deloffre, qui commente en note ces passages, renvoie aussi au
récit de Tervire, *ibid.*, p. 454.

même, non seulement dans l'histoire particulière de Marianne et de Jacob, mais dans l'évolution morale de tout individu conscient. Le moraliste et le réaliste, si étrangers l'un à l'autre au départ, se réunissent dans une collaboration où le réaliste est encore au service du moraliste et déjà Marivaux aperçoit et prépare le moment où leurs rapports seront renversés. Venant de dessiner une petite nature morte, « les débris du déjeuner »[251], Jacob se justifie : « Je crois que ce détail n'ennuiera point, il entre dans le portrait de la personne dont je parle » ; cette justification part du même principe que les excuses citées plus haut de Marianne et de Tervire, les petits faits vrais ne sont pas encore admis de plein droit dans un roman sérieux[252] : mais parmi les expériences qui ont formé la conscience de Jacob, la rencontre de Mlle Habert l'aînée et la compréhension de son caractère figurent en bonne place ; et que, pour faire le « portrait » de Mlle Habert l'aînée, il soit utile de montrer sur une petite table une demi-bouteille de bourgogne, les restes de deux œufs frais et d'un petit pain au lait, cela constitue une révolution dans le roman. Toute la signification investie dans la finesse des analyses et dans les réflexions générales reflue dans les apparences ; un tic de langage, une attitude du corps, la coupe d'un vêtement, l'éclairage d'une chambre, la présence d'un meuble sont la forme visible, actuelle et vécue de ces entités dont le moraliste fait son étude. Les Mémoires de Marianne et de Jacob, entrepris pour la jouissance d'une âme, contiennent comme la promesse d'une résurrection du monde réel[253].

251. *P.P.*, p. 46. Chardin peindra « Les Apprêts du déjeuner ».

252. Le goût français leur résistera assez longtemps. Nous avons cité (*Le Roman jusqu'à la Révolution*, p. 372) un texte de Crébillon qui condamnera avec ironie la mention des détails matériels (*Le Hasard au coin du feu*, 1763). On peut citer aussi ce passage de P. Baret, dans *Le Grelot ou les Etc. Etc. Etc.* (Ici, A Présent [1754]) : « Guidé par son conducteur, Aloës acheta au Palais des Lorgnettes, une douzaine de Flacons, autant d'Etuis, de Montres en bagues, etc. Il me semble, dit l'Officier, que cet Auteur auroit pû se passer de toutes ces puérilités. Tel est aussi le défaut des Romans Anglois ; *ils ne vous font pas grâce d'une épingle* » (p. 18).

253. Voir en appendice les tableaux statistiques indiquant les proportions du récit, du dialogue et des réflexions.

Chapitre IX

L'UNIVERS ROMANESQUE

L ES TROIS MODES D'EXPRESSION utilisés par Marivaux sont fondés sur trois intuitions différentes de la vie. Le théâtre peint des conflits, les Journaux des rencontres, les romans des expériences. Dans une comédie, la tension naît, croît et se résout en quelques moments, les personnages mis à l'épreuve d'autrui en sortent transformés, lucides, mieux en accord avec eux-mêmes, regroupés selon une disposition plus stable et plus harmonieuse. Dans les Journaux, le hasard fournit l'occasion à la pensée morale, coup de sonde de l'esprit dans une réalité ondoyante ; l'événement se trouve absorbé dans son interprétation, mais il en commande le rythme discontinu et la condamne à rester, à la lettre, éphémère ; si elle se prolonge et s'organise, tout en se soumettant aux caprices de découpage et de périodicité propres à la feuille volante, elle devient ou récit, ou allégorie : c'est seulement dans les essais complètement dégagés de l'occasion que la pensée peut se donner à elle-même étendue et structure, et cela constitue en somme un quatrième mode d'expression, celui du philosophe qui viendra lire ses « réflexions » à l'Académie. L'allégorie, du moins sous la forme narrative qu'elle a dans « Le Monde vrai », se distingue du récit, et par conséquent du roman, en ce que l'événement y est exemplaire ; les épisodes successifs du « Monde vrai » sont tous destinés à illustrer la même idée, nous avons dit quel sens on pouvait attacher à la façon dont le texte s'interrompt [1].

Deux des récits sont laissés en suspens, eux aussi, celui de l'Inconnu et celui du Comédien ivrogne, mais il est impossible d'en imaginer la suite [2]. Ce sont de véritables histoires, tout comme celle de la Dame âgée, parce que chaque événement vient apporter un élément nouveau à l'expérience de l'individu et la modifier. Le sens

1. Voir *supra*, chap. IV, p. 136.
2. Voir *supra*, chap. VIII, p. 391-392.

total de cette expérience nous est connu, puisqu'elle inspire les réflexions du narrateur à la fin de sa vie, et nous devons admettre que rien ne s'est produit dans l'intervalle qui ait renversé le sens en train de se construire pendant la période racontée ; ce que nous ignorerons toujours, ce sont les découvertes concrètes que le personnage avait encore à faire pour devenir lui-même. Ces traits des récits sont également ceux de *La Vie de Marianne* et du *Paysan parvenu* : dès que le moraliste envisage dans la durée l'objet de sa réflexion, il devient romancier ; le fait ne peut plus être ponctuel et se réduire à la valeur d'exemple ; il est lié à d'autres faits, il contribue à une leçon qui le dépasse et qui n'est totalisée que par la conscience de l'individu ; les Journaux ont bien été pour Marivaux l'école du roman, nous le savons [3]. Mais ce que nous ajoutons maintenant, c'est que, mieux que les comédies et les Journaux, les romans de Marivaux, et dans une bien moindre mesure ses récits, nous permettent de savoir comment il se représente le monde, quelle était son attitude générale devant la vie, parce qu'ils font entrer dans l'action, comme la matière même avec laquelle l'individu acquiert une histoire, l'espace, la durée, la société, les objets, les corps.

*
**

Des châteaux, une ville d'eau, des jardins, des forêts, des routes, une hôtellerie, une ferme, tels sont les lieux de France où se déroule l'action principale des *Effets surprenants* ; les actions secondaires ont lieu dans un pays étranger où règne une Princesse et où se trouvent des châteaux encore, des jardins, des montagnes, des forêts ; dans une ville maritime d'Angleterre ; dans des îles lointaines où vivent des sauvages ; dans une contrée barbaresque où l'on exploite des mines de vif-argent... Il est aussi inutile de chercher ces pays et ces villes sur une carte que de se demander à quelle époque il y eut des incursions barbaresques sur les côtes anglaises ou en quelle année les Anglais eurent à défendre des possessions au Pérou et y envoyèrent des troupes sous la conduite d'officiers de marine français [4]. Tout se passe dans la Romancie, comme eût dit le père Bougeant [5]. Marivaux n'a marqué d'aucun caractère reconnaissable les lieux dont il parle, et s'il y a en Auvergne des villes d'eaux qu'il a pu visiter, celle où demeure Clarice et où se voient pour la première fois Caliste et Clorante n'a jamais existé en dehors du roman [6]. L'espace des *Effets surprenants* est l'espace des romans baroques, dont Marivaux a

3. Voir *supra*, chap. V, p. 173 sqq.
4. *Les Effets surprenants*, O.C., t. VI, p. 71 et 144. O.J., 214 et 252. On peut aussi se demander quel est ce Turcamène, ancien corsaire au nom oriental, qui s'est retiré en France et se montre si cruel pour Clarice et Clorante.
5. G.-H. Bougeant, *Voyage merveilleux du prince Fan-Feredin dans la Romancie*, Paris, 1735 ; le chapitre 11 fait la satire des romans d'aventure et contient plusieurs traits qui se trouvent dans *Les Effets surprenants*.
6. Après avoir hésité entre plusieurs villes thermales d'Auvergne, G. Bonaccorso opte pour Pougues-les-Eaux (*op. cit.*, p. 109, n. 53). Comme on ignore d'où part Clorante quand il veut passer en Angleterre, et comme aucun détail n'est donné sur la ville d'eau, toute conclusion est téméraire. Sur les villes d'eau dans les romans, pour l'époque baroque, voir M. Magendie, *op. cit.*, p. 278.

négligé la richesse décorative, mais dont il a accentué certains pouvoirs. Il en fait la parodie dans *Pharsamon* et dans *La Voiture embourbée* et lui associe, puis lui substitue un autre espace, dont la représentation cohérente apparaîtra seulement dans *Le Télémaque travesti*.

Ce premier espace n'est pas neutre : il favorise le surgissement, la disparition, la fuite, la quête, la rencontre. Il n'existe guère que par sa fonction, car il est rarement vu ou imaginé de façon sensible. Informe et vague, il est plein d'obstacles et de dangers : on risque de se noyer dans ses rivières, d'être attaqué par des brigands ou par des ennemis dans ses forêts, par des corsaires sur ses flots, d'être enlevé sur ses rivages ; n'ayant pas de dimensions, il réunit des formes opposées ou se métamorphose : en quelques demi-heures de cheval on perd ses compagnons de promenade ou de chasse, on se trouve soudain en pays inconnu tout près de chez soi, l'endroit est désert où l'on avait laissé quelqu'un en attente ; en revanche, si l'on veut ne plus être vu, un buisson, un arbre creux, un détour d'allée suffisent, mais l'on n'est jamais non plus sûr d'être seul, de ne pas être entendu si l'on a cherché la solitude pour se plaindre [7]. Effrayant sous certains aspects, surtout la nuit dans la campagne ou bien au creux des montagnes, dans l'obscurité des forêts, il est d'autres fois rassurant, asile où l'on s'arrête ou réseau de chemins nonchalants ; le seul paysage qui ne soit pas conventionnel appartient à cette dernière catégorie ; c'est celui que Clarice aperçoit le matin de sa fenêtre chez la paysanne Fétime : « Les bergers alors revenoient des champs : on entendoit des cornemuses, dont les pâtres amusoient les bergeres en revenant à la maison ; les bœufs rentroient dans les étables. Clarice voyoit la campagne couverte de troupeaux ; ce spectacle charmoit ses chagrins ». Ici l'espace n'a plus seulement une fonction romanesque, c'est l'espace de l'activité quotidienne, tel que nous le retrouverons dans les œuvres ultérieures, et encadré comme un tableau [8].

7. Clorante risque la noyade en traversant une rivière, Clarice en essayant de le sauver ; Frédelingue, croit-on, a disparu au passage d'une rivière (*Effets surprenants, O.C.*, t. V, p. 323-325. *O.J.*, 35 ; VI, p. 172. *O.J.*, 267) ; Clorante est attaqué au début de son voyage par des bandits (*ibid.*, t. V, p. 303. *O.J.*, 24) ; Célie et sa mère ont été prises sur mer par des corsaires (histoire insérée dans *Pharsamon*), Merville aussi (*Les Effets surprenants, ibid.*, t. VI, p. 72. *O.J.*, 214), Guilane est enlevée par des Turcs sur le rivage anglais (*ibid.*, t. VI, p. 144. *O.J.*, 252) ; Pharsamon qui s'est écarté de ses compagnons de chasse reste introuvable pour eux, il découvre successivement la maison de Cidalise, la maison de campagne où elle a été séquestrée par sa mère, la demeure du « Solitaire », le château où se déroule une fête de mariage, tout cela dans un territoire qu'on peut traverser en quelques heures ; Clorinde (ou Dorine, Marivaux a confondu les noms) qui est allée chercher de l'eau pour Caliste ne la retrouve plus ; attaquée par des cavaliers, Caliste se cache dans un arbre creux (*Les Effets surprenants, ibid.*, t. VI, p. 222. *O.J.*, 295) ; Alcanie entend les paroles que Hasbud adresse à Tarmiane dans le labyrinthe (*Pharsamon, ibid.*, t. XI, p. 441. *O.J.*, 624), Parménie cherchant un abri dans la forêt et se plaignant à voix haute est entendue par le frère de la Princesse (*Les Effets surprenants, ibid.*, t. VI, p. 161. *O.J.*, 263).

8. *Les Effets surprenants, ibid.*, t. V, p. 452. *O.J.*, 102. L'effroi et l'horreur se trouvent *ibid.*, p. 323. *O.J.*, 34 : « Quelle situation pour une femme que d'être seule en pleine campagne, dans un temps où les horreurs du silence et de la nuit doivent la remplir d'effroi au moindre objet bisarre que forment les ombres » ; p. 361. *O.J.*, 54 : « La nuit vint ; déjà un silence affreux régnoit dans toute la campagne » ; p. 590. *O.J.*, 174 ; VI, p. 27. *O.J.*, 190.

L'espace romanesque se présente comme espace d'aventure ou comme espace de loisir. Malgré tous les dangers que comporte le premier, il est l'allié du héros de roman, dont la recherche n'est jamais vaine : non pas que l'obstination et la méthode soient récompensées, au contraire la quête doit laisser au hasard le rôle principal. Sur terre, sur mer, on rejoindra l'être disparu, même si l'on n'a aucune idée de la direction qu'il a prise ; l'avoir rencontré une fois est comme une assurance de le rencontrer de nouveau : « Elle est partie, suivons-la ; le hasard peut me le montrer encore » ; à ces paroles de Clorante qui veut revoir Caliste font écho celles de l'Anglais lancé à la recherche d'Ostiane : « J'esperai qu'un coup de hasard pourroit me la rendre », et celles de Merville qui prend la mer pour retrouver Misrie enlevée : « Un hasard peut me la rendre : cet élément en fait naître de prodigieux ». A l'horizon brille un Pérou inaccessible, pour lequel le héros s'embarque précisément parce qu'il ne l'atteindra jamais et qu'en le manquant il rencontrera ce qu'il cherche. La mer est ainsi le symbole de la libération, du retour, de la réunion, paradoxalement, en raison de son infinité. Comme l'aventurier Ulysse dans l'île de Calypso, Célie, dans une île où les corsaires ont fait halte, leur échappe et va s'asseoir « sur la pointe d'un rocher qui [lui] découvroit tout le vaste Océan » [9]. Pharsamon pousse plus loin encore la confiance dans la quête ; ce n'est plus la première rencontre, c'est la disparition même de l'être aimé qui autorise l'espérance de le revoir [10], car la disparition est un événement du même ordre que la rencontre, elles surgissent toutes deux dans l'espace de l'aventure comme le lièvre surgit dans les bois sous les pas du chasseur : comparaison d'autant plus légitime que la chasse est l'activité favorite de ces gentilshommes de campagne, et qu'elle les aide à passer du divertissement à l'évasion, de l'espace réel à l'espace romanesque.

L'espace de loisir est celui où l'on se promène, où l'on se repose sur l'herbe, où l'on vient lire, rêver, celui des conversations amoureuses et des confidences. C'est un espace sinueux et cloisonné, fait de sous-bois, de chemins coupés, d'allées touffues ou couvertes, de berceaux, de labyrinthes [11] ; quelquefois une clairière s'ouvre, laissant voir une petite maison de campagne, un gazon vert sur lequel on peut s'étendre au pied d'un grand arbre, où les promeneurs font halte en se disposant harmonieusement, un carrefour par les

9. Successivement, *Les Effets surprenants, ibid.*, t. V, p. 311. *O.J.*, 28 ; *ibid.*, t. VI, p. 130 et p. 70. *O.J.*, 245 et 213 ; *Pharsamon, ibid.*, t. XI, p. 507. *O.J.*, 660. (L'attitude de Célie est sans doute moins inspirée de celle d'Ulysse chez Calypso que de celle de Calypso elle-même après le départ d'Ulysse, telle que la décrit Fénelon au début des *Aventures de Télémaque*, livre I).

10. *Pharsamon, ibid.*, t. XI, p. 527. *O.J.*, 670 : Pharsamon espère retrouver Cidalise, « espérance fondée sur la perte qu'il en avoit faite, et sur l'avanture de Célie ».

11. On trouve dans *Pharsamon* « ce détour, ce chemin coupé », *ibid.*, p. 19. *O.J.*, 401 : « une grande allée touffue », *ibid.*, p. 22. *O.J.*, 403 ; « un berceau dont le feuillage étoit épais », *ibid.*, p. 184. *O.J.*, 400 ; « une espece de labyrinthe qui étoit dans un jardin magnifique », *ibid.*, p. 434. *O.J.*, 621. « En fait de tendresse romanesque, les jardins, les bois, les forêts sont les seules promenades convenables », dit ironiquement Marivaux, *ibid.*, p. 283. *O.J.*, 542.

chemins duquel les chasseurs se dispersent et les couples s'isolent : après la réception magnifique offerte par le père de Parménie, les convives se rendirent dans un petit bois, et « là chacun avec qui lui plaisoit le mieux se perdit et s'égara dans différentes routes » [12]. Du jardin plein de détours et de bosquets à la forêt qui cache des pavillons et de vieux châteaux, le passage est presque insensible. Jamais un mur n'est si élevé qu'on ne puisse le franchir, jamais une clôture n'est impénétrable. Espace de fêtes galantes et d'assemblées dans des parcs ? On ne peut pas ne pas nommer Watteau, la chronologie y autorise [13], mais le rapprochement est trompeur. Watteau compose avec soin ses paysages, c'est en fonction de leur spatialité qu'il choisit et dispose ses personnages : le fond au contraire apparaît à peine chez Marivaux, ses scènes manquent de profondeur aérienne, de musique, de mélancolie, de mystère, ou, si le mystère y figure, c'est celui de l'intrigue, de l'enlèvement, de la conversation surprise et des assassins postés dans l'ombre [14]. Au lieu de poétiser le baroque, il en fait dès *Pharsamon* la satire et s'amuse à opposer les conventions romanesques à la réalité de l'espace utilitaire. Un peu lourdement, il décrit un groupe nocturne : « Cidalise, à l'aide de Pharsamon qui lui donna la main, s'assit sur un gazon que la lueur de la lune faisoit paroître assez beau : le Chevalier prit place auprès d'elle ; Fatime alla se mettre un peu plus loin à la droite de sa Maîtresse, et Cliton, ombre assidue de son Maître, s'assit auprès de lui en lui demandant excuse s'il ne s'éloignoit pas davantage », mais il se fait aussitôt interrompre par « Monsieur le critique » : « Ne semble-t-il pas [...] que c'est le Senat de l'Aréopage qui va décider d'une importante affaire ; ou ne diroit-on pas que c'est le conseil du roi Priam, pendant le Siège de Troye, ou tout au moins le récit des avantures de Télémaque, qui tient attentives Calipso et ses Nymphes ? » Comme l'on voit, l'auteur du *Télémaque travesti* n'est pas loin. Quand Félonde invite Pharsamon à considérer « ces agréables routes que l'amour semble avoir ménagées pour n'avoir d'autres témoins que lui-même [...]. Ce gazon dont la verdure peint les agrémens naïfs de la nature, et qui fait glisser dans les cœurs cette première inno-

12. *Les Effets surprenants, ibid.,* t. V, p. 541. *O.J.,* 149 ; cf. *Pharsamon, ibid.,* t. XI, p. 110. *O.J.,* 450 : « [Les Chasseurs] entrent dans la forêt ; chacun prend le sentier qui s'offre à ses yeux. »

13. Watteau est reçu à l'Académie de peinture avec *L'Embarquement pour Cythère* le 30 juillet 1712, vingt jours après que Marivaux a reçu l'autorisation de publier *Les Effets surprenants.* La comparaison traditionnelle entre Watteau et Marivaux est examinée par X. de Courville, *Luigi Riccoboni dit Lelio,* tome II, « L'Expérience française », Paris 1945, p. 199. Elle avait été formulée du vivant de Marivaux lui-même (voir un texte du marquis d'Argens, *Lettres Juives,* 1738, cité par F. Deloffre, *T.C.,* II, p. 960). R. Démoris, dans un suggestif article de la revue *Dix-huitième Siècle* (3, 1971, p. 337-357), « Les Fêtes galantes chez Watteau et dans le roman contemporain », montre que les réalités naturelles et « basses » se sont introduites dans le roman par l'intermédiaire d'une interprétation culturelle (récit dans le récit, parodie, travestissement, etc.). Mais il pense que cette nature des fêtes galantes est le refuge de l'aristocratie qui ne veut pas être confondue avec la riche bourgeoisie urbaine, et son commentaire de *Pharsamon* et du *Télémaque travesti* ne nous paraît pas convaincant sur ce point.

14. Cléonce a posté ses acolytes dans une allée obscure la nuit où il veut enlever Célie (*Pharsamon, ibid.,* t. XI, p. 476. *O.J.,* 647).

cence [...] », la description de son « Jardin magnifique », faite parodiquement à la Scudéry, vient d'être ridiculisée par Marivaux [15].

Le seul lieu qui gardera son attrait romanesque est l'île, préservée par la distance et par l'océan. Aborder dans une île est aller au devant de l'aventure ; mais tandis que dans l'espace continental, informe et successif, l'aventure était liée au mouvement, elle est immobilisée dans l'espace insulaire, clos sur lui-même ; elle s'y fait utopie, expérience, mise à l'essai d'une sagesse : Frédelingue civilise les sauvages, Célie, qu'ils prennent pour une déesse, leur enseigne la justice du haut de sa divinité. La même imagination de l'espace sera à l'œuvre dans *L'Ile des esclaves* et dans *L'Ile de la raison*. Cette transformation de l'aventure en habitude est contraire à l'essence de l'aventure : même heureuse, elle ne saurait devenir institution, il faut qu'elle reste exceptionnelle et passagère. Aussi l'île est-elle un lieu d'exil dont on aspire continuellement à sortir. Les petits hommes redevenus grands et les esclaves redevenus maîtres se hâtent de rentrer chez eux, et Célie revient à ce rocher d'où elle peut guetter l'horizon de la mer.

L'espace romanesque ouvert est en effet toujours horizontal : la verticalité, si elle y est mentionnée, n'y a aucune fonction ; les « montagnes escarpées », les « abîmes », les arbres, la façade d'une maison, les statues dressées dans un jardin ne sont pas vus dans leur mouvement ascendant ou descendant. La direction verticale est toujours celle d'une action rapprochée, violente, souvent contraire à la noblesse du récit romanesque ; c'est la direction de l'attaque, de l'assaut, de l'effraction, celle que suivent les hommes en armes que Célie aperçoit du haut de son rocher, celle d'Oriante quand il escalade la façade du château qui donne sur les jardins et veut faire évader Clorine, celle de sa chute quand un coup de fusil le fait tomber de son échelle [16], celle de Caliste quand elle s'enfuit du château de Périandre par une échelle de soie, celle de Cléonce quand il saute dans la chambre où dormait Célie, celle des corps de Clorante et de Clarice quand les sauveteurs les tiennent suspendus par les pieds pour leur faire rendre l'eau qu'ils ont avalée pendant leur noyade, celle de Bastille et du Sophy (dans *La Voiture embourbée*) suspendus aussi et suppliciés. Par rapport à l'espace horizontal, l'espace vertical est une anomalie, c'est en lui que l'aventure devient réellement dangereuse. En insistant sur son caractère anormal, Marivaux aurait pu transformer le roman d'aventures, retrouver l'étrangeté vivace du baroque : cette possibilité se devine dans l'épisode de *La Voiture embourbée* où Créor, par la magie, fait élever en

15. *Pharsamon, ibid.*, p. 332. *O.J.*, 567, *Pharsamon, ibid.*, p. 536 et 532. *O.J.*, 675 et 674. C'est encore par l'ironie que Diderot se tirera d'embarras quand il aura à donner des renseignements de cette sorte : « Lecteur, j'avois oublié de vous peindre le site des trois personnages » (*Jacques le fataliste*, éd. Belaval, Paris, 1960, p. 170 ; la scène est dans un espace clos, voir notre *Roman jusqu'à la Révolution*, t. I, Paris, 1967, p. 148).

16. Cet épisode (*O.C.*, XI, p. 190-191. *O.J.*, 493-494) est peut-être la source d'un épisode raconté par Stendhal, dans *Le Rouge et le Noir* (II, XVI) : Julien Sorel dresse une échelle contre la façade de l'hôtel de la Mole qui donne sur les jardins, pour rejoindre Mathilde, et la lune illumine dangereusement la scène, comme dans Marivaux.

l'air la table et tous les convives du Sophy, et surtout dans l'étonnante scène des *Effets surprenants,* où des paysans creusant la terre pour chercher un trésor effondrent la voûte d'un souterrain et y découvrent avec frayeur une femme magnifiquement habillée qui leur adresse la parole [17]. Mais Marivaux a été plus sensible au caractère réaliste présenté par les actions à la verticale : elles échappent au contrôle de ceux qui les entreprennent, ils y sont facilement ridicules ; elles sont mieux à leur place dans les récits divertissants.

L'espace clos semble moins propre aux aventures romanesques : il se prête mieux aux méditations, aux entretiens dans lesquels s'expriment des sentiments vrais ; comme le dit Cliton à Pharsamon : « Vous languirez bien plus sûrement dans une chambre, que dans un bois où personne n'aura pitié de vous » ; Marivaux lui-même, laissant le lecteur décider si Pharsamon et Cidalise, accompagnés de Cliton et de Fatime, vont se promener « dans un petit bois » ou bien « dans un vaste jardin », ajoute : « Si je parlois d'amans suivant nos mœurs, je dirois une terrasse, ou je les mettrois dans une chambre » [18]. L'espace ouvert, si peu caractérisé qu'il soit dans ces premiers romans, y est doué d'une structure et d'une présence qui manquent à l'espace clos. Certaines aventures ou certaines situations de roman ne peuvent pourtant être situées en plein air : à peu près toutes se rattachent au thème de la séquestration. Un lieu fermé n'a de signification romanesque que s'il est un lieu où quelqu'un est enfermé, cet usage épuise toute sa signification qu'il n'est pas besoin de renforcer par une évocation concrète des murs, des meubles, de l'atmosphère ou de l'éclairage. N'importe quel local indifféremment peut servir de prison, chambres dans un château comme celles où sont séquestrées Clarice par Turcamène, Caliste par Périandre, avec la liberté de sortir dans le jardin, maison de campagne où Cidalise est retenue par la volonté de sa mère, chambre d'auberge où Clorante a été enfermé par les gens de Périandre, pavillon où Frédelingue découvre Parménie, cavernes où les patrons des mines enchaînent leurs esclaves récalcitrants, caveau souterrain où la prisonnière de Fermane a passé treize ans sans lumière, sans compter la prison elle-même, comme celle où est enfermé en Angleterre le père de Clorante. Si Marivaux multipliait ainsi les lieux d'emprisonnement par l'effet d'une peur obsessionnelle de la claustration, il leur prêterait plus de mystère et d'horreur ; mais ils ne sont pour lui que des données commodes de la tradition romanesque, il en a besoin pour faire exercer aux amants jaloux leur tyrannie, aux ennemis injustes leur méchanceté et aux généreux libérateurs leur courage ; ils sont rarement montrés de l'intérieur, tels que les voient et les ressentent ceux qui y sont confinés. La seule prisonnière pour qui la séquestration soit l'occasion d'une de ces profondes expériences par lesquelles se formeront Marianne et Tervire est Clorine :

---

17. *La Voiture embourbée, O.C.,* t. XII, p. 251. *O.J.,* 373 ; *Les Effets surprenants, ibid.,* t. VI, p. 5. *O.J.,* 178. La femme est Parménie.
18. *O.C.,* t. XI, p. 62 et 283. *O.J.,* 424 et 542.

« Je me vis seule, abandonnée à toute l'horreur de ma situation, sans secours, sans compagne, sans espoir de revoir Oriante, dont le ressouvenir seul me garantit sans doute de la mort que mes chagrins m'auroient donnée » [19]. Mais le coup le plus dur et la situation la plus pathétique, Clorine les a éprouvés plus tôt, quand elle a appris qu'elle n'était pas la fille d'Iphile et quand elle a dû l'avouer à Oriante ; le tragique de l'emprisonnement même s'en trouve affaibli, et le cadre de cet emprisonnement n'a rien de suggestif : c'est « une chambre assez bien meublée, mais obscure ».

Ces locaux fermés ne peuvent jouer leur rôle dans l'aventure romanesque que si une communication s'établit avec l'extérieur. La cloison manque à son office, elle laisse passer les cris, les soupirs, révèle la présence de celui qu'elle devrait séparer du monde : le hasard conduit le père de Clorante dans la chambre d'auberge qui joint celle où son fils est prisonnier, il entend ses soupirs et travaille à sa délivrance ; Oriante trouve asile au château même où Clorine est séquestrée, et loge dans la chambre contiguë à la sienne : il reconnaît sa voix et peut le lendemain concerter un plan d'évasion avec elle ; enchaîné dans une caverne, Merville entend les gémissements de Misrie enchaînée dans la caverne voisine ; de son caveau souterrain la prisonnière de Fermane pousse des plaintes qui résonnent dans la forêt et touchent Frédelingue. Sans doute dans le roman d'aventures un emprisonnement n'a-t-il d'intérêt que s'il fournit l'occasion d'une péripétie nouvelle, qui est en général la fuite, et si le prisonnier ne peut communiquer avec un sauveur extérieur, c'est le sauveur qui vient à lui : Clorante est transporté d'abord dans le château où est gardée Caliste, puis dans celui où est gardée Clarice, Frédelingue entre sans savoir ce qui l'attend dans le pavillon de Parménie. Mais l'imperfection de la clôture semble bien un trait essentiel du lieu fermé selon l'imagination de Marivaux : ce qui cache est en même temps ce qui trahit ; comme pour maintenir cette équivoque en la retournant, alors que Caliste et Clorante, dans le château de Périandre, auraient pu s'entre-regarder, sinon se parler librement, Marivaux a placé entre eux les rideaux d'un lit, que Clorante tire trop tard ; pendant leur entretien, la prisonnière et son futur sauveur sont donc à la fois réunis et séparés, ainsi que l'exige l'idée que se fait Marivaux de la prison. Plus expressive encore est l'équivoque du dernier emprisonnement que Guirlane fait subir à Misrie : il est si cruel qu'il inspire de l'horreur à Merville, mais il n'est qu'une feinte par laquelle Guirlane a voulu « surprendre agréablement » les deux amants en les faisant passer subitement du désespoir au bonheur [20]. Marivaux ne pouvait mieux marquer que la séquestration dans un lieu fermé n'était encore pour lui qu'un prétexte à rebondissement romanesque. Peu lui importe ce que les prisonniers font dans leur prison, il ne les montre guère que dans deux attitudes, allongés sur un lit ou prostrés dans un fauteuil et versant des

19. *O.C.*, t. XI, p. 179. *O.J.*, 488.
20. *O.C.*, t. VI, p. 119. *O.J.*, 239.

larmes. Cette dernière image appartient sans doute à sa mythologie personnelle la plus profonde, car elle se retrouve assez souvent dans son œuvre [21].

Le lieu de la séquestration est en général situé dans un espace vertical, parce que cet espace est plus propre aux actions violentes dont il est le théâtre, supplices, effractions, évasions, et parce qu'il fait souvent partie d'une habitation, la maison étant, comme nous le verrons, une superposition d'espaces clos. Le pavillon de Parménie, de plain-pied avec un jardin, est une exception, mais la première fois où Caliste, surveillée par Périandre, apparaît à Clorante, c'est à une fenêtre d'une grande maison, c'est-à-dire entre ciel et terre [22] ; la chambre où Clorine est enfermée domine un jardin et permet une vue plongeante sur une aile du bâtiment et sur les écuries [23] ; le caveau où est séquestrée la prisonnière de Fermane est souterrain ; le père de Clorante descend des escaliers pour suivre son prétendu libérateur... Deux fois Marivaux a imaginé un univers carcéral complexe, existant par lui-même, et possédant une atmosphère propre, où l'on voit les fouets et les chaînes, où l'on entend les coups et les cris, où s'articulent les uns aux autres des cachots, des souterrains, de grandes salles qui communiquent, des cavernes où l'on monte, descend, tombe à terre, reste suspendu en l'air... L'un est celui des mines de vif-argent où Misrie et Merville ont été esclaves, l'autre celui des demeures souterraines où Créor le magicien retient des centaines de victimes [24]. L'exotisme dans le premier cas, le fantastique dans le second ont vivifié l'imagination de Marivaux, parce qu'ils lui permettaient de ne pas rattacher les lieux évoqués au monde « réel ».

C'est le voisinage de ce monde « réel », en revanche, qui appauvrit la représentation de l'espace romanesque : Marivaux ne croit pas beaucoup aux aventures qu'il raconte dans *Les Effets surprenants* et celles de *Pharsamon* et de *La Voiture embourbée* sont traitées de façon parodique. Or l'espace romanesque est uniquement un espace des diverses formes de l'aventure, et l'on peut le ramener finalement à quatre aspects : le vaste espace horizontal de la quête, l'espace sinueux de la rêverie et de la cachette, l'espace vertical et rapproché de la violence, l'espace clos de la clandestinité et de la transgression. L'espace « réel » semble se dissimuler sous l'autre dans *Les Effets surprenants* au point qu'on est tenté de l'en dégager, de mesurer les distances et d'identifier les lieux en fonction du séjour de Marivaux en Auvergne et de ses voyages à Paris [25] ; du moins

21. Voir par exemple *Pharsamon*, *O.C.*, t. XI, p. 191. *O.J.*, 494 ; *La Voiture embourbée*, *ibid.*, t. XII, p. 219. *O.J.*, 357 ; *P.P.*, p. 109, p. 123 ; *V.M.*[2], p. 124, 265, 293, 377, 380, 477, etc.
22. *O.C.*, t. V, p. 307. *O.J.*, 22.
23. *O.C.*, t. XI, p. 190. *O.J.*, 493.
24. Le premier épisode est dans *Les Effets surprenants*, le second dans *La Voiture embourbée*.
25. Voir G. Bonaccorso, cité *supra*, n. 6.

quelque chose qui ressemble bien au monde réel, une ferme, un verger, une campagne où marchent des bestiaux, apparaît dans l'épisode chez Fétime sans créer de discordance avec le reste. Les deux espaces coexistent dans *Pharsamon*, comme les sages et les fous cohabitent ; il en résulte des quiproquos qui font l'originalité de ce roman, mais l'un des espaces est là pour disqualifier l'autre et ne se laisse oublier que par ceux qu'aveugle leur folie [26]. La séparation est définitive dans *La Voiture embourbée* : si loin qu'aille rêver Amandor, sous un chêne du parc au-delà de la basse-cour, plus loin encore, sous un hêtre de la garenne, il ne sortira pas de son terroir [27], il y sera piteusement ramené au dénouement ; symboliquement, l'une des narratrices, la jeune fille, dissipe d'un mot les sinistres cavernes du magicien : Marivaux rompt avec le romanesque de l'aventure et avec l'espace qui lui était associé.

Le cadre de ses romans s'est de plus en plus limité et précisé : l'intrigue principale des *Effets surprenants* se déroule dans un canton assez étroit, mais les intrigues secondaires, qui appartiennent au même univers, transportent plus ou moins longuement l'action en Allemagne, en Angleterre, chez les Barbaresques, dans une île inconnue de l'Atlantique, tous lieux romanesques sans rapport avec les lieux réels dont ils portent parfois les noms ; le cadre de l'action principale lui-même est vague et discontinu, il juxtapose des lieux scéniques, châteaux, ville d'eau, grand-route, forêt, ferme à la campagne, auberge, réunis seulement pour les besoins de l'intrigue, comme les divers tableaux d'un mélodrame. *Pharsamon* a pour cadre une gentilhommière de campagne et le pays qui l'environne, où vivent non plus des corsaires retraités ou des tortionnaires, mais de bonnes gens à leur aise, occupés à chasser, à se rendre des visites et à faire valoir leurs biens ; le premier récit inséré, l'histoire de Clorine, se déroule dans un pays semblable, distant de quelques journées [28] ; il transpose dans le sérieux l'histoire bouffonne de Cidalise et de Pharsamon, essai prématuré que fait Marivaux de substituer des circonstances vraisemblables aux circonstances fabuleuses des émotions romanesques. Enfin toute l'action-cadre de *La Voiture embourbée* tient dans quelques hectares de campagne, entre un chemin, l'auberge et le presbytère, et l'espace « réel » du récit inséré est à peine plus étendu ; en revanche les détails descriptifs sont plus nombreux et plus précis que dans les œuvres précédentes.

L'espace des *Effets surprenants* n'existe que pour l'aventure et par elle ; l'espace « réel » sera d'abord celui qui exclut l'aventure et dans lequel les aventuriers sont ridiculisés. Il suffit à Merville et à Frédelingue de prendre la route pour retrouver ceux dont ils ont été

---

26. Absorbé dans sa rêverie, Pharsamon oublie qu'il revient chez son oncle et qu'il est déjà devant le portail, « le Château disparut à ses yeux », *O.C.*, t. XI, p. 60. *O.J.*, 425.

27. *O.C.*, t. XII, p. 188 et p. 191. *O.J.*, 340 et 342 : « Vous n'estes pas assez à l'ombre au pied de cet arbre, entrez dans la garenne, et allez vous asseoir auprès du grand hêtre ».

28. Clorine, à la mort de son père, vend ses biens, s'habille en cavalier et « après quelques jours de voyage » est conduite par le hasard dans le lieu où elle a élu résidence, *O.C.*, t. XI, p. 201. *O.J.*, 499.

séparés, mais Brideron finit par comprendre qu'il n'a aucune chance de rencontrer son père : « Je le cherche ; j'ai déjà vû la moitié de la terre, je pense, il faut qu'il soit fourré quelque part dans l'autre moitié, et peut-être que pendant que j'irai le chercher dans cette moitié, le Benest passera dans l'autre, ainsi nous joüerons aux barres » [29]. Les événements situés dans cet espace n'ont pas de sens romanesque, ils ne sont significatifs que pour ceux qui appartiennent au monde réel ; mais ils peuvent aussi offrir à l'aventurier un spectacle, si sa folie ne les fait pas « dispar[aître] à ses yeux » [30]. L'espace de l'aventure est remplacé par l'espace de l'action et par l'espace de l'observation.

L'aristocratie, classe romanesque par destination et qui aurait dérogé en s'occupant d'autre chose que de l'aventure héroïque et sentimentale, hantait un espace de loisir, de promenade, de rêverie, l'espace romanesque lui-même, qui disparaît à partir du *Télémaque travesti*. Quelques gentilshommes campagnards chassent par divertissement, comme l'oncle de Pharsamon ou Nestor, Omenée semble ne chasser que pour prendre le gibier des Huguenots [31], et Marivaux élimine entièrement l'épisode hautement romanesque où, dans la version de Fénelon, Télémaque sauvait la vie à Antiope attaquée au cours d'une partie de chasse par un sanglier [32]. On retrouve pourtant un épisode analogue dans *Le Paysan parvenu*, et il comporte tous les éléments du schéma traditionnel, y compris la conclusion sentimentale [33]. M. d'Orville sauve au péril de sa vie une jeune fille attaquée par un loup, et gagne ainsi le cœur de cette jeune fille sur un rival qu'elle lui préférait auparavant. Mais l'incident n'a pas lieu au cours d'une partie de chasse, il perd par là beaucoup en charme romanesque ; et surtout il a complètement changé de sens : au lieu de dénoter des êtres d'élite, il explique l'incapacité de M. d'Orville et de sa femme à remplir leur rôle et à sauver leur rang dans la société réelle ; dignes d'un meilleur sort [34], ils n'en sont pas moins vaincus, parce qu'ils sont d'un autre temps et d'un autre monde. Quand Jacob sauve la vie du comte d'Orsan (les deux épisodes sont évidemment à mettre en parallèle), ce n'est pas en pleine forêt, au cours d'une promenade ou d'une partie de chasse, mais dans une rue de Paris, et les agresseurs ne sont pas des bêtes sauvages, mais des spadassins payés par l'amant jaloux d'une fille entretenue. La plus grande partie de l'histoire de Tervire se déroule à la campagne, dans l'espace bien délimité où s'exercent les maigres activités de l'aristocratie provinciale, entre le château, sa basse-cour, son parc,

29. *T.T.*, p. 342-343.
30. Voir *supra*, n. 26.
31. *T.T.*, p. 203.
32. *Les Aventures de Télémaque*, livre XVII (éd. cit., t. II, p. 499-502) ; Marivaux (*T.T.*, p. 351) saute directement de la fin du discours de Mentor sur Antiope (*Les Aventures de Télémaque*, p. 487) à la tristesse d'Idoménée et à la crainte qu'éprouve Télémaque de lui annoncer son départ (*ibid.*, p. 503).
33. Voir *supra*, chap. VI, p. 213.
34. *P.P.*, p. 254.

le bourg où réside le fermier, les châteaux voisins : aucune promenade n'est évoquée, une partie de pêche proposée dans une propriété voisine n'a pas lieu parce que Tervire refuse de s'y rendre, et le jeune Dursan ne chasse pas dans le parc du château pour son plaisir, mais par nécessité et pour trouver un prétexte à entrer en relations avec sa grand-mère. Si ces lieux pour Tervire sont puissamment sentimentaux, c'est parce que le romanesque de l'expérience a succédé au romanesque de l'aventure. De même, les lieux aristocratiques que sont, dans l'espace ouvert, les parcs et les jardins, n'apparaissent que deux fois dans l'histoire sentimentale de Marianne, et jouent chaque fois un rôle très différent de celui que jouent les parcs et les jardins dans *Les Effets surprenants* ou dans *Pharsamon :* la première fois, dans le parc de Mme de Fare, les jeunes gens courent et se jettent des feuilles pour extérioriser leur bonheur ; la seconde fois, dans le jardin de Mme Dorsin, le cabinet de verdure sert à un entretien particulier dramatique et non galant.

Le plus souvent l'espace naturel est désormais celui des campagnards qui l'exploitent : ils labourent la terre, font paître leurs troupeaux dans les prairies, coupent le bois dans les forêts, vont de leurs travaux à leur village par ces chemins boueux où pataugent les citadins, comme les voyageurs de *La Voiture embourbée*, et qu'eux-mêmes sont quelquefois obligés de quitter, tant ils sont impraticables, pour faire rouler leur charrette sur une terre ensemencée [35] ; en temps de guerre une partie de cet espace appartient aux combattants, ils y installent le camp d'où ils partent pour la bataille, où ils reviennent enterrer leurs morts et panser leurs blessés, où arrivent des ravitailleurs, des déserteurs du camp adverse, des renforts [36]. Dans la guerre comme dans la paix, cet espace est un réseau de va-et-vient qui répondent aux besoins de la vie quotidienne ; son centre peut être en plein air lui-même, comme la cabane de Lotècle et le camp des Gentilshommes, ou dans un espace fermé, celui du village ou du Château : « De [son] lit », Omenée commande à tous les cantons de sa Lieutenance [37]. Au lieu d'ouvrir sur l'aventure, la route est comme il se doit le lieu de passage d'un point à un autre, et chaque pas y demande un effort : « Nous marchâmes longtems sans nous rien dire ; il geloit, nous avions tous aux nez la roupie, et nous soufflions comme des chevaux ; chacun avoit les mains dans ses pochettes » [38] ; on peut y rencontrer des gens en charrette qui font une place au piéton, mais aussi des voleurs qui dépouillent les voyageurs de leur argent et de leurs habits [39], sans

---

35. *T.T.*, p. 61, le petit charretier qui transporte Phocion et Brideron fait monter son cheval sur un terrain semé d'orge pour éviter le chemin creux.

36. *T.T.*, p. 292, des faux-sauniers sont attaqués dans un bois, on les fait prisonniers et on les conduit à la tente d'Ehidras ; p. 297, un paysan apporte du pain et du vin ; p. 298, on attend un renfort ; p. 303, les Alliés reviennent dans leur camp après le combat, etc.

37. *Ibid.*, p. 257.

38. *Ibid.*, p. 101.

39. *Ibid.*, p. 117-118 ; 58 et 148.

qu'aucun chevalier sauveur survienne à temps pour les mettre en fuite. Le fleuve n'est plus le lieu d'accidents tragiques, mais une voie de communication dont les usagers connaissent les points de repère : « Prenez garde Camarades [...], il y a marguenne ici un mauvais endroit. Bon nous l'avons passé [...]. Tenez, voilà le Donjon du château d'un homme qui me doit cinquante francs pour la conduite d'un Batteau de charbon que je lui amenai à Paris [...], voilà la maison d'un Curé qui est un bon Vivant [etc.] » [40]. Les divers lieux de l'espace se particularisent donc et s'évoquent selon les diverses actions qui s'y rattachent.

Brideron participe à plusieurs de ces actions, par force ou de bon gré, son caractère ouvert et son esprit positif de paysan ne le laisseraient pas traverser le monde en indifférent ; mais son but principal est de retrouver son père, et sa manie est de revivre les aventures de Télémaque : il examine donc curieusement tout ce qui se présente à lui pour y chercher des ressemblances avec ce qu'il a lu ; la réalité, qui ressort dans ses détails sous la plume de l'auteur par l'effet de la parodie [41], prend forme de spectacle sous les yeux du personnage par l'effet de son idée fixe. Déjà pour Clarice, à un moment où l'action des *Effets surprenants* s'était arrêtée, l'image d'un paysage extérieur s'était encadrée dans la fenêtre de la pièce où elle logeait chez Fétime [42] ; dès que Brideron et Phocion sont seuls dans la chambre où les installe Mélicerte, ils regardent par les fenêtres et le paysage leur apparaît en petits tableaux juxtaposés : une ferme à l'heure où la fermière fait goûter ses enfants ; les écuries et les étables au retour des troupeaux ; une grange pendant le repos des batteurs. Chaque objet est à sa place dans son tableau, justifié d'être là par son utilité, jusqu'au monceau de fumier, « sage précaution contre la fatigue des Terres » [43]. Comme l'a noté J. von Stackelberg, cette mention non seulement du fumier, mais de son usage, marque la naissance du réalisme dans le roman [44] ; mais le fumier est sans doute ce que Marivaux peut imaginer de plus directement contraire aux élégantes descriptions de Fénelon : pour faire comme Télémaque, qui à Tyr « ne pouvai[t] rassasier ses yeux du spectacle magnifique de cette grande ville », Brideron veut examiner par sa fenêtre le bourg dont Pymion est le seigneur, et c'est d'abord du fumier qu'il aperçoit : « J'ouvris donc souvent une fenêtre, et je jettois les yeux sur la Campagne ; mais ce Bourg étoit laid, il n'y avoit que du fumier dans les ruës » ; puis, ici encore, l'espace se divise en tableaux encadrés, représentant des lieux ou des activités spécifiques : « Tout ce que je dirai, c'est que je vis des Etangs gelés ; des Maisons bâties

40. *Ibid.*, p. 193-194.

41. Voir *supra*, chap. VIII, p. 423.

42. Voir *supra*, p. 433.

43. *T.T.*, p. 66.

44. Jürgen von Stackelberg : « *Le Télémaque travesti* et la naissance du réalisme dans le roman », dans *La Régence*, Actes du Colloque d'Aix-en-Provence des 24, 25 février 1968, Paris, 1970, p. 212.

de terre, et d'autres de paille ; des Puits au milieu du Bourg, et force Tisserans » [45].

Cette division n'est pas forcément produite par la disposition des fenêtres : elle peut résulter de l'opposition entre les deux rives du fleuve sur lequel navigue Brideron [46], des diverses perspectives qui s'ouvrent dans l'espace urbain [47], et Brideron la retrouve jusque dans les Champs Elysées, où le découpage est, pour ainsi dire, de fondation [48] : dans les deux derniers cas, le regard de Brideron est analogue au regard de dom Cleofas, dans *Le Diable boiteux*, les scènes sont des anecdotes synthétisées, aplaties dans la vision d'un de leurs moments caractéristiques [49] ; enfin, l'espace représenté sur le bouclier de Brideron ne pouvait être qu'un espace de panneaux juxtaposés [50]. Morcellement de l'espace, étroitesse du champ dans chaque vue, insignifiance de la représentation (bien que les détails saisis soient caractéristiques d'une activité ou d'un état, ils sont présentés comme vides d'intérêt) [51], ce sont là des défauts qui menacent le réalisme dans le roman dès sa naissance, chez Lesage et Bordelon encore plus que chez Marivaux. Celui-ci les a surmontés : le morcellement n'est qu'épisodique dans *Le Télémaque travesti*, les actions se suivent bien et se groupent en grandes parties, chez Mélicerte, chez Omenée, le personnage de Brideron maintient l'unité du tout, et l'espace de spectacle, vue extérieure, ou l'espace d'action, milieu fonctionnel, devient finalement l'espace de l'expérience, ce qu'il sera dans *La Vie de Marianne* et dans *Le Paysan parvenu*.

*
**

La perspective horizontale qui s'offrait à l'aventurier ou au regard du spectateur a disparu de ces romans ; même les livres qui concernent Tervire et dont l'action se déroule à la campagne en sont privés. L'espace ouvert est désormais celui d'un déplacement dans lequel le personnage principal est intéressé. Cette représentation de l'espace apparaît déjà deux fois dans les dernières pages du *Télémaque travesti*, mais, conformément au principe sur lequel sont construites

---

45. *Les Aventures de Télémaque*, livre III, éd. cit., t. I, p. 114 ; *T.T.*, p. 106-107.

46. *T.T.*, p. 29.

47. *Ibid.*, p. 89 : « Lorgnez-moi cette femme de Marchand, regardez comme elle déplie des galons à ses Chalands [...]. Voyez-vous dans cette autre Boutique, trois grands Galfretiers qui se trémoussent pour aveindre des pieces d'Etoffes [...] ».

48. *Ibid.*, p. 316-321, 323-325.

49. Le dialogue de Brideron et son bisaïeul, *ibid.*, p. 324-325, rappelle celui d'Asmodée et de dom Cleofas, par la forme et par le contenu : « Qu'est-ce que c'est que cela, dis-je à mon Bisayeul ? C'est le Trône des Rois, me dit-il. [...] Vois-tu bien un peu à côté, un homme qui est dans ce Bocage ? [...] Vois-tu aussi un peu loin de lui, un vieux Bon-homme qui se grate la tête [...]. A côté de lui, c'est un jaloux [etc.] ».

50. *Ibid.*, p. 299-302 (« On remarquoit [...]. On voyoit aussi [...]. D'un autre côté on remarquoit [...]. D'un autre côté, cet admirable Bouclier représentoit [etc.] ».

51. Un laboureur qui pique ses bœufs, un gardien de troupeau qui puise de l'eau dans son chapeau pour boire, c'est ce qu'on aperçoit sur les rives du fleuve que descend Brideron : « Phocion et Mazel ne manquèrent pas de trouver là-dessus quelque belle pensée » (*ibid.*, p. 129).

plusieurs des images de cette parodie, Brideron est témoin et non acteur du déplacement. Dans le premier cas, le personnage qui s'éloigne est celui que Brideron devine être son père : du haut d'une petite élévation, l'inconnu regarde la campagne, puis descend rapidement la colline, monte à cheval, « il part, il s'éloigne, Brideron le suit des yeux »[52]. L'espace que l'inconnu parcourt du regard serait, dans *Les Effets surprenants*, celui de l'aventure. Mais l'antihéros Brideron a compris que l'immensité réelle exclut l'aventure au lieu de la favoriser, cet espace n'existe plus pour lui ; il se transforme en un espace où ce qu'il cherche peut disparaître, et disparaît effectivement presque aussitôt, lui faisant connaître l'expérience d'une frustration. Sans donner à ces quelques lignes du *Télémaque travesti* plus d'importance qu'elles n'en ont, il nous semble qu'on peut y voir comment Marivaux a remplacé l'espace vaste de l'aventure et l'espace encadré du spectacle par l'espace d'une opération qui modifie le *moi*. A la fin du roman, Phocion disparaît aux yeux de Brideron (et du lecteur) dans ce même espace.

Brideron est ici immobile, mais les personnages des récits ultérieurs sont en mouvement quand ils font l'expérience de l'espace. Ils peuvent ou bien s'arracher à un espace familier, ou bien arriver dans un espace nouveau, ou bien traverser un espace hasardeux. Le premier cas est celui de l'Inconnu du *Spectateur français*, dans un texte que nous avons déjà commenté, et celui de Tervire, lorsqu'elle quitte le château de sa grand-mère pour aller habiter chez M. Villot[53] : tous deux, à mesure qu'ils s'éloignent, voient disparaître les lieux qu'ils ont aimés, et la fuite des objets derrière l'horizon symbolise la fin d'un âge sans problèmes et sans responsabilité, le passage si angoissant de l'enfance à l'adolescence. Le second cas est encore celui de l'Inconnu du *Spectateur français*, puisqu'il est ranimé par le changement même, par les nouveaux objets et les nouvelles perspectives que sa marche lui fait apercevoir. Mais en général, l'espace à découvrir est l'espace urbain, dont l'étrangeté est attirante ou angoissante selon les circonstances. A la différence de l'espace de pleine campagne, il s'impose d'abord à la vue par sa dimension verticale et par la complexité de ses accidents, ouvertures, fermetures, angles saillants ou rentrants, passages, places, ponts, etc. Les bruits, le grouillement et les embarras de Paris avaient depuis longtemps excité la verve des poètes comiques, et les *Lettres persanes* de Montesquieu ajoutaient à la description pittoresque une psychologie et une sociologie de la capitale. Ce que montre Marivaux est très différent : il est le premier[54] à faire de Paris, de son espace matériel,

---

52. *T.T.*, p. 361.

53. *J.O.D.*, p. 261-263, voir *supra*, chap. V, p. 181-182, *V.M.*², p. 450.

54. Certains lieux publics de Paris, les Tuileries, le Palais-Royal, le Louvre, le Cours-la-Reine, la Galerie du Palais, servent souvent de cadre à des actions de roman ou de théâtre. La *Marianne* de J.-P. Camus (1629), *Le Polyandre* de Charles Sorel (1648), *Le Roman bourgeois* de Furetière (1666), la plus grande partie de *Manon Lescaut* sont aussi des « romans parisiens », mais aucun de ces textes ne fait de Paris le lieu d'une expérience par laquelle se forge un caractère, et c'est ce que fait Marivaux, avant les écrivains du

le théâtre d'un destin, à inscrire dans ses lieux et dans ses dimensions une histoire individuelle. « Jarni que cette ville est belle ! »
s'écrie Brideron : il ne s'agit encore pour lui que d'une ville provinciale [55], mais l'impression qu'il essaie de formuler est celle que
ressentiront en arrivant à Paris Jacob et surtout Marianne. D'abord
frappée d'étonnement au point de perdre le sentiment de sa propre
existence, Marianne se retrouve et considère l'espace parisien comme
une carrière ouverte à son appétit de bonheur [56]. Quelques jours plus
tard, elle se sentira au contraire perdue et désespérée « dans cette
prodigieuse ville » [57] ; l'espace qu'elle avait cru accueillant la rejettera,
elle comparera Paris à une forêt. Comme la forêt en effet, non pas
comme la forêt conventionnelle des premiers romans de Marivaux,
mais comme la forêt profonde, « ancestrale », où s'exile l'imagination
humaine, la grande ville excite ce que G. Bachelard appelle « la
rêverie d'immensité » [58] et l'angoisse de la solitude. Celui qui marche
dans Paris sans savoir où il va, qui est emmené à travers Paris sans
savoir où on le conduit se sent en danger comme le voyageur égaré,
c'est la troisième des expériences spatiales : dans cette forêt urbaine,
Marianne essaie vainement de saisir au passage des repères qui
lui permettraient de s'orienter, elle attend vainement que survienne
en sauveur l'amant qui mettra les ravisseurs en fuite, et se demande
quelle est la personne qui est venue la chercher à son couvent, à
qui est le cocher inconnu qui conduit le carrosse : « Et pendant ce
temps-là nous avancions. Je ne voyais point encore la rue de Mme de
Miran, que je connaissais. [...] Je ne voyais aucune des rues que j'avais
traversées alors. [...] Je regardais, j'examinais, mais inutilement » [59].
Le second transfert, du nouveau couvent à la maison du ministre,
est encore plus inquiétant, l'espace ne peut plus même y être mesuré
du regard : « il y avait des rideaux tirés sur les glaces du carrosse,
de façon que je ne pouvais ni voir ni être vue » [60].

Mais l'espace urbain n'est pas seulement le lieu où se font ces
diverses expériences de distance et de déplacement : il est pour
le roman « réaliste » ce qu'était l'espace immense et indéfini pour

XIXᵉ siècle que P. Citron a étudiés dans sa thèse. Avant Marivaux, on pourrait pourtant
nommer Robert Chasles, en pensant au début des *Illustres Françoises*, et à quelques épisodes
de l'« Histoire de Monsieur des Frans et de Silvie » et de l'« Histoire de Monsieur Dupuis et
de Madame de Londé ». Voir P. Citron, *La Poésie de Paris dans la littérature française de
Rousseau à Baudelaire*, Paris, 1961 ; le texte de *La Vie de Marianne* est commenté par
P. Citron au tome I, p. 92-93.

55. *T.T.*, p. 87.

56. *V.M.²*, p. 17 (voir *P.P.*, p. 9 : comme le fait remarquer F. Deloffre en annotant
ce passage, « l'attitude de Jacob reste plus détachée »).

57. *V.M.²*, p. 134-135.

58. Gaston Bachelard : *La Poétique de l'espace*, 4ᵉ éd., Paris, 1964, p. 168 ; voir aussi
p. 169 : « Il n'est pas besoin d'être longtemps dans les bois pour connaître l'impression
toujours un peu anxieuse qu'on « s'enfonce » dans un monde sans limite. [...] comment
mieux dire si l'on veut " vivre la forêt " qu'on se trouve devant une *immensité sur place*,
devant l'immensité sur place de sa profondeur ».

59. *V.M.²*, p. 292.

60. *Ibid.*, p. 306. Marivaux n'a pas essayé d'exprimer la sensation de déplacement dans
l'espace que peuvent produire l'écoulement du temps et les trépidations du transport.

le roman d'aventures, il produit les événements. Cette faculté lui
vient de deux caractères originaux : il est abondamment peuplé, et
il se replie sur lui-même de façon si complexe qu'on passe sans
transition du dehors au dedans, de l'ouvert au fermé et réciproquement. La multitude des habitants qui s'y meuvent et des actions
qui s'y exécutent favorise les rencontres et les accidents : Marianne
y est renversée par un carrosse, Jacob y porte secours à une passante
qui s'évanouit, à un jeune homme que des assassins attaquent, Tervire
à la recherche de sa mère y marche comme dans un labyrinthe qui
de station en station la ramène à deux pas de son point de départ.
Les itinéraires, du Pont-Neuf au domicile de Mlle Habert, de chez
Mlle Habert à la maison de Mme d'Alain, de cette maison à celle
du président, à celle de Mme de Ferval, à celle de la Rémy, de la
maison de Mme d'Orville à la Comédie ; ou de chez Mme Dutour
à l'église, de l'église à l'appartement de Valville, d'un couvent à
l'autre, à la maison de Mme de Miran ou à celle de Mme Dorsin ;
ou de l'hôtel où Tervire est descendue avec Mme Darcire à la rue
Saint-Louis, à la rue Saint-Honoré et à la place Royale, ces itinéraires et plusieurs autres encore constituent une part importante
de l'action dans les deux romans. Paris est une ville où l'on marche ;
y vivre, c'est se déplacer ; mais par le moyen des cours, des anti-
chambres, des portes mal fermées, le déplacement conduit dans
des lieux qui n'appartiennent plus à l'espace public ; l'appartement
et la rue communiquent : Marianne blessée est transportée chez
Valville ; Climal y entre et surprend Valville à ses genoux ; il est
à son tour surpris aux genoux de Marianne par Valville qui entre
chez Mme Dutour. Au moindre incident, tout le monde se met à la
fenêtre ou descend dans la rue, pour entendre une dispute dans
une auberge [61], regarder des gens qui se battent [62], poursuivre un
homme qui s'échappe d'une maison [63], prendre part à la conversation
que quelqu'un vient d'engager sur le pas de sa porte avec un
promeneur [64]. Inversement, la pression de l'espace urbain est telle
qu'elle force parfois à chercher refuge derrière une grille, dans
une allée comme Jacob, dans une cour comme le comte d'Orville,
dans une église de couvent comme Marianne [65], et de ces refuges
un nouvel événement fait rebondir l'action vers l'extérieur.
    « Nous avons bien l'air d'aller rouler comme des tonneaux au
bas de la première montagne que nous trouverons », déclare Cliton

---

61. *V.M.*², p. 557 (l'aubergiste veut faire déloger la locataire — la mère de Tervire, non
encore identifiée — qui ne le paye pas).

62. *P.P.*, p. 250 (« un cercle de canailles » entoure le comte d'Orville et ses trois agresseurs).

63. *P.P.*, p. 153 (« la populace » poursuit l'assassin à la place duquel Jacob a été
arrêté ; cf. p. 145, elle empêche Jacob de s'échapper ; p. 251, elle court après les trois
agresseurs du comte d'Orville, quand ils ont été mis en déroute).

64. *P.P.*, p. 158-159 (Mme de Ferval promène Jacob dans le quartier où il avait été arrêté,
pour que les témoins de l'arrestation constatent que Jacob est innocent et libre).

65. *P.P.*, p. 144 (pour éviter « un grand embarras de carrosses et de charrettes » Jacob
entre dans une allée : c'est là qu'il sera bousculé par l'assassin dont il ramassera l'épée) ;
p. 252 (le comte d'Orsan entre dans la maison de Mme d'Orville « pour se débarrasser
de la foule importune ») ; *V.M.*², p. 145 (« Quelques embarras dans la rue m'arrêtèrent à la
porte d'un couvent de filles »).

à son maître que rien ne peut empêcher de partir à la recherche
de Cidalise. L'image représenterait exactement le destin d'un *pícaro*,
mais le mouvement qu'elle évoque pourrait aussi bien se faire dans
un espace clos, par exemple celui d'un escalier conduisant à une
cave [66]. Si l'espace clos du roman romanesque est un espace de
séquestration, celui du roman « réaliste » est d'abord, pour un effet
comique, un espace de dénivellements, de chutes grotesques, de
dégringolades, de courses effrénées de chambre en chambre ou d'étage
en étage. La maison de campagne de Cidalise, la nuit où sa mère
y arrive à l'improviste, est secouée de la cave au grenier d'un
mouvement tourbillonnant qui saisit humains et animaux et les
précipite les uns sur les autres et dans tous les points de l'espace
habitable [67]. Dans la description du château de Mélicerte, c'est
l'escalier qui est présenté en premier, « un Escalier non superbe et
hardi, mais simple, étroit et rare par ses differens et obscurs détours », mais tout l'édifice est construit en escalier, puisque « d'une
Chambre, on passoit par trois degrès en descendant dans une autre » [68].
Cet escalier, axe vertical de la maison, joue encore un rôle dans
Le Paysan parvenu : chez son premier maître, c'est dans l'escalier
que Jacob a deux fois avec Geneviève des entretiens que la disposition même des lieux lui permet de ne pas prolonger ; c'est l'escalier
que Jacob, « tapi dans [son] petit taudis », entend résonner du bruit
des pas et des voix, lorsque le maître est mort ; l'escalier est l'endroit
par où tout le monde passe, il suffit de laisser comme Geneviève
sa porte ouverte et de guetter pour être sûr de ne pas manquer
la personne à qui l'on veut parler [69] ; chez les sœurs Habert, c'est
encore dans l'escalier que Jacob a l'idée d'espionner M. Doucin et
c'est sur le palier, derrière la porte de la chambre, qu'il se poste
pour voir et pour entendre [70] ; chez le président, avant le conseil de
famille, l'escalier retentit des éclats de rire des domestiques à un
mot plaisant de Jacob [71] : dans la scène correspondante de *La Vie de
Marianne*, la « troupe de valets » est mentionnée, mais ils sont muets
et il semble bien que la salle où ils se tiennent soit de plain-pied
avec les « longs appartements » qu'a traversés Marianne et avec
la pièce où elle va être présentée au ministre ; quand Tervire se
rend chez sa belle-sœur, « nous montâmes chez elle », dit-elle, ce
qui prouve que la salle de réception est à l'étage, mais l'escalier
n'est pas même nommé [72]. Nous pensons que l'importance de l'escalier dans la topographie du *Paysan parvenu* est un des traits qui

66. *O.C.*, t. XI, p. 236. *O.J.*, 517. L'image du tonneau roulant les degrés d'un escalier
est elle aussi dans *Pharsamon, ibid.*, p. 312. *O.J.*, 557.

67. *Ibid.*, p. 308-320. *O.J.*, 555-560.

68. *T.T.*, p. 64 et p. 65. « La maison est imaginée comme un être vertical. Elle s'élève.
Elle se différencie dans le sens de sa verticalité. Elle est un des appels à notre conscience
de verticalité », G. Bachelard, *op. cit.*, p. 34.

69. *P.P.*, p. 17-18 ; 30 ; 35 ; 32.

70. *Ibid.*, p. 60.

71. *Ibid.*, p. 123-124. Autres escaliers dans *P.P.*, p. 171, 209, 263.

72. *V.M.²*, p. 313 ; p. 574.

permettent d'opposer le réalisme comique de ce roman au réalisme
sérieux de *La Vie de Marianne*. La verticalité de l'espace habité
joue pourtant un rôle capital dans la dixième partie de ce dernier
roman : le « coup » arrangé par Tervire pour que Mme Dursan se
réconcilie avec son fils ne peut réussir que si Tervire persuade la
vieille dame de « descendre » de son appartement à l'appartement
du bas, où Dursan a été transporté ; la résistance de Mme Dursan
à ce déplacement, qui exige d'elle un pénible effort physique, tient
longtemps le lecteur en suspens ; d'autres passages prouvent que
Marivaux a très bien compris quels effets pathétiques permettait
la division verticale de la maison [73].

Dans le réalisme sérieux, Marivaux montre souvent l'espace clos
comme construit autour d'un centre sur lequel se dirigent des regards
convergents : à l'église « la place que [Marianne] avait prise [la]
mettait au milieu du monde », elle « fixai[t] les yeux de tous les
hommes » ; chez le ministre, sept ou huit personnes l'entourent d'un
« appareil » dont elle est d'abord « étourdie », puis qu'elle détaille
par des regards successifs ; Tervire trouve chez sa belle-sœur une
compagnie plus nombreuse dont elle perçoit les sentiments et les
attitudes ; la disposition des personnages dans l'espace n'est pas
indiquée, mais cet espace est centré et c'est précisément pour l'occupation de son centre stratégique que les deux jeunes femmes
s'avancent l'une vers l'autre au début de la scène [74] ; la cour de
Mme d'Orville, sans être un espace complètement fermé, est comparable à ces salles où un individu se mesure à un groupe qui l'entoure :
tous les locataires sont descendus et admirent Jacob qui se tient
glorieux, l'épée à la main, à côté du comte [75] ; au « chauffoir » de la
Comédie, au contraire, Jacob, qui est encore au centre de la compagnie, a honte et n'ose affronter les regards qui se dirigent sur lui [76].

73. L'escalier n'est pas nommé dans l'épisode commenté, *V.M.*[2], p. 522-526. *Ibid.*, p. 200 :
Mme de Miran quitte le parloir et descend l'escalier, appuyée au bras de Valville ; la
notation fait ressortir la solitude où est laissée Marianne (« Me voilà seule [...] ») et deviner
la faiblesse physique de Mme de Miran. D'une manière générale, les allers et retours (dans
l'espace vertical) entre la chambre et le parloir rythment l'action de *La Vie de Marianne*, de
la quatrième à la huitième partie. *Ibid.*, p. 242 : dans la cour de M. de Climal, Marianne
hésite devant un double escalier ; elle ne sait pas pourquoi on l'a conduite là, le double
escalier permet de rendre manifeste son inquiétude. *Ibid.*, p. 561 : on accède par un petit
escalier à la chambre d'auberge, « triste et misérable gîte » où est logée la malheureuse
Mme d'Arneuil ; le décor du réalisme comique est en train de devenir celui du réalisme
larmoyant. *Ibid.*, p. 475-476 : un « escalier dérobé » conduit à un cabinet attenant à la
chambre de Tervire chez Mme de Saint-Hermières. Tervire croit d'abord (elle sera détrompée,
plus tard) que l'abbé s'est introduit chez elle par cet escalier, et l'abbé lui déclare faussement
qu'il l'empruntera pour repartir. Cet escalier, qui sert à ajouter une nouvelle imposture au
crime, appartient encore à la topographie de la clandestinité, de la séquestration, de
l'effraction propre au haut romanesque.

74. *V.M.*[2], p. 60 ; 317 ; 574.

75. *P.P.*, p. 252. Dans la scène chez le président, Jacob est au centre d'un groupe qui le
juge, comme Marianne chez le ministre et Tervire chez sa belle-sœur : mais il ne présente pas
ce groupe comme un être collectif occupant un espace ; au contraire, il en énumère les
membres successivement, dans un ordre hiérarchique et non spatial (en nommant d'abord
Mlle Habert l'aînée, « parce que c'est contre elle que je vais plaider », dit-il, p. 125).
Sa tactique est en effet de gagner chacune des personnes présentes en la touchant
personnellement.

76. *P.P.*, p. 265.

Lorsque ce n'est pas le narrateur qui est au centre de la scène, celle-ci se présente comme un tableau où des personnages expressifs par leurs diverses attitudes sont groupés autour d'un objet émouvant, une jeune fille évanouie, un agonisant, un malade[77]. F. Deloffre a relevé cet effet dans le récit de la reconnaissance entre Dursan et sa mère : « Tous les détails de la scène (le lit dont les rideaux sont ouverts d'un côté, le fauteuil, la position et les gestes des personnages) sont notés avec une telle précision qu'on ne peut s'empêcher de penser que Marivaux [...] a ici appelé et guidé le ciseau du graveur »[78]. La mise en scène était prévue et voulue par Tervire, qui entendait frapper Mme Dursan d'un « coup » capable de changer ses sentiments envers son fils, et le lecteur doit comprendre et partager l'impression ressentie à ce spectacle. Lors de l'agonie de Climal, les personnages qui entourent le mourant occupent des positions variables : Marianne entre, s'arrête, approche, Valville s'avance, Mme de Miran se retire, le religieux fait un geste, et tous ces mouvements se définissent par rapport au centre de la scène. On peut faire les mêmes remarques à propos des autres exemples : dans tous les cas chaque personnage est situé, chaque déplacement est accompli de façon à renforcer et renouveler l'émotion, comme si l'espace possédait un pouvoir expressif par les différentes dispositions qu'il permet autour de son centre. Les illustrateurs n'ont eu qu'à suivre les indications des textes, mais l'espace dans lequel Marivaux imagine ses personnages n'est pas l'espace à deux dimensions immobilisé sur la planche ou le papier, c'est un espace à trois dimensions auxquelles s'ajoute le mouvement ; peut-être, si l'on tient à lui chercher une origine ailleurs que dans l'intuition personnelle à Marivaux, faut-il la voir dans l'espace scénique du Théâtre Italien : comme on le sait, au jeu frontal et figé des Comédiens Français les Comédiens Italiens opposaient un jeu global et animé, dont le centre était sur la scène et non pas dans la salle[79].

Enfin, lorsqu'un personnage est seul dans un espace clos, le lieu peut symboliser soit la séparation et la solitude, soit la jouissance et la possession. Dans les deux cas, il justifie ce que G. Bachelard dit de la maison, qu'elle « nous appelle à une conscience de centralité »[80] : le *moi* se resserre sur lui-même dans le seul lieu où il ne soit pas blessé par les atteintes d'autrui, ou bien il se sent entouré par ce qui le reflète et le représente, il se retrouve dans tout ce qui est autour de lui. La première situation, débarrassée du romanesque

---

77. Mme de Miran, Valville, Marianne, le père Saint-Vincent autour de Climal agonisant ; Mme de Miran, Valville, Marianne autour de Mlle Varthon évanouie ; Mme Dursan, Tervire et la famille autour de Dursan fils mourant.

78. *V.M.²*, p. 527, n. 1.

79. Sur le jeu des comédiens italiens, voir X. de Courville, *Lélio, premier historien de la Comédie italienne et premier animateur du théâtre de Marivaux*, Paris, 1958, chap. 12, « Jeu italien contre jeu français », p. 229-255, qui cite le président de Brosses et Diderot (*De la Poésie dramatique*, XXI, « De la Pantomime ») ; mais ce que Diderot appelle « tableau » au théâtre est directement inspiré de l'esthétique picturale (*Entretiens sur le Fils naturel*, « Premier Entretien », dans *Œuvres esthétiques*, ed. par P. Vernière, Paris, 1959, p. 88 et *passim*).

80. G. Bachelard, *La Poétique de l'espace*, éd. cit., p. 35.

facile de la séquestration qui la caractérisait dans *Les Effets surpre-nants* [81], est celle de Tervire dans la petite chambre où elle a été reléguée par ses tantes à la mort de sa grand-mère [82] ; c'est celle de Marianne à l'auberge où est morte la sœur du curé, mais surtout dans sa chambre de couvent où elle tombe prostrée, immobile pendant de longues heures, après un événement trop douloureux [83] ; c'est dans cette chambre que Marianne va toujours se recueillir quand elle revient de chez ses amies ou d'un entretien au parloir. L'autre situation est celle de Jacob dans l'appartement où il s'est installé avec sa femme, où tout est à sa disposition, et où l'objet le plus séduisant pour lui est sa robe de chambre, vêtement spécifiquement approprié au local [84]. Marianne a connu un instant cette situation, en entrant avec des larmes de « pur ravissement » dans le vaste ap-partement que lui destinait sa mère adoptive : elle se le représente ensuite vide, attendant vainement celle qui devait l'habiter, occupé seulement par l'inutile portrait de sa bienfaitrice, espace frustré de sa destination [85]. On pourrait citer aussi l'appartement des sœurs Habert, où « chaque chambre était un oratoire » qui « invitait l'âme à y goûter la douceur d'un saint recueillement » [86], mais l'imagination de l'espace, quand il s'agit d'un espace fait pour le bien-être, a moins d'importance que l'imagination des objets et des attitudes ou des comportements qu'ils suggèrent.

L'espace est donc expressif dans les romans de Marivaux, et l'évocation qui en est faite a varié avec la conception que Marivaux s'est faite du roman. On ne trouve ni relevé topographique exhaustif, ni somptueuses descriptions décoratives, mais l'espace contribue à l'action. L'exemple le plus net du rôle qu'il joue est peut-être dans la scène où Marianne fait le paquet du linge qu'elle veut rendre à Climal : il suffit d'un « trajet qui n'était que de deux pas » entre son fauteuil et le mur où est accrochée sa robe, pour que Marianne perde courage et que toute sa belle résolution s'évanouisse [87]. On pour-rait figurer l'action du *Paysan parvenu* et de *La Vie de Marianne* comme un réseau de cheminements entre divers cantons d'une aire relativement limitée, et à l'intérieur de ces cantons.

81. Voir *supra*, p. 437 sqq.
82. *V.M.²*, p. 445-446.
83. *Ibid.*, p. 24, 302, 380.
84. *P.P.*, p. 248-249 (« Je me regardai dans mon appartement »).
85. *V.M.²*, p. 345-387.
86. *P.P.*, p. 46.
87. *V.M.²*, p. 132.

Rousseau est le premier romancier français qui ait su peindre l'écoulement du temps et fonder sur lui une action romanesque. Chez Marivaux, deux aspects seulement de la durée sont sensibles, d'une part la durée de la rédaction, avec ses vivacités, ses lenteurs et ses intervalles, dans *La Vie de Marianne* ; d'autre part la durée obscure qui s'étend entre le temps narré et le temps de la narration [88], dans *Le Paysan parvenu* comme dans *La Vie de Marianne*, et qui confère une résonance au récit. Ces deux formes de la durée, sur lesquelles nous ne reviendrons pas [89], sont extérieures à l'action proprement dite. Marivaux n'a pas l'art de peindre l'écoulement de celle-ci dans le temps : le *moi* est mouvement et activité, il est devenir et intègre ses expériences successives, mais affirmer le devenir n'est pas le montrer, et Marivaux montre mal le mûrissement des êtres, leur accroissement au fil du temps. Il suggère mieux la disparition de la durée, soit pendant les longues analyses qui suspendent l'action [90], soit dans les instants de découverte où un personnage est soudain « glacé », soit dans ceux d'égarement ou d'anéantissement dont G. Poulet a souligné l'importance [91].

En dehors de ces cas, la notation du temps se fait par des repères chronologiques que Marivaux n'omet presque jamais, comme si, à l'exemple des romanciers de l'époque baroque, il croyait devoir rendre compte au lecteur de tous les moments entre lesquels se divise la durée de l'action. Chaque épisode, si peu important qu'il soit, dans l'enchevêtrement d'actions qui constitue *Les Effets surprenants de la sympathie*, est accompagné de sa référence sur la grille chronologique ; nous savons toujours combien d'années, de mois, de semaines ou d'heures le séparent de l'épisode précédent. Quelques imprécisions sont non seulement inévitables, mais nécessaires pour la vraisemblance, car les hommes n'ont pas constamment les yeux fixés sur leur montre ou sur leur calendrier : « dans les suites », « un jour », « quelques jours après », « il y a nombre d'années », mais elles sont beaucoup plus rares que les données d'une infaillible chronométrie : « plus de quatre heures », « deux heures entières », « deux jours après », « après un mois », « il y a seize ans », « quatorze ans entiers », et que les indications qui invitent à reconstituer la suite des jours et des heures : « le matin », « dès le matin », « toute la matinée », « sur la moitié du jour », « il étoit tard », « à la fin du jour », « sur le soir », « la nuit vint », « pendant

88. Voir *supra*, chap. VI, p. 242 ; chap. VII, p. 310 ; chap. VIII, p. 366.
89. Voir *supra*, chap. VI, p. 193, 224, 228, 240 ; chap. VIII, p. 407, 416.
90. Voir *supra*, chap. VIII, p. 340 sqq.
91. Voir *supra*, chap. VIII, p. 396, 399.

cette nuit », « une partie de la nuit », « elle attendit le jour », « le lendemain », « le lendemain dès qu'il fut jour », « le jour vint », etc. Ni dans la correspondance des diverses intrigues, ni dans celle des divers fils d'une même intrigue, nous n'avons relevé la moindre incohérence [92]. La chronologie du *Paysan parvenu* est plus adroitement indiquée, mais tout aussi précise et tout aussi insistante ; aucune nuit, aucun dîner, aucun souper n'est oublié ; on entend littéralement sonner les heures et les offices [93] ; pour faire admettre que tant d'aventures aient pu se succéder en si peu de temps, il fallait justifier l'emploi de chaque minute. Jamais le lecteur ne peut hésiter sur le moment ni sur la durée d'un épisode ; la seule inexactitude porte sur le nombre de jours qui séparent la rencontre de Jacob et de Mlle Habert et leur mariage : six jours, dit Mme d'Alain ; en fait, il n'y en avait que trois, sans erreur possible, mais Mme d'Alain a pu mal comprendre, ou inconsciemment allonger un délai vraiment bien court, à moins que Marivaux n'ait commis lui-même une inadvertance et confondu le temps où Jacob et Mlle Habert voulaient emménager chez Mme d'Alain (trois jours après leur première visite) et celui où ils avaient emménagé effectivement (dès le lendemain) [94].

A défaut du sentiment de la durée, *Le Paysan parvenu* communique donc au lecteur une idée très nette de la chronologie, non seulement par le fait du narrateur qui fournit régulièrement toutes les indications d'heure et de jour, mais aussi par le fait des personnages, qui supputent toujours le temps dont ils disposent : à la mort de son premier maître, Jacob, sans place et sans métier,

92. « Le lendemain » et « Il étoit tard » sont de véritables automatismes de style pour le Marivaux des *Effets surprenants*. Nous avons déjà relevé son respect du principe archaïque d'exhaustivité, voir *supra*, chap. VIII, p. 420-422. Il lui arrive d'écrire : « il se coucha, et le lendemain [...] » (*O.C.*, t. V, p. 495. *O.J.*, 124). Parfaite cohérence ne signifie pas vraisemblance ; F. Deloffre a relevé (*O.J.*, p. 1096-1097) les invraisemblances chronologiques des *Effets surprenants*.

93. « Sur ces entrefaites dix heures sonnèrent », *P.P.*, p. 165 (quand Mme d'Alain fait apporter le café aux nouveaux mariés). « Deux heures sonnèrent », *ibid.*, p. 211 (quand Jacob, après avoir « dîné » avec Mme d'Orville et sa mère, arrive chez M. Bono) ; « Trois heures sonnèrent alors », *ibid.*, p. 216 (quand M. Bono met fin à l'entretien) ; « Sur les trois heures après-midi, vêpres sonnèrent », *ibid.*, p. 249 (il est l'heure pour Jacob d'aller chez Mme d'Orville).

94. *Ibid.*, p. 108, cf. p. 72 (« J'ai beaucoup de meubles ici, je n'en puis sortir que dans deux ou trois jours », dit Mlle Habert), p. 78 (« il fut arrêté qu'elle y viendrait loger trois jours après ») et au contraire p. 83 (« le tapissier est venu le lendemain, nos meubles sont partis [etc.] »), 84 (« J'avais dit [à Mme d'Alain] que nous arriverions le soir même »). L'âge de Jacob est indiqué avec quelque imprécision, p. 9 (« dix-huit à dix-neuf ans »), 43 (« Pas encore vingt ans »), 183 (bientôt vingt ans), 203 (« dix-huit ans »), 250 (« un jeune homme [...] à peu près de mon âge, c'est-à-dire de vingt et un à vingt-deux ans »), mais cette imprécision est volontaire : devant Mme de Ferval et Mme de Fécour (p. 43 et 183), Jacob ne tient pas à paraître trop jeune ; au contraire il se sent bien trop jeune pour affronter les gens « d'un certain âge » qui composent le conseil de famille (p. 203) ; dans le dernier passage cité « c'est-à-dire » explique « à peu près » : le comte a l'âge de Jacob à deux ou trois ans près. Enfin les inexactitudes qui portent sur la durée du séjour de Jacob à Paris sont non seulement volontaires, mais ironiques : les « deux ou trois mois » qu'allègue Mlle Habert (ce n'est pas impossible, mais c'est bien le maximum, p. 85) deviennent « cinq ou six mois » dans la bouche de Mme de Ferval, qui ne veut pas desservir son protégé (p. 183). La seule imprécision du *Paysan parvenu* est au début de la première partie : « un matin », Geneviève rencontre Jacob « sur l'escalier » (p. 17), « un matin » encore, elle lui demande de la suivre (p. 23) ; on ne sait pas combien de jours exactement Jacob est resté chez son premier maître.

calcule qu'il peut en restreignant ses dépenses attendre l'aventure
pendant quelques jours avant de revenir dans son village [95] ; quand
Mlle Habert décide de hâter leur mariage, il juge qu'« en se tré-
moussant le reste de la journée » on peut le célébrer le soir même [96] ;
le lendemain des noces, les invités étant arrivés à cinq heures et le
souper ne devant avoir lieu qu'à huit, Mme de La Vallée fait
remarquer à Jacob qu'il a le temps d'aller chez Mme de Ferval [97] ;
le jour suivant, la rencontre avec Mme de Ferval chez la Rémy ayant
été fâcheusement écourtée, Jacob peut aller rendre compte à Mme de
Fécour de son voyage à Versailles, puisqu'« il était encore de bonne
heure » [98] ; c'est la même réflexion que fait le lendemain le comte
d'Orsan, quand sa blessure a été pansée et qu'il ne veut pas se séparer
de son sauveur : « il est encore de bonne heure, allons à la Comédie » [99]. Jacob est actif et entreprenant, mais son principal mérite
est ici d'avoir compris qu'un habitant de Paris devait régler l'emploi
de son temps : rendez-vous galants, rendez-vous d'affaire, visites de
politesse, chaque chose se fait à son heure, et il reste encore quelques
moments pour jouir de son intérieur, de sa robe de chambre et de
ses pantoufles. Le rythme de la vie parisienne et le caractère du
héros s'accordent et justifient également l'attention du romancier
à ne négliger aucune indication chronologique.

La chronologie de *La Vie de Marianne* est moins exacte, pour deux
raisons : la première est qu'une jeune fille ne peut décemment entreprendre toutes les démarches permises à un garçon ; à la fin de la
troisième partie, Marianne entre comme pensionnaire dans un couvent, où aucune initiative ne lui est possible et d'où elle attend les
événements en comptant les jours pendant lesquels il ne se passe
rien ; elle ne se trompe pas trop dans son compte, mais la grisaille
des jours vides empêche parfois de bien les distinguer : « il y avait
cinq ou six jours que je n'avais vu ni la mère, ni le fils », « quelques
jours ensuite », « dix ou douze jours se passèrent sans que je la
visse »... [100]. L'autre raison est que l'analyse fait oublier le temps
vécu et l'immobilise [101] : l'action de la seconde partie dure quelques
quarts d'heure, celle de la troisième partie quelques heures de la
même journée [102] ; cette dilatation du discours finit par brouiller la

95. *Ibid.*, p. 40.
96. *Ibid.*, p. 98.
97. *Ibid.*, p. 168.
98. *Ibid.*, p. 242.
99. *Ibid.*, p. 262.
100. *V.M.*[2], p. 208, 237, 287. L'attente se passe à rêver, à se regarder dans le miroir, et
Marianne qui a mis deux heures à se parer (« Onze heures sont sonnées ; il est temps de
m'habiller [...]. Mais me voilà prête, une heure va sonner ») a encore le temps de s'ennuyer
avant l'arrivée de Mme de Miran qui doit l'emmener en visite (p. 209).
101. Voir *infra*, p. 463.
102. Marianne va à la messe dans le courant de la matinée, revient « dîner » chez
Mme Dutour, reçoit l'après-midi la visite de Climal, rompt avec lui, rend visite au
P. Saint-Vincent, s'abrite dans l'église et rencontre Mme de Miran. Ce jour est la
Saint-Mathieu (p. 97, 21 septembre), et, cette année-là, jour de fête (p. 49, cf., p. 264 ;
la Saint-Mathieu est tombée un dimanche en 1642, 1659, 1664, 1670, 1681, 1687, 1692, 1698,
1704, 1710, 1721, 1727, 1732). La foire à laquelle le petit Jeannot est conduit par sa tante
(p. 105) doit être la foire Saint-Laurent (fin juin - fin septembre).

représentation chronologique des rapports entre Marianne et Climal et du séjour chez la lingère [103]. Il s'écoule tout au plus une vingtaine de semaines depuis la mort de la sœur du curé jusqu'au moment où Tervire prend la parole ; Marianne n'avait que quinze ans et quelques mois lors du premier événement [104] ; elle ne peut avoir « une âme de dix-huit ans » lorsqu'elle se retrouve désespérée dans la rue après sa rupture avec Climal et sa visite vaine au père Saint-Vincent [105] : si l'âge de dix-huit ans n'est pas symbolique [106], Marivaux a peut-être voulu empêcher le lecteur de s'étonner que Marianne ait pu faire tant de réflexions et de découvertes si tôt et si vite.

L'histoire de Tervire s'étend sur une durée beaucoup plus longue. Les épisodes intenses, les crises décisives y sont racontés au jour le jour, heure après heure, comme dans *Le Paysan parvenu* [107] ; la longueur des périodes intermédiaires est en général précisée, souvent par l'âge de Tervire [108].

Marivaux n'a donc jamais manqué de situer les événements aussi exactement que possible dans une chronologie ; il n'a laissé passer que peu d'incohérences, moins par inattention que de dessein délibéré, quand la vraisemblance matérielle ou psychologique le demandait. Toutes ces précisions suppléent au sentiment intérieur de la temporalité, à la suggestion de l'écoulement des jours et des années, que Marivaux ne sait pas produire. L'état du ciel, les données météorologiques qui ont tant de pouvoir expressif dans *Les Illustres Fran-*

103. Marianne fait connaissance de Climal et s'installe chez Mme Dutour quinze jours après la mort de sa première mère adoptive (p. 24) ; Climal revient la voir « trois ou quatre jours après » (p. 34) et lui achète du linge et un habit ; l'habit est livré à Marianne « au bout de quatre jours » (p. 49), ce jour même où elle ira à l'église et au soir duquel elle quittera Mme Dutour. Elle est donc restée chez la lingère sept ou huit jours, au bout desquels elle a rompu avec Climal. Elle n'est pas tout à fait sincère quand elle écrit à Valville, le même jour encore : « Il n'y a que cinq ou six jours que je connais M. de Climal » (p. 157) et quand elle lui déclare quelques semaines plus tard, devant Mme de Miran : « M. de Climal m'a mise chez une lingère, et m'y a abandonnée au bout de trois jours » (p. 194). Finalement, dans la mémoire de Mme Dutour comme dans celle de Marianne, la durée de leur cohabitation se limite à quatre ou cinq jours, trois de moins qu'en réalité (p. 264 : « N'avez-vous pas été quatre ou cinq jours en pension chez moi ? » ; p. 282 : « Cette marchande de linge chez qui j'ai demeuré quatre ou cinq jours »).

104. « J'avais quinze ans, plus ou moins » (p. 15) quand la mort d'un parent oblige la sœur du curé à venir à Paris ; « aussi avais-je alors quinze ans et demi, pour le moins », p. 21. Cf. p. 23 : « une expérience de quinze ans et demi, plus ou moins ».

105. *Ibid.*, p. 145.

106. C'est l'âge que se donne Jacob quand il se sent bien jeune pour affronter des adultes, voir *supra*, n. 94.

107. La visite de Tervire au couvent où elle reçoit les confidences d'une religieuse, et les suites de cette visite ; la perfidie dont Tervire est victime et qui fait manquer son mariage avec le baron de Sercour ; les premières conversations avec le jeune Dursan ; la reconnaissance entre la vieille Mme Dursan et son fils ; la recherche de la mère de Tervire à travers Paris.

108. *Ibid.*, p. 442 : « J'arrivai jusqu'à l'âge de douze ans et quelques mois » ; p. 452 « Voilà comment je vécus jusqu'à l'âge de près de dix-sept ans » ; p. 483 « J'avais alors dix-sept ans et demi » ; « Me voici à présent parvenue à l'âge de la jeunesse. Voyons les événements qui m'y attendent » ; p. 494 « [...] quand je perdis Mme Dursan, avec qui je n'avais vécu que cinq ou six ans » (annonce anticipée).

çaises, ne sont que très rarement et sèchement indiqués [109]. On dirait que le temps est pour lui une succession de moments séparés, que rien ne relie entre eux naturellement : chaque fait doit être interprété isolément, par référence à des catégories générales qui en définissent le contenu, plutôt que dans son rapport aux autres faits avec lesquels il voisine dans le temps, dont il résulte ou auxquels il conduit. Nous avons dit que l'analyse chez Marivaux était essentialiste, et que même sa description du langage considérait les mots comme des unités, sans tenir compte de leur enchaînement syntagmatique dans les phrases ni de leur évolution sémantique dans l'histoire de la langue [110]. La concaténation, au lieu de constituer la vérité de la vie, la masque et la défigure : il faut la rompre pour accéder à cette vérité, comme il faut fermer les yeux pour juger de l'esprit d'une jolie femme, comme il faut considérer un vilain nez à part et le disjoindre de la « vue générale » dans laquelle il est enveloppé, pour reconnaître sa laideur [111]. Malgré toutes les précautions que prend Marivaux pour faire comprendre que l'analyse ne doit jamais être close [112], c'est toujours à l'inventaire qu'elle tend, et on ne peut inventorier que ce qui est limité, et non ce qui est labile et qui se métamorphose sous le regard. Beaucoup des citations que G. Poulet a réunies dans son chapitre sur Marivaux des *Etudes sur le temps humain* impliquent bien, comme il le dit, une « dissimilarité radicale de tous les points du temps », mais non pas « une pente continue » [113] : chaque moment est tellement indépendant qu'il est impossible de prévoir ce qui le suivra, le hasard préside à la succession des états de conscience comme le caprice à celle des actions ; comme le dit la vieille dame du *Spectateur français :* « Je vis seulement dans cet instant-ci qui passe » [114]. Rappelons la définition que Descartes donnait de la durée humaine : « Ses parties ne dépendent point les unes des autres et n'existent jamais ensemble : De ce que nous sommes maintenant, il ne s'ensuit pas nécessairement que nous soyons un moment après », seule la volonté de Dieu assurant notre continuation [115]. Notre volonté à nous morcèle notre existence, nous fait

---

109. *V.M.²*, huitième partie, p. 401 : « le repas fini, il faisait beau, et on fut se promener sur la terrasse du jardin » ; *P.P.*, première partie, p. 41 : « Je passais le Pont-Neuf entre sept et huit heures du matin, marchant fort vite à cause qu'il faisait froid ».

110. Voir *supra*, chap. VII, p. 272.

111. *Le Spectateur français*, troisième feuille, *J.O.D.*, p. 124-125.

112. Voir *supra*, chap. VII, *passim*.

113. G. Poulet, *Etudes sur le temps humain*, II, *La Distance intérieure*, Paris, 1952, p. 31 (*ibid.*, « Dans le monde de Marivaux, l'être est à chaque instant différent de lui-même, mais il n'y a point pourtant d'hiatus entre ces moments différents » ; pourtant, p. 8, G. Poulet écrit : « de son passé à son présent il n'y a pas de route »). Dans la mesure où l'instant présent, chargé de sens par le passé et rendu pathétique par l'attente de l'avenir imminent, anticipe sur l'instant suivant, comme pour Tervire en face de la Dame inconnue dans la chambre d'auberge (*V.M.²*, p. 566 ; voir *infra*, p. 461, la psychologie du spectateur au théâtre), il pourrait y avoir « pente continue » : mais dans ces moments intenses, le temps semble plutôt s'arrêter.

114. *Le Spectateur français*, dix-septième feuille, *J.O.D.*, cité par G. Poulet, *loc. cit.*, p. 17. Voir sur ce texte du *Spectateur français* notre commentaire *supra*, chap. IV, p. 150.

115. *Les Principes de la philosophie*, à Paris, par la Compagnie des libraires, Paris, 1723, p. 16 (Ire partie, paragr. 21).

passer sans cesse d'un objet à un autre, comme l'explique Male-branche, une fois encore à consulter quand on recherche les pré-supposés philosophiques de l'imaginaire chez Marivaux : Dieu a créé en nous la volonté du « bien en général », du « souverain bonheur », mais les lois du corps et de l'âme nous rendent sensibles aux biens particuliers ; un bien particulier peut occuper plus ou moins de la capacité de notre esprit, mais il ne nous satisfait jamais « soli-dement » et nous nous laissons prendre à un autre bien, toujours poussés par notre permanente volonté de bonheur ; en somme, nous avons la faculté de détourner cette volonté, de la retenir par de petits barrages comme un fleuve utilisé à l'irrigation et qui n'en garde pas moins sa force et sa direction générales : « car Dieu nous créant sans cesse, non *pouvant* vouloir mais voulant être heureux, et notre esprit étant borné, il nous fallait du temps pour examiner si tel bien était vrai ou faux, ou même si, en s'arrêtant à tel bien représenté ou senti comme vrai bien, ou cause du plaisir actuel, ce bien ne deviendrait point un mal, à cause que s'y arrêtant, on per-drait la possession d'un plus grand bien » [116].

Le texte de Malebranche nous semble signifier que la durée est la condition de la connaissance. Nous vivons dans la diversité, comme tout ce qui est soumis au temps, et notre esprit a besoin du temps pour réunir les éléments successifs d'une expérience, les trier, les définir et les juger, les mettre à leur place dans l'échelle des valeurs, dans l'échiquier des notions. C'est alors qu'apparaît le sens de ce qu'on vit, et qu'il est possible de choisir ce que l'on veut être. Obstacle à l'unité et à la continuité affectives du *moi*, le temps est un auxiliaire de son unité et de sa continuité morales, il permet à l'individu de se reprendre, de s'orienter selon la direction de ce qu'il juge être sa vérité ; ainsi réagit Marianne à son arrivée dans la capitale : « Je ne saurais vous dire ce que je sentis en voyant cette grande ville [...]. Je n'étais plus à moi, je ne me ressouvenais plus de rien [...]. Je me retrouvai pourtant dans la longueur du chemin, et alors je jouis de toute ma surprise : je sentis mes mou-vements, je fus charmée de me trouver là » ; ainsi encore elle iden-tifie sa tristesse lorsqu'elle croit ne plus pouvoir rien attendre ni de Climal, ni du père Saint-Vincent, ni de Valville : « Je ne pleurais pourtant point alors, et je n'en étais pas mieux. Je recueillais de quoi pleurer ; mon âme s'instruisait de tout ce qui pouvait l'affliger, elle se mettait au fait de ses malheurs ; et ce n'est pas là l'heure des larmes : on n'en verse qu'après que la tristesse est prise, et presque jamais pendant qu'on la prend » [117]. Tervire parle donc en authentique disciple de Malebranche quand elle console la

116. *De la Recherche de la vérité*, Ier éclaircissement (éd. G. Lewis, Paris, 1946, t. III, p. 12-13).
117. *V.M.²*, p. 17 et p. 135. Même la douleur, que l'on peut pourtant connaître seulement par une expérience directe et irremplaçable (voir *V.M.²*, p. 22 et notre commentaire, *supra*, p. 141 sq. et p. 285 sq.) n'existe pour le *moi* que s'il a le temps de se recueillir. Tous ces exemples prouvent que, pour vraiment « sentir », il faut savoir clairement ce que l'on sent.

religieuse dévorée d'une passion coupable : « Dieu ne vous abandonnera pas ; vous lui appartenez, et il ne veut que vous instruire.
Vous comparerez bientôt le bonheur qu'il y a d'être à lui au misérable
plaisir que vous trouvez à aimer un homme faible, corrompu [...].
Tout ceci n'est qu'un trouble passager qui va se dissiper, qu'il fallait
que vous connussiez pour en être ensuite plus forte, plus éclairée,
et plus contente de votre état ». L'acte de comparer est le fondement
de la morale, et c'est le temps qui le rend possible. Il n'apporte
pas l'oubli, mais un élément nouveau à la mémoire [118].

Cette mémoire est une mémoire intellectuelle, non une mémoire
sensible : selon Malebranche encore, « c'est notre mémoire et non
pas notre sentiment intérieur qui nous apprend que nous sommes
capable de sentir ce que nous ne sentons plus, ou d'être agités par
des passions desquelles nous ne sentons plus aucun mouvement » [119].
Ce qui a été émotion est devenu objet de connaissance, leçon retenue par l'esprit. Le long espace de temps qui sépare les faits
narrés du moment de la narration renforce encore le caractère
intellectuel de la remémoration. Si le désir présent est seul capable
de ressusciter le passé, l'être présent de Jacob, de Marianne et de
Tervire n'est plus un être de désir, mais un être satisfait ou résigné,
à l'abri des vicissitudes temporelles : « Je vous avouerai que l'épreuve
que j'ai fait de cette douleur dont nous sommes capables est une
des choses qui m'a le plus épouvantée dans ma vie, quand j'y ai
songé ; je lui dois même le goût de retraite où je suis à présent » [120] ;
dans ces phrases de Marianne, il faut donner aux passés composés
toute leur valeur. Ni la douleur, ni l'épouvante que causait l'imagination de la douleur ne sont plus sensibles à Marianne. La mémoire,
puissante illuminatrice, est aussi une puissante pacificatrice : le temps
passé est dépassé, c'est la condition à laquelle il est analysé et expliqué. Le rapprochement que fait si souvent la critique entre Marivaux et Proust risque d'être trompeur [121] : les narrateurs de Marivaux ne vont pas, comme le narrateur de Proust, « à la recherche
du temps perdu », leur bonheur n'est pas de se retrouver tels qu'ils
furent grâce à la magie du souvenir préservé, mais de pouvoir mieux

---

118. *V.M.²*, p. 461-462. Voir aussi *ibid.*, p. 74, où Marianne parle du trouble dans lequel
elle se trouva lorsqu'elle eut été transportée chez Valville : « au fond, tous ces étonnements de raison ne valent rien non plus, on n'y est point en sûreté, il s'y passe toujours
un intervalle de temps où l'on a besoin d'être traitée doucement ; le respect de celui avec
qui vous êtes vous fait grand bien ». Suzanne Mühlemann, qui cite ce dernier texte et dont
l'interprétation de Marivaux, très éloignée de la nôtre, s'inspire beaucoup de G. Poulet,
parle ici, fort justement, d'une « espèce de repos qu'il faut à Marianne pour réintégrer la
tonalité majeure de son être » (*Ombres et lumières dans l'œuvre de Pierre Carlet de
Chamblain de Marivaux*, Berne, 1970, p. 91).

119. Malebranche, *De la Recherche de la vérité*, Ier éclaircissement (éd. cit., t. III, p. 7).

120. *V.M.²*, p. 22. Voir aussi le dénouement des *Effets surprenants*, cité et commenté
supra, chap. III, p. 90-91.

121. Cl. Roy, *Lire Marivaux*, Neuchâtel-Paris, 1947, p. 86 ; G. Poulet, *op. cit.*, p. 30
(qui marque bien la différence : « ce temps perdu est irrévocablement perdu ») ; Marcel
A. Ruff, *L'Esprit du mal et l'esthétique baudelairienne*, Paris, 1955, p. 21 (cité par F. Deloffre,
V.M.², p. LXXXII) ; F. Deloffre, *P.P.*, p. XXIV ; J. Fabre, « Marivaux », *Histoire des littératures*,
Paris, 1958, t. III, p. 690 ; Proust n'a jamais nommé Marivaux.

se comprendre. « A présent que j'y pense », dit Marianne... Le *moi* lui-même est œuvre de la mémoire et du temps [122].

La soigneuse chronologie qu'établit Marivaux aide donc l'esprit à reconstituer le passé, à en remettre bien en place les divers moments. Le narrateur en dispose alors souverainement, saisit chaque fait tel qu'il était en lui-même, complet dans sa signification : il remplace même les événements réels par des vues synthétiques, regroupant par exemple en un portrait intemporel toutes les remarques qu'il pu faire sur un personnage en des circonstances différentes, ou faisant d'une expérience unique l'équivalent d'une expérience habituelle parce que celle-là, à elle seule, a été aussi expressive que l'aurait été celle-ci. C'est ainsi qu'il faut expliquer la remarque de Jacob sur le manque d'appétit simulé par les sœurs Habert : « Je ne savais les premiers jours comment ajuster tout cela. Mais je vis à la fin de quoi j'avais été les premiers jours dupe ». Jacob n'est resté qu'un jour chez les sœurs Habert et n'a pu les voir qu'une fois prendre leur repas ensemble : le soir du même jour, elles seront brouillées et l'aînée préférera aller souper et coucher ailleurs [123]. Mais la rétrospection éclaire la scène dans sa vérité permanente et essentielle, elle a le même effet qu'aurait eu une répétition réelle, parce qu'elle vise l'essence, et que l'essence est ce qui se répète sans changement sous ses modifications. Rien ne prouve mieux que cette substitution d'une série intelligible à un fait isolé combien la mémoire des narrateurs, chez Marivaux, est loin d'être une résurrection du passé. Il faut expliquer de la même façon un usage, apparemment archaïque, de l'imparfait, qu'on rencontre dans *Les Effets surprenants* et qui signifie non pas la répétition réelle [124] ou la concomitance, mais l'aspect essentiel, intemporel, d'un acte unique situé en un seul point du temps [125]. Par une substitution un peu différente de la précédente, mais d'intention identique, tous les entretiens d'une même série sont rapportés à l'imparfait, qui marque leur répétition, mais représentés en une

---

122. *V.M.*[2], première partie, p. 39 ; « A présent que j'écris », dit aussi Jacob, *P.P.*, cinquième partie, p. 262. Voir aussi *supra*, chap. IV, p. 144-145.

123. *P.P.*, p. 52 et p. 82.

124. Voir *supra*, chap. VII, p. 340. La répétition exprime l'aporie morale.

125. « Nous parlâmes de l'aventure de la fille de l'inconnu, je le plaignois : et si cette belle personne dont il s'agit étoit sa fille, me disoit-elle, que penseriez-vous d'elle ? Je penserois, répondois-je [...]. Vous sentiriez donc ce chagrin, disoit ma mere [...]. Oui, sans doute [...] disois-je [...]. Après ces mots, ma mere ne parla plus » (*Les Effets surprenants*, *O.C.*, t. V, p. 528-529. *O.J.*, 141). Cet emploi de l'imparfait, et l'incohérence qu'il entraîne, sont encore plus nets dans la suite : « Vous voyez, me dit-elle, quel étoit le sujet de ma tristesse [...]. Et moi, répondois-je [...] » (*ibid.*, p. 531. *O.J.*, 143). Emploi analogue chez Lesage, *Nouvelles Avantures de Don Quichotte*, I, 3, Paris, 1704, tome I, p. 19-20 : « Don Quichotte tomba dans une profonde rêverie pendant le repas. Tantôt regardant la nape sans sourciller, il restoit le morceau à la bouche ; et tantôt quand don Alvar lui demandoit s'il étoit marié, il répondoit que Rocinantes étoit le meilleur cheval qui eût jamais été nourri dans Cordoüe ». Le texte correspondant d'Avellaneda est ainsi traduit par R. Laufer (*Lesage ou le métier de romancier*, Paris, 1971, p. 82) : [Don Alvar demande à don Quichotte la cause de son silence et de sa distraction] « parce que je vous ai vu rester des moments entiers le morceau dans la bouche, regardant sans sourciller la nappe, et si songeur que, lorsque je vous demandai si vous étiez marié, vous me répondîtes : Rossinante, Monsieur, est le meilleur cheval qui soit né à Cordoue ».

seule conversation, comme si les répliques avaient été chaque fois exactement les mêmes [126].

*
**

Le temps narré et le temps de la narration sont donc de nature différente : le premier est analysé, le second est vécu et se manifeste par la parole, il est la parole. Le rapport entre ces deux temps dans le roman sera plus facile à saisir si l'on compare l'objet du dramaturge et celui du mémorialiste. Le dramaturge doit donner l'illusion du présent, les personnages sont engagés dans une action qu'ils produisent eux-mêmes, dont chaque moment est pour eux nouveau et inattendu ; le spectateur peut apercevoir assez vite le sens de cette action et en prévoir le déroulement, mais il ne la découvre dans sa vérité vivante, dans sa richesse et sa complexité qu'avec les personnages et au même rythme qu'eux ; il ne rit et ne s'émeut que lorsqu'ils sont risibles et émouvants, et non à l'avance en pensant qu'ils ne manqueront pas de l'être. Il faut en dire autant de ceux que Jean Rousset appelle les « personnages-témoins », les meneurs de jeu : ni Flaminia, dans *La Double Inconstance*, ni M. Orgon, dans *Le Jeu de l'amour et du hasard*, ni Dubois, dans *Les Fausses Confidences*, ne savent réellement ce que vont faire et ce que vont être à chacun des instants encore à venir les personnages d'une action dont ils savent le dénouement. Cette action, c'est une suite de sentiments, angoisse, affolement, dépit, joie, etc., qui ne sont connus d'autrui que lorsqu'ils s'expriment, et qui ne s'expriment que lorsqu'ils sont éprouvés. Mais ils peuvent s'exprimer de façon indirecte et paradoxale, parce qu'ils sont des réponses à une situation en mouvement, que leur expression contribue elle-même à modifier cette situation, et que le spectateur, ayant assisté à tout ce qui la précède, peut interpréter dans son vrai sens le moindre accent ou le moindre geste. A l'auteur de trouver cet accent, ce geste expressif, ou, puisqu'il ne dispose guère que du langage, les mots et les silences qui signifieront le plus, dans une situation donnée. Un aveu attendu

---

126. Entretien entre Mme Dursan et Tervire sur Brunon. « Si elle continue toujours de même, me disait-elle en particulier, je lui ferai du bien [...]. Je vous y exhorte, ma tante, lui répondais-je [...]. Tu as raison, me disait-elle [...]. Hélas, répondais-je [...]. Ma tante, à ce discours, levait les épaules et ne disait plus rien » (*V.M.*[2], dixième partie, p. 516-517). Dans la première partie du *Paysan parvenu*, *P.P.*, p. 42-43, Jacob décrit la tenue qu'avait Mlle Habert la cadette lorsqu'il l'avait rencontrée pour la première fois, et il ajoute : « [Cette tenue et sa propreté] me firent juger que c'était une femme à directeur ; car elles ont presque partout la même façon de se mettre, ces sortes de femmes-là ; c'est là leur uniforme, et il ne m'avait jamais plu ». Renée Papin commente ainsi ce passage (Introduction à son édition du roman, Paris, 1961, p. xxx) ; « Une étude de détail montrerait que malgré l'emploi du Je, qui donne à Jacob la responsabilité de ses impressions, c'est évidemment Marivaux qui parle. Un exemple : comment expliquer autrement cette incohérence dans le récit [...]. Comment, dans son petit village, Jacob en aurait-il beaucoup connu, surtout de cette sorte-là ? » S'il y a « incohérence », elle pourrait venir, non pas de ce que, involontairement ou malicieusement, Marivaux s'est substitué au narrateur, mais de ce que le temps de la réflexion — celui des vérités permanentes — l'a emporté sur le temps de l'action. Toutefois dans ce cas la plus-que-parfait « il ne m'avait jamais plu » serait illogique. A notre avis, Jacob fait bien allusion à l'expérience qu'il a pu avoir dans son village ou ailleurs : les mots « presque partout » impliquent qu'il a rencontré des femmes à directeur en même tenue en d'autres circonstances et en un autre lieu qu'à Paris.

depuis trois actes peut être muet, comme nous l'avons vu [127], et un acte manqué peut avancer le bonheur [128]. Chaque moment résume tout ce qui est déjà connu et apporte quelque chose d'inconnu, la succession des instants distincts et différents se double d'une continuité de l'intérêt. Marivaux a décrit cette participation du spectateur au présent constamment intéressant de l'action, dans la vingtième feuille du *Spectateur français*, à propos d'une tragédie de La Motte : « Ici chaque situation principale est toujours tenue présente à vos yeux, elle ne finit point, elle vous frappe partout sous des images passagères qui la rappellent sans la répéter ; vous la revoyez dans mille autres petites situations momentanées qui naissent du dialogue des personnages, et qui en naissent si naturellement que vous ne les soupçonnez point d'être la cause de l'effet qu'elles produisent, de façon que dans tout ce qui se passe actuellement d'intéressant réside encore, comme à votre insu, tout ce qui s'est passé : de là vient que vous êtes remué d'un intérêt si vif et si soutenu, et qui est d'autant plus infaillible que, hors les endroits extrêmement marqués, vous ne distinguez plus les instants où il vous gagne, ni les ressorts qui le contiennent » [129]. Le spectateur n'est sans doute pas si ignorant de la façon dont son intérêt est captivé, mais l'important, pour Marivaux, est l'illusion que procure le dramaturge et qui tient le public en haleine. Le sens de chaque instant est implicite, enveloppé dans l'action. Au contraire, le mémorialiste explicite et développe, il fait passer la narration au second plan, comme l'Inconnu du Spectateur français, dont nous avons déjà cité la formule : « J'interromps souvent mon histoire ; mais je l'écris moins pour la donner que pour réfléchir » [130]. Nous avons distingué, par leur emploi plutôt que par leur essence, deux langages chez Marivaux [131] : l'un, où les mots reçoivent du contexte leur portée, est le langage du dramaturge, sauf quand il fait prononcer quelque réflexion analytique à un personnage-témoin [132] ; c'est aussi le langage du mémorialiste dans ses récits, mais il est dominé et véhiculé par l'autre, par celui qui ne laisse rien dans l'ombre et qui définit génériquement tous les éléments qu'il isole, le langage du mémorialiste dans ses réflexions [133]. A ces deux langages correspondent

---

127. Voir *supra*, chap. VIII, p. 127, et le dénouement de *La Surprise de l'amour*.

128. Dorante est incapable d'écrire lisiblement l'adresse du billet qu'Araminte lui dicte pour le comte, dans *Les Fausses Confidences*, II, 13 (*T.C.*, t. II, p. 395).

129. *J.O.D.*, p. 226.

130. *J.O.D.*, p. 265. Voir *supra*, chap. V, p. 169.

131. Voir *supra*, chap. VII, p. 282 sq. ; sur l'identité essentielle de ces deux langages, *ibid.*, p. 303-305.

132. Encore ces réflexions sont-elles nécessairement trompeuses par défaut, comme nous l'avons dit, et plus importantes par leur valeur dramatique que par leur valeur explicative.

133. Bien que l'intelligence, la sensibilité, le rapport entre la conscience et son expression soient potentiellement les mêmes chez tous les hommes, les degrés de réalité et de développement en sont d'une diversité innombrable ; il ne faut donc pas faire comme si les paroles d'un personnage sincère, mais aveugle, celles d'un sot, celles d'un fourbe, celles d'un spectateur, celles d'un mémorialiste étaient toutes également révélatrices de ce que certains appellent « l'être marivaudien ». Valentini Papadopoulou Brady a bien vu qu'à la différence

deux temps, le temps narré et le temps de la narration, et lorsque le mémorialiste annule la distance entre ces deux temps, c'est le plus souvent pour montrer la toute-puissance, l'agilité souveraine de l'intelligence actuelle et mieux intégrer au temps de la narration le temps narré comme un pur objet de connaissance ; Marivaux ne met pas en cause, comme le fera Diderot par des procédés analogues aux siens, l'être même du temps et son mode d'appréhension [134].

Pour que le temps passé renaisse dans sa saveur vécue, il faut que de sa retraite actuelle le mémorialiste ait le sentiment que quelque chose a manqué, qu'une promesse n'a pas été tenue, qu'une épreuve n'a pas été dépassée et intégrée à sa sagesse. La nostalgie fait surgir le passé dans le présent ; ce qui a été, ce qui ne sera jamais plus est soudain de nouveau intact, mais intangible, aussi émouvant qu'autrefois, mais accompagné de la certitude que cette émotion est vaine, et que la marche du temps est irréversible. Jacob, dont la vie a couronné les espérances, n'a pas de ces regrets ; s'il n'a jamais retrouvé dans le plaisir le charme de ses premiers émois, il parle d'eux sans mélancolie [135]. Mais Marianne, qui a perdu Mme de Miran, ne peut se rappeler sans émotion le « trouble » de sa bienfaitrice au jour de son enlèvement : « O trouble aimable, que tout mon amour pour elle, quelque prodigieux qu'il ait été, n'a jamais pu payer, et dont le ressouvenir m'arrache actuellement des larmes ! Oui, Madame, j'en pleure encore [...] Hélas ! cette chère mère, cette âme admirable, elle n'est plus pour moi, et notre tendresse ne vit plus que dans mon cœur » [136]. Et Tervire, pensant à son amour sans lendemain pour le jeune Dursan, élève une plainte plus évocatrice du temps passé que tous les repères et les jalons chronologiques : « Il a fallu les oublier, ces expressions, ces transports, ces regards, cette physionomie si touchante qu'il avait avec moi, et que je vois encore, il a fallu n'y plus songer, et malgré l'état que j'ai embrassé, je n'ai

---

des genres littéraires correspondaient une différence des rapports entre l'auteur et le destinataire de l'œuvre, lecteur ou spectateur, et même une différence de contenu, ou d'attitude envers le contenu (*Love in the theatre of Marivaux*, Genève, 1970, p. 96).

134. Dans *Le Paysan parvenu*, deuxième partie, *P.P.*, p. 69, Mlle Habert parle à Jacob : « Il ne s'agit plus que de trouver une cuisinière ; car je t'avoue, Jacob, que je ne veux point de Catherine ; elle a l'esprit rude et difficile, elle serait toujours en commerce avec ma sœur, qui est naturellement curieuse, sans compter que toutes les dévotes le sont ; elles se dédommagent des péchés qu'elles ne font pas par le plaisir de savoir les péchés des autres ; c'est toujours autant de pris ; et c'est moi qui fais cette réflexion-là, ce n'est pas Mlle Habert, qui, continuant à me parler de sa sœur, me dit : [...] ». Un éditeur moderne qui voudrait mettre quelque part des guillemets dans cette suite de phrases fausserait l'esprit même du texte. L'effet obtenu est plus superficiel dans *La Vie de Marianne*, seconde partie (*V.M.*[2], p. 75) où Marianne déclare à sa correspondante : « Vous y gagneriez si je n'étais pas si babillarde. Finissez donc, me diriez-vous volontiers ; et c'est ce que je disais à Valville [...] », et dans la septième partie (*ibid.*, p. 341) où c'est Mme de Miran qui dit à Marianne : « Fais le plus vite que tu pourras [...] », sur quoi la narratrice ajoute, à l'adresse de sa correspondante : « Abrégeons donc ». Sur la confusion des registres, voir *supra*, chap. VI, p. 204 et 227. Dans *Jacques le fataliste*, voir par exemple p. 147 de l'éd. Y. Belaval, Paris, 1953 : « Je ne sais de qui sont ces réflexions, de Jacques, de son maître ou de moi », ou p. 310, où l'auteur, s'adressant au lecteur, enchaîne ses paroles à celles du Maître, qui conclut lui-même : « Cela fait horreur » sur les paroles de l'auteur.

135. *P.P.*, p. 172 ; voir *supra*, chap. VI, p. 191.

136. *V.M.*[2], p. 324-325 ; voir *supra*, chap. VI, p. 225-226.

pas eu trop de quinze ans pour en perdre la mémoire » [137]. Ce sont
là des accents lyriques. Ils sont rares chez Marivaux.

L'unique passion de ses narrateurs est de dire leur passé [138] ; cette
passion, qui n'est pas purement intellectuelle puisqu'elle est d'abord
une forme de l'amour de soi, se manifeste dans le temps actuel,
auquel le lecteur participe et qui se découvre à lui au même rythme
qu'au narrateur. Comme le temps dramatique, le temps du mémorialiste est vécu, non conçu. La réflexion est invention, elle meurt
si elle s'assujettit à un plan et à des limites, et la réflexion sur la
réflexion est une réflexion nouvelle : même un retour sur soi para-
lyserait ce que Marivaux appelle le mouvement de l'esprit [139]. Contrairement à ce que dit Locke, l'activité de la pensée ne donne pas
l'idée du temps, elle le fait oublier, et Marianne doit s'arracher à
ses réflexions pour revenir au récit et à sa chronologie bien établie [140],
mais cette activité entraîne le lecteur dans une expérience du temps
immédiate. Le temps passé, le temps narré est conceptualisé ; le
temps présent, le temps de la narration, est directement communiqué
au lecteur, et sa perpétuelle renaissance met dans les Mémoires
cet « intérêt si vif et si soutenu » que l'amateur de théâtre trouve
dans la représentation.

En laissant à la réflexion une totale liberté d'allure et en soumettant à ses caprices le temps raconté, dans lequel le lecteur n'est
guidé que par des repères chronologiques, Marivaux semble annoncer
la dislocation du temps objectif qui caractérise le roman depuis
Proust et surtout depuis ces dernières années. Peut-être a-t-il rêvé
d'un énoncé qui fût subjectivité intégrale, pareil aux « entretiens
que nous avons avec nous-mêmes » : mais il ne faut pas oublier
la place capitale qu'il réserve à la raison universelle dans la subjectivité, ni l'ambition qu'il a eue de peindre le monde réel, celui
de l'expérience commune. Aussi bien, les romanciers du XXe siècle
l'ont-ils complètement ignoré, et A. Gide n'a jamais reparlé de La Vie
de Marianne, depuis le jour où il l'avait rendue célèbre en avouant
qu'il ne l'avait pas lue [141].

---

137. *V.M.²*, p. 540.

138. Voir *supra*, chap. VI, p. 228-229.

139. Voir *supra*, *ibid.*, p. 229-230.

140. « C'est par ce changement perpétuel d'idées que nous remarquons dans notre esprit,
et par cette suite de nouvelles apparences qui se présentent à lui, que nous acquerons les
idées de la *Succession* et de la *Durée*, sans quoi elles nous seroient absolument inconnuës.
Ce n'est donc pas le *Mouvement*, mais une suite constante d'idées qui se présentent à notre
esprit pendant que nous veillons, *qui nous donne l'idée de la Durée* », Locke, *Essai philosophique concernant l'entendement humain*, II, 14, § 16, traduction Coste, à Amsterdam,
1758, t. II, p. 16.

141. « Les dix romans français que... », article paru en avril 1913 dans la *N.R.F.*, et
recueilli en 1924 dans *Incidences*. « Embêtant comme du Marivaux », écrira Gide dans son
Journal le 30 avril 1944, à propos de *Lucien Leuwen* (*Journal 1942-1949*, Paris, 1950, p. 218).

MARIVAUX invite les hommes à être sincères envers eux-mêmes et envers autrui. Toute son œuvre est dévoilement. Les personnages de son théâtre apprennent à avoir le courage d'être ce qu'ils sont et de ne plus s'abuser ; Jacob et Marianne scrutent dans leurs Mémoires toutes leurs pensées et arrière-pensées et pénètrent celles des autres. « Vous êtes d'un naturel soupçonneux, Marianne, vous avez toujours l'esprit au guet », dit Mme Dutour qui reproche à Marianne ce que d'Alembert reprochera à Marivaux lui-même : « En paraissant attentif, il écoutait peu ce qu'on lui disait, il épiait seulement ce qu'on voulait dire, et y trouvait souvent une finesse dont ceux même qui lui parlaient ne se doutaient pas » [142]. Quoi que semble en penser d'Alembert, cet espionnage n'est ni malintentionné, ni inattentif à ce qui est dit : la perspicacité de Marivaux doit ne rien laisser échapper de la réalité apparente pour appréhender la réalité cachée ; comme le Mentor qui guide le voyageur dans le Nouveau Monde, Marivaux traduit dans une langue sans équivoque ce qui s'exprime de façon détournée [143]. Le monde qu'il décrit est le monde vrai, non pas idéalement, comme une utopie, mais matériellement : le réel quotidien y est saisi dans ce qu'il a de visible et interprété selon sa signification morale ou sociale véritable. La leçon de sincérité serait absurde si elle se fondait sur une image fausse ou fantaisiste des hommes et de la vie.

Marivaux devait à ses lectures de jeunesse le goût de l'aventure extraordinaire, de l'héroïsme, de l'exotisme, du fantastique. Il s'est livré à ce goût dans ses premiers romans, avec de plus en plus d'ironie. Si l'on voulait savoir d'où viennent les brutalités sanglantes [144], les emprisonnements, les flagellations, les tortures, la

142. *V.M.*², p. 99 ; *T.C.*, t. II, p. 994.

143. « Tout cela forme une langue à part qu'il faut entendre [...]. Langue, qui n'admet point d'équivoque ; l'âme qui la parle ne prend jamais un mot pour l'autre », *Le Cabinet du philosophe*, huitième feuille, *J.O.D.*, p. 401. Fr. A. Friedrichs a réuni et pertinemment commenté dans la deuxième partie de son ouvrage déjà cité, *Untersuchungen zur Handlungs- und Vorgangsmotivik im Werk Marivaux* (Dissertation de Heidelberg, 1965) les textes qui concernent la dissimulation, la pénétration, et le comportement que peut avoir dans le monde l'homme sincère. Nous souscrivons pleinement à ce qu'il écrit, p. 311 : « L'œuvre de Marivaux apparaît comme l'expression d'une quête incessante de la vérité, tenue pour le plus haut principe qui façonne la personnalité d'un homme » (« Der Ausdruck einer unablässigen Suche nach der Wahrheit als dem höchsten Prinzip, das den Menschen in seiner Persönlichkeit formt »).

144. Dans *Les Effets surprenants*, Parménie, qui venait d'être saignée, a été transportée d'un château à un autre, alors qu'elle perdait encore son sang. Mériante qui l'aime et est parti à sa recherche, arrive dans le premier château après son départ : « Quel spectacle pour lui ! le sang que j'avois répandu ruisselait jusqu'à terre, les draps du lit en étoient baignés ; j'y avois laissé un mouchoir ensanglanté. A cet aspect, le désespoir rend à Mériante des forces que la maladie lui avoit ôtées ; il se jette d'abord à terre dans mon sang, se saisit du mouchoir qu'il porte à sa bouche. Ah Ciel ! s'écrie-t-il, comment les Dieux ont-ils permis qu'on ait versé ce sang ? Sang précieux, qui coulâtes dans les veines

magie criminelle des *Effets surprenants*, de *Pharsamon* et de *La Voiture embourbée*, il ne faudrait pas en chercher la source dans la perversité naissante d'un siècle sans dieu qui finira par Sade et par la Terreur, mais dans les romans de l'époque baroque, dans les tragi-comédies des années 1628 à 1640 et dans les contes de fées que Marivaux a dû entendre de sa nourrice et dont il a certainement lu ensuite les versions littéraires parues depuis 1690. *Clitophon, Argénis et Poliarque* de Du Ryer, *Cléagénor et Doristée, La Diane* de Rotrou, fourniraient des exemples convaincants qu'il n'y a pas lieu de produire ici. Il serait trop facile aussi d'alléguer Barbe-Bleue, l'ogre du *Petit-Poucet* qui peut se transformer en animal, Cendrillon l'orpheline qui est aimée d'un prince, mais il n'est pas inutile de rappeler que Perrault, l'un des maîtres à penser des Modernes, avait dédié *Peau d'âne* à Mme de Lambert, chez qui Marivaux était reçu avec La Motte et Fontenelle ; que l'abbé de Choisy, qui avait dédié à la même Mme de Lambert son *Histoire de Madame la comtesse des Barres*[145] et sur le conseil de qui Mme de Lambert avait écrit ses propres *Réflexions sur les femmes*[146], était lui-même auteur de contes de fées[147]. Les Modernes de 1715 continuent directement ceux de 1690, encore représentés parmi eux par Fontenelle, et associent comme eux dans leurs goûts à leur modernisme le fantastique, le burlesque et la préciosité[148]. Au pays des fées, les princes épousent des bergères. En 1705, dans *Ricdin-Ricdon*, Mlle Lhéritier, nièce de Perrault, avait proposé sa version du conte merveilleux : ce n'étaient pas les hommes qui s'opposaient au mariage de la pauvre Rosanie et du prince qui l'aimait, c'était un diabolique magicien dont le prince finissait par triompher, et Rosanie découvrait alors qu'elle était fille de roi[149]. A son tour, Marivaux donne sa version dans le

de Parménie, on vous a répandu ! Vous inondez à présent la terre, et ces lieux n'ont point été foudroyés ! [On lui dit que c'est certainement le sang d'une veine qui s'est rouverte, mais il n'en veut rien croire et continue ses imprécations, puis, apercevant un morceau de verre teint du sang de Parménie] : Va, dit-il en s'ouvrant la veine, que le sang dont tu es encore teint précipite la sortie du mien. Déjà la plaie est faite, son sang qui coule augmente les ruisseaux du mien : la chambre en est inondée. Ses conducteurs voient avec surprise la quantité de sang s'accroître à chaque instant [...]. » *O.C.*, t. VI, p. 18-21. *O.J.*, 185. Voilà un texte à ajouter à ceux de *Pharsamon* et de *La Voiture embourbée* dans lesquels M.A. Ruff a signalé déjà rassemblés « les éléments du roman noir » (*L'Esprit du mal et l'esthétique baudelairienne*, Paris, 1955, p. 18).

145. Publiée seulement en 1735, à Anvers, rééditée plusieurs fois dans les années suivantes.

146. « Lettre à Mr l'Abbé *de Choisy*, en lui envoïant les *Reflexions sur les Femmes* », dans les *Œuvres de Madame la marquise de Lambert* [...], à Amsterdam, 1747, p. 369-370.

147. Voir Mary E. Storer, *La Mode des contes de fées (1685-1700)*, Paris, 1928, p. 250. Choisy passe pour avoir eu Mlle Lhéritier de Villandon comme collaboratrice dans la rédaction de l'*Histoire de la marquise-marquis de Banneville* (parue dans *Le Mercure* de février 1695). Mary E. Storer conteste cette collaboration (*op. cit.*, p. 94) et Marc Soriano la nie (*Les Contes de Perrault, culture savante et traditions populaires*, Paris, 1968, p. 60-65). Ajoutons aux rapprochements précédents que Catherine Bernard, qui avait inséré deux contes de fées dans *Inès de Cordoue* dès 1696, était parente de Fontenelle ; celui-ci, selon l'abbé Trublet (cité par Mary E. Storer, *op. cit.*, p. 74) aurait eu part à ses écrits.

148. Le modernisme, la parodie burlesque et le moralisme sont associés chez Perrault avec le jansénisme, selon M. Soriano, *op. cit.*, p. 238, 328-329. En remplaçant jansénisme par sévérité oratorienne, on trouverait une association du même genre chez le jeune Marivaux.

149. *Ricdin-Ricdon* est un des contes figurant dans *La Tour ténébreuse et les jours lumineux, Contes anglois*, Paris, 1705. Nous le citons d'après *Le Cabinet des fées*, Genève et Paris, t. XII, 1786.

« Roman impromptu » de *La Voiture embourbée :* l'orpheline Bastille devient l'épouse du Sophy de Perse qui l'avait rencontrée dans la forêt au cours d'une partie de chasse. La couleur orientale de son conte est superficielle [150], le fond et les détails viennent des récits populaires et de leurs imitations ou adaptations mondaines. Même le dénouement horrible n'est pas contraire à la tradition, il y a de nombreux contes, populaires ou littéraires, qui finissent mal [151] ; mais peut-être Marivaux a-t-il aussi voulu protester contre le fade optimisme d'autres contes encore plus nombreux : dans la réalité, les mariages disproportionnés ne sont pas si faciles et celui de Marianne et de Valville n'est nullement assuré [152]. Bastille est en effet une sœur de Caliste, de Parménie, de Célie, de Clorine, de ces malheureuses orphelines dont Marianne couronnera la série, et Marianne est en quelque sorte l'héroïne d'un conte de fées transposé dans le monde moderne, où les fées n'ont plus beaucoup de pouvoir [153].

Nous ne prétendons pas que *Ricdin-Ricdon* soit à proprement parler une « source » de *La Vie de Marianne*, mais nous pensons que l'imagination, dans le roman de mœurs et dans le conte de fées, part d'une même réalité sociale et la représente au moyen des mêmes

150. Dans l'*Histoire de la sultane de Perse et des vizirs, contes turcs*, Paris, 1707, adaptée par Petis de la Croix ou par Lesage (voir R. Laufer, *Lesage ou le Métier de romancier*, p. 204 sq.), le cheik magicien Chehabeddin, capable de prendre la forme d'une autre personne, est vulnérable dans certaines circonstances ; il confie le secret de sa vulnérabilité à une servante dont il est amoureux ; elle en profite pour le livrer aux soldats du roi de Damas, mais il échange sa forme avec elle et c'est elle qui est décapitée. Il se peut que Marivaux mêle des souvenirs de ce conte oriental aux souvenirs de contes français (*Le petit Poucet*, de Perrault ; *Le Bienfaisant ou Quiribirini*, dans *Les Illustres Fées, Contes galans*, 1698, du chevalier de Mailly ; *L'Histoire de Mélusine*, racontée en 1698 par Nodot d'après le vieux roman de Jean d'Arras) où le magicien doué du pouvoir de se métamorphoser est victime de sa métamorphose. On trouve aussi dans la même *Histoire de la sultane de Perse* un prince de Deli, sanguinaire et luxurieux, qui fait lier des ennemis nus à un colonne et les pique de coups d'alène jusqu'à ce qu'ils meurent ; et un jeune seigneur qui se venge du tyran en le faisant attacher sur une place publique et en le livrant aux coups meurtriers de la foule, après lui avoir crevé les yeux. Le supplice infligé par Créor à Bastille et au Sophy a quelques traits de ressemblance avec ceux-là.
151. *Le Petit Chaperon rouge* dans la version de Perrault, ou *Riquet à la houppe* dans la version de Catherine Bernard (dans *Inès de Cordoue*, Paris, 1696).
152. Dans *Ricdin-Ricdon*, Mlle Lhéritier, ne voulant ni que les parents du prince consentent à son mariage, ce qui eût choqué la bienséance, ni qu'ils s'opposent violemment à leur fils, ce qui eût attristé les lecteurs, imagine qu'ils ferment les yeux : « Le roi ne s'inquiéta pas beaucoup de cette inclination de son fils, qu'il regarda comme un amusement passager ; et pour la reine, elle avoit tant de confiance dans la vertu de Rosanie, qu'elle ne craignit rien de fatal d'un tel attachement » (*éd. cit.*, p. 76).
153. Un parallèle entre Rosanie et Marianne n'est pas sans intérêt : toutes deux sont orphelines et sans fortune ; toutes deux sont transportées dans la société raffinée et doivent s'y livrer à un travail mercenaire ; toutes deux souffrent de la grossièreté de certaines gens qui les entourent (« Malgré le séjour du village et les foibles lumières de mon éducation, je me trouvai des sentimens et des inclinations beaucoup au-dessus de ma naissance, dont la bassesse me désesperoit », déclare Rosanie) ; toutes deux sont coquettes (« de petites filles de douze ans [savent] se coëffer avec un art admirable et placer déjà une mouche avec d'aussi judicieuses réflexions que les femmes de cinquante ans », dit Rosanie : voir *Le Spectateur français*, *J.O.D.*, p. 215, et *V.M.*[2], p. 50) ; toutes deux sont amoureuses d'un jeune homme de très haut rang ; toutes deux refusent un prétendant honorable ; toutes deux préfèrent rester avec une dame qui les prend sous sa protection et qui est la mère de celui qu'elles aiment, la si bonne reine pour Rosanie, Mme de Miran pour Marianne ; toutes deux, aux yeux des tiers, prouvent leur noblesse par leur délicatesse de goût et de caractère ; enfin Rosanie est fille de roi et Marianne, qui s'imaginera princesse par un tendre écart d'imagination (voir *supra*, chap. VI, p. 210), est probablement de haute naissance.

schémas d'intrigue et de situations, suggérés par les mêmes problèmes : hiérarchie des classes, rapports du mérite et de la naissance, rapports des sentiments et du comportement, mise en question du rituel de la « politesse » par ceux qui, venus d'une classe inférieure, le considèrent de l'extérieur. Le merveilleux n'a été pour Marivaux qu'une tentation passagère ; il l'a réduit à l'allégorie, dans ses pièces philosophiques et dans ses Journaux, dès que son monde romanesque a été constitué de façon cohérente avec ses aventures propres.

*
* *

A l'époque où Marivaux se fait connaître comme romancier, on réclame la vérité dans le roman. Cela signifie d'abord qu'on est sensible à la fausseté des œuvres antérieures. Le goût des aventures héroïques n'a jamais complètement disparu, il connaîtra même un regain autour des années 1730-1740 [154], mais après y avoir cédé dans *Les Effets surprenants,* Marivaux s'en moquera dans *Pharsamon,* dans *La Voiture embourbée* et dans *Le Télémaque travesti* et cherchera ailleurs le romanesque. L'histoire secrète n'est pas non plus complètement discréditée, et si les prétentions historiques de Mme de Villedieu ou de Le Noble sont critiquées [155], Prévost, approfondissant la leçon de Courtilz de Sandras, saura lier les drames personnels de ses héros à de grands noms et à de grandes circonstances. Marivaux, lui, n'a jamais affecté de révéler les secrets de l'histoire ; le ministre qui joue un rôle dans *La Vie de Marianne* ne ressemble au cardinal Fleury que symboliquement, juste assez pour que l'hommage soit perçu, trop peu pour qu'on cherche des allusions dans le texte. A la place du faux, le vrai qu'on appelle est celui des mœurs. Il ne s'agit pas de la vérité authentique, mais de la vraisemblance. A ne considérer que la technique de l'écrivain, on peut refuser de voir dans la vraisemblance autre chose qu'un effet littéraire, obtenu par la cohérence de l'invention : mais on ne peut douter que les contemporains de Marivaux n'aient voulu retrouver dans les fictions une image de leur vie, de leur expérience habituelle, si confuse que soit cette dernière notion. Et quand les romanciers faisaient semblant

154. En 1735, Guillot de la Chassagne publie *Le Chevalier des Essars et la Comtesse de Berci, histoire remplie d'événemens intéressans* (Amsterdam) : il démarque en changeant les noms, en supprimant quelques épisodes, en modernisant un peu la psychologie, en plaçant l'action sous Henri IV et non sous Henri III, un roman de Vital d'Audiguier (*Histoire tragicomique de Lisandre et Caliste,* Paris, 1615), et prétend adapter le manuscrit original d'une histoire authentique. Pour oser cette supercherie et faire paraître (en Hollande, il est vrai) une œuvre dont les caractères baroques très accusés auraient pu sembler caricaturaux à cette date, il fallait qu'il fût sûr d'avoir des lecteurs (il a d'ailleurs reculé devant certains traits de mœurs trop hardis). Jean Sgard, qui a décrit le « retour en force du baroquisme romanesque » au moment des premiers succès de Prévost, fait remarquer qu'en 1737 « Marivaux publie son *Pharsamon,* gardé vingt-cinq ans dans ses tiroirs, mais plus que jamais d'actualité » ; il signale également la traduction des *Désespérés* de Marini, dont nous avons parlé, *supra,* chap. VIII, p. 405 (J. Sgard : *Prévost romancier,* Paris, 1968, p. 151-155).

155. Voir F. Deloffre, *La Nouvelle en France à l'âge classique,* Paris-Bruxelles-Montréal, 1967, p. 54-57.

(car nous pensons bien qu'en effet c'était là un langage conventionnel) [156] de ne dire que la vérité et de livrer au public des documents à peine retouchés, ils auraient été de grossiers bouffons s'ils ne s'étaient pas crus eux-mêmes à leur manière fidèles imitateurs du réel. L'ambiguïté de certaines déclarations préliminaires traduit bien l'ambiguïté du récit romanesque, inventé, mais expressif d'une vérité : l'attitude de Robert Chasles dans la Préface des *Illustres Françoises*, celle de Marivaux dans les premières pages du *Télémaque travesti* rappellent celle de Charles Sorel dans l'Avertissement de *Polyandre*, et Chasles et Marivaux étaient sans doute conscients de cette ressemblance [157]. Un peu avant eux, l'abbé Bordelon avait tenté de définir les rapports du roman et de la vérité : « on sera véritablement en pays de connoissance en bien des manieres, ainsi que l'on en conviendra après la lecture de cet ouvrage. C'est ce qui me fait espérer que les gens raisonnables, c'est-à-dire, ceux qui aiment beaucoup mieux apprendre ce qui s'est fait, ou qui se peut faire, que ce qui étant au-dessus de la possibilité, n'a jamais été et ne pourra jamais être, ne rejetteront point cette histoire » [158]. Le vraisemblable est donc le possible, entendons ce qui peut arriver aux lecteurs de ces romanciers. Il est clair que, pas plus que *Le Télémaque travesti*, *Les Tours de maître Gonin* ne s'enferment dans les limites de ce qui serait strictement vraisemblable et possible : ni Marivaux, ni Bordelon n'ont pu rompre avec la tradition du réalisme caricatural dont Chasles au contraire s'est entièrement libéré. Mais, comme dit Bordelon, on est « en pays de connoissance », et d'abord dans un pays qui n'est plus celui des rois et des princes, mais celui des gens de moyenne et de basse condition.

« Il y a des gens dont la vanité se mêle de tout ce qu'ils font, même de leurs lectures. Donnez-leur l'histoire du cœur humain dans les grandes conditions, ce devient là pour eux un objet important ; mais ne leur parlez pas des états médiocres, ils ne veulent voir agir que des seigneurs, des princes, des rois, ou du moins des personnes qui aient fait une grande figure. Il n'y a que cela qui existe pour la noblesse de leur goût ». C'est Mme la comtesse de *** qui s'exprime ainsi, cette Marianne qui avait, elle, la vraie noblesse du goût, avant même de savoir qu'elle avait celle du sang [159]. Marivaux

---

156. Voir *supra*, chap. VIII, p. 358.

157. R. Chasles : « Je ne sçai pas moi-même quels ils étoient, ou quels ils sont » [ses héros et ses héroïnes] ; « J'ai fait exprès des fautes d'anachronisme », etc. (*Les Illustres Françoises*, éd. cit., t. I, p. LIX sq.). Marivaux : « Malgré ce que je viens de dire de la possibilité des actions extravagantes de l'homme, quelque sérieux ne pourra s'empêcher de demander si mon Histoire est vraie ? Je ne répondrai ni oui, ni non [...] » (*T.T.*, p. 50). Ch. Sorel : « Or l'on ne doute point que plusieurs ne desirassent que l'on leur aprist si tout ce qu'il y a icy d'avantures est véritable ; sur quoy l'on leur répond qu'ils s'en informent eux-mesmes [...]. Qu'ils prennent garde pourtant à ne point s'y laisser tromper [...] ; qu'ils sçachent aussi que les conditions sont souvent desguisées [etc.] » (« Advertissement » de *Polyandre*).

158. *Les Tours de maître Gonin*, Amsterdam, 1713, t. I, p. 179. L'ouvrage parut anonyme à Paris, Anvers et Amsterdam ; l'approbation, signée de Fontenelle, est du 16 janvier 1713.

159. *V.M.²*, p. 57.

n'est ni un solitaire, ni un novateur quand il demande que la littérature s'occupe des « états médiocres », « du reste des hommes ». Tout près de lui, dans le salon même de Mme de Lambert, le fils de Louis de Sacy s'exprime à peu près comme lui : « On avoit toujours crû que le Public ordinairement attentif aux moindres actions de ceux qui sont nez pour luy commander, ne pouvoit gueres s'interresser que dans les Avantures des personnes de ce rang. Comme si la vie des Particuliers n'estoit pas un assez beau Théâtre pour y representer les passions et tous les effets qu'elles produisent ; peu de personnes s'estoient avisé de prendre des hommes privez pour leurs Héros. C'est ce que j'ay osé faire ». Sacy croyait être audacieux, parce que l'attitude qu'il adoptait était celle de quelques Modernes libérés de divers préjugés [160]. Bordelon allait plus loin en faisant participer à l'action un valet et une servante : « Je prie ces Lecteurs délicats à outrance, qui veulent toûjours du grand et du noble, de faire réflexion que j'écris l'histoire d'un homme qui n'étoit point élevé dans la grandeur, qui alloit terre-à-terre, selon que les occasions le demandoient » [161]. Mais il fallait être Marianne pour trouver, en vivant les « aventures bien simples, bien communes » d'une petite lingère, le moyen de découvrir son propre cœur.

Marivaux ne s'applique à la description concrète des personnages, des actions, des attitudes, des vêtements, des objets, des lieux que dans quelques passages de *Pharsamon* et de *La Voiture embourbée* et dans *Le Télémaque travesti*. Il ne reproduit évidemment pas la réalité toute crue, mais, sans soulever ici la question du réalisme en littérature, on peut supposer qu'il a observé pendant ses années provinciales bon nombre des petits faits caractéristiques qu'il relève avec une précision comique et le plus grand bonheur d'expression. On n'invente pas si on ne les a pas vus, ou si le souvenir ne les suggère à l'imagination, les détails de la scène où Brideron dompte un cheval rebelle : « J'étois toujours assis de guinguois et de travers. [...] le Cheval me donnoit de sa tête dans la Machoire. [...] J'apuiois dans le ventre de la méchante bête, de bons coups d'Eperons qui

---

160. *Histoire du marquis de Clemes et du chevalier de Pervanes*, Paris, 1716, p. 8-9 (non numérotées) de la Préface. L'épître dédicatoire « à Madame » (la mère du Régent) est signée de Sacy ; l'approbation, signée de Fontenelle, est datée du 11 février 1716. L'auteur prétend que l'essentiel du récit est vrai ; c'est une histoire tragique d'amitié et d'adultère, avec quelques traits baroques (femme surprise au bain, effets surprenants de la sympathie et effets funestes de l'amour). Les personnages sont de simples « particuliers », mais nobles, et le récit ne contient aucun trait de réalisme familier. Sacy continuait une tradition qui remontait au moins aux *Nouvelles françoises* de Segrais (1657) et à laquelle se rangera encore Mlle de Lussan : « Les aventures d'un Particulier, narrées avec simplicité et vérité, me plairont toujours infiniment mieux que celles des Cyrus et des Artabans » (*Histoire de la comtesse de Gondez*, 1725, éd. cit., p. 52). L'« histoire galante », ou « nouvelle française », et l'« histoire comique », jusqu'alors séparées, sont en train de se rejoindre et les deux genres réagissent l'un sur l'autre.

161. [Bordelon], *op. cit.*, t. I, p. 158. Il s'agit d'une « grosse paysanne » et d'un « grand flandrin », et non de ces conseillers-psychologues que sont souvent les domestiques chez Marivaux.

la faisoient regimber. Par ma foi, à la fin, le Cheval se fatigua ; on eut dit à le voir, que c'étoit comme une lampe qui s'éteignoit ; il ne sautoit plus que brins par brins ; et je descendis comme un César de dessus » [162]. Comme dit encore Brideron à un autre endroit : « Je sai ce que je sai » ; il y a une bonne façon d'empoigner les roues d'une voiture renversée et de la remettre debout [163], comme il y en a une de courir après un animal échappé, d'assommer un chien d'un coup de bâton et de le traîner au fossé, de terrasser un ennemi d'un coup de genou dans le ventre, toutes choses que Brideron sait fort bien faire. Marivaux ne retient pas le pittoresque ou le grotesque pour eux-mêmes, mais seulement s'ils accompagnent une vérité technique ; il ne décrit pas une gesticulation bouffonne, un monde fou, mais des gestes efficaces, un monde où l'aspect extérieur des êtres et leur comportement sont exactement adaptés aux conditions matérielles dans lesquelles ils doivent vivre.

Sur ce point, comme sur d'autres, il s'écarte des leçons de Fontenelle et de La Motte, pour lesquels son admiration n'est nullement aveugle. Au lieu de s'en tenir comme eux à une « nature choisie », à des beautés reconnues d'avance [164], il affirme qu'il n'y a pas de sujets privilégiés et que tout peut être intéressant, si l'écrivain trouve l'expression appropriée : « Ce ne sont point les choses qui font le mal d'un récit [...]. La maniere de raconter est toujours l'unique cause du plaisir ou de l'ennui qu'un récit inspire ; et la naïveté de ces deux enfants bien écrite, et d'une maniere proportionnée au sujet qu'on expose ne divertira pas moins l'esprit, qu'un beau récit d'une histoire grande et tragique est capable de l'élever : une pomme n'est rien, des moineaux ne sont que des moineaux ; mais chaque chose dans la petitesse de son sujet est susceptible de beauté, d'agrément : il n'y a plus que l'espèce de différence, et il est faux de dire qu'une paysanne, de quelques traits qu'elle soit pourvue n'est point capable de plaire, parce qu'elle n'est pas environnée du faste qui suit une belle et grande Princesse » [165]. Ce texte, dont nous avons déjà cité une phrase [166], prête à équivoque ; la réhabilitation de l'humble réalité est affaiblie par le scepticisme universel qu'affecte Marivaux [167], et par son insistance sur « la maniere de

162. *T.T.*, p. 134.
163. *Ibid.*, p. 121.
164. Fontenelle : « Il ne s'agit pas seulement de peindre, il faut peindre des objets qui fassent plaisir à voir » (*Discours sur la nature de l'églogue*, 1688, dans les *Œuvres diverses*, La Haye, 1728, tome II, p. 114). Et La Motte : « La poésie consiste dans l'imitation d'une nature choisie » (*Réflexions sur la critique*, 1715, dans les *Œuvres de M. de La Motte*, Amsterdam, 1719, tome III, p. 200).
165. *Pharsamon*, septième partie, *O.C.*, t. XI, p. 397-398. *O.J.*, 602.
166. Voir *supra*, chap. VIII, p. 428.
167. Dans la suite du texte cité, Marivaux déclare qu'il n'est pas un auteur et qu'il cherche seulement à se divertir. Le rôle de narrateur burlesque qu'il joue dans ce roman l'oblige aussi au scepticisme envers ce qu'il raconte ; la description de la panique qui agite la maison de campagne, la nuit où dame Marguerite découvre Cliton dans son lit (*Pharsamon*, sixième partie, *O.C.*, t. XI, p. 311 sq. *O.J.*, 555 sq.), comporte des détails indéterminés : parmi les domestiques, l'un « peut-être » couchait au premier ; l'autre, « dont l'attirail ou l'habillement est merveilleusement bien assorti à ce qui peut composer la peur », porte « une veste ou un habit dont il n'est habillé que d'un bras ». Voir *supra*, chap. VIII, p. 346-347.

raconter » : ces deux traits rappellent bien Fontenelle, mais si Marivaux est en effet, d'une certaine façon, sceptique, il n'est en aucune façon maniériste. Les « beautés » et les « agréments » dont il pense que les petits sujets sont « susceptibles » ne sont pas des effets de style, mais des qualités inhérentes au sujet, et que le style fait apparaître ; la « manière » dont parle Marivaux n'est pas belle ou plaisante par elle-même, mais parce qu'elle est « proportionnée » au sujet. La théorie esthétique de Marivaux n'a pas été d'emblée complète et cohérente, nous avons vu qu'elle est encore confuse dans les *Pensées sur différents sujets* : à travers les concessions à la mode et les compromis qui l'obscurcissent, il faut reconnaître dans le texte précoce que nous citons la doctrine de fidélité au réel que Marivaux professera toute sa vie.

Les vrais maîtres sont ici Rabelais, Scarron, Sorel surtout, qui lui ont appris à s'intéresser aux aspects les plus « bas » de la réalité et à tirer parti de ses souvenirs d'enfance [168] : il est aussi méritoire d'écrire une histoire « comique » qu'un ouvrage sérieux, disait Sorel ; la bassesse de ce qu'il décrit ne doit pas être reprochée à l'écrivain « quand l'imagination en est extraordinaire, et qu'elle représente bien l'objet que l'on veut dépeindre » ; la vraie difficulté est de trouver les particularités expressives, si naturelles qu'on les croirait à la portée de n'importe qui, et pourtant si rarement mises en lumière [169]. Il nous paraît hors de doute que le réalisme de Marivaux prend sa source dans le réalisme de la Renaissance et de l'époque baroque. Les paysans de *Pharsamon*, de *La Voiture embourbée*, du *Télémaque travesti*, la poissonnière du *Bilboquet*, le cocher et la « petite marchande » de *La Vie de Marianne* ont eu pour avocat, avant leur créateur lui-même, Sorel encore qui plaidait pour que le romancier représentât « des Tableaux naturels de la vie humaine » et « les actions communes de la vie », « la maniere de vivre et de parler de toute sorte de gens », ou J.P. Camus qui, las des rois et des

168. Ronsard imitait Horace en chantant la très réelle fontaine Bellerie, et Boileau traduisait Ovide pour évoquer les noyers des bords de la Seine, à Haute-Isle. Cliton raconte ses jeux d'enfants avec son jeune maître : « nous nous battions quelquefois, mais ce n'étoit qu'à bons coups de poings, et en nous arrachant les cheveux : on a beau dire et beau faire, qui aime bien, bien châtie ; nous nous aimions tous deux comme deux veaux de la même écurie » (*O.C.*, t. XI, p. 388. *O.J.*, 597) ; Marivaux revoit sa propre enfance à travers ce que Sorel faisait dire à Francion : « mes compagnons d'escole [...] n'étoient que les enfants des sujets de mon pere, nourris grossièrement sous leurs cases champestres. Je me portois jusques à leur remonstrer de quelle façon il faloit qu'ils se comportassent : mais s'ils ne suivoient pas mes preceptes, je les chargeois aussi d'appointement [de coups de poings], de manière que j'avois souvent des querelles contr'eux : car ces ames viles ne cognoissans pas le bien que je leur voulois, et ne consideras pas qui bien ayme bien chastie, se cabroient à tous les coups, et me disoient en leur patois : Ha, parce que vous estes Monsieur, vous estes bien aise [etc.] » (*Histoire comique de Francion*, troisième livre, éd. E. Roy, t. I, p. 170. Le proverbe est mieux à sa place chez Sorel que chez Marivaux, bien que ce ne soit pas une preuve que Marivaux ait imité Sorel). Au collège, Francion regrette le temps où il allait « courant parmy les champs d'un costé et d'autre, allant battre des noix, cueillir du raisin aux vignes sans craindre les Messiers » (*ibid.*, p. 172).

169. *Le Parasite Mormon, histoire comique*, 1650, sans lieu d'impression, p. 159-168. L'ouvrage a été écrit en collaboration par Ch. Sorel et La Mothe le Vayer. « Imagination extraordinaire » signifie, selon nous, imagination frappante.

princes, voulait faire figurer dans les romans des personnages de petite condition [170].

Mais Marivaux regarde les mœurs populaires en étranger ; la violence et la cupidité s'étalent dans *Le Télémaque travesti*, l'existence des paysans est trop pénible pour que leurs plaisanteries soient vraiment joyeuses, leur insouciance n'est que dureté, comme chez le fermier qui dialogue avec Cliton dans *Pharsamon* [171]. Ce monde-là n'est pas celui de Marivaux, il le juge ridicule et le peint comme tel à son lecteur. Le narrateur de *La Voiture embourbée* ne cache pas combien les villageois lui déplaisent [172], *Le Télémaque travesti* est écrit à la troisième personne par quelqu'un qui n'a pas cru devoir revivre de l'intérieur les aventures de son héros. Les détails concrets ne sont si nombreux que parce qu'ils sont tous équivalents : tous contribuent à un inventaire que rien n'épuise, tous renvoient le lecteur à une totalité extérieure, non au progrès d'une expérience vécue. Ils sont tous intéressants comme des documents, sans qu'aucun dépasse sa nature de document. On peut hésiter sur ce que signifie la rencontre du char d'Amphitrite, à la fin du quatrième livre des *Aventures de Télémaque* : Amphitrite est-elle la grâce divine, ou représente-t-elle symboliquement la vierge Marie ? On ne peut douter en tout cas que cette rencontre n'ait un sens et ne serve, fût-ce par l'effort d'interprétation qu'elle demande, à instruire Télémaque et à édifier le lecteur [173]. Dans la page correspondante du *Télémaque travesti*, la rencontre d'une « cabanne » pleine d'une joyeuse compa-

---

170. Sorel : *De la Connoissance des bons livres* [...], à Amsterdam, 1673, p. 175 ; *Bibliothèque françoise*, seconde édition [...], Paris, 1667, p. 188 ; *Polyandre, Histoire comique*, Paris, 1648, « Advertissement aux Lecteurs » (non paginé). J.-P. Camus, dans *Marianne* (1629), cité par M. Magendie, *Le Roman français au dix-septième siècle* [...], p. 141. L'auteur de *La Vie de Marianne* avait-il lu cette *Marianne, ou l'Innocente Victime*, de J.-P. Camus ? La Marianne de Camus est fille d'un pauvre menuisier protestant converti (hypocritement) au catholicisme et marié à une catholique. Le père revient au protestantisme, y entraîne sa femme, veut y forcer sa fille qui résiste à ses coups. Un prêtre de Saint-Jacques-du-Haut-pas la prend sous sa protection, la place comme servante dans une famille catholique, où l'on juge que « pour une fille destinée à travailler, elle avoit trop de dévotion » (la foi étant sans doute pour elle ce que sera la délicatesse de naissance pour Marianne dans une situation également subalterne). Le prêtre la fait entrer dans un couvent de filles pauvres (et l'auteur attaque les couvents qui exigent de riches dots), mais ses parents tombés dans la misère la reprennent ; sa mère la livre pour de l'argent à un vieillard libidineux, elle se défend, le griffe et lui échappe ; les parents l'attachent à la colonne d'un lit, la rouent de coups et finissent par l'étrangler. Leur crime sera découvert (dans des circonstances miraculeuses), mais ils réussiront à s'enfuir à l'étranger avant d'être jugés.

171. *O.C.*, t. XI, p. 248-249. *O.J.*, 524. Le paysan parle rondement de son veuvage, de la mort prochaine de deux de ses enfants malades, de la mort possible des deux autres, et ponctue ses propos de « Dieu soit loué » que Cliton répète. « Il ne restera plus que vous, répondit Cliton, qui vous en irez peut-être comme eux ; mais Dieu soit loué. Oh ! c'est une autre affaire, repartit le paysan ; je suis nécessaire au monde. Sans moi, la terre de mon maître ne seroit pas d'un si bon revenu. Dame ! vous voyez bien que ce n'est pas comme mes enfants ; mais buvons encore un coup. A vous, camarade ; tope, dit Cliton, en lui fesant raison ».

172. Le spectateur est même si étranger au spectacle qu'il décrit ce que ni lui ni personne de sa compagnie n'a pu matériellement observer (*supra*, p. 360-361). Selon Morten Nøjgaard, qui a fait cette remarque, la représentation du monde extérieur dans *La Voiture embourbée* est détaillée parce qu'elle est dépourvue de signification : elle ne dépasse pas le « reportage » brillant (« Le problème du réalisme dans les romans de Marivaux. Réflexions sur l'introduction de *La Voiture embourbée* », *Revue romane*, I, fasc. 1-2, Copenhague, 1966, p. 71-87).

173. Fénelon, *Les Aventures de Télémaque*, livre IV, éd. cit., t. I, p. 176-180.

gnie n'a évidemment aucun sens ; des bruits, des cris, du mouvement, de la lumière surgissent soudain à cinquante pas de Brideron, le moindre détail en est noté dans sa particularité, jusqu'au suif qui dégoutte des flambeaux « sur le chignon des musiciens », puis tout disparaît, laissant Brideron content d'avoir vu quelque chose de « curieux » [174].

Du peuple des villes, Marivaux avait parlé sans bienveillance dans les *Lettres sur les habitants de Paris* : c'était « la populace », inconstante, menée par l'intérêt ou obéissant comme une machine à des impressions successives [175] ; dans *Le Paysan parvenu*, Marivaux l'appelle « la canaille » [176] ; Jacob est dégoûté par les voituriers qu'il rencontre dans les gargotes ; Marianne a pitié de la sottise de Toinon et pleure des froissements que lui fait subir la grossièreté de Mme Dutour ; la querelle du cocher et de la lingère, dont la vulgarité choqua les contemporains, n'est pas une scène amusante contemplée par un témoin qu'elle ne concerne pas : elle blesse Marianne, qui se sent bien différente de ces gens-là ; ailleurs, Marianne voit dans les domestiques, sans pourtant marquer pour eux de mépris, une « espèce de créatures » avec qui l'on peut, dans les meilleures conditions, établir une bonne entente, mais non pas fraterniser [177]. Sans abolir la barrière sociale, les comédies de Marivaux donnent aux serviteurs un rôle beaucoup plus positif dans l'assagissement de leurs maîtres.

Il faut tenir compte du mimétisme auquel s'oblige le romancier : un jeune homme galant comme celui qui est censé écrire les *Lettres sur les habitants de Paris*, une jeune fille naturellement délicate comme Marianne, n'auront pas sur la société les mêmes sentiments qu'un gueux ou qu'un paysan. Il faut aussi souligner que Marivaux, quel que soit le personnage qu'il ait fait parler, a toujours refusé de s'incliner devant aucune « manie de politesse » et opposé à l'hypocrisie et à l'orgueil des mondains la franchise brutale et la simplicité des gens du peuple. L'Indigent voit un homme dans un domestique aussi bien que dans son maître, l'officier âgé apprend à Marianne que « toutes les âmes sont d'une condition égale », et le lecteur philosophe ne doit pas être fâché si on lui montre « ce que c'est que l'homme dans un cocher, et ce qu'est la femme dans une petite marchande » [178]. A son époque, Marivaux est l'un des écrivains les plus sensibles à la fragilité et à l'arbitraire des différences sociales, l'un des plus portés à reconnaître les qualités humaines des conditions inférieures et à trouver de la saveur dans une vie très éloignée de

---

174. *T.T.*, p. 128 (fin du livre troisième).

175. *J.O.D.*, p. 10-14. Dans l'édition de 1728 du *Spectateur françois*, au tome second qui comprend les « Pièces détachées », ce chapitre comporte deux fois le mot « populace », une fois à la première ligne, p. 471, une seconde fois, p. 477.

176. *P.P.*, p. 251, deux fois.

177. *V.M.²*, p. 229.

178. *Lettres sur les habitants de Paris*, *J.O.D.*, p. 12 ; *L'Indigent philosophe*, sixième feuille, *J.O.D.*, p. 313 ; *V.M.²*, p. 423 (voir *supra*, chap. VI, p. 223), et p. 56 (Avertissement de la seconde partie).

la « mondanité ». Mais ces dispositions l'aident plus à démêler la vérité des gens du monde qu'à bien peindre la vérité des classes populaires. Son réalisme reste ironique ; la générosité de sa pensée sociale ne va pas jusqu'à le faire s'identifier aux êtres les plus humbles, il n'est pas prêt, comme le sera Balzac, à prendre au sérieux, en tant que romancier, toutes les conditions indifféremment, à traiter, en tant que romancier, le cocher et la lingère sur le même pied que l'orpheline noble ou le parvenu intelligent, sans voir en eux des curiosités ou les faire servir de repoussoirs aux âmes délicates. Montrer « l'homme dans un cocher », « la femme dans une petite marchande », c'est rappeler aux hommes et aux femmes de l'élite dirigeante que l'homme est par nature brutal et grossier, que la femme est par nature coléreuse et avare, ce n'est pas réhabiliter la lingère comme lingère et le cocher comme cocher. Marivaux le voudrait bien, pourtant, et il n'est pas loin d'y réussir, mais, même dans les scènes les plus heureuses du *Paysan parvenu*, un soupçon de caricature, l'accent moqueur de la gaieté empêchent le tableau de genre de devenir tout à fait un Chardin [179].

L'obstacle qui arrête Marivaux est social, et non esthétique. Marivaux reçoit sa vision du monde d'un groupe dont il conteste les valeurs en « philosophe », c'est-à-dire en moraliste qui vise à l'universel, mais non en représentant d'un groupe différent. Il ne veut pas parler au nom de la haute bourgeoisie financière et de l'aristocratie, il ne peut ni ne veut parler au nom de la bourgeoisie mercantile ou du peuple. Sa « philosophie » n'arrive pas à triompher du goût qui lui fait juger ridicules les réalités basses, au contraire elle l'encourage à en souligner le ridicule pour donner une leçon aux mondains ; mais elle lui permet de ne pas attacher d'importance au luxe, aux somptuosités de costumes, de bijoux, d'appartements, aux titres, aux gratifications, sur lesquels s'arrêtent longuement certains de ses imitateurs, Mouhy, Gaillard de la Bataille, éblouis par la haute société ; leur peinture du décor dans lequel vit cette haute société est conventionnelle, alors que Marivaux s'abstient presque complètement de le montrer [180]. Comment sont faits l'habit

---

179. Voir *supra*, p. 430. Comme en avant-propos à la querelle du cocher et de la lingère, ou en rappel de la querelle entre la poissonnière et l'honnête homme (dans *Le Bilboquet*), Marivaux écrivait au chapitre I des *Lettres sur les habitants de Paris* : « On a trouvé l'invention de se voir le visage par les miroirs : une querelle avec le peuple serait la meilleure invention du monde pour se voir l'esprit et le corps ensemble » (*J.O.D.*, p. 13). La querelle de Dupuis et d'un soldat sur le Pont-Neuf, dans *Les Illustres Françoises* (éd. crit. par F. Deloffre, Paris, 1959, t. II, p. 441-442) n'est en aucune façon une prise de conscience satirique, mais la violente affirmation de la supériorité d'une classe sociale sur une autre.

180. L'héroïne de *La Paysanne parvenue*, de Mouhy, décrit en détail l'appartement où elle s'installe à Versailles, le château qu'elle voit pour la première fois au soleil couchant, la messe du roi à laquelle elle assiste (réédition de Prault, 1777, tome II, p. 295-300 et t. III, p. 114-121). Mêmes transports d'admiration chez la Jeannette de Gaillard de la Bataille (*Jeannette seconde, ou la Nouvelle Paysanne parvenue*, Amsterdam, 1744) quand elle arrive à Paris et voit à l'entrée de l'Opéra les beaux carrosses et les nobles richement parés (p. 194-

« noble et modeste », le « beau linge » que Climal achète à Marianne ?
l'appartement de Mme de Miran, celui de Mme Dorsin, la « très belle
maison » de Mme de Fare [181] ? On voit mieux l'intérieur des sœurs
Habert, et l'habit de drap fin, doublé de soie rouge, que M. Simon
vend à Jacob, mais il s'agit de réalités bourgeoises, et leur présentation est teintée d'ironie. Non pas que les objets soient absents des
romans de Marivaux, ils y jouent au contraire un rôle très important :
ils signifient au héros sa situation dans la société, l'usage qu'autrui
entend faire de lui, et ils lui permettent de comparer l'image qu'il a
de lui-même avec l'image qu'il produit au dehors. On n'occupe pas
la même place dans un carrosse si l'on est la future belle-fille de
Mme de Miran ou une orpheline sans naissance ni fortune, un ami
intime du comte d'Orsan ou un fils de paysan, naguère domestique
en quête d'un emploi [182]. Une épée à la main d'un roturier en habit
uni l'embarrasse et le compromet dans une affaire criminelle ; « métamorphosé en cavalier », il s'en pare de plein droit et s'en sert
glorieusement pour sauver la vie d'un gentilhomme ; mais cet habit
de cavalier est aussi incongru parmi les « habits magnifiques » des
grands seigneurs à la Comédie que l'était l'épée entre les mains
de l'ancien domestique [183] ; une plume d'oie que l'on taille, une mule
tombée d'un joli pied, une tabatière que l'on tend, sont des instruments de communication plus expressifs que le langage [184]. Moins
nombreux et moins présents dans *La Vie de Marianne*, les objets
y remplissent la même fonction, de symboliser la relation de l'individu
à la société et à autrui, et leur aspect matériel est presque entièrement
occulté par leur signification [185]. C'est dans une église que Marianne
et Valville échangent leur premier regard : nous savons par Marianne
ce dont témoigne la contenance des jeunes cavaliers qui l'entourent,
et comment on peut « expliquer » les façons des dames de l'assistance ; tout le concret est traduit pour l'esprit avant même d'avoir
été dépeint. Quel est le cadre du premier dialogue entre Valville
et Marianne ? Marianne a-t-elle eu l'impression d'entrer chez quelqu'un de riche, son luxe s'étale-t-il ou est-il discret, ses habitudes
de vie, son caractère ne sont-ils pas inscrits dans le choix et la
disposition de ses meubles ? Nous ne saurons rien de tout cela ;
l'intérieur d'un aristocrate ne se décrit pas comme l'intérieur de
deux vieilles filles de petite bourgeoisie ; la lumière n'est projetée
que sur ce qui est strictement nécessaire à la compréhension des
faits, et sur ce qui met directement en relation les deux personnages.

---

196). Voici comment elle décrit la « parure propre et galante » qu'elle portait à une assemblée
chez la Princesse de... : « Ma tête étoit historiée d'une frisure de goût. Une aigrette brillante
l'enrichissoit. Quelques mouches placées avec art, jettoient sur mon visage, un séduisant
qui me charmoit moi-même. Ma robe ornée d'une bavaroise en or, et en fleurs d'Italie,
perfectionnait mon ajustement, et me donnoit autant d'éclat que de graces » (p. 164).

181. *V.M.*², p. 38-39 ; 261.

182. *V.M.*², p. 291 ; 340 ; *P.P.*, p. 261-262.

183. *P.P.*, p. 144-145 ; 167 ; 251 ; 266.

184. *P.P.*, p. 136-137 ; 171 ; 182.

185. Voir *supra*, chap. VIII, p. 425, au sujet du coffre apporté dans la chambre de Marianne.

Dans *Les Illustres Françoises*, la première rencontre de Silvie et Des Frans avait eu lieu aussi dans une église, à Notre-Dame, et s'était continuée au baptistère de l'hôpital des Enfants-trouvés. Pas plus que Marivaux, Chasles ne compose de description d'ensemble, mais les circonstances de l'action sont chez lui plus souvent précisées, l'odeur écœurante de l'Hôpital, la composition du repas servi au réfectoire, sans la moindre intention de plaisanterie. Le portrait physique de Silvie est fait en détail, alors qu'on ne voit pas un trait de Valville [186]. C'est que les personnages de Chasles adhèrent de toute leur force à ce que la vie les fait être ; ils existent par leur corps, par leurs possessions, par leur fonction sociale. Ceux de Marivaux, ceux du moins dont l'aventure l'intéresse le plus, existent par le repliement de leur conscience sur elle-même, ils dépassent leur être social ou s'en détachent. Le seul effet qu'ait l'humble condition de Marianne sur l'amour de Valville, c'est de le renforcer et de le justifier, parce qu'elle fait mieux ressortir le mérite personnel de la jeune fille. La gêne qu'éprouve Marianne à nommer Mme Dutour est naturelle : elle ne sait pas si une passion aussi soudaine, née de façon assez romanesque, ne va pas se dissiper dès que la vérité sera connue ; elle peut être sûre que toute la société condamnera cette passion ; surtout elle vit en elle-même le désaccord qui est entre sa figure sociale et son identité intime, elle aura la hantise d'un malentendu jusqu'au jour où Valville l'aura trahie. Mais Valville ne subordonne pas le sentiment aux impératifs sociaux ; Marianne aussi les oublie, a besoin de les oublier grâce à son bel habit, pour être elle-même sensible. L'amour naît entre deux âmes, et la « vanité haïssable » que se reproche Marianne la pousse à retarder le plus longtemps possible, à essayer d'empêcher, en renonçant même à l'amour, l'intervention du social dans le sentimental. Au passage le plus dangereux pour elle, quand elle est près de perdre la tête en face d'un garçon assez expérimenté pour profiter du moment [187], l'inégalité sociale n'est pour rien dans le risque qu'elle pourrait courir et Valville la respecte non pas parce qu'il la croit noble, mais parce qu'il est tendre et honnêtement amoureux. La comparaison avec Chasles est encore une fois instructive : dans la première conversation d'amour entre Angélique et Contamine, aucun des deux jeunes gens ne perd de vue sa position sociale, Contamine essayant de tirer tout le parti de sa supériorité et d'arriver à ses fins sans se lier par une promesse de mariage, Angélique confondant sans hésiter « aimer » et « pousser sa fortune » ; tous deux sont sincères et jouent franc jeu, distinguer le *moi* intérieur et la condition matérielle serait contraire à leur vérité. Cette espèce de duel se prolonge, rusé en apparence, loyal en réalité, jusqu'au moment où les conditions semblent réunies, moyennant certaines précautions, pour que Contamine transforme Angélique en un objet socialement

---

186. R. Chasles, *Les Illustres Françoises*, éd. cit., t. II, p. 290.
187. *V.M.*², p. 74. « Profiter du moment » est la devise des libertins peints par Crébillon fils, et le premier mot de Diderot dans *Les Bijoux indiscrets*.

digne de son amour. Il serait exagéré de dire que sa générosité est intéressée. Chacun de ses dons lève un obstacle moins entre lui et Angélique qu'entre Angélique et le bonheur, et Angélique le comprend ainsi, sans cesser de veiller un instant à ce que ces dons ne changent pas de sens [188]. Comme Marianne, Angélique déjà risque de passer pour une fille entretenue, et décide de sauver son honneur en renonçant non seulement à la richesse, mais au bonheur même. La différence est que le déshonneur d'Angélique vient de sa tenue extérieure, de ce « qu'elle étoit magnifiquement vêtuë, toute en broderie d'or, colier, croix de diamans, boucles, bagues, pendans d'oreilles, agraffes », avec « les dentelles les plus fines et les plus belles », ce qui, aux yeux de la princesse de Cologny, ne peut être le fait que d'une femme mariée ou d'une fille perdue. Mais Angélique s'est parée pour obéir à Contamine, non par coquetterie ni pour connaître ce plaisir de vanité qui donne des palpitations à Marianne [189]. Sa tenue est décrite en détail, parce qu'on doit la juger par là, selon l'intention de son amant, et la complexité des rapports sociaux, les interférences entre des milieux différents causent une erreur d'interprétation dont l'amour n'est pas responsable. Au contraire, Marianne se pare par coquetterie, pour son plaisir personnel, attire par sa parure l'attention de Valville, et ne lui devient pas suspecte parce qu'elle est trop bien vêtue, mais parce qu'il surprend à ses genoux un vieil hypocrite. L'habit de Marianne a été un instrument de l'intrigue, il a donné lieu à une découverte et à une épreuve. Il ne sera plus question de vêtement que dans des occasions où l'amour-propre de Marianne pourra s'en aider ou s'en inquiéter : lors de la cérémonie du couvent, où ses « ajustements » font honte à Climal ; au moment de recevoir au couvent la visite de Valville et de l'inviter à ne plus l'aimer, quand son négligé, comme elle se l'avoue « bien secrètement », souligne ses grâces naturelles ; lorsqu'elle va dîner chez Mme Dorsin en compagnie de Valville et de la brillante Mlle Varthon, et que sa « mauvaise robe », s'accordant avec ses yeux éteints et sa maigreur de convalescente, lui confère un avantage paradoxal sur sa rivale [190]. Comme les habits de Jacob, les habits de Marianne, luxueux ou négligés, sont au service de l'individu : il peut en tirer des satisfactions de vanité, mais il serait profondément humilié si l'on confondait sa personne et son costume.

*
**

Les rois et les princes des romans de naguère étaient l'image idéalisée du petit groupe politique et social dont les classiques avaient recherché l'approbation, sûrs qu'elle entraînerait celle du peuple et des provinces :

---

188. R. Chasles, *op. cit.*, t. I, p. 74 sq. L'expression « pousser sa fortune » est p. 80.

189. R. Chasles, *Les Illustres Françoises*, éd. cit., t. I, p. 100-102. *V.M.²*, p. 50.

190. *V.M.²*, p. 203, 191, 401. Sur les pouvoirs du négligé, voir *Lettres sur les habitants de Paris*, J.O.D., p. 28-29, où Marivaux est plus mordant.

« C'est à de tels lecteurs que j'offre mes écrits »[191].

Cette élite a disparu, étouffée par la bigoterie du vieux Louis XIV, balayée par la Régence. La hiérarchie de l'estime sociale et des valeurs esthétiques étant détruite ou très ébranlée, les usages, mœurs et institutions qui la mettaient en pratique paraissent des formes vides, que l'hypocrisie utilise en raffinant sur le cérémonial. On peut désormais décrire l'aristocratie comme une tribu à part, où les manières apparentes masquent les intentions et dont le langage doit être traduit, parce que les mots n'y ont pas le même sens que dans la langue de tout le monde. Les plus lucides de ses membres ne trouvent même plus de plaisir à la vanité et méprisent ceux qu'ils soumettent à leur volonté et dont l'admiration leur est indispensable. C'est la société décrite par Crébillon, celle dont feront encore partie Valmont et la marquise de Merteuil et dont Laclos dira la faillite. On a essayé de nos jours d'analyser selon des méthodes inspirées du structuralisme la « mondanité » et les œuvres qui en imitent le système[192]. Mais c'est justement quand cette société ne représente plus la plus haute valeur, c'est quand dans la réalité elle accepte de plus en plus d'alliages avec des éléments étrangers, qu'elle paraît fonctionner comme un système dont les pièces se définiraient seulement par leurs rapports entre elles. Le système ne doit son sens qu'à lui, parce qu'il n'a plus aucun sens. Même les personnages qui veulent s'agréger à cette société et qui vivent en elle et par elle lui refusent le droit de donner son sens à leur existence. Le Meilcour de Crébillon n'est pas un homme qui a été initié à un code et qui l'emploie, mais un homme qui a traversé une société initiatique et qui la juge. Et si Marianne est autorisée par le ministre à épouser Valville, ce n'est pas pour avoir reconnu la valeur de l'ordre au nom duquel ce mariage lui avait été interdit, mais pour avoir fait éclater cet ordre en manifestant une valeur qu'il refusait[193].

De quel ordre s'agit-il, d'ailleurs ? Il devient difficile de le dire. Celui du monde élégant et libertin est le rituel hypocrite de la corruption, celui de l'aristocratie et de la bourgeoisie riches est égoïsme et vanité. Il n'y a pas grande distance entre Mme de Ferval, Mme de Fare et Mme la marquise de..., belle-sœur de Tervire. La Bruyère déjà dénonçait la « sève maligne et corrompue » qui se cachait « sous l'écorce de la politesse » et mettait en parallèle les mérites du peuple et les vices des grands pour conclure par l'exclamation célèbre : « Faut-il opter ? Je ne balance pas, je veux être peuple »[194]. Mais personne n'est contraint d'opter, pas même La Bruyère, surtout si le peuple et les grands ne se distinguent que par leur comportement

---

191. Boileau, *Epître VII*, à Racine (v. 101).

192. Peter Brooks : *The Novel of Wordliness, Crébillon, Marivaux, Laclos, Stendhal*, Princeton, 1969.

193. Nos remarques visent les p. 32 sq. et 129 sq. de l'ouvrage de P. Brooks, dont nous partageons du reste de nombreuses vues (sur Versac, sur le code de la mondanité, sur le rôle et la nature des portraits, etc.).

194. *Les Caractères*, éd. R. Garapon, Paris, 1962, p. 262 (« Des Grands », paragr. 25).

extérieur : « Ces hommes si grands ou par leur naissance, ou par leur faveur, ou par leurs dignités, ces têtes si fortes et si habiles, ces femmes si polies et si spirituelles, tous méprisent le peuple, et ils sont peuple » [195]. Toute la société est simagrée, artifice déguisant la violence, « farce en haut, farce en bas », comme dit Marivaux [196]. L'opposition n'est pas entre le peuple et les grands, mais entre le peuple, à tous les niveaux de la société, et les sages : la remarque est encore de La Bruyère [197], dont le « philosophe » annonce par plusieurs traits le « philosophe » de Marivaux, spectateur des folies humaines.

Le Télémaque travesti décrivait sans l'expliquer une pratique sociale. Les Lettres sur les habitants de Paris sont plus méthodiques, elles font l'inventaire ethnologique d'une collectivité. Pour l'étudier, Marivaux s'est placé dans la position où les attaches sociales lui semblaient les moins contraignantes, dans le « juste milieu » qui était déjà la position adoptée par Dufresny [198]. La description restait ironique. Mais dans ses deux grands romans, Marivaux laisse la parole à Jacob, Marianne et Tervire. Nous ne voyons plus que ce qui a été vu par le narrateur, nous ne sommes informés que de ce qui l'intéresse : le tableau est donc moins complet et moins composé ; quelques points restent obscurs, certains personnages ne font qu'une apparition fugitive et n'ont pas même de nom [199]. En revanche, la saisie de la société est beaucoup plus vigoureuse que chez Lesage ou Dufresny, parce que chaque fait, chaque personnage pose une question à un *moi* en quête de lui-même, et que l'exploration du monde se fait avec la même passion que la découverte du *moi* ; parce que ce *moi* forme son intériorité à partir des déterminismes extérieurs qui pèsent sur lui ; et aussi parce que la sensibilité de ce *moi*, son authenticité, sa défiance et ses exigences forcent autrui à se révéler et déclenchent tous les mécanismes de défense sociale. L'expérience intérieure est abondamment commentée, les caractères psychologiques et moraux des personnages rencontrés sont en général définis de façon claire et complète, mais certains effets de la confrontation sociale, parmi les plus significatifs, sont inscrits dans l'action sans que la réflexion les dégage. C'est vrai de presque tout le récit de Tervire, où, comme nous l'avons vu [200], les faits parlent par eux-mêmes et étouffent la réflexion. Le silence de Marianne et de Jacob ne s'explique pas par une insuffisance de lucidité de leur part,

---

195. *Id., ibid.*, p. 273 (« Des Grands », paragr. 53). Mme de Lambert s'est souvenue du mot : « J'appelle peuple, tout ce qui pense bassement, et communément ; la Cour en est remplie » (« Avis d'une Mère à sa Fille », *Œuvres*, Amsterdam, 1747, p. 87), et Marivaux l'a transposé : « Tout le monde est bourgeois gentilhomme, jusqu'aux gentilshommes mêmes » (*L'Indigent philosophe*, VII, *J.O.D.*, p. 323).

196. Voir *supra*, chap. IV, p. 129.

197. Même référence qu'à la note 195.

198. Voir *supra*, p. 72 et n. 63 du chap. II, où nous marquons la différence entre Dufresny et Marivaux.

199. Remarque faite par G. Bonaccorso dans son article sur la méthode de Marivaux dans la création romanesque, que nous citons *infra*, n. 201.

200. Voir *supra*, chap. VI, p. 234, et *infra*, l'appendice II.

mais par la volonté de Marivaux de ne pas les transformer en « spectateurs ». Leur premier but est de se connaître ; les événements qu'ils ont vécu ont été d'abord et essentiellement pour eux des événements intérieurs ; leur caractère eût été faussé s'ils s'étaient appesantis sur certains points de critique sociale ou religieuse.

Ils devaient évidemment être muets sur la ressemblance entre leur histoire et celle de personnages réels. Les romans de Marivaux ne sont ni des autobiographies, ni des livres à clés. Il est probable que le ministre devant lequel comparaît Marianne symbolise le cardinal Fleury, et que Mme Dorsin et Mme de Miran rappellent respectivement Mme de Tencin et Mme de Lambert. Mais il ne faut pas aller plus loin. La plupart des rapprochements qu'on a proposés sont inutiles, voire contraires à la démarche de l'imagination chez Marivaux, que ce soit celle du romancier ou du dramaturge. Elle est sympathie créatrice, et non pas projection du souvenir ou de la nostalgie [201]. Il n'en est pas moins vrai que les premiers épisodes de la vie de Jacob font penser aux commencements de Bourvalais : fils d'un paysan, laquais chez le partisan Thévenin, Bourvalais devint le protégé du ministre Pontchartrain qui lui fit épouser sa maîtresse, fille de chambre de la marquise de Sourches [202], comme le premier patron de Jacob veut lui faire épouser Geneviève. Le nom de Bono, donné par Marivaux à un personnage qui semble un financier, est fait pour évoquer comiquement le caractère, conformément à un procédé propre au réalisme caricatural [203] ; mais il rappelle par opposition le nom d'un administrateur des Fermes, Malo (de Séry) [204]. « On

201. Voir *supra*, chap. V, p. 173. G. Bonaccorso a vu une transposition du mariage de Marivaux et de Colombe Bologne dans le mariage de Jacob et de Mlle Habert : le rapport d'âge aurait été modifié pour rendre impossible l'identification des personnages (« Considerazioni sul metodo del Marivaux nella creazione romanzesca », dans le recueil *Umanità e Storia, Scritti in onore di Adelchi Attisani*, Naples, 1970, p. 20). Selon F. Deloffre, Marivaux aurait pensé à Mlle Aïssé en imaginant le personnage de Mlle de Fare (*V.M.²*, p. 256, n. 1), à Poullain de Saint-Foix en imaginant celui de l'officier qui propose à Marianne de l'épouser (*ibid.*, p. 418, n. 1), et les difficultés soulevées par le projet de mariage entre Valville et Marianne ne seraient pas sans analogie avec celles qu'avait rencontrées le mariage d'Henri-François de Lambert, fils de la marquise de Lambert, avec Mme de Locmaria (*ibid.*, XXXIII et p. 205, n. 1). Si, comme nous l'avons dit (*supra*, chap. II, p. 59), le ministre qui préside le conseil de famille dans *La Vie de Marianne* rappelle le cardinal Fleury, Marivaux a laissé dans le vague les fonctions ministérielles du personnage, et il a fait un homme marié de celui qui était en réalité un prêtre. Même l'identification de Mme de Miran avec Mme de Lambert et de Mme Dorsin avec Mme de Tencin soulève des difficultés.

202. C'est Bourvalais qui fit construire le château de Champs par les Bullet. Voir sur lui H. Thirion, *La Vie privée des financiers au dix-huitième siècle*, Paris, 1895, p. 55 sq., et les *Mémoires de Robert Chasles* publiées par A. Augustin-Thierry, Paris, 1931, chap. 23, p. 205 sq.

203. C'est dans la même intention comique qu'a été imaginé le nom de M. Doucin, bien qu'ait existé un abbé Louis Doucin, jésuite, ennemi des Jansénistes et partisan de la bulle *Unigenitus* (il est nommé par Voltaire dans l'*Epître sur la calomnie à Mme du Châtelet*, *Œuvres complètes*, éd. Moland, t. X, p. 286). Il n'y a pas de noms de cette sorte dans *La Vie de Marianne*, mais les imitateurs reviennent au procédé : un fermier général s'appelle Gripart dans *La Paysanne parvenue* de Mouhy ; un financier, Gaupin de la Boufardière, dans la *Jeannette seconde* de Gaillard de la Bataille ; un homme d'affaires, Popino, dans les *Lettres de Thérèse ****, de Bridart de la Garde.

204. H. Thirion, *op. cit.*, p. 118. Ce Malo avait dépouillé sa nièce, l'avait mariée à son valet en la présentant comme une enfant recueillie et élevée par charité, et, démasqué et condamné, avait été ruiné définitivement.

prend des mesures pour arrêter l'impression du Paysan parvenu, a-t-on dit à Paris. Pourquoi ? demandoit un homme sage. Parce que une, deux, plusieurs personnes ont été reconnuës dans les Portraits dont cet Ouvrage est semé : elles s'en sont plaintes ». Gaillard de la Bataille, qui rapportait ces bruits en 1744, voulait sans doute faire le renseigné [205] ; Marivaux a évité soigneusement toute indication qui rattacherait les intrigues de ses romans à des circonstances authentiques : aucun personnage public n'est nommé, aucun événement historique n'est évoqué, il faut deviner quels sont les bureaux où M. de Fécour et M. Bono exercent leur charge [206], et l'on ne saurait dire à quelle date remontent les faits de La Vie de Marianne [207]. Ses romans ne contiennent qu'une vérité typique, générale, où les contemporains ont pu croire reconnaître telle ou telle vérité particulière. En choisissant comme héros un petit paysan et une orpheline de naissance inconnue, il faisait ressortir la situation de l'individu dans la société de son temps, les conditions de son ascension, le poids des institutions et des préjugés, les possibilités d'ouverture, mais il aurait pu alléguer de nombreux exemples d'orphelines richement mariées et de paysans ou de laquais parvenus. Les ressemblances s'expliquent par la réalité économique et sociale dont Marivaux a eu l'intuition et qui a déterminé les destinées individuelles [208].

Si l'on ne se laisse gagner ni par la bonne humeur de Jacob, ni par la grâce de Marianne, ni par le pathétique de Tervire, on constate que la société peinte par Marivaux a des aspects assez sordides. Valville n'est pas seulement un inconstant trop « susceptible d'impression », comme dit Marianne, mais un lâche et un hypocrite ; avant même d'avoir rencontré Mlle Varthon, il commençait à céder au conformisme social, qu'il défiait quand sa passion était plus vive ; ayant obtenu le droit d'épouser celle qu'il aimait, il en a moins envie, son amour est « mort de sa liberté », comme celui des jeunes gens dont il était parlé dans L'Indigent philosophe [209],

205. Jeannette seconde [...], éd. cit., p. 286.

206. Les bureaux des Fermes, puisque Fécour est « d'un très grand crédit dans les finances » (P.P., p. 179), « homme d'assez grandes affaires, et extrêmement connu des ministres » (ibid., p. 202), et que Jacob voulait être maltôtier (ibid., p. 164) ; mais ce pourrait être aussi les bureaux des Finances.

207. Voir les notes de F. Deloffre dans V.M.², p. 7 et p. 349.

208. Jeffry Larson (« La Vie de Marianne Pajot, A real-life Source of Marivaux's Heroine », Modern Language Notes, May 1968, vol. 83, n° 4, p. 598-609) a relevé un certain nombre de ressemblances entre Marianne Pajot, qui avait épousé le marquis de Lassay après avoir renoncé à être la femme du duc Charles IV de Lorraine, et la Marianne de Marivaux. A notre avis, le roman a rencontré ici le réel, mais ne s'en est pas directement inspiré. Autre rencontre, qui, croyons-nous, n'a jamais été signalée : « Une petite jeune fille alloit régulièrement à la messe en cornettes plates, en mince et légère siamoise. Elle étoit jolie comme un ange ; elle joignoit aux piés des autels les deux plus belles menottes du monde. Cependant un homme puissant la lorgnoit, en devenoit fou, en faisoit sa femme. La voilà riche, la voilà honorée [etc.] ». Thérèse Rodet, dont Diderot parle (lettre du 10 février 1769 à Mlle Jodin, Correspondance, éd. G. Roth, t. IX, p. 25), née dans une famille de petite bourgeoisie, orpheline de père et de mère à sept ans, élevée par une grand'mère pieuse et inculte, devint ainsi Mme Geoffrin ; elle fréquenta à partir de 1730 le salon de Mme de Tencin et tint elle-même par la suite un salon où Marivaux était reçu. Ne pourrait-on pas dire que Geoffrin fut pour elle à la fois un Valville fidèle et un Climal sans hypocrisie ? Le mariage datait de 1713.

209. Septième feuille, J.O.D., p. 321.

et l'on soupçonne qu'à son refroidissement sentimental s'ajoute une certaine hésitation à reparaître dans le monde comme mari de Marianne. Le comte d'Orsan, si élégant, si répandu dans la très haute société, risque de se faire assassiner par le protecteur d'une fille entretenue. La fille d'un duc, femme d'un marquis, a honte de sa belle-mère et la laisse mourir dans un taudis, où Tervire la retrouve et lui fait la charité qu'elle n'avait jamais reçue d'elle, car cette femme avait elle-même déjà sacrifié l'amour maternel aux bienséances sociales. Tervire s'abstient de juger sa mère. Mais que peut penser de la sienne Mlle de Fare, quand elle la voit traiter grossièrement une de ses invitées, ameuter la famille contre une de leurs parentes ? Pour la défense de leurs intérêts ou de leurs préjugés, ces gens sont prêts à se déchirer, à briser les liens les plus naturels et à recourir à la violence et au chantage. La rupture entre les deux demoiselles Habert reproduit dans un milieu moins élevé et avec des aspects caricaturaux ce qui se passe dans le grand monde.

Mlle Habert la cadette est un peu ridicule de se livrer si avidement à des plaisirs qu'elle ignorait, mais son avidité est une dénonciation de l'étouffement contraire à la nature dans lequel la dévotion la tenait. Il lui a fallu du courage pour s'arracher à sa quiétude, à ses habitudes d'obéissance, pour s'exposer à « la réprobation de tous les petits bourgeois pharisiens » [210], surtout pour se soustraire à l'emprise de son directeur. Les dévots et les gens d'église sont très mal traités dans ces deux romans ; bien que la satire soit discrète, elle n'en est pas moins féroce, et l'accusation est fermement prononcée, dans l'histoire de Tervire, contre Mme de Sainte-Hermières, le baron de Sercour, son neveu l'abbé, personnages très pieux en apparence, égoïstes, calomniateurs et criminels en réalité. Moins retors, Mlle Habert l'aînée, Catherine la cuisinière dévote, M. Doucin jettent leur venin dès qu'on refuse de les flatter et de se soumettre. La religieuse qui révèle à Tervire l'horreur du cloître retrouve la paix et devient un exemple de piété, sans doute, mais la religion ne l'avait pas protégée, et il a fallu qu'une jeune fille du siècle lui rendît l'espérance. La prieure du premier couvent où séjourne Marianne fait passer l'amour d'elle-même avant l'amour de Dieu et n'a perdu aucun des préjugés qu'on a dans le monde [211]. Quant

---

210. Expression de Michel Gilot, dans un excellent article sur « Les jeux de la conscience et du temps dans l'œuvre de Marivaux », *Revue des Sciences humaines*, fascicule 131, juillet-septembre 1968, p. 369-389. Il n'y a pas contradiction entre l'ironie avec laquelle Jacob parle de Mlle Habert dévote et la chaleur avec laquelle il parle de sa « cousine », de sa « future », de sa femme. La dévote a été métamorphosée ; comme beaucoup de personnages de Marivaux, elle a révélé un aspect inconnu de son caractère. L'ironie de Jacob subsiste d'ailleurs, attendrie, après le mariage.

211. Quand elle appelle Marianne « mon ange » et « mon cœur », et qu'elle s'écrie : « Qu'elle est belle », c'est mièvrerie de couvent et, comme dit Marivaux, « superficies de sentiment et de bonté » (*V.M.*[2], p. 149-150). Nous ne pensons pas qu'il faille voir dans cette tendre onction l'amorce du vice que Diderot prêtera dans *La Religieuse* à la supérieure d'Arpajon, ce que Jeanne Ponton appelle un « succédané de l'amour » (*La Religieuse dans la littérature française*, Québec, 1969, p. 59). Les religieuses du couvent de province que fréquentait Tervire étaient aussi « caressantes » et l'« enchantaient par la douceur des petits noms » qu'elles lui donnaient, *V.M.*[2], p. 455.

au père Saint-Vincent, c'est peut-être pour lui que Marivaux est le plus dur : quand Marianne veut lui révéler la conduite de Climal, il n'arrive pas à la croire et songe d'abord à étouffer le scandale. Prend-il vraiment une « belle revanche » lors de l'agonie de Climal, comme le croit P. Sage [212] ? Il nous semble au contraire qu'ici encore il veut sauver les apparences, aussi craintif devant le scandale d'un profond remords et d'une ardente conversion que devant celui d'une immoralité ; tandis que Climal (libertin endurci, probablement, et sur lequel le religieux avait eu quelques doutes, si l'on en juge par sa réaction lorsque Marianne évoque le « solliciteur de procès ») [213] s'élève au sublime de l'expiation, le père Saint-Vincent, incapable de comprendre cet élan et de reconnaître la vraie foi quand elle le dépasse, veut le faire taire et prétend lui faire un mérite de ce qu'il cachera. Il ne s'était jusqu'alors montré que maladroit, aveugle et naïf ; il nous semble maintenant inférieur à sa vocation [214].

Marivaux était un croyant sincère ; dans ses journaux, des dizaines de pages le prouvent et, dans La Vie de Marianne, cette conversion même de Climal. Mais, sauf pour réconforter la religieuse que la passion égare, Tervire ne prononce jamais le nom de Dieu. La foi est affaire de conscience. L'afficher, faire métier de la répandre, juger en son nom ses semblables et les condamner, c'est pharisaïsme ou hypocrisie. Marivaux, avant les philosophes des Lumières, est un de ceux qui ont le plus vivement refusé l'exploitation sociale de la religion [215].

---

212. Pierre Sage : Le « Bon Prêtre » dans la littérature française d'« Amadis de Gaule » au « Génie du christianisme », Paris-Lille, 1951, p. 190.

213. V.M.², p. 142 à 143. Dans le second passage, l'édition originale donne « rapporteur de procès », qui ne convient pas, comme le remarque F. Deloffre dans sa note. Peut-être fallait-il lire « appointeur de procès ».

214. Qu'un « homme sans pudeur » (ibid., p. 123), lubrique et parfois effrayant, connaisse une conversion mystique, cela n'a rien d'étonnant quand il s'agit d'un personnage de Marivaux, et l'on ne doit pas alléguer ici les inconséquences et l'imprévoyance de l'auteur. Au contraire, Marivaux a rendu cette conversion plausible en prêtant à Marianne des sentiments assez nuancés : lorsqu'elle pouvait croire à son désintéressement, elle a eu vers lui un vrai élan (ibid., p. 35) ; lorsqu'elle l'a revu au couvent auprès de Valville, après avoir rompu avec lui, elle a eu pitié de lui en devinant ce qu'il allait souffrir (ibid., p. 204) ; enfin, lorsqu'elle est appelée dans la chambre du mourant, elle est honteuse de la honte qu'elle pense lui faire (ibid., p. 244).

215. Nous n'allons pourtant pas jusqu'à dire, comme Alfred Cismaru (« Marivaux's Religious Characters », Cithara, IV, 1964, p. 48-52), que chez Marivaux tous les représentants du clergé, sauf Tervire, sont vicieux à quelque degré, égoïstes, oublieux de leurs devoirs, sans véritables sentiments religieux. Dans les deux couvents où passe Marianne, les simples religieuses, malgré leurs petits défauts, sont bonnes et affectueuses. L'abbesse du second couvent exécute l'ordre qu'elle a reçu et encourage Marianne à se soumettre, mais elle la traite avec amitié et ne lui cache pas qu'elle « entre tout à fait dans [ses] raisons » (V.M.², p. 300). Il est vrai que ni chez celle-ci, ni chez les autres, ces qualités ne sont essentiellement liées à la foi. Jeanne Ponton n'a pas tort (op. cit., p. 187) de ranger Marivaux parmi les « nombreux auteurs dont les œuvres présentent nonnes et moniales [et qui] ont complètement ignoré ou à peine effleuré l'aspect religieux fondamental ». La raison, que J. Ponton renonce à découvrir, en est, au moins chez Marivaux, que l'« aspect fondamental » de la vocation religieuse n'est pas matière à littérature, et que la seule religion qui fasse parler d'elle est celle qui manque de profondeur. Voir l'opposition que Jacob établit entre les gens pieux et les dévots, P.P., p. 47-48.

*
* *

Aucun des romanciers qui ont imité Marivaux ou dont l'œuvre peut se comparer à la sienne n'a osé priver le lecteur et les personnages d'un dénouement heureux [216]. La plupart font arriver leurs héros en même temps au bonheur sentimental et à la richesse matérielle, comme si une belle âme ne trouvait pas une suffisante reconnaissance de ses mérites dans l'estime de ses amis, l'affection de ses parents et l'amour d'un être élu, et qu'il lui fallût encore, pour être dignement récompensée, des pensions et des héritages. La réussite sociale est la conclusion normale de l'aventure romanesque, celle-ci n'étant guère que le développement d'une intrigue, sauf chez Lesage, qui essaie de caractériser divers milieux, et chez Crébillon, qui dévoile le mécanisme et la vraie finalité des relations mondaines. C'est dans la mesure même où les romans de Marivaux sont d'abord des romans d'analyse qu'ils sont aussi des romans de mœurs plus pénétrants que tous ceux auxquels nous venons de faire allusion. Marivaux ne fait pas de ses principaux personnages les témoins amusés et les profiteurs de la comédie sociale, il prend tout à fait au sérieux l'existence de la société parce que d'elle dépend le destin de l'individu. Ce mot de *destin* qui n'aurait pas de sens pour lui s'il désignait une fatalité transcendantale [217], peut être employé à faire entendre la force collective des institutions, des usages, des préjugés qui détermine les événements d'une vie individuelle et, plus encore, les épreuves infligées à l'individu. C'est dans la société et par elle que l'individu apprend à parler, à penser, à sentir, c'est grâce à elle qu'il comprend qui il est lui-même ; il ne se connaîtrait pas s'il n'avait pas à connaître autrui et à être connu par autrui ; et comme pour Marivaux l'âme se connaît par ses modifications, l'individu n'aurait aucun devenir si l'affrontement de la société ne le forçait à se modifier.

La première aventure est celle de la naissance ou de la petite enfance, qui fait de Jacob un paysan, de Marianne une orpheline de famille inconnue, de Tervire une fillette abandonnée en province par sa mère. A partir de là, le reste de leur vie, du moins ce qui nous en est conté, est une succession d'aventures. « Aventures bien simples, bien communes », dit Marianne [218] : en effet, elles ne se déroulent pas dans des pays lointains, elles ne sont pas merveilleuses, le sort d'un état n'en dépend pas, ni rois ni princes n'y ont de rôle, les acteurs en sont des personnages pareils à ceux que le lecteur peut connaître, des petites gens à l'aristocratie, le cadre en est Paris et la province française, l'époque en est à peu près contemporaine de celle où vit l'auteur. Aventures pourtant, parce qu'elles naissent

---

216. Sauf lorsqu'à l'influence de Marivaux s'ajoute celle de Prévost, qui impose un dénouement malheureux, par exemple au bon roman de Mlle de la Guesnerie, *Mémoires de Miledi B...*, Amsterdam, 1760.

217. Sur l'*étoile* de Marianne, voir *supra*, chap. VI, p. 246.

218. *V.M.²*, p. 57. Voir *supra*, p. 467-469.

du hasard et placent les personnages devant des situations inattendues. Il n'est pas question en cette première moitié du XVIIIe siècle, et il ne sera pas vraiment question avant longtemps, de décrire l'existence de l'homme quelconque, la succession monotone des petits soucis, des petits plaisirs, les travaux « ennuyeux et faciles », la platitude d'une durée où il ne se passe rien. Peut-être, comme l'a écrit Giraudoux, le héros et l'héroïne sont-ils animés par « la recherche d'un assentiment puissant qui les liera pour une vie commune de levers, de repas, et de repos »[219], mais une fois cette vie obtenue, Marivaux n'a plus rien à en dire, et dans la vie dont il a à nous parler, levers, repas et repos sont encore des aventures. Le terme revient à toutes les pages : c'est une aventure que d'être recueillie dans un carrosse parmi des voyageurs assassinés, c'en est une que de se trouver seule et sans aucun appui à Paris, c'en est une encore que de rencontrer Climal, et toutes ces aventures s'enchaînent : dans l'impression que Marianne ressent en arrivant à Paris, elle voit « un pronostic de toutes les aventures qui devaient [lui] arriver » ; sa chute devant le carrosse de Valville a été « l'origine de toutes [ses] autres aventures » ; Jacob après la mort de son premier patron reste à Paris dans l'espoir qu'il va lui arriver quelque chose : « Il y a tant d'aventures dans la vie, il peut m'en échoir quelque bonne », et en effet après l'aventure de sa rencontre avec Mlle Habert, l'aventure de son mariage, l'aventure de sa confusion devant le chevalier chez la Rémy et d'autres encore, il sauve la vie du comte d'Orsan, « aventure » qui fut « l'origine de [sa] fortune »[220]. Marivaux qualifie même d'aventures des événements que rien ne signale comme exceptionnels, la visite de l'officier âgé à Marianne, la présence simultanée de deux solliciteurs, Jacob et Mme d'Orville, chez M. de Fécour[221], parce que tout ce qui survient ouvre de nouvelles perspectives, force à de nouvelles options, et qu'à chaque instant la vie d'un individu peut s'orienter de façon différente. Si Marianne n'avait pas eu d'aventures, elle serait restée fille de boutique ou petite marchande ; si Jacob n'avait pas eu d'aventures, il aurait continué à livrer du vin ou à cultiver les terres de son seigneur. A moins d'être par sa condition au-dessus du hasard, l'individu n'acquiert d'existence dans cette société hiérarchisée et cloisonnée qu'en courant des risques, en dissimulant ses infractions ou en payant d'audace, en revêtant même de fausses identités tant qu'il n'est pas assez riche et assez considéré pour être

---

219. J. Giraudoux, *Or dans la nuit, Chroniques et préfaces littéraires (1910-1943)*, Paris, 1969. Ce texte sur Marivaux avait paru en tête de l'édition du *Théâtre complet* par J. Fournier et M. Bastide, Paris, 1946, 2 vol. Il avait été composé en 1943 pour une représentation à la Comédie Française, pendant l'occupation allemande : texte de guerre, où s'entend la nostalgie de la paix. Mais Giraudoux ne place nullement son idéal dans les bonheurs médiocres.

220. *V.M.*[2], p. 17 et 52 ; *P.P.*, p. 40 et 257. « Aventures » est le dernier mot du récit de Marianne, à la fin du livre VIII, et du récit de Tervire, à la fin du livre XI. L'attitude de Jacob attendant l'aventure à Paris est exactement celle de Merville qui s'embarque sur le premier navire en partance, confiant dans les « prodigieux » hasards que peut faire naître la mer (voir *supra*, chap. III, p. 92).

221. *V.M.*[2], VIII, p. 425 ; *P.P.*, V, p. 255.

sûr de ne pas retomber au néant. L'aventurier cherche l'aventure, mais l'homme de mérite la suscite sans la chercher, il ne peut l'éviter ; sa réussite, si justifiée qu'elle soit, ne peut résulter que d'une faveur ou d'une chance, elle est toujours un accroc à l'ordre établi même quand elle aboutit à le renforcer. Le bourgeois qui s'est avancé dans le monde, de Digard de Kerguette, n'est pas un intrigant, il ne songe qu'à se donner un état et à se faire accepter par la société, il trouve des protecteurs de haut rang, est estimé et sans doute estimable : il va pourtant d'aventure en aventure, tue un homme, abandonne plusieurs femmes, est trahi par d'autres, fait croire qu'il est marié avec celle dont il a réellement épousé la fille, toujours près du scandale, mais toujours attentif à se ménager des ressources et à s'abriter derrière des actes officiels ; les difficultés de sa vie privée sont tellement liées à la situation politique qu'elles prennent fin toutes ensemble avec un changement de ministère [222]. La littérature imite ici la vie en l'exagérant à peine. Sans révolte, sans évasion à leur début dans la vie, Diderot aurait peut-être été clerc tonsuré, puis chanoine, et Rousseau ne serait pas sorti de « l'état tranquille et obscur d'un bon artisan » ou aurait vécu en paix à Fribourg avec la Merceret [223]. On n'aurait jamais entendu parler de l'un ni de l'autre. Le mariage est souvent la transgression initiale, le premier acte par lequel s'émancipe l'individu ; il oblige à la clandestinité ou à une rupture ouverte avec l'ordre familial et social ; il est une aventure aussi bien pour l'aristocrate Valville que pour la fille de naissance inconnue qu'est Marianne, encore plus pour la bourgeoise dévote qu'est Mlle Habert la cadette que pour le paysan Jacob.

Ces aventures sont très différentes de celles que Marivaux racontait ou parodiait dans ses premiers romans, mais elles en sont parfois la transposition et gardent un peu de leur couleur romanesque. Valville vient au secours de Marianne blessée, il prodigue ses soins à Mlle Varthon évanouie ; Marianne est enlevée, séquestrée, retrouvée, délivrée ; Jacob, sous les yeux d'une femme à qui il venait de sacrifier sa première chance d'avenir, sauve la vie du comte d'Orsan attaqué par trois assassins. Les histoires d'orphelins et de parvenus représentent souvent la société comme un pays féerique où le mérite finit toujours par être reconnu et où les puissants, pareils à ces Dieux bénéfiques qui présidaient à l'action des *Effets surprenants*, récompensent les bons et punissent les méchants. Image hypocrite ou conventionnelle, mais qui ne trahissait pas complètement la réalité : dans les combats douteux qu'avait à livrer sans cesse l'énergie de l'individu, le hasard et les interventions de très grands personnages pouvaient balayer tous les obstacles comme ils pouvaient provoquer des malheurs définitifs.

222. Digard de Kerguette, *Mémoires et aventures d'un bourgeois qui s'est avancé dans le monde*, La Haye, 1750, 2 vol.

223. J.-J. Rousseau : *Les Confessions*, livres I et IV (*Œuvres complètes*, tome I, Paris, 1959, p. 43 et 145).

Marivaux ne s'est pas proposé de faire admirer à son lecteur les surprenants effets des relations sociales. La véritable aventure de ses personnages est leur aventure intérieure. Tout événement qu'un autre accueillerait comme une bonne ou une mauvaise fortune est pour eux l'occasion d'une prise de conscience ; en toute circonstance ils veulent savoir qui ils sont, comment autrui les juge, comment ils doivent juger autrui. Tout les atteint au cœur et leur esprit à l'affût démêle ce que leur cœur éprouve.

« POUR parvenir à être honoré, je saurai bien cesser d'être honorable », fait dire Marianne à tous les hommes, et elle commente : « c'est assez là le chemin des honneurs : qui les mérite n'y arrive guère » [224]. Marivaux a donc épargné ce dénouement à ses héros. Mais le *moi*, qui reçoit de la société ses modifications et ses moyens de connaissance et d'expression, n'a pas pour unique fin la contemplation solitaire de lui-même. Il est fait pour la communion et la confidence. Si la société réelle l'engage seulement à étaler sa vanité ou à se dissimuler sous un masque, une société idéale lui permettra d'être librement ce qu'il veut être, de se sentir connu et aimé dans sa vérité. Cette société, la « vraiment bonne société » dont l'existence semblait douteuse à Crébillon, nous avons vu que Marianne la trouvait chez Mme Dorsin [225]. Elle n'est pas en dehors de la société réelle ou en opposition avec elle, mais au sommet : elle réunit des gens qui ont assez de richesse et de respectabilité pour n'éprouver aucune inquiétude, aucun doute même sur leur droit à être ce qu'ils sont ; cette sécurité leur permet de mesurer l'arbitraire de ce droit, de prendre conscience de l'injustice des inégalités sociales, de repenser le lien social et de le fonder sur une relation de personne à personne. Le ministre, dans *La Vie de Marianne*, le président, dans *Le Paysan parvenu*, sont capables, en raison même de leur rang élevé, de se détacher des conventions et des convenances auxquelles sont tant attachées, chacune selon son rang, Mme de Fare et Mlle Habert l'aînée, et d'admettre le dialogue avec un Jacob et avec une Marianne comme avec des égaux, des êtres de la même espèce qu'eux. Bénéficiant des préjugés, ils sont au-dessus des préjugés ; appartenir à une élite a pour eux la même conséquence que pour les naufragés de *L'Ile des esclaves* d'être exilés loin de toutes leurs références et de toutes leurs habitudes.

Quand elle entre dans ce monde, Marianne est frappée, non pas d'abord, mais « à la fin » [226], par son naturel. On y ignore les « petites règles frivoles », les formalités d'étiquette et de langage par lesquelles les vaniteux de la haute société se distinguent du reste des hommes. La politesse n'y est pas ce que dénoncent l'Indigent et le vieillard du *Cabinet du philosophe*, un instrument d'hypocrisie et de méchanceté, mais une élégance sans recherche, une harmonie entre le ton et la pensée ; le comble du goût et de l'esprit est de ne plus se faire sentir, de mettre chacun à l'aise, de lui apporter ce qui peut encore lui manquer de facilité dans l'expression et de

224. *V.M.*², p. 87.
225. Voir *supra*, chap. VII, p. 260-261.
226. *V.M.*², p. 212.

confiance en lui-même. Marianne se trouve parmi les commensaux de Mme Dorsin comme parmi des familiers qu'elle comprend sans effort et qui la comprennent. Cette familiarité et cette intelligence sont peut-être la preuve la plus marquée que Marivaux voulait donner de sa naissance noble, car s'il n'est pas nécessaire d'avoir des titres de noblesse pour être aristocrate d'esprit et de cœur, le bon goût, la délicatesse, la haine de la vulgarité, la finesse de la sensibilité se développent plus facilement à l'abri du besoin, dans un milieu de luxe et de loisir, et se transmettent par hérédité à ceux qui naissent nobles. Il est remarquable que Tervire, invitant à la table de ses compagnons de voyage une inconnue « de distinction » dont elle ignore encore qu'elle est sa propre mère, éprouve une impression comparable à celle que ressent Marianne chez Mme Dorsin : « Nous sentîmes tous combien nous aurions perdu si elle nous avait manqué ; il me semble que nous étions devenus plus aimables avec elle, et que nous avions tous plus d'esprit qu'à l'ordinaire » [227]. C'est là l'effet que produit une aristocratie authentique, mais sans doute aussi l'affinité secrète entre la mère et la fille : sans savoir pourquoi, les deux femmes sont confiantes l'une dans l'autre, et leur intimité spontanée modifie l'ambiance de la petite réunion. De même Marianne doit avoir quelque affinité de naissance avec les amis de Mme Dorsin [228].

Mais parmi eux la naissance ne compte plus : le prestige des grands noms et des grands titres ne leur en impose pas plus que le formalisme mondain. Le mérite y est estimé pour lui-même [229] ; le lien qui unit les membres de cette société n'est pas le respect des conventions, ni un dogme ou une foi (la religion est affaire purement individuelle), ni même l'amour (l'affection de Mme de Miran crée à Marianne un titre beaucoup plus précieux à leurs yeux que l'amour de Valville), c'est, dans tous les sens du terme, la reconnaissance. Quelles que soient les différences de fortune et de rang, chacun reconnaît en autrui un être humain original dont il prend en considération les sentiments et les pensées. Mais la reconnaissance est aussi ce qui met l'obligé à égalité avec celui

---

227. *Ibid.*, p. 546.

228. Dans *Le Siècle ou les Mémoires du comte de S **** (Paris, 1736, seconde partie, p. 32), Mme Levesque parle d'un souper où « les Conviés sembloient n'être qu'une seule ame. Il y avoit une si grande harmonie dans les esprits que chaque personne nous paroissoit être un autre nous-même ». Ce roman a été approuvé le 26 octobre 1735. L'approbation de la quatrième partie de *La Vie de Marianne*, où il est question du dîner chez Mme Dorsin, est du 19 mars 1736.

229. Jacob, dont le mérite est reconnu par le président, eût-il été reçu dans cette société ? Sans doute, puisque le comte d'Orsan l'introduit dans la haute aristocratie. Elle le dispenserait de dissimuler sa roture, mais la fierté bourgeoise est la véritable raison de sa déclaration : le courage d'avouer son origine fait taire la malignité, « c'est une fierté sensée qui confond un orgueil impertinent » (*P.P.*, p. 6). A comparer avec ce que dit Dufresny, et qui n'a pas tout à fait le même sens : « Ce grand seigneur fut toujours élevé en grand seigneur ; son âme est aussi noble que son sang : je l'estime sans l'admirer. Mais celui qui par ses vertus s'élève au-dessus de son sang et de son éducation, je l'estime et je l'admire. Toi donc de qui les vertus égalent la fortune, pourquoi cacherais-tu un défaut de naissance, qui relève l'éclat de ton mérite ? » (*Amusements sérieux et comiques*, éd. Jean Vic, Paris, 1921, « Amusement Onzième, Le Cercle bourgeois », p. 160).

qui l'oblige. Dans le premier cas, elle ignore les différences ; dans
le second, elle les abolit : « Vous dites que celui qui vous oblige
a de l'avantage sur vous. Eh bien ! voulez-vous lui conserver cet
avantage, n'être qu'un atome auprès de lui, vous n'avez qu'à être
ingrat. Voulez-vous redevenir son égal, vous n'avez qu'à être reconnaissant » [230]. Certains critiques ont prétendu que Marianne et Jacob
se vendaient, et même se prostituaient : Marianne afficherait sa
vertu pour se faire valoir, se servirait de son innocence, de son
malheur, de ses larmes, de ses sacrifices pour obtenir tout ce qui
normalement devrait lui être refusé, et Jacob tirerait parti de son
charme rustique et de ses balourdises et se gagnerait de belles
protectrices en se faisant le complice de leurs faiblesses, tous deux
sachant fort bien transiger avec leur conscience et finissant même
par ne plus avoir de conscience, par n'être plus qu'avidité à saisir
l'occasion et à se plier à ce qu'elle exige d'eux [231]. Ces outrances
ne respectent ni la lettre, ni l'esprit des textes, et nous n'y faisons
allusion que pour souligner, par opposition, à quel point Marivaux
refusait et méprisait un rapport social fondé sur l'argent ou sur
les valeurs marchandes. C'est encore un trait qui prouve son ignorance de la morale mercantile, celle qu'adoptent ses imitateurs.
La reconnaissance, attitude purement intérieure, mouvement du
cœur auquel il est impossible de donner un prix, supprime l'as-
servissement du faible au fort, du pauvre au riche. Marivaux rêve
d'un rapport parfaitement égalitaire où chacun est pris pour ce
qu'il est et non pour ce qu'il représente, une union des âmes et
non des intérêts. La personne de Marianne et celle de Jacob n'ont
de sens, leur histoire ne mérite d'être racontée que pour cette
société idéale. Marivaux rejette si vivement toute apparence de
domination qu'il reproche à Mme Dorsin de ne pas permettre à ses
obligés la reconnaissance, pour leur être elle-même reconnaissante
des occasions qu'ils lui donnent de les servir : amour-propre sublime,
mais est-il permis à un être humain ? Peut-être « le titre de bienfaiteur ne sied-il bien qu'à Dieu seul » [232]. Que Marivaux se fasse
illusion, qu'il renforce les inégalités en les masquant, c'est possible.
Il n'en est pas moins le précurseur direct de Rousseau par sa
susceptibilité sociale ; personne avant Rousseau n'a mieux compris
que lui comment les sentiments humains authentiques étaient fal-
sifiés et aliénés dans les relations où interviennent la fortune et le
rang. Nous avons attribué à la crainte de cette aliénation l'inachèvement de ses deux romans principaux.

230. *V.M.*², p. 221-222.
231. Outre l'article déjà cité de R. Girard (« Marivaudage and Hypocrisy ») voir Jean
Parrish : « Illusion et réalité dans les romans de Marivaux », *Modern Language Notes*, 80-3,
May 1965, p. 301-306, et le résumé de la thèse d'A. D. Robbins : *Man and society in the novels
of Marivaux*, Columbia, 1967, dans les *Dissertation Abstracts*, August 1967, vol. 28, n° 2,
p. 692 A -693 A (où *reconnaissance* est bizarrement entendu au sens de *reconnaissance de
dette* : « indebtedness was substituted for true friendship and affection »). Dans *Les Effets
surprenants*, la reconnaissance est une des qualités caractéristiques de l'âme noble, l'une de
celles sur lesquelles le romancier revient le plus souvent.
232. *V.M.*², p. 224 et 221.

Ce ne sont pas en effet des œuvres polémiques : l'ironie y tempère le pathétique et l'indignation ; les élans du sentiment s'allient à l'acuité de l'analyse ; égoïsme et altruisme, modestie et amour-propre s'y équilibrent harmonieusement. On pense aux personnages de Stendhal auxquels ont été comparés les personnages de Marivaux [233], et qui eux aussi auront le sens du ridicule, le besoin d'être estimés d'eux-mêmes et des gens qu'ils aimeront, le besoin de s'affirmer, souvent contre les préjugés sociaux. Il est possible, comme nous l'avons déjà suggéré, que Marivaux ait connu la pensée du moraliste anglais Shaftesbury [234] : il condamne le raffinement comme artifice de la vanité, mais le *refinement* de Shaftesbury est une extrême lucidité, une sensibilité morale toute proche du sens esthétique, un bon goût développé dans la fréquentation de la société polie. Shaftesbury veut à la fois qu'on se défie de l'enthousiasme et qu'on lui fasse un accueil clairvoyant ; il fait de la connaissance de soi le premier devoir de l'homme ; il conseille la bonne humeur et l'ironie envers soi-même, qui permet d'échapper au ridicule ; son idéal du *virtuoso*, opposé à l'homme vulgaire et au pédant, est un équilibre de sentiment et d'intelligence, d'attention à soi-même et d'égard à autrui, qui nous semble assez proche de l'idéal évoqué par Marivaux. La pensée morale de Shaftesbury prend place dans une doctrine philosophique qui comporte une métaphysique platonicienne, une théorie de la connaissance, une théorie du Beau, et que Marivaux a complètement ignorée [235]. Mais même si Marivaux n'a pas lu les ouvrages de Shaftesbury traduits ou analysés en français de très bonne heure [236], la ressemblance de leurs idéaux n'est pas fortuite : la réflexion critique sur l'homme commencée par Montaigne, continuée par Pascal et La Rochefoucauld, puis par Bayle et Fontenelle, s'enrichissait de valeurs mondaines et sentimentales en France et en Angleterre dans des milieux qui étaient en assez étroites relations intellectuelles [237].

233. P. Moreau, « Les Stendhaliens avant Stendhal », *Revue des cours et conférences*, 16 et 30 mars 1927

234. Le rapprochement a été fait par Ruth Kirby Jamieson, *Marivaux, A Study in sensibility*, New York, 1941, p. 116-119.

235. Bien que K. Holzbecher ait vu en Marivaux un platonicien (ainsi qu'un précurseur de Fichte et du romantisme allemand...) : *Denkart und Denkform von Pierre de Marivaux*, Berlin, 1936.

236. Entre 1708 et 1715. La liste de ces traductions et analyses est faite par G. Bonno, *La Culture et la civilisation britanniques devant l'opinion française de la paix d'Utrecht aux Lettres philosophiques*, Philadelphie, 1948, p. 76 sq., et par Dorothy B. Schlegel, *Shaftesbury and the French deists*, Chapel Hill, 1956, p. 6 sq., qui écrit : « By 1713, it was possible for the French to have a fairly good idea of the nature and quality of all of Shaftesbury's essays with the exception of the little art treatise, *A Letter concerning design* ». Sur la pensée de Shaftesbury, voir l'ouvrage d'André Leroy : *Mylord Shaftesbury. A Letter concerning enthusiasm*, texte anglais et traduction française, avec une introduction et des notes, Paris, 1930.

237. Deux de ces milieux sont précisément le salon de Mme de Lambert, puis celui de Mme de Tencin. Voir G. Bonno, *op. cit.*, p. 6-20, et L. Desvignes, *Marivaux et l'Angleterre*, Paris, 1970, p. 11-44. Shaftesbury vénérait Bayle comme un maître, selon D. B. Schlegel (*op. cit.*, p. 7). Sur l'introduction de valeurs mondaines et sentimentales en morale dans les milieux fréquentés par Marivaux, voir J.-P. Zimmermann : « La morale laïque au commencement du XVIIIe siècle. Madame de Lambert », *R.H.L.F.*, 1917, p. 42-64 et 440-466. Mais J.-P. Zimmermann ne dit rien de l'influence anglaise.

Etrangère à tout formalisme, n'ayant pas de forme elle-même puisqu'elle réunit des personnes et non des fonctions, la société dont rêve Marivaux ne jette aucun discrédit sur le parvenu et ne met aucune différence entre le paysan et l'aristocrate de naissance. Elle est l'image idéalisée de la société réelle à laquelle appartenait Marivaux et à l'intérieur de laquelle il pouvait garder son quant-à-soi, celle que nous avons définie dans un chapitre précédent [238] : société à la fois ouverte et conservatrice, qui n'attachait pas de valeur aux formes sociales et les jugeait susceptibles d'accueillir n'importe quel individu de mérite, et par là même ne croyait bon ni de les respecter, ni de les renverser [239]. Son indifférence la condamnait à être débordée par ceux qui avaient besoin du pouvoir pour assurer leur activité économique et qui ressentaient comme un carcan les institutions existantes. Mais déjà sur le plan littéraire et artistique, comme sur le plan philosophique, ses porte-parole sont des novateurs : les formes traditionnelles sont liées à une hiérarchie de valeurs dépassée, l'originalité personnelle reconnue doit s'exprimer librement et selon sa nature ; ainsi s'expliquent les inventions des Modernes, les tragédies et les odes en prose de La Motte, les comédies pitoyables et tendres de Fontenelle [240], les journaux et les romans de Marivaux lui-même, toujours soucieux de ne pas passer pour un auteur et se défendant comme Marianne d'avoir « aucune forme d'ouvrage présente à l'esprit » [241]. Symétrie, achèvement, unité de ton, séparation des genres, tous ces dogmes sont rejetés ou contestés ; le langage n'est plus qu'un instrument dépouillé de toute qualité par lui-même, il ne dit que ce qu'on veut lui faire dire, son emploi est arbitraire et conventionnel. Cette libération peut susciter un nouveau formalisme, plus subtil que le formalisme classique, une nouvelle préciosité : nous en avons vu les indices chez Fontenelle [242] ; Marivaux a souvent été accusé de maniérisme par ses contemporains : qui prétend créer sa forme est conduit à accentuer la différence de cette forme avec les formes reçues. Mais, contrairement à une opinion très répandue à notre époque, nous ne pensons pas que Marivaux soit un dilettante jonglant avec des apparences, s'amusant à des jeux de masques et de miroirs sous lesquels n'existerait aucune réalité saisissable. La liberté de la forme et la transparence du langage rendent possible l'expression exacte, sinon exhaustive, d'un objet très réel, que chacun connaît par expérience en lui-même et peut reconstituer en autrui, la vie intérieure, dans toute sa complexité et même dans

---

238. Voir *supra*, chap. II.

239. La remarque a été faite par Lionel Gossman dans un article dont les conclusions sont différentes des nôtres (L. Gossman croit à un subjectivisme radical de Marivaux, pour qui toute vérité ne serait que relative, et toute sincérité attitude et masque), mais dont les analyses sont pénétrantes, « Literature and Society in the early enlightenment : the case of Marivaux », *Modern Language Notes*, vol. 82, Baltimore, 1967, p. 306-333.

240. Voir la « Préface générale de la tragédie et des six comédies de ce Recueil », p. I-XLIV du tome septième des *Œuvres* de Fontenelle, Paris, 1767.

241. *V.M.²*, p. 55. Voir *supra*, chap. VII, p. 268 ; chap. VIII, p. 349, 420.

242. Voir *supra*, chap. VIII (n. 164) et p. 336.

ses illusions et ses impostures, que ces formes et ce langage ont pour mission de démasquer. Refuser les moules traditionnels, faire sauter les limites assignées à l'emploi d'un mot n'est pas pour lui identifier la littérature aux licences de la fantaisie individuelle ni la remettre aux associations spontanées d'un langage sans contrôle reflétant dans sa mobilité les sautes d'humeur, les foucades d'imagination, les réactions immédiates, les contradictions d'un être défini par sa pure extériorité. Il croit que l'on peut se donner à soi-même et communiquer à autrui une image fidèle, sincère, authentique et intelligible de ce que l'on est. Mais, si l'on ne confond pas son être avec les mille apparences que font naître l'occasion et la vanité, avec les mille réponses d'une plasticité presque infinie aux mille incitations des circonstances, qu'est-ce que cet être, sinon un regard désincarné ? Les philosophes spectateurs tendent à se définir ainsi, chez Marivaux[243], mais non pas les personnages de roman, dont le *moi* est une perpétuelle présence, une force inlassable d'intériorisation, une donnée immédiate de la sensibilité affinée, orientée et structurée par la mémoire et par l'intelligence.

En dehors des personnes qui figurent dans son histoire, comme Mme de Miran et Mme Dorsin, Marianne en a trouvé au moins une avec qui elle puisse être aussi sincère qu'avec elle-même : la destinataire des lettres où elle raconte sa vie ; Jacob, lui, en a trouvé ou a confiance d'en trouver un nombre illimité : celui des lecteurs pour qui il écrit ses Mémoires. Cette destinataire et ces lecteurs sont nos représentants à nous, lecteurs de Marivaux, et nous n'avons pas plus à prendre par rapport à eux une distance ironique que Marivaux n'en a pris par rapport aux personnages des narrateurs. La fiction lui permet de se faire entendre d'un groupe d'humains réel, mais indéfiniment ouvert et non structuré. Sûr d'être compris — sinon il n'écrirait pas —, il ne peut avoir aucune idée de ceux qui le comprendront ; en revanche, s'il a une idée très précise de la société définie et structurée à laquelle il se réfère quand il écrit, il n'est pas sûr du tout d'être compris par elle. Les raisons que les écrivains ont d'écrire sont très nombreuses et les significations de leur acte très diverses et même complètement contradictoires. Chaque œuvre doit être replacée dans les circonstances où elle est apparue, et chaque moyen d'expression examiné à part. La forme propre à Marivaux, celle qui constitue son originalité parmi les romanciers, est la narration inachevée à la première personne. Aux raisons que nous avons données de l'effacement presque total de l'auteur derrière une subjectivité fictive et de l'inachèvement[244], nous ajouterons

---

243. Voir *supra*, chap. V, p. 168.

244. La sympathie par laquelle le romancier pénètre et recrée l'intériorité d'autrui, d'une part (voir *supra*, chap. V, p. 175 sqq.) ; l'étouffement social qui menace les personnages, d'autre part (voir *supra*, chap. II, p. 76, et chap. VI, p. 242-245).

maintenant l'incertitude où Marivaux était sur son public. Cette incertitude annonce celle où seront plus tard Sterne et Diderot, qui écriront eux aussi des œuvres inachevées et feront parler ou mettront au centre de leur narration un *moi* fictif, fauteur d'incohérence et n'arrivant pas à surmonter sa dispersion. Mais Sterne et Diderot douteront même du langage, au point de faire du malentendu le seul moyen, très aléatoire, de communication avec leurs lecteurs [245] : ce que dit chaque individu n'a de sens que pour lui, il le sait au moment même où il parle, et il fait entrer dans son propos l'impossibilité de se faire entendre. A la limite, l'œuvre devient un monologue informe dans lequel le lecteur ne pourra pénétrer qu'en acceptant d'abord son incompréhensibilité. De Sterne à Diderot [246], le progrès consiste dans le remplacement d'un *moi* imaginaire, Tristram Shandy, par un *moi* qui s'affiche comme réel, bien qu'il soit simulé, et comme simulé, bien qu'il soit réel, Denis Diderot. Pour Marivaux, l'arbitraire du langage est originel, mais non actuel ; rappeler cet arbitraire permet de réfuter les défenseurs du bon goût, des formes académiques et des styles séparés, et par là même de rendre la communication pleine et sans équivoque ; Marivaux dénonce l'hypocrisie et les préjugés qui empêchent cette communication, il est encore loin de croire que toute prise de conscience et toute formulation d'un contenu de conscience soient fatalement mystification.

La première personne fictive ôte son importance au malentendu. Marianne, Jacob sont des êtres indéniables, leur langage a un sens, exprime leur expérience et reste accessible à tout lecteur de bonne volonté. Leur subjectivité résulte de l'objectivité de l'auteur et la met à l'abri des interprétations fausses et du refus d'audience. Répétons-le, ce qu'ils disent est selon Marivaux universellement vrai, et non pas fantasme individuel. Il aurait pu l'énoncer pour son propre compte. Il ne l'a pas fait, par vocation de romancier passionné pour l'existence d'autrui, et par doute d'être cru de ses contemporains sur sa parole. Quand la critique voit régner dans l'univers décrit par Marivaux l'illusion, le mensonge, l'apparence, le déguisement, la vanité, le jeu devant le miroir ou devant le regard, elle a raison, mais elle décrit ce que Marivaux condamne, ce qui est pour lui le non-être, ce que les personnages qu'il imagine ont pour mission de renvoyer au néant. Or ce néant, c'est son public réel de 1740. Pour qui écrire ? « Ecrit-on pour soi ? » demande son Philosophe [247]. « Qui est-ce qui compose pour soi-même ? » avait demandé Shaftesbury [248]. C'est des autres hommes qu'on apprend à parler et à penser, ce sont

---

245. Voir Victor Lange : « Erzählformen in Roman des achtzehnten Jahrhunderts », dans *Stil-und Formprobleme in der Literatur*, Heidelberg, 1959, p. 224-230.

246. Nous ne parlons ici que de *Vie et opinions de Tristram Shandy* et de *Jacques le fataliste* sans soulever la question de savoir si Diderot, qui reconnaît sa dette envers Sterne, n'a pas été aussi, comme il l'insinue, imité par lui (*Jacques le fataliste*, éd. Y. Belaval, Paris, 1960, p. 275).

247. *J.O.D.*, p. 351 ; voir *supra*, chap. IV, p. 144 et chap. V, p. 170.

248. *Essai sur l'usage de la raillerie et de l'enjouement* [...], traduit de l'anglois [par Van Effen], La Haye, 1710, p. 150.

« les autres hommes » qui donnent à l'acte d'écrire sa raison ; il
n'en aurait pas, ou n'en aurait que de mauvaises, en s'adressant
à un public particulier, car une œuvre n'est pas bonne « quand
un auteur songe aux lecteurs qu'il aura » ; la société tout entière,
l'humanité tout entière[249], et même, comme dit Shaftesbury, « la
Postérité la plus reculée » sont les destinataires naturels de ce que
seule la communauté des hommes a rendu possible.

*
* *

C'est donc par probité et par délicatesse que Marivaux a fait
parler des personnages fictifs. L'Académie française peut se flatter
d'avoir été le seul public devant lequel il n'ait pas cru devoir
prendre de masque. Il voulait éviter dans les rapports humains
ce qui pouvait être duperie de soi-même et d'autrui ; une communication authentique, selon lui, exigeait le renoncement à la vanité.
La bonté qui lui faisait respecter toute émotion et tout comportement
vrais, quel que fût le rang social d'une personne, s'appuyait sur le
sentiment du néant de ce qui occupe ordinairement les hommes
réunis. C'est de la retraite que Marianne et Jacob rédigent leurs
Mémoires et peuvent savoir sans illusion ce qu'ils ont été ; le Spectateur français, la vieille Dame dont il publie l'histoire, l'Indigent,
le Philosophe écrivent eux aussi de leur retraite. La page fameuse
de *Pharsamon* sur le Rien[250], où l'on peut lire le scepticisme de
Marivaux devant la fiction romanesque et son scepticisme plus
profond devant la prétention des hommes aux sentiments absolus, est
d'abord une paraphrase du *vanitas vanitatum*. Dufresny, qui a exercé
sur Marivaux une influence disproportionnée à la minceur des *Amusements sérieux et comiques*, ironisait déjà sur les prétendues
occupations des hommes et sur sa propre occupation d'ironiser :
« Les uns s'amusent par l'ambition, les autres par l'intérêt, les autres
par l'amour ; les hommes du commun par les plaisirs, les grands
hommes par la gloire, et moi je m'amuse à considérer que tout cela
n'est qu'amusement. Encore une fois, tout est amusement dans la
vie : la vie même n'est qu'un amusement, en attendant la mort » ;
la même leçon accompagnait l'ironie : « tout est amusement dans
la vie ; la vertu seule mérite d'être appelée occupation »[251]. Si l'on
juge cette leçon trop frivole chez Dufresny, trop formellement
baroque dans *Pharsamon* et trop acrimonieuse dans l'histoire de
la Dame âgée, qu'on l'entende de l'abbesse qui invitait Marianne à

---

249. Voir *supra*, chap. IV, p. 144, et les *Réflexions sur l'esprit humain*, *J.O.D.*, p. 476-477, où
Marivaux parle de « tout citoyen du monde » et de « l'humanité assemblée ».

250. *O.C.*, t. XI, p. 322-323. *O.J.*, 562. Voir G. Poulet, *Etudes sur le temps humain*, II,
La Distance intérieure, I, « Marivaux », p. 4.

251. *Amusements sérieux et comiques*, éd. cit., « Amusement premier, Préface », p. 56-57.
Cf. Marivaux, dans le passage cité : « Les fameuses inutilités qui occupent aujourd'hui les
hommes, et qu'on regarde comme le sujet des plus dignes travaux de l'esprit, sont peut-être,
à qui les regarde comme il faut, de grands Riens plus méprisables, ou pour le moins plus
dangereux, que les petits Riens, semblables à celui qui fait en ce moment ici courir à ma
plume la prétentaine sur le papier ».

consacrer sa beauté à Dieu : « C'est souvent un malheur que d'être belle, un malheur pour le temps, un malheur pour l'éternité. Vous croirez que je vous parle en religieuse. Point du tout ; je vous parle le langage de la raison, un langage dont la vérité se justifie tous les jours, et que la plus saine partie des gens du siècle vous tiendraient eux-mêmes » [252]. Quand ainsi la raison a su mettre le prix aux choses, la générosité peut prêter attention aux petites circonstances de la vie, aux joies, aux espérances, aux angoisses, aux tristesses, aux débats à travers lesquels une âme sincère accède à la connaissance de soi.

252. *V.M.*², p. 301. Sur cette abbesse, voir *supra*, n. 215.

CONCLUSION

« MARIVAUX est, si l'on veut, le Borromini de notre littérature ».
Selon certains interprètes modernes, les personnages de Marivaux
n'existent que dans une incessante métamorphose ; leur inconstance
est leur vérité ; ils sont authentiques seulement à l'instant où une
émotion inconnue les remplit de son vertige ; s'ils croient se fixer,
ils se figent et se faussent. Ils ne peuvent guère avoir avec autrui
qu'un rapport fugitif, le temps d'un battement de cœur, pour tomber
dans le malentendu et dans l'artifice dès qu'ils essaient de donner
à leur sentiment forme et durée ; ou bien ils mentent, se cachent
successivement derrière une multitude de masques pour échapper
au regard d'autrui qui les immobiliserait comme celui de Méduse
et les transpercerait d'une définition[1]. Il était tentant de mettre
en parallèle cette mobilité, ces transformations, ces déguisements,
ces fuites, cette subtilité, cette attention aux détails qui peuvent
dissimuler ou trahir, et les traits les plus caractéristiques de l'art
baroque dans sa version rococo, courbes et contre-courbes, glissement d'une forme à l'autre, fantaisie, ornementation l'emportant
sur le fond ; on voudrait établir sur des preuves la parenté à
laquelle on croit intuitivement entre Marivaux, Watteau et Couperin[2]...

Malgré l'autorité de d'Alembert nous ne nous sommes pas engagés
dans cette voie. La phrase que nous citons[3] n'est d'ailleurs pas
laudative : d'Alembert reconnaît l'esprit et le talent de l'écrivain
et de l'architecte, mais condamne leur identique mauvais goût. Il ne
voit qu'affectation là où nos contemporains voient l'application
d'une esthétique et l'expression d'une conception de la vie. Ces rap-

---

1. L'un des plus récents ouvrages où cette interprétation est développée est celui de
Harold Schaad : *Le Thème de l'être et du paraître dans l'œuvre de Marivaux*, Zurich, 1969.

2. « Féminité, subtilité, goût du détail, libre développement, ornementation d'une surface
font de *La Vie de Marianne* un des meilleurs exemples du roman rococo » écrit Patrick
Brady (la traduction est de nous) dans un article où cette comparaison est faite, et dont
chaque proposition nous paraît aussi arbitraire que brillante, « Rococo Style in French
Literature », *Studi francesi*, Sett.-dic., 1966, 30, p. 428-438. Voir aussi *supra*, chap. IX,
p. 435 et n. 13.

3. *Eloge de Marivaux*, note 21, cité dans *T.C.*, t. II, p. 1019.

prochements avec des arts autres que la littérature seraient peut-être moins inconsistants s'ils ne concernaient que les comédies, où le jeu des personnages semble en effet dessiner des sinuosités et où la dissimulation est un aveu, la confidence un mensonge. Encore faudrait-il ne pas se laisser prendre au piège des métaphores et démontrer que les mots *surface, fond, courbe*, etc. ont le même sens en musique, en architecture et dans les œuvres littéraires et se rapportent à des structures exactement superposables [4]. Mais dans les romans de Marianne et de Jacob, les illusions et les feintes sont présentées pour ce qu'elles sont et la vérité de l'être intérieur expliquée en pleine clarté par la raison des mémorialistes. Même dans les premiers romans et dans les pièces de théâtre, c'est, selon nous, un anachronisme que de chercher une philosophie sceptique qui ramène toute existence à l'apparence et à l'instantanéité. A supposer, ce dont nous ne sommes pas sûrs, qu'elle soit chez Fontenelle, Marivaux n'est pas Fontenelle. S'il n'est pas encore complètement du siècle des lumières il a, comme les « philosophes », confiance dans la réalité, veut la comprendre aussi précisément que possible, fonder le comportement des hommes sur la sagesse et sur l'expérience. Esprit positif que rien ne peut duper, il refuse l'obscurité et pousse l'exactitude jusqu'à la minutie. Tantôt indigné, tantôt indulgent et presque admiratif, il a observé attentivement ce que les moralistes appelaient les ruses de l'amour-propre, les mouvements les plus imperceptibles du cœur, il en a suggéré toute la complexité dans ses pièces de théâtre et dans les dialogues de ses romans, il l'a dévoilée et développée dans ses analyses, en ne laissant dans l'ombre, et dans une ombre transparente, que ce qui échappait aux mailles les plus fines de ses filets. Il sait aussi que l'homme est sans cesse déconcerté par ce qu'il découvre en lui, et il l'a invité à ne reculer devant aucune surprise. Mais s'il l'a arraché aux conformismes et aux conventions, ce n'était pas pour le livrer au chaos des impressions contradictoires, à la successivité pure ; le *moi* est devenir, et non pas fuite et agitation ; il se choisit et il se construit à partir de ce qu'il éprouve, sans se mutiler, mais en se corrigeant s'il le faut : « en général, il faut se redresser pour être grand : il n'y a qu'à rester comme on est pour être petit », dit Marianne [5] ; comme le Trivelin de *L'Ile des esclaves*, Marivaux souhaite que les hommes soient « sains, c'est-à-dire humains, raisonnables et généreux » [6]. Ce Mari-

4. Les critiques qui veulent placer les œuvres de Marivaux sous le signe du rococo, ou qui lui prêtent la psychologie baroque des faux semblants et du masque, parlent volontiers de surface, de « miroir où la profondeur n'est qu'une illusion » (P. Brady, la traduction est de nous). Marivaux lui-même et ceux de ses contemporains qui l'estimaient parlaient au contraire de pénétration dans les replis secrets du cœur, de profondeur. Voir le texte de l'abbé de la Porte cité dans *T.C.*, II, p. 972, et le mot de Marivaux rapporté par d'Alembert, *ibid.*, p. 1012 ; dans un « Dialogue entre Marivaux et Mademoiselle de Scudéri » (*Mercure de France*, janvier 1774, p 33-42), La Dixmerie fait dire à Marivaux : « J'ai fait plus d'une recherche sur le cœur humain. L'on n'avoit guère étudié jusqu'alors que sa superficie : j'en sondai l'intérieur ; j'en développai tous les replis ; j'analysai ses penchans, ses foiblesses, ses travers, ses vertus ».

5. *V.M.*[2], III, p. 131.

6. *L'Ile des esclaves*, scène 11, *T.C.*, I, p. 522.

vaux, que d'Argens appelait « un sage Philosophe » [7], nous commençons malgré les déguisements précieux et rococo dont on l'a revêtu, à le reconnaître comme un intransigeant défenseur de la vérité et de la raison [8].

Il donna à ses contemporains une image nouvelle de personnages traditionnels dans le roman baroque et le roman picaresque, celui du jeune aventurier, celui de la jeune fille sentimentale, celui de l'orphelin ou de l'orpheline en qui la grandeur d'âme décèle une noble origine. Les poncifs de la voix du sang et de la sympathie, dont il avait fait la critique, le hasard des reconnaissances prodigieuses, auquel il avait évité de recourir, sont encore longtemps la ressource des romanciers [9] et les imitateurs de Marivaux ne peuvent s'empêcher de retomber dans les ornières dont il était sorti ; mais on trouve jusqu'à la fin du siècle, même quand Richardson et Rousseau exerçaient une bien plus grande influence sur le genre romanesque, des personnages, des scènes et des situations empruntées à Marivaux. Les imitateurs ont surtout été frappés par le ton sur lequel il avait fait parler Marianne : ses réflexions, ses digressions, l'animation de sa phrase qui se rapproche parfois de la phrase parlée quand elle interpelle sa correspondante, le commentaire dont elle accompagne son récit, sa façon de souligner ce qui caractérise la féminité (« nous autres femmes »), tout ce style si naturel et si nuancé qu'il semble inimitable a été lourdement démarqué. Il était impossible de refaire une Marianne. Celle de Mme Riccoboni, la moins indigne de Marivaux, est trop vaniteuse et trop agressive [10] ; celle du continuateur de 1745 est trop passive, elle pousse l'humilité jusqu'à se reprocher l'infidélité de Valville, elle s'évanouit quatre

7. Dans sa *Critique du siècle ou Lettres sur divers sujets*, La Haye, 1755, Lettre XXI, t. I, p. 251. Parlant des romans de Prévost, de Crébillon et de Marivaux, d'Argens les trouve pleins de « la plus profonde Métaphysique du cœur ».

8. Outre les travaux de J. Fabre et de F. Deloffre, voir les études de M. Matucci, R. Mauzi, J. Rousset, M. Gilot, Fr. A. Friedrichs que nous avons commentées, l'article de Lubbe Levin : « Masque et identité dans *Le Paysan parvenu* » (*Studies on Voltaire and the Eighteenth Century*, LXXIX, Genève, 1971, p. 177-192), celui de André Séailles : « Les déguisements de l'amour et le mystère de la naissance dans le théâtre et le roman de Marivaux » (*Revue des Sciences humaines*, CXX, oct.-déc. 1965, p. 479 sq.), etc.

9. Voir par exemple, dans *Les Cent Nouvelles nouvelles* de Mme de Gomez, « Bon sang ne peut mentir » (72e nouvelle, au tome VI, p. 187-288, de l'éd. non datée Fournier, Guillaume fils et Guillaume neveu, Paris) et « Les Effets de la Sympathie » (93e et 94e nouvelles, au tome VIII, p. 61-126, de la même édition). Ces textes datent sans doute des années 1735-1737 ; dans le premier, où Mme de Gomez s'inspire probablement d'une nouvelle de Ch. Sorel, « La Recognoissance d'un fils » (*Les Nouvelles françoises*, 1623), un fils de comte, Némond, changé en nourrice, est reconnu à un sixième doigt qu'il a au pied gauche ; dans le second, Arsan, jeune noble enlevé en bas âge, est identifié grâce à l'image d'un rameau de myrte que la nature a dessinée sur sa poitrine. Marianne, dans la douzième partie citée à la n. 11, est reconnue par sa famille à une fraise imperceptible près de son œil droit (dans *Les Effets surprenants*, Parménie était reconnue par son père grâce à « une grande tache noire » qu'elle avait au bras, *O.C.*, V, 527. *O.J.*, 140 et 146).

10. La *Suite de Marianne*, par Mme Riccoboni, écrite vers 1750, publiée partiellement en 1761 et intégralement en 1765, est habituellement reproduite dans les éditions modernes de *La Vie de Marianne*, celles de M. Arland et de F. Deloffre, par exemple. Elle ne fait pas avancer l'action ; il ne faut pas la confondre avec la douzième partie anonyme (voir *infra*, n. 11) qui amène le dénouement.

fois et tombe deux fois malade en moins de quatre-vingts pages [11].
La Marianne de l'abbé Lambert commente complaisamment sa coquetterie, la noblesse de ses sentiments, ses réflexions (« J'eus enfin
un soliloque très intéressant : le voici ») [12] ; elle est beaucoup plus
larmoyante que celle de Marivaux et fait penser à Paméla par
l'insistance avec laquelle elle parle de son innocence préservée :
cela ne l'empêche pas de se faire volontairement enlever par un
chevalier, puis de manœuvrer adroitement entre un jeune homme
qu'elle aime et le père qu'elle ne veut pas repousser. Il était facile
de confondre le pathétique des conflits intérieurs avec de la sensiblerie, et la lucidité à démêler ses faiblesses avec de l'indulgence
à soi-même et de la veulerie. La Jeannette de Mouhy, celle de
Gaillard de la Bataille, encore plus frivole [13], sont faussement naïves,
en admiration devant le luxe et la richesse, sensuelles, prêtes à
céder à des amants de haute condition qui les épousent parce
qu'elles ont vraiment trop bon cœur pour être abandonnées. En
elles sont réunis les personnages de Marianne et de Jacob, ou plutôt
ce que l'on croyait voir en Marianne et en Jacob, la coquetterie
et le don conscient de plaire d'une part, l'appétit de jouissance
et la volonté de parvenir de l'autre. Ce que le portrait perdait en
originalité et en délicatesse, il le regagnait en piquant et l'on y
retrouvait le confusionnisme moral si répandu au XVIIIe siècle [14].
L'auteur anonyme de l'*Histoire de Gogo* [15], et, plus tard, Perrin
dans *Les Egarements de Julie* [16] iront jusqu'au libertinage.

Le Paysan parvenu a été moins souvent imité, parce que le ton
et le style ont paru moins caractéristiques d'un personnage et parce
que ses aventures tournaient court. Mauvillon, dans *Le Soldat
parvenu*, bon roman plein d'événements et de détails [17], n'a guère
emprunté de Jacob pour son Bellerose, devenu plus tard M. de
Verval, que la bonne humeur, la franchise à reconnaître sa roture
et l'aptitude à se faire aimer de belles protectrices. Le continuateur
anonyme avait transformé Jacob en un bourgeois sentimental et
bienfaisant : on trouve quelquefois un souvenir de cet aspect du
personnage, et un emprunt direct à Marivaux lui-même, dans des

---

11. La douzième partie de *La Vie de Marianne*, qui contient la fin du récit de Tervire
et le dénouement des aventures de Marianne, parut à la fin de l'édition d'Amsterdam,
1745. Elle est reproduite au tome VII, des *O.C.*, p. 604-682.

12. Claude-François Lambert, *La Nouvelle Marianne, ou les Mémoires de la baronne
de ****, écrits par elle-même*, La Haye, 1740, première partie, p. 56.

13. Charles de Fieux, chevalier de Mouhy : *La Paysanne parvenue, ou les Mémoires de
Madame la marquise de L. V.*, Paris, 1736-1737. P.-A. Gaillard de la Bataille : *Jeannette
seconde, ou la Nouvelle Paysanne parvenue*, Amsterdam, 1744.

14. Inversement, dans *La Promenade du Luxembourg*, roman anonyme (La Haye, 1738),
l'« Histoire du comte de V *** », Que l'amour est un obstacle à la fortune », a pour héros un
orphelin abandonné, recueilli par un paysan, et ce Jeannot, découvert finalement de famille
noble, a plusieurs traits de ressemblance avec Marianne.

15. *Histoire de Gogo*, La Haye, 1739 (attribué à Ange Goudar par Francis L. Mars,
« Ange Goudar, cet inconnu », *Casanova Gleanings*, IX, Nice, 1966, p. 4).

16. J.-A.-R. Perrin, *Les Egarements de Julie*, Londres, 1755.

17. E. de Mauvillon : *Le Soldat parvenu ou Mémoires et aventures de Mr. de Verval dit
Bellerose*, Dresde, 1753.

romans tardifs, à l'époque où la sensibilité bourgeoise a envahi la littérature [18]. Inversement, le Jacob libertin, dont la vigoureuse jeunesse attire les dames mûres et qui lorgne leurs appâts, a inspiré quelques scènes ou quelques traits à Crébillon, à Duclos, à Caylus [19].

Mais l'influence de Marivaux est diffuse dans tout le roman du XVIIIe siècle ; tels personnages de commère au cœur d'or et au parler savoureux, aux manières vulgaires, de financier brusque et généreux, de religieuse confidente, d'amie affectueuse et pétrie de grâces, de protecteur âgé dont les intentions sont impures, telles scènes où un soupirant est surpris aux genoux d'une jeune fille, où un roturier est reconnu pour ce qu'il est et perd contenance, où une amoureuse démasque sa rivale avec indignation, où une adolescente se trouve désemparée, anéantie dans la solitude, après la mort de celle qui l'élevait, etc. viennent du *Paysan parvenu* et de *La Vie de Marianne* ; même des romans moins importants à nos yeux, *Les Effets surprenants de la sympathie*, *La Voiture embourbée*, ont été remarqués quand ils ont paru et ont laissé des traces [20]. Faire le bilan de tout ce que les romanciers ont dû à Marivaux nécessiterait un volume.

Le romanesque authentique de Marivaux n'est pas dans les aventures extérieures, sociales ou libertines, où ses imitateurs en général l'ont vu, mais dans les aventures de l'âme. Prévost, si différent de lui, était l'un de ceux qui pouvaient le mieux le comprendre, parce

18. La continuation anonyme en trois parties est reproduite par F. Deloffre dans son édition du *Paysan parvenu* et dans la plupart des éditions modernes. Certains commentateurs modernes (par exemple A.-D. Mikhailov dans sa Postface à la traduction russe du *Paysan parvenu*, Moscou, 1970) ont jugé le Jacob du continuateur anonyme intéressant précisément pour son caractère bourgeois, parce qu'il est plus attentif que celui de Marivaux à ses intérêts matériels et à sa place dans la société.

Dans *L'Orphelin normand ou les Petites Causes et les grands effets*, Paris, 1768, Dursal, commis des fermiers généraux renvoyé pour avoir été trop intègre, fait connaissance de la marquise de T **, sœur du cardinal de T **, lequel est un personnage puissant, jouissant d'un grand crédit à la cour. Rendant visite à la marquise, Dursal la trouve à l'agonie et lui sauve la vie par un remède à sa façon ; reconnaissante, la marquise le recommande à son frère qui lui fait réintégrer la Ferme, et Dursal devient fermier général. On retrouve ici, disposés autrement, des épisodes du *Paysan parvenu*, la rencontre de Mme de Fécour, la demande d'aide à M. de Fécour, la maladie de Mme de Fécour. La marquise et le cardinal de T ** sont évidemment les Tencin.

Dans *Le Nouvel Enfant trouvé ou le Fortuné Hollandais*, Londres, 1786, Mme de Rincour accueille le jeune Veillem, à la bonne mine duquel elle est sensible ; elle lui donne une bourse bien garnie et lui promet l'appui de son mari, grossier et dédaigneux personnage.

19. Sur Crébillon, voir *supra*, p. 253-261 ; dans Duclos, voir les premiers rapports du comte de *** et de la marquise de Valcourt, *Les Confessions du comte de ***, éd. L. Versini, Paris, 1969, p. 6-7 ; dans Caylus, une page de l'*Histoire de M. Guillaume, cocher* (1737 ?), décrit une scène galante entre Guillaume et Mme Allain en imitant d'assez près les deux premières rencontres de Jacob et de Mme de Ferval (cet opuscule figure dans les *Œuvres complètes* de Chevrier, Londres, 1774, t. III, p. 249-337 ; le passage cité est p. 332-333).

20. Dans *Le Monde moral* de Prévost, Mlle Tekeli se fait bergère chez une bonne fermière qui l'a recueillie ; l'épisode rappelle celui de Clorante chez Fétime, dans *Les Effets surprenants*. L'épisode de l'enchanteur périodiquement vulnérable et les grottes où l'on séquestre des jeunes filles (voir *La Voiture embourbée*) se retrouvent dans *Les Veillées de Thessalie* (quatrième veillée), par Mlle de Lussan (1731). L'« Histoire de don Raphaël », dans *Gil Blas de Santillane* (livre V, chap. 1 ; publié en 1715) rappelle d'assez près certains traits de l'histoire de Merville et de Guirlane, dans *Les Effets surprenants* (indépendamment des traits que Lesage a pu emprunter à la source commune où ont également puisé Marivaux lui-même et l'auteur de *La Provençale*).

qu'il savait « que le cœur a son analyse comme l'esprit, et que les sentiments sont aussi capables de variété et de diversité que les pensées »[21]. Plaisir de l'émotion, lumière de la connaissance, telle est la pure matière dont est tissé le roman. Marianne la définit, quand elle décrit ce qu'elle aurait éprouvé si, ayant deviné que Valville était amoureux d'elle, elle lui avait laissé deviner qu'elle l'aimait aussi : « Que de douceurs dans ce que je vous dis là, madame ! l'amour peut en avoir de plus folles ; peut-être n'en a-t-il point de plus touchantes, ni qui aillent si droit et si nettement au cœur, ni dont ce cœur jouisse avec moins de distraction, avec tant de connaissance et de lumières, ni qu'il partage moins avec le trouble des sens ; il les voit, il les compte, il en démêle distinctement tout le charme »[22]. Mais elle ajoute : « et cependant, je les sacrifiais ». Vanité ou grandeur ? Le risque de se choisir couronne le romanesque.

21. *Le Pour et Contre*, tome IX, p. 273 (octobre 1736).
22. *V.M.*², II, p. 72.

APPENDICE I

Marivaux n'a pas inventé le thème de la coquette au miroir (*Lettres contenant une aventure, J.O.D.,* p. 86, *Le Spectateur français,* première feuille, troisième feuille, etc.), c'est une des images les plus banales de la littérature « galante » ; même la péripétie de la coquette surprise à essayer ses mines, où l'on a voulu voir la transposition d'une expérience personnelle, n'est pas originale. Nous donnons ici les références, classées dans l'ordre chronologique, de quelques textes que nous avons rencontrés ; on pourrait certainement en citer beaucoup d'autres.

— Rotrou : *Les Occasions perdues* (1631).
> II, 2 : « Mes yeux, pour commencer, apprendront de ma glace
> Avec quels mouvemens ils auront plus de grâce,
> Par quel ris je pourrai m'acquérir plus de vœux,
> Et par quelle frisure embellir mes cheveux ».

— Sieur d'Ouville : *L'Elite des Contes du Sieur d'Ouville,* réimprimé sur l'édition de Rouen 1680 [...] par G. Brunet, 2 vol., Paris, Librairie des Bibliophiles, 1883, p. 47 : « Naïveté d'une jeune fille ». C'est exactement l'anecdote de Marivaux, mais traitée par le ridicule.

— Mlle de Scudéry : *Clélie,* première partie, livre second (à Paris, chez A. Courbé, 1656).
> « Car enfin, y a-t-il rien de plus bizarre, que de vouloir faire un art de la conduite des yeux ? Il est pourtant vray qu'il y a des femmes qui consultent leur miroir pour le sçavoir, et qui se regardent long temps pour apprendre à regarder les autres ».

— Perrault : « Le Miroir ou la Métamorphose d'Orante », dans le *Recueil de divers ouvrages en prose ou en vers,* 1674, Seconde édition, Paris, J. B. Coignard, 1676, p. 48-71. Orante excelle à faire des portraits, et dit toujours la vérité aux dames. A Caliste, défigurée par la maladie, il déclare « qu'elle faisoit peur » ; elle le poignarde, et l'Amour la métamorphose en miroir. Ce texte (que Perrault déclare emprunter à un auteur vénitien) est certainement la source du texte du *Spectator* cité *infra.*

— Cardinal de Retz : *Mémoires* (éd. G. Mongrédien, t. I, p. 6-7). (Mlle de Retz est aperçue par Palluau en train d'essayer dans un miroir tout ce que la « morbidezza » de ses regards a de tendre).

— Fontenelle : *Eglogues* (Sixième Eglogue).
> « Dans le cristal des eaux souvent Philis se mire
> Et là contre mon cœur elle apprête des traits ».

— Lesage, *Le Diable boiteux* (éd. R. Laufer, Paris-La Haye, 1970), (chap. I, p. 89, et chap. IX, p. 137).

— *Le Spectateur ou le Socrate moderne,* A Amsterdam, chez les frères Wetstein, 1720, t. IV, Discours XXX, p. 177 sq.
> « Je me trouvai en premier lieu à boire du thé avec de jeunes Dames qui entretinrent la Compagnie d'une coquette du voisinage, qu'on avoit

surprise à faire toutes ses petites minauderies et à se composer devant
son Miroir ». Histoire de Fidelio, qui sert de miroir aux belles : « Un Amant
jaloux de Philautie crut un jour de l'avoir surprise dans un entretien
amoureux, et, malgré la distance où il étoit, qui l'empêchoit d'entendre,
il se figura mille chimeres à la vûe de ses airs et de ses gestes. Il est vrai
que, retirée dans sa Chambre, tantôt elle reculoit quelques pas en arriere,
avec un air serain et atentif, et qu'il lui échapoit ensuite un petit souris
innocent : Tantôt elle prenoit un air dédaigneux, quoique plein de majesté ;
elle fermoit à-demi les yeux d'une maniere languissante ; elle se couvroit
le visage d'un main, après avoir rougi ; Tantôt elle lâchoit un soupir, et
l'on auroit dit qu'elle étoit prête à rendre l'ame. Frapé de ces attitudes,
l'Amant furibond parut ; mais dans quelle surprise ne tomba-t-il pas de
n'y voir que l'innocent Fidelio tout seul avec le dos apuïé contre la mu-
raille, et placé entre deus Croisées ». Fidelio sera métamorphosé en miroir
par Cupidon.

— Abbé Nadal : *Histoire des Vestales* (voir l'article « Femme » du *Dictionnaire
néologique* de Desfontaines).

APPENDICE II

Nous avons fait une statistique du pourcentage que représentent respectivement le récit, les dialogues, les réflexions (d'auteur, de narrateur ou de personnages) et les monologues intérieurs par rapport à la totalité du texte dans sept œuvres narratives :

— Mme de Lafayette, *La Comtesse de Tende* et *La Princesse de Clèves*, IV (éd. Magne, Paris, 1939) ;
— Mme de Tencin, *Les Malheurs de l'amour* (*Œuvres* [...], Paris, Garnier, s. d.) ;
— Crébillon, *Les Egarements du cœur et de l'esprit* (éd. Etiemble) ;
— Duclos, *Les Confessions du comte**** (éd. Versini) ;
— Marivaux, *La Vie de Marianne* et *Le Paysan parvenu*.

Les chiffres suivants sont évidemment très approximatifs, et la définition des « réflexions » très arbitraire (nous avons considéré comme réflexion toute proposition généralisante). Quelles que soient les erreurs de ces tableaux, il nous semble qu'ils permettent des comparaisons intéressantes.

La Princesse de Clèves, IVᵉ partie (1 446 lignes) :

— Récit : 65,63 %.
— Dialogue : 29,32 % (y compris les réflexions des personnages ; 28,56 % sans leurs réflexions).
— Réflexions : 2,14 % (non compris les réflexions des personnages ; 2,90 % avec leurs réflexions).
— Monologues int. : 2,90 %.
Les réflexions se groupent en 12 réflexions d'auteur, 6 réflexions de personnages. Elles sont donc en général très courtes, et intégrées de telle façon au récit (ou au dialogue) qu'il est parfois presque impossible de les isoler ; l'unité de ton, qui fait mettre beaucoup de propos au style indirect (ils ont été comptés comme récit) exclut aussi les réflexions formulées pour elles-mêmes.

La Comtesse de Tende (504 lignes) :

— Récit : 79 % (y compris 3 lettres, qui représentent 2,77 %).
— Dialogue : 18,45 % (y compris la réflexion d'un personnage ; 18 % sans cette réflexion).
— Réflexions : 2,58 % (non compris la réflexion d'un personnage, 3 % avec cette réflexion).
Les réflexions se groupent en 5 réflexions d'auteur et 1 réflexion d'un personnage, toutes très courtes.

Les Malheurs de l'amour.

Première partie (1 613 lignes) :
— Récit : 74,89 %.
— Réflexions : 3,47 %
    dont Réflexions morales de la narratrice : 2,66 %.
       Réflexions sociologiques de la narratrice : 0,37 %.
       Réflexions morales des personnages : 0,37 %.
       Réflexion sociologique d'un personnage : 0,06 %.
— Dialogue : 21,63 % (sans les réflexions des personnages).
En 52 pages, 26 réflexions de la narratrice et 6 réflexions de personnages.

Deuxième partie, récit de l'histoire d'Eugénie (relaté à la 3ᵉ personne par Pauline) (1 122 lignes) :
— Récit : 43,31 %.
— Récit (du marquis de La Valette) : 17,29 % (non compris les dialogues).
— Réflexions : 0,80 %
    dont Réflexions de la narratrice : 0,18 %.
        Réflexions de personnages dans le récit de Pauline : 0,26 %.
        Réflexions du marquis de La Valette : 0,35 %.
— Dialogue : 34,13 % (non compris les réflexions des personnages ni le récit du marquis).
— Dialogue dans le récit du marquis : 2,85 %.
— Monologue : 1,60 % (d'Eugénie).
En 37 pages, 3 réflexions de la narratrice, 2 réflexions de personnages.

Fin de la deuxième partie (qui comprend le récit d'Hippolyte au style direct et le récit de Beauvais au style indirect) (884 lignes) :
— Récit : 54,63 %.
— Récit d'Hippolyte : 27,15 %.
— Réflexions : 1,92 %
    dont Réflexions de la narratrice : 1,70 %.
        Réflexions d'Hippolyte : 0,22 %.
— Dialogue : 14,25 %.
— Dialogues rapportés : 1,70 % (1,36 % dans le récit d'Hippolyte, 0,34 % dans celui de Beauvais).
— Monologue : 0,34 % (d'Hippolyte).
En 29 pages, 8 réflexions de la narratrice, 1 d'Hippolyte.
    Le récit à la première personne se prête mieux aux réflexions que le récit à la troisième personne ; et le récit principal à la première personne mieux que le récit secondaire à la première personne.

Les Egarements du cœur et de l'esprit.

Première partie (2 643 lignes) :
— Récit : 56,45 %.
— Dialogue : 35,79 % (y compris les réflexions des personnages ; 32,35 % sans ces réflexions).
— Réflexions : 6,01 % (non compris les réflexions des personnages, 9,45 % avec ces réflexions).
— Monologue : 1,74 %.
Les réflexions des personnages sont à peu près de même nature que celles du narrateur, la référence étant l'expérience mondaine. Elles peuvent être ironiques dans la bouche de Mme de Lursay. N'ont pas été comptées comme réflexions, mais comme récit, les généralités au passé qui décrivent les mœurs mondaines au début du roman. L'auteur a présenté ces mœurs comme un fait historique périmé, non comme une vérité humaine permanente ; elles représentent 1,85 % du texte. Les réflexions sont souvent introduites par « elle savait que », « j'ignorais que », etc.
En 73 pages, 33 réflexions du narrateur, 23 des personnages.

Deuxième partie (1 950 lignes) :
— Récit : 57,48 %.
— Dialogue : 39,69 % (y compris les réflexions des personnages ; 34,31 % sans ces réflexions).
— Réflexions : 2,05 % (sans les réflexions des personnages ; 7,43 % avec ces réflexions).
— Monologue : 0,82 %.
Sont comptées comme réflexions de personnages celles du narrateur dans un dialogue (0,87 %) ; ne sont pas comptées comme réflexions des allusions perfides (1,13 %).

En 55 pages, 10 réflexions morales et 2 réflexions sociologiques du narrateur, 25 réflexions de personnages.

Troisième partie (2 473 lignes) :
— Récit : 36,27 %.
— Dialogue : 61,10 % (y compris les réflexions des personnages ; 52,16 % sans ces réflexions).
— Réflexions : 1,61 % (sans les réflexions des personnages ; 10,55 % avec ces réflexions).
— Monologue : 1,01 %.
En 71 pages, 12 réflexions du narrateur, 53 réflexions de personnages.

*Les Confessions du comte ****.*

Première partie (jusqu'au retour d'Italie) (998 lignes) :
— Récit : 80,56 % (y compris la lettre de Marcella, 12,12 %).
— Dialogue : 12 % (non compris les réflexions des personnages).
— Réflexions : 7,41 %
　　dont Réflexions morales du narrateur : 3,70 %
　　　　Réflexions sociologiques du narrateur : 2 %.
　　　　Réflexions des personnages : 1,70 %.
En 40 pages, 16 réflexions morales et 8 réflexions sociologiques du narrateur, 12 réflexions de personnages.

Première partie, suite (1 534 lignes) :
— Récit : 78,25 %.
— Dialogue : 6,78 % (non compris les réflexions des personnages).
— Réflexions : 14,86 %
　　dont Réflexions morales du narrateur : 2,41 %.
　　　　Réflexions sociologiques du narrateur : 11,81 %.
　　　　Réflexions morales des personnages : 0,26 %.
　　　　Réflexions sociologiques des personnages : 0,39 %.
En 55 pages, 21 réflexions morales et 28 réflexions sociologiques du narrateur, 3 réflexions morales et 1 réflexion sociologique de personnages.

Deuxième partie (jusqu'à la rencontre de Mme de Selve) (798 lignes) :
— Récit : 72,30 %.
— Dialogue : 15,66 % (non compris les réflexions des personnages).
— Réflexions : 12,03 %
　　dont Réflexions morales du narrateur : 4,636 %.
　　　　Réflexions sociologiques du narrateur : 6,015 %.
　　　　Réflexions des personnages : 1,378 %.
En 29 pages, 19 réflexions morales et 5 réflexions sociologiques du narrateur, 4 réflexions de personnages.

Deuxième partie (fin) (1 145 lignes) :
— Récit : 74,50 %.
— Dialogue : 15 % (sans les réflexions des personnages).
— Réflexions : 10,48 %
　　dont Réflexions morales du narrateur : 6,81 %.
　　　　Réflexions morales des personnages : 2,53 %.
　　　　Réflexions sociologiques des personnages : 1,13 %.
En 42 pages, 36 réflexions du narrateur, 12 réflexions morales et 2 réflexions sociologiques des personnages.

Beaucoup de réflexions sont intimement intégrées au récit, ou introduites comme subordonnées d'objet. La distinction des réflexions morales et des réflexions sociologiques est difficile, mais réelle. Duclos considère comme traits généraux de l'humanité certains traits des milieux qu'il dépeint, d'autres comme traits particuliers à ces milieux ; il hésite entre l'attitude du moraliste et celle du sociologue (qui s'amuse parfois, comme Crébillon, à se transformer en historien de mœurs périmées).

Le Paysan parvenu.

	1ʳᵉ partie (1 577 l.)	2ᵉ partie (1 750 l.)	3ᵉ partie (1 716 l.)	4ᵉ partie (1 554 l.)	5ᵉ partie (1 581 l.)
Récit	48,57 %	42 %	41,78 %	37,70 %	47,54 %
Dialogue	40,58	53,60	52,33	60,66	44,64
Réflexions	8,18	4,17	4,84	1,58	6,31
Monologue	2,67	0,28	1,05	0,06	1,53

Les paroles imaginaires (« semblant dire », etc.) sont comptées comme récit ; sont comptés comme dialogue dans la IVᵉ partie les deux longs récits des voyageurs et le récit de Mme Dorville à Bono (en tout 37,57 %) et dans la 5ᵉ partie le récit du comte à Jacob.

La Vie de Marianne.

	1ʳᵉ partie (1 469 l.)	2ᵉ partie (1 408 l.)	3ᵉ partie (1 895 l.)	4ᵉ partie (1 640 l.)
Récit	60,15 %	57,40 %	30,44 %	41,40 %
Dialogue	21,17	22,80	60	47,56
Réflexions	17,77	19,43	5,17	9,75
Monol. intérieur	0,88	0,35	4,43	1,28

	5ᵉ partie (1 659 l.)	6ᵉ partie (1 610 l.)	7ᵉ partie (1 724 l.)	8ᵉ partie (1 714 l.)
Récit	50,93 %	37,26 %	48,43 %	35,35 %
Dialogue	36,52	53,48	47,79	57
Réflexions	11,45	4,84	2,95	6,19
Monol. intérieur	1,62	4,72	0,93	1,45

	9ᵉ partie (2 046 l.)	10ᵉ partie (1 490 l.)	11ᵉ partie (1 427 l.)
Récit	67,30 %	52 %	53,2 %
Dialogue	28	45,5	44,7
Réflexions	4,55	2	2,03
Monol. intérieur	0 +	0,47	0
+ = une exclamation)			

	12ᵉ partie A (754 l.)	12ᵉ partie B (689 l.) (par Mme Riccoboni)	Total 12ᵉ partie (1 443 l.)
Récit	40,8 %	56,02 %	48,41 %
Dialogues (y compris les réflexions des locuteurs)	41	28,88	34,94
Réflexions	16,58	11,03	13,81
Monologue	1,60	4,06	2,83

Les lettres et les propos rapportés au style indirect sont comptés comme récit ; les réflexions générales qui accompagnent les portraits sont aussi comptées comme récit, sauf lorsqu'elles sont désignées comme réflexions par l'auteur (5ᵉ partie) ou qu'elles s'étendent assez (portrait de Valville, 8ᵉ partie) ; les dialogues rapportés ou décalés sont comptés comme dialogues ; les proverbes de Mme Dutour sont comptés comme dialogue.

ABRÉVIATIONS

O.C.	*Œuvres Complettes* de Marivaux, Vve Duchesne, 12 vol.
*V.M.*²	*La vie de Marianne*, éd. F. Deloffre, 2ᵉ éd., Garnier frères.
P.P.	*Le Paysan parvenu*, éd. F. Deloffre, Garnier frères.
T.T.	*Le Télémaque travesti*, éd. F. Deloffre, Droz-Giard, Genève-Lille.
T.C.	*Théâtre complet*, éd. F. Deloffre, Garnier frères, 2 vol.
J.O.D.	*Journaux et Œuvres diverses*, éd. F. Deloffre et M. Gilot, Garnier frères.
O.J.	*Œuvres de jeunesse*, éd. établie par F. Deloffre avec le concours de Cl. Rigault, Paris, 1972.
*Marivaux*¹	G. Larroumet, *Marivaux, sa vie et ses œuvres*, Paris, 1882.
*Marivaux*²	G. Larroumet : *Marivaux, sa vie et ses œuvres*, Paris, 1894.
*Marivaudage*²	F. Deloffre : *Une Préciosité nouvelle, Marivaux et le marivaudage*, Paris, 2ᵉ édition, 1967.

N.B. — J'ai suivi pour *La Vie de Marianne, Le Paysan parvenu, Le Télémaque travesti* et les *Journaux et Œuvres diverses* les éditions procurées par F. Deloffre (avec M. Gilot pour les *J.O.D.*) ; pour *Le Bilboquet*, l'édition originale ; pour *Les Effets surprenants, Pharsamon, La Voiture embourbée, L'Homère travesti*, l'édition des *Œuvres Complettes*, mais j'ai indiqué les références au recueil des *Œuvres de jeunesse* établi par F. Deloffre avec Cl. Rigault, qui a paru après l'achèvement de ce travail. Je n'ai voulu ni restituer arbitrairement l'orthographe de Marivaux ou de ses premiers éditeurs, ni imposer à tous les textes anciens une orthographe moderne ; je n'ai donc rien changé à la pratique des diverses éditions que j'ai utilisées, et je prie le lecteur d'excuser les disparités orthographiques des citations.

BIBLIOGRAPHIE

Cette liste n'est pas une bibliographie exhaustive des éditions anciennes et modernes de Marivaux ni des études qui ont été faites sur lui avant la nôtre. On y trouvera seulement :
— les éditions anciennes et modernes dont nous nous sommes servi ou dont nous retenons quelque caractère particulier ;
— les études, citées ou non dans notre travail, dont nous nous sommes inspiré et que nous avons effectivement utilisées ou discutées.
Nous en avons écarté :
— les ouvrages dont nous ne connaissons le titre que par d'autres bibliographies ;
— les études, quelque estimables qu'elles fussent, dont le propos ne rejoignait pas le nôtre ;
— les œuvres dont nous avons cité dans notre travail le titre et l'auteur d'après un autre ouvrage, sans commentaire ; le nom de leurs auteurs est mentionné à l'Index ;
— les œuvres connues que nous avons alléguées dans notre travail à titre de comparaison ou d'exemple, sans citation d'un passage ni commentaire particulier. Ainsi, *Les Métamorphoses* d'Apulée et *Les Aventures d'Arthur Gordon Pym* d'Edgar Poe, évoquées comme exemples les unes d'œuvre à la première personne, les autres d'œuvre inachevée, sont absentes de cette liste, mais Apulée et Edgar Poe sont nommés à l'Index.

Pour les ouvrages antérieurs à 1800, nous indiquons la date de leur première édition et, entre parenthèses, l'édition ancienne ou moderne que nous avons utilisée quand ce n'est pas l'originale.

Les ouvrages anonymes sont rangés à la place que l'ordre alphabétique assigne à leur titre.

I. REGISTRES DE LA LIBRAIRIE

B.N. mss f. fr. 21942 : Approbations et permissions 1705-1716.
B.N. mss f. fr. 21950 : Registre d'enregistrement des privilèges (Chambre des Libraires) 1710-1716.
B.N. mss f. fr. 21951 : Registre d'enregistrement des privilèges (Chambre des Libraires), 1716-1721.
B.N. mss f. fr. 21954 : Registre d'enregistrement des privilèges (Chambre des Libraires), 1727-1730.
B.N. mss f. fr. 21955 : Registre d'enregistrement des privilèges (Chambre des Libraires), 1730-1734.
B.N. mss f. fr. 21974 : Répertoire alphabétique des registres de la librairie, 1711-1716.
B.N. mss f. fr. 21976 : Répertoire alphabétique des registres de la librairie, 1738-1750.
B.N. mss f. fr. 21990 : Registre des livres d'impression étrangère, 1718-1745.
B.N. mss f. fr. 21995 ⎫
B.N. mss f. fr. 21996 ⎬ Registres des privilèges et permissions tacites de la librairie, 1723-1750.
B.N. mss f. fr. 21997 ⎭
B.N. mss f. fr. 22007 : Etat des ouvrages imprimés en vertu de privilèges et permissions [...], 1733-1737.

II. ŒUVRES DE MARIVAUX

[O.C.]   *Œuvres Complettes de M. de Marivaux*, Paris, Vve Duchesne, 1781, 12 vol.
[V.M.²] *La Vie de Marianne ou les aventures de Madame la comtesse de ****, texte établi avec introduction, chronologie, bibliographie, notes et glossaire par Frédéric Deloffre, Paris, Garnier frères, 1963 [2e édition].
[P.P.]   *Le Paysan parvenu*, texte établi, avec introduction, bibliographie, chronologie, notes et glossaire par Frédéric Deloffre, Paris, Garnier frères, 1959.
[T.T.]   *Le Télémaque travesti*, comprenant les treize derniers livres retrouvés et réimprimés pour la première fois, avec introduction et commentaire par Frédéric Deloffre, Genève-Lille, 1956.
[T.C.]   *Théâtre complet*, texte établi avec introduction, chronologie, commentaire, index et glossaire par Frédéric Deloffre, Paris, Garnier frères, 1968, 2 vol.
[J.O.D.] *Journaux et Œuvres diverses*, texte établi avec introduction, chronologie, commentaire, bibliographie, glossaire et index, par Frédéric Deloffre et Michel Gilot, Paris, Garnier frères, 1969.
[O.J.]   *Œuvres de jeunesse*, édition établie, présentée et annotée par Frédéric Deloffre avec le concours de Claude Rigault, Paris, Gallimard, 1972.

*Les Avantures de *** ou les Effets surprenans de la sympathie*, tome I, à Paris, chez Pierre Prault, MDCCXIII ; tome II, à Paris, chez Pierre Huet, MDCCXIII ; tome III ; tome IV, à Paris, chez Pierre Prault, MDCCXIV ; tome V, à Paris, chez Pierre Prault, MDCCXIV [B.N. Y² 7508-7512].

Les Avantures de*** ou les Effets surprenans de la sympathie. [manque le tome I] tome II, à Paris, chez Pierre Huet, MDCCXIV ; tome III, à Paris, chez Pierre Huet, MDCCXIV ; tome IV, à Paris, chez Pierre Huet, MDCCXIV ; tome V, à Paris, chez Pierre Huet, MDCCXIV [Bibliothèque municipale de Nîmes 8585].

Les Avantures de*** ou les Effets surprenans de la sympathie. A Amsterdam, pour la Compagnie, MDCCXV (Cinq tomes en un volume) [Bibliothèque municipale de Montpellier V. 9786 réserve].

Pharsamon ou les Nouvelles Folies romanesques. A La Haye, aux dépens de la Compagnie, MDCCXXXVI (deux tomes en un volume).

La Voiture embourbée. A Paris, chez Pierre Prault, MDCCXIV.

La Voiture embourbée. A Paris, chez Pierre Huet, MDCCXIV.

La Voiture embourbée. A Amsterdam, MDCCXV [B.N. Rés. PY² 2105].

L'Homère travesti ou l'Iliade en vers burlesques. A Paris, chez Pierre Prault, MDCCXVI, 2 volumes.

Le Bilboquet. A Paris, chez Pierre Prault, MDCCXIX [B.N. rés. PY² 1509].

La Vie de Marianne ou les Avantures de Madame la comtesse de ***. A Paris, chez Pierre Prault, MDCCXXXI [première partie, avec le début en édition préoriginale de la deuxième partie : B.N. Y² 51161. Même édition, mais où le début de la deuxième partie a été arraché : B.N. Y² 51172 — Bibliothèque municipale de Nîmes 8686].

Romans, suivis de Récits, contes et nouvelles extraits des Essais et des Journaux, textes présentés et préfacés par Marcel Arland, Paris, Bibliothèque de la Pléiade, 1949.

Théâtre complet. Texte établi et annoté par Jean Fournier et Maurice Bastide. Présentation par Jean Giraudoux. Paris, les Editions Nationales, 1946, 2 vol.

Le Paysan parvenu ou les Mémoires de M ***, édition préfacée et annotée par Renée Papin, à Paris, au Club des amis du Livre progressiste, 1961.

Le Paysan parvenu, précédé de « Marivaux romancier » par Robert Mauzi, Paris, Union générale d'éditions, 1965.

Le Paysan parvenu, chronologie et introduction par Michel Gilot, Paris, Garnier-Flammarion, 1965.

III. PÉRIODIQUES

Gazette d'Amsterdam (La) — Amsterdam, 1688-1792.

Journal des Sçavans (Le) — Paris, 1665-1792.

Journal littéraire de La Haye (Le) — Chez T. Johnson, seconde édition revue et corrigée, 1713-1736.

Mercure de France (Le) — Paris, 1724-1791.

Nouveau Mercure (Le) — Paris, 1717-1721.

Nouvelles littéraires de La Haye (Les) — Chez H. du Sauzet, 1715-1719, 12 vol.

Nouvelliste du Parnasse (Le) — (par Desfontaines et Granet), Paris, 1730-1732, 3 vol.

Observations sur les écrits modernes, Paris, 1735-1743, 33 vol. par Desfontaines, Mayrault, Granet, etc.

Pour et Contre (Le) — Ouvrage périodique par l'auteur des *Mémoires d'un Homme de qualité,* Paris, 1733-1740, 20 vol. (par Prévost, Desfontaines, etc.)

Réflexions sur les ouvrages de littérature (par F. Granet), Paris, 1737, 10 vol.

IV. OUVRAGES ANTÉRIEURS A 1800

Académie française : *Dictionnaire de la langue française* (1694, 2 vol.).

[Addison et Steele], *Le Spectateur ou le Socrate moderne,* traduit de l'anglais ; à Amsterdam, chez David Mortier, 1714-1720, 8 vol.

[Addison et Steele], *Le Spectateur ou le Socrate moderne,* nouvelle édition corrigée ; à Paris, chez Robustel, 1754, 8 vol.

Aleman (Mateo), *La Vie de Guzman d'Alfarache,* à Paris, chez Pierre Ferrand, 1696 (trad. Brémond), 3 vol.

Alembert (d'), *Eloge de Marivaux,* 1785, dans *T.C.,* t. II, p. 979-1024.

Argens (J. de Boyer d'), *Critique du siècle ou Lettres sur divers sujets,* La Haye, 1755, 2 vol.

Arnauld (Antoine), *Défense de la traduction du Nouveau Testament imprimé à Mons, contre les sermons du P. Maimbourg* [...], Cologne, 1669.

[Arnauld (A.) et Nicole (P.)], *La Logique ou l'Art de penser,* 1662 (éd., Desprez, Paris, 1750).

[Arnauld (A.) et Nicole (P.)], *Grammaire générale et raisonnée,* dans Ch. Pinot Duclos, *Œuvres Complètes,* Paris, 1821, 3 vol.

Assoucy (Ch. d'), *Avantures,* 1677 ; *Avantures d'Italie,* 1677 (dans : *Aventures burlesques de Dassoucy* par Emile Colombey, nouvelle édition, Paris, 1876).

Aubignac (abbé d'), *Conjectures académiques,* éd. V. Magnien, Paris, 1925.

Audiguier (Vital d'), *Histoire tragi-comique de Lysandre et de Caliste,* Paris, 1615 (Amsteldam, chez Jean de Ravestein, 1659).

Avellaneda, *Nouvelles Avantures de l'admirable Don Quichotte de la Manche* (traduites par Lesage), Paris, Vve Barbin, 1704, 2 vol.

Baculard d'Arnaud, *Les Epoux malheureux,* Avignon, 1745. (A La Haye, 1771, 2 vol., plus 2 vol. : Recueil des pièces du procès).

Barbier (Marie-Anne), *Le Théâtre de l'amour et de la fortune,* Paris, chez Pierre Ribou, 1713, 2 vol.

Baret (P.), *Le Grelot ou les Etc. Etc. Etc.,* Ici, A présent [1754].

Barthélemy (E. de), *Galerie des portraits de Mlle de Montpensier,* Paris, 1860.

Bedacier-Durand (Catherine), *Les Belles Grecques* [...] *et Dialogues nouveaux des galantes modernes,* Paris, Vve G. Saugrain et P. Prault, 1712.

Bernard (Catherine), *Inés de Cordoue, nouvelle espagnole,* à Paris chez Martin Jouvenel et Georges Jouvenel, 1696.

Boccage (Madame du), *Œuvres,* Lyon, 1764-1770.

Boileau (Nicolas), *Satires,* éd. Ch. H. Boudhors, Paris, 1934.

Boileau (Nicolas), *Epîtres, Art poétique, Lutrin,* éd. Ch. H. Boudhors, Paris, 1939.

Boileau (Nicolas), *Dialogues, Réflexions critiques, Œuvres diverses,* éd. Ch. H. Boudhors, Paris, 1942.

Bordelon (Abbé), *Les Tours de maître Gonin,* Amsterdam, chez Louis Renard, 1713.

Bougeant (G.-H.), *Voyage merveilleux du Prince Fan-Férédin dans la Romancie,* à Paris, chez P.-G. Le Mercier, 1735.

Bouhours (D.), *Les Entretiens d'Ariste et d'Eugène,* Paris, 1671. (Présentation de F. Brunot, Paris, 1962).

Boureau-Deslandes (A.-F.), *Pigmalion ou la Statue animée,* à Londres chez Samuel Harding, 1741.

Bridard de la Garde (Philippe), *Lettres de Thérèse* *** *ou Mémoires d'une jeune demoiselle de province pendant son séjour à Paris,* La Haye, J. Neaulme, 1739, 2 vol.

[Brillon (P.-J.)], *Le Théophraste moderne ou Nouveaux Caractères des mœurs,* Paris, 1701. (Nouvelle éd. à Paris, chez Michel Brunet, 1701).

[Bruzen de la Martinière], *Anecdotes ou Lettres secrettes sur divers sujets de littérature et de politique,* s. l., 1734-1736, 5 vol.

Buffier (Claude), *Examen des préjugez vulgaires, pour disposer l'esprit à juger sainement de tout,* Paris, Mariette, 1704.

Burette, *Eloge de Madame Dacier,* à Paris, chez Pierre Witte, s. d.

Bussy-Rabutin (R. de), *Histoire amoureuse des Gaules,* 1665. (Préface et notes de G. Mongrédien, Paris, Garnier frères, 1930, 2 vol.).

Callières, *De la Science du monde,* à Paris, chez Etienne Ganeau, 1717.

Camus (J.-P.), *Alexis,* Paris, Claude Chappelet, 1622-1623.

Camus (J.-P.), *Marianne, ou l'innocente victime,* à Paris, chez Joseph Cottereau, 1629.

Caumont de la Force (Mlle), *Les Jeux d'esprit ou la Promenade de la princesse de Conti à Eu*, 1701 (publié par le marquis de la Grange, Paris, 1862).

Caylus, *Histoire de M. Guillaume, cocher*, 1737 (?), voir Chevrier.

Cervantes, *Don Quichotte de la Manche*, trad. Viardot, éd. M. Bardon, Paris, s.d., 2 vol.

Chasles (R.), *Les Illustres Françoises*, 1713 (éd. F. Deloffre, Paris, 1959, 2 vol.).

Chasles (R.), *Mémoires de Robert Chasles, écrivain du roi*, éd. A. Augustin-Thierry, Paris, 1931.

[Chec Zadé], *Histoire de la Sultane de Perse et des vizirs, contes turcs*, (traduit par Lesage ou Petis de la Croix), 1707.

Chevrier (F.-A.), *Œuvres complètes*, Londres, chez l'éternel Jean Nourse, 1774, 3 vol.

Choisy (abbé de), *Histoire de Madame la comtesse des Barres*, 1735 (à Bruxelles, chez François Foppens, 1736).

Choisy (abbé de), *Histoire de la marquise-marquis de Banneville*, dans *Le Mercure-galant*, février 1696.

Cicéron, *De l'Orateur*, texte établi, traduit et annoté par François Richard, Paris, Garnier frères, s.d.

Collé (Ch.), *Journal et Mémoires de Charles Collé*, publié par H. Bonhomme, Paris, 1868.

Condillac, *Essai sur l'origine des connaissances humaines*, 1746 (éd. R. Lenoir, Paris, 1924).

Condillac, *Cours d'étude du prince de Parme* [...] Deux-Ponts, 1775, 16 vol.

Condillac, *Condillac ou la Joie de vivre*, présentation, choix de textes, bibliographie par Roger Lefèvre, Paris, 1966.

Corneille (P.), *Théâtre*, éd. M. Rat, Paris, Garnier frères, s.d., 3 vol.

[Courtilz de Sandras], *Mémoires de M.L.C.D.R.*, 1687 (seconde édition, à Cologne, chez Pierre Marteau, 1692).

[Courtilz de Sandras], *Mémoires de M. de B****, à Amsterdam, 1701. (Chez Henry Schetten, à Amsterdam, 1711).

Coyer (abbé), *Bagatelles morales et Dissertations*, nouvelle éd., Londres et Francfort, 1757.

Crébillon (Claude Prosper Jolyot de), *Collection complette des Œuvres de M. de Crébillon le fils*, à Londres, 1779, 7 vol.

Crébillon (Claude Prosper Jolyot de), *Les Egarements du cœur et de l'esprit*, éd. Etiemble, Paris, 1961.

Dacier (Mme), *Des Causes de la corruption du goût*, à Paris, aux dépens de Rigaud, 1714.

Dancourt (L.-H.), *La Fête de village, Théâtre*, t. VII, Paris, 1760.

Delisle de la Drevetière, *Arlequin sauvage*, Paris 1722 (dans Petitot : *Répertoire du théâtre français*, Paris, 1824-1828, 193 vol.).

Des Bans (L.) : voir Morvan de Bellegarde.

Descartes, *Lettres*, textes choisis par M. Alexandre, Paris, 1954.

Descartes, *Discours de la méthode*, 1637 (éd. M. Derolle, class. Larousse, Paris, s. d.).

Descartes, *Les Principes de la philosophie*, écrits en latin et traduits en François par un de ses Amis, à Paris, par la Compagnie des Libraires, 1723.

Descartes, *Les Passions de l'âme*, 1649 (éd. G. Lewis, Paris, 1955).

Des Escuteaux, *Les Avantureuses Fortunes d'Ipsilis et Alixée*, Paris, 1607.

Desfontaines, *Dictionnaire néologique à l'usage des beaux esprits du siècle*, 1725 (nouvelle éd., Amsterdam, 1731).

Desmolets (Dom), *Continuation des Mémoires de littérature et d'histoire*, à Paris, chez Nyon fils, 1726-31, 11 vol.

Dictionnaire de Trévoux, Paris, 1752.

Dictionnaire de l'Académie française, Paris, 1765.

Diderot (D.), *Le Rêve de d'Alembert*, éd. P. Vernière, Paris, 1951.

Diderot (D.), *Œuvres romanesques*, éd. H. Bénac, Paris, 1951.

Diderot (D.), *Lettre sur les aveugles*, éd. R. Niklaus, Genève-Lille, 1951.

Diderot (D.), *Œuvres philosophiques*, éd. P. Vernière, Paris, 1956.

Diderot (D.), *Œuvres esthétiques*, éd. P. Vernière, Paris, 1959.

Diderot (D.), *Jacques le fataliste*, éd. Y. Belaval, Paris, 1953.

Diderot (D.), *La Religieuse*, éd. R. Mauzi, Paris, 1962.

Diderot (D.), *Le Neveu de Rameau*, éd. J. Fabre, Genève, 1963.

Diderot (D.), *Correspondance*, éd. G. Roth, Paris, 1955-1970, 16 vol.

Digard de Kerguette, *Mémoires et aventures d'un bourgeois qui s'est avancé dans le monde*, à La Haye, chez Jean Néaulme, 1750, 2 vol.

Duclos (Ch. Pinot), *Les Confessions du comte de ****, 1741, (éd. L. Versini, Paris, 1969).

Duclos (Ch. Pinot), *Œuvres complètes*, Paris, 1821, 3 vol.

Dufresny (Ch. Rivière), *Amusements sérieux et comiques*, 1699, 2ᵉ éd. 1707 (éd. J. Vic, Paris, 1921).

Du Resnel : voir Pope.

[Faydit (Pierre-Valentin)], *La Télémacomanie, ou la Censure et Critique du Roman intitulé les Avantures de Télémaque* [...], Eleuteropole, chez Pierre Philalethe, 1700.

Fénelon, *Traité de l'existence de Dieu*, 1705-1712 (Paris, 1878).

Fénelon, *Les Aventures de Télémaque*, 1699 (éd. A. Cahen, Paris, 1920, 2 vol.)

Fénelon, *Lettre à l'Académie*, 1714 (éd. E. Caldarini, Genève, 1970).

Féraud (abbé), *Dictionnaire critique de la langue française*, Marseille, 1788.

Foigny (G. de), *La Terre australe connue*, 1676 (*Les Avantures de Jacques Sadeur dans la découverte et le voiage de la Terre australe*, A Paris, chez Michel David, 1705).

Fontenelle, *Nouveaux Dialogues des Morts*, 1683 (édition critique par J. Dagen, Paris, 1971).

Fontenelle, *Entretiens sur la pluralité des Mondes*, 1686 (éd. Calame, Paris, 1966).

Fontenelle, *Lettre sur Eléonor d'Yvrée*, 1687 (dans H. Coulet, *Le Roman jusqu'à la Révolution*. T. II, Paris, 1968, p. 94-95).

Fontenelle, *Œuvres diverses*, à La Haye, chez Gosse et Néaulme, 1728, 2 vol.

Fontenelle, *Œuvres*, Paris, Belin, 1818, 3 vol.

Fontenelle, *Textes choisis*, introduction et notes par M. Roelens, Paris, Editions sociales, 1966.

Fougeret de Monbron, *La Henriade travestie en vers burlesques*, Berlin, 1745.

Frain du Tremblay, *Traité des Langues*, Amsterdam, aux dépens d'Estienne Roger, 1709.

Furetière, *Le Roman bourgeois*, 1666, (Paris, A. Quantin, 1880).

Gaillard de la Bataille, *Jeannette seconde, ou la Nouvelle Paysanne parvenue*, à Amsterdam, par la Compagnie des Libraires, 1744.

[Gautier de Faget], *L'Enfant trouvé ou l'Histoire du chevalier de Repert, écrite par lui-même*, à Paris, aux dépens de la Société, 1738-1740, 3 vol.

Girard (Gabriel), *Les Vrais Principes de la langue françoise ou la Parole réduite en méthode* [...], à Paris, chez Le Breton, 1747, 2 vol.

Gomez (Madame de), *Les Cent Nouvelles nouvelles*, 1732-1739 (à Paris, chez Fournier, Guillaume fils et Guillaume neveu, s. d., 8 vol.).

Goudar (Ange) (attribué à), *Histoire de Gogo*, à La Haye, chez Benjamin Gilbert, 1739.

Gracian (B.), *L'homme détrompé ou El Criticon*, traduit de l'Espagnol, à La Haye, chez Jacob van Ellinckhuysen, 1708, 3 vol.

Grandchamp, *La Guerre d'Italie, ou Mémoires du comte D ****, 1702 (nouvelle éd. à Cologne, chez Pierre Marteau, 1707).

Grimm (F.-M.), *Correspondance littéraire*, éd. Tourneux, Paris, 1877-1882, 16 vol.

Guilleragues, *Lettres portugaises*, 1669 (éd. F. Deloffre, Paris, Garnier frères, 1962).

Guillot de la Chassagne, *Le Chevalier des Essars et la Comtesse de Berci, histoire remplie d'événemens interessans*, à Amsterdam, chez François L'Honoré, 1735.

Hamilton (A.), *Mémoires du comte de Grammont*, 1713 (éd. Motheau, Paris, Lemaire, 1876).

Helvetius, *Œuvres complettes*, Londres, 1781, 5 vol.

Hénault (J. F.), *Mémoires*, Paris, 1885.

Herberay des Essars (Nicolas) (traducteur), *Le Premier* [etc.] *Livre d'Amadis de Gaule* (12 volumes de 1540 à 1556) (*Le Cinquième Livre* [...], à Paris, chez Jean Longis et Robert le Mangnier, 1560).

Holbach (d'), *Système de la nature ou Des Loix du Monde physique et du Monde moral*, 1770 (Londres, 1793, 2 vol.).

Jourdan (J.-B.), *Le Guerrier philosophe ou Mémoires de M. le duc de ****, à La Haye, chez Pierre de Hondt, 1744.

La Bruyère, *Les Caractères ou les Mœurs de ce siècle*, 1688-1694 (éd. R. Garapon, Paris, 1962).

La Calprenède, *Cassandre*, 1642-1645 (à Paris, chez Montalant, 1731, 11 vol.).

La Calprenède, *Pharamond ou Histoire de France*, 1661 (à Paris, chez A. de Sommaville, 1670).

Laclos (Ch. de), *Les Liaisons dangereuses*, 1782 (*Œuvres complètes*, éd. M. Allem, Paris, 2ᵉ éd. 1943).

La Dixmerie, « Dialogue entre Marivaux et Mademoiselle de Scudéri », *Mercure de France*, janvier 1774, p. 33-42.

La Fayette (Mme de), *Romans et Nouvelles* (éd. E. Magne, Paris, 1939).

Laffichard (T.), *Le Voyage interrompu*, 1737 (*Voyages imaginaires, Songes, Visions et Romans cabalistiques*, tome XXX, Amsterdam et Paris, 1788).

La Fontaine, *Relation d'un voyage de Paris en Limousin*, 1663 (*Œuvres diverses*, éd. P. Clarac, Paris, 1948).

La Fontaine, *Fables choisies* [...], 1668, 1678, 1694 (éd. G. Couton, Paris, Garnier, s. d.).

La Guesnerie (Mlle de), *Mémoires de Miledi B...*, 1760 (nouvelle éd. à Amsterdam et à Paris chez Cuissart, 1760).

La Hontan, *Nouveaux Voyages dans l'Amérique, Mémoires, Dialogues curieux*, 1703 (éd. G. Chinard, Baltimore-Paris-Londres, 1931).

Lambert (C.-F.), *La Nouvelle Marianne, ou les Mémoires de la baronne de ***, écrits par elle-même*, La Haye, 1740 (nouvelle édition à La Haye, chez Pierre de Hondt, 1741).

Lambert (Mme de), *Œuvres de Mme la marquise de Lambert*, Amsterdam, aux dépens de la Compagnie, 1747.

La Mettrie, *L'Art de jouir*, 1751 (dans *L'Homme machine* suivi de *l'Art de jouir*, éd. Solovine, Paris, 1921).

La Morlière, *Angola*, 1746 (éd. Flammarion, Paris, s. d.).

La Mothe Le Vayer, *Le Parasite Mormon, histoire comique*, 1650, (voir Sorel).

La Motte (Houdar de), *Œuvres de M. de la Motte*, à Amsterdam, chez Georges Gallet, 1719, 3 vol.

La Motte (Houdar de), *Œuvres*, à Paris, chez Prault l'aîné, 1754, 11 vol.

Lamy (B.), *Entretiens sur les Sciences*, 1683, 3ᵉ éd. 1706 (éd. F. Girbal et P. Clair, Paris, 1966).

Lamy (B), *L'Art de parler*, 1675 (3ᵉ éd., à Paris, chez André Pralard, 1678).

La Rochefoucauld, *Maximes*, 1665 (éd. J. Truchet, Paris, 1967).

Le Blanc (abbé), *Lettres de Monsieur l'abbé Le Blanc, historiographe des bâtimens du Roi*, 1745 (Lyon, 1758, 3 vol.).

Le Gobien (R.P.), *Histoire des isles Mariannes*, 1700, (dans Ch. de Brosses : *Histoire des navigations aux terres australes*, à Paris, chez Durand, 1756, 2 vol., article XLIX, t. 2, p. 492-512).

Leibniz, *Nouveaux Essais sur l'entendement humain*, 1704 (*Extraits* par L. Guillermit, Paris, 1961).

[Lenglet du Fresnoy], *De l'Usage des romans* [...] par M. le C. Gordon de Percel, Amsterdam, chez la Vve de Poilras, 1734, 2 vol.

Lenglet du Fresnoy, *L'Histoire justifiée contre les romans*, à Amsterdam, chez J.-F. Bernard, 1735.

Lesage, *Histoire de Gil Blas de Santillane*, 1715-1735 (éd. A. Dupouy, Paris, 1935, 2 vol.).

Lesage, *Le Diable boiteux*, (Texte de la 2ᵃ éd. [...] avec les variantes [...] par R. Laufer, Paris-La Haye, 1970).

Lesage (voir Avellaneda).

Lesbros de la Versane (L.), *Esprit de Marivaux, ou Analectes de ses ouvrages ; précédés de la vie historique de l'Auteur*, à Paris, chez la Vve Pierres, 1769.

[Levesque (Mme)], *Le Siècle ou les Mémoires du comte de S ****, à Paris, chez Rollin fils, 1736.

Lesvesque de Pouilly, *Théorie des sentiments agréables*, 1736 (éd. David le jeune, Paris, 1749).

Lhéritier de Villandon (Mme), *La Tour ténébreuse et les jours lumineux, Contes anglois*, Paris, 1705, (*Le Cabinet des Fées*, Genève et Paris, 1786, T. XII).

Locke (J.), *Essai philosophique concernant l'entendement humain*, 1700 (trad. par P. Coste, Amsterdam, aux dépens de la Compagnie, 1758, 4 vol.).

Longin, *Traité du Sublime*, traduit par Boileau (*Dissertation sur la Joconde, Arrest burlesque, Traité du Sublime*, éd. Ch. Boudhors, Paris, 1942).

Lottin (A.-M.), *Le Retour de Saint-Cloud par mer et par terre*, 1750 (*Voyages imaginaires, Songes et Visions cabalistiques*, tome XXX, Amsterdam, 1788).

Lubert (Mlle de), *Amadis des Gaules*, Amsterdam, 1750, 4 vol.

[Lussan (Mlle de)], *Histoire de la comtesse de Gondez*, 1725 (*Bibliothèque de Campagne, ou Amusemens de l'esprit et du cœur* à Bruxelles, chez Benoit Le Francq, 1785, t. VIII et IX).

Lussan (Mlle de), *Les Veillées de Thessalie*, 1731-1732 (Nouvelle éd., à Paris, chez Knapen, Goguet, Nyon l'aîné, Delaguette, 1782, 2 vol.).

Mailly (chevalier de), *Les illustres Fées, Contes galans*, Paris, Brunet, 1698.

Malebranche, *De la Recherche de la vérité*, 1674 (éd. G. Lewis, Paris, 1946, 3 vol.).

Malebranche, *Conversations chrétiennes*, 1676 (éd. L. Bridet, Paris, 1929).

Malebranche, *Méditations chrétiennes*, 1682, (éd. G. Gouhier, Paris, 1928).

Malebranche, *Traité de morale*, 1683 (éd. H. Joly, Paris, 1953).

Malebranche, *Entretiens sur la métaphysique*, 1687 (*Œuvres*, Paris, 1859).

Malebranche, *Traité de l'amour de Dieu*, 1697 (éd. D. Roustan, Paris, 1922).

Marini (G.), *Les Désespérés*, histoire héroïque (trad. en français à Paris, Pierre Prault, 1731, 2 vol.).

Marmontel, *Mémoires* (*Œuvres complètes*, Paris, 1819, tome I).

Marmontel, *Eléments de littérature* (nouvelle édition, Paris, 1822, 8 vol.).

[Mauvillon (E. de)], *Le Soldat parvenu ou Mémoires et Aventures de Mr de Verval dit Bellerose*, Dresde, chez G.-C. Walther, 1753, 2 vol.

Meheust (Madame), *Mélisthènes ou l'Illustre Persan*, à Paris, chez Pierre Prault, 1732.

Méré (chevalier de), *Œuvres complètes*, éd. Ch. H. Boudhors, Paris, 1930, 3 vol.

Meusnier de Querlon, *Les Hommes de Prométhée*, 1741 (?) (*Meusnier de Querlon*, Paris, Flammarion, « Les Conteurs du XVIIIᵉ siècle », s. d.).

Milton, *Le Paradis perdu*, traduit par Dupré de Saint-Maur, Paris, 1729.

Molière, *Œuvres*, éd. M. Rat, Paris, Bibl. de la Pléiade, 1947, 2 vol.

[Moncrif], *Essai sur la nécessité et les moyens de plaire*, 1737 (Prault fils, Paris, 1738).

Montaigne, *Essais* (éd. P. Villey, rééd. par V.-L. Saulnier, Lausanne, 1965).

Montalvan, *Les Nouvelles*, traduites par le Sieur de Rampalle, à Paris, chez Pierre Rocolet, 1644.

Montesquieu, *Lettres persanes*, 1721 (éd. P. Vernière, Paris, 1960).

Montfaucon de Villars (Abbé), *Le Comte de Gabalis*, 1670 (éd. R. Laufer, Paris, 1963).

Montpensier (Mademoiselle de), *Mémoires* (éd. A. Chéruel, Paris, s.d., 4 vol.).

Morvan de Bellegarde, *L'Art de connoître les hommes*, 1702, (en réalité de L. des Bans) (Amsterdam, 1709).

Morvan de Bellegarde, *L'Art de plaire dans la conversation*, 1688, (en réalité de d'Ortigue de la Vaumorière) (La Haye, 1743).

Moufle d'Angerville, *Vie privée de Louis XV*, Londres, chez John Peter Lyton, 1781, 4 vol.

[Mouhy], *La Païsanne parvenue*, 1735-1736 (A Paris, chez Prault, 1777, 4 vol.).

[Mouhy], *Mémoires de Monsieur le marquis de Fieux*, 1735-1736, (à Paris, chez Prault fils, 1785).

Mylord *** ou le Paysan de qualité (anonyme), Paris, M. et G. Jouvenel, 1700.

Neel (L.-B.), *Le Voyage de St-Cloud par mer et par terre*, 1748 (*Voyages imaginaires, Songes, Visions et Romans cabalistiques*, tome XXX, Amsterdam, 1788).

Neuville (R.P. de), *Oraison funèbre de S.E. Mgr le Cardinal de Fleury*, à Paris, chez J.-B. Coignard et les frères Guerin, 1743.

Nodot (F.), *Histoire de Mélusine*, s. l., 1698, 2 vol.

Nouvel Enfant trouvé (Le) ou le Fortuné Hollandois, anonyme, Londres, 1786.

Orphelin normand (L') ou les Petites Causes et les Grands Effets, anonyme, à Paris, chez Des Ventes de la Doué, 1768.

Ortigues de la Vaumorière (d'), voir Morvan de Bellegarde.

Ouville (Antoine Lemetel d'), *L'Elite des Contes du sieur d'Ouville*, 1669 (réimprimé sur l'édition de Rouen, 1680, par G. Brunet, Paris, 1883).

Para du Phanjas, *Elemens de Métaphysique*, à Paris, chez L. Cellot, 1780.

Pascal, *Pensées et opuscules*, éd. L. Brunschvicg, Paris, s.d.

Pascal, *L'Edition de Port-Royal (1670) et ses compléments (1678-1776)* présentée par G. Couton et J. Jehasse, Centre interuniversitaire d'éditions et de rééditions, Saint-Etienne, 1971.

Pascal, « De l'Esprit géométrique », dans Dom Desmolets : *Continuation des Mémoires de littérature et d'histoire*, Paris, 1728.

Pernety (abbé), *Lettres philosophiques sur les physionomies*, Paris, 1748, (2e éd., à La Haye, chez Jean Néaulme, 1748).

Perrault (Charles), *Recueil de divers ouvrages en prose et en vers*, 1674 (seconde édition, Paris, J.-B. Coignard, 1676).

Perrault (Ch.), *Parallèle des Anciens et des Modernes*, Paris, J.-B. Coignard, 1688-1692, 3 vol.

Perrault (Ch.), *Contes*, 1697 (éd. G. Rouger, Paris, Garnier frères, s. d.).

Perrin (J.-A.-R.), *Les Egarements de Julie*, 1755 (Bruxelles, 1884).

Pons (Abbé de), *Œuvres de M. l'abbé de Pons*, à Paris, chez Prault fils, 1738.

Pope, *Les Principes de la morale et du goût en deux poëmes* traduits de l'anglois de M. Pope, par M. Du Resnel, Paris, 1737.

[Prévost (Ant.-Fr.)], *Histoire du chevalier des Grieux et de Manon Lescaut*, 1731 (édition de F. Deloffre et R. Picard, Paris, Garnier, s. d.).

Prévost (A.-Fr.), *Œuvres choisies*, Amsterdam et Paris, 1783-1785, 39 vol.

Promenade du Luxembourg (La), anonyme, à La Haye, aux dépens de la Compagnie, 1738.

Quintilien, *Institution oratoire*, traduction, introduction et notes de Henri Bornecque, Paris, Garnier frères, s. d., 4 vol.

Rabelais, *Œuvres*, éd. J. Boulenger, Paris, 1942.

Racine, *Œuvres complètes*, éd. G. Truc, Paris, 1930, 6 vol.

Ramsay, *Les Voyages de Cyrus*, à Paris, chez G.-F. Quillau fils, 1727.

Rapin (R.P.), *Les Réflexions sur la poétique de ce temps*, 1674 (éd. E.T. Dubois, Genève-Paris, 1970).

Regnard (J.-F.) (attribué faussement à), *La Provençale*, 1731 (*Voyage en Laponie précédé de la Provençale*, éd. J.-C. Lambert, Paris, s. d.)

Régnier (M.), *Œuvres complètes* (éd. G. Raibaud, Paris, 1958).

Rémond de Saint-Mard (T.), *Œuvres mêlées*, à La Haye chez Jean Néaulme, 1742, 3 vol.

Retz (cardinal de), *Mémoires* (éd. G. Mongrédien, Paris, Garnier frères, s. d., 4 vol.).

Riccoboni (Mme), *La Suite de Marianne*, 1761-1765 (dans *V.M.*).

Richelet, *Dictionnaire*, nouvelle éd. Amsterdam, 1732.

Rotrou (Jean), *Œuvres*, Paris, Th. Desoer, 1820, 5 vol.

Rousseau (J.-J.), *Œuvres complètes*, Paris, 1961-1969 (4 vol. parus).

Rousseau (J.-J.), *Essai sur l'origine des langues*, éd. Ch. Porset, Bordeaux, 1958.

Rousseau (J.-J.), *Lettre à M. d'Alembert sur les spectacles*, éd. M. Fuchs, Lille-Genève, 1948.

Sacy (L. de), *Traité de la gloire*, 1715 (à La Haye, chez Henri du Sauzet, 1745).

Sacy (de) [fils du précédent], *Histoire du marquis de Clèmes et du chevalier de Pervanes*, à Paris, chez Jean-François Moreau, 1716.

Sade, *Justine ou les Malheurs de la vertu*, 1791 (éd. J.-J. Pauvert, 1955).

Sade, *Les Infortunes de la vertu* (édité par J.-M. Goulemot, Paris, 1969).

Saint-Réal, *Œuvres*, à Paris, chez Huart, 1745, 3 vol.

Saint-Simon, *Mémoires*, édité par G. Truc, Paris, 1947-1958, 7 vol.

Scarron, *Le Roman comique*, 1651 (éd. E. Magne, Paris, s. d.).

Scarron, *Le Virgile travesti* (*Œuvres*, Amsterdam, 1737, tome IV).

Scudéry (Madeleine de), *Clélie, histoire romaine*, à Paris, chez Augustin Courbé, 1654-1660, 10 vol.

Scudéry (Madeleine de), *Mathilde*, à Paris chez Edme Martin et F. Eschart, 1667.

Scudéry (Madeleine de), *Esprit de Mademoiselle de Scudéri*, à Amsterdam et à Paris, chez Vincent, 1766.

Shaftesbury, *Essai sur l'usage de la raillerie et de l'enjouement* [...], 1709, (traduit de l'anglois, La Haye, chez Henri Scheurleer, 1710).

Shaftesbury, *A Letter concerning enthousiasm*, 1708 (Texte anglais et trad. fr. par A. Leroy, Paris, 1930).

Sorel (Charles), *Histoire comique de Francion*, 1623 (éd. E. Roy, Paris, 1926, 4 vol.).

Sorel (Charles), *Les Nouvelles françoises* [...], à Paris, chez Pierre Billaine, 1623.

Sorel (Charles), *Le Berger extravagant*, 1627-1628 (à Rouen, chez Jean Berthelin et Jean Osmont, 1646, 2 vol.).

Sorel (Charles), *La Maison des jeux*, 1642 (dernière édition, à Paris, chez A. de Sommaville, 1657, 2 vol.).

Sorel (Charles), *Les Nouvelles choisies*, Paris, David, 1645, 2 vol.

Sorel (Charles), *Polyandre, histoire comique*, à Paris, chez la veuve Nicolas Cercy, 1648.

Sorel (Charles), *Le Parasite Mormon, histoire comique*, s.l., 1650 (en collaboration avec La Mothe le Vayer).

Sorel (Charles), *La Bibliothèque françoise*, seconde édition, par la Compagnie des libraires, 1667.

Sorel (Charles), *De la Connoissance des bons livres*, Amsterdam, 1673.

Sorel (Charles), *Les Récréations galantes*, à Paris, chez J.-B. Loyson, 1673.

Sterne (L.), *Vie et opinions de Tristram Shandy*, 1768 (trad. par Ch. Mauron, Paris, 10e éd., 1946).

Subligny, *La Fausse Clélie*, Paris, 1670, 2 vol.

Tencin (Mme de), *Œuvres de Mesdames de Fontaines et de Tencin*, Paris, Garnier frères, s. d.

Tencin (Mme de), *Les Malheurs de l'amour*, 1743 (Amsterdam, 1763).

Trublet (abbé), *Mémoires pour servir à l'histoire de la vie et des ouvrages de M. de Fontenelle*, 2e éd., Amsterdam, chez Marc-Michel Rey, 1759.

Trublet (abbé), *Essais sur divers sujets de littérature et de morale*, (nouvelle éd. à Paris, 1762, 4 vol.).

Tyssot de Patot, *Voyages et avantures de Jacques Massé*, à Bordeaux, chez Jaques L'Aveugle, 1710.

Urfé (H. d'), *L'Astrée*, 1607-1627, 5 vol. (G. Charlier, *Un Episode de l'Astrée, les Amours d'Alcidor*, Paris, 1921).

Vauvenargues, *Introduction à la connaissance de l'esprit humain*, 1746, (*Œuvres*, éd. Gilbert, Paris, 1857).

Veiras (D.), *Histoire des Sevarambes*, à Paris, chez Claude Barbin, 1677.

Villedieu (Mme de), *Mémoires de la vie d'Henriette-Sylvie de Molière*, 1671-1674 (Amsterdam, chez Abraham l'Enclume, 1733).

Villedieu (Mme de), *Les Désordres de l'amour*, 1676 (éd. M. Cuénin, Genève-Paris, 1970).

Villiers (abbé de), *Les Mémoires de la vie du comte de ... avant sa retraite*, 1696 (Lyon, chez Léonard Plaignard, 1715).

Voisenon (C. de), *Œuvres completes de M. l'abbé de V.*, Paris, 1781, 5 vol.

Voltaire, *Lettres philosophiques*, 1734 (éd. Lanson, revue par A.-M. Rousseau, Paris, 1964).

Voltaire, *Zadig*, 1747 (éd. G. Ascoli, revue par J. Fabre, Paris, 1962, 2 vol.).

Voltaire, *Candide*, 1759 (éd. R. Pomeau, Paris, 1959).

Voltaire, *Œuvres complètes, nouvelle édition* [...], Paris, Garnier frères, 1877-1885, 52 vol. (éd. L. Moland).

Voltaire, *Correspondence*, éd. Th. Besterman, Genève, 1953-1965, 107 vol.

V. OUVRAGES ET ARTICLES POSTÉRIEURS A 1800

Arland (M.), *Marivaux*, Paris, 1950.

Armogathe (J.R.), « Métaphysique du langage et science économique : le vocabulaire social du marquis de Mirabeau » *Struktur und Funktion des sozialen Wortschatzes in der französischen Literatur*, Halle, 1970.

Bachelard (G.), *La Poétique de l'espace*, 4e éd., Paris, 1964.

Bardon (M.), « *Don Quichotte* » *en France au XVIIe et au XVIIIe siècle*, Paris, 1931.

Barthes (R.), *Essais critiques*, Paris, 1964.

Barthes (R.), « Introduction à l'analyse structurale du récit », *Communications*, n° 8, 1966.

Blin (G.), *Stendhal et les problèmes du roman*, Paris, 1954.

Boctor (Wahiba), *Le Réalisme dans les romans de Marivaux*, (Thèse de doctorat d'Université, Bibl. de la Sorbonne, W univ. 1952 (53)-40).

Bonaccorso (G.), *Gli Anni difficili di Marivaux*, Messina, 1964.

Bonaccorso (G.) « Considerazioni sul metodo del Marivaux nelle creazione romanzesca » dans *Umanità e Storia, scritti in onore di Adelchi Attisani*, Naples, 1970.

Bonhôte (N.) « Aperçus sur une analyse sociologique de l'œuvre de Marivaux », Sociologie de la littérature, Editions de l'Institut de sociologie, Université libre de Bruxelles, mars 1969, p. 113-120.

Bonno (G.), *La Culture et la civilisation britanniques devant l'opinion française de la Paix d'Utrecht aux Lettres Philosophiques*, Philadelphie, 1948.

Booth (W. C.), *The Rhetoric of fiction*, Chicago et Londres, 1969.

Bouvier (J.) et Germain-Martin (H.), *Finances et financiers de l'Ancien Régime*, Paris, 1970.

Brady (Patrick), « Rococo style in French literature », *Studi Francesi*, Sett. dic. 1966, 30, p. 428-438.

Brady (Valentini Papadopoulou), *Love in the theatre of Marivaux*, Genève, 1970.

Braudel (F.) et Labrousse (E.), *Histoire économique et sociale de la France*, Paris, 1970, 2 vol.

Brooks (Peter), *The Novel of Wordliness, Crébillon, Marivaux, Laclos, Stendhal*, Princeton, 1969.

Carré (J.-R.), *La Philosophie de Fontenelle ou le Sourire de la raison*, Paris, 1932.

Cassou (J.), « Lesage » dans le *Tableau de la littérature française (XVIIe-XVIIIe siècles)*, Paris, 1939.

Chateaubriand, *Vie de Rancé*, 1844 (éd. Letellier, Paris, 1955).

Chevalley (Sylvie), *Marivaux*, (monographie établie par S. Chevalley) Comédie Française, Paris, 1966.

Chinard (G.), *En lisant Pascal*, Lille-Genève, 1948.

Cioranescu (A.), *Bibliographie de la littérature française au XVIIIe siècle*, Paris, 1969, 3 vol.

Cismaru (A.), « Marivaux's Religious Characters », *Cithara*, IV, 1964, p. 48-52.

Citron (P.), *La Poésie de Paris dans la littérature française de Rousseau à Baudelaire*, Paris, 1961.

Coulet (H.), *Le Roman jusqu'à la Révolution*, I et II, Paris, 1968.

Coulet (H.), « Marivaux et Malebranche », *Cahiers de l'Association internationale des Etudes françaises*, 25, mai 1973, p. 141-160.

Courville (X. de), *Luigi Riccoboni dit Lélio*, Paris, 1945.

Courville (X. de), *Lélio, premier historien de la Comédie italienne et premier animateur du théâtre de Marivaux*, Paris, 1958.

Courville (X. de), « Marivaux et ses interprètes italiens », *Marivaux*, (Comédie-Française, 1966).

Couton (G.), « Le Sieur Nicolas Carlet, père de Marivaux », *R.H.L.F.*, I, 1953.

Couton (G.), *La clé de Mélite. Réalités dans le Cid*, Paris, 1955.

Crocker (L.-G.), *An Age of Crisis. I, Man and world*, 1959 ; II, *Nature and culture*, 1963, Baltimore.

Daniels (May), « Marivaux precursor of the " Théâtre de l'inexprimé ", *Modern Language Review*, 45, 1950, p. 465-472.

Daumart (A.) et Furet (F.), « Structures et relations sociales à Paris au XVIIIᵉ siècle », *Cahiers des Annales*, 18, Paris, 1961.

Dédeyan (Ch.), « Les Débuts de Marivaux romancier », *L'Information littéraire*, 2ᵉ année, n° 5, nov.-déc. 1950, p. 169-174.

Dédeyan (Ch.), « Marivaux à l'école d'Addison et de Steele », *Annales de l'Université de Paris*, 25ᵉ année, n° 1, 1955, p. 5-17.

Deloffre (F.), [Marivaudage²] *Une Préciosité nouvelle : Marivaux et le marivaudage*, seconde édition, revue et mise à jour, Paris, 1967.

Deloffre (F.), *Stylistique et poétique françaises*, Paris, 1970.

Deloffre (F.), « Aspects inconnus de l'œuvre de Marivaux », *Revue des sciences humaines*, n° 73, janvier-mars 1954, p. 5-24, et n° 74, avril-juin 1954, p. 97-115.

Deloffre (F.), « De Marianne à Jacob : les deux sexes du roman chez Marivaux », *Annales Universitatis Saraviensis*, III, 1-2, 1954.

Deloffre (F.), « De Marianne à Jacob : les deux sexes du roman chez Marivaux », *L'Information littéraire*, n° 5, nov.-déc. 1959, p. 185-192.

Deloffre (F.), « Etat présent des études sur Marivaux », *L'Information littéraire*, XVI, 1964, n° 5, p. 191-198.

Deloffre (F.), compte rendu de G. Bonaccorso, *Gli Anni difficili di Marivaux*, *R.H.L.F.*, n° 1, janvier-mars, 1967, p. 147-188.

Deloffre (F.), *La Nouvelle en France à l'âge classique*, Paris-Bruxelles-Montréal, 1967.

Deloffre (F.), « Premières idées de Marivaux sur l'art du roman », (p. 178-183), *L'Esprit créateur*, vol. I, n° 4, Minneapolis, Winter 1969.

Démoris (René), « Aspects du roman sous la Régence, un genre en mutation », *La Régence*, Centre Aixois d'Etudes et de Recherches sur le XVIIIᵉ siècle, Paris, 1970, p. 174-185.

Démoris (René), « Les Fêtes galantes chez Watteau et dans le roman contemporain », *XVIIIᵉ siècle*, 3, 1971, p. 337-357.

Démoris (René), *Le Roman à la première personne, du Classicisme aux Lumières*, thèse d'état polycopiée (sous presse).

Deprun (J.), « Thèmes malebranchistes dans l'œuvre de Prévost », *L'Abbé Prévost*, Actes du colloque d'Aix-en-Provence, 20 et 21 décembre 1963, Aix-en-Provence, 1965.

Desvignes (Lucette), *Marivaux et l'Angleterre*, Paris, 1970.

Dort (B.), « A la recherche de l'amour et de la vérité. Esquisse d'un système marivaudien », *Les Temps modernes*, n° 189, fév. 1962.

Duchet (Michèle), *Anthropologie et histoire au siècle des lumières*, Paris, 1971.

Dupont (P.), *Un Poète-philosophe au commencement du dix-huitième siècle : Houdar de la Motte*, Paris, 1898.

Dupuy (E.), *Poètes et critiques*, Paris, 1913.

Durry (Marie-Jeanne), *A propos de Marivaux*, Paris, S.E.D.E.S., 1960.

Durry (Marie-Jeanne), « Le Monologue intérieur dans La Princesse de Clèves », dans *La Littérature narrative d'imagination*, Paris, 1961.

Ehrard (J.), *L'Idée de nature en France dans la première moitié du dix-huitième siècle*, Paris, 1963, 2 vol.

Estivals (R.), *Le Dépôt légal en France sous l'Ancien Régime*, Paris, 1961.

Estivals (R.), *La Statistique bibliographique de la France au dix-huitième siècle*, Paris, 1965.

Fabre (J.), « Marivaux » dans *Histoire des littératures*, Paris, 1958.

Fabre (J.), « Intention et structure dans les romans de Marivaux », *Zagadniena Rodzajow Literackich*, III, Z, 2-5, Nadbiska Rozprawy, 1960, p. 6-22.

Fabre (J.), « Marivaux » dans *Dictionnaire des lettres françaises : Le XVIIIᵉ siècle*, Paris, 1960, T. II, p. 167-188.

Flaubert (Gustave), *Correspondance*, 3 vol. (Œuvres complètes illustrées, Paris, Librairie de France, 1928).

Fleury (J.), *Marivaux et le marivaudage*, Paris, 1881.

Fluchère (Henri), *Laurence Sterne, de l'homme à l'œuvre*, Paris, 1961.

François (A.), « La langue post-classique », dans *Histoire de la langue française des origines à nos jours*, par F. Brunot, Paris, 1932, tome XVI, 2ᵉ partie.

Friedrichs (F.-A.), *Untersuchungen zur Handlungs-und Vorgangs-Motivik im Werke Marivaux*, Heidelberg, 1965.

Furet (F.), *Livre et société dans la France du dix-huitième siècle*, Paris-La Haye, 1965.

Furet (F.), voir Daumart.

Gazagne (P.), *Marivaux par lui-même*, Paris, 1954.

Gide (A.), « Les dix romans français que... » *N.R.F.* 1913 et *Incidences*, Paris, 1924.

Gide (A.), *Journal*, Paris, Gallimard (Bibliothèque de la Pléiade).

Gill-Mark (Grace), *Une Femme de lettres au dix-huitième siècle, Anne-Marie du Boccage*, Paris, 1927.

Gilot (M.), « Les Jeux de la conscience et du temps dans l'œuvre de Marivaux », *Revue des Sciences humaines*, 131, juillet-septembre 1968, p. 369-389.

Gilot (M.), « Maître Nicolas Carlet et son fils Marivaux », *R.H.L.F.*, mai-août 1968, p. 482-500.

Gilot (M.), « Un étrange divertissement : L'Iliade travestie » dans *La Régence*, Actes du colloque d'Aix-en-Provence de 1968, Paris, 1970.

Gilot (M.), « Remarques sur la composition du *Paysan parvenu* », *Dix-huitième siècle*, 2, Paris, 1970, p. 181-195.

Gilot (M.), « Quelques traits du visage de Marivaux », *R.H.L.F.*, 1970, 3, p. 391-399.

Gilot (M.), « Marivaux à la croisée des chemins : 1719-1723 », *Studi francesi*, 47-48, 1972, p. 262-270.

Girard (R.), « Marivaudage and Hypocrisy », *The American Society Legion of Honour Magazine*, XXXIV, 1963.

Giraudoux (J.), *Or dans la nuit, chroniques et préfaces littéraires (1930-1943)*, Paris, 1969.

Godenne (R.), *Histoire de la nouvelle française au dix-septième et au dix-huitième siècles*, Genève, 1970.

Gossman (L.), « Literature and Society in the early enlightenment : the case of Marivaux », *Modern Language Notes*, vol. 82, Baltimore, 1967.

Gossot (E.), *Marivaux moraliste*, Paris, 1881.

Green (F.-C.), *French Novelists, Manners and ideas*, New York, 1964.

Green (F.-C.), *Minuet. A Critical survey of French and English literary ideas in the XVIIIth Century*, London, 1935.

Greene (E.-J.-H.), *Marivaux*, Toronto, 1965.

Greene (E.-J.-H.), « Marivaux's Philosophical Bum », *L'Esprit créateur*, vol. I, n° 4, Winter 1961, Minneapolis.

Groethuysen (B.), *Philosophie de la Révolution française*, Paris, 1956.

Gusdorf (G.), *Les Principes de la pensée au siècle des Lumières*, Paris, 1971.

Haac (O.-A.), « Marivaux and the " Honnête homme " », *The Romanic Review*, L, n° 4, déc. 1959.

Hautecœur (L.), *Histoire de l'architecture classique en France*, t. II, Paris, 1948.

Hepp (Noémi), *Homère en France au dix-septième siècle*, Paris, 1968.

Holzbecher (K.), *Denkart und Denkform von Pierre de Marivaux*, Berlin, 1936.

Hondt (Jacques d'), « Hegel et Marivaux », *Europe*, nov.-déc. 1966, p. 323-337.

Ince (W.), « L'unité du double registre chez Marivaux » dans G. Poulet, *Les Chemins actuels de la critique*, Paris, 1967.

Jacobson (R.), « Deux aspects du langage et deux types d'aphasie », dans : *Essais de linguistique générale*, Paris, 1963 et 1970.

Jacquart (J.), *Un Témoin de la vie littéraire et mondaine au dix-huitième siècle : l'abbé Trublet, critique et moraliste*, Paris, 1926.

Jamieson (R. K.), *Marivaux, A Study in sensibility*, New York, 1941.

Jones (S. P.), *A List of French prose fiction from 1700 to 1750*, New York, 1939.

Jost (F.), « Le Roman épistolaire et la technique narrative au XVIIIᵉ siècle », *Comparative Literature Studies*, III, 4, 1966, University of Maryland.

Juliard (P.), *Philosophies of Language in Eighteenth-Century France*, La Haye-Paris, 1970.

Koch (Ph.), « A source of *Le Paysan parvenu* », *Modern Language Notes*, LXXV, n° 1, janv. 1960.

Krauss (W.), « Fontenelle et la formation d'Helvétius » dans *Studi in onore di Italo Siciliano*, Florence, 1966.

Kruse (M.), « L'esprit est toujours la dupe du cœur », « Bemerkungen zu einer Maxime La Rochefoucauld », *Romanistisches Jahrbuch*, VIII, 1957, p. 132-145.

Lafond (J.-D.), « Les techniques du portrait dans le " Recueil des portraits et éloges de 1659 " », *C.A.I.E.F.*, n° 18, Mars 1966.

Lagrave (H.), *Marivaux et sa fortune littéraire*, Bordeaux, 1970.

Lämmert (E.), *Bauformen des Erzählens*, Stuttgart, 1968.

Lange (V.), « Erzählformen im Roman des achtzehnten Jahrhunderts », dans *Stil-und Formprobleme in der Literatur*, Heidelberg, 1959, p. 224-230.

Laporte (J.), *Le Cœur et la raison selon Pascal*, Paris, 1950.

Larroumet (G.), [Marivaux[1]], *Marivaux. Sa vie, ses œuvres*, Paris, 1882. [Marivaux[2]], *Marivaux. Sa vie, ses œuvres*, nouvelle édition, Paris, 1894.

Larson (Jeffry), « La vie de Marianne Pajot », « A Real-life Source of Marivaux Heroine », *Modern Language Notes*, May 1968, vol. 83, n° 4, p. 598-609.

Laufer (R.), *Lesage ou le Métier de romancier*, Paris, 1971.

Levin (Lubbe), « Masque et identité dans Le Paysan parvenu », *Studies on Voltaire and the Eighteenth Century*, LXXIX, Genève, 1971.

Lewis (Geneviève), *Le Problème de l'inconscient et le cartésianisme*, Paris, 1950.

Littré (Emile), *Dictionnaire de la langue française*, Paris, Hachette, 1863-1877, 5 vol.

Lotringer (S.), « Le roman impossible », *Poétique*, 3, 1970.

Lukacs (G.), *Balzac et le réalisme français*, Paris, 1967.

Lüthy (Herbert), *La Banque protestante en France de la Révocation de l'Edit de Nantes à la Révolution*, Paris, 1961, 2 vol.

Lüthy (Käty), *Les Femmes dans l'œuvre de Marivaux*, Bienne, 1943.

Magendie (M.), *Le Roman français au dix-septième siècle, de « L'Astrée » au « Grand Cyrus »*, Paris, 1932.

Mandrou (R.), *La France aux dix-septième et dix-huitième siècles*, Paris, 1967.

Mars (F.-L.), « Ange Goudar, cet inconnu », *Casanova Gleanings*, IX, Nice, 1966.

Masson (P.-M.), *Madame de Tencin*, 2e éd., Paris, 1910.

Matucci (M.), *Marivaux narratore e moralista*, Naples, 1958.

Matucci (M.), *L'Opera narrativa di Marivaux*, Naples, 1962.

Matucci (M.), « Intorno alla narrativa di Marivaux », *Rivista di Letterature Moderne e Comparate*, Firenze, Gennaio-marzo 1956, p. 17-35.

Mauron (Ch.), *Psychocritique du genre comique*, Paris, 1964.

Mauzi (R.), *L'Idée du bonheur au dix-huitième siècle*, Paris, 1960.

May (G.), *Le Dilemme du roman au dix-huitième siècle*, Paris-New-Haven, 1963.

Meister (A.), *Zur Entwicklung Marivaux*, Berne, 1955.

Mercier (R.), *La Réhabilitation de la nature humaine (1700-1750)*, Villemomble, 1960.

Meyer (E.), *Marivaux*, Paris, 1929.

Meyer (Marlyse), *La Convention dans le théâtre d'amour de Marivaux*, São Paulo.

Michelet, *Histoire de France*, édité par J. Rouff et Cie, s. d., 4 vol.

Mikhaïlov (A.-D.), « Marivaux et son roman Le Paysan parvenu » [en russe]. Postface à la traduction du *Paysan parvenu* par A.-D. Mikhaïlov, A.A. et N.A. Poliak, Moscou, 1970.

Minar (J.), « Le progrès de Marivaux vers le roman réaliste » [en Tchèque], *Caspis pro moderni filologii*, XLIII, 1961, p. 146-157.

Minar (J.), « Marivaux et la découverte du monde vrai » [en Tchèque], *Philologi Pragensia*, VI, 1963, p. 257-270.

Minar (J.), « Marianne et Jacob protagonistes d'une nouvelle représentation de la réalité » [en Tchèque], *Philologica Pragensia*, VII, 1964, p. 39-55.

Molho (M.), *Romans picaresques espagnols* (Introduction), Paris, 1968.

Moreau (P.), « Les Stendhaliens avant Stendhal », *Revue des Cours et Conférence* 16 et 30 mars 1927.

Muhlemann (S.), *Ombres et lumières dans l'œuvre de Pierre Carlet de Chamblain de Marivaux*, Berne, 1970.

Munteano (B.), « Constances humaines en littérature : l'éternel débat de la raison et du cœur » dans *Stil und Formprobleme in der Literatur*, Heidelberg, 1966.

Mylne (V.), *The Eighteenth-Century French Novel*, Manchester, 1965.

Nadal (O.), *Le Sentiment de l'amour dans l'œuvre de Pierre Corneille*, Paris, 1948.

Nøjgaard (M.), « Le problème du réalisme dans les romans de Marivaux. Réflexions sur l'introduction de *La Voiture embourbée* », *Revue romane*, I, fasc. 1-2, Copenhague, 1966, p. 71-87.

Parrish (J.), « Illusion et réalité dans les romans de Marivaux », *Modern Language Notes*, 80-3. May 1965, p. 301-306.

Pernoud (R.), *Histoire de la bourgeoisie en France*, Paris, 1960-1962, 2 vol.

Picard (R.), *La Carrière de Jean Racine*, Paris, 1956.

Pizzorusso (A.), *Il Ventaglio e il Compasso, Fontenelle e le sue teorie letterarie*, Naples, 1964.

Pizzorusso (A.), *Teorie letterarie in Francia*, Pise, 1968.

Plantié (J.), « La Rochefoucauld et Climène », *R.H.L.F.*, avril-juin, 1966.

Pons (C.), *Richardson et la littérature bourgeoise en Angleterre*, Gap, 1969.

Ponton (J.), *La Religieuse dans la littérature française*, Québec, 1969.

Poulet (G.), *Etudes sur le temps humain* II, *La Distance intérieure*, Paris, 1952.

Pouillon (J.), *Temps et Roman*, Paris, 1946.

Proust (J.), « Diderot et la physiognomonie », *Cahiers de l'Association Internationale des Etudes Françaises*, n° 13, juin 1961.

Proust (J.), « Le Jeu du temps et du hasard dans *Le Paysan parvenu* », *Europäische Aufklärung, Herbert Dieckman zum 60. Geburtstag*, Munich, 1967.

Proust (M.), *A la Recherche du temps perdu*, Paris, 1947, 3 vol.

Reboul (P.), « Aspects dramatiques et romanesques du génie de Marivaux », *L'Information littéraire*, n° 5, nov.-déc. 1949, p. 175-179.

Robbins (A. D.), *Man and society in the novels of Marivaux*, Columbia, 1967 (Dissertation Abstracts, August, 1967, vol. 28, n° 2, 692A-693A).

Robin (R.), *La Société française en 1789 : Semur-en-Auxois*, Paris, 1970.

Romberg (B.), *Studies in the narrative technique of the first-person Novel*, Lund, 1962, traduit par M. Taylor et H.-H. Borland.

Rosbottom (R. C.), « Marivaux and the significance of Naissance », dans [M. Launay], *Jean-Jacques Rousseau et son temps*, Paris, 1969.

Rosso (C.), *La « Maxime », Saggi per une tipologia critica*, Naples, 1968.

Roudaut (J.), « Le Réalisme de Marivaux », *Mercure de France*, 349, nov. 1963, p. 608-612.

Rousset (J.), *La Littérature de l'âge baroque en France*, Paris, 1954.

Rousset (J.), « L'emploi de la première personne chez Chasles et Marivaux », *C.A.I.E.F.*, n° 19, mars 1967.

Rousset (J.), « Marivaux ou la Structure du double registre » dans *Forme et Signification*, Paris, 1962.

Rousset (J.), *Narcisse romancier, essai sur la première personne dans le roman*, Paris, librairie José Corti, 1973.

Roy (C.), *Lire Marivaux*, Neuchâtel-Paris, 1947.

Ruff (M.-A.), *L'Esprit du mal et l'esthétique baudelairienne*, Paris, 1955.

Ruggiero (O.), *Marivaux e il suo teatro*, Milan-Rome, 1953.

Russier (J.), *La Foi selon Pascal*, Paris, 1949, 2 vol.

Rzadkowska (E.), « L'ambivalence de Marivaux » [en Polonais, résumé en Français], *Neofilologiczny*, XI, 1, 1964.

Sage (P.), *Le « Bon prêtre » dans la littérature française d'Amadis de Gaule au Génie du christianisme*, Paris-Lille, 1951.

Sagnac (Ph.), *La Formation de la société française moderne*, Paris, 1945.

Sainte-Beuve, *Causeries du Lundi*, Garnier frères, s. d., 15 vol. + 1.

Sareil (J.), *Les Tencin, histoire d'une famille au dix-huitième siècle*, Genève, 1969.

Satô (Fumiki), « Sur la publication de l'édition originale du *Paysan parvenu* et celle de *Tanzaï et Néadarné* », (résumé dans *Etudes de langue et littérature françaises*, n° 6, 1965, publiées par la Société de langue et littérature françaises du Japon).

Schaad (H.), *Le Thème de l'être et du paraître dans l'Œuvre de Marivaux*, Zurich, 1969.

Schlegel (Dorothy B.), *Shaftesbury and the French Deists*, Chapel-Hill, 1956.

Schlotke-Schroeer (Charlotte), « Marivaux und die Probleme der Marivaudage », *Stil- und Formprobleme in der Literatur*, Heidelberg, 1959.

Seailles (A.), « Les déguisements de l'amour et le mystère de la naissance dans le théâtre et le roman de Marivaux », *Revue des Sciences humaines*, CXX, oct.-déc. 1965, p. 479.

Sée (H.), *Histoire économique de la France*, Paris, 1939-1941, 2 vol.

Sgard (J.), *Prévost romancier*, Paris, 1968.

Sgard (J.), *Le « Pour et Contre » de Prévost*, Paris, 1969.

Soriano (H.), *Les Contes de Perrault, culture savante et traditions populaires*, Paris, 1968.

Souvage (J.), *An Introduction to the study of the novel*, Gand, 1965.

Spitzer (L.), « A propos de la *Vie de Marianne*, Lettre à M. Georges Poulet », *The Romanic Review*, fév. 1953, p. 102-126.

Stackelberg (J. Von), « Marivaux novateur », dans *Studi in onore di Italo Siciliano*, Florence, 1966.

Stackelberg (J. Von), « Le *Télémaque travesti* et la naissance du réalisme dans le roman » dans *La Régence*, actes du Colloque d'Aix-en-Provence, février 1968, Paris, 1970.

Stackelberg (J. Von), *Von Rabelais bis Voltaire, zur Geschichte des französischer Romans*, Munich, 1970.

Stanzel (F.-K.), *Typische Formen des Romans*, Göttingen, 3ᵉ éd. 1967.

Stendhal, *Œuvres complètes*, éd. P. Larive, Paris, 1954.

Stewart (Ph. R.), *Imitation and Illusion in the French Memoir-Novel 1700-1750. The Art of Make-Believe*, New Haven-Londres, 1969.

Storer (M.-E.), *La Mode des contes de fées (1685-1700)*, Paris, 1928.

Strandberg (R.), « J.-B. Bullet de Chamblain, architecte du roi (1665-1726) », *Bulletin de la Société de l'histoire de l'art français*, année 1962, Paris, 1963, p. 193-255.

Strandberg (R.), « Le Château de Champs », *La Gazette des Beaux-Arts*, Paris, New York, 1963, p. 81-100.

Teyssèdre (B.), *L'Art au siècle de Louis XIV*, Paris, 1967.

Thirion, *La Vie privée des financiers au dix-huitième siècle*, Paris, 1895.

Tilley (A.), « Marivaudage », *Modern Language Review*, XXV, 1930, p. 70-77.

Trahard (P.), *Les Maîtres de la sensibilité française au dix-huitième siècle (1715-1789)*, T. I, Paris, 1931.

Trapnell (W.-H.), « The " Philosophical " implications of Marivaux's Dispute », *Studies on Voltaire and the XVIIIth Century*, LXXIII, 1970, p. 193-219.

Trapnell (W.-H.), « Marivaux's Unfinished Narratives », *French Studies*, 3, juillet 1970.

Turbet-Delof (G.), « *La Provençale* est-elle de Regnard ? », *R.H.L.F.*, mai-juin 1970, n° 3, p. 471-476.

Valéry (P.), *Variété II*, Paris, s. d.

Varga (Kibedi), « Note sur Marivaux », *Neophilologus*, Groningen, 1ᵉʳ oct. 1957, (fasc. IV), p. 252-257.

Vernière (P.), *Spinoza et la pensée française avant la Révolution*, Paris, 1954, 2 vol.

Versini (L.), *Laclos et la tradition*, Paris, 1968.

Vovelle (M.) et Roche (D.), « Bourgeois, rentiers, propriétaires. Eléments pour la définition d'une catégorie sociale à la fin du XVIIIᵉ siècle », *Actes du 80ᵉ congrès national des Sociétés savantes*, Dijon, 1959.

Warren (A.) et Wellek (R.), *La Théorie littéraire*, trad. par J.-P. Audigier et J. Gattegno, Paris, 1971.

Zimmermann (J.-P.), « La Morale laïque au commencement du XVIIIᵉ siècle. Madame de Lambert », *R.H.L.F.*, 1917, p. 42-64 et 440-466.

Zuber (R.), *Les « Belles Infidèles » et la formation du goût classique*, Paris, 1968.

Cet ouvrage ayant été achevé au début de l'année 1972, la bibliographie est arrêtée à cette date. Parmi les ouvrages de synthèse publiés depuis, signalons :

Coulet (M.) et Gilot (M.), *Marivaux, un humanisme expérimental*, Paris, 1973.

Gilot (Michel), *Les Journaux de Marivaux, Itinéraire moral et accomplissement esthétique*, Lille, 1975, 2 vol.

Rosbottom (Ronald C.), *Marivaux's Novels Theme and Function in Early Eighteenth - Century Narrative*, Fairleigh Dickinson University Press, 1975.

INDEX

Gracian (Baltazar), 156, 288, 377 ; bibl. 515.

Graffigny (Françoise-Paule de), 10, 194.

Grammont (Philibert de), 357.

Grandchamp (de), 332 ; bibl. 515.

Granet (François), 252.

Green (Frederick-Charles), 223 ; bibl. 522.

Greene (E.J.H.), 189, 193, 223 ; bibl. 522.

Grell (Hélène), 5.

Grimm (Frédéric-Melchior), 252 ; bibl. 515.

Grimmelshausen (Jean-Jacob-Christophe de), 155.

Groethuysen (Bernard), 140 ; bibl. 522.

Guehenno (Jean), 6.

Guillard de Beaurieu (Gaspard), 288.

Guilleragues (Gabriel-Joseph de la Vergne, comte de), 83, 156, 180 ; bibl. 515.

Guillermit (L.), 294.

Guillot de la Chassagne (Ignace-Vincent), 467 ; bibl. 515.

Gusdorf (Georges), 284, 285, 288 ; bibl. 522.

Guyon (Bernard), 5.

Haac (Oscar A.), 71 ; bibl. 522.

Hamilton (Antoine), 357 ; bibl. 515.

Harding (Samuel), 71.

Hardouin (R.P. Jean), 30.

Hautecœur (Louis), 53 ; bibl. 522.

Hegel (Georg - Wilhelm - Friedrich), 311.

Helvetius (Claude-Adrien), 60, 61, 62, 68, 138, 139, 146, 153, 176, 263, 293 ; bibl. 515.

Hénault (Jean-François), 54 ; bibl. 515.

Hénault (Jean-René), 54.

Henein (Eglal), 5.

Henri IV (roi de France), 247.

Hepp (Noémi), 29 ; bibl. 522.

Herbault (Antoine François d'), 52.

Herberay des Essars (Nicolas), 99 ; bibl. 515.

Hérodote, 288.

Hitchcock (Alfred), 183.

Holbach (Paul Henri Thiry d'), 263 ; bibl. 516.

Holzbecher (Karl), 491 ; bibl. 522.

Homère, 18, 21, 26, 27, 28, 29, 30, 31, 53, 56, 121, 122, 123, 191, 268, 271, 272, 275, 282, 293, 387, 434.

Hondt (Jacques d'), 311 ; bibl. 522.

Horace, 264, 302, 471.

Huet (Pierre), 16, 21, 25, 26, 269.

Ince (Walter), 230 ; bibl. 522.

Jabach (financier), 54.

Jacob (Max), 172.

Jakobson (Roman), 264 ; bibl. 522.

Jamieson (Ruth K.), 98, 491 ; bibl. 522.

Janin (Jules), 7.

Jean d'Arras, 466.

Jehasse (Jean), 132.

Jodin (Marie-Madeleine), 481.

Jones (Silas Paul), 25, 288, 391 ; bibl. 522.

Jost (François), 416 ; bibl. 522.

Joubert (Joseph), 262.

Jourdan (Jean-Baptiste), 264 ; bibl. 516.

Juliard (Pierre), 299 ; bibl. 522.

Keller (Gottfried), 366.

Kirby (John), 288.

Koch (Philip), 400 ; bibl. 522.

Krauss (Werner), 293 ; bibl. 522.

Kruse (Margot), 336 ; bibl. 523.

Labrousse (Ernest), 57.

La Bruyère (Jean de), 49, 129, 167, 172, 237, 264, 275, 276, 337, 410, 478, 479 ; bibl. 516.

La Calprenède (Gauthier de Coste de), 314, 318, 370, 405, 422 ; bibl. 516.

La Chaussée (Pierre Claude Nivelle de), 73.

Laclos (P.A.F. Choderlos de), 194, 233, 314, 478 ; bibl. 516.

La Dixmerie (Nicolas Bricaire de), 284, 498 ; bibl. 516.

La Fayette (Marie-Madeleine de), 49, 83, 145, 161, 314, 332, 339, 364, 420, 505 ; bibl. 516.

Laffichard (Thomas), 350 ; bibl. 516.

Lafond (J.D.), 323 ; bibl. 523.

La Fontaine (Jean de), 65, 335, 349 ; bibl. 516.

La Grange (marquis de), 384.

Lagrave (Henri), 265 ; bibl. 523.

La Guesnerie (Charlotte-Marie-Anne de), 484 ; bibl. 516.

La Hontan (Louis-Armand, baron de), 377 ; bibl. 516.

Lallemand de Bez (Madame), 63.

Lallemand de Nantouillet, 63.

Lambert (Anne-Thérèse, marquise de), 9, 34, 57, 62, 68, 69, 83, 113, 122, 142, 175, 273, 286, 292, 294, 298, 318, 320, 321, 337, 344, 465, 469, 479, 480, 491 ; bibl. 516.

Lambert (abbé Claude-François), 500 ; bibl. 516.

Lambert (Henri-François de), 480.

Lambert (Jean-Clarence), 374.

La Mettrie (Julien Offray de), 312, 313 ; bibl. 516.

Lämmert (Eberhart), 340 ; bibl. 523.

La Monnoye (Bernard de), 30.

La Morlière (Charles-Louis-Auguste Rochette de), 260 ; bibl. 516.

La Mothe Le Vayer (François de), 471 ; bibl. 516.

La Motte (Antoine Houdar de), 9, 12, 18, 27, 29, 30, 31, 64, 122, 173, 253, 266, 273, 274, 275, 276, 282, 293, 299, 302, 344, 461, 465, 470, 492 ; bibl. 516.

La Moussaie (marquis de), 123.

Lamy (R.P. Bernard), 55, 270, 271, 283 ; bibl. 516.

Lange (Victor), 494 ; bibl. 523.

Languet de Gergy (Jean-Joseph), 264.

Lanson (Gustave), 89.

Laporte (abbé Joseph de), 265, 498.

Laporte (Jean), 280, 284 ; bibl. 523.

Larive (P.), 357.

La Rochefoucault (François, duc de), 9, 62, 129, 134, 154, 167, 175, 292, 294, 295, 296, 299, 312, 315, 323, 335, 491 ; bibl. 516.

Larroumet (Gustave), 24, 44, 46, 54, 60, 61, 73, 74, 132, 193, 194, 196, 509 ; bibl. 523.

Larson (Jeffry), 481 ; bibl. 523.

Lasnier de Lavalette, 56, 61.

La Solle (Henri-François de), 50.

TABLE DES MATIÈRES

Achevé d'imprimer
sur les presses de
L'IMPRIMERIE CHIRAT
42540 Saint-Just-la-Pendue
en septembre 1975
Dépôt légal 1975 N° 1230
N° Armand Colin : 6802

CHEZ LE MÊME ÉDITEUR

(suite au verso)

CHEZ LE MÊME ÉDITEUR

(suite)

Pierre FAUCHERY — La Destinée féminine dans le roman européen du XVIIIᵉ siècle, 1713-1807

Roger FAYOLLE — Sainte-Beuve et le XVIIIᵉ siècle ou Comment les révolutions arrivent

Simone FRAISSE — Péguy et le monde antique

Félix GAIFFE — Le Drame en France au XVIIIᵉ siècle

Robert GARAPON — La Fantaisie verbale et le comique dans le théâtre français

Roger GUICHEMERRE — La Comédie avant Molière, 1640-1660

Bernard GUYON — La Pensée politique et sociale de Balzac

Bernard GUYON — La Création littéraire chez Balzac

Jean HYTIER — La Poétique de Valéry

René JASINSKI — Vers le vrai Racine, 2 vol.

Simon JEUNE — Taine interprète de La Fontaine

David KUHN — La Poétique de François Villon

Pierre LARTHOMAS — Le Langage dramatique

Jean-Louis LECERCLE — Rousseau et l'art du roman

Pierre LEFRANC — Sir Walter Ralegh écrivain

Michel LE GUERN — L'Image dans l'œuvre de Pascal

Louis LE GUILLOU — L'Evolution de la pensée religieuse de Félicité Lamennais

(suite page 3 couverture)